항목별 유권해석 및 감사·심사사례 보강
공공사업 적산 업무 효율성 제고
적정공사비 산정

▶ YouTube 무료 동영상 강의
일위대가, 단가산출 작성 요령
미디어몬(https://mediamon.co.kr)

2023
김종호 편저
건설공사 표준품셈
Vol. 1

공통
부록

도서출판 건기원 홈페이지 접속 (https://www.kkwbooks.com)
상단 메뉴 도서 관련 자료 클릭 → 좌측 자료실 클릭 → 해당 도서 과년도 자료 다운로드

도서출판 건기원

새로운 형태의 품셈을 발간하면서

건설공사 표준품셈은 표준적이고, 보편적인 공법 및 공종을 대상으로 단위당 작업에 소요되는 재료 및 노무량, 기계경비 등을 수치로 나타낸 것으로서 본 건설공사 표준품셈은 정부(국토교통부)에서 고시하는 것을 사용하고 있습니다.

정부에서는 공공기관 및 산하기관 등에서 발주하는 건설공사 원가 산정의 기초자료가 되는 건설공사 표준품셈을 매년 상.하반기 제.개정하여 적정 공사비 산정에 기여하고 있으나, 표준품셈은 그 자체만으로 활용에 어려움이 있어 수많은 유권해석 등으로 보완하면서 활용하고 있는 실정입니다.

도서출판 건기원에서는 건설공사 표준품셈만으로는 적정 공사비 산정에 어려움이 있어 수 많은 유권해석이나 감사 사례 등을 찾아서 활용하고자 할 경우 매우 불편함을 느끼는 건설기술인들께 표준품셈 활용에 편리를 제공하고자 새로운 형태의 표준품셈을 2021년 창간에 이어 2023년 개정판을 발간하게 되었습니다.

표준품셈의 구성을 보면 항목별 하단에 ① 유권해석 ② 감사 ③ 원가심사 ④ 판례 순으로 배치하여, 각 항목별 표준품셈 활용에 편리를 제공하고자 합니다.

항목별로 배치가 곤란한 많은 유권해석은 부록편에 실어 품셈 활용에 편리를 도모하였으며, 건설기술분야 첫 입문하는 건설기술인들을 위하여 표준품셈을 활용한 '일위대가'와 '단가산출' 방법, 그리고 이를 기초로 한 '건설공사 원가계산 요령'을 부록편에 추가하였습니다.

또한 이들을 '동영상'으로 제작하여 표준품셈 활용에 편리를 제공하였습니다.

새로운 형태의 본 표준품셈이 적정 공사원가 산정은 물론 공공사업의 적산 업무 효율성을 높이고자 하는 건설분야 모든 분들께 실질적인 도움이 되기를 기대합니다.

마지막으로 본 표준품셈 발간 때부터 늘 도움 주시는 충청남도 안호 경제기획관님, 그리고 도서출판 건기원 정병국 대표님과 차정원 팀장님 그리고 관계자분들께 깊은 감사를 드립니다.

편저 김 종 호

공통부문

제1장 적용기준 / 17

- 1-1 일반사항 ·· 17
  - 1-1-1 목적 ·· 17
  - 1-1-2 적용범위 ·· 17
  - 1-1-3 적용방법 ·· 17
- 1-2 설계 및 수량 ··· 19
  - 1-2-1 수량의 계산 ·· 19
  - 1-2-2 단위표준 ·· 20
  - 1-2-3 토질 ·· 22
  - 1-2-4 재료 및 자재의 단가 ··· 28
  - 1-2-5 인력 ·· 32
  - 1-2-6 공구 및 경장비 ·· 32
  - 1-2-7 운반 ·· 33
- 1-3 재료 및 노임의 할증 ··· 38
  - 1-3-1 재료의 할증 ·· 38
  - 1-3-2 노임의 할증 ·· 43
- 1-4 품의 할증 ·· 43
  - 1-4-1 적용기준 ·· 43
  - 1-4-2 할증의 중복가산요령 ··· 43
  - 1-4-3 작업지연 ·· 45
  - 1-4-4 지세/지형 ··· 46
  - 1-4-5 위험 ·· 48
  - 1-4-6 작업제한 ·· 49
  - 1-4-7 작업환경 ·· 49
- 1-5 기타 ·· 50
  - 1-5-1 품질관리비 ··· 50
  - 1-5-2 산업안전보건관리비 ·· 51
  - 1-5-3 산업재해보상 보험료 및 기타 ·· 51
  - 1-5-4 환경관리비 ··· 51
  - 1-5-5 안전관리비 ··· 52
  - 1-5-6 사용료 ··· 54
  - 1-5-7 현장시공상세도면의 작성 ··· 54

1-5-8　종합시운전 및 조정비 ·· 55
　　　1-5-9　시공측량비 ·· 55
　　　1-5-10　표준품셈 보완실사 ·· 55

제2장　가설공사 / 56

2-1　가설물의 한도 ··· 56
　　　2-1-1　현장사무소 등의 규모(토목) ··· 56
　　　2-1-2　현장사무소 등의 규모(건축 및 기계설비) ··· 56
2-2　손율 ··· 59
　　　2-2-1　적용기준 ··· 59
　　　2-2-2　주요자재 ··· 60
　　　2-2-3　가설시설물 ··· 63
　　　2-2-4　구조물 동바리 ··· 65
　　　2-2-5　구조물 비계 ··· 66
　　　2-2-6　축중계 ··· 67
　　　2-2-7　규준틀 ··· 67
2-3　가설건축물 ··· 67
　　　2-3-1　철제조립식 가설건축물 설치 및 해체 ··· 67
　　　2-3-2　콘테이너형 가설건축물 설치 및 해체 ··· 67
2-4　가설울타리 및 가설방음벽 ··· 68
　　　2-4-1　강관 지주 설치 및 해체 ··· 68
　　　2-4-2　H형강 지주 설치 및 해체 ·· 68
　　　2-4-3　가설울타리판 설치 및 해체 ··· 69
　　　2-4-4　세로형 가설방음판 설치 및 해체 ··· 70
　　　2-4-5　가로형 가설방음판 설치 및 해체 ··· 70
2-5　규준틀 ··· 71
　　　2-5-1　토공의 비탈 규준틀 설치 및 철거 ··· 71
　　　2-5-2　도로용 목재 수평규준틀 설치 및 철거 ··· 71
　　　2-5-3　도로용 철재 수평규준틀 설치 및 철거 ··· 72
　　　2-5-4　평·귀규준틀 설치 및 철거 ··· 72
2-6　동바리 ··· 72
　　　2-6-1　강관 동바리 설치 및 해체(토목) ··· 72
　　　2-6-2　강관 동바리 설치 및 해체(건축, 기계설비) ····································· 74
　　　2-6-3　시스템 동바리 설치 및 해체 ··· 75
　　　2-6-4　알루미늄 폼 동바리 설치 및 해체 ··· 76
　　　2-6-5　잭서포트 설치 및 해체 ··· 77

2-7 비계 ... 77
- 2-7-1 강관비계 설치 및 해체 ... 77
- 2-7-2 시스템비계 설치 및 해체 ... 82
- 2-7-3 강관틀 비계 설치 및 해체 ... 83
- 2-7-4 강관 조립말비계(이동식) 설치 및 해체 ... 84
- 2-7-5 경사형 가설 계단 설치 및 해체 ... 84
- 2-7-6 타워형 가설 계단 설치 및 해체 ... 84
- 2-7-7 비계용 브라켓 설치 및 해체 ... 85

2-8 추락재해방지시설 ... 86
- 2-8-1 낙하물 방지망(비계) 설치 및 해체 ... 86
- 2-8-2 낙하물 방지망(플라잉넷) 설치 및 해체 ... 87
- 2-8-3 낙하물 방지망(시스템방호) 설치 및 해체 ... 87
- 2-8-4 교량 방호선반 설치 및 해체 ... 88
- 2-8-5 교량 낙하물방지망 설치 및 해체 ... 89
- 2-8-6 철골 안전망 설치 및 해체 ... 89
- 2-8-7 비계주위 보호망 설치 및 해체 ... 89
- 2-8-8 갱폼주위 보호망 설치 및 해체 ... 90
- 2-8-9 수직형 추락방망 설치 및 해체 ... 90
- 2-8-10 안전난간대 설치 및 해체 ... 90
- 2-8-11 계단난간대 설치 및 해체 ... 91
- 2-8-12 안전난간대 설치 및 해체(토목) ... 91
- 2-8-13 엘리베이터 난간틀 설치 및 해체 ... 92
- 2-8-14 엘리베이터 추락방호망 설치 및 해체 ... 92
- 2-8-15 개구부 수평보호덮개 설치 및 해체 ... 92
- 2-8-16 강재거푸집 작업용 난간 설치 및 해체 ... 92
- 2-8-17 수평지지로프 설치 및 해체 ... 92

2-9 통행안전시설 ... 93
- 2-9-1 타워크레인 방호울타리 설치 및 해체 ... 93
- 2-9-2 건설용리프트 방호선반 설치 및 해체 ... 93
- 2-9-3 보행자 안전통로 설치 및 해체 ... 93
- 2-9-4 PE드럼 설치 및 해체 ... 94
- 2-9-5 PE가설방호벽 설치 및 해체 ... 94
- 2-9-6 PC가설방호벽 설치 및 해체 ... 94
- 2-9-7 가설휀스(H-Beam기초) 설치 및 해체 ... 94
- 2-9-8 PE가설휀스 설치 및 해체 ... 95
- 2-9-9 가림막 가설휀스 설치 및 해체 ... 95

2-9-10　점멸등 설치 및 해체 ··· 95
2-9-11　유도등 설치 및 해체 ··· 95
2-10　피해방지시설 ··· 95
2-10-1　비계주위 보호막 설치 및 해체 ·· 95
2-10-2　방진망 설치 및 해체 ··· 96
2-10-3　터널방음문 설치 및 해체 ·· 96
2-10-4　박스형 간이흙막이 설치 및 해체 ··· 96
2-10-5　조립식 간이흙막이 설치 및 해체 ··· 97
2-10-6　비탈면 보양 ··· 99
2-11　현장관리 ·· 99
2-11-1　건축물보양 ··· 99
2-11-2　건축물 현장정리 ··· 99
2-11-3　준공청소 ·· 100
2-11-4　입주청소 ·· 100
2-11-5　비산먼지 발생 억제를 위한 살수 ·· 100
2-11-6　자동세륜기 설치 및 해체 ··· 101
2-11-7　슬러지 제거 ·· 103
2-12　공통장비 ·· 103
2-12-1　건설용리프트 설치 및 해체 ·· 103
2-12-2　마스트 설치 및 해체 ··· 103
2-12-3　축중계 설치 및 해체 ··· 104
2-12-4　파이프 루프공 ·· 104

제3장　토공사 / 106

3-1　굴착 ·· 106
3-1-1　적용기준 ·· 106
3-1-2　인력굴착(토사) ·· 106
3-1-3　인력굴착(암반) ·· 107
3-1-4　암파쇄(유압식 할암공법) ··· 108
3-1-5　암발파(미진동굴착 TYPE-Ⅰ) ··· 108
3-1-6　암발파(정밀진동제어발파 TYPE-Ⅱ) ··· 110
3-1-7　암발파(소규모진동제어발파 TYPE-Ⅲ) ··· 110
3-1-8　암발파(중규모진동제어발파 TYPE-Ⅳ) ··· 110
3-1-9　암발파(일반발파 TYPE-Ⅴ) ·· 111
3-1-10　암발파(대규모발파 TYPE-Ⅵ) ·· 111
3-1-11　암발파(소형브레이커) ·· 114

	3-1-12 수중발파	115
3-2	되메우기 및 뒤채움	115
	3-2-1 인력 흙 다지기	115
	3-2-2 기초다짐 및 뒤채움(소형장비)	116
	3-2-3 기초다짐 및 뒤채움(대형장비)	116
	3-2-4 기초지정	117
3-3	절토부대공	117
	3-3-1 절토면 고르기	117
	3-3-2 암반청소	118
3-4	성토부대공	118
	3-4-1 성토면 고르기	118
	3-4-2 식재면 고르기	118
	3-4-3 암성토	119
3-5	비탈면 보호공	119
	3-5-1 프리캐스트 콘크리트 블록설치	119
	3-5-2 지압판블록 설치	120
	3-5-3 천연섬유사면보호공 설치	120
	3-5-4 절토사면 녹화	120
	3-5-5 비탈면 보강공	122
3-6	보강토 옹벽	125
	3-6-1 패널 설치	125
	3-6-2 블록 설치	126
	3-6-3 버팀목 설치·해체	127
	3-6-4 뒤채움 및 다짐	127
3-7	벌개제근	128
	3-7-1 벌목	128
	3-7-2 뿌리뽑기	128
3-8	개간	130
	3-8-1 답면고르기	130
3-9	스마트 토공	130
	3-9-1 머신 가이던스(MG) 굴삭기	130

제4장 조경공사 / 132

4-1	잔디 및 초화류	132
	4-1-1 잔디붙임	132
	4-1-2 초류종자 살포(기계살포)	133

4-1-3	초화류 식재	134
4-1-4	거적덮기	135

4-2 관목 · 135
- 4-2-1 굴취 · 135
- 4-2-2 식재(단식(單植)) · 136
- 4-2-3 식재(군식(群植)) · 137

4-3 교목 · 137
- 4-3-1 뿌리돌림 · 137
- 4-3-2 굴취(나무높이) · 138
- 4-3-3 굴취(근원직경) · 138
- 4-3-4 식재(나무높이) · 140
- 4-3-5 식재(흉고직경) · 141

4-4 조경구조물 · 142
- 4-4-1 정원석 쌓기 및 놓기 · 142
- 4-4-2 조경유용석 쌓기 및 놓기 · 142
- 4-4-3 잔디블록 포장 · 144
- 4-4-4 야자섬유매트 포장 · 145

제5장 기초공사 / 146

5-1 흙막이 및 물막이 · 146
- 5-1-1 P.P마대 및 톤마대 쌓기·헐기 · 146
- 5-1-2 H-Beam 설치 · 147
- 5-1-3 H-Beam 철거 · 150
- 5-1-4 흙막이판 설치·철거 · 151
- 5-1-5 어스앵커 공법 · 153

5-2 연약지반처리 · 156
- 5-2-1 매트부설 · 156
- 5-2-2 고압분사 주입공법 · 157
- 5-2-3 플라스틱 보드 드레인(PBD) · 160
- 5-2-4 다짐말뚝 · 162

5-3 말뚝 · 164
- 5-3-1 기성말뚝 기초 · 164
- 5-3-2 말뚝박기용 천공 · 170
- 5-3-3 말뚝두부정리(강관) · 175
- 5-3-4 말뚝두부정리(콘크리트) · 175
- 5-3-5 현장타설말뚝 · 176

5-4 차수 ·· 180
    5-4-1 차수재공 ·· 180

제6장 철근콘크리트공사 / 181

6-1 콘크리트 ·· 181
    6-1-1 레디믹스콘크리트 타설 ··· 181
    6-1-2 현장비빔타설 ··· 182
    6-1-3 표면 마무리 ··· 183
    6-1-4 콘크리트 펌프차 타설 ··· 183
    6-1-5 에폭시(Epoxy) 콘크리트 접착제 바르기 ··· 186
    6-1-6 콘크리트 치핑(Chipping) ··· 187
6-2 철근 ·· 188
    6-2-1 적용범위 ·· 188
    6-2-2 현장가공 ·· 189
    6-2-3 현장조립 ·· 190
    6-2-4 공장가공 ·· 191
    6-2-5 철근의 기계적 이음 ·· 191
6-3 거푸집 ·· 192
    6-3-1 합판거푸집 설치 및 해체 ··· 192
    6-3-2 강재거푸집 설치 및 해체 ··· 195
    6-3-3 유로폼 설치 및 해체 ·· 196
    6-3-4 문양거푸집(판넬) 설치 및 해체 ··· 199
    6-3-5 합성수지(P.E)원형 맨홀 거푸집 설치 및 해체 ··· 199
    6-3-6 슬립폼 공법 ··· 200
    6-3-7 알루미늄폼 설치 및 해체 ··· 201
    6-3-8 갱폼 설치 및 해체 ·· 202
    6-3-9 지수판 설치 ··· 203
    6-3-10 신축이음(Expansion Joint) 설치 ··· 204
6-4 포스트텐션(Post Tension) 구조물 제작 ·· 205
    6-4-1 PSC빔 제작 ·· 205
    6-4-2 PSC BOX 설치 ··· 207
6-5 교량 가설공 ··· 210
    6-5-1 빔 가설공 ··· 210
    6-5-2 강재거더 가설공 ··· 211
6-6 교량 부대공 ··· 213
    6-6-1 교량받침 설치(육상) ··· 213

	6-6-2	교량받침 설치(수상)	215
	6-6-3	교량신축이음장치 설치(도로교)	216
	6-6-4	교량신축이음장치 설치(철도교)	217
	6-6-5	교량점검시설 점검통로 설치	217
	6-6-6	교량점검시설 점검계단 설치	218
	6-6-7	교량배수시설 설치	218
	6-6-8	교량방수(시트)	219
	6-6-9	프리캐스트 콘크리트 패널 설치	219
	6-6-10	교량배수시설 설치	219
6-7	조립식 구조물 설치공		220
	6-7-1	플륨관 설치	220
	6-7-2	조립식 PC맨홀 설치	220
	6-7-3	PC BOX 설치	221
	6-7-4	PC기둥 설치	222
	6-7-5	PC거더 설치	222
	6-7-6	PC슬래브 설치	223

제7장 돌공사 / 224

7-1	돌쌓기		224
	7-1-1	메쌓기	224
	7-1-2	찰쌓기	225
7-2	돌붙임		226
	7-2-1	메붙임	226
	7-2-2	찰붙임	226
7-3	전석쌓기 및 깔기		227
	7-3-1	전석쌓기	227
	7-3-2	전석깔기	228
7-4	석재판 붙임		229
	7-4-1	습식공법	229
	7-4-2	앵커지지 공법	230
	7-4-3	강재트러스 지지공법	231

제8장 건설기계 / 233

8-1	적용기준		233
	8-1-1	건설기계 선정기준	233
	8-1-2	공사규모별 표준건설기계	234

- 8-1-3 운반 및 수송 ······ 235
- 8-1-4 시공능력 산정 기본식 ······ 237
- 8-1-5 기계경비 용어와 정의 ······ 238
- 8-1-6 기계경비 적산요령 ······ 239
- 8-1-7 손료보정 등 ······ 241

8-2 시공능력 ······ 242
- 8-2-1 불도저 ······ 242
- 8-2-2 리퍼(유압식) ······ 244
- 8-2-3 굴삭기 ······ 245
- 8-2-4 트랜처 ······ 248
- 8-2-5 로더 ······ 249
- 8-2-6 모터 스크레이터퍼 ······ 251
- 8-2-7 모터 그레이더 ······ 252
- 8-2-8 덤프트럭 ······ 254
- 8-2-9 롤러 ······ 258
- 8-2-10 플레이트 콤팩터 ······ 261
- 8-2-11 래머 ······ 261
- 8-2-12 아스팔트 플랜트 ······ 262
- 8-2-13 스테이빌라이저(노상안정기) ······ 262
- 8-2-14 크러셔 ······ 263
- 8-2-15 대형브레이커 ······ 269
- 8-2-16 압쇄기(콘크리트 소할용) ······ 272
- 8-2-17 법면다짐기 ······ 272
- 8-2-18 노면 파쇄기 ······ 273
- 8-2-19 골재세척설비 ······ 273
- 8-2-20 콘크리트 믹서 ······ 273
- 8-2-21 콘크리트 배치플랜트(강제 혼합식) ······ 273
- 8-2-22 콘크리트 운반 ······ 274
- 8-2-23 기관차 ······ 276
- 8-2-24 경운기 ······ 276
- 8-2-25 디젤 파일 해머 ······ 277
- 8-2-26 유압 파일 해머 ······ 282
- 8-2-27 진동파일 해머 ······ 285
- 8-2-28 진동파일해머(워터제트 병용 압입공) ······ 290
- 8-2-29 유압식 압입 인발기(유압식 압입 인발공) ······ 294
- 8-2-30 수중펌프 ······ 297
- 8-2-31 터널진단면 굴착기 ······ 298

	8-2-32 펌프식 준설선	299
	8-2-33 그래브 준설선	304
	8-2-34 쇄암선(중추식)	306
	8-2-35 이동식 임목파쇄기	307
	8-2-36 하천골재채취선	308
8-3	**기계손료**	**309**
	8-3-1 [00]토공기계('19년 보완)	309
	8-3-2 [10]다짐기계	314
	8-3-3 [20]운반 및 하역기계	317
	8-3-4 [30]포장기계	321
	8-3-5 [40]콘크리트 기계	324
	8-3-6 [50]골재생산기계 등	327
	8-3-7 [60]기초공사용 기계	337
	8-3-8 [70]기타기계	342
	8-3-9 [80]스마트 건설장비	351
	8-3-10 [90]해상장비	351
8-4	**운전경비 산정**	**355**
	8-4-1 [00]토공기계	355
	8-4-2 [10]다짐기계	357
	8-4-3 [20]운반 및 하역기계	358
	8-4-4 [30]포장기계	360
	8-4-5 [40]콘크리트기계	361
	8-4-6 [50]골재생산기계 등	362
	8-4-7 [60]기초공사용 기계	362
	8-4-8 [70]기타기계	363
	8-4-9 [90]해상기계	365
8-5	**기계가격**	**367**
	8-5-1 [00]토공기계	367
	8-5-2 [10]다짐기계	370
	8-5-3 [20]운반 및 하역기계	371
	8-5-4 [30]포장기계	373
	8-5-5 [40]콘크리트기계	374
	8-5-6 [50]골재생산기계 등	375
	8-5-7 [60]기초공사용기계	377
	8-5-8 [70]기타기계	379
	8-5-9 [80]스마트 건설장비	382
	8-5-10 [90]해상기계	383

부록

Ⅰ 2023년 상반기 적용 건설업 임금실태 조사 보고서(시중노임단가) ········· 389

Ⅱ 관련법령 등 ········· 405
　Ⅱ-1 : 예정가격작성기준 ········· 405
　Ⅱ-2 : 공사계약일반조건 ········· 430
　Ⅱ-3 : 계약일반조건 ········· 452

Ⅲ 「건설공사 표준품셈」 질의응답 모음집 ········· 479
　공통부문 ········· 479
　토목부문 ········· 518
　건축부문 ········· 526
　기계설비부문 ········· 534
　유지관리부문 ········· 542

Ⅳ 조달청 「표준일위대가」 정보공개 안내 ········· 550

Ⅴ 공사 원가계산 실무 요령 ········· 551

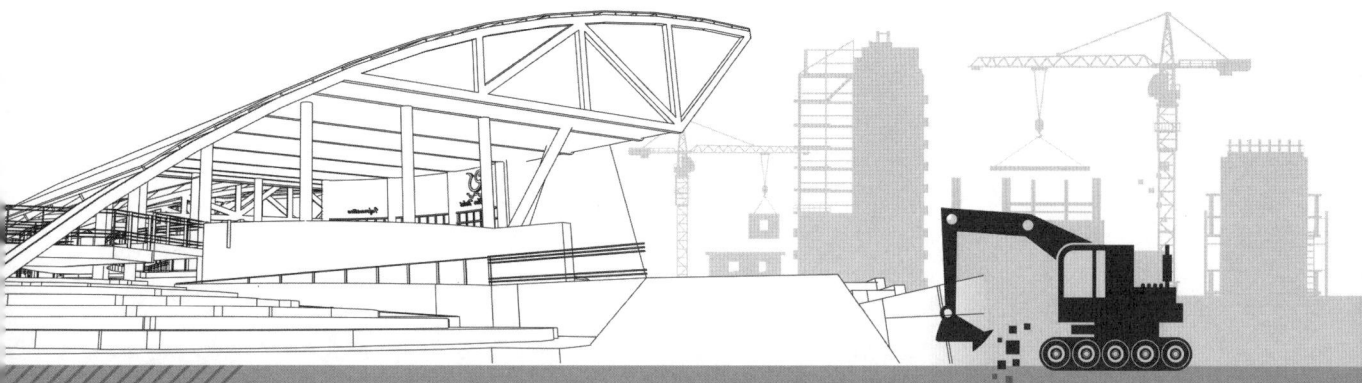

2023

건설공사 표준품셈

공통부문

제1장   적용기준
제2장   가설공사
제3장   토공사
제4장   조경공사
제5장   기초공사
제6장   철근콘크리트공사
제7장   돌공사
제8장   건설기계

제 1 장   적용기준

1-1 일반사항

1-1-1 목 적

정부 등 공공기관에서 시행하는 건설공사의 적정한 예정가격을 산정하기 위한 일반적인 기준을 제공하는 데 있다.

1-1-2 적용범위('12년 보완)

국가, 지방자치단체, 공기업·준정부기관, 기타공공기관 및 위 기관의 감독과 승인을 요하는 기관에서는 본 표준품셈을 건설공사 예정가격 산정의 기초로 활용한다.

1-1-3 적용방법('05, '08, '09, '12, '14년 보완)

1. 공사의 예정가격 산정은 본 표준품셈을 활용한다.
2. 본 표준품셈에서 제시된 품은 일일 작업시간 8시간을 기준한 것이다.
3. 본 표준품셈은 건설공사 중 대표적이고 보편적이며 일반화된 공종, 공법을 기준한 것이며 현장여건, 기후의 특성 및 조건에 따라 조정하여 적용하되, 예정가격작성기준 제2조에 의거 부당하게 감액하거나 과잉 계산되지 않도록 한다.
4. 본 표준품셈에 명시되지 않는 사항은 각종 사업을 시행하는 국가기관, 지방자치단체, 공기업·준정부기관, 기타공공기관 등의 장의 책임하에 적정한 예정가격 산정 기준을 적의 결정하여 사용한다.
5. 건설공사의 예정가격 산정시 공사규모, 공사기간 및 현장조건 등을 감안하여 가장 합리적인 공법을 채택 적용한다.
6. 본 표준품셈에 명시되지 않은 품으로서 타부문(전기, 통신, 문화재 등)의 표준품셈에 명시된 품은 그 부분의 품을 적용하고, 타부문과 유사한 공종의 품은 본 표준품셈을 우선하여 적용한다.
7. 소방법, 총포·도검·화약류 등 단속법, 산업안전보건법, 산업재해보상보험법, 건설기술진흥법, 대기환경보건법, 소음·진동규제법 등 관계법령이나 계약 조건에 따라 소요되는 비용은 별도로 계상한다.
8. 각 발주기관에서 4항에 의하여 별도로 결정하여 적용한 품셈이 표준품셈 보완에 반영할 필요가 있다고 인정될 경우에는 그 자료를 표준품셈 관리단체(한국건설기술연구원)에 제출한다.

정의 및 연혁

1. 단위공정별로 대표적이고, 표준적이며, 보편적인 공종, 공법을 기준으로 하여 소요되는 재료량, 노무량 및 기계경비 등을 수치로 제시한 것
2. 표준품셈의 주요 연혁을 정리하면 다음과 같다.
   1) 1962년 제정 : 각 부처별로 관리
   2) 1968년 8월 경제기획원에서 통일 품셈 제정 시행
   3) 1976년 12월부터 각 부처별로 관리

종류	토목, 건축	기계설비	전기	통신
관리기관	건설부	상공부(국립공업시험원)		체신부

   4) 1989년 1월 1일부터 기계설비부문은 건설부로 이관
   5) 1995년 12월 28일 「건설기술개발 및 관리 등에 관한 운영 규정」(건설교통부 훈령 제130호)에 의거하여 1996년 1월 1일 건설교통부에서 각 협회로 업무 이관
   6) 정부기관으로 재 이관

종류	토목, 건축	기계설비	전기	통신
관리기관	국토교통부 (한국건설기술연구원)		산업통상자원부 (대한전기협회)	과학기술정보통신부 (한국정보통신산업연구원)
이관일자	2004. 1. 1		2006. 1. 6	2013. 3.20

有權解釋

제목 총 시공량이 일일 시공량 미만일 경우 적용 품

질의문

신청번호 2103-103 신청일 2021-03-31
질의부분 공통 제1장 적용기준 1-1-3 적용 방법

[현황]
1) 품셈 1-5-2 기층포설 : 3m≤시공 폭(5~7cm) 시공량 4,900m²/일
   1-5-5 표층포설 : 3m≤시공 폭 시공량 4,800m²/일
   1-11-1 절삭 후 아스팔트 덧씌우기 B-TYPE 3,400/일
   1-1-3 적용방법 6. 본 표준품셈에서 "시공량/일"으로 명시된 항목 중 총 시공량이 본 품(시공량/일)의 기준 미만일 경우에는 현장여건 등을 고려하여 별도 계상한다.
2) 당 현장 포장시공량 : 표층 252m²+기층 252m²+절삭후 아스팔트 덧씌우기
   1,941m²=2,445m²

[질의]
당 현장과 같이 총 포장시공량(2,445m²)이 표준품셈에 명시된 항목의 기준 미만일 경우 일 시공량을 2,445m²로 적용하면 문제가 되는지 질의합니다.

회신문

건설공사 표준품셈에서 '일당 시공량'으로 제시하는 품은 해당 작업을 위하여 요구되는 효율적인 작업조(인력 및 장비)의 조합에 따라 1일(8시간 기준)간 시공할 수 있는 작업량을 제시한 사항으로 본 품에서 제시하는 장비 및 인력 조합으로 작업하는 평균적인 시공량을 의미하며, 현장여건에 따라 실제 시공에서 시공량 미만 혹은 초과가 될 수 있습니다.

이에 동 품셈 공통부문 "1-1-3 적용방법/ 6항"에서는 "시공량/일"로 명시된 항목의 총 시공량이 본 품의 기준 미만일 경우 현장 여건을 고려하여 별도로 계상토록 하고 있습니다.

1-2 설계 및 수량

1-2-1 수량의 계산('05년 보완)

1. 수량의 단위 및 소수자리는 표준품셈 단위표준에 의한다.
2. 수량의 계산은 지정 소수자리 아래 1자리까지 산출하여 반올림 한다.
3. 계산에 쓰이는 분도(分度)는 분까지, 원둘레율(圓周率), 삼각함수(三角函數) 및 호도(弧度)의 유효숫자는 3자리(3位)로 한다.
4. 곱하거나 나눗셈에 있어서는 기재된 순서에 따라 계산한다.
5. 면적 및 체적의 계산은 측량 결과 또는 설계도서를 바탕으로 수학적 공식에 의해 산출함을 원칙으로 한다.
6. 다음에 열거하는 것의 체적과 면적은 구조물의 수량에서 공제하지 아니한다.
   - 가. 콘크리트 구조물 중의 말뚝머리
   - 나. 볼트의 구멍
   - 다. 모따기 또는 물구멍(水切)
   - 라. 이음줄눈의 간격
   - 마. 포장공종의 1개소당 0.1㎡ 이하의 구조물 자리
   - 바. 강(鋼)구조물의 리벳 구멍
   - 사. 철근 콘크리트 중의 철근
   - 아. 조약돌 중의 말뚝 체적 및 책동목(柵胴木)
   - 자. 기타 전항에 준하는 것
7. 성토 및 사석공의 준공토량은 성토 및 사석공 설계도의 양으로 한다. 그러나 지반침하량은 지반성질에 따라 가산할 수 있다.
8. 절토(切土)량은 자연상태의 설계도의 양으로 한다.

監査

제목 구조물의 수량 공제 및 미 시공에 관한 사항

내용

「건설공사 표준품셈」토목부문[1-4. 수량의 계산/ 7-마 항]에 따르면 포장공사의 수량산정 시 포장대상 지역에 구조물이 위치하고 있더라도 각 구조물(개소 당)이 차지하는 면적이 0.1㎡를 넘지 않을 경우 해당 면적을 포장대상 면적에 포함하여 수량을 산정할 수 있다고 정의하고 있으므로 구조물 면적이 0.1㎡ 이상일 경우는 포장 수량산출 시 공제하여야 함에도 투수블럭포장 물량산정 시 통신맨홀 면적 18.18㎡, 한전 배전박스 면적 26.14㎡ 및 가로수보호 틀 면적 64.00㎡ 등 총 108.32㎡의 구조물 수량을 공제하지 않고 포장물량을 산정하였다. 또한, 투수블럭포장 시공 시 공사시방에 의거 보조기층포설 후 부직포를 설치하고 모래를 부설하여야 함에도 총 투수블럭포장 면적 4,803㎡ 중 일부인 2,421㎡ 구간에 대하여 부직포를 시공하지 않았으며, 도로경계석의 버림콘크리트시공 시 합판거푸집을 설치하여야 함에도 총 거푸집 면적 4,803㎡ 중 일부인 367㎡구간에 대하여 합판거푸집을 시공하지 않는 등 시공을 부 적정하게 하는 등으로 공사비 22,532천원을 적정히 감액 처리하여야 할 것이다.

조치할 사항

0000과장은 구조물 수량 미공제분과 미시공 사항에 대한 공사비 22,532천원을 설계변경 감액하고, 기타 부 적정 시공사항에 대하여 시정하시기 바라며, 앞으로 같은 사례가 발생하지 않도록 주의하시기 바람[시정]

> **契約審査**
>
> **제목** 콘크리트포장 수량 오류 정정
>
> **내용**
> 콘크리트포장 원가는 m³당 단가이나, 수량은 포장면적(단위 : m²)을 적용하여 과다 적용된 포장수량을 정정
> ※ 콘크리트포장수량 4,642m² → 881m³
>
> **심사 착안사항**
> 공사 원가산정 시 내역서 수량과 단위가 단가산출서 수량과 단위 일치 여부 확인 철저
> ※ 1경간당 → 1m당, 1톤 → 1kg등 단위수량 환산할 때 단위 적용 주의

1-2-2 단위표준('12, '23년 보완)

1. 설계서의 단위 및 소수의 표준

종 목	규 격 단위	규 격 소수자리	단위수량 단위	단위수량 소수자리	비 고
공 사 연 장	m	2	m	-	
공 사 폭 원			m	1	
직 공 인 부			인	2	
공 사 면 적			m²	1	
용 지 면 적			m²	-	
토 적 (높 이 , 너 비)			m	2	
토 적 (단 면 적)			m²	1	
토 적 (체 적)			m³	2	
토 적 (체 적 합 계)			m³	-	
떼	cm	-	m²	1	
모 래 , 자 갈	cm	-	m³	2	
조 약 돌	cm	-	m³	2	
견 치 돌 , 깬 돌	cm	-	m²	1	
견 치 돌 , 깬 돌	cm	-	개	-	
야 면 석 (野 面 石)	cm	-	개	-	
야 면 석 (野 面 石)	cm	-	m³	1	
야 면 석 (野 面 石)	cm	-	m²	1	
돌 쌓 기 및 돌 붙 임	cm	-	m³	1	
돌 쌓 기 및 돌 붙 임	cm	-	m²	1	
사 석 (捨 石)	cm	-	m³	1	
다 듬 돌 (切 石 , 板 石)	cm	-	개	2	
벽 돌	mm	-	개	-	
블 록	mm	-	개	-	
시 멘 트			kg	-	
모 르 타 르			m³	2	
콘 크 리 트			m³	2	

종 목	규 격		단위수량		비 고
	단위	소수자리	단위	소수자리	
석 분			kg	-	
석 회			kg	-	
화 산 회			kg	-	
아 스 팔 트			kg	-	
목 재 (판 재)	길이m	1	m²	2	
목 재 (판 재)	폭,두께	1	m³	3	
목 재 (판 재)	cm	1	m³	3	
합 판	mm	-	장	1	
말 뚝	길이m	1	개	-	
	지름mm				
철 강 재	mm	-	kg	3	총량표시는 ton으로 한다
용 접 봉	mm		kg	1	
구 리 판, 함 석 류			m²	2	
철 근	mm	-	kg	-	
볼 트 , 너 트	mm		개	-	
꺽 쇠	mm		개	-	
철 선 류	mm	1	kg	2	
P C 강 선			kg	2	
돌 망 태	길이m	1	m	1	망눈(網目)cm
	지름m	-	개	-	
	높이m	-			
로 프 류	mm	-	m	1	
못	길이cm	1	kg	2	
석유, 휘발유, 모빌유	-	-	ℓ	2	
구 리 스	-	-	kg	2	
녕 마	-	-	kg	2	
화 약 류	-	-	kg	3	
뇌 관	-	-	개	-	
도 화 선	-	-	m	1	
석 탄, 목 탄, 코 크 스	-	-	kg	1	
산 소	-	-	ℓ	-	
카 바 이 트	-	-	kg	1	
도 료 (塗 料)			ℓ 또는 kg	2	
도 장 (塗 裝)			m²	1	
관 류 (管 類)	길이m	2	개	-	
	지름mm	-			
	두께mm	-			
수 로 연 장	-	-	m	1	
옹 벽	-	-	m²	1	
승강장옹벽 및 울타리	-	-	m	1	

종 목	규 격		단위수량		비 고
	단위	소 수	단위	소 수	
궤 도 부 설	-	-	km	3	
시 험 하 중	-	-	ton	-	
보 오 링 (試 錐)	-	-	m	1	
방 수 면 적	-	-	m²	1	
건 물 (면 적)	-	-	m²	2	
건 물 (지 붕 , 벽 붙 이 기)	-	-	m²	1	
우 물	깊이	-	m	1	
마 대	-	-	매	-	

[주] ① 설계서 수량의 단위와 소수자리 표시는 본 표에 따르며, 반올림하여 적용한다.
② 품셈 각 항목에서 제시한 소수자리가 본 표의 내용과 상이할 경우 항목에서 제시하는 소수자리를 우선하여 적용한다.
③ 본 표에 제시하지 않은 품의 경우 유사 품의 규격과 단위수량을 참고하여 적용하며, C.G.S 단위로 하는 것을 원칙으로 한다.

2. 금액의 단위표준

종 목	단위	자리	비 고
설 계 서 의 총 액	원	1,000	미만버림
설 계 서 의 소 계	원	1	미만버림
설 계 서 의 금 액 란	원	1	미만버림
일 위 대 가 표 의 계 금	원	1	미만버림
일 위 대 가 표 의 금 액 란	원	0.1	미만버림

[주] 일위대가표 금액란 또는 기초계산금액에서 소액이 산출되어 공종이 없어질 우려가 있어 소수자리 1자리 이하의 산출이 불가피할 경우에는 소수자리의 정도를 조정 계산할 수 있다.

1-2-3 토질('99, '14, '23년 보완)

1. 지반설계

지하지반은 토질조사시험에 따라 설계하는 것을 원칙으로 한다. 다만, 공사량이 소규모인 경우에는 지형 또는 표면상태에 의하여 추정설계 할 수 있다.

2. 토질 및 암의 분류
 가. 보통토사 : 보통 상태의 실트 및 점토 모래질 흙 및 이들의 혼합물로서 삽이나 괭이를 사용할 정도의 토질(삽작업을 하기 위하여 상체를 약간 구부릴 정도)
 나. 경질토사 : 견고한 모래질 흙이나 점토로서 괭이나 곡괭이를 사용할 정도의 토질(체중을 이용하여 2~3회 동작을 요할 정도)
 다. 고사 점토 및 자갈섞인 토사 : 자갈질 흙 또는 견고한 실트, 점토 및 이들의 혼합물로서 곡괭이를 사용하여 파낼 수 있는 단단한 토질
 라. 호박돌 섞인 토사 : 호박돌 크기의 돌이 섞이고 굴착에 약간의 화약을 사용해야 할 정도로 단단한 토질
 마. 풍 화 암 : 일부는 곡괭이를 사용할 수 있으나 암질(岩 質)이 부식되고 균열이 1~10cm 로서 굴착 또는 절취에는 약간의 화약을 사용해야할 암질

바. 연 암 : 혈암, 사암 등으로서 균열이 10~30cm 정도로서 굴착 또는 절취에는 화약을 사용해야 하나 석축용으로는 부적합한 암질
사. 보 통 암 : 풍화상태는 엿볼 수 없으나 굴착 또는 절취에는 화약을 사용해야 하며 균열이 30~50cm 정도의 암질
아. 경 암 : 화강암, 안산암 등으로서 굴착 또는 절취에 화약을 사용해야 하며 균열상태가 1m이내로서 석축용으로 쓸 수 있는 암질
자. 극 경 암 : 암질이 아주 밀착된 단단한 암질

[주] 표준 품셈에 표시되는 돌재료의 분류는 다음을 기준으로 한다.
 ① 모암(母岩) : 석산에 자연상태로 있는 암을 모암이라 한다.
 ② 원석(原石) : 모암에서 1차 파쇄된 암석을 원석이라 한다.
 ③ 건설공사용 석재 : 석재의 품질은 그 용도에 적합한 강도를 갖고 균열이나 결점이 없고 질이 좋은 치밀한 것이며 풍화나 동결의 해를 받지 않는 것이라야 한다.
 ④ 다듬돌(切石) : 각석(角石) 또는 주석(柱石)과 같이 일정한 규격으로 다듬어 진 것으로서 건축이나 또는 포장 등에 쓰이는 돌
 ⑤ 막다듬돌(荒切石) : 다듬돌을 만들기 위하여 다듬돌의 규격 치수의 가공에 필요한 여분의 치수를 가진 돌
 ⑥ 견치돌(間知石) : 형상은 재두각추체(裁頭角錐體)에 가깝고 전면은 거의 평면을 이루며 대략 정사각형으로서 뒷길이(控長), 접촉면의 폭(合端), 뒷면(後面) 등이 규격화 된 돌로서 4방락(四方落) 또는 2방락(二方落)의 것이 있으며 접촉면의 폭은 전면 1변의 길이의 1/10이상이라야 하고 접촉면의 길이는 1변의 평균 길이의 1/2이상인 돌

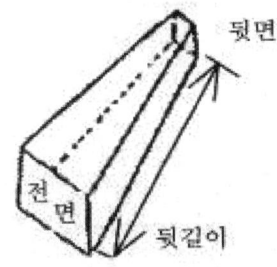
4방락견치돌
(四方落間知石)

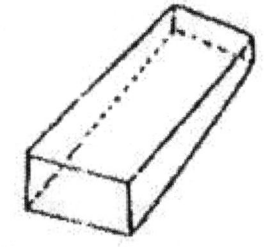
2방락견치돌
(二方落間知石)

 ⑦ 깬돌(割石) : 견치돌에 준한 재두방추형(裁頭方錐形)으로서 견치돌보다 치수가 불규칙하고 일반적으로 뒷면(後面)이 없는 돌로서 접촉면의 폭(合端)과 길이는 각각 전면의 일변의 평균길이의 약 1/20과 1/3이 되는 돌
 ⑧ 깬 잡석(雜割石) : 모암에서 일차 폭파한 원석을 깬 돌로서, 깬돌(割石)보다도 형상이 고르지 못한 돌로서 전면의 변의 평균 길이는 뒷길이의 약 2/3되는 돌
 ⑨ 사석(捨石) : 막 깬돌 중에서 유수에 견딜 수 있는 중량을 가진 큰 돌
 ⑩ 잡석(雜石) : 크기가 지름 10~30cm 정도의 것이 크고 작은 알로 고루고루 섞여져 있으며 형상이 고르지 못한 큰 돌
 ⑪ 전석(轉石) : 1개의 크기가 0.5㎥ 내·외의 정형화 되지 않은 석괴
 ⑫ 야면석(野面石) : 천연석으로 표면을 가공하지 않은 것으로서 운반이 가능하고 공사용으로 사용될 수 있는 비교적 큰 석괴
 ⑬ 호박돌(玉石) : 호박형의 천연석으로서 가공하지 않은 지름 18cm 이상의 크기의 돌
 ⑭ 조약돌(栗石) : 가공하지 않은 천연석으로서 지름 10~20cm 정도의 계란형의 돌
 ⑮ 부순돌(碎石) : 잡석을 지름 0.5~10cm 정도의 자갈 크기로 작게 깬 돌

⑯ 굵은 자갈(大砂利) : 가공하지 않은 천연석으로서 지름 7.5~20cm 정도의 돌
⑰ 자갈(砂利) : 천연석으로서 자갈보다 알이 작고 지름 0.5~7.5cm 정도의 둥근 돌
⑱ 역(磁) : 천연석이 굵은 자갈과 작은 자갈이 고루고루 섞여져 있는 상태의 돌
⑲ 굵은 모래(祖砂) : 천연산으로서 지름 0.25~2 ㎜ 정도의 알맹이의 돌
⑳ 잔모래(細砂) : 천연산으로서 지름 0.05~0.25 ㎜ 정도의 알맹이의 돌
㉑ 돌가루(石紛) : 돌을 바수어 가루로 만든 것
㉒ 고로슬래그 부순돌 : 제철소의 선철(銑鐵) 제조 과정에서 생산되는 고로슬래그를 0~40㎜로 파쇄 가공한 돌

3. 체적환산계수

가. 토공에 있어 토질 시험하여 적용하는 것을 원칙으로 하나 소량의 토량인 경우에는 표준품셈의 체적환산계수표에 따를 수도 있다.

나. 체적의 변화

$$L = \frac{\text{흐트러진 상태의 체적(㎥)}}{\text{자연 상태의 체적(㎥)}} \qquad C = \frac{\text{다져진 상태의 체적(㎥)}}{\text{자연상태의 체적(㎥)}}$$

다. 체적의 변화율

종 별	L	C
경 암 (硬 岩)	1.70~2.00	1.30~1.50
보 통 암 (普 通 岩)	1.55~1.70	1.20~1.40
연 암 (軟 岩)	1.30~1.50	1.00~1.30
풍 화 암 (風 化 岩)	1.30~1.35	1.00~1.15
폐 콘 크 리 트	1.40~1.60	별도 설계
호 박 돌 (玉 石)	1.10~1.15	0.95~1.05
역 (礫)	1.10~1.20	1.05~1.10
역 질 토 (礫 質 土)	1.15~1.20	0.90~1.00
고 결 (固 結) 된 역 질 토 (礫 質 土)	1.25~1.45	1.10~1.30
모 래 (砂)	1.10~1.20	0.85~0.95
암 괴 (岩 塊) 나 호 박 돌 이 섞 인 모 래	1.15~1.20	0.90~1.00
모 래 질 흙	1.20~1.30	0.85~0.90
암 괴 (岩 塊) 나 호 박 돌 이 섞 인 모 래 질 흙	1.40~1.45	0.90~0.95
점 질 토	1.25~1.35	0.85~0.95
역 (礫) 이 섞 인 점 질 토 (粘 質 土)	1.35~1.40	0.90~1.00
암 괴 (岩 塊) 나 호 박 돌 이 섞 인 점 질 토	1.40~1.45	0.90~0.95
점 토 (粘 土)	1.20~1.45	0.85~0.95
역 이 섞 인 점 질 토	1.30~1.40	0.90~0.95
암 괴 (岩 塊) 나 호 박 돌 이 섞 인 점 토	1.40~1.45	0.90~0.95

[주] 암(경암·보통암·연암)을 토사와 혼합성토할 때는 공극채움으로 인한 토사량을 계상할 수 있다.

라. 체적환산계수(f)표

기준이 되는 q \ 구하는 Q	자연상태의 체적	흐트러진상태의 체적	다져진후의 체적
자 연 상 태 의 체 적	1	L	C
흐 트 러 진 상 태 의 체 적	1/L	1	C/L

토량환산계수 적용 요령(건설공사원가계산서 작성요령, 서울특별시 2008)

토량환산계수 적용은 대상이 되는 물량(구하는 Q)에 따라 적용하여야 한다.
1. 절토 및 적사운반은 내역서상에 자연 상태로 표시되며, 단가산출시 적사하여 운반하는 흙의 상태는 절토 후 흐트러진 상태인 f = 1/L을 적용한다.
2. 흙쌓기 되메우기는 내역서상에 다져진 상태로 표기되며 대상이 되는 흙의 상태가 흐트러진 상태로 포설은 f = C/L을 적용하고, 다짐은 f = 1을 적용한다.
3. 보조기층 선택층은 내역서상에 다져진 상태로 표기되며 대상이 되는 흙의 상태가 흐트러진 상태로 포설은 f = C/L을 적용하고, 다짐은 f = 1을 적용한다.
4. 골재운반(혼합층재, 모래, 자갈)은 흐트러진 상태에서 흐트러진 상태의 골재를 운반하는 것으로 f=1을 적용하며, 구입은 다짐상태의 수량이 필요하므로 f = L/C를 적용하고 내역서상에는 흐트러진 상태로 표시한다.

[토량환산계수(f)적용표]

구분	대상기준(내역수량)	절토	집토, 적사	운반	포설	다짐	비고
절토토사	자연상태	1/L	1/L	1/L			
절토리핑암	〃	1/L	1/L	1/L			
절토발파암	〃		1/L	1/L			
흙쌓기	다짐상태				C/L	1	
되메우기및다짐	〃				C/L	1	
혼합층재포설다짐	다짐상태				C/L	1	
혼합층재구입운반	흐트러진상태			1			상차도
골재포설다짐	다짐상태				C/L	1	
골재구입운반	흐트러진상태			1			상차도

[보조 및 혼합기층(인력, 기계)]

(a 당)

공종명	규격	단위	보조기층(t=30cm)	보조기층(t=20cm)	혼합기층(기계t=30cm)	혼합기층(기계t=15cm)	혼합기층(인력t=20cm)	혼합기층(인력t=15cm)
혼합골재		m³	-	-	38,376	19,188	25,584	19,188
보조기층재		m³	38,376	25,584	-	-	-	-

해설 ① 혼합골재 및 보조기층재는 재료의 할증(4%) 및 재료의 변화율(f = L/C)값이 포함된 것
※ 산출식 : 혼합기층(t = 30cm)30m³ × 1.04(할증) × 토량환산계수(f = L/C = 1.175/0.95) = 38.376m³

有權解釋

제목 1 덤프트럭 운반량산정 시 토량변화율 적용

질의문
문서번호 건협기술 제1478호 회신일자 1999.06.15.

수해복구공사의 사석붙임을 위하여 덤프트럭으로 사석을 운반코자 하는데, 덤프트럭의 작업량 산정에 있어 토량변화율 L = 1.85, f = C/L = 1.40/1.85로 적용함이 타당하다고 생각하는데 이에 대한 의견은?

회신문
q값 산정시 토량변화율(L값) 적용은 γ_t를 모암의 단위중량을 적용하느냐 파쇄된 상태의 단위 중량을 적용하느냐에 따라 달라질 것이므로 이를 토대로 현장여건에 맞는 적절한 값을 토질시험을 통해 결정하면 될 것임.

Q값 산정시 덤프트럭은 토사 등을 흐트러진 상태로 운반하고 운반된 토사는 다져지는 것이 일반적이므로 내역서 물량이 설계도량(다짐상태)으로 되어있다면 덤프트럭 작업량 산정시의 토량환산계수(f)는 C/L이 되어야 함.

다만, 토량변화율 적용에 있어 귀 현장은 운반된 사석을 다지는 것이 아니고 붙이는 것으로 되어 있으므로, 토질시험을 통하여 이에 맞는 적절한 토량변화율을 결정. 적용하는 것이 타당할 것으로 생각됨.

제목 2 보조기층재의 토량환산계수 적용

질의문
문서번호 건협 건설적산 제3835호 회신일자 1998.12.31.

보조기층 재료를 석산에서 구입하고자 할 때 구입 수량에 대한 토량환산계수 적용 방법은?
※ 설계조건 : L = 1.15, C = 0.95, 보조기층 설계서상 산출수량 = 1,000m³

회신문
보조기층재의 구입수량은 흐트러진 상태에서 다져진 상태로의 토량의 변화를 감안하여야 하므로 다음과 같이 산출하는 것이 타당함.
구입수량 = V × (L/C)
여기서, V : 설계수량
L : 흐트러진 상태의 토량의 변화율
C : 다져진 상태의 토량의 변화율

제목 3 토공량 산정 시 토량환산계수 적용관련

질의문
문서번호 건협건설적산 제3653호 회신일자 1998.12.15.
[질의1]
단가산출서상의 토공 물량이 자연상태로 적용되었다면 내역성 기재되는 토공 물량은 자연상태로 환산되어 기재되는 것이 타당한지?
[질의2]
설계서상의 절토 및 터파기 수량은 자연상태이고 성토 및 되메우기는 다짐상태이므로 잔토 및 부족 토량을 산정할 때는 토량환산계수를 적용하여 같은 토량상태로 환산하여 부족토를 구함이 타당하지?
– 갑설 : 단가산출서에서 토량환산계수를 적용해 주었기 때문에 토공집계상 잔토 및 부족토를 구할 때에는 토량환산계수를 적용해 줄 필요가 없음.
– 을설 : 토공집계에서의 잔토 및 부족토량을 구할 때에는 같은 토량상태로 환산하여 구하여야 함.

> **회신문**
>
> [질의 1에 대하여]
> 표준품셈(토목부분) 1-4 수량의 계산 '자'항 및 '차'항에 의하면 '성토의 준공토량은 설계도의 양으로 한다.'고 되어있고, '절토량은 자연상태의 설계도의 양으로 한다.'고 규정하고 있어 내역서에 기재되는 토공물량은 성토의 경우 다짐상태, 절토의 경우 자연상태의 물량으로 하여야 하며, 단가산출서도 내역서에 기준하여 동일한 상태로 적용되어야 함.
> 따라서 귀 질의와 같이 설계서 내지 계약문서에 해당되지도 않는 단가산출서를 기준으로 내역서의 토공물량을 산출하는 것은 타당치 않음.
> [질의 2에 대하여]
> 단가산출서는 설계서 내지 계약문서에 해당되지 않으므로 설계서에 절토 및 터파기 수량은 자연상태로, 성토 및 되메우기는 다짐상태로 적용되었다면 단가산출서와는 상관없이 '절토 및 터파기 수량'과 '성토 및 되메우기 수량'을 환산계수로 적용하여 동일한 토량상태로 환산한 다음 잔토 및 부족 토량을 구하여야 함. 따라서, 을설이 타당함

> **契約審査**
>
> **제목** 토량환산계수 적용 오류 조정
>
> **내용**
> 사토운반 수량이 자연 상태가 아닌 흐트러진 상태 기준으로 반영되었으므로 사토운반 단가산출서의 토량환산계수를 "1/L"에서 "1"로 조정
>
> **심사 착안사항**
> - 설계에 반영할 조건이 현장여건에 부합한지, 기타관련 규정 적정 반영 여부
> - 본 공사의 특수성과 무관하게 관례적으로 적용한 공정의 필요성 검토

4. 토취장 및 골재원

가. 토취장 및 골재원(석산, 콘크리트 및 포장용 재료, 기타)을 필요로 하는 공사에는 설계서에 그 위치를 명시할 수 있다.

나. 토취장 및 골재원은 품질과 경제성(수량, 거리, 채집방법, 거래가격 등) 및 관련 법적규제 등을 고려하여 설계한다.

다. 모암을 발파하여 깬돌 등 규격품을 채취할 경우 규격품으로 사용할 수 없는 파쇄된 돌의 발생량은 10~40%를 표준으로 하며, 이때 파쇄된 돌의 유용이 가능하여 유용할 경우 이에 따른 경비는 별도 계상하고, 그 발생량에 대해서는 무대(無代)로 한다.

라. 잡석을 부순 돌(碎石)로 사용하려 할 때에는 채집비를 계상할 수 있다.

마. 원석대와 채취장 및 기타 보상비는 실정에 따라 별도 계상할 수 있다.

바. 국유지인 경우에는 필요한 조치를 취하여 사용토록 한다.

사. 토취장 및 골재원은 사용 후 정리하여 사방을 하거나 조경을 하여야 하며 정리비, 사방비 및 조경비를 별도 계상한다.

5. 오픈케이슨 기초

우물통 기초굴착시 굴착토량은 외토 침입률을 감안하여 산정한다.

1-2-4 재료 및 자재의 단가('05, '06, '14, '12, '22, '23년 보완)

1. 주요자재
   가. 공사에 대한 주요자재의 관급은 "국가를당사자로하는계약에관한법률시행규칙" 및 기획재정부 회계예규 등 관계규정이나 계약조건에 따른다.
   나. 자재구입은 필요에 따라 시방서를 작성하고 그 물건의 기능, 특징, 용량, 제작방법, 성능, 시험방법, 부속품 등에 관하여 명시하여야 한다.
   다. 국내에서 생산되는 자재를 우선적으로 사용함을 원칙으로 하고 그 중에서도 한국산업규격표시품(KS), 우수재활용제품(GR) 또는 건설기술진흥법 제60조제1항의 규정에 의한 국·공립시험기관의 시험결과 한국산업규격표시품과 동등 이상의 성능이 있다고 확인된 자재를 우선한다.
   라. 한국산업규격에 없는 제품 사용시 공사조건에 맞는 관련규격 및 시방(외국규격 등) 등을 검토하여 사용토록 한다.

2. 재료 및 자재의 단가
   가. 건설재료 및 자재의 단가는 거래실례가격 또는 통계법 제15조의 규정에 의한 지정기관이 조사하여 공표한 가격, 감정가격, 유사한 거래실례가격, 견적가격을 기준하며, 적용순서는 국가를 당사자로 하는 계약에 관한 법률 시행규칙 제7조의 규정에 따른다.
   나. 재료 및 자재단가에 운반비가 포함되어 있지 않은 경우 구입 장소로부터 현장까지의 운반비를 계상할 수 있다.
   다. 품셈의 각 항목에 명시되어 있지 않는 재료 및 자재는 설계수량을 적용하고, 잡재료 및 소모재료는 '[공통부문] 1-2-4/7. 잡재료 및 소모재료' 등을 따른다.

3. 재료의 단위 중량
   재료의 단위중량은 입경, 습윤도 등에 따라 달라지므로 시험에 의하여 결정하여야 하며, 일반적인 추정 단위중량은 다음과 같다.

종 별	형 상	단위중량(kg/㎥)	비고
암 석	화 강 암	2,600~2,700	자연상태
	안 산 암	2,300~2,710	〃
	사 암	2,400~2,790	〃
	현 무 암	2,700~3,200	〃
자 갈	건 조	1,600~1,800	〃
	습 기	1,700~1,800	〃
	포 화	1,800~1,900	〃
모 래	건 조	1,500~1,700	〃
	습 기	1,700~1,800	〃
	포 화	1,800~2,000	〃
점 토	건 조	1,200~1,700	〃
	습 기	1,700~1,800	〃
	포 화	1,800~1,900	〃

종 별	형 상	중 량	비 고
점 질 토	보 통 의 것	1,500~1,700	자연상태
	력 이 섞 인 것	1,600~1,800	〃
	력 이 섞 이 고 습 한 것	1,900~2,100	〃
모 래 질 흙		1,700~1,900	〃
자 갈 섞 인 토 사		1,700~2,000	〃
자 갈 섞 인 모 래		1,900~2,100	〃
호 박 돌		1,800~2,000	〃
사 석		2,000	〃
조 약 돌		1,700	〃
주 철		7,250	
강, 주강, 단철		7,850	
스 테 인 리 스	S T S 3 0 4	7,930	KSD3695
	S T S 4 3 0	7,700	('93 신설)
연 철		7,800	
놋 쇠		8,400	
구 리		8,900	
납 (鉛)		11,400	
목 재	생 송 재 (生 松 材)	800	
소 나 무	건 재 (乾 材)	580	
소 나 무 (적 송)	건 재	590	
미 송	〃	420~700	
시 멘 트		3,150	
시 멘 트		1,500	자연상태
철 근 콘 크 리 트		2,400	
콘 크 리 트		2,300	
시 멘 트 모 르 타 르		2,100	
역 청 포 장		2,350	'01 보완
역 청 재 (방 수 용)		1,100	
물		1,000	
해 수		1,030	
눈	분 말 상 (粉 末 狀)	160	
눈	동 결 (凍 結)	480	
눈	수 분 포 화 (水 分 飽 和)	800	
고 로 슬 래 그 부 순 돌		1,650~1,850	자연상태

[주] ① 부순돌 및 조약돌 등은 모암의 암질(巖質)을 고려하여 결정한다.
② 본 표에 없는 품종에 대하여는 단위중량 시험에 의해 결정함을 원칙으로 하며, 필요시 (재료량이 소규모인 경우 등) 문헌에 의한 결과를 참고한다.

4. 재료시험 결과 이용

설계는 재료시험에 의하여 제원을 결정함을 원칙으로 한다.

5. 발생재의 처리

사용고재 등 발생재의 처리는 다음 표에 의하여 그 대금을 설계 당시 미리 공제한다.

품 명	공 제 율
사 용 고 재 (시 멘 트 공 대 및 공 드 람 제 외)	90%
강 재 스 크 랩 (S c r a p)	70%
기 타 발 생 재	발 생 량

[주] ① 공제금액 계산 : 발생량×공제율×고재단가
② 기존시설물의 철거, 해체, 이설 등으로 인한 발생재는 '예정가격 작성기준 제17조'를 따른다.

6. 강관배관의 부자재 산정요율
가. 일반업무용 건물

(강관금액에 대한 %)

항목 건물규모별 시공부위별	관이음부속			관지지물		
	소	중	대	소	중	대
가. 냉온수배관						
- 기계실	75	70	65	30	15	15
- 옥내일반	45	45	45	40	25	25
나. 냉각수배관						
- 기계실	75	75	75	7	7	7
- 옥내일반	70	55	40	9	9	9
다. 증기배관						
- 기계실	75	65	50	30	30	30
- 옥내일반	45	45	45	30	30	30
라. 급수·급탕배관						
- 기계실	80	80	80	15	15	15
- 옥내일반	60	60	60	15	15	15
마. 보일러급유배관	50	50	50	15	15	15
바. 통기배관	30	30	30	10	10	10
사. 소화배관						
- 옥내소화전	65	55	50	10	10	10
- 스프링클러	70	70	70	15	15	15

[주] ① 상기요율은 일반 업무용 건물의 배관재로 사용하는 일반탄소강관금액에 대한 관이음부속 및 관지지물의 금액비율이다.
② 건물규모별 소, 중, 대는 다음과 같다.
　　소 : 연면적 5,000 ㎡ 이하의 건물
　　중 : 연면적 5,000㎡초과 30,000㎡미만의 건물
　　대 : 연면적 30,000 ㎡ 이상의 건물
③ 관이음부속류는 엘보, 티, reducer, 유니온, 소켓, 캡, 플러그, 니플, 부싱, 플랜지 등을 말한다.

④ 관이음부속류에는 각종 밸브장치, 증기트랩장치, By Pass관 장치 및 계량기 장치의 관이음부속과 각종 펌프토출측의 연결용 플랜지는 제외되었다.
⑤ 관지지물류는 클레비스행거, 보온용 클레비스행거, 파이프 클램프, 롤러행거, 행거볼트, U-볼트, 파이프 앵커, 턴버클, 나비밴드 등을 말한다.
⑥ 관지지물에는 단열지지대 및 관지지대가 제외되어 있으므로 별도 계상한다.
⑦ 증기배관의 관지지물에는 ⑥항 및 롤러, 새들, 보온재 보호판이 제외되어 있으므로 별도 계상한다.
⑧ 통기배관의 요율은 환상통기식이므로 각개 통기방식일 때는 별도 계상할 수 있다.
⑨ 상기부자재 산정요율 계산방식과 도면에 의한 물량산출 방식을 병행사용 할 수 있다.

나. 병원건물

(강관금액에 대한 %)

시 공 부 위 별	관 이 음 부 속	관 지 지 물
가. 냉·온수배관		
- 기계실	80	50
- 옥내일반	40	30
나. 증기배관		
- 기계실	55	20
다. 급수·급탕배관		
- 기계실	70	15
- 옥내일반	50	40
라. 통기관	30	8
마. 소화배관		
- 옥내소화전배관	45	10
- 스프링클러배관	75	20

[주] ① 상기 요율은 병원건물의 배관재로 사용하는 일반 탄소 강관금액에 대한 관이음부속 및 관지지물의 금액비율이다.
② 관이음 부속류는 엘보, 티, reducer, 유니온, 소켓, 캡, 플러그, 니플, 부싱, 플랜지 등을 말한다.
③ 관이음부속류에는 각종 밸브장치, 증기트랩장치, By Pass관 장치 및 계량기 장치의 관이음부속과 각종 펌프, 토출측의 연결용 플랜지는 제외되어 있다.
④ 관지지물에는 단열 지지대 및 공동구내 관지지대, 롤러스탠드 새들, 보온재보호판 등은 제외되어 있다.
⑤ 소화배관 요율에는 소화펌프의 토출측 밸브류 방진이음용 플랜지 유니온은 제외되어 있다.
⑥ 수직관은 2개 층마다 플랜지 또는 유니온을 적용하였다.

7. 잡재료 및 소모재료
각 항목에 명시되어 있는 잡재료 및 소모재료에 대해서는 이를 계상하고, 명시되어 있지 않는 잡재료 및 소모재료 등을 계상하고자 할 때에는 주재료비(재료비의 할증수량 제외)의 2~5%까지 별도 계상하되 산정근거를 명시하여야 한다.

1-2-5 인력('22, '23년 보완)

1. 작업반장

작업조건에 따른 작업조의 편성 시 작업조장은 기능 인력을 중심으로 편성하며, 다수의 보통인부에 대한 원활한 지휘통제가 필요할 경우 작업반장을 계상할 수 있다.

[참고]

현장작업조건	작업반장수
작업장이 광활하여 감독이 용이하고 고도의 기능이 필요치 않을 경우	보통인부 25인~50인에 1인
작업장이 협소하고 감독시야가 보통이며 약간의 기능을 요하는 경우	보통인부 15인~25인에 1인
고도의 기능과 철저한 감독이 요구되는 경우	보통인부 5인~15인에 1인

監査

제목 조립식 간이흙막이 과다 설계

내용
「건설기술진흥법」 제45조(건설공사 공사비 산정기준) 및 「건설공사 표준품셈(국토교통부 발행)」 제1장 (적용기준) 1-17(작업반장)에 따르면 작업반장 노무비는 아래와 같이 보통인부가 있을 경우 5~15인에 1인으로 적용하도록 되어 있다.

[현장 작업조건별 작업반장 계상]

현장 작업조건	작업반장수
작업장이 광활하여 감독이 용이하고 고도의 기능이 필요치 않을 경우	보통인부 25인~50인에 1인
작업장이 협소하고 감독시야가 보통이며 약간의 기능을 요하는 경우	보통인부 15인~25인에 1인
고도의 기능과 철저한 감독이 요구되는 경우	보통인부 5인~15인에 1인

그런데도 발주자는 이 건 공사를 직접 설계하면서 조립식 간이흙막이설치 공종의 원가계산 시 작업반이 비계공, 특별인부로 편성되어 보통인부가 없으므로 작업반장 노임을 적용하지 않아야 하는데도 이를 적용하여 그 결과 발주자는 설계시 조립식 간이흙막이설치 공종의 수량 297m에 대해 품셈과 다르게 과다 설계함으로써 공사비 14,185천원의 증가되는 결과를 초래하였다.

조치할 사항
○○○○시 ○○○○사업소장은 앞으로 조립식 간이흙막이설치 공종 설계 시 '건설공사 표준품셈'의 기준에 따라 설계하시기 바라며, 관련자에게는 주의를 촉구하시기 바람

---

2. 신호수 등

공사 중 안전을 위해 배치되는 각종 신호수, 감시자 등의 인력은 각 항목에서 제외되어 있으며, 해당 법령(규정, 지침, 규칙 등)에서 규정하는 인력 및 설계자의 판단(현장여건 및 조건 등 고려)에 의해 필요한 인력은 별도 계상한다.

1-2-6 공구 및 경장비('93, '23년 보완)

각 항목에 명시되어 있는 공구손료 및 경장비의 기계경비에 대해서는 이를 계상하고, 명시되어 있지 않는 공구손료 및 경장비의 기계경비 등을 계상하고자 할 때에는 다음에 따라 별도 계상하되 산정근거를 명시하여야 한다.

1. 공구손료

일반공구 및 시험용 계측기구류의 손료로서 공사 중 상시 일반적으로 사용되는 것이며, 인력품(노임할증과 작업시간 증가에 의하지 않은 품 할증 제외)의 3%까지 계상하며 특수공구(철골공사, 석공사 등) 및 검사용 특수계측기류의 손료는 별도 계상한다.

[참고]
- 일반공구 및 일반시험용 계측기구 : 스패너류, 렌치류, 턴버클, 샤클, 스프레이건, 바이스, 클립 또는 클램프류, 용접봉건조통, 게이지류, V블록, 마이크로메타, 버어니어캘리퍼스 및 이와 유사한 것으로 공사 중 상시 일반적으로 사용하는 것으로서 별도의 동력을 필요로 하지 않는 것.

2. 경장비의 기계경비

아래 참고와 같은 경장비류의 손료 및 운전경비(운전원 제외)이며, 손료는 기계경비산정표에 명시된 가장 유사한 장비의 제수치(내용시간, 연간표준 가동시간, 상각비율, 정비비율, 연간관리비율 등)를 참조하여 계상한다.

[참고]
- 경장비 : 휴대용 전기드릴, 휴대용 전기그라인더, 체인블럭, 콘크리트브레이커(기초수정용), 임팩트렌치, 전기용접기, 윈치, 세어링머신, 벤딩롤러, 수압펌프(수압시험용) 및 이와 유사한 것, 주로 동력에 의하여 구동되는 장비류로서 기계경비산정표에 명시되지 아니한 소규모의 것.

有權解釋

제목 공사원가 항목 중 공구손료 비목 적용 방법

질의문
공구손료의 원가계산 시 각 발주기관마다 적용 방법과 해석이 상이하여 혼선이 되고 있으며, 회계예규 예정가격 작성기준에 의한 공사 원가계산 시 노무비, 재료비, 경비항목 중 어느 항목에 계상하는 것이 타당한지?

회신문
국가기관이 계약담당공무원이 공사에 대한 예정가격을 작성함에 있어서 회계예규 예정가격 작성기준 제17조의 규정에 의하여 재료비는 공사원가를 구성하는 직접재료비 및 간접재료비로 구성하는바, 이때, 간접재료비는 공사목적물의 실체를 형성하지는 않으나 공사에 보조적으로 소비되는 물품의 가치로서 다음 각 호를 말하는 것입니다. 〈생략〉
따라서, 예정가격 산정 시 공구손료의 원가계산은 동 작성기준 제17제 제2항 제2호의 소모공구로 보아 간접재료비에 계상하는 것이 타당할 것입니다. 〈이하 생략〉

1-2-7 운반('08, '10, '16, '22, '23년 보완)

1. 소운반의 운반거리
   가. 품에서 자재의 소운반은 포함하며, 품에서 포함된 것으로 규정된 소운반 거리는 20m 이내의 거리를 의미한다.
   나. 경사면의 소운반 거리는 직고 1m를 수평거리 6m의 비율로 본다.
   다. 현장 내 운반거리가 소운반 범위를 초과하거나, 별도의 2차 운반이 발생될 경우 별도 계상한다.

2. 인력운반 기본공식('08년 보완)

$$Q = N \times q$$

$$N = \frac{T}{\frac{60 \times L \times 2}{V} + t} = \frac{VT}{120L + Vt}$$

여기서 Q : 1일 운반량(㎥ 또는 kg)
  N : 1일 운반횟수
  q : 1회 운반량(㎥ 또는 kg)
  T : 1일 실작업시간(480분-30분)
  L : 운반거리(m)
  t : 적재적하 시간(분)
  V : 평균왕복속도(m/hr)

[주] 삽으로 적재할 수 없는 자재(시멘트·목재·철근·말뚝·전주·관·큰석재 등)의 인력적사는 기본공식을 적용하되 25kg을 1인의 비율로 계산하고 t 및 v는 자재 및 현장여건을 감안하여 계상한다.

3. 지게운반('10년 보완)

구분 종류			적재적하 시간(t)	평균왕복속도(m/hr)		
				양 호	보 통	불 량
토	사	류	1.5분	3,000	2,500	2,000
석	재	류	2분			

[주] ① 절취는 별도 계상한다.
  ② 양호 : 운반로가 평탄하며 보행이 자유롭고 운반상 장애물이 없는 경우
    보통 : 운반로가 평탄하지만 다소 운반에 지장이 있는 경우
    불량 : 보행에 지장이 있는 운반로의 경우, 습지, 모래질, 자갈질, 암반 등 지장이 있는 운반로의 경우
  ③ 1회 운반량은 보통토사 25kg 으로 하고, 삽작업이 가능한 토석재를 기준으로 한다.
  ④ 석재류라 함은 자갈, 부순돌 및 조약돌 등을 말한다.
  ⑤ 고갯길인 경우에는 직고(直高) 1m를 수평거리 6m의 비율로 본다.
  ⑥ 적재운반 적하는 1인을 기준으로 한다.

4. 벽돌운반

(1,000매당)

구 분	단 위	층 수				
		1층	2층	3층	4층	5층
보 통 인 부	인	0.44	0.56	0.74	0.96	1.19
비 고	- 리프트를 사용할 경우 보통인부 0.31인을 적용한다.					

[주] 본 품은 기본벽돌(19×9×5.7cm)을 인력으로 층별(층고 3.6m) 운반하는 기준이다.

5. 인력운반(기계설비)

$$운반비 = \frac{M}{T} \times A \left(\frac{60 \times 2 \times L}{V} + t\right)$$

여기에서, A : 인력운반공의 노임
M : 필요한 인력운반공의 수(총운반량/1인당 1회운반량)
L : 운반거리(km)
V : 왕복평균속도(km/hr)
T : 1일 실작업시간
t : 준비작업시간(2분)

인력운반공의 1회 운반량(25kg)
왕복평균속도 : 도로상태 양호 : 2km/hr
　　　　　　　도로상태 보통 : 1.5km/hr
　　　　　　　도로상태 불량 : 1km/hr
　　　　　　　도로상태 물논 : 0.5km/hr
※ 도로상태 구분은 토목부분 참조

나. 경사지 운반 환산계수(α), 경사지 환산거리 a × L

경사도	%	10	20	30	40	50	60	70	80	90	100
	각도	6	11	17	22	27	31	35	39	42	45
환산계수(α)		2	3	4	5	6	7	8	9	10	11

6. 운반로의 개설 및 유지보수

운반로의 신설 또는 유지보수는 작업량을 감안하여 작업속도가 증가됨으로써 신설 또는 유지 보수하지 않을 때보다 경제적일 경우에만 계상해야 한다.

7. 화물자동차의 적재량

가. 중량으로 적재할 수 있는 품종에 대하여는 중량적재 하는 것을 원칙으로 한다.
나. 중량적재가 곤란한 것에 대하여는 적재할 수 있는 실측치에 의한다.
다. 화물자동차의 적재량은 중량적재나 용량적재 그 어느 쪽의 제한 범위도 벗어나지 않도록 해야 하며 운반로의 종별(공도, 사도) 및 상태에 따라서도 달라질 수 있다.
라. 화물자동차의 적재량은 중량으로 적재하거나 특수한 품목을 제외하고는 일반적으로 다음의 값을 기준으로 한다.

종별	규격	단위	적재량				비고
			6톤 차량	8톤 차량	11톤 차량	20톤 트레일러	
목재(원목)	길이가 긴 것은 낱개	m³	7.7	10	13	-	
목재(제재목)	〃	〃	9.0	12	16	-	
경유·휘발유	200ℓ	드럼	30	40	55	-	
아스팔트	〃	〃	24	35	50	-	
새 끼	12mm, 9.4kg	다발	480	640	-	-	
벽 돌	19cm×9cm×5.7cm(표준형)	개	2,930	3,900	5,300	-	
기 와	34cm×30cm×1.5cm	매	1,860	2,480	3,400	-	
보 도 블 록	30cm×45cm×6cm	개	490	650	890	-	
견 치 돌	뒷길이 45cm	개	100	135	180	-	
블 록	두께 10cm	〃	650	860	1,180	-	
〃	두께 15cm	〃	450	600	820	-	
〃	두께 20cm	〃	350	460	630	-	
타 일	두께 6mm	m²	500	660	-	-	모자이크 포함
	(8mm)		(350)	(460)			
크링커타일	두께 24mm	〃	150	200	-	-	
합 판	12×900×1,800mm	매	450	600	820	-	
유 리	두께 3mm	m²	700	930	-	-	
페 인 트	4ℓ(18ℓ)/통	통	1,300 (300)	1,720 (400)	2,365 (550)	-	
아스타일	3mm×30cm×30cm	매	9,600	12,800	17,600	-	
흄 관	⌀300mm L=2.5m	본	27	36	52	-	
〃	450 〃	〃	15	20	27	-	
〃	600 〃	〃	8	12	15	-	
〃	800 〃	〃	4	6	9	-	
〃	900 〃	〃	4	5	7	-	
〃	1,000 〃	〃	3	4	5	10	
〃	1,200 〃	〃	2	3	4	7	
〃	1,500 〃	〃	1	2	2	5	
콘크리트관	⌀250mm L=1m	본	60	80	110	-	
〃	300 〃	〃	52	70	96	-	
〃	350 〃	〃	42	60	82	-	
〃	450 〃	〃	25	30	41	-	
〃	600 〃	〃	16	20	27	-	
〃	900 〃	〃	9	12	16	-	
〃	1,000~1,500 〃	〃	3~6	4~8	5~10	12	

→

종 별	규 격	단위	적재량				비고
			6톤 차량	8톤 차량	11톤 차량	20톤 트레일러	
주 철 관	ø80mm~150mm L=6.0m	본	42~111	46~123	-	-	
〃	200~450 〃	〃	9~30	10~34	-	-	
〃	500~600 〃	〃	6	6~9	-	-	
〃	700~900 〃	〃	3	3~5	-	-	
〃	1,000 〃	〃	2	2	-	-	
도 복 장 강 관	ø300mm~450mm L=6.0m	본	10~18	14~22	-	-	
〃	500~ 700 〃	〃	3~9	6~10	-	-	
〃	800~1,000 〃	〃	1~3	3	-	-	
〃	1,200~2,100 〃	〃	1	1	-	-	
〃	2,200~2,300 〃	〃		1	-	-	
P · C 파일	ø300mm~440mm L=9.0m	본	-	-	6~10	11~18	
	450~500 〃	〃	-	-	4~5	8~9	
시 멘 트	40kg	대	150	200	275	637 (25.5톤 화물차는 풀카고 기준)	
전 주	10m(일반용)	본	-	-	12	23	
〃	체신주 8m	〃	-	17	23	43	

有權解釋

제목 1 소운반 운반거리

질의문

신청번호 2109-058 신청일 2021-09-25
질의부분 공통 제1장 적용기준 1-5-1 소운반 및 인력 운반

산에 등산로 정비공사를 시행하고 있습니다. 소운반 거리를 산정할 때 도상 직선거리로 적용하는지, 아니면 실제 운반 거리로 적용하는지 문의드립니다.

회신문

소운반은 일반적으로 품에서 포함된 것으로 품에서 포함된 것으로 규정된 소운반 거리는 20m 이내의 실제 운반 거리이며, 20m를 초과하는 경우에는 초과분에 대하여 표준품셈 "1-5-1 소운반 및 인력 운반" 등을 활용하여 별도 계상하도록 정하고 있습니다.
또한 경사면의 소운반 거리는 직고 1m를 수평거리 6m의 비율로 본다.로 명시하고 있으니 이를 참조하시기 바랍니다. 품 항목과 무관하게 인력 운반을 적용하실 경우 전체 운반 거리를 적용하시기 바랍니다.

> **제목 2** 건설공사 표준품셈 공통 1-5-1 4. 벽돌운반 관련 질의
>
> **내용**
>
> 신청번호 2007-061 신청일 2020-07-20
> 질의부분 공통 제1장 적용기준 1-5-1 소운반 및 인력운반
>
> 건설공사 표준품셈 공통 1-5-1 4. 벽돌운반 층수의 정확한 정의를 알고 싶습니다. 품셈[주]에 따르면 층별(층고 3.6m) 운반을 기준으로 한다고 되어있습니다. 아래와 같이 적용하는 것이 맞는지요?
> 1. 1층 벽돌하차 → 1층 운반(20m 이내) : 기본 소운반거리내, 층별 운반이 없으므로 벽돌운반 미적용
> 2. 1층 벽돌하차 → 1층 운반(20m 이내) → 2층 운반 : 품셈 1층기준 적용(보통인부 0.44인)
> 3. 1층 벽돌하차 → 1층 운반(20m 이내) → 3층 운반 : 품셈 2층기준 적용(보통인부 0.56인)
>
> **회신문**
>
> 표준품셈 공통부문 "1-5-1 소운반 및 인력운반/ 4. 벽돌운반"은 층별(층고 3.6m) 운반하는 기준입니다. 단층 건물의 경우 층별 운반이 없다면 표준품셈 공통부문 "1-5-1 소운반 및 인력운반"을 참조하시기 바랍니다.
> 소운반은 일반적으로 품에서 포함된 것으로 일반적으로 20m 이내의 거리이며, 20m를 초과하는 경우에는 초과분에 대하여 표준품셈 "1-5-1 소운반 및 인력운반" 등을 활용하여 별도 계상하도록 정하고 있습니다.

> **監査**
>
> **제목** 불필요한 공종(사토 소운반) 설계변경 감액없이 준공조치
>
> **내용**
>
> 'OO농공단지 조성사업' 현장에서 발생된 발파암을 지정 사토장인 'OO유리온실단지 조성공사' 현장으로 덤프운반을 하면서 실제 한 번에 상차하여 지정 사토장까지 운반을 하였는데도, 한 번 상차하여 소운반(L = 273.5m)을 한 후 재차 상차하여 운반(L = 500m)하는 것으로 당초부터 설계가 되어 있다는 사유로 설계변경을 하지 않고, 최종 준공 검사를 거쳐 그대로 준공처리를 함에 따라 225,104천원의 공사금액이 부당하게 과다 집행되었다.
>
> **조치할 사항**
>
> OO군수는 "OO농공단지 조성공사" 추진과 관련하여 「지방자치단체를 당사자로 하는 계약에 관한 법률」 제22조에 따른 설계변경 등으로 계약금액을 조정하지 못하여 과다 지출된 225,104천원 상당은 회수 등의 조치를 강구하시기 바라며, [시정]
> 위 관련자 중 지방OOOOO OOO은 「지방공무원법」 제72조의 규정에 따라 징계 처분하시고[징계], 위 관련자 중 지방OOOO OOO, 지방OOOO OOO, 지방OOOO OOO은 훈계 처분하시기 바람[훈계]

1-3 재료 및 노임의 할증

1-3-1 재료의 할증('06, '11, '12, '19, '22년 '23년 보완)

공사용 재료의 할증률은 일반적으로 다음표의 값 이내로 한다. 다만, 품셈의 각 항목에 할증률이 포함 또는 표시되어 있는 것에 대하여는 본 할증률을 적용하지 아니한다.

1. 콘크리트 및 포장용 재료

종 류	정치식 (%)	기 타(%)
시 멘 트	2	3
잔 골 재 · 채 움 재	10	12
굵 은 골 재	3	5
아 스 팔 트	2	3
석 분	2	3
혼 화 재	2	-

[주] 속채움 재료의 경우에도 이 값을 준용한다.

2. 노상 및 노반재료(선택층, 보조기층, 기층 등)

종 류	할증률(%)
모 래	6
부 순 돌 · 자 갈 · 막 자 갈	4
점 질 토	6

3. 관 및 구조물기초 부설재료

종 류	할증률(%)
모 래	4

4. 토 사(해상)

종 류	할증률 (%)	비 고
치 환 모 래 (置 換 砂)	20	표면건조포화상태의 모래에 대한 할증률
깔 모 래 (敷 砂)	30	
사 항 용 모 래 (砂 抗 用 砂)	20	
압 입 모 래 (壓 入 砂)	40	

5. 사 석(해상)

종 류 \ 지반 사석두께	보통 지반 2m미만	보통 지반 2m이상	모래치환 지반 2m미만	모래치환 지반 2m이상	연약 지반 2m미만	연약 지반 2m이상
기 초 사 석	25%	20%	30%	25%	50%	40%
피 복 석 (被 覆 石)	15%	15%	15%	15%	20%	20%
뒤 채 움 사 석	20%	20%	20%	20%	25%	25%

[주] 사석의 재료할증률은 공사의 위치, 자연조건(수심, 조류, 파랑, 조위, 해저지질 등)과 제체의 규모 및 공사의 종류 등 현장조건에 적합하게 적용할 수 있다.

6. 속채움(해상)

종 류	할증률 (%)	비고
모 래	10	케이슨 또는 세라 블록 등의 속채움시
사 석	10	단, 블록 또는 콘크리트의 속채움재는 제외

7. 강재류

종 류	할증률(%)
원형철근	5
이형철근	3
이형철근(교량·지하철 및 이와 유사한 복잡한 구조물의 주철근)	6~7
일반볼트	5
고장력볼트(H.T.B)	3
강판(板)	10
강관	5
대형형강(形鋼)	7
소형형강	5
봉강(棒鋼)	5
평강대강	5
경량형강, 각파이프	5
리벳(제품)	5
스테인리스강판	10
스테인리스강관	5
동판	10
동관	5
덕트용금속판	28
프레스접합식스테인리스강관	5
이음부속류	5

[주] ① 이형철근의 경우, 해당 공사 또는 구조물의 시공실적에 따라 조정하여 적용할 수 있다.
　② 강관, 스테인리스강관의 할증률(%)은 옥외공사를 기준한 것이며 옥내공사용 재료의 할증률은 10% 이내로 한다.
　③ 형강(形鋼)의 대 형구분은 100mm 이상을 말한다.
　④ 현장 여건상 절단 및 가공 등이 불필요한 경우, 상기 할증률을 조정하여 적용할 수 있다.

8. 기타재료

재료별		할증률(%)
목재	각재	5
	판재	10
합판	일반용합판	3
	수장용합판	5
쉬즈관		8
PVC판 / PE판		5
원심력철근콘크리트관		3
조립식구조물(U형플륨관등)		3('92 신설)
도료		2
벽돌	붉은벽돌	3
	시멘트벽돌	5
	내화벽돌	3
	경계블록	3
	콘크리트블록	4
	호안블록	5
원석(마름돌용)		30
석재판붙임용재	정형돌	10
	부정형돌	30
조경용수목		10
잔디 및 초화류		10
레디믹스트 콘크리트 타설 (현장플랜트포함)	무근구조물	2
	철근구조물	1
	철골구조물	1
현장혼합콘크리트 타설 (인력 및 믹서)	무근구조물	3
	철근구조물	2
	소형구조물	5
콘크리트포장혼합물의 포설		4
아스팔트콘크리트포설(현장플랜트포함)		2
졸대		20
텍스		5
석고판(못붙임용)		5
석고판(본드붙임용)		8
콜크판		5
단열재		10
유리		1
테라콧타		3
블록		4

→

재 료 별	할 증 률(%)
기와	5
슬레이트	3
타일 — 모자이크	3
타일 — 도기	3
타일 — 자기	3
타일 — 아스팔트	5
타일 — 리노륨	5
타일 — 비닐	5
타일 — 비닐렉스	5
타일 — 코르크	3
테라죠판	6('18 신설)
위생기구(도기, 자기류)	2

[주] ① 거푸집 및 동바리, 가건축물 또는 품셈에 할증률이 포함 또는 표시되어 있는 것에 대하여는 본 할증률을 적용하지 아니한다.
② 개별 부재의 설계조건에 의해 제작이 완료된 상태의 PC부재(PC암거, 건축용 구조부재 등)는 할증수량을 적용하지 않는다.
③ PVC, PE관의 할증률(%)은 옥외공사 기준이며 옥내공사용 재료의 할증률은 10% 이내로 한다.
④ 현장 여건상 절단 및 가공 등이 불필요한 경우, 상기 할증률을 조정하여 적용할 수 있다.

有權解釋

제목 1 대형 형강의 구분

질의문
신청번호 2107-051 신청일 2021-07-15
질의부분 공통 제1장 적용기준 1-4-1 재료의 할증

형강류의 할증 중에 대형형강의 구분에 대한 해석을 부탁드립니다.

회신문
건설공사 표준품셈에서는 대형강, 소형강의 구분을 플랜지와 웨브의 높이에 따라 다음과 같이 구분하고 있으니 이를 참조하시기 바랍니다.
- 대형형강 : 플랜지 또는 웨브가 100mm 이상(혹은 양 플랜지의 합이 200mm 이상)인것
- 중형형강 : 플랜지 또는 웨브가 50~100mm(혹은 양 플랜지의 합이 100~200mm)인 것
- 소형형강 : 플랜지 또는 웨브가 50mm 미만(혹은 양 플랜지의 합이 100mm 미만)인 것

제목 2 콘크리트 및 포장용 재료의 정치식과 기타 할증 적용 여부

질의문
신청번호 1905-010 신청일 2019-05-08
질의부분 공통 제1장 적용기준 1-4-1 재료의 할증
품셈 1-4-1 재료의 할증에서 1. 콘크리트 및 포장용 재료의 정치식과 기타 할증에서 어떤 경우에 정치식 할증(%)을 어떤 경우에 기타 할증(%)을 적용하는지 자세한 설명 부탁드립니다.
설계VE에서 지적된 사항이라 꼭 필요하며 아스팔트의 경우 여태까지 할증 2%를 사용하였는데 기타 할증 3%를 적용하라고 해서요.

> **회신문**
> 표준품셈 "1-4-1 재료의 할증률" '1. 콘크리트 및 포장용 재료'에서 정치식은 일반적으로 배치플랜트에서, 기타는 인력비빔 등의 이동식 비빔장치에서 콘크리트 및 포장용 재료를 생산할 때 적용되는 재료할증 기준이며, 그 외 시공 중(콘크리트 타설, 아스팔트콘크리트포설 등)에 발생되는 재료할증은 동 항목 "6. 기타재료"에서 제시하고 있으니 참조하시기 바랍니다.

1-3-2 노임의 할증

1. 노임은 관계법령의 규정에 따른다.
2. 근로시간을 벗어난 시간외, 야간 및 휴일의 근무가 불가피한 경우에는 근로기준법 제50조, 제56조, 유해 위험작업인 경우 산업안전보건법 제139조에 정하는 바에 따른다.

1-4 품의 할증('97, '01, '03, '11, '14, '15, '16, '17년 보완)

1-4-1 적용기준('23년 보완)

1. 품의 할증은 필요한 경우 다음의 기준 이내에서 적정공사비 산정을 위하여 공사규모, 현장조건 등을 감안하여 적용한다.
2. 할증의 적용은 품셈 각 항목에서 발생하는 보편적인 작업환경에서 벗어나는 경우에 고려되어야 하며, 항목별로 별도의 할증이 명시된 경우에는 각 항목별 할증을 우선 적용한다.
3. 품의 할증은 생산성에 영향을 받는 품 요소(인력 및 건설기계)에 적용함을 원칙으로 한다.
4. 품의 할증은 각각의 할증 요소에서 제시하고 있는 기준과 동일하거나 유사한 시공조건에서 적용할 수 있으며, 할증의 적용에 판단이 필요한 경우는 발주기관의 장 또는 계약 당사자간 협의하여 적용함을 원칙으로 한다.
5. 할증율(%)은 요소별 일반적인 작업조건을 기준으로 제시하였으며, 일부의 작업에 영향을 미치는 경우 할증율의 범위내에서 보완하여 적용할 수 있다.

1-4-2 할증의 중복가산요령

$W = 기본품 \times (1 + a_1 + a_2 + a_3 + \cdots\cdots a_n)$

단, 동일성격의 품할증요소의 이중적용은 불가함.
여기서 W : 할증이 포함된 품
기본품 : 각 항 [주]란의 필요한 할증·감 요소가 감안된 품 a_1-a_n : 품 할증요소

契約審査

제목 할증의 중복가산 요령에 의하면

내용

기본 품은 표준품셈의 각 항 [주]란의 할증 및 감 요소가 감안된 품이므로 이를 기본품에 반영해야 하나, 품 할증요소(a_1-a_n)에 반영 사례

공종	규격	수량	단위	재료비 단가	재료비 금액	노무비 단가	노무비 금액	경비 단가	경비 금액	합계 단가	합계 금액	비고
◎ 인력 굴착(보통토사, 용수 존재, 주택가) ㎥												
인력	① 보통인부	0.2	인			148,510	29,702			148,510	29,702	
할증	② 용수 (0.2인×50%)	0.1	인			148,510	14,851			148,510	14,851	
소계	③ 노무비합계 (기본품에 할증 제외)	0.2	인				29,702				29,702	당초
	④ 노무품합계 (기본품에 할증 포함)	0.3	인			148,510	44,553			148,510	44,553	조정
품의 할증	⑤ 주택가15%+용수50%	65	%			29,702	19,306			29,702	19,306	당초
	⑥ 주택가15%	15	%			44,553	6,682			44,553	6,682	조정
계	③+⑤						49,008				49,008	당초
	④+⑥						51,235				51,235	조정
설명	◎ 할증의 중복가산 요령에 의하면 - 기본품은 각 항 [주]란의 할증 및 감 요소가 감안된 품을 의미하므로 ▶ 인력굴착 [주]란에는 용수가 있는 곳은 ▶ 본 품(0.2인)의 50%까지 가산(0.2인×50%=0.1인)할 수 있다고 규정하고 있음 - 따라서 인력굴착 기본 품은 0.3인(보통인부 0.2인×1.5=0.3인)으로 계상하고 - 주택가 할증(15%)은 품의 할증이므로 기본 품(0.3인)에 대하여 계상하여야 함											

심사 착안사항

- 할증의 중복가산 요령에서 기본 품은 각 항 [주]란의 할증 및 감 요소가 감안된 품을 의미하고 있으므로 적용에 주의 필요
- 본 공사의 특수성과 무관하게 관례적으로 적용한 공정의 필요성 검토

判例

제목 작업효율 저하에 따른 비용증가―설계변경시 추가공사비 인정받을까

내용

법원은 야간공사 시간을 제한한 것은 설계변경에 해당한다고 전제한 후, 법원 감정인이 야간 공사시간의 단축 전·후를 구분하여 생산성을 수치화한 후, 양자를 비교하여 산출한 값을 야간 공사시간 단축으로 인한 작업 손실률로 보아 위 값을 할증률로 적용하여 설계변경에 따른 추가공사비를 산출한 것에 대하여, ① 이 사건 공사에 적용할 만한 품의 할증에 관한 기준이 건설공사 표준품셈에 마련되어 있지 않은 점, ② 야간 공사시간 단축으로 인하여 작업시간이 줄어들어 작업능률이 현저하게 저하된 점, ③감정인이 작업일보를 근거로 공사량과 투입자원을 집계함으로써 할증률 산출 시 실제 현황을 충실히 반영한 점 등을 감안할 때, 이와 같은 법원 감정인의 추가공사비 산출 방식은 합리적인 근거를 갖추고 있어 타당하다고 판단하여 A의 청구를 대부분 인용하였다(서울고등법원 2015. 10. 13. 선고 2014나206561 판결).

건설공사 표준품셈은 '품의 할증'에 관한 적용기준을 규정하면서 '기타 할증률'에 관하여, '기타 작업조건이 특수하여 작업시간 및 통행제한으로 작업능률 저하가 현저할 경우는 별도 가산할 수 있다'라고만 규정하고 있을 뿐 그 산정 방식에 대하여 상세한 규정을 두고 있지 않다. 이에 따라 설계변경으로 인한 추가공사비 산정 시 작업효율 저하에 따른 공사비 증가분에 대하여는 적극적인 청구가 이루어지지 않고 있었고, 법원 역시 이를 인정하는 데에 소극적인 모습을 보여 왔다.

이러한 관점에서 본 판결은 건설공사 표준품셈에 그 산출 방식이 정확하게 규정되어 있지 않더라도 작업일보 등의 정확한 근거를 통하여 '작업효율 저하' 사실이 인정되고, 생산성 저하 정도를 수치화하여 객관적으로 할증률을 산출할 수 있는 경우에는 이를 적용하여 설계변경에 따른 추가공사비를 산출하는 것이 가능하다고 판단함으로써 작업효율 저하에 따른 공사비 증가분도 설계변경에 따른 추가공사비의 범위에 포함될 수 있다는 점을 최초로 인정하였다는 점에서 적지 않은 의미가 있다고 할 것이다.

1-4-3 작업지연('23년 보완)

공사 수행 시 특정 시공조건 발생(출입통제, 중단, 이동 등)하여 일일 작업시간에 제약을 받는 경우를 대상으로 한다.

1. 현장조건

구 분	적 용 조 건	할 증
통 제 보 안 지 역	- 군작전지역, 보안구역 등 작업인력의 출입통제로 작업에 지장을 받는 경우	20%
도 서 지 역	- 본토와 도서지구간 인력의 이동(출퇴근) 발생으로 작업에 지장을 받는 경우	50%
공 항 지 역	- 공항 내 이착륙(1일 20회 이상)발생으로 작업에 지장을 받는 경우	50%

[주] ① 본 할증은 인력의 출입 및 작업 통제에 의해 실 작업시간이 줄어드는 경우에 적용한다.
② 도서지역에서 자원(인력, 자재, 건설기계)의 수급에 영향을 받는 경우는 본 할증과 무관하며, 별도 반영하여야 한다.

2. 열차의 운행빈도

구 분	적 용 조 건	할 증
본 선 상 작 업	- 열차운행횟수(8시간) 13회 이하	14%
	- 열차운행횟수(8시간) 14~18회 이하	25%
	- 열차운행횟수(8시간) 19회 이상	37%
열 차 운 행 선 인 접 작 업	- 열차운행횟수(8시간) 13회 이하	3%
	- 열차운행횟수(8시간) 14~18회 이하	5%
	- 열차운행횟수(8시간) 19회 이상	7%

[주] ① 열차 통과에 따라 작업이 중단(지장 또는 대피)되는 경우에 적용한다.
② 열차운행선 인접공사시 열차통과에 따라 작업이 중단되어 작업능률이 저하되는 경우 대피 할증률을 적용하며, 선로와의 이격거리는 철도안전법 기준을 적용한다.

3. 건물 층수

구 분	적 용 조 건	할 증
지 상 층	2~5층	1%
	10층 이하	3%
	15층 이하	4%
	20층 이하	5%
	25층 이하	6%
	30층 이하	7%
	30층 초과	5층마다 1%씩 가산
지 하 층	지하 1층	1%
	지하 2~5층	2%
	지하 6층 이하	별도계상

[주] ① 시설(건물 등) 내부에서 작업자의 이동에 따라 작업능률이 저하되는 경우에 적용한다.
　　② 층의 구분을 할 수 없는 경우 층고를 3.6m로 기준하여 환산한다.

1-4-4 지세/지형('23년 보완)

시공위치의 형상(산지 등), 환경(교통, 주거등) 등의 조건에 의해 작업효율에 영향을 받는 경우를 대상으로 한다.

1. 지세

구 분	적 용 조 건	할 증
산　　악　　지	- '[참고] 지세구분'에 따른 산악지	50%
야　　산　　지	- '[참고] 지세구분'에 따른 야산지	25%
습 지 (물 이 있 는 논)	- 습지(물이있는 논 등) 또는 해안지역(갯벌, 간척지, 모래사장 등)에서 직접작업하는 경우	20%
경　　사　　지	- 비탈면 등 경사면 작업으로 작업에 지장을 받는 경우	20%

[주] ① 시공위치의 형상 변화(간섭, 경사 등)로 인해 작업에 지장을 받는 경우에 적용한다.
　　② 작업 조건의 개선(지형 평탄화, 탑승장비 활용 등)으로 본 작업의 영향을 받지않는 경우 적용하지 않는다.

[참고] 지세구분

구분	지구	평 탄 지	야 산 지	산 악 지
지 형		평지 또는 보통 야산으로 교통이 편리한 곳	험한 야산지대 및 수목이 우거진 보통 산악지대로서 교통이 불편한 곳	산림이 우거진 험준한 산악 지대로서 교통이 극히 불편한 곳
지 세		평지 또는 보통 야산	험한 야산 또는 보통 산악	험한 산악
높이 기준	해발	100m 미만	300m 미만	400m 미만
	표고	50m 미만	150m 미만	200m 미만

구분 \ 지구		평탄지	야산지	산악지
통행조건	도로	대소로(유)	대로(무)	대소로(무)
	구배	완만	완급	극급
	통행	양호	불편	극히불량
자연환경	지세	양호	불편	불량
	수목	소수 또는 소목	보통 또는 약간 울창	울창
	기상	보통	불편	불편
기타조건	교통	도로에서 500m 이내 편리	도로에서 1㎞ 이내 불편	도로에서 1㎞ 이상 극히 불편
	숙소	〃	〃	불가
	통신	〃	〃	〃
	인력동원	〃	〃	〃

[주] ① 교통
  - 도 로 : 도시·군계획시설의 결정·구조 및 설치기준에 관한 규칙 제9조 참고
  - 편 리 : 대형차의 통행가능
  - 불 편 : 소형차 또는 리어카 정도의 통행가능
  - 극히불편 : 사람 이외의 통행불가
② 표고 : 활동 중심구역에서의 거리 300m 기준
③ 구배
  - 완 만 : 사거리 100m 미만으로 수평각 15도 미만 정도
  - 완 급 : 사거리 100m 이상의 수평각 30도 미만 정도
  - 극 급 : 사거리 100m 이상으로 수평각 30도 이상 정도
④ 선정기준 : 상기 구분기준 중 4개 이상에 해당되는 경우를 대상으로 함

2. 도심지

구 분	적 용 조 건	할 증
차 도	- 2차로(교행불가 발생)	30%
	- 4차로 이하(차량통행 영향)	25%
	- 4차로 초과	20%
주 거 지	보행자 및 차량통행 영향 주거환경 영행	15%

[주] ① 차도는 차량의 통행조건(통행제한, 저속통행 등)에 따라 작업에 지장을 받는경우에 적용한다.
② 주거지는 주택가와 인접하여 보행자/차량 통행 또는 주거환경 영향으로 인해 작업에 지장을 받는 경우에 적용한다.

1-4-5 위험('23년 보완)

작업 위치 및 환경에 따른 위험요소의 발생과 위험의 노출로 인해 작업능률의 저하가 예상되는 경우에 적용한다.

1. 고소작업

구 분	적 용 조 건	할 증
비 계 사 용	- 10m 미만	-
	- 10m 이상 ~ 20m 미만	5%
	- 20m 이상 ~ 30m 미만	8%
	- 30m 이상 ~ 40m 미만	12%
	- 40m 이상 ~ 50m 미만	16%
	- 50m 이상 ~ 60m 미만	20%
	- 60m 초과	10m마다 4%씩 가산
고 소 작 업 차 사 용	- 10m 미만	-
	- 10m 이상 ~ 20m 미만	4%
	- 20m 이상 ~ 30m 미만	6%
	- 30m 이상 ~ 40m 미만	8%
	- 40m 이상 ~ 50m 미만	10%
	- 50m 이상 ~ 60m 미만	12%
	- 60m 초과	10m마다 2%씩 가산

[주] ① 비계 사용은 기설치 된 비계(강관비계, 시스템비계 등) 위에서 작업하는 기준이며, 고소작업차 사용은 고소작업차에 탑승하여 작업하는 기준이다.
② 굴착 등 지하에서 작업할 경우 본표의 높이별 할증율을 동일하게 적용하며 비계 또는 고소작업차의 설치 위치를 기준으로 한다.
③ 특수 조건의 고소작업(비계틀 불사용 등)은 별도 계상한다.

2. 교량상 작업

구 분	적 용 조 건	할 증
슬 래 브 (도 상) 위	- 작업자의 추락 위험이 비교적 낮은 작업	15%
무 도 상 교 량 / 난 간 설 치 및 철 거	- 작업자의 추락 위험이 높은 작업	30%

[주] 교량상 작업은 교량위에서 작업자의 안전시설(안전로프 등) 착용이 필요한 작업 기준이다.

3. 터널내 작업

구 분	적 용 조 건	할 증
도 로 / 보 행 터 널	- 작업자의 대피가 용이한 터널	15%
철 도 터 널	- 작업자의 대피거리가 길고, 별도의 대피공간이 필요한 터널	30%
비 고	- 터널내 사다리작업으로 작업능률이 현저하게 저하될 시는 위 할증률에 10%까지 가산할 수 있다.	

[주] 터널내 작업은 완공되어 운영중인 터널의 입구에서 25m이상 진입하여 보수 및 보강, 유지보수 등의 작업 시에 적용한다.

4. 유해 작업

구 분	적 용 조 건	할 증
활 선 근 접	- 고온·고압기기 접근작업 [참고] AC140kV급 이상(4m이내), 60kV급 이상(3m이내), 7kV급 이상(2m이내), 600V 이상(1m이내)	30%
기 타	- 고열·위험물·극독물의 보관실내 작업	20%
	- 정화조, 축전지실, 제방실내 등 유해가스 발생장소	10%

[주] 유해작업은 유해시설과 인접하여 작업하는 경우에 적용한다.

1-4-6 작업제한('23년 보완)

휴전, 단수, 선로사용중지 등 작업시간 제한 발생 또는 1일 작업물량 미만의 소규모 시공 등 일일 작업시간(8시간) 미만의 시공이 발생하는 경우를 대상으로 한다.

구분	적용조건	할증
작 업 가 능 시 간	2시간 이하	50%
	3시간 〃	35%
	4시간 〃	25%
	5시간 〃	20%
	6시간 〃	15%

[주] ① 휴전, 단수, 선로사용중지 등 일일 작업시간이 제한되는 경우에 적용한다.
② 작업가능시간은 작업준비, 대기 등을 제외한 실질적인 시공위치의 점유가 가능한 시간이다.

2. 소규모(작업물량 제한)

"시공량/일"으로 명시된 항목 중 총 시공량이 본 품(시공량/일)의 기준 미만인 소규모 공사인 경우 다음과 같이 적용하며, "시공량/일"이 제시되지 않는 항목의 경우 시공수량과 투입자원(인력, 장비)의 작업능력을 고려하여 산정한다.

구 분	조 건	적용시공량
1	A ≦ B/2일 경우	Q = B/2
2	B/2 < A ≦ B일 경우	Q = B

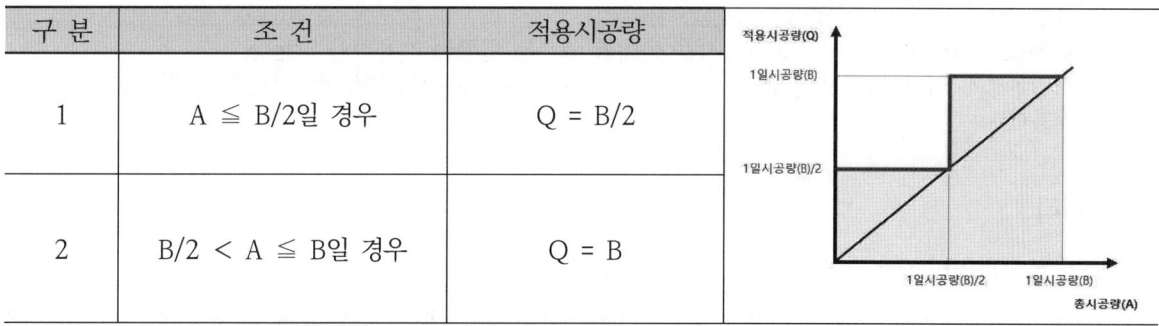

[주] 총시공량(A), 1일시공량(표준품셈)(B), 적용시공량(Q)

1-4-7 작업환경('23년 보완)

공사외적 시공환경(작업 시간대, 환경(소음·진동 등), 위치 이동 및 분산 등)변화 또는 특수작업이 발생하는 경우를 대상으로 한다.

1. 야간

구 분	적 용 조 건	할 증
야 간	- 정상작업시간에 추가하여 야간공사 수행(돌관공사) - 공사성격에 따라 야간작업으로 계획	25%

[주] 공정계획에 의해 정상작업(정상공기)에 의한 작업이 불가능한 경우 또는 공사성격 상 야간작업을 수행하는 경우에 적용한다.

2. 특수작업

구 분	적 용 조 건	할 증
특 수 작 업	- 중요기기 및 설비의 분해, 가공 또는 조립작업 - 특별한 사양 및 공법에 의한 작업 - 기타 중요한 기기 및 설비를 취급하는 작업	5~10%
비 고	- 원자력 발전소와 같이 작업단계별 품질 및 안전도 검사 등이 엄격히 적용되는 공정의 경우에는 각 공정에 따라 품 할증을 별도 가산한다.	

[주] 작업의 중요도가 높거나 특별 시방에 따라 특수한 기술과 안전관리가 필요한 작업(원자력 발전소 등)에 적용한다.

3. 기타

구 분	적 용 조 건	할 증
기 타	- 작업공간의 협소(작업간섭) - 동일장소에서 수종의 장비가동 - 소음·진동 발생 - 위험 발생	50%
	- 원거리, 계속이동작업, 분산작업 등 이동시간 과다발생	50%

[주] ① 현장 조건에 따라 작업능력 저하가 발생하는 경우에 적용한다.
② 1개 이상의 적용조건이 발생하는 경우 개별 할증을 중복 가산하지 않으며, 현장 전반의 작업환경을 종합적으로 고려하여 할증율을 적용한다.
③ 이동으로 인한 작업시간 손실이 1시간 이내의 경우는 할증을 적용하지 않는다.
④ 작업환경에 따라 작업시간 감소가 예상되는 경우 '1-5-6 작업제한/작업시간제한' 할증율 참고하여 적용한다.

1-5 기타

1-5-1 품질관리비('04, '06, '11, '14년 보완)

1. 건설공사의 품질관리에 필요한 비용은 건설기술진흥법 제56조제1항의 규정에 따라 공사금액에 계상하여야 한다.
2. 품질관리비는 동법시행규칙 제53조제1항에서 규정하고 있는바와 같이 품질관리계획 또는 품질시험계획에 따른 품질관리활동에 필요한 비용을 말한다.

[참고]
건설공사의 품질관리 시험비 계상시 건설기술진흥법 시행규칙에 명시되지 않은 것으로 고려할 사항은 시험시공비, 특수시험비(수압시험, X-Ray시험 등) 특수공종의 측량 및 규격검측비 등이 있다.

1-5-2 산업안전보건관리비('04, '06, '12, '20, '23년 보완)

1. 건설공사현장에서 산업재해 예방에 필요한 비용인 산업안전보건관리비는 산업안전보건법 제72조제1항의 규정에 의거 공사금액에 계상하여야 한다.
2. 공사금액에 계상된 산업안전보건관리비는 고용노동부가 고시한 "건설업 산업안전보건관리비 계상 및 사용기준"에 따라 사용하여야 한다.
3. 산업안전보건기준에관한규칙 제146조 및 제241조의2에서 정하고 있는 타워크레인 신호업무 담당자, 화재감시자의 인건비는 공사도급 내역서에 반영할 수 있다.

> **有權解釋**
>
> **제목** 산업안전보건관리비 산출 및 사후 정산 부 적정
>
> **내용**
> - 준공 시 산업안전보건관리비는 사용실적을 확인 후 정산을 하여야 함에도 정산절차를 거치지 않고 도급내역서에 계상되어 있는 안전보건관리비를 모두 지급
> - 연간 단가계약의 경우 각각의 개별 단위공사 금액으로 안전보건관리비 대상 여부를 따져야 하는데, 업무지시 전체금액으로 따져 4천만원(현행 2천만원)이하의 공사도 안전보건관리비를 지급
> - 소규모공사의 경우 재해예방전문지도기관의 지도를 받지 않았는데도 기술지도비 지급
> - 산업안전보건관리비목이 도급내역서에 이미 반영되어 있는데도, '안전보건관리비 항목에 해당된다'는 이유로 이중 지급
> - 『건설업 산업안전보건관리비 계상 및 사용기준』 "별표2"의 안전관리비 사용불가 항목을 산업안전보건관리비로 지급
>   ※ 교통신호수, 작업장 경계휀스(PE드럼 등), 라바콘, 공사안내간판, 면장갑, 코팅장갑, 작업복, 차량유도등, 점멸등 등
>
>   ☞ 2022년 6월 : "별표2"의 산업안전보건관리비 사용 불가 항목 폐지
>
> - 산업안전보건관리비에 반영된 근로자 보호를 위한 신호수 근로일수 산정 오류
>   ※ 단순히 교통흐름이나 통제를 위한 신호수는 산업안전보건관리비 지급 대상이 아님
> - 시공사에서 제출한 안전보건관리비 거래명세서, 세금계산서 등에 부가가치세가 포함되어 있는데도, 그 금액 전체를 내역에 반영 → 부가가치세 이중 지급

1-5-3 산업재해보상 보험료 및 기타

1. 공사원가계산에 있어 간접노무비, 경비, 일반관리비, 이윤과 산업재해보상보험료 및 기타 이와 유사한 사항은 기획재정부 회계예규와 산업재해 보상보험법 등 관계규정에 따른다.
2. 시공과정에서 필요로 하는 보상비(직접, 간접 및 일시보상 등)는 현장실정에 따라 별도 계상할 수 있다.

1-5-4 환경관리비('11, '14, '17, '20년 보완)

1. 건설공사에서 환경오염을 방지하고 폐기물을 적정하게 처리하기 위해 필요한 환경보전비 폐기물처리 및 재활용비 등 환경관리비는 「건설기술진흥법 시행규칙」 제61조의 규정을 따른다.

2. 공사현장에서 발생되는 건설폐기물의 일반적인 단위면적당 발생량의 산출은 다음을 참조할 수 있으며, 건축물 해체의 경우는 설계도서에 따라 산출함을 우선으로 한다.

(단위 : TON/㎡)

구 분			폐 콘크리트류	폐 금속류	폐 보드류	폐 목재류	폐합성 수지류	혼합 폐기물
신축	주거용	단 독 주 택	0.03200	-	0.00051	0.00300	0.00174	0.00653
		아 파 트	0.03561	-	0.00066	0.00416	0.00233	0.00874
	비주거용	철근콘크리트조	0.04888	-	0.00117	0.00141	0.00445	0.00664
		철 골 조	0.02920	-	0.00117	0.00071	0.00167	0.00353
		철골철근콘크리트조	0.04087	-	0.00117	0.00128	0.00167	0.00418
해체	주거용	단 독 주 택	1.3321	0.0010	-	0.0968	0.0263	0.2030
		아 파 트	1.4770	0.0655	-	0.0150	0.0261	0.1637
	비주거용	철근콘크리트조	1.4028	0.0170	-	0.0638	0.0215	0.1348
		철 골 조	0.9167	0.0550	-	0.0194	0.0261	0.1348
		철골철근콘크리트조	1.5861	0.1220	-	0.0018	0.0245	0.1452

[주] ① 폐콘크리트류에는 폐콘크리트, 폐아스팔트콘크리트, 폐벽돌, 폐기와 등이 포함되어 있다.
② 폐금속류는 구조물을 구성하는 철골량이 포함되어 있으며, 철골량은 실측에 의하여 별도 산정할 수 있다.
③ 지반 안정화를 위하여 파일 시공을 실시할 경우 (연면적/건축면적)이 20 미만일 경우 15%, 20을 초과할 경우 20%이내에서 폐 콘크리트 수량을 증가할 수 있다.
④ 폐기물관리법 및 건설기술진흥법에 따른 공사현장 환경시설 중 진출입로에 세륜 시설을 설치할 경우 개소당 3% 이내에서 폐콘크리트의 수량을 증가 할 수 있다.
⑤ 건축물의 특성, 시공방법 및 공사현장의 여건에 따라 조정하여 사용한다.

1-5-5 안전관리비('04, '06, '11, '14, '23년 보완)

1. 건설기술진흥법 제63조의 규정에 따라 건설공사의 안전관리에 필요한 안전관리비를 공사금액에 계상하여야 하며, 이 비용에는 동법 시행규칙 제60조제1항의 규정에 따라 다음과 같은 항목이 포함되어야 한다.
2. 이 비용은 건설기술진흥법 시행규칙 제60조제2항에서 규정하고 있는 기준에 따라 공사금액에 계상하여야 한다.

監査

제목 1 가설공사 설계변경 미 시행 및 안전관리비 부당 지급

내용
원가계상 구성 비목(재료비, 노무비, 경비등) 중 경비로 일괄 계상하도록 된 공통가설물(현장사무실, 창고, 가설울타리등) 설치비용을 재료비, 노무비, 경비로 구분 계상함으로서 직접노무비에 의해 일정율로 계산되는 간접노무비가 추가 계상

조치할 사항
교통정리원, 안전감시원 인건비등 별도 안전관리비항목은 경비로 계상 조치

건설기술진흥법 시행규칙

제60조(안전관리비) ① 법 제63조 제1항에 따른 건설공사의 안전관리에 필요한 비용(이하 "안전관리비"라 한다)에는 다음 각 호의 비용이 포함되어야 한다.
1. 안전관리계획의 작성 및 검토 비용
2. 영 제100조 제1항 제1호 및 제3호에 따른 안전점검 비용
3. 발파·굴착 등의 건설공사로 인한 주변 건축물 등의 피해방지대책 비용
4. 공사장주변의 통행 안전관리 대책 비용

② 건설공사의 발주자는 법 제63조 제1항에 따라 안전관리비를 공사금액에 계상하는 경우에는 다음 각 호의 기준에 따라야 한다.
1. ~ 3. 생략
4. 제1항 제4호의 비용 : 공사시행 중의 통행안전 및 교통소통을 위한 시설의 설치비용 및 신호수(信號手)의 배치비용에 관해서는 토목·건축 등 관련 분야의 설계기준 및 인건비기준을 적용하여 계상(2016. 8.12)

③ 건설업자 또는 주택건설등록업자는 안전관리비를 해당 목적에만 사용하여야 하며, 발주자 또는 건설사업관리용역업자가 확인한 안전관리 활동실적에 따라 정산

제목 2 별도 인건비[열차감시원(신호수 등)] 원가계산 부적정

내용

공사장주변 통행안전 관리대책으로 열차감시원(신호수 등)을 배치하는 비용을 경비 비목으로 적용하여 설계내역서(예정가격)를 작성하여야 함에도 노무비 비목으로 적용하여 설계내역서를 작성하였다. 〈중간생략〉

그러나 공사현장 주변의 통행안전 관리대책으로 배치되는 열차감시원은 행정안전부 기준 제2장 제5절 제3관 6. 가. 다. 23, 「건설기술 진흥법」 제63조(안전관리비용) 제1항 및 같은 법 시행규칙 제60조(안전관리비) 제1항 제4호, 제2항 제4호에서 규정한 신호수에 해당되는 비용으로 안전관리비에 해당하고, 투입된 신호수 등의 산재·고용보험 비용 산정은 발주 목적물에 대한 품셈(작업인원수 등)에 따라 반영된 직접노무비와 이 직접노무비에 간접노무비율(적용 기준 매년초 조달청 발표)을 곱하여 산출(간접노무비 = 직접누무비×간접노무비율)된 간접노무비를 합한 비용(직접노무비+간접노무비)에 적용 요율(매년 년초 고용노동부, 국토교통부에서 발표)을 곱하여 산출하도록 정형화되어 있으므로 보험 비용은 이 산출된 비용에서 지급하며 이후 해당(산업재해보상보험법, 고용보험법) 법령에 따라 정산하여야 하므로 신호수 등에 대한 보험 비용을 별도 산정하는 것은 불필요하고 이 사안(신호수 비용 경비 적용)과는 별개의 사안이므로 발주자의 주장은 받아들이기 어렵다.

열차감시원 비용 관련 법률자문 결과

「건설기술진흥법 시행규칙」에 정의하고 있는 안전관리비 규정을 차용하여 해석하면 노무비보다는 안전관리비(경비)에 포함되는 것이 맞다고 판단되며, 발주자의 의견인 산재, 고용보험 가입을 위해 직접노무비로 적용하여야 한다는 의견은 맞지 않으며, 산재, 고용보험 가입은 계정분류와는 무관한 사항으로 경비로 구분된 인건비가 산재, 고용보험이 발생된다면 마찬가지로 해당 보험료를 포함하여 경비로 계상하면 됨

조치할 사항

○○○○공사 사장 등은 그리고 교통신호수 등 배치비용도 행정안전부 기준 제2장(예정가격 작성요령) 제5절(원가계산에 따른 예정가격 결정) 제3관(공사 원가계산) 6(경비) 다(경비의 세비목)에 따라 경비 비목으로 일괄 적용하시고, 제경비의 과다 산정으로 인한 예산 낭비가 발생되지 않도록 공사원가 설계방안을 마련·조치하시기 바람(통보)

1-5-6 사용료

1. 계약에 따른 특허료와 기술료 등에 대한 비용을 계상할 수 있다.
2. 공사에 필요한 경비 중 전력비, 수도광열비, 운반비, 기계경비, 가설비, 시험검사비 등을 계상할 수 있다.

3. 공사용수

구 분	단 위	수 량
거 푸 집 씻 기	㎥/㎡	0.04
콘 크 리 트 혼 합 및 양 생	㎥/㎥	0.27
경 량 콘 크 리 트 혼 합 및 양 생	㎥/㎥	0.24
보 통 벽 돌 쌓 기	㎥/1,000매	0.18
돌 쌓 기 모 르 타 르	㎥/㎡(표면적)	0.06
돌 씻 기	㎥/㎡(표면적)	0.17
미 장	㎥/㎡(표면적)	0.02
타 일 붙 임 모 르 타 르	㎥/㎡(표면적)	0.01
타 일 씻 기	㎥/㎡(표면적)	0.013
잡 용 수	㎥	사용량비의 40~50%

[주] 본 표는 양생에 필요한 물의 양을 포함한 것이다.

1-5-7 현장시공상세도면의 작성('11, '14, '20년 보완)

1. 공사의 시공을 위하여 시공상세도면(입체도면 포함)을 작성하는 경우에는 이에 필요한 인건비, 소모품비 등 소요비용을 별도 계상하며, 엔지니어링진흥법 제31조제2항에 따른 「엔지니어링사업대가의 기준」을 적용할 수 있다.
2. 공사진행단계별로 작성할 시공상세도면의 목록은 건설기술진흥법 시행규칙 제42조 규정에 의하여 발주청에서 공사시방서에 명시하여야 한다.

> **監査**
>
> **제목** 건설공사 시공상세도 작성 부적정
>
> **내용**
> 「건설공사 시공상세도 작성지침(국토교통부)」에 의하면 발주청은 건설업자나 주택건설등록업자가 건설공사의 진행단계별로 작성할 시공 상세도면의 목록을 공사시방서에 명시하여야 하며, 그 작성기준을 따로 마련하여 건설업자, 주택건설등록업자나 감리원 등이 참고하게 할 수 있고, 시공상태를 검토·확인 받아야 하는 대상 공종을 공사시방서에 구체적으로 적어야 한다.
>
> **조치할 사항**
> 「건설기술진흥법」 제48조, 같은 법 시행규칙 제34조, 제42조 및 국토교통부 「건설공사 시공상세도 작성 지침」에 따라 공사시방서를 구체적으로 작성하도록 교육 조치

1-5-8 종합시운전 및 조정비

공사완공 후 각 기기의 단독시운전이 끝난 다음에 장치나 설비 전체의 종합적인 시운전 및 조정을 위하여 필요한 품은 계상할 수 있다.

1-5-9 시공측량비('22년 신설)

시공 중 발생되는 측량(시공 전 측량, 시공 측량, 준공 측량 등)은 필요 시 별도 계상한다. 다만, 품셈의 각 항목에 측량이 포함 또는 표시되어 있는 것에 대하여는 제외한다.

1-5-10 표준품셈 보완실사

품을 신설 또는 개정하기 위하여 항목을 배정받은 실사기관에서는 대상공사에 대하여 실사에 소요되는 조사자의 인건비, 소모품비 등 소요비용을 설계에 반영할 수 있다.

제 2 장 가설공사

2-1 가설물의 한도

2-1-1 현장사무소 등의 규모(토목)('02, '22년 보완)

직접 노 무 비	현 장 사 무 소 (㎡)		기자재창고 (㎡)	숙 소 (㎡)
	감독·감리자	수 급 자		
1.5억 미만	40	50	40	60
1.5 ~ 3억	60	75	50	70
3 ~ 9억	80	100	60	80
9 ~ 30억	100	130	80	100
30 ~90억	150	200	100	180
90 ~150억	200	300	120	260
150 ~300억	260	440	130	360
300 ~500억	280	490	135	400
500억 이상	300	520	140	420

[주] ① 직접노무비는 가설물의 조립해체(부지조성비 포함)에 소요되는 노무비를 제외한 모든 직접노무비의 총금액으로 한다.
② 수급자 현장사무소의 면적은 원수급자 기준이며, 하수급자 현장사무소 면적은 하수급 규모, 운영기간, 상주인력 등을 고려하여 별도 계상한다.
③ 가설물 종류의 선택은 공사종류 및 규모에 따라 선정하여 적용한다.
④ 가설물은 공사의 성질과 소요재료의 수급계획에 따라 증감할 수 있다.
⑤ 시험실의 규모는 건설기술진흥법 시행규칙 [별표5. 건설공사 품질관리를 위한 시설 및 건설기술자 배치기준]규정에 따른다.
⑥ 가설물 부지조성비용은 별도 계상한다.
⑦ 가설공사비는 그 성질에 따라 계상할 수 있다.

2-1-2 현장사무소 등의 규모(건축 및 기계설비)('02, '22년 보완)

직 접 노 무 비	현 장 사 무 소(㎡)		기자재창고 (㎡)
	감독·감리자	수 급 자	
1.5억 미만	30	30	27
1.5 ~ 3억	40	50	30
3 ~ 9억	50	70	40
9 ~ 30억	70	90	50
30 ~90억	100	140	70
90 ~150억	140	210	80
150 ~300억	180	300	90
300 ~500억	190	330	95
500억 이상	210	360	100

[주] ① 직접노무비는 가설물의 조립해체(부지조성비 포함)에 소요되는 노무비를 제외한 모든 직접노무비의 총금액으로 한다.
② 수급자 현장사무소의 면적은 원수급자 기준이며, 하수급자 현장사무소 면적은 하수급 규모, 운영기간, 상주인력 등을 고려하여 별도 계상한다.
③ 가설물 종류의 선택은 공사종류 및 규모에 따라 선정하여 적용한다.
④ 가설물은 공사의 성질과 소요재료의 수급계획에 따라 증감할 수 있다.
⑤ 시험실의 규모는 건설기술진흥법 시행규칙 [별표5. 건설공사 품질관리를 위한 시설 및 건설기술자 배치기준]규정에 따른다.
⑥ 가설물 부지조성비용은 별도 계상한다.
⑦ 가설공사비는 그 성질에 따라 계상할 수 있다.

[참고자료] 가설물 면적
① 가설건물규모는 필요면적을 설계하여 산출하거나 본 표의 시설물 면적에 비례한 계산치를 적용할 수 있다.

〈시멘트 창고, 동력소 및 변전소 필요면적 산출〉

시멘트 창고	동력소 및 변전소
$A = 0.4 \times \dfrac{N}{n} (m^2)$ A=저장면적 N=저장할 수 있는 시멘트량 n=쌓기 단수(최고 13포대) 시멘트량이 600포대 이내일 때는 전량을 저장할 수 있는 창고를 가설하고, 시멘트량이 600포대 이상일 때는 공기에 따라서 전량의 1/3을 저장할 수 있는 것을 기준으로 한다.	$A = 3.3\sqrt{W}$ A=면적(m^2) W=전력용량(kWH)

② 식당, 근로자숙소, 휴게실, 화장실, 탈의실, 샤워장 등은 현장여건에 따라 다음의 가설물 면적에 의거하여 별도 계상할 수 있다.

〈가설물 면적〉

종 별	용 도	면적	비 고
식 당	30인 이상일 때	1㎡	1인당
근 로 자 숙 소		4.2㎡	1인당
휴 게 실	기거자 3명당 3㎡	1.0㎡	1인당
화 장 실	대변기 : 남자 20명당 1기 여자 15명당 1기 소변기 : 남자 30명당 1기	2.2㎡	1변기당(대·소변)
탈의실·샤워장		2.0㎡	1인당
창 고	시멘트용	1식	수급계획에 의한 순환 저장용량비교
목 공 작 업 장	거푸집용	20㎡	거푸집 사용량 1,000㎡당
철 근 공 작 업 장	가공, 보관	30~60㎡	사용량 100ton당
철 골 공 작 업 장	공작도 작성	30㎡	사용량 100ton당 (필요시)
	현장가공 및 재료보관	200㎡	사용량 100ton

종 별	용 도	면적	비 고
미 장 공 작 업 장	믹서 및 재료설치	7~15㎡	미장면적 330㎡당
함 석 공 작 업 장	가공 및 재료설치	15~30㎡	함석 330㎡당
석 공 작 업 장	가공 및 공작도 작성	70~100㎡	매월 가공량 10㎥당 (필요시)
콘 크 리 트 골 재 적 치 장	주위벽 막을 때	0.7㎡	골재 1㎥당
	주위벽 안할 때	1.0㎡	골재 1㎥당

③ 자재창고

(㎡당)

구 분	자재종류	규 격	단위	수 량	쌓기단수
미 장 재 료 창 고	석회	17kg들이	포	75~100	15~20
철 물 잡 품 창 고	함석	#28. 90cm×180cm	매	100~300	200~600
	못	60kg/통, 직경48cm	통	4~8	1~2
	철선	50kg/권, #10경 100cm, 높이 17cm	권	5~7	5~7
	루핑	19.8㎡/권, 경 21cm 길이 97cm	권	23~46	1~2
	합판	두께 6mm, 90cm×180cm	매	50~100	100~200
	텍스	두께 12mm, 90cm×180cm	매	50~75	100~150
도 료 창 고	페인트	25kg 22cm×40cm	통	12~36	1~3

④ 가설전등

(등/㎡당)

구 분	수 량	비 고
사 무 소	0.15	1. 등당 100W를 기준함. 2. 전등설치에 필요한 재료 및 품은 별도 계상
창 고	0.06	
작 업 장 (일 간)	0.10	
숙 소	0.075	

⑤ 인공조명 또는 야간작업이 필요한 개소 및 장소에서의 가설전등은 별도 계상할 수 있다.
⑥ 위생시설(오폐수처리시설 등) 및 전기·수도 인입시설, 층별간이화장실(기성제품), 소각장은 현장여건에 따라 별도 계상한다.
⑦ 건설기계 주기장 산정

대당 소요면적	기준
36㎡	- 대당 소요면적은 덤프트럭, 기중기 등 대형 타이어식 건설기계를 기준한 것이며, 기타 주기장에 주기할 필요가 있는 건설기계에 대하여는 실제대당 소요면적의 1.2배 기준으로 한다. - 주기장 면적은 주기장에 주기를 필요로 하는 건설기계대수가 가장 많을 때의 소요면적의 70%로 한다. 단, 공사성질상 주기장이 불필요한 현장에서는 계상하지 아니한다.

> **監査**
>
> **제목** 사무실 및 부지 임대료 정산하고 가설물(사무실, 창고 등) 비용 설계변경 조치
>
> **내용**
> 현장사무실, 시험실 및 창고설치 면적과 기간은 조립식 가설사무소 350m²(36개월), 조립식 가설 시험실 30m²(36개월), 조립식 가설창고 100m²(36개월)를 설치하도록 되어있는데, 실제 상가(83m²)를 임차(34개월, 500천원/월)하여 현장사무실로 사용하고 있거나, 조립식 가설창고를 컨테이너박스(18m²)로 대체하여 사용하는 등 설계도서와 달리 사용하고 있는 가설사무소, 시험실, 창고는 현재 사용방법대로 정산토록 하고 공사비 약 16,736천 원(제경비 포함) 감액조치가 필요하며,
> 가적치장 및 사무실 부지사용 임대료 1개소(20,522천원)를 반영하고 있는데 현장에서는 가적치장을 구청에서 관리하는 공용부지를 활용하고 있고, 사무실은 상가 임대로 인하여 별도의 부지사용 임대료가 필요치 않으므로 가적치장 및 사무실 부지사용 임대료는 정산토록 하고 공사비 약 27,791천원(제경비 포함) 감액조치가 필요하다.
>
> **조치할 사항**
> ○○○○시 ○○구청장(○○○○과장)은 가설사무실 및 부지임대료 등 실제 사용하는대로 정산하고 과다계상된 44,527천원(제경비 포함)은 「지방 자치단체를 당사자로 하는 계약에 관한 법률」 및 "지방자치단체 공사계약 일반조건"등에 따라 설계변경 등 감액 조치하시기 바람

> **契約審査**
>
> **제목** 가설건물 부지임대료 과다계상
>
> **내용**
> 공사중 가설건축물 부지면적은 「국도건설공사 설계실무 요령」에 의거 현장사무소 면적의 5배이내의 면적을 산정하도록 함에 따라 건물면적의 7.6배로 과다 적용된 부지면적 조정(45,600m² → 6,000m²)
>
> **심사 착안사항**
> – 현장여건에 적합하고 경제적인 발파공법 적용검토
> – 공사규모에 따른 가설건물 및 부지면적에 대하여 검토

2-2 손율

2-2-1 적용기준('22년 보완)

사용기간 및 횟수에 따라 감가상각되는 가설시설물의 재료비는 거래형태 등을 고려하여 손료 또는 임대비로 산정한다.
- 손료 : 표준품셈 제시 손율과 자재수량을 참고하여 적용한다.
- 임대비 : 현장거래 임대료 또는 전문가격조사기관이 공표한 가격 등을 참고하여 적용한다.

2-2-2 주요자재('22년 보완)

구 분	사용기간별	3개월 (%)	6개월 (%)	1개년 (%)	1개년초과 평균손율 (%)
철	물	30	45	60	80
창	호	30	40	60	80
흄	관	80	100	100	100
강 재	류	15	30	50	75

[주] ① 철물 및 강재류의 경우 다음 사항을 고려한다.
　㉮ 재료의 길이가 2m 이하인 것은 1회 사용 후 손율은 100%로 계상한다.
　㉯ 강재(강널말뚝, 강관파일, H파일, 복공판 등)는 토류벽과 가교 등의 재료로 사용할 때의 기준이다.
② 강재의 손료 산정방법은 다음과 같다.
　㉮ 강재를 절단하지 않고 사용하는 경우
　　손 료 = 강재수량×(1+재료의 할증률)×신재단가×손율
　㉯ 강재를 절단하여 사용하는 경우(할증량이 스크랩으로 발생되는 경우)
　　손 료 = 강재수량×신재단가×손율+할증량×신재단가-할증량×공제율×고재단가

> **契約審査**
>
> **제목 1** 　강재의 손료 적용기준 질의
>
> **질의문**
> 신청번호 2207-109 신청일 2022-07-29
> 질의부분 공통 제2장 가설공사 2-2-2 주요자재
>
> □ 공사개요
> 　- 공사명 : 국도 00호선 00-00 국도건설공사
> 　- 입찰/계약방식 : 종합심사낙찰제, 내역입찰, 장기계속계약
> 　- 발주청 : 00지방국토관리청
> □ 질의내용
> 　- '표준품셈 2-2-2 주요자재'의 강재류 손료 적용은 3개월(15%), 6개월(30%), 1개년(50%), 1개년 초과 평균 손율(75%)로 제시
> 　- 현장내에 유사한 형태의 가시설(공사용 가교)이 다수가 존재할 경우, 가시설에 대한 강재 손료를 적용할 때 그 대상 수량에 대해서 질의합니다.
> 　(강재 수량 발생 예시)
> 　A지점(H-Beam(300×300) : 100톤, 설치~해체까지 : 2년 소요),
> 　B지점(H-Beam(300×300) : 120톤, 설치~해체까지 : 2년 소요)
> 　※ 전체 공사 기간 : 7년
>
> [갑설]
> 강재 규격이 동일하고, 전체 공사기간 내에 시공이 가능하므로 B지점의 H-beam을 해체하여 A지점으로 사용하는 조건으로 A지점과 B지점의 수량 중 큰 수량(120톤)에 대하여 75% 손율을 적용하여 손료를 산정한다.
> (2개소에 대한 강재 사용 합산 기간이 4년이므로 1개년 초과 평균 손율 75% 적용)
>
> [을설]
> A지점과 B지점에 설치하는 가설시설물은 독립된 시설이므로, A지점 100톤에 75%의 손율을 적용하여 손료를 산정하고, B지점 120톤에 75%의 손율을 적용하여 손료를 각각 산정한다.

회신문

표준품셈 "2-2-2 주요자재"에서는 강재류에 대한 손율은 사용기간에 따른 가치의 감소를 신강재에 대한 백분율로 제시한 것으로 손율 적용 기간은 일반적으로 설치, 존치, 해체하는 기간에 해당됩니다.

제목 2 구강재 사용 시 손료계산 기준 질의

질의문

신청번호 2201-020 신청일 2022-01-05
질의부분 공통 제2장 가설공사 2-2-1 주요 자재

건설공사 표준품셈공통부분 2-2 손율과 관련 질의드립니다.
④ 강재의 손료 산정 방법에서 손료=강재수량×(1+재료의 할증률)×신재단가×손율
[질의]
구강재(재사용 강재) 사용시 손료 산정기준에 대하여 아래와 같이 이견이 있어 질의드립니다.
[갑설]
손료=강재수량×(1+재료의 할증률)×신재단가×손율
구강재를 사용할 경우에도 신재단가를 적용하여 손료 산정
[을설]
손료=강재수량×(1+재료의 할증률)×고재단가×손율
고재의 잔존가(3개 이상의 견적가)를 적용하여 손료 산정
[병설]
건설공사 표준품셈에는 고재를 사용할 경우의 손료 산정방법은 별도로 정하고 있지 않으므로 계약당사자간 협의하여 진행하여야 함.

회신문

건설공사 표준품셈 "2-2-1 주요자재"는 사용기간에 따른 가치의 감소를 신강재에 대한 백분율로 표시한 것이며, 고재(구강재)를 사용했을 경우 손율 고재단가 적용은 별도로 제시하고 있지 않습니다.

제목 3 강재손료 산정

질의문

하수관거 사업추진중 당초 설계는 강재 1,522ton 5회, 3개월 미만 손료 30%, 운반비 5회 사용이므로 1/5(304ton)만 적용하였으며, 발주처에서 설계사에 검토 의뢰하여 설계사 회신결과 변경설계는 1,522ton/5회 = 304ton에 대한 3개월 미만 손료 30%를 적용하고, 운반비는 당초 설계와 같이 5회 사용이므로 1/5(304ton)만 적용하였음
[질의]
강재의 손료는 수량을 1,522ton 대한 3개월 미만 손료 30% 적용하여야 하는지?
1,522ton/5회 = 304ton에 대한 3개월 미만 손료 30%를 적용하여야 하는지?

회신문

강재의 사용 기간은 설치·해체 횟수에 관계없이 강재의 총 사용기간 기준으로서, 강재 손료산정 시 대상이 되는 강재 수량은 각 횟수별 사용 수량이 동일하다면 총 수량에 전용횟수(5회)를 나눈 값을 적용하여야 합니다.

判例

제목 공기연장에 따른 계약금액 조정시 임대 가설재 비용의 산정방식은

내용

통상의 경우 공사도급 계약체결 시 가설재 강재의 대가는 사용기간에 따라 표준품셈이 규정하고 있는 일정한 손율을 적용한 손료로 지급하는 것으로 되어 있다. 하지만 이는 수급인이 가설재 강재를 직접 취득하여 사용하는 것을 전제로 한 것으로서, 일반적인 공사현장에서는 수급인이 일정한 임대료를 지급하고 가설재 강재를 임대하여 사용하는 경우가 많은 실정이다. 이와 같이 수급인이 가설재 강재를 임대하여 사용할 경우에는 공사도급 계약에 반영되어 있는 가설재 강재의 손료만으로는 공사기간이 연장됨에 따라 수급인이 추가로 지급하게 된 임대료를 보전받을 수 없게 되는 상황이 발생할 수 있다.

그런데 이와 관련하여 법원은 가설재 강재를 1년 이상 사용할 것을 전제로 하여 표준품셈에 따라 손율 70%를 적용하여 산정한 손료를 공사대금에 반영하여 두었는데, 실제 수급인은 가설재 강재를 임대하여 사용함에 따라 공사기간 연장으로 인하여 임대료를 추가로 지출하게 된 사안에서, "공기연장에 따라 도급인이 수급인에게 지급하여야 할 간접공사비는 공사 도급계약의 내용에 비추어 공사기간이 연장될 경우 추가 발생이 예정된 비용임을 전제로 하는 것이고, 당초 계약내용에 비추어 설령 공사기간이 연장되더라도 추가 발생이 예정되어 있지 않은 경우에는 수급인의 사정에 따라 추가로 해당 비용을 지출하게 되더라도 이는 공기연장에 따른 간접공사비의 범위에 포함될 수 없다"는 이유로 수급인의 추가 임대료 상당의 계약금액 조정 청구를 기각하였다(서울고등법원 2016. 3. 18. 선고 2015나2045145 판결).

위 판결 사안에서 수급인이 해당 가설재 강재를 직접 취득하여 사용하였더라면, 위 판결의 취지와 같이 공기연장으로 인하여 수급인이 추가로 지출하게 된 비용이 존재하지 않는 것으로 볼 여지도 있을 것이다. 하지만 수급인이 해당 가설재 강재를 임대하여 사용한 이상 실제 수급인은 공기연장으로 인하여 추가 임대료를 지출하였다고 할 것이므로, 이러한 추가 임대료 상당액은 공기연장에 따른 계약금액 조정분에 포함될 필요가 있는 것으로 보인다.

'정부입찰·계약집행 집행기준'의 실비산정기준 역시 가설비는 직접 계상이 가능한 비목의 실비에 포함되어 객관적인 자료에 의하여 확인된 금액을 기준으로 하여 계약금액 조정금을 산출하도록 규정하고 있다. 따라서 아직 확정되지 않은 위 판결의 추이를 더 살펴볼 필요가 있을 것으로 보인다.

다만, 법원이 이와 같은 입장을 보인바 있으므로, 수급인의 입장에서 공기연장에 따라 추가로 소요되는 가설재 강재의 임대료를 확실하게 보전받기 위해서는 공사도급계약 체결 시에 가설재 강재 등을 임대하여 사용할 것이라는 점을 명시하고, 가설재 강재에 소요되는 비용의 산정 방식을 명확히 해 둘 필요가 있을 것으로 보인다.

監査

제목 가시설 자재(안전휀스) 손료 미 적용으로 예산낭비

내용

OO구 자체 방침서인 '건설공사 설계적용 요령'에 의하면 가설 안전휀스는 이용기간(3, 6, 12개월)에 따라 사용료로 적용하도록 되어 있으며, '조달청 질의회신'(조달청 계약법규 질의·사례)에서도 공사계약에서 가설물에 사용하는 자재는 공사목적물의 실체를 형성하지 아니하는 것으로서 그 사용료(손료)는 경비항목에 계상하는 것인 바, 손료는 당해 품목의 내용 연수를 감안하여 사용가능 기간 내의 손실비용을 산정한 것으로서 동 손료가 적용되는 자재의 사용이 끝나면 계약상대자가 철거 및 회수하도록 되어 있다.

그런데 OO구에서는 '15~'16년 시행한 7개 사업에 가설 안전휀스 380개를 구매 설치로 설계하고 정산하였으나, 이를 손료로 정산하였을 때와 비교한 13,459천원(제경비 포함)이 과다 정산된 사실이 확인되었다.

> **조치할 사항**
> ○○구청장은 앞으로 공사설계 시 가설 안전휀스는 ○○구 방침 '건설공사 설계적용 요령'에 따라 구매설치가 아닌 손료로 적용하시어 예산낭비 사례가 발생하지 않도록 공사 감독에 철저를 기하시기 바라며, 관련업무담당자에게는 주의를 촉구(다른 기관으로 옮긴 관련자에게 대하여는 현 소속기관장에게 주의를 촉구하도록 통보)하시기 바람(주의요구)

2-2-3 가설시설물('22년 보완)

1. 철제조립식 가설건축물

구 분	기 간	3개월	6개월	12개월	24개월	36개월	48개월	60개월 이상
손율(%)		12	16	25	38	53	70	100
부자재율 (%)	사무실	36	28	19	13	11	9	7
	창고	42	32	22	15	12	10	8

[주] ① 부자재는 주자재의 손율에 대한 구성비율이다.
② 주자재는 [참고자료] 조립식 가설건축물의 주자재'를 참고한다.

[참고자료] 조립식 가설건축물의 주자재

(바닥면적㎡당)

구 분	규 격	단위	수 량	
			사무소	창고
BASE CHANNEL	두께 : 2.0mm이상	m	0.44	0.44
TOP CHANNEL	두께 : 2.0mm이상	″	0.44	0.44
외부 PANEL (벽)	1,200×2,400mm	매	0.20	0.23
″ (창 문)	″	″	0.12	0.08
″ (철 재 문)	″	″	0.03	0.04
내부 PANEL (벽)	″	″	0.15	-
″ (목 재 문)	″	″	0.05	-
PANEL JOINT(AL-BAR)	L=2,400mm	조	0.31	0.31
CANOPY(출입구채양)	600×1,200mm	매	0.03	0.04
박공 PANEL	″	″	0.02	0.02
ROOF SHEET	0.5mmCOLORSHEET	㎡	1.23	1.23
트 러 스	L=7.2m	개	0.07	0.07
중도리(PURIN)	두께 : 2.0이상	″	1.52	1.52
천 장 판	미장합판+50mm GLASSWOOL	매	0.69	-
T-BAR		m	1.53	-

2. 콘테이너형 가설건축물

구 분 \ 기 간	3개월	6개월	12개월	24개월	36개월	48개월 이상
손율(%)	18	23	34	56	78	100

3. 가설울타리 및 가설방음벽

사용시간 \ 재료	손 율 (%)		
	전기아연도금강판	재생플라스틱방음판	스틸방음판
3개월	29	31	33
6개월	33	36	38
12개월	43	45	47
24개월	62	63	64
36개월	81	82	82
48개월	100	100	100

[주] 기둥 및 띠장은 '[공통부문] 2-2-5 구조물 비계'를 따른다.

有權解釋

제목 1 철재 조립식 가설건축물 주자재 중고자재 사용 시 손율(%) 적용 질의

질의문
신청번호 2203-111 신청일 2022-03-30
질의부분 공통 제2장 가설공사 2-2-3 가설시설물

철재 조립식 가설건축물 주자재 중고자재 사용 시 손율(%) 적용 질의(참고 : 주자재 손율 38%, 24개월) 가설물에 사용하는 자재는 공사목적물의 실체를 형성하지 아니하는 것으로서 사용료(손료)는 경비 항목에 계상하는 것이며, 가설물에 사용하는 강재를 중고품으로 사용할 경우 손료(사용료)는 당해 품목의 전체 내용 연수를 감안하여 사용 가능 기간 내 손실 비용을 산정한 것으로 설계변경 절차 없이 사용이 가능한가?

회신문
표준품셈 공통부문 "2-2-3 가설시설물"에서 손율은 신재 단가만을 기준으로 사용기간에 따른 가치의 감소를 백분율로 표시하고 있으며, 고재(중고자재)를 사용했을 경우 손율은 별도로 정하고 있지 않습니다. 해당 현장에서 중고가격으로 손료를 감액 정산하는 사항은 표준품셈관리기관에서 답변드릴 수 없는 사항임을 양지해 주시기 바랍니다.

제목 2 표준품셈 가설건축물 손료(손율)관련 질의

질의문
신청번호 2203-077 신청일 2022-03-21
질의부분 공통 제2장 가설공사 2-2-3 가설시설물

공사를 발주하여 약 4달간 수행 완료하였고, 업체소유의 컨테이너를 약 2달간 사용중 표준품셈 2-2-2 철제조립식 가설건축물 손료(손율)을 활용관련 질의드립니다

[질문1]
2-2-2 가설시설물 항의 1. 철제조립식 가설건축물 표를 확인 시 기간에 따른 손율을 제시하고 있습니다. 이때, 실제 컨테이너를 사용한 2달을 기준으로 봐야 하는지, 아니면 공사 기간인 4달을 기준으로 봐야 하는지 궁금합니다.

[질문2]
2-2-2 가설시설물 항의 1. 철제조립식 가설건축물 표 밑에 주석 부분을 확인 시, "운반, 보관 등에 대한 손율은 포함된 것이다."라는 문구가 있는데, 해당 표에 따른 손료만 지급하면 업체의 별도 운반비용이 있었어도 저희측에서 정산은 불요한 사항인지 궁금합니다.

[질문3]
해당 표준품셈을 따라서 정산 시 사용되는 수식은 〈컨테이너 취득가〉×〈기간에 따른 손율〉을 적용하면 될지 궁금합니다.

회신문

[답변1]
표준품셈 공통부문 "2-2-3 가설시설물"에서 손율은 사용기간에 따른 가치의 감소를 신강재에 대한 백분율로 표시한 것으로 손율 적용 기간은 일반적으로 설치, 존치, 해체하는 기간에 해당됩니다.

[답변2]
표준품셈 공통부문 "2-2-3 가설시설물"에서 운반·보관 등에 대한 손율은 포함하고 있으며, 이는 사용기간 중 운반 발생 시 손율에 포함되는 내용입니다.

[답변3]
손율은 사용기간에 따른 가치의 감소를 신강재에 대한 백분율로 표시한 것으로 제시되어 있는 손율을 곱하여 적용하시기 바랍니다.

2-2-4 구조물 동바리('22년 보완)

구 분 \ 기간	1개월	3개월	6개월	12개월
손율(%)	4	6	10	19

[주] 강관 동바리, 시스템 동바리, 알루미늄 폼 동바리 등에 적용한다.

有權解釋

제목 시스템동바리 자재소요량

질의문
신청번호 2208-049 신청일 2022-08-14
질의부분 공통 제2장 가설공사 2-2-4 구조물동바리

품셈상 시스템동바리 재료는 설계에 따른다. …라고 되어 있습니다. 설치비가 아닌 자재 소요량을 알고 싶습니다. 전문업체인 가설업체도 답변을 못합니다.
전문업체 조차 답변을 못하는 항목은 기준이 되는 품셈에 수록되야 한다고 생각합니다.
시스템동바리 일위대가로 풀 경우 항목에 따른 소요 자재량을 알고 싶습니다. 아니면 적어도 그것을 알 수 있는 데이타나 루트를 알고 싶습니다.

> **회신문**
>
> 표준품셈 공통부문 "1-3-2 주요 자재" "5. 품셈의 각 항목에 명시되어 있지 않은 재료 및 자재는 설계수량을 적용하고"에 따라 설계수량을 적용하시기 바랍니다.
> 표준품셈은 단위 수량에 투입되는 인력품과 투입장비 수량을 제시하는 기준이며, 설계 수량산출 또는 물량산출에 관련된 사항은 표준품셈관리기관에서 답변드릴 수 있는 사항이 아님을 양지해 주시기 바랍니다.

> **契約審査**
>
> **제목** 동바리 및 비계 현장여건에 맞추어 조정
>
> **내용**
> - 가설공사중 강관동바리설치 내역작성 시 5.5m 이하(수평보강 2단)로 일률적 적용하였으나, 주차장, 기준층 층고가 4.2m 이하가 대부분으로 강관동바리설치 규격을 4.2m 이하, 5.5m 이하로 구분하여 적용
> - 특화공사인 담장 및 문주 등에 설치한 강관쌍줄비계 설계도면에 따라 대지 레벨차로 2~3m 높이에 설치한 외부비계 설치 제외
>
> **심사 착안사항**
> - 설계도서와 내역서 일치 여부
> - 현장여건에 따라 적정한 내역서 작성 여부

2-2-5 구조물 비계('22년 보완)

공기 \ 재료	강관, 비계기본틀, 비계장선틀, 가새	받침철물 조절받침철물 비계안전발판	조임철물 이음철물	철물(앵커용)
3개월	6%	9%	12%	100%
6 〃	10 〃	15 〃	20 〃	100 〃
12 〃	19 〃	29 〃	38 〃	100 〃
18 〃	28 〃	42 〃	56 〃	100 〃
24 〃	37 〃	56 〃	74 〃	100 〃
30 〃	46 〃	69 〃	92 〃	100 〃
36 〃	55 〃	83 〃	100 〃	100 〃
42 〃	64 〃	96 〃	100 〃	100 〃
48 〃	73 〃	100 〃	100 〃	100 〃
54 〃	84 〃	100 〃	100 〃	100 〃
60 〃	91 〃	100 〃	100 〃	100 〃
66 〃	100 〃	100 〃	100 〃	100 〃

[주] ① 강재비계 내구년한 5.5년을 기준한 것이다.
　　 ② 비계매기용 강관, 강관틀, 받침철물, 조임철물, 이음철물을 활용하는 일반적인 비계 매기 기준이다.

2-2-6 축중계('09년 신설, '10년 보완)

구분 \ 기간	3개월	6개월	9개월	12개월	24개월	36개월	48개월	60개월	120개월
손율(%)	3	5	8	10	20	30	40	50	100

2-2-7 규준틀('22년 신설)

구 분	목재규준틀	철재규준틀
손율(%)	100%	'[공통부문] 2-2-2 주요자재'의 철물을 따른다.

2-3 가설건축물

2-3-1 철제조립식 가설건축물 설치 및 해체('92년 신설, '09, '22년 보완)

구 분	규 격	단 위	사무실	창고
건 축 목 공		인	0.26	0.20
보 통 인 부		인	0.11	0.09
크 레 인	10ton	hr	0.19	0.15

[주] ① 본 품은 샌드위치판넬을 사용한 조립식 가설건축물의 설치 및 해체 기준이다.
② 창고는 내부 패널, 천장재가 없는 구조에 적용한다.
③ 본 품은 먹매김, 내·외부 패널(벽, 창문, 지붕 등) 설치, 지붕트러스, 천장판 설치를 포함한다.
④ 기초공사, 창호 및 유리공사, 수장공사, 전기 및 기계설비공사는 별도 계상한다.
⑤ 크레인 규격은 작업여건(작업범위, 위치 등)에 따라 변경할 수 있다.
⑥ 공구손료 및 경장비(절단기, 발전기 등)의 기계경비는 인력품의 2%로 계상한다.

2-3-2 콘테이너형 가설건축물 설치 및 해체('09, '22년 보완)

(개소당)

구분	규격	단위	3.0x3.0m	3.0x6.0m	3.0x9.0m
비 계 공	-	인	0.40	0.58	0.78
특 별 인 부	-	인	0.18	0.34	0.38
크 레 인	10ton	hr	2.00	2.00	2.00

[주] ① 본 품은 콘테이너형 가설건축물의 설치 및 해체 기준이다.
② 기초공사, 전기 및 기계설비공사는 별도 계상한다.
③ 복층으로 설치하는 경우 계단, 난간, 캐노피 등은 별도 계상한다.
④ 가설건축물의 운반비는 별도 계상한다.
⑤ 크레인 규격은 작업여건(작업범위, 위치 등)에 따라 변경할 수 있다.

2-4 가설울타리 및 가설방음벽('09, '10, '17년 보완)

2-4-1 강관 지주 설치 및 해체

(10m당)

구 분	규 격	단 위	지주높이 3.5m이하		지주높이 6m이하	
			설 치	해 체	설 치	해 체
비 계 공		인	0.30	0.12	0.46	0.18
보 통 인 부		인	0.11	0.04	0.16	0.06
굴 삭 기	0.2㎥	hr	0.35	0.14	0.35	0.14

[주] ① 본 품은 강관을 사용한 지주(지주간격 2.0m)의 설치 및 해체 작업 기준이다.
② 본 품은 지반평탄작업, 강관매입, 보조기둥 설치 및 해체 작업을 포함한다.
③ 콘크리트 기초, 출입구문, 방진망 작업은 별도 계상한다.
④ 공구손료 및 경장비(전동드릴 등)의 기계경비는 인력품의 3%로 계상한다.
⑤ 재료량은 설계수량을 적용한다.

2-4-2 H형강 지주 설치 및 해체

(10m당)

구 분	규 격	단 위	지주높이 4m이하		지주높이 7m이하	
			설 치	해 체	설 치	해 체
비 계 공		인	0.49	0.20	0.99	0.40
보 통 인 부		인	0.18	0.07	0.35	0.14
굴 삭 기	0.2㎥	hr	0.63	0.25	0.63	0.25
트럭탑재형크레인	5ton	hr	0.73	0.29	1.09	0.44

[주] ① 본 품은 H형강을 사용한 지주(지주간격 2.0m)의 설치 및 해체 작업 기준이다.
② 본 품은 지반평탄작업, 강관매입, H형강 근입 및 해체 작업을 포함하며, H형강 설치를 위한 천공 작업은 제외되어 있다.
③ 콘크리트 기초, 출입구문, 방진망 작업은 별도 계상한다.
④ 공구손료 및 경장비(전동드릴 등)의 기계경비는 인력품의 2%로 계상한다.

有權解釋

제목 H형강 지주 설치 및 해체 품 지주 높이에 대한 정의

질의문

신청번호 2206-025 신청일 2022-06-07
질의부분 공통 제2장 가설공사 2-4-2 H형강지주 설치 및 해체

표준품셈 공통부문 2-4-2 H형강 지주 설치 및 해체 품 지주 높이에 대하여 지주 높이라 함은, 노출부[근입(매몰)되는 부분을 제외] 높이를 뜻하는지 궁금합니다.

회신문
표준품셈 "2-4-2 지주"에서 지주 높이는 노출부를 의미하며, 하부의 높이와는 무관함을 알려드립니다.

2-4-3 가설울타리판 설치 및 해체

(10m당)

구 분	단 위	설치높이 3m이하		설치높이 6m이하	
		설 치	해 체	설 치	해 체
비 계 공	인	0.26	0.10	0.30	0.12
보 통 인 부	인	0.09	0.04	0.11	0.05

[주] ① 본 품은 후크볼트를 사용한 전기아연도금강판(EGI휀스, 폭 550mm이하) 설치 및 해체 작업 기준이다.
② 문양이나 도색 등이 필요한 경우에 별도 계상한다.
③ 공구손료 및 경장비(전동드릴 등)의 기계경비는 인력품의 3%로 계상한다.

監査

제목 공사원가 과다 산정으로 예산을 낭비

내용

발주기관에서는 소요 자재를 나라장터 종합쇼핑몰(단가계약 등)을 통해 우선 구매.제공하여 설치공사만을 별도 발주할 수 있고, 조달구매와 설치를 일괄 발주하는 경우도 추정(예정)가격 산정(설계)은 조달청 가격정보, 전문조사기관(시중물가지)가격, 거래실례가격(2개이상)를 직접 조사하여 확인한 가격에서 적정가격으로 하여야 하나 발주기관에서는 0000로 방음시설 구매설치 사업외 4개소를 시행하면서 주요 자재인 투명방음판을 나라장터 통해 우선 구매.발주하지 않았으며, 일괄 발주(총액입찰)을 위한 추정가격 산정 시에도 조달청에 계약된 거래실례가격 등과 비교 검토 없이 시중물가지의 조사공표 가격만을 적용하여 발주 요청함에 따라 예정가격을 과다 산정(계약, 준공)하여 000,000천원 상당의 예산을 낭비하였음

발주기관은 납품업체로부터 해당 자재공급원 승인요청서 등을 제출받아 물품의 규격 등이 적정한지를 확인 후 승인처리하여야 하나 발주기관은 투명방음판 납품계약서에 명시된 규격(강화접합유리 두께 8.76mm)과 다른 규격미달 자재(일반접합유리 두께 8.38mm)로 임의 변경 구두지시하여 설치하게 하고 계약금액 조정 등 정산없이 준공처리하여 00,000천원 상당 부당이득을 제공하였음.

조치할 사항

발주기관장은 설계, 감독을 소홀하게 한 관련자 신분상 조치하시고, 규격미달 자재를 납품하여 부당이득 제공된 49,000천원은 환수 조치 바라며, 계약이행 의무를 위반한 납품업자에 대하여 조달청에 부정당업자의 입찰참가제한을 요청하시기 바람

契約審査

제목 EGI휀스의 설치비 단위 착오 적용

내용

공사구간 주변의 안전을 위해 계획한 EGI휀스의 설치비용 산정 시 경간(2m)당 단가로 산출하여 이를 전체 연장에 적용한 것을 경간(2m)당 단가로 조정함

심사 착안사항

- 원가계산시 설계도면과 현장 실정을 정확히 숙지하여 과다 계상이 되는 경우가 없도록 주의
- 단위 착오가 많이 발생하는 휀스, 난간, 방음벽, 가드레일, 말뚝 등은 단위당 가격과 물량내역서 단위 확인에 주의

2-4-4 세로형 가설방음판 설치 및 해체

(10m당)

구 분	단위	설치높이 3m이하		설치높이 6m이하	
		설 치	해 체	설 치	해 체
비 계 공	인	0.24	0.10	0.28	0.11
보 통 인 부	인	0.09	0.03	0.10	0.04

[주] ① 본 품은 조이너클립을 사용한 재생플라스틱 방음판(폭 650mm이하) 설치 및 해체 작업 기준이다.
　　② 문양이나 도색 등이 필요한 경우에 별도 계상한다.
　　③ 공구손료 및 경장비(전동드릴 등)의 기계경비는 인력품의 3%로 계상한다.

2-4-5 가로형 가설방음판 설치 및 해체

(10m당)

구 분	규 격	단위	설치높이 3m이하		설치높이 6m이하	
			설치	해체	설치	해체
비 계 공		인	0.72	0.29	0.84	0.34
보 통 인 부		인	0.26	0.10	0.30	0.12
트럭탑재형크레인	5ton	hr	0.95	0.38	1.11	0.44

[주] ① 본 품은 H-bar를 사용한 스틸 방음판(500mm×30T×1,980mm) 설치 및 해체 작업 기준이다.
　　② H-bar 설치 및 해체를 포함하며, 문양이나 도색 등이 필요한 경우에 별도 계상한다.
　　③ 공구손료 및 경장비(전동드릴 등)의 기계경비는 인력품의 2%로 계상한다.

有權解釋

제목 가설재(가설방음벽) 손율 적용에 따른 내역서 적용 수량

질의문
신청번호 2108-011 신청일 2021-08-04
질의부분 공통 제2장 가설공사 2-4-5 가로형 가설방음판 설치 및 해체

현장시공중 문의 사항이 발생하여 질의하오니, 검토하시어 답변 부탁드립니다.

회신문
[답변1]
설계수량은 해당 현장에서 가설울타리 및 방음벽시공을 위해 설계한 수량을 뜻합니다.
[답변2]
표준품셈 공통부문 "2-2-2 가설시설물"에서 손율은 사용 기간에 따른 가치의 감소를 신강재에 대한 백분율로 표시한 것으로 손율적용 기간은 일반적으로 설치, 존치, 해체하는 기간에 해당됩니다.

> **契約審査**
>
> **제목** 과다 산출된 견적단가를 표준품셈 적용 조정
>
> **내용**
> 가설공사의 RPP가설방음벽(H = 5.0m, L = 168m)설치는 견적단가를 적용하였으나, 표준품셈을 적용하여 조정(견적단가 544,225원/m → 표준품셈단가 180,665원/m)
>
> **심사 착안사항**
> - 심사요청 현장조사를 통하여 시공과정과 설계도서 적정성 정밀 검토
> - 설계공종 중 시공가능성에 대한 적정성 검토
> - 본 공사의 특수성과 무관하게 관례적으로 적용한 공정의 필요성 검토

2-5 규준틀

2-5-1 토공의 비탈 규준틀 설치 및 철거('09년 보완)

(개소당)

구 분	단 위	수 량
건 축 목 공	인	0.16
보 통 인 부	인	0.14

[주] 본 품은 높이 0.5m, 표지판 2개를 설치한 비탈규준틀의 제작, 도색, 가설, 철거작업을 포함한다.

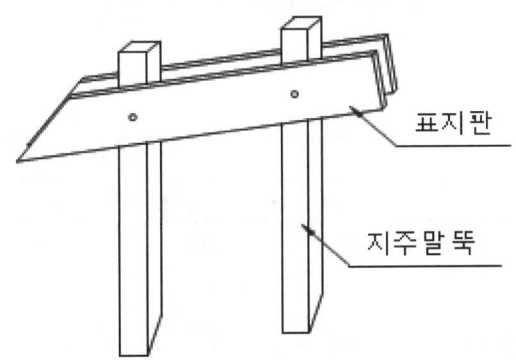

표지판
지주 말뚝

2-5-2 도로용 목재 수평규준틀 설치 및 철거

(개소당)

구 분	단 위	수 량
건 축 목 공	인	0.21
보 통 인 부	인	0.19

[주] 본 품은 높이 2.4m, 표지판 8개를 설치한 수평규준틀의 제작, 도색, 가설, 철거작업을 포함한다.

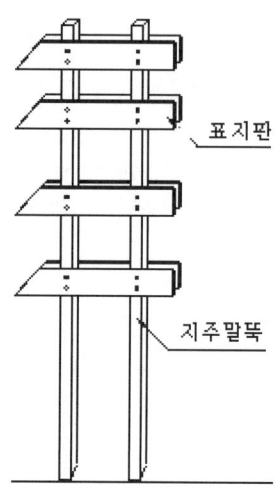

2-5-3 도로용 철재 수평규준틀 설치 및 철거

(개소당)

구 분	단 위	규준틀 높이	
		5m이하	10m이하
건 축 목 공	인	0.14	0.17
보 통 인 부	인	0.12	0.14

[주] 본 품은 제작된 수평규준틀을 기준한 것이며, 조립, 설치 및 철거작업을 포함한다.

2-5-4 평·귀규준틀 설치 및 철거

(개소당)

구 분	단 위	종 별	
		평규준틀	귀규준틀
목 재	m³	0.014	0.022
건 축 목 공	인	0.15	0.30
보 통 인 부	인	0.30	0.45

[주] 본 품은 제작, 도색, 가설, 철거작업을 포함한다.

2-6 동바리

2-6-1 강관 동바리 설치 및 해체(토목)('09, '16년 보완)

(10공m³당)

구 분	단 위	수 량		
		2.5m이하	2.5m초과~3.5m이하	3.5m초과~4.2m이하
형 틀 목 공	인	0.54	0.58	0.63
보 통 인 부	인	0.21	0.23	0.25

비 고	- 수평연결재가 필요한 경우는 다음과 같이 계상한다. (1단 설치일 때, ㎡당)				
	구 분	규 격	단 위	수 량	
	형 틀 목 공	설치, 해체	인	0.02	
	보 통 인 부	설치, 해체	인	0.01	
	[주] 전체동바리 연결을 기준으로 산정된 것이다.				
	- 설치간격에 따른 요율은 다음 기준을 적용한다.				
	설치간격	0.6m이하	0.6m초과~0.8m이하	0.8m초과	
	요율(%)	120%	100%	90%	
	[주] 설치간격은 멍에간격을 기준한 것이다.				

[주] ① 본 품은 강관동바리(설치높이 4.2m까지)의 설치 및 해체 작업 기준이다.
   ② 본 품은 멍에의 설치, 해체 작업을 포함한다.
   ③ 동바리를 지반에 설치할 경우에 지반고르기 및 콘크리트 타설 등은 별도 계상한다.
   ④ 잡재료 및 소모재료(고정못 등)는 주재료비의 5%로 계상한다.

有權解釋

제목 1 강관동바리 및 강관비계 설치 문의

질의문

신청번호 2109-020 신청일 2021-09-04
질의부분 공통 제2장 가설공사 2-6-1 강관동바리 설치 및 해체(토목)

강관동바리 품셈적용 시 2.5m 이하, 2.5m초과~3.5m 이하, 3.5m초과~4.2m 이하의 설치 및 철거는 수량산출 시 2.5m 이하, 2.5m초과~3.5m 이하(H=1m 간격), 3.5m초과~4.2m 이하(H=0.7m 간격)으로 수량을 산출하여 단가를 적용하여야 되나요? 아니면 0~2.5m 이하, 0~3.5m, 0~4.2m의 수량을 1개의 부재로 산출하여 품을 적용 해야 되나요?
시스템동바리 설치와 강관비계 설치, 시스템비계설치의 설치 품도 10m 이하, 10m초과~20m 이하, 20m초과~30m 이하도 수량을 0~10m 이하, 0~20m 이하, 0~30m 1개의 부재로 수량을 산출하여 품셈를 적용하나요? 아니면, 1개의 부재로 보지 않고 수량을 높이별(10m 이하, 20m 이하, 30m 이하)로 분류하여 품을 적용하여야 하나요?

회신문

표준품셈 공통부문 "2-6-2 강관동바리 설치 및 해체"에서는 동바리 ㎡당 설치 높이에 따라 기본 품을 3.5m 이하, 3.5m초과~4.2m 이하로 제시하고 있습니다.
표준품셈 공통부문 "2-6-3 시스템동바리 설치 및 해체"에서는 10m 이하, 10m초과~20m 이하, 20m초과~30m 이하로 설치/해체 품이 구성되어 있습니다.
동바리는 1개의 부재로 설치되며, 해당 높이로 일괄 적용하시기 바랍니다. 동바리는 설치 높이에 따라 제시된 품으로 비계 등과 같이 높이 단계별로 누계 적용하는 사항이 아닙니다.

제목 2 강관동바리 사용기간 산정기준 문의

질의문

신청번호 1909-007 신청일 2019-09-03
질의부분 공통 제2장 가설공사 2-2-3 구조물동바리

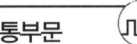

1. 터널내 설치되는 풍도슬래브를 현장타설로 시공하기 위한 동바리가 설계에 누락되어 강관동바리 및 강관동바리 수평연결재를 추가 반영하고자 함
   - 풍도슬래브 연장 : 424m, 1span, 1span 연장 : 30m, 개월수 산정 : 424m/ 30m(1span)×17일/span/30일 = 8개월
   - 강관동바리 수량 : 12,008공/m^3
2. 터널내 풍도슬래브 시공을 위해 설치되는 동바리의 사용기간에 대한 질의
   - 동바리 사용기간을 산정함에 있어 풍도슬래브 전체 공사기간과 풍도슬래브 1span 공사기간 중 어느 것을 적용해야 하는지 질의함
   - 시공사 : 6개월 적용 → 풍도슬래브 424m를 시공함에 있어 공기를 산정한 결과 1span 타설기간 17일을 고려했을 때 동바리 존치기간이 8개월 이상 소요되므로 6개월을 적용해야 함
   - 발주처 : 3개월 적용 → 강관동바리 전체 수량(12,008공/m^3)이 현장에 일시에 반입되어 6개월 이상 사용되지 않고, 1span 자재만 현장에 반입되어 타설 후 그 자재를 계속적으로 유용하고 그 주기가 17일이므로 3개월을 적용

회신문
표준품셈 공통부문 "2-2-3 구조물 동비리"의 손율 적용기간은 일반적으로 설치, 존치, 해체하는 기간에 해당됩니다. 더불어 3개월, 6개월, 12개월 해당시점의 손율을 정하고 있으며, 이외 기간의 손율 적용에 대한 판단은 해당공사의 특성을 고려하시고 표준품셈을 참조하시어 공사관계자가 직접 결정하실 사항임을 양지해 주시면 감사드리겠습니다.

契約審査

제목 강관동바리 설치기준 적정성 검토

내용
강관동바리설치가 5.5m 이하(수평보강 2단)로 일률적 적용하였으나, 주차장 기준층 층고가 4.2m 이하임을 확인하여, 강관동바리설치 규격을 4.2m 이하, 5.5m 이하 구분 적용으로 230백만원 절감

심사 착안사항
- 심사요청 현장조사를 통하여 시공과정과 설계도서 적정성 정밀 검토
- 설계공종 중 시공가능성에 대한 적정성 검토
- 본 공사의 특수성과 무관하게 관례적으로 적용한 공정의 필요성 검토

2-6-2 강관 동바리 설치 및 해체(건축, 기계설비)('16년 보완)

(m^2당)

구 분	단 위	수 량	
		3.5m이하	3.5m초과~4.2m이하
형틀목공	인	0.05	0.06
보통인부	인	0.01	0.01

비고

- 수평연결재가 필요한 경우는 다음과 같이 계상한다.

(1단설치일 때, ㎡당)

구분	규격	단위	수량
형 틀 목 공	설치, 해체	인	0.02
보 통 인 부	설치, 해체	인	0.01

※ 전체동바리 연결을 기준으로 산정된 것이다.

- 설치간격에 따라 다음 요율을 적용한다.

설치간격	0.6m이하	0.6m초과~0.8m이하	0.8m초과
요율(%)	120%	100%	90%

※ 설치간격은 멍에간격을 기준한다.

[주] ① 본 품은 강관동바리(설치높이 4.2m까지)의 설치 및 해체 작업 기준이다.
　　② 본 품은 멍에의 설치, 해체 작업을 포함한다.
　　③ 동바리를 지반에 설치할 경우에 지반고르기 및 콘크리트 타설 등은 별도 계상한다.
　　④ 잡재료 및 소모재료(고정못 등)는 주재료비의 5%로 계상한다.

2-6-3 시스템 동바리 설치 및 해체('01년 신설, '09, '16년 보완)

(10공㎥당)

구분	단위	수량		
		10m이하	10m초과~20m이하	20m초과~30m이하
형 틀 목 공	인	0.58	0.68	0.87
보 통 인 부	인	0.18	0.21	0.27
크 레 인	hr	0.17	0.25	0.28

비고

- 설치간격에 따라 다음 요율을 적용한다.

설치간격	0.6m이하	0.6m초과~1.2m이하	1.2m초과
요율(%)	120%	100%	90%

[주] 설치간격은 멍에간격을 기준한다.

[주] ① 본 품은 시스템동바리의 설치 및 해체 작업 기준이다.
　　② 본 품은 멍에의 설치, 해체 작업을 포함한다.
　　③ 동바리를 지반에 설치할 경우에 지반고르기 및 콘크리트 타설 등은 별도 계상한다.
　　④ 크레인 규격은 다음 기준을 적용하며, 작업여건에 따라 변경할 수 있다.

높　　　　이	20m 이하	20m초과~30m 이하
크 레 인 규 격	15톤	20톤

공통부문

> **有權解釋**
>
> **제목 1** 표준품셈 시스템동바리 자재 소요량
>
> **질의문**
> 신청번호 2208-049 신청일 2022-08-14
> 질의부분 공통 제2장 가설공사 2-2-4 구조물동바리
>
> 품셈상 '시스템동바리 재료는 설계에 따른다.'라고 되어 있습니다. 설치비가 아닌 자재 소요량을 알고 싶습니다. 전문업체인 가설업체도 답변을 못합니다. 전문업체조차 답변을 못하는 항목은 기준이 되는 품셈에 수록되어야 한다고 생각합니다. 시스템동바리 일위대가로 풀 경우 항목에 따른 소요 자재량을 알고 싶습니다. 아니면 적어도 그것을 알 수 있는 데이터나 루트를 알고 싶습니다.
>
> **회신문**
> 표준품셈 공통부문 "1-3-2 주요자재" "5. 품셈의 각 항목에 명시되어 있지 않은 재료 및 자재는 설계수량을 적용하고"에 따라 설계수량을 적용하시기 바랍니다.
> 표준품셈은 단위수량에 투입되는 인력 품과 투입 장비 수량을 제시하는 기준이며, 설계 수량산출 또는 물량산출에 관련된 사항은 표준품셈관리기관에서 답변드릴 수 있는 사항이 아님을 양지해 주시기 바랍니다.
>
> [편집자 주; 각 동바리설치 도면을 작성 후 그 도면에 따라 단위 수량을 산출하시기 바랍니다]
>
> **제목 2** 시스템 동바리 물량산출 기준 질의의 건
>
> **질의문**
> 신청번호 1902-005 신청일 2019-02-01
>
> [시스템 동바리 물량산출 기준 질의의 관한 건]
> 시스템 동바리 산출식(공루베) : [바닥면적×층고×0.9]
> 층고라 함은 해당 층 바닥부터 상부 층 슬라브 선까지가 층고인데 유첨해 드린 도면 (2)구간 같은 경우는 슬라브에서 2.5m mat 시공이 되므로 층고-2.5m를 해주어야 하는게 맞는지?
>
> **회신문**
> 2019년 표준품셈 공통부문 "2-6-3 시스템 동바리 설치 및 해체"의 단위는 (10공m³)이며, 여기서 공m³는 상층바닥판 면적(개소당 1m² 이상의 개구부 면적은 공제함)에 층높이를 곱한 것의 90%를 의미하는 것으로, 층높이는 일반적으로 상층 바닥판부터 하층 바닥판까지의 높이를 의미합니다.

2-6-4 알루미늄 폼 동바리 설치 및 해체('09년 신설, '16년 보완)

(m²당)

구 분	단 위	수 량
형 틀 목 공	인	0.03
보 통 인 부	인	0.01

[주] 본 품은 알루미늄 폼 동바리 설치 및 해체작업을 기준한 것이다.

2-6-5 잭서포트 설치 및 해체('22년 신설)

(개당)

구분	단위	수량
형틀목공	인	0.06
보통인부	인	0.02

[주] ① 본 품은 중하중 골조용 동바리(설치높이 5m이하)를 설치 및 해체하는 기준이다.
　② 본 품은 멍에(고무판)의 설치, 해체 작업을 포함한다.
　③ 지반에 설치할 경우에 지반고르기 및 콘크리트 타설 등은 별도 계상한다.

2-7 비계

2-7-1 강관비계 설치 및 해체('09, '16년 보완)

(m²당)

구분	규격	단위	수량		
			10m이하	10m초과~20m이하	20m초과~30m이하
비계공	설치, 해체	인	0.05	0.06	0.07
보통인부	설치, 해체	인	0.02	0.02	0.02

[주] ① 본 품은 쌍줄비계의 설치 및 해체 작업 기준이다.
　② 본 품은 비계(발판 및 이동용 내부계단) 설치, 해체 작업을 포함한다.
　③ 높이 30m 초과 시 비계설치, 해체 및 비계안전 보강재 설치 품은 별도 계상한다.
　④ 가설계단 및 방호시설은 별도 계상한다.
　⑤ 공구손료 및 경장비(전동드릴 등)의 기계경비는 인력품의 2%로 계상한다.

有權解釋

제목 1　강관 비계설치 및 해체의 높이 구분에 의한 품 계산 관련

질의문

신청번호 2211-101 신청일 2022-11-27
질의부분 공통 제2장 가설공사 2-7-1 강관비계설치 및 해체

강관비계 설치 및 해체 품셈에 20m이내 거리 자재 운반 내용이 포함되어 있다고 알고 있습니다.
20m 초과 분에 한해 인력소운반을 적용시켜 반영하려고 합니다.
[질문1]
소운반에 적용되는 거리는 자재 적치장소와 작업장소를 말하는 건지 비계 시공 장소에서 인력으로 비계 자재를 올리는 부분까지 포함하는 건지 (수직거리) 궁금합니다. 수직거리를 포함한다면 기본적인 비계 설치 및 해체 품셈에 시공 높이에 따라 소운반이 항상 따라 나오는 건지 알고 싶습니다.
[질문2]
앞서 언급했던 20m는 편도거리인지 왕복거리인지 궁금합니다. 20m가 왕복거리라면 10m이내의 인력 소운반만 기본품셈에 포함되는 것이라고 생각하고 있습니다.
[질문3]
인력 소운반 품셈 산정식 중 거리 값에 2를 곱해서 계산하는데 이는 왕복거리로 봐도 될지 알고 싶습니다.

회신문

[답변1]
표준품셈 공통부문 "2-7-1 강관비계설치 및 해체"에는 비계자재를 지상에서 비계설치 위치로 올리는 작업을 포함하고 있습니다. 또한 소운반은 일반적으로 품에서 포함된 것으로 품에서 포함된 것으로 규정된 소운반 거리는 편도 20m 이내의 거리이며, 20m를 초과하는 경우에는 초과분에 대하여 표준품셈 "1-5-1 소운반 및 인력운반" 등을 활용하여 별도 계상하도록 정하고 있습니다. 품 항목과 무관하게 인력운반을 적용하실 경우 전체 운반거리를 적용하시기 바라며, 경사면의 소운반 거리는 직고 1m를 수평거리 6m의 비율로 본다.'로 명시하고 있으니 이를 참조하시기 바랍니다.

[답변2,3]
표준품셈 "1-5-1 소운반 및 인력운반/2. 인력운반 기본공식"에서 운반거리 L은 편도거리 기준이며, 왕복거리(L×2)로 적용하게 되어 있음을 참조하시기 바랍니다.

제목 2 강관비계 설치 및 해체에서 6항 재료량 설계수량 적용

질의문
신청번호 2201-095 신청일 2022-01-24
질의부분 공통 제2장 가설공사 2-7-1 강관비계 설치 및 해체

2022년 강관비계 설치 및 해체에서 6항 재료량 설계수량 적용, 7항 손율은 '[공통부문] 2-2-4 구조물 비계'를 따른다. 항목이 삭제된 걸로 보았습니다.
그러면 따로 재료량과 손율 적용 필요 없이 노무비와 기계경비만 산출하면 되나요? 재료비는 어떻게 산출해야 하는지 안 나왔습니다.

회신문

[답변1]
2022년 표준품셈 항목 내에 '재료량은 설계수량을 적용한다.'는 공통부문 "1-3-2 주요 자재/ 5. 본 품에 명시되지 않은 자재(주자재, 부자재, 잡재료 및 소모재료 등)는 설계수량을 적용한다."로 공통적으로 제시하도록 개정되었습니다.

[답변2]
2022년 표준품셈에서 비계의 손율은 공통부문 "2-2-5 구조물 비계"에서 제시하고 있으니 참조하시기 바랍니다.

제목 3 강관 비계 설치 및 해체의 높이 구분에 의한 품 계산 관련

질의문
신청번호 2008-019 신청일 2020-08-07
질의부분 공통 제2장 가설공사 2-7-1 강관 비계 설치 및 해체

공사설계 중 2-7-1 강관 비계 설치 및 해체 품을 보면 높이에 따른 공량이 0.05~0.07로 다른데요. 1층 바닥에서 쌓아 올리지 않고, 위층에서 쌓아 올렸을 시(이미지 그림 첨부) 바닥에서 비계까지의 높이로 계산하는건지? 아니면 비계의 총 높이로 계산하는건지요? 이미지를 기준으로 보면 바닥에서 적용 시 비계공 0.07, 비계 높이로 계산하면 비계공 0.05로 적용이 가능한데요. 어떻게 적용을 해야 하는건지?

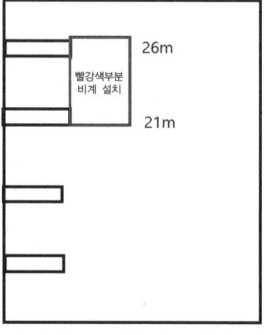

회신문

표준품셈 공통부문 "2-7-2 시스템 비계 설치 및 해체"에서 높이별 품 구분은 '10m 이하/ 10m초과~20m 이하/ 20m초과~30m 이하'로 구분하여 높이별 품 구분은 해당 작업구간별로 적용하시기 바랍니다. 더불어 품셈에서 정의 '수직고'는 장비 또는 인력이 작업할 수 있는 여건이 마련된 기준면에서부터의 수직으로 측정한 높이를 의미합니다. 일반적으로 구조물 내부의 경우 각 층의 바닥으로부터의 높이, 외부의 경우 공사기준 지반고에서부터 설치 높이까지를 기준으로 하고 있습니다.

제목 4 비계 설치 품중 계단설치 품 포함 여부

질의문

신청번호 2006-052 신청일 2020-06-15
질의부분 공통 제2장 가설공사 2-7-1 강관 비계 설치 및 해체

2-7-2 [주] 2항 본 품은 비계(발판 및 내부계단 포함)설치 및 해체 포함이라 했는데 비계 높이 51m를 가로와 세로 각 7m씩 설치하고 35m부터 비계내부에서 작업을 위해 높이 2m의 계단을 지상에서부터 25개를 설치하려는데 내부계단 품은 포함되어 있다.하여 별도의 품으로 줄 수 없다는 발주처의 주장이나, 시공사는 가설 계단이나 방호시설이므로 별도의 품을 계상해야 한다는 입장으로 어떻게 해야 할지요?

회신문

표준품셈 공통부문 "2-7-1 강관 비계 설치 및 해체"의 이동용 내부계단은 비계내부에서 층과 층 사이를 이동하기 위한 가설 계단으로 이에 대한 설치 및 해체는 강관 비계 설치 및 해체 품에 포함되어 있습니다. 또한 동 품셈 "2-7-5 경사형 가설 계단 설치 및 해체"는 외부에서 비계로의 접근을 위한 계단을 의미하며, "2-7-6 타워형 가설 계단 설치 및 해체"는 교각 등 설치에 필요한 타워형태의 가설 계단을 의미합니다. 가설 계단은 "2-7-5 경사형 가설 계단 설치 및 해체"를 참조하시기 바랍니다.

제목 5 강관 비계 설치 품셈 관련

질의문

신청번호 1903-130 신청일 2019-03-29
질의부분 공통 제2장 가설공사 2-2-4 구조물 비계

1. 2018년 건설공사 표준품셈 2-6-1 강관 비계 [주] (2) 본 품은 비계(발판 및 이동용 내부계단) 설치, 해체 작업이 포함되어 있다.
2. 기존 건설공사 표준품셈 2-6 구조물 비계 [주해] 파이프 비계(강관 비계) 품은 작업 발판 설치 품이 포함되지 않은 것이므로 작업 발판 설치가 필요할 경우에는 이에 대한 품을 별도로 계상할 수 있다.

위 품셈을 토대로 쌍줄 비계 설치 및 해체작업에 대한 비계 수량을 가로×높이 = 비계면적(m^2)으로 산출하였고, 또한 기존 품셈에 따라 가로×세로 = 작업 발판 면적(m^2) 산출하여 결과적으로 비계 면적과 작업 발판 면적을 합산하여 산출하게 되었습니다. 그러나 2018년 표준품셈을 보면 비계 설치, 제거작업에 발판 설치, 제거작업이 포함되었다는 발주사의 해석이 있어 작업 발판 설치, 제거 품을 삭감하여 약 50%의 품 삭감이 예상되어 질의하고자 합니다. 기존 품셈처럼 비계와 작업 발판의 품셈을 각각 구분하는게 맞는지? 발주사 해석처럼 작업 발판을 포함한 비계 설치 품이 맞는지? 또한 비계 면적 산출식이 가로×높이로만 하는 것이 맞는지?

> **회신문**
>
> 표준품셈 공통부문 가설공사 "2-7-1 강관 비계 설치 및 해체"의 '[주] ② 본 품은 비계(발판 및 이동용 내부계단)설치, 해체 작업이 포함되어 있다.'로 명시되어 있으며, 외벽으로부터 90cm 이격된 지점에 비계 폭 약 1.2m, 비계면적(가로×세로 = m^2, 난간포함) m^2당 설치기준입니다.

제목 6 강관 비계 면적산출 식

> **질의문**
>
> 배관설치용 강관 비계를 가로(2m), 세로(3m), 높이(4m)로 설치했다면 면적(m^2)은 얼마이며, 강관 비계 면적산출 공식은 어떻게 되는지?
>
> **회신문**
>
> 표준품셈 "2-6-1 강관 비계"의 단위는 m^2이며, 이는 벽 외면으로부터 90cm 이격된 지점의 지면에서 건물 높이까지의 외주면적(m^2)을 의미합니다.

監査

제목 1 가설공사 설계변경 미 시행 및 안전관리비 부당 지급

내용

산출내역서에 있는 계측관리(00~00구간)에 대하여 그 필요성에 대한 검토 및 실정보고도 하지 않고, 착공이후 약 2년 6개월이 지날 때까지도 계측관리를 시행하거나 설계변경(감 정산 76,517천원)하지 않았으며,

※ 감사기간 중 설계자 및 구조기술사, 책임감리원의 의견을 받아본 결과, 기 준공된 성능개선공사(1단계, 2단계)와 동일한 공법을 적용하고 있어 계측기설치 생략 가능하다는 의견임.

공간 비계 및 방진망의 실제 시공면적이 계약면적(00~00구간 10,197m^2)보다 1,031m^2 적은 9,166m^2만 시공되었는데도, 이에 대한 실정보고나 설계변경(감 정산 36,517천원)을 시행하지 않았고, 산출내역서에 신규 설치하는 것으로 반영된 조립식 현장사무실, 창고 및 실험실을 OOOO공사에서 제공하여 사용하고 있는데도 착공 후 약 2년 6개월이 지날 때까지 설계변경(감정산 53,926천원)하지 않았음. 또한, 0000.12.16.부터 0000.6.29.까지 4회에 걸쳐 산업안전보건관리비를 지급하면서 안전관리자 및 안전보조원의 전용이 아닌 복합기, 카메라, 방한복 및 설계내역서에 반영되어 있는 현수막 등 지급대상이 아닌 산업안전보건관리비 3,747천원을 과다 지급함.

조치할 사항

OOOO소장은 미시공하거나 부당 지급한 산업안전보건관리비 등 170,707천원을 도급비에서 감액하고, 책임감리원([주]▇▇엔지니어링 △△△)에 대하여는 건설기술관리법 제21조의5 규정에 따라 "주의"조치

제목 2 비계설치 설계 부적정

내용

국도 건설공사 설계실무 요령(2013년 7월, 국토교통부)」Ⅱ. (공종별 설계요령) 3. (배수공 수량산출) 5. (암거공) 규정에 따르면 비계설치는 [그림]과 같이 암거 구체 높이가 2m이상일 경우에 적용하도록 되어 있으며, 암거구체 상단선을 기준으로 암거 상부의 0.5m 제외한 물량을 산정하도록 되어 있다.

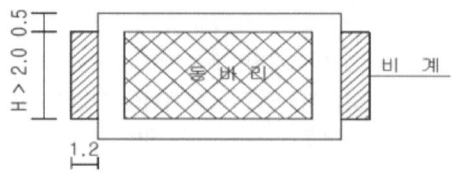

[그림] 암거공 비계설치 단면

따라서 암거 또는 옹벽 구체 높이가 2m 미만일 경우에 비계를 설치할 필요가 없어 비계를 생략하여야 한다. 그런데 감사일까지 위 공사의 설계도서 및 시공실태를 살펴본 결과 암거 구체 높이가 2m 미만으로 비계를 설치할 필요가 없는데도 비계(320m²)반영으로 공사비 49,252천원(제경비 포함)이 과다 계상되었다.

조치할 사항

○○군수는 과다 계상된 49,252천원에 대하여 「공사계약 일반조건」 제6절과 제7절의 약정에 따라 설계변경 감액 조치하고, 앞으로 이러한 사례가 재발되지 않도록 계약업무 및 공사현장 지도·감독 업무를 철저히 하시기 바람.

제목 3 강관 비계다리(가설 계단) 설계 및 정산 부적정

내용

○○○청에서는 '○○-○○도로건설공사'외 19개 공사에 강관 비계다리 98,544m를 설계서에 반영하였으며, 「건설공사 표준품셈」 및 「건설공사 표준시장단가」에는 '강관 비계'와 '강관 비계다리'를 구분하여 단가를 정하고 있으며, 강관 비계에는 내부 작업 발판을 별도로 계상할 수 있다고 되어있다.

한편, 작업 발판은 [그림]과 같이 강관 비계에 공사용 통로나 작업용 발판을 설치하기 위하여 조립·설치되는 가설구조물이고, 강관 비계다리는 강관 비계로 접근을 위해 독립적으로 설치되는 가설. 경사로(계단식 또는 슬로프식)이다. 따라서 강관 비계에 근로자가 안전하게 작업할 수 있도록 공사용 통로나 작업용 발판을 설치하는 가시설물은 작업 발판으로 반영하여야 하고, 강관 비계에 접근을 위해 독립적으로 설치되는 가설 경사로는 강관 비계다리를 반영하여야 한다.

[강관 비계(내부계단, 발판 포함)]

[강관 비계다리(가설 계단)]

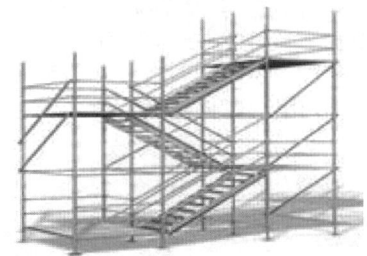

[그림] "강관 비계와 강관 비계다리 설치 예시"

그런데도, ○○○○○청에서는 위 공사의 강관 비계에 설치되는 작업 발판 물량을 「국도건설공사 설계실무 요령」에 "작업 발판(내부 작업 발판)이 비계다리로 명기되어 있다"는 사유로 강관 비계다리로 설계서에 반영하였으며, 위 공사의 현장대리인은 작업 발판 1,350m를 설치한 후 강관 비계다리 1,350m를 설치한 것처럼 준공 검사원을 제출하였고, 기술지원건설사업관리기술자는 검토를 소홀히 한 채 이를 그대로 인정하고 준공 검사 조서를 작성·제출하였다.

그 결과, 설치도 하지 않은 강관 비계다리 공사비 54,077원 상당이 부당하게 지급되는 결과를 초래하였다. 이를 비롯하여 19건의 공사에서 작업 발판 33,610m를 강관 비계다리로 설계서에 반영하고, 설치하지 않은 강관 비계다리 33,160m에 대한 공사비 1,019,527천원 상당을 부당하게 지급하였으며, 설계서에 강관 비계다리로 잘못 반영되어 있는 내부작업 발판 58,969m를 강관 비계다리 공사비로 지급할 예정에 있어 공사비 1,306,743천원 상당이 부당하게 지급될 우려가 있다.

조치할 사항

○○○○○청장은 부당하게 지급된 강관 비계다리 공사비 1,019,527천원 상당에 대해서는 "회수"하고, 설치할 필요가 없는 강관 비계다리를 삭제하는 것으로 설계를 변경하여 공사비 1,306,743천원 상당을 "감액"하시기 바람(시정)

契約審査

제목 가설공사(수평 비계) 공법 조정

내용
설계내역작성 시 일상적으로 내부 마감작업용 수평 비계(말 비계)를 전체 연면적에 대하여 적용하고 있으나, 실제 현장에서 건물 전체면적을 대상으로 설치하지 않고 있는 현실과 효율적인 대체공법 등을 검토하여 연면적 100m²당 이동이 가능한 조립말 비계로 변경 적용하여 조정

심사 착안사항
- 이동식 조립 말 비계의 특성을 고려한 공법 선정 필요
- 심사요청 현장조사를 통하여 시공과정과 설계도서 적정성 정밀 검토
- 설계공종 중 시공가능성에 대한 적정성 검토

2-7-2 시스템비계 설치 및 해체('16년 신설)

(m²당)

구 분	규 격	단 위	수 량		
			10m이하	10m초과~20m이하	20m초과~30m이하
비 계 공	설치, 해체	인	0.04	0.05	0.06
보 통 인 부	설치, 해체	인	0.01	0.01	0.01

[주] ① 본 품은 시스템비계(연결핀 조립)의 설치 및 해체 작업 기준이다.
② 본 품은 비계(발판 및 내부계단 포함) 설치, 해체 작업을 포함한다.
③ 높이 30m 초과 시 비계설치, 해체 및 비계안전 보강재 설치 품은 별도 계상한다.
④ 가설 계단 및 방호시설은 별도 계상한다.
⑤ 현장여건에 따라 장비(크레인 등)가 필요한 경우 기계경비는 별도 계상한다.

有權解釋

제목 1 시스템비계설치 일위대가 관련 질의

질의문
신청번호 2109-011 신청일 2021-09-02
질의부분 공통 제2장 가설공사 2-7-2 시스템비계 설치 및 해체

당 공사는 기타 공공기관에서 발주한 공사로서 산출내역서 및 도면에 적용된 시스템비계 가설계단 설치에 대한 내용과 관련하여 아래와 같이 질의드립니다.

- 아 래 -

건설공사 표준품셈 2021년 2-7-2 시스템비계 설치 및 해체의 [주] (2)의 내부계단과 [주] (4)의 가설계단의 구분에 대하여 문의드립니다.
1) 내부계단과 가설계단의 차이점 (형태 등)
2) 가설계단 설치 시 금액산정 방법.

> **회신문**
> 표준품셈 공통부문 "2-7-2 시스템비계 설치 및 해체"의 내부계단은 비계 내부에서 층과 층사이를 이동하기 위한 가설 계단으로 이에 대한 설치 및 해체는 시스템비계 설치 및 해체 품에 포함되어 있습니다. 또한 동 품셈 "2-7-5 경사형 가설 계단설치 및 해체"는 외부에서 비계로의 접근을 위한 계단을 의미하며, "2-7-6 타워형 가설 계단설치 및 해체"는 교각 등 설치에 필요한 타워형태의 가설계단을 의미합니다. 가설계단은 "2-7-5 경사형 가설계단설치 및 해체"를 참조하시기 바랍니다.
>
> **제목 2** 시스템 비계 설치 및 해체 단가 적용
>
> **질의문**
> 신청번호 2006-041 신청일 2020-06-11
> 질의부분 공통 제2장 가설공사 2-7-2 시스템 비계 설치 및 해체
>
> 표준품셈의 시스템 비계 품을 적용하였는데 여기 품에 내·외부 안전난간대 설치 품이 포함되어 있는지?
>
> **회신문**
> 표준품셈 "2-7-2 시스템 비계 설치 및 해체"는 안전난간대 설치가 포함된 기준입니다.

2-7-3 강관틀 비계 설치 및 해체('16년 보완)

(m²당)

구 분	규 격	단 위	수량 10m이하	수량 10m초과~20m이하
비 계 공	설치, 해체	인	0.02	0.03
보 통 인 부	설치, 해체	인	0.01	0.01

[주] ① 본 품은 강관틀 비계의 설치 및 해체 작업 기준이다.
　② 본 품은 비계(발판 및 이동용 내부계단) 설치, 해체 작업을 포함한다.
　③ 높이 20m 초과 시 비계설치, 해체 및 비계안전 보강재 설치 품은 별도 계상한다.
　④ 가설계단 및 방호시설은 별도 계상한다.

> **有權解釋**
>
> **제목** 강관틀 비계 설치 및 해체
>
> **질의문**
> 신청번호 2007-087 신청일 2020-07-28
> 질의부분 공통 제2장 가설공사 2-7-3 강관 틀 비계 설치 및 해체
>
> 품셈 2-7-3 강관 틀 비계 설치 및 해체와 관련하여 위 품목의 수량은 단위면적당 수량으로 나와 있습니다. 이 단위면적이 비계를 설치하는 바닥 면적인지? 벽체 면적인지?
>
> **회신문**
> 표준품셈 "2-7-1 강관 비계, 2-7-2 시스템 비계, 2-73 강관 틀 비계"는 외벽으로부터 90cm 이격된 지점에 비계 폭 약 1.2m, 비계 면적(가로×세로 = m², 난간 포함) m²당 설치기준입니다.

2-7-4 강관 조립말비계(이동식)설치 및 해체('09, '16년 보완)

(1대당)

구 분	규 격	단 위	수 량	
			높이 2m	높이 4m
비 계 공	설치, 해체	인	0.25	0.41
보 통 인 부	설치, 해체	인	0.14	0.24

[주] 본 품은 강관 조립말비계(이동식)의 1회 설치 및 해체 작업 기준이다.

[참고자료] 강관 조립말비계(이동식) 재료량

(1대당 높이 2m 기준)

구분	규격	단위	수량	비고
비 계 기 본 틀 (기 둥)	H1700×W1219	개	2	
가 새	L1518-2개	조	2	
수 평 띠 장	L1829	개	4	
손 잡 이 기 둥		개	4	
손 잡 이	L1219	개	2	
	L1829	개	4	
바 퀴		개	4	
자 키		개	4	
발 판	45×200×2000	장	7	

※ 1대당 비계기본틀(기둥) 높이가 증가할 때는 연결핀 및 암록을 별도 계상한다.
※ 손율은 '[공통부문] 2-2-5 구조물비계'를 따른다.

2-7-5 경사형 가설 계단 설치 및 해체('09년 신설, '16년 보완)

(㎡당)

구 분	규 격	단 위	수 량
비 계 공	설치, 해체	인	0.27
보 통 인 부	설치, 해체	인	0.09

[주] ① 본 품은 높이 6m이하에서 강관(φ 48.6mm), 조립형 발판을 사용하여 가설 계단을 경사 형태로 조립·설치하는 기준이다.
② 가설계단 폭은 0.9m이하, 면적은 디딤판의 면적(계단참 포함)을 기준한 것이다.
③ 본 품은 비계 및 발판 설치·해체 작업을 포함한다.
④ 방호시설은 별도 계상한다.
⑤ 공구손료 및 경장비(전동드릴 등)의 기계경비는 인력품의 2%로 계상한다.

2-7-6 타워형 가설 계단 설치 및 해체

(㎡당)

구 분	규 격	단 위	수 량
비 계 공	설치, 해체	인	0.20
보 통 인 부	설치, 해체	인	0.07
크 레 인	10ton	hr	0.06

[주] ① 본 품은 일체형 발판을 사용하여 가설계단을 타워 형태로 설치하는 기준이다.
② 가설계단 폭은 0.9m이하, 면적은 디딤판의 면적(계단참 포함)을 기준한 것이다.
③ 본 품은 비계 및 발판 설치·해체 작업을 포함한다.
④ 방호시설은 별도 계상한다.
⑤ 크레인 규격은 현장여건을 고려하여 변경할 수 있다.

> **有權解釋**
>
> **제목** 경사형 가설 계단 비계(발판 비계) 적용 품 문의
>
> **질의문**
>
> 신청번호 2009-074 신청일 2020-09-28
> 질의부분 공통 제2장 가설공사 2-7-6 타워형 가설 계단 설치 및 해체
>
> 철탑 상부에서 애관교체 작업을 진행하는데 철탑 높이 24m 및 현장여건 등을 고려하여 철탑하부 중심부부터 상부 플랫폼까지 경사형 가설 계단을 설치하려고 합니다. 이때 발판 비계에 관한 사항을 품 2-7-5를 적용하여야 하는지? 품 2-7-6을 적용하여야 하는지? 가설 계단 설치 모형도는 사진 첨부하였습니다.
>
>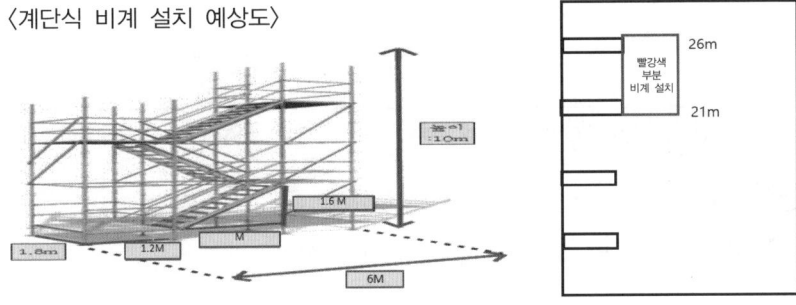
>
> **회신문**
>
> "2-7-5 경사형 가설 계단 설치 및 해체"는 외부에서 비계로의 접근을 위한 계단을 의미하며, "2-7-6 타워형 가설 계단 설치 및 해체"는 교각 등 설치에 필요한 타워형태의 가설 계단을 의미합니다. 가설 계단은 "2-7-5 경사형 가설 계단 설치 및 해체"를 참조하시기 바랍니다.

2-7-7 비계용 브라켓 설치 및 해체('16년 보완)

(10개소당)

구 분	규 격	단 위	수 량			
			벽용		슬래브발코니, 난간용	
			설 치	해 체	설 치	해 체
비 계 공	설치, 해체	인	0.45	0.34	0.34	0.26

[주] 본 품은 벽, 슬래브, 난간에 비계용 브라켓의 설치 및 해체 작업 기준이다.

2-8 추락재해방지시설

2-8-1 낙하물 방지망(비계) 설치 및 해체('20년 보완)

(10㎡당)

구 분	규 격	단 위	수 량
비 계 공	설치, 해체	인	0.30
보 통 인 부	설치, 해체	인	0.10

[주] ① 본 품은 비계 외부에 강관을 사용한 낙하물방지망(수평방향 3m이하)을 설치 및 해체하는 기준이다.
② 본 품은 지지대, 연결재, 그물망 설치 및 해체 작업을 포함한다.
③ 타워크레인 또는 크레인이 필요한 경우 기계경비는 별도 계상한다.
④ 공구손료 및 경장비(전동드릴 등)의 기계경비는 인력품의 2%로 계상한다.
⑤ 재료량은 다음을 참고하며, 강관 및 부속철물의 손율은 '[공통부문] 2-2-4 구조물비계'를 따른다.

(㎡당)

구 분	규 격	단 위	수 량
강 관	ø48.6mm×2.4mm	m	2.70
브 라 켓		개	0.26
철 선		kg	0.25
클 램 프		개	0.27
그 물 망		㎡	1.24

※ 위 재료량은 할증이 포함되어 있으며, 그물망의 손율은 1회사용 후 100%로 한다.

有權解釋

제목 공구손료 및 경장비의 적용 위치 관련 문의

질의문

신청번호 2007-101 신청일 2020-07-3
질의부분 공통 제2장 가설공사 2-8-1 낙하물 방지망 설치 및 해체

표준품셈 2-8-1 낙하물 방지망(비계) 설치 및 해체와 관련하여 ④ 공구손료 및 경장비(전동드릴 등)의 기계경비는 인력품의 2%로 계상한다.에서 "기계경비는"에 대하여 혼란이 있습니다.
- A의견 : '공구손료와 경장비의 기계경비는 인력품의 2%로 적용하는 것이다.'는 재료비, 경비 어디로 적용하든 상관없다 → (공구손료+경장비의 기계경비)를 대신하는 것이 인력품의 2%이다.라는 의견
- B의견 : 공구손료와 경장비의 기계경비는 인력품의 2%로 적용하여 "기계경비는"이라는 말이 있으므로 경비로 적용하라는 것이다 → (공구손료+경장비 손료 금액) 대신 인력품의 2%를 기계경비로 적용하라는 의견
A의견과 B의견 중 어떤 것이 맞나요?

회신문

표준품셈 공통부문 "2-8-11 낙하물 방지망 설치 및 해체" [주] 2.에서 공구손료 및 경장비(전동드릴 등)의 기계경비에 대한 인력 품 대비 요율을 제시하고 있으며, "공구손료+경장비의 기계경비"가 인력품의 2%라는 의미입니다. 다만, 공사비의 재료비, 경비항목 분류관련 사항은 표준품셈 관리기관에서 답변해 드릴 수 없는 점 양지해 주시기 바랍니다.

> **契約審査**
>
> **제목** 낙하물 방지시설 설치 수량 조정
>
> **내용**
> 공사중 안전사고 예방을 위한 낙하물 방지시설은 고가도로 전체구간에 설치하는 것으로 계획된 것을 국도횡단 교통량이 빈번한 장소 등 안전사고가 발생할 수 있는 구간만 적용하는 것으로 조정
>
> **심사 착안사항**
> – 안전 및 환경 보호 시설설치 시 구조 및 기능상 불필요하거나 실익이 없는 구간에 대한 세부검토
> – 심사요청 현장조사를 통하여 시공과정과 설계도서 적정성 정밀 검토
> – 설계공종 중 시공가능성에 대한 적정성 검토

2-8-2 낙하물 방지망(플라잉넷) 설치 및 해체('09년 신설, '17, '20년 보완)

(10㎡당)

구 분	규 격	단 위	수 량
비 계 공	설치, 해체	인	0.20
보 통 인 부	설치, 해체	인	0.10

[주] ① 본 품은 구조체 외부에 사다리(플라잉넷)를 사용한 낙하물방지망(수평방향 3m이하)을 설치 및 해체하는 기준이다.
② 본 품은 브라켓, 사다리, 와이어로프, 그물망 설치 및 해체 작업을 포함한다.
③ 공구손료 및 경장비(전동드릴 등)의 기계경비는 인력품의 3%로 계상한다.
④ 재료량은 다음을 참고하며, 강관 및 부속철물의 손율은 '[공통부문] 2-2-5 구조물비계'를 따른다.

(㎡당)

구 분	규 격	단 위	수 량
강 관	ø48.6mm×2.4mm	m	0.167
브 라 켓		개	0.116
사 다 리	폭 30cm×길이 3m 기준	m	0.111
와 이 어 로 프	ø6	m	0.764
클 램 프		개	0.127
그 물 망		㎡	1.390

※ 위 재료량은 할증이 포함되어 있으며, 그물망의 손율은 1회사용 후 100%로 한다.

2-8-3 낙하물 방지망(시스템방호) 설치 및 해체('20년 신설)

(10㎡당)

구 분	단 위	수 량
비 계 공	인	0.25
보 통 인 부	인	0.10

[주] ① 본 품은 구조체 외부에 강관을 사용한 낙하물방지망(수평방향 4m이하) 설치 및 해체하는 기준이다.
② 본 품은 지지대, 연결재, 그물망 설치 및 해체 작업을 포함한다.
③ 타워크레인 또는 크레인이 필요한 경우 기계경비는 별도 계상한다.
④ 공구손료 및 경장비(전동드릴 등)의 기계경비는 인력품의 2%로 계상한다.

2-8-4 교량 방호선반 설치 및 해체('11년 신설, '23년 보완)

(10㎡당)

구 분	규 격	단 위	수 량
비 계 공		인	0.25
보 통 인 부		인	0.12
크 레 인	5 ton	hr	0.10
고 소 작 업 차	5 ton	hr	0.43

[주] ① 본 품은 교량(거더 하부)에 방호선반을 설치 및 해체하는 기준이다.
② 본 품은 브라켓 및 비계파이프 설치, 합판 거치, 천막지 설치, 안전난간 및 보호망 설치 작업을 포함한다.
③ 장비의 규격은 작업여건(작업범위, 위치 등)을 고려하여 변경할 수 있다.
④ 공구손료 및 경장비(와이어윈치 등)의 기계경비는 인력품의 3%로 계상한다.

有權解釋

제목 방호선반에 대한 위험할증률 적용 가능 여부

질의문

신청번호 2104-085 신청일 2021-04-20
질의부분 공통 제2장 가설공사 2-8-4 방호선반 설치

1. 질의안건 : 표준품셈 2-8-3 방호선반에 대한 위험할증률 적용 가능 여부
2. 질의내용
    가. 방호선반은 기본적으로 교량 아래에 설치하는 고소작업인데, 위험할증률을 추가로 적용이 가능한지 여부
    나. "가"에 따라 할증률 적용이 가능하다고 가정했을 경우, 작업을 트럭탑재형크레인에서 작업을 하지 않고 교량빔 위에서 작업을 하였다면 어떤 위험할증률을 적용하여야 하는지?(갑설:공중작업 70%, 을설:고소작업(비계틀 불사용))
    다. "나"에 따라 특정 위험할증률 적용하였을 경우, 노무비뿐만 아니라 장비비(트럭탑재형크레인)에 위험할증률 적용이 가능한지?

회신문

[답변1]
표준품셈 공통부문 "2-8-4 방호선반 설치"는 작업 높이 10m 이하를 기준으로 하고 있습니다. 할증의 적용 여부 및 판단은 해당 공사의 특성을 고려하시고 표준품셈을 참조하시어 공사관계자가 직접 결정하실 사항임을 양지해 주시면 감사드리겠습니다.

[답변2]
표준품셈 공통부문 "1-4-3 품의 할증/ 8. 위험할증률"에서 "가. 교량상작업"은 인도, 철교(철도교), 공중작업 시 위험으로 인한 작업능률을 보정해 주기 위한 각각의 기준이며, "공중작업"은 교량 위 공중에서 작업할 때 부여하는 할증입니다. '나. 다. 고소작업 지상'은 고소작업을 위해 비계등의 가시설물 위에서 작업 시 위험에 따른 생산성 저하를 보정해 주기 위한 할증입니다. 여기에서 비계틀 사용은 일반적인 비계(예, 쌍줄비계 등)에서의 작업을 의미하며, 비계틀 불사용은 매달린 비계(예, 달비계 등)에서의 작업을 의미합니다.

[답변3]
표준품셈 "1-4-3 품의 할증"에서 '품의 할증은 인력 품 적용이 원칙이나 작업능률 저하로 인해 건설기

계의 사용 시간이 늘어나는 경우, 기계 품에도 적용 가능하다.'로 정하고 있으며, 건설기계의 작업능률 저하로 인해 사용 시간이 늘어나 기계 품의 할증이 발생되는 경우, 해당되는 품을 기계손료 및 운전경비 산정에 계상하시면 됩니다.

2-8-5 교량 낙하물방지망 설치 및 해체('23년 신설)

(10㎡당)

구 분	규 격	단 위	수 량
비 계 공	-	인	0.14
보 통 인 부	-	인	0.07
고 소 작 업 차	5 ton	hr	0.33

[주] ① 본 품은 교량 거더 하부에 낙하물방지망을 설치 및 해체하는 기준이다.
② 본 품은 브라켓 및 비계파이프 설치, 그물망 설치 작업을 포함한다.
③ 장비의 규격은 작업여건(작업범위, 위치 등)을 고려하여 변경할 수 있다.
④ 공구손료 및 경장비(와이어윈치 등)의 기계경비는 인력품의 3%로 계상한다.

2-8-6 철골 안전망 설치 및 해체('18년 보완)

(10㎡당)

구 분	단 위	수 량
비계공	인	0.17
보통인부	인	0.05

[주] ① 본 품은 철골공사 시공 중 철골사이에 설치되는 안전망의 설치 및 해체 작업 기준이다.
② 본 품은 안전망, 보강재 및 결속선의 설치 및 해체 작업을 포함한다.
③ 재료량은 다음을 참고하여 적용한다.

(10㎡당)

구 분	규 격	단 위	수 량
그 물 망		㎡	12.4
보 강 재		m	4.0
결 속 선	# 10	kg	0.3~0.4

※ 재료량은 할증이 포함되어 있으며, 그물망의 손율은 1회 사용후 100%로 한다.

2-8-7 비계주위 보호막 설치 및 해체('17년 신설)

(10㎡당)

구 분	단 위	수 량
비 계 공	인	0.20

[주] ① 본 품은 시공안전, 미관, 외부차단 등을 목적으로 비계에 설치하는 보호막 설치 및 해체 작업 기준이다.
② 재료량은 다음을 참고하며, 설치에 필요한 부속재료는 별도 계상한다.

(㎡당)

구 분	단 위	수 량
보 호 막	㎡	1.05

※ 위 재료량은 할증이 포함되어 있으며, 보호막의 손율은 1회사용 후 100%로 한다.

2-8-8 갱폼주위 보호망 설치 및 해체('09년 신설, '17년 보완)

(10㎡당)

구 분	단 위	수 량
비 계 공	인	0.04

[주] ① 본 품은 낙하물방지 등을 목적으로 갱폼주위에 설치하는 보호망(그물망 등) 설치 및 해체 작업 기준이다.
② 재료량은 다음을 참고하며, 설치에 필요한 부속재료는 별도 계상한다.

(㎡당)

구 분	단 위	수 량
보 호 망	㎡	1.05

※ 위 재료량은 할증이 포함되어 있으며, 보호망의 손율은 1회사용 후 100%로 한다.

2-8-9 수직형 추락방망 설치 및 해체('20년 신설)

(10개소당)

구 분	단 위	개구부 면적				
		1.0㎡이하	1.0~3.0㎡이하	3.0~6.0㎡이하	6.0~9.0㎡이하	9.0~12.0㎡이하
비 계 공	인	0.49	0.63	1.01	1.30	1.60

[주] ① 본 품은 창호, 발코니 등 개구부에 추락의 위험을 방지하기 위한 수직형 방망을 설치 및 해체하는 기준이다.
② 본 품은 앵커 구멍뚫기, 방망 설치 및 해체 작업을 포함한다.
③ 공구손료 및 경장비(전동드릴 등)의 기계경비는 인력품의 2%로 계상한다.

감사

제목 방진막 면적은 테두리 면적으로 산출하지 않고 철거바닥 면적으로 부적정 산출

내용
○○시(○○○○과)에서는 "○○동 및 002 자연재해위험개선지구 정비공사" 2건을 추진하면서, 기존주택 철거 공정중 방진망 설치 및 해체 적용 면적은 테두리에 설치하는 면적을 적용하여야 하나 해당지역의 평면적(8,072㎡, 15,317㎡)으로 부적정 적용함에 따라 121,297천원(제경비 포함)이 과다설계 되어 있음에도 감액조치 없이 사업을 진행 중에 있다.

조치할 사항
○○시장은 ○○동·002 자연재해위험개선지구 정비사업의 과다 설계된 121,297천원에 대하여 감액 등 시정조치 하시고, 사업추진 관리에 만전을 기하시기 바람(시정)

2-8-10 안전난간대 설치 및 해체('20년 신설)

(10m당)

구 분	단 위	브라켓형		앵커형	
		2단	3단	2단	3단
비 계 공	인	0.56	0.62	0.64	0.70
비 고	\- 난간기둥 간격에 따라 다음 요율을 적용한다.					

설치간격	1.0m이하	1.5m이하	1.5m초과
요율	110%	100%	90%

[주] ① 본 품은 발코니, 슬래브 등에 추락 등의 위험을 방지하기 위한 가설난간대를 설치 및 해체하는 기준이다.
② 2단은 상부난간대와 중앙에 중간난간대를 설치하는 기준이며, 3단은 상부난간대와 중간난간대 2개소 설치하는 기준이다.
③ 본 품은 난간 기둥, 상부난간대, 중간난간대 설치 및 해체 작업을 포함한다.
④ 발끝막이판 및 보호망의 설치 및 해체는 별도 계상한다.
⑤ 공구손료 및 경장비(전동드릴 등)의 기계경비는 인력품의 2%로 계상한다.

2-8-11 계단난간대 설치 및 해체('20년 신설)

(10개소당)

구 분			단 위	브라켓형	앵커형
비	계	공	인	1.40	1.45

[주] ① 본 품은 계단구간에 추락 등의 위험을 방지하기 위한 가설난간대를 설치 및 해체하는 기준이다.
② 난간대 규격은 길이 2.5m이하, 난간대 2단 기준이다.
③ 본 품은 난간 기둥, 상부난간대, 중간난간대 설치 및 해체 작업을 포함한다.
④ 발끝막이판 및 보호망의 설치 및 해체는 별도 계상한다.
⑤ 공구손료 및 경장비(전동드릴 등)의 기계경비는 인력품의 2%로 계상한다.

2-8-12 안전난간대 설치 및 해체(토목)('21년 신설)

(10m당)

구 분			단 위	2단	3단
비	계	공	인	0.62	0.67
비	고		- 난간기둥 간격에 따라 다음 요율을 적용한다.		
			설치간격	1.0m이하	1.5m이하	1.5m초과
			요율	110%	100%	90%

[주] ① 본 품은 토공구간에 지주를 박아서 매설하는 가설난간대의 설치 및 해체 기준이다.
② 2단은 상부난간대와 중앙에 중간난간대를 설치하는 기준이며, 3단은 상부난간대와 중간난간대 2개소 설치하는 기준이다.
③ 본 품은 난간 기둥, 상부난간대, 중간난간대 설치 및 해체 작업을 포함한다.
④ 보호망의 설치 및 해체는 별도 계상한다.
⑤ 공구손료 및 경장비(전동드릴 등)의 기계경비는 인력품의 2%로 계상한다.

有權解釋

제목 계단난간대 설치 및 해체 단위 질의

질의문
신청번호 2204-087 신청일 2022-04-22
질의부분 공통 제2장 가설공사 2-8-12 계단난간대 설치 및 해체

표준품셈 2장 가설공사(97페이지) 2-8-12 계단난간대 설치 및 해체 단위가 10개소당으로 되어 있는데, 10개소가 의미하는게 계단에 설치되는 난간기둥의 갯 수 10개를 의미하는 것인가요?

회신문
표준품셈 공통부문 "2-8-12 계단난간대 설치 및 해체"의 단위 개소는 길이 2.5m 이하 난간대 2단의 계단난간대의 개소를 뜻하며, 10개소는 계단난간대 10개소를 뜻합니다.

2-8-13 엘리베이터 난간틀 설치 및 해체('20년 신설)

(10개소당)

구 분	단 위	수 량
비 계 공	인	0.80

[주] ① 본 품은 엘리베이터 개구부에 추락 등의 위험을 방지하기 위한 가설난간틀을 설치 및 해체하는 기준이다.
② 난간틀 규격은 높이 1.4m이하, 길이 1.3m이하를 기준한다.
③ 본 품은 난간틀 설치 및 해체 작업을 포함한다.

2-8-14 엘리베이터 추락방호망 설치 및 해체('20년 신설)

(10개소당)

구 분	단 위	수 량
비 계 공	인	1.50

[주] ① 본 품은 엘리베이터 통로 내 추락 등의 위험을 방지하기 위한 수평방향의 방호망을 설치 및 해체하는 기준이다.
② 추락방호망 규격은 5~9㎡ 이하를 기준한다.
③ 본 품은 방호망 설치 및 해체 작업을 포함한다.
④ 공구손료 및 경장비(전동드릴 등)의 기계경비는 인력품의 2%로 계상한다.

2-8-15 개구부 수평보호덮개 설치 및 해체('22년 신설)

(개당)

구 분	단 위	개당 면적	
		1.0㎡이하	3.0㎡이하
비 계 공	인	0.05	0.07

[주] 본 품은 추락 등의 위험이 있는 수평개구부에 보호덮개를 설치 및 해체하는 기준이다.

2-8-16 강재거푸집 작업용 난간 설치 및 해체('22년 신설)

(10m당)

구 분	단 위	수 량
비 계 공	인	0.82

[주] ① 본 품은 강재거푸집 상단에 작업자의 이동 및 작업을 위한 가설난간대를 설치 및 해체하는 기준이다.
② 난간은 상부난간대와 중앙에 중간난간대를 설치하는 2단난간 기준이다.
③ 본 품은 난간 기둥, 상부난간대, 중간난간대 발판 설치 및 해체 작업을 포함한다.
④ 발끝막이판 및 보호망의 설치 및 해체는 별도 계상한다.
⑤ 공구손료 및 경장비(전동드릴 등)의 기계경비는 인력품의 3%로 계상한다.

2-8-17 수평지지로프 설치 및 해체('23년 신설)

(m당)

구 분	단 위	수 량
비 계 공	인	0.02

[주] ① 본 품은 고소작업 시 안전대를 걸기 위해 수평지지로프(구명줄)를 설치 및 해체하는 기준이다.
② 본 품은 브라켓 지주, 수평지지로프 설치 작업을 포함한다.

2-9 통행안전시설

2-9-1 타워크레인 방호울타리 설치 및 해체('20년 신설)

(m당)

구 분	단 위	수 량
비 계 공	인	0.12

[주] ① 본 품은 타워크레인 주위에 방호울타리를 설치 및 해체하는 기준이다.
② 본 품은 울타리 높이 2.0m 기준이다.
③ 본 품은 앵커구멍 뚫기, 울타리 및 출입문 조립설치·해체 작업을 포함한다.
④ 우수방지책을 설치 및 해체는 별도 계상한다.
⑤ 공구손료 및 경장비(전동드릴 등)의 기계경비는 인력품의 2%로 계상한다.

2-9-2 건설용리프트 방호선반 설치 및 해체('23년 신설)

(개소당)

구 분	단 위	수 량
비 계 공	인	0.95
보 통 인 부	인	0.26

[주] ① 본 품은 건설용리프트(싱글 1.2ton) 주위에 방호선반을 설치 및 해체하는 기준이다.
② 본 품은 방호선반틀(파이프) 조립, 경사로 설치, 발판 및 난간대 설치 작업을 포함한다.
③ 공사안내판 및 보호망의 작업은 별도 계상한다.
④ 공구손료 및 경장비(전동드릴 등)의 기계경비는 인력품의 2%로 계상한다.

2-9-3 보행자 안전통로 설치 및 해체('21년 신설)

(통로길이 m당)

구 분	단 위	수 량
비 계 공	인	0.20

[주] ① 본 품은 강관파이프 및 발판을 조립하여 설치하는 보행자 안전통로의 설치 및 해체 기준이다.
② 본 품은 높이 3.0m이하, 폭 2.0m 기준이다.
③ 본 품은 통로틀, 바닥판 및 천장판, 보호망의 설치 및 해체 작업을 포함한다.
④ 안내판은 별도 계상한다.
⑤ 공구손료 및 경장비(전동드릴 등)의 기계경비는 인력품의 2%로 계상한다.

有權解釋

제목 보행자 안전통로 설치 및 해체에 관한 문의

질의문

신청번호 2102-103 신청일 2021-02-24
질의부분 공통 제2장 가설공사 2-8-9 터널방음문 설치 및 해체

2021년 건설공사 표준품셈 중 공통 제2장 가설공사의 '2-8-18 보행자 안전통로 설치 및 해체'에 관하여 문의드립니다.
시중에 보행자 안전통로가 기성품으로 납품되는 경우도 있는데, 본 품을 적용할 때 기성품도 적용할 수 있는지 여부를 알고 싶습니다.

> **회신문**
> 표준품셈 공통부문 "2-8-18 보행자 안전통로 설치 및 해체"는 강관파이프 및 발판을 조립하여 설치하는 기준으로, 기성품 설치에 대한 기준은 별도로 정하고 있지 않습니다.

2-9-4 PE드럼 설치 및 해체('22년 신설)

(개당)

구 분	단 위	수 량
특 별 인 부	인	0.06

[주] ① 본 품은 가설 PE드럼을 설치 및 해체하는 기준이다.
② 본 품은 PE드럼 설치, 모래주머니 만들기, PE드럼 해체 작업을 포함한다.

2-9-5 PE가설방호벽 설치 및 해체('22년 신설)

(개당)

구 분	규 격	단 위	수 량
특 별 인 부		인	0.09
살 수 차	1,800ℓ	hr	0.03

[주] ① 본 품은 가설 PE방호벽을 설치 및 해체하는 기준이다.
② 본 품은 PE방호벽 설치 및 해체, 물충전 작업을 포함한다.
③ 델리네이터 및 윙카호스가 필요한 경우 '2-8-20 PE드럼 설치 및 해체'를 따른다.

2-9-6 PC가설방호벽 설치 및 해체('22년 신설)

(개당)

구 분	규 격	단 위	수 량
특 별 인 부		인	0.12
크 레 인	5ton	hr	0.21

[주] ① 본 품은 가설 PC방호벽을 설치 및 해체하는 기준이다.
② 본 품은 PC방호벽 설치 및 결속, 해체 작업을 포함한다.
③ 델리네이터 및 윙카호스가 필요한 경우 '2-8-20 PE드럼 설치 및 해체'를 따른다.
④ 도색은 필요한 경우 별도 계상한다.

2-9-7 가설휀스(H-Beam기초) 설치 및 해체('22년 신설)

(m당)

구 분	규 격	단 위	수 량
특 별 인 부		인	0.01
크 레 인	5ton	hr	0.02

[주] ① 본 품은 H-Beam을 기초로 제작된 가설휀스를 설치 및 해체하는 기준이다.
② 본 품은 가설휀스 설치 및 해체 작업을 포함한다.
③ 델리네이터 및 윙카호스가 필요한 경우 '2-8-20 PE드럼 설치 및 해체'를 따른다.
④ 가설휀스 제작은 별도 계상한다.

2-9-8 PE가설휀스 설치 및 해체('23년 신설)

(개당)

구 분	단 위	수 량
특 별 인 부	인	0.02

[주] ① 본 품은 PE가설휀스(L1.5xH0.9m)를 설치 및 해체하는 기준이다.
② 본 품은 휀스 조립 및 설치, 하부 보강(강관파이프, 모래주머니) 작업을 포함한다.

2-9-9 가림막 가설휀스 설치 및 해체('23년 신설)

(개당)

구 분	단 위	수 량
특 별 인 부	인	0.04

[주] ① 본 품은 가림막 가설휀스(L2.0xH1.2~1.8m)를 설치 및 해체하는 기준이다.
② 본 품은 블록 고정, 휀스 및 지지대 설치 작업을 포함한다.

2-9-10 점멸등 설치 및 해체('23년 신설)

(개당)

구 분	단 위	수 량
특 별 인 부	인	0.01

[주] 본 품은 점멸등(델리네이터)을 설치 및 해체하는 기준이다.

2-9-11 유도등 설치 및 해체('23년 신설)

(m당)

구 분	단 위	수 량
특 별 인 부	인	0.01

[주] 본 품은 유도등(윙카호스)을 설치 및 해체하는 기준이다.

2-10 피해방지시설

2-10-1 비계주위 보호막 설치 및 해체('09, '17년 보완)

(10㎡당)

구 분	단 위	수 량
비 계 공	인	0.20

[주] ① 본 품은 시공안전, 미관, 외부차단 등을 목적으로 비계에 설치하는 보호막 설치 및 해체 작업 기준이다.
② 재료량은 다음을 참고하며, 설치에 필요한 부속재료는 별도 계상한다.

(㎡당)

구 분	단 위	수 량
보 호 막	㎡	1.05

※ 위 재료량은 할증이 포함되어 있으며, 보호막의 손율은 1회사용 후 100%로 한다.

2-10-2 방진망 설치 및 해체('17년 보완)

(10㎡당)

구 분	단 위	수 량
비 계 공	인	0.16

[주] ① 본 품은 가설울타리 및 가설방음벽 상부에 설치하는 그물망 설치 및 해체 작업 기준이다.
② 비계 등의 가시설이 필요한 경우는 별도 계상한다.
③ 재료량은 다음을 참고한다.

(㎡당)

구 분	단 위	수 량
방 진 망	㎡	1.06
철 선	kg	0.115

※ 위 재료량은 할증이 포함되어 있으며, 방진망의 손율은 1회사용 후 100%로 한다.

2-10-3 터널방음문 설치 및 해체('19년 신설)

(개소당)

구 분	규 격	단 위	수 량 설치	해체
철 공		인	2.81	2.53
용 접 공		인	1.13	-
보 통 인 부		인	1.13	1.02
크 레 인	50ton	hr	8.0	5.6
크 레 인	10ton	hr	8.0	5.6

[주] ① 본 품은 제작된 터널방음문(3차로 이하)을 부위별로 반입하여 현장에서 조립설치·해체하는 기준이다.
② 앵커 구멍뚫기, 방음문 조립 및 해체, 보강(용접) 작업을 포함한다.
③ 기초 콘크리트, 환기설비에 대한 재료 및 품은 별도 계상한다.
④ 공구손료 및 경장비(용접기 등)의 기계경비는 인력품의 2%로 계상한다.

2-10-4 박스형 간이흙막이 설치 및 해체('22년 신설)

(개당)

구 분	규 격	단 위	설치깊이 H=3.0m이하	4.0m이하
특 별 인 부		인	0.17	0.24
보 통 인 부		인	0.06	0.09
크 레 인	10ton	hr	0.26	0.44

[주] ① 본 품은 버팀대(연결대) 및 판넬이 Box형태로 조립된 상태의 간이흙막이를 설치 및 해체하는 기준이다.
② 간이흙막이(판넬)의 개당 길이는 3.0m 이하, 폭은 2.0m이하 기준이다.
③ 가설흙막이 설치를 위한 터파기 및 뒤채우기 등의 토공작업은 별도 계상한다.

2-10-5 조립식 간이흙막이 설치 및 해체('22년 신설)

(m당)

구 분	규격	단위	설치깊이			
			H=3.0m이하	H=4.0m이하	H=5.0m이하	H=6.0m이하
특 별 인 부		인	0.19	0.28	0.40	0.57
보 통 인 부		인	0.07	0.10	0.15	0.22
크 레 인	10ton	hr	0.46	0.90	1.48	2.20

[주] ① 본 품은 간이흙막이를 조립하면서 설치 및 해체하는 기준이다.
② 본 품은 기둥(레일), 버팀대(연결대), 판넬의 조립, 설치 및 해체를 포함한다.
③ 가설흙막이 설치를 위한 터파기 및 뒤채우기 등의 토공작업은 별도 계상한다.

有權解釋

제목 1 조립식 간이흙막이 적용기준

질의문
신청번호 2209-068 신청일 2022-09-20
질의부분 공통 제2장 가설공사 2-8-25 조립식 간이흙막이 설치 및 해체

표준품셈 적용과 관련하여 통상적으로 현장에서 조립식 간이흙막이(SK판넬)와 조절식 간이흙막이(TS판넬)를 많이 사용하고 있는데, 금번 2022년도 "2-8-25 조립식간이흙막이"가 신규 제정되었는데 본 품 적용에 대하여 질의코자 합니다.
1) 상기 품 적용에 있어서 조립식 및 조절식 간이흙막이에 모두 적용하는지 여부?
2) 1)항에 따라 모두 적용한다면 두 공법은 자재 및 시공면에서 분명한 차이가 있는바 동일 품 적용이 적정한지 여부?

회신문
2022년 개정된 표준품셈 공통부문 "2-8-24 박스형 간이흙막이 설치 및 해체"는 버팀대 및 판넬이 BOX형태로 조립된 상태의 간이흙막이를 설치 및 해체하는 기준이며, "2-8-25 조립식 간이흙막이 설치 및 해체"는 간이흙막이를 조립하면서 설치 및 해체하는 기준입니다.
TS판넬과 SK판넬을 조립된 상태로 설치하는 경우 "2-8-24 박스형 간이흙막이 설치 및 해체"를 적용하시기 바라며, 조립하면서 설치 및 해체한다면 "2-8-25"를 적용하시기 바랍니다.

제목 2 조립식 간이흙막이 설치 및 해체 현장내 소운반, 토류벽 사용료(손료) 등은 별도 계상

질의문
신청번호 2205-122 신청일 2022-05-31
질의부분 공통 제2장 가설공사 2-8-25 조립식 간이흙막이설치 및 해체

품셈에 있는 내용은 설치 및 해체 품을 모두 반영하였다는 것을 확인하였습니다. 그렇다면 흙막이 조립시 레일 기둥박기 및 압입 작업비 산정 문의, 판넬 상,하차비 및 하차 후 현장내 소운반, 토류벽 사용료(손료) 등은 별도 계상되는 토공작업과 마찬가지로 별도 계상하면 되는 것인지 질의드립니다.

회신문

표준품셈 공통부문 "2-8-25 조립식 간이흙막이 설치 및 해체"는 기둥(레일), 버팀대(연결대), 판넬의 조립설치 및 해체 작업을 포함하고 있으며, 판넬 상하차, 토류벽 손료 등은 포함되어 있지 않습니다. 또한 소운반은 일반적으로 품에서 포함된 것으로, 품에서 포함된 것으로 규정된 소운반 거리는 20m 이내의 거리이며, 20m를 초과하는 경우에는 초과분에 대하여 표준품셈 "1-5-1 소운반 및 인력운반" 등을 활용하여 별도 계상하도록 정하고 있습니다. 품항목과 무관하게 인력운반을 적용하실 경우 전체 운반거리를 적용하시기 바랍니다.

제목 3 조립식 간이 흙막이 설치 및 해체 품 기준 문의

질의문

신청번호 2205-062 신청일 2022-05-18
질의부분 공통 제2장 가설공사 2-8-25 조립식 간이흙막이 설치 및 해체

건설공사 표준품셈 2-8-25 조립식 간이흙막이 설치 및 해체(2022년 신설) 관련입니다.
상기 품은 간이흙막이를 조립하면서 설치 및 해체하는 기준이라고 명기되어 있는데, 굴삭기를 이용한 박기(박기 소요 시간 포함) 및 인발 시간이 모두 포함된 기준인지?
특별인부, 보통인부, 크레인의 품 단위수량 산출기준 등 어떻게 품이 만들어 졌는지?
간이흙막이의 종류가 TS판넬, SK판넬 등 다양한데 어떻게 구분지어 적용해야 하는지?
TS판넬의 경우 2-8-25 표준품셈 적용이 맞는지 아니면 건설연구사 표준품셈상 보완자료(첨부파일 참조) 내용을 활용해도 되는지?

회신문

[답변1,2]
표준품셈 공통부문 "2-8-25 조립식 간이흙막이 설치 및 해체"는 간이흙막이를 조립하면서 설치 및 해체하는 기준으로 조립식 흙막이의 삽입 및 인발 작업이 포함되어 있습니다.
표준품셈은 현장조사 결과의 결과 값으로 제시된 품임을 참조해 주시기 바랍니다.
[답변3]
2022년 개정된 표준품셈 공통부문 "2-8-25 조립식 간이흙막이 설치 및 해체"는 간이흙막이를 조립하면서 설치 및 해체하는 기준으로, TS판넬과 SK판넬을 조립하면서 설치 및 해체한다면 "2-8-25"를 적용하시기 바랍니다.
[답변4]
건설연구사(출판사)에서 자체적으로 등재한 보완항목은 표준품셈관리기관인 한국건설기술연구원에서 발간한 정식 건설공사 표준품셈과는 관련이 없습니다.
또한 표준품셈 "2-8-24 박스형 간이흙막이 설치 및 해체, 2-8-25 조립식 간이흙막이 설치 및 해체"는 현장실사를 통하여 제시된 기준임을 참조해 주시기 바랍니다.

제목 4 조립식 간이흙막이 설치 및 해체 관련

질의문

신청번호 2203-054 신청일 2022-03-16
질의부분 공통 제2장 가설공사 2-8-25 조립식 간이흙막이 설치 및 해체

건설공사 표준품셈(공통, 토목, 건축, 기계설비)에서 2-8-25 조립식 간이흙막이 설치 및 해체(22년 신설) 관련해서 세부적으로 조립식 흙막이 공법(SK판넬, TS판넬 등) 몇가지 공법이 있는데, 세부 항목이 없어 판단이 어려워 문의합니다. 공통인지, SK판넬, TS판넬인지 답변 주시면 감사하겠습니다.

> **회신문**
>
> 2022년 개정된 표준품셈 공통부문 "2-8-24 박스형 간이흙막이 설치 및 해체"는 버팀대 및 판넬이 BOX형태로 조립된 상태의 간이흙막이를 설치 및 해체하는 기준이며, "2-8-25 조립식 간이흙막이 설치 및 해체"는 간이흙막이를 조립하면서 설치 및 해체하는 기준입니다.
> TS판넬과 SK판넬을 조립하면서 설치 및 해체한다면 "2-8-25"를 적용하시기 바랍니다.

2-10-6 비탈면 보양('23년 신설)

(㎡당)

구 분	단 위	수 량
특 별 인 부	인	0.02
보 통 인 부	인	0.01

[주] ① 본 품은 비탈면의 토사유출 등 방지하기 위해 보양재(천막 등)를 설치 및 해체하는 기준이다.
　　② 본 품은 보양재 설치, P.P마대 만들기 및 설치 작업을 포함한다.

2-11 현장관리

2-11-1 건축물보양('23년 보완)

(보양면적 ㎡ 당)

구 분	단 위	부직포 깔기	보양지 붙이기	목재 붙이기
건 축 목 공	인	-	-	0.03
보 통 인 부	인	0.003	0.01	-

[주] ① 본 품은 시공부위의 파손 및 오염을 방지하기 위하여 보양재를 설치 및 철거하는 기준이다.
　　② 부직포 깔기는 보양재를 바닥에 깔기하는 작업 기준이다.
　　③ 보양지 붙이기는 천막지 및 골판지 등 보양지를 절단하여 테이프로 붙이는 작업 기준이다.
　　④ 목재 붙이기는 판재·각재로 주위를 보호하는 기준이다.
　　⑤ 보양재는 신품을 기준하며, 재료의 손율은 100%를 적용한다.
　　⑥ 재료량은 다음을 참고하여 적용한다.

구 분		단위	수량
부직포 깔기	부직포	㎡	1.10
보양지 붙이기	하드롱지	㎡	1.20
	풀	kg	0.06
목재 붙이기	목재	㎥	0.007
	못	kg	0.02

2-11-2 건축물 현장정리('23년 보완)

(연면적 ㎡)

구 분	단 위	철근콘크리트조·철골·철근콘크리트조	목조·철골조·조적조
보 통 인 부	인	0.13	0.05

[주] ① 본 품은 공사 중 옥·내외를 청소하는 기준이다.
　　② 재료량(청소용 소모품 등)은 별도 계상한다.

2-11-3 준공청소('23년 신설)

(연면적 ㎡)

구 분	단 위	수 량
보 통 인 부	인	0.02

[주] ① 본 품은 준공 시 시공으로 인한 오염물질을 제거하고 청소하는 기준이다.
② 본 품은 보양지 제거, 옥내·외 청소(마감재, 창호, 유리 등) 및 뒷정리 작업을 포함한다.
③ 재료량(청소용 소모품 등)은 별도 계상한다.

2-11-4 입주청소('23년 신설)

(바닥면적 ㎡)

구 분	단 위	수 량
보 통 인 부	인	0.03

[주] ① 본 품은 입주 시 실내를 청소하는 기준이다.
② 본 품은 마감재, 창호, 유리 등 청소 및 뒷정리 작업을 포함한다.
③ 재료량(청소용 소모품 등)은 별도 계상한다.

2-11-5 비산먼지 발생 억제를 위한 살수('02년 신설, '09년 보완)

(100㎡당)

구 분	규 격	단 위	수 량
물탱크(살수차)	16,000 ℓ	시간	0.008

[주] ① 본 품은 공사현장의 비산먼지 발생억제를 위하여 물탱크(살수차)로 살수하는 품이다.
② 본 품의 살수두께는 1.5mm/회를 기준한 것이며, 살수폭은 4.0m를 기준한 것이다.
③ 본 품은 1회당의 살수작업을 기준한 것이므로, 살수면적은 살수횟수를 감안하여 산출해야 하며, 살수횟수는 현장여건을 고려하여 정한다.

> 〈살수면적 계산예〉
> ◦ 폭이 6m이고 길이가 100m인 부지를 1일 5회 살수하며, 살수 일수가 10일인 경우
>   - 살수면적 = 6m × 100m × 5회/일 × 10일 = 30,000㎡

④ 살수에 필요한 물을 현장에서 구득하기 어려워 급수시설을 설치하거나 상수도 등을 이용해야 할 경우에는 그 비용을 별도 계상한다.

> **有權解釋**
>
> **제목** 비산먼지발생 억제를 위한 살수차 적업시간
>
> **질의문**
> 신청번호 2210-002 신청일 2022-10-03
> 질의부분 공통 제2장 가설공사 2-9-3 비산먼지발생 억제를 위한 살수
>
> 비산먼지발생 억제를 위한 살수에 관해 질의합니다. 상기 물탱크(살수차) 품의 시간에는 물탱크에 충수를 위한 시간, 현장에서 작업 대기시간도 포함하고 있는지요? 아니면 온전히 살수 작업만을 하고 있을 때의 시간만을 나타내고 있는지요?
> 〈질의배경〉
> 8시간 작업(=0.008×1,000)을 했을 경우, 살수면적은 $100m^2 \times 1,000 = 100,000m^2$이 됩니다.
> 즉 연장으로 산출하면 $100,000m^2/4m$(살수 폭)=25,000m=25km입니다.
> 상식적으로 생각했을 때 하루 종일(8시간) 살수차로 25km밖에 못 간다는 의미가 되는데요.
> (살수 행위만의 작업시간 이외에 충수시간, 작업 대기시간 등을 포함한 것으로 판단이 됩니다.)
> [주]란에 작업시간에 대한 별도의 세부 내용에 대한 표기가 없어 품의 시간이 포괄하는 시간에 대해 이견이 있습니다.
>
> **회신문**
> 표준품셈에서 제시된 품은 안전지침 및 시공기준을 준용한 시공실태를 반영하였으며, 일일 작업시간 8시간을 기준으로 실 작업시간외 준비, 마무리, 휴식시간 등이 포함되어 있음을 참조하시기 바랍니다.

2-11-6 자동세륜기 설치 및 해체('09, '12, '19년 보완)

(회당)

구 분	규 격	단 위	수 량 설치	수 량 해체
특 별 인 부		인	1.59	2.44
크 레 인	10ton	hr	2.60	3.30

[주] ① 본 품은 자동세륜기(8롤, 10롤)를 설치 및 철거하는 기준이다.
② 설치는 수조함 설치, 세륜기 설치, 슬러지함 설치 작업을 포함한다.
③ 해체는 슬러지 청소, 퇴수, 슬러지함 철거, 세륜기 철거, 수조함 철거 작업을 포함한다.
④ 터파기, 골재포설, 콘크리트 타설 및 깨기 작업은 별도 계상한다.
⑤ 자동세륜기 가동을 위한 전기배선 및 급수 등에 소요되는 재료 및 품은 별도 계상한다.
⑥ 공구손료 및 경장비(살수장비, 양수기 등)의 기계경비는 인력품의 2%로 계상한다.

有權解釋

제목 자동세륜기 설치품 문의

질의문
신청번호 2211-033 신청일 2022-11-10
질의부분 공통 제2장 가설공사 2-9-4 자동세륜기설치 및 해체

세륜기설치 품 기준이 특별인부 1.59인으로 되어 있는 노무임 기준을 보면 [회당]으로 되어 있는데 [대당]이 맞는 표현이 아닌지 여부
붙임 파일의 세륜기를 설치하는데에 기준 품을 적용하는 것이 타당한지 여부입니다 → 세륜기 1대 설치 품에는 수조함설치, 세륜기설치, 슬러지함설치 작업을 포함한다.고 되어 있는데 1.59명으로 설치가 불가능할 것으로 보이는데 표준품의 적용이 가능한지 여부
대체 품을 적용한다면 어떤 품을 적용해야 하는지 알려 주시기 바랍니다

회신문
표준품셈 공통부문 "2-9-4 자동세륜기설치 및 해체"는 세륜기 1대를 현장 조건에 따라 2~3회 반복 가설하는 실태를 반영하여 회당 기준으로 제시되어 있습니다. 또한 본 품은 자동세륜기(8롤, 10롤)을 설치하는 기준입니다.

監査

제목 세륜세차시설 및 축중기 미설치

내용
「건설현장 축중기설치 지침」 및 「건설공사 사업관리방식 검토기준 및 업무수행 지침」에 따르면 사토 및 순성토가 10,000m³ 이상 발생하는 공장현장에서 과적차량을 방지하기 위하여 축중기를 의무적으로 설치하여야 하고, 사토 운반량이 29,244m³로 도급내역상 세륜세차 시설(2개소) 및 축중기(1개소)가 반영되어 있어 위 시설을 설치.운영하여야 함에도 감사일 현재 사토량이 대부분 반출되고 현장유용 계획으로 세륜세차 시설 및 축중기가 필요없는 상태로 설계변경을 통해 27백만원을 감액 조치할 필요가 있다.

조치할 사항
○○시장은 설계내역에 반영한 사항을 이행하지 않은 세륜세차 시설 미설치 등 27백만원을 감액하시기 바람(시정)

契約審査

제목 토공작업 기간으로 조정

내용
세륜세차시설, 이동식 축중기 사용은 총 공사 기간에서 실제 필요한 토공 작업 기간으로 조정

심사 착안사항
건설공사 기간과 실제 건설현장에서 토공작업 및 세륜세차시설, 축중기 가동시간을 면밀히 비교 검토하여 토공작업 이후 세륜세차시설, 이동식 축중기 사용기간 조정

2-11-7 슬러지 제거('19년 신설)

(회당)

구 분	규 격	단 위	수 량
특 별 인 부		인	0.63
굴 삭 기	0.2㎥	hr	1.00

[주] ① 본 품은 자동세륜기(슬러지함 2.0×1.2×1.2m) 슬러지를 제거하는 기준이다.
② 세륜기 세척, 슬러지 제거, 공급수 교체 작업을 포함한다.
③ 공구손료 및 경장비(살수장비, 양수기 등)의 기계경비는 인력품의 7%로 계상한다.

2-12 공통장비

2-12-1 건설용리프트 설치 및 해체('09, '23년 보완)

(대당)

구 분	규 격	단 위	수 량
기 계 설 비 공	-	인	1.31
비 계 공	-	인	2.04
보 통 인 부	-	인	0.87
지 게 차	5ton	hr	1.95

[주] ① 본 품은 건설용리프트(싱글 1.2ton)를 설치 및 해체하는 기준이다.
② 본 품은 운반구 설치, 구동장치 및 제어판 조립, 작동시험을 포함한다.
③ 기초콘크리트 및 전기 인입공사는 별도 계상한다.
④ 낙하물 방지를 위한 방호선반은 '2-8-33 건설용리프트 방호선반 설치 및 해체'를 따른다.
⑤ 지게차의 진입이 불가능 한 경우 크레인 등 장비를 변경할 수 있다.
⑥ 공구손료 및 경장비(원치 등)의 기계경비는 인력품이 3%로 계상한다.

2-12-2 마스트 설치 및 해체('23년 신설)

(층당)

구 분	단 위	수 량
비 계 공	인	0.80
보 통 인 부	인	0.27

[주] ① 본 품은 건설용리프트(싱글 1.2ton)의 마스트를 설치 및 해체하는 기준이다.
② 본 품은 마스트 설치, 층간 출입구 및 작동센서 설치와 해체 작업을 포함한다.
③ 높이에 따라 다음 할증률에 의한 품을 가산할 수 있으며 19층 이상은 매 3층 증가마다 4%씩 가산할 수 있다.

지하층 및 1~3층	4~6층	7~9층	10~12층	13~15층	16~18층
0	5%	8%	12%	16%	20%

※ 외벽에서 층의 구분을 할 수 없을 때에는 층고를 3.6m로 기준하여 층수를 환산 적용한다.
④ 공구손료 및 경장비(원치 등)의 기계경비는 인력품이 3%로 계상한다.

2-12-3 축중계 설치 및 해체('09년 신설, '10년 보완)

(회당)

구 분	단 위	수 량
특 별 인 부	인	0.051

[주] 본 품은 이동식 축중계 및 계측기의 조립·설치·해체 기준이다.

> **有權解釋**
>
> **제목** 축중계 설치 해체 횟수 문의
>
> **질의문**
> 이동식 축중계 설치 및 해체 품의 횟수는 매 측정 차량마다 적용하는 것인지, 측정일 설치 장소 마다 적용하는 것인지?
>
> **회신문**
> 표준품셈 [2-15 축중계]는 이동식 축중계의 조립/ 설치/ 해체작업 1회를 기준으로 제시한 품으로 측정 횟수와는 무관합니다.

2-12-4 파이프 루프공('92년 신설)

1. 장비 조립해체('09년 보완)

(회당)

구 분	명 칭	규 격	단 위	수 량	비 고
편성인원	일반기계운전사		인	1	파이프추진기
	기 계 설 비 공		〃	1	
	보 통 인 부		〃	2	
편성장비	크 레 인 (타 이 어)	20톤	대	1	
소요일수	조 립		일	3	
	해 체		일	2	

2. 작업편성인원

(일당)

명 칭	단 위	추진관경		
		300~600mm	700~900mm	1,000~1,200mm
중 급 기 술 자	인	1	1	1
특 별 인 부	인	2	2	2
보 통 인 부	인	1	1	2
용 접 공	인	2	2	2

3. 작업편성장비

(일당)

장비명	규격	단위	수량	비고
파 이 프 추 진 기	140~300ton	대	1	강관추진
크 레 인 (타 이 어)	20ton	대	1	강관거치, 오거연결 운반
발 전 기	50kW	대	1	
용 접 기	200AMP	대	2	강관 및 기타용접

4. 작업능력

(m/일)

토질별	관경(mm)	추진장				
		0~10m	0~20m	0~30m	0~40m	0~50m
점 토 · 실 트	300~500	13	12	11	10.5	10
	600~700	10.5	10	8.5	8	8
	800~1,000	7.5	7	6.5	6	6
	1,100~1,200	6.5	6	5	4.5	4.5
사 질 토	300~500	11.5	10.5	9.5	9	9
	600~700	9	8.5	7.5	7	7
	800~1,000	6.5	6	5.5	5	5
	1,100~1,200	5.5	5	4.5	4	4
자 갈 모 래 층 풍 화 암	300~500	8.5	7.5	7	6.5	6.5
	600~700	6.5	6	5.5	5	5
	800~1,000	4.5	4	4	4	3.5
	1,100~1,200	4	3.5	3	3	3
호 박 돌 섞 인 자 갈 모 래 층	300~500	-	-	-	-	-
	600~700	5	4.5	4	4	4
	800~1,000	3.5	3	3	3	3
	1,100~1,200	3	2.5	2.5	2.5	2.5

5. 기계이동 설치

(회당)

이동구분	이동용장비	소요시간(분)	비고
수 평 이 동	크레인(20ton)	90	
수 직 이 동	크레인(20ton)	120	
	잭	180	
경 사 이 동	크레인(20ton)	150	
	잭	240	

[주] ① 강관의 용접품은 포함되어 있으며 재료비는 별도 계상한다.
　　② 추진기의 이동설치에 필요한 인원편성은 강관추진공과 같다.
　　③ 강관SET, 추진, 오거인발 및 오거스크류의 소운반을 포함한다.
　　④ 본 품은 강관장 6.0m를 기준한 것이다.

제 3 장 토 공 사

3-1 굴착

3-1-1 적용기준('20년 보완)

1. 굴착작업은 작업조건, 굴착량 등에 따라 기계굴착과 인력굴착의 공사비를 비교 검토하여 적정 시공방법을 선정하여야 한다.
2. 기계굴착은 제8장 건설기계에 의하고, 공사비 비교시 기계굴착이 비경제적인 협소지역이나 넓은 지역이라도 굴착기계를 투입할 수 없는 특수한 여건의 지역은 인력으로 설계할 수 있다.

3-1-2 인력굴착(토사)('08, '20년 보완)

(㎥당)

구 분	단 위	수 량			
		보통토사	경질토사	고사점토 및 자갈 섞인 토사	호박돌 섞인 토사
보 통 인 부	인	0.20	0.26	0.32	0.57
비 고		- 현장 내에서 소운반하여 깔고 고르는 잔토처리는 ㎥당 0.2인을 별도 계상한다.			

[주] ① 본 품은 자연상태 토사를 기준한 것이며, 깊이 1m이하의 인력에 의한 구조물 터파기 또는 흙깎기 등에 적용한다.
② 본 품은 면고르기가 포함된 것이며, 호박돌 섞인 토사 품에는 발파품을 인력품으로 환산한 것도 포함되어 있다.
③ 흙막기 및 물푸기 품은 별도 계상한다.
④ 용수가 있는 곳은 본 품의 50%까지 가산할 수 있다.
⑤ 주위에 장애물(가시설물, 인접건물 및 기타시설물)이 있을 때와 협소한 독립기초파기 때에는 품을 50%까지 가산할 수 있다.

有權解釋

제목 2019년 표준품셈 3-3 터파기 3-3-1 인력터파기 [주] ④의 용수와 수중의 정의 문의

질의문

신청번호 2009-038 신청일 2020-09-11
질의부분 공통 제3장 토공사 3-1-2 인력굴착(토사)

2019년 표준품셈 3-3 터파기 3-3-1 인력터파기 [주] ④의 용수와 수중의 정의에 대하여 문의 드립니다.
표준품셈에서 말하는 용수의 기준(예. 물이 용출은 되나 굴착지역에 고이지 않는 정도의 용출수를 말하는 것으로 용수가 많은 지역에서 물푸기 등으로 용수를 배제시켜 작업지역에 물이 고이지 않는 상태도 포함)
표준품셈에서 말하는 수중의 기준(예. 작업지역이 물속에 잠겨있는 상태를 의미하는 것으로, 물푸기를 해도 작업지역이 물속에 잠기는 상태도 포함)

> **회신문**
>
> 표준품셈 공통부문 "3-1-2 인력굴착(토사)"에서 일반적으로 주변의 지표수나 지하수 등이 굴착지역으로 유입되어 물푸기 등으로 용수를 배제시키며 작업을 수행할 경우에 해당합니다. 수중의 터파기는 2020년 개정시 삭제되었습니다.

3-1-3 인력굴착(암반)('20년 보완)

(m³당)

암질 \ 구분	착암공 (인)	보통인부 (인)	공기압축기 (시간)	소형브레이커 (시간)	비 고
풍 화 암	0.33	0.16	0.30	1.26	공기압축기 7.1m³ / min
연 암	0.41	0.21	0.48	1.68	소형브레이커 1.3m³/min 4대 기준
보 통 암	0.58	0.29	0.60	2.40	
경 암	0.94	0.48	0.96	3.90	

[주] ① 버럭적재 및 운반은 별도 계상한다.
② 굴착토량은 단위개소당 10㎥미만의 경우 또는 대형브레이커나 화약사용이 불가능한 경우에 적용한다.
③ 기계 및 기구 경비는 별도 계상한다.
④ 잡재료는 인력품의 1%까지 계상할 수 있다.

> **有權解釋**
>
> **제목** 토공사 인력굴착(암반)에서 수량확인 요청건
>
> **질의문**
> 신청번호 2011-066 신청일 2020-11-26
> 질의부분 공통 제3장 토공사 3-1-3 인력굴착(암반)
>
> [비고]란에 소형브레이커 1.3m³/min 4대 기준이라고 표시되어 있는데, 1대가 수량 1.26인지? 아니면 4대가 1.26인지?, 4대 기준으로 수량이 5.04가 되는건지?
>
> **회신문**
> 표준품셈 공통부문 "3-1-3 인력굴착(암반)"에서 소형브레이커(시간) 기준은 소형브레이커(규격 1.3m³/min) 4대 투입 기준이며, 4대 투입 시 m³당 걸리는 시간(풍화암 1.26, 연암 1.68, 보통암 2.40, 경암 3.90)을 뜻합니다.

3-1-4 암파쇄(유압식 할암공법)('20년 보완)

(m³당)

구 분	규 격	단 위	수 량
기 계 설 비 공		인	0.068
특 별 인 부		인	0.271
유 압 식 크 롤 러 드 릴	110kW	hr	0.121
발 전 기	25kW	hr	0.486
유 압 식 할 암 기	∅80mm	hr	0.486
굴 삭 기 + 대 형 브 레 이 커	1.0m³	hr	0.121

[주] ① 본 품은 천공 홀에 할암봉을 삽입하여 암반에 균열을 내서 파쇄하는 기준이다.
② 본 품은 천공, 암파쇄 및 허물기, 2차파쇄 작업을 포함한다.
③ 시공면의 면 고르기가 필요한 경우에는 면 고르기품을 별도로 계상한다.
④ 유압식 크롤러드릴 및 대형브레이커의 소모자재(비트, 로드, 생크로드, 슬리브, 치즐) 비용은 다음과 같이 기계경비의 요율로 계상한다.

구 분	유압식 크롤러드릴	굴삭기+대형브레이커
기계경비의 %	24	2

⑤ 유압할암봉 소모자재 비용은 별도 계상한다.

有權解釋

제목 암파쇄(유압식 할암공법) 문의

질의문
신청번호 2209-046 신청일 2022-09-15
질의부분 공통 제3장 토공사 3-1-4 암파쇄(유압식 할암공법)

품셈 공통부문-제3장 토공사의 암파쇄(유압식 할암공법)에 대한 문의입니다. 본 품은 암질(풍화암, 연암, 보통암, 경암)에 관계없이 획일적으로 적용되는 것인지요? 암질에 따라 작업효율에 영향이 있을 것 같은데요...

회신문
표준품셈 공통부문 "3-1-4 암파쇄(유압식 할암공법)"은 유압할암봉을 통해 암반에 균열을 발생시킨 후 대형브레이커에 의한 2차 파쇄를 실시하는 공법으로 천공, 암파쇄 및 허물기, 2차파쇄 작업을 포함하고 있으며, 표준품셈에서는 암질의 종류에 따른 구분을 하고 있지 않습니다.

3-1-5 암발파(미진동굴착 TYPE-Ⅰ)('20년 보완)

(m³당)

구 분	규 격	단 위	수 량
화 약 취 급 공		인	0.040
보 통 인 부		인	0.060
유 압 식 크 롤 러 드 릴	110kW	hr	0.100
굴 삭 기 + 대 형 브 레 이 커	1.0m³	hr	0.040

有權解釋

제목 신규 암 노출(발생)에 따른 계약금액조정 및 반영 여부를 문의

질의문

신청번호 2208-016 신청일 2022-08-03
질의부분 공통 제3장 토공사 3-1-5 암발파(미진동굴착 TYPE-Ⅰ)

건축터파기 중 암 노출(발생)에 따른 신규물량과 단가 산정관련하여 당 현장은 암발파(미진동굴착공법 TYPE-Ⅰ+정밀진동제어발파 TYPE-Ⅱ)로 진행하고 있습니다.
(1) 발파 후 암발파 면고르기, 발파 시 보호공(덮개) 계약금액 적용(산정) 방법 문의드립니다.
(2) 발파 시 신호수 계약금액 적용(산정) 방법을 문의드립니다.

회신문

답변1. 파쇄 또는 발파 후 면고르기는 표준품셈 "3-1-5 암발파 '주 10.'" "시공면의 면고르기가 필요한 경우에는 면고르기 품을 별도로 계상한다."로 명시하고 있으며, 면고르기는 "3-3-1 절토면고르기" 또는 "3-3-2 암반 청소"등에서 관련 품을 제시하고 있으니 해당 현장에 맞는 항목을 참조하시기 바랍니다. 그리고 "3-3-1 절토면 고르기"는 절토된 사면을 공기압축기 또는 굴삭기 등의 장비와 인력을 사용하여 거칠게 면고르기를 수행하는 작업이며, "3-3-2 암반청소"는 댐, 교량, 옹벽 등의 설치를 위해 기초 바닥면을 고르고, 살수, 청소, 뒷정리하는 작업임을 참고하시기 바랍니다.
또한 발파보호공이 필요한 경우 주 6의 표에 따라 보통인부와 굴삭기 품을 계상하시면 되며, 보호매트의 재료비는 별도 계상하도록 되어 있습니다.

답변2. 발파 시 신호수 계약금액 적용 방법에 대해서는 표준품셈에서 정하고 있지 않습니다.정기준을 적의 결정하여 사용하시기 바랍니다.

監査

제목 이미 반영된 암반천공비를 승인처리하여 중복 반영

내용

암반 터파기는 암반을 천공하고 기계로 팽창압력을 가해 파쇄하는 무진동 파쇄공법으로 설계되었고, 산출내역서에는 이에 대한 암반 터파기 공사비 273,048천원이 이미 반영되어 있다.
그런데도 위 공사의 계약상대자는 암반 터파기가 암반 천공이 아닌 암반을 타격하여 파쇄하는 "백호+브레이커"공법으로 설계되어 있기 때문에 인접건물에 영향을 미치게 되므로 인접부지 경계부분을 연속 천공하는 것이 필요하다고 잘못 적시하고는 암반 천공비 35,078천원을 추가 증액시키는 설계변경을 위한 실정 보고를 하였고, 공사감리자는 설계변경 사유에 해당되는지 여부를 검토하지 않은 채로 발주청에 보고를 하였고 발주청에서는 이를 승인처리 하여 35,078천원의 공사대가가 중복되는 결과가 초래되었다.

조치할 사항

○○○○시 ○○구청장은 대가가 중복된 파쇄암 천공비 35,078천원은 승인 취소하시기 바람(시정)

3-1-6 암발파(정밀진동제어발파 TYPE-Ⅱ)('20년 보완)

(㎥당)

구 분	규 격	단 위	수 량
화 약 취 급 공		인	0.023
보 통 인 부		인	0.032
유압식 크롤러드릴	110kW	hr	0.080
굴삭기 + 대형브레이커	1.0㎥	hr	0.025

3-1-7 암발파(소규모진동제어발파 TYPE-Ⅲ)('20년 보완)

(㎥당)

구 분	규 격	단 위	수 량
화 약 취 급 공		인	0.012
보 통 인 부		인	0.017
유압식 크롤러드릴	110kW	hr	0.049
굴 삭 기	1.0㎥	hr	0.013

監査

제목 소·중규모진동제어발파공법으로 시공하지 않고 일반발파공법으로 시공 후 미 정산

내용
○○군에서는 공설운동장 주차장 조성사업(33억)을 추진하면서 시공업체가 설계에 반영된 소·중규모진동제어 발파공법(13천원/㎥)으로 시공하지 않고 시공단가가 저렴한 일반발파공법(6천원/㎥)을 적용하여 시공하였는데도 감독업무를 소홀히 하였으며, 사업준공 시 공사비를 정산하지 않고 그대로 지급하여 331백만원 예산낭비 초래하였다.

조치할 사항
○○군수는 설계대로 소·중규모진동제어발파공법으로 시공하지 아니하고 저렴한 일반발파공법으로 시공하면서 준공 시 정산하지 아니한 공사 관련자는 징계 조치하시고, 현장감독 업무수행 시 설계도서에 반영된 발파공법대로 시공하는지 여부 등을 직접 확인하고, 준공 검사 시에도 발파대장 등 관련서류로 확인하여 준공처리에 철저를 기하여 유사한 사례가 재발되지 않도록 지속적인 업무연찬과 각별한 주의를 촉구하시기 바람

3-1-8 암발파(중규모진동제어발파 TYPE-Ⅳ)('20년 보완)

(㎥당)

구 분	규 격	단 위	수 량
화 약 취 급 공		인	0.007
보 통 인 부		인	0.009
유압식 크롤러드릴	110kW	hr	0.021
굴 삭 기	1.0㎥	hr	0.009

3-1-9 암발파(일반발파 TYPE-Ⅴ)('20년 보완)

(㎥당)

구 분	규 격	단 위	수 량
화 약 취 급 공		인	0.004
보 통 인 부		인	0.006
유 압 식 크 롤 러 드 릴	110kW	hr	0.014
굴 삭 기	1.0㎥	hr	0.008

> **有權解釋**
>
> **제목**   발파암 소할 관련 단가구성에 관한 질의
>
> **질의문**
> 신청번호 2008-020 신청일 2020-08-10
> 질의부분 공통 제3장 토공사 3-1-9 암발파(일반발파TYPE-Ⅴ)
>
> 일반발파시공 후 대규모 암괴가 발생하는 경우가 많아 다시 이를 유용하는 유용 사석 공종이 있어 이를 취급이나 운반 등이 가능한 정도의 크기로 소할하기 위하여 발파암 소할을 설계변경 중에 있으며, 당초 설계의 단가 구성이[선별 및 집석+사석 적재운반+사석투하 고르기]로 구성되어 있습니다. 유용 사석에 대한 소할을 설계에 적용하는데 있어 단가구성 중 선별 및 집석과 발파암 소할이 동시에 적용 가능한지?
>
> **회신문**
> 표준품셈 암발파 "3-1-9 암발파(일반발파 TYPE-Ⅴ) [주] ⑨에서 발파암유용 시 기계 소할 품에 대해서 제시하고 있으며, 소할 물량은 유용량의 15%로 정하고 있습니다. 귀하께 문의하신 '선별 및 집석'의 정확한 작업내용을 알 수 없으나, 필요에 의해 발파암을 집토하는 품은 별도로 계상할 수 있도록 '주 4.'에서 정하고 있으니 이를 참조하시기 바랍니다.

3-1-10 암발파(대규모발파 TYPE-Ⅵ)('20년 보완)

(㎥당)

구 분	규 격	단 위	수 량
화 약 취 급 공		인	0.002
보 통 인 부		인	0.003
유 압 식 크 롤 러 드 릴	110kW	hr	0.012
굴 삭 기	1.0㎥	hr	0.004

[주] ① 본 품의 각 공법별 구분은 국토교통부 "도로공사노천발파설계·시공지침"에 따른다.
② 본 품은 천공, 장약 및 전색재 채움, 발파선 설치, 발파, 발파암 허물기 작업이 포함되어 있으며, 적용범위는 다음과 같다.

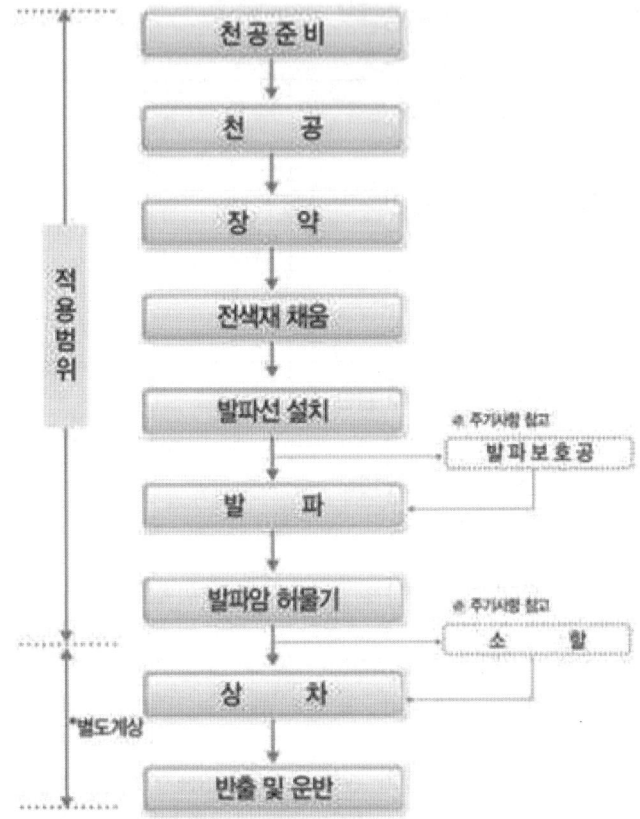

③ 미진동굴착공법과 정밀진동제어발파는 대형브레이커에 의한 2차 파쇄가 포함되어 있다.
④ 발파암 집토(필요시), 상차, 반출 및 운반은 별도 계상한다.
⑤ 뇌관은 M.S전기뇌관을 기준한 것으로 현장여건상 비전기식뇌관을 사용할 경우에는 별도로 계상한다.
⑥ 발파석의 비산방지를 위한 발파보호공이 필요한 경우에는 다음에 따라 계상한다.

(회당)

구 분	규 격	단 위	수 량
보 통 인 부		인	0.125
굴 삭 기	1.0㎥	hr	1.000

※ 보호매트의 재료비는 별도 계상한다.

⑦ 발파작업에 사용되는 재료(폭약, 뇌관)는 "도로공사노천발파설계·시공지침"에 따라 계상하고, 발파선, 전색재료 등의 잡재료는 재료비의 5%로 계상한다.
⑧ 유압식 크롤러드릴 및 대형브레이커의 소모자재(비트, 로드, 생크로드, 슬리브, 치즐) 비용은 다음과 같이 기계경비의 요율로 계상한다.

구 분	유압식 크롤러드릴	굴삭기+대형브레이커
기계경비의 %	24	5

※ 굴삭기+대형브레이커는 2차파쇄(미진동굴착공법, 정밀진동제어발파공법)에 적용한다.

⑨ 발파암 유용(미진동굴착공법, 정밀진동제어발파공법 제외)시 기계소할 품은 다음과 같으며, 이때 소할물량은 유용량의 15%로 적용한다.

구 분	규 격	작업능력(㎥/hr)	
		30cm 미만	30cm 이상
굴삭기+대형브레이커	0.6~0.8㎥	9	11

⑩ 시공면의 면 고르기가 필요한 경우에는 면고르기품을 별도로 계상한다.
⑪ 다공질암을 적용하는 경우에는 별도로 계상한다.

有權解釋

제목 1 발파암 소할 관련 문의

질의문
신청번호 2212-012 신청일 2022-12-05
질의부분 공통 제3장 토공사 3-1-10 암발파(대규모발파TYPE-Ⅵ)

당 현장은 진동제어(소규모발파), 진동제어(중규모발파), 일반발파, 대규모발파 등으로 약 6만㎥ 정도 발파가 잡혀있고 전량 현장에서 성토재로 유용하여야 합니다. 이 경우 소할은 60,000㎥×15%로 해서 9,000㎥에 대해서만 적용하여야 하는 것인지 알고 싶습니다.
발파하여 성토 시방규정에 맞게 소할하려면 소할물량 9,000㎥로는 턱없이 부족한 상태입니다.
시공사는 60,000㎥에 대하여 소할비를 달라고 하고, 발주처는 9,000㎥만 반영하면 된다고 하는데 감리사의 입장에서 명확한 답변을 듣고 싶습니다. 그렇다고 시방규정을 위배하여 성토할 수도 없고, 답변부탁드립니다.

회신문
표준품셈 공통부문 "3-1-5~10 암발파" 주3에 따라 미진동 굴착공법과 정밀진동제어발파는 대형브레이커에 의한 2차 파쇄가 포함되어 있습니다. 또한 암석의 취급이나 운반 등이 용이하도록 소할 품을 적용했던 기준은 일반적인 현장 조건에서 불필요하여 '16년도 표준품셈부터 삭제되었으며, 암석절취 후 발파암 유용시 암소할 관련은 표준품셈 공통부문 "3-1-5~10 암발파" [주] 9 발파암 유용시(미진동굴착공법, 정밀진동제어발파 제외) '기계소할 품은 다음과 같으며, 이때 소할물량은 유용량의 15%로 적용한다.'로 정하고 있으니 이를 참조하시기 바랍니다.
여기서 유용량이란 성토재 등 타 공종 등에서 사용하기 위한 암석의 물량을 의미합니다.

제목 2 발파암 유용량의 기준에 대해서 문의

질의문
신청번호 2107-084 신청일 2021-07-27
질의부분 공통 제3장 토공사 3-1-10 암발파(대규모발파 TYPE-Ⅵ)

"발파암 유용(미진동굴착공법, 정밀 진동제어발파공법 제외) 시 기계소할 품은 다음과 같으며, 이때 소할물량은 유용량의 15%로 적용한다."라고 명시되어 있는데, 저희 현장은 정밀 진동제어발파, 중규모 진동제어발파, 소규모 진동제어발파 공정이 있으며, 발파한 전체 수량을 사토 운반하게 되어 있습니다. 중규모 및 소규모 발파가 공당 간격이 넓어 소할을 하지 않고서는 덤프운반이 불가피 합니다. "유용량"에 어떠한 공정을 포함하고 있는지 또, 사토 운반이 포함이 되는지 질의드립니다.

회신문

표준품셈 공통부문 "3-1-5~10" 암발파 주⑨는 일반발파 및 대규모 발파를 수행하게 되면 대규모 암괴가 발생하는 경우가 많아 이를 다시 취급이나 운반 등이 가능한 정도의 크기로 소할하는 경우를 의미하는 것으로, 유용량의 15%로 정하고 있습니다. 이때 유용량이란 전체 암석철취량 중 현장 내 타 공종 등에서 사용하기 위한 암석의 물량을 의미합니다.

제목 3 대규모발파에 면고르기가 포함되어 있는지 여부

질의문

신청번호 1902-019 신청일 2019-02-08

현장내 토공사 중 일반발파 및 대규모발파의 단가구성이 천공, 장약(화약포함), 발파 및 집토로 구성되어 있습니다. 이 단가 내에 최종완성면의 면고르기가 포함된 것으로 볼 수 있는 것인지?

회신문

표준품셈 공통부문 "3-2-2~9"의 일반발파 및 대규모발파에서 면고르기의 작업은 제외되어 있습니다.

監査

제목 균열 및 절리가 많은 연암 소할 과다 계상

내용

OO보금자리주택지구 조성공사 시행을 함에 있어 흙깍기(토공)에서 발생하는 발파암(일반 및 대발파) 130,626㎥에 대하여 건설공사 표준품셈 제1편 토목 3-1-2, 1. 육상. [주]의 "일반발파 및 대규모발파의 경우 암석 반출을 위한 적재 및 운반 등이 용이하도록 소할이 필요한 경우 15% 범위 내에서 별도 가산할 수 있다"에 따라 소할 15%를 적용하였으나 보링을 통한 시추주상도에서 연암은 균열 및 절리가 발달되어 있으며, 실제 발파현장에서도 연암층에서 균열 및 절리가 발달되어 있음이 확인되고 있어 현장여건을 감안하여 소할량을 조정(축소)할 수 있음에도 95,420천원 상당이 과다 설계하였다.

조치할 사항

OOOO공사 사장은 과다하게 계상된 발파암 소할량에 대한 95,420천원에 대하여 설계변경 감액 조치하시고, 현장여건에 부합되는 설계서 작성 및 설계변경 업무에 철저를 기하여 유사한 사례가 재발되지 않도록 지속적인 업무연찬과 각별한 주의를 촉구하시기 바람

3-1-11 암발파(소형브레이커)('20년 보완)

(㎥당)

구 분	규 격	단 위	수 량
폭 약		kg	0.35
뇌 관		개	1.0
비 트		개	0.008
화 약 취 급 공		인	0.041
착 암 공		인	0.041
보 통 인 부		인	0.103
소 형 브 레 이 커	2.7㎥/min	hr	0.203
공 기 압 축 기	10.3㎥/min	hr	0.074

[주] ① 본 품은 소형브레이커에 의한 천공 후 폭약을 장약하여 발파하는 공법으로, 절취폭이 4m 미만인 경우 등 작업장소가 협소하거나 현장여건상 크롤러드릴 사용이 곤란한 경우에 적용한다.
② 소형브레이커를 사용한 "터파기"의 경우에는 현장조건을 감안하여 재료비(폭약, 뇌관, 비트)를 제외한 품의 50%를 가산할 수 있다.

3-1-12 수중발파('20년 보완)

(㎥당)

구 분	규 격	단 위	수 량	
			우물통발파	우물통발파 이외
폭 약		kg	0.96	0.92
뇌 관		개	3.0	1.2
비 트		개	0.009	0.006
화 약 취 급 공		인	0.11	0.07
착 암 공		인	0.094(0)	0.064(0)
보 통 인 부		인	0.19	0.11
잠 수 부		조	0.5(1.0)	0.3(0.6)
소 형 브 레 이 커	2.7㎥/min	hr	0.474	0.313
공 기 압 축 기	10.3㎥/min	hr	0.158	0.104

[주] ① 본 품은 천공발파를 기준한 것으로, ( )내는 잠수부 천공시의 품이다.
② 본 품은 수심 2.5m이상~8m미만을 기준한 것으로, 수심 2.5m미만에서는 재료비(폭약, 뇌관)를 제외한 품의 20%를 감할 수 있으며, 수심이 8m이상~15m미만에서는 재료비(폭약, 뇌관)를 제외한 품의 50%를 가산할 수 있다.
③ 작업용 선박이나 가시설 등이 필요한 경우에는 별도로 계상한다.

3-2 되메우기 및 뒤채움

3-2-1 인력 흙 다지기('08, '14, '20년 보완)

(㎥당)

구 분	단 위	수 량(성토두께 cm)			
		토 사		점 토	
		15	30	15	30
보 통 인 부	인	0.14	0.11	0.25	0.19

(100㎡당)

구 분	단 위	수 량(성토두께 cm)			
		토 사		점 토	
		15	30	15	30
보 통 인 부	인	2.14	3.33	3.80	5.70

[주] ① 본 품은 흐트러진 상태의 흙 두께를 깔아서 다져진 상태의 토량 기준이다.
② 모래밭은 적용되지 않는다.
③ 흙고르기를 포함한다.
④ 살수(撒水) 품은 물의 운반거리에 따라 별도 가산한다.
⑤ 기계(유압식 진동 콤팩터 등) 병용 시 본 품의 20%를 감할 수 있다.

3-2-2 기초다짐 및 뒤채움(소형장비)('20년 보완)

(10㎥당)

구 분	규 격	단 위	수 량
보 통 인 부		인	0.18
굴 삭 기	0.2㎥	hr	0.70
살 수 차	5,500ℓ	hr	0.10
진 동 롤 러 (핸 드 가 이 드 식)	0.7ton	hr	0.96

[주] ① 본 품은 소형 다짐장비를 사용한 구조물 뒤채움 기준이다.
② 본 품은 포설 및 고르기, 다짐 작업을 포함한다.
③ 투입장비는 작업여건에 따라 장비조합을 변경하여 적용할 수 있다.
④ 지지력 시험은 별도 계상한다.

3-2-3 기초다짐 및 뒤채움(대형장비)('20년 보완)

(10㎥당)

구 분	규 격	단 위	수 량
보통인부		인	0.07
굴삭기	0.2㎥	hr	0.34
살수차	5,500ℓ	hr	0.08
진동롤러	10ton	hr	0.30
진동롤러(핸드가이드식)	0.7ton	hr	0.28

[주] ① 본 품은 대형 다짐장비를 사용한 구조물 뒤채움 기준이다.
② 본 품은 포설 및 고르기, 다짐 작업을 포함한다.
③ 투입장비는 작업여건에 따라 장비조합을 변경하여 적용할 수 있다.
④ 지지력 시험은 별도 계상한다.

契約審査

제목 기초 잡석지정 적정성 검토

내용
가마터 이전에 따른 기초터파기 후 잡석지정을 인력지정으로 산출하였으나, 잡석지정 범위가 넓고 다짐 효과가 없어 기계장비를 이용하여 지정 시 공사기간 단축과 공사비 절감효과가 커 기계장비 적용으로 45백만원 예산절감

심사 착안사항
- 현장여건에 따라 작업공간이 넓어 장비작업이 가능한 공종은 기계시공 우선 적용(장비선정은 진입도로 등 작업여건을 최우선 검토하여야 함)
- 설계공종 중 시공가능성에 대한 적정성 검토
- 본 공사의 특수성과 무관하게 관례적으로 적용한 공정의 필요성 검토

3-2-4 기초지정('20년 보완)

(10㎥당)

구 분	규 격	단 위	수 량		
			모래지정	자갈지정	잡석지정
보 통 인 부		인	0.15	0.16	0.18
굴 삭 기	0.2㎥	hr	0.56	0.63	0.70
플 레 이 트 콤 팩 터	1.5ton	hr	0.62	-	-
진 동 롤 러 (핸 드 가 이 드 식)	0.7ton	hr	-	0.74	0.86

[주] ① 본 품은 모래, 자갈, 잡석을 사용한 기초지정 기준이다.
　　② 본 품은 포설 및 고르기, 다짐 작업을 포함한다.
　　③ 투입장비는 작업여건에 따라 장비조합을 변경하여 적용할 수 있다.

3-3 절토부대공

3-3-1 절토면 고르기('08, '20년 보완)

(10㎡당)

구 분	규격	단위	수 량					
			모래·사질토·점토·점질토	연질토·불순자갈	호박돌 섞인 고결토·경질토	풍화암	연암	보통암·경암
보 통 인 부		인	0.05	0.09	0.10	0.19	0.27	0.36
굴 삭 기	0.6㎥	hr	0.15	0.21	0.24	0.45	0.82	1.07
대 형 브 레 이 커	0.6㎥	hr	-	-	-	-	0.82	1.07

[주] 본 품은 굴삭기를 사용한 절토 비탈면의 고르기 기준이다.

監査

제목　절토사면 불필요한 공종(면고르기, 녹생토 등) 과다 설계

내용
OO군은 생태 터널시공을 위한 절개지는 시공 후 성토하도록 계획되어 있어 암 절취 및 발파에 따른 별도의 절취면 고르기가 필요하지 않는데도 면고르기 비용을 반영하여 공사비 약 36,425천원상당의 예산낭비 요인이 있으며, 생태 터널시공 후 성토를 위한 성토재료는 암절취 및 발파로 파쇄된 골재의 파쇄 모양이나 규격에 따라 추가적인 가공작업 없이 성토가 가능한 골재를 용도에 맞게 분류하여 유용이 가능한데도 별도의 암소할 비용을 반영하여 공사비 약 33,740천원 상당이 낭비될 우려가 있도록 설계되어 있다.
또한, 절토사면 녹화를 위한 녹생토 시공구간은 지면으로부터 수직고가 20m 미만인데도 높이에 대한 할증이 적용되어 있고, 녹화재료인 부착망 자재는 10㎡당 물량으로 산출하여야 하는데도 ㎡당으로 산정하여 부착망이 10배 많게 적용되어 있는 등으로 공사비 약 293,664천원 상당이 과다 반영되어 있는데도 이에 대한 실정보고만 하고 현재까지 설계변경을 통한 감액조치를 취하지 않고 있다.

조치할 사항
OO군수는 설계도서 및 현장여건 등에 대한 검토 소홀로 과다 반영된 공사비 약 363,829천원 상당은 지방자치단체를 당사자로 하는 계약에 관한 법률 등에 따라 설계 변경하여 "감액" 조치하시고, 계약 및 사업부서 담당직원들에 대하여는 관련 법규와 규정에 대한 교육을 실시하여 앞으로 같은 사례가 발생하지 않도록 조치하시기 바람(시정)

> **契約審査**
>
> **제목** 암반사면은 브레이커를 사용함에도 면고르기를 반영하여 면고르기 삭제
>
> **내용**
> 암반사면의 절토는 발파가 아닌 브레이커작업임에도 면고르기를 반영함에 따라 면고르기 삭제
> ※ 면고르기 반영 → 면고르기 삭제
>
> **심사 착안사항**
> - 현장여건 및 작업조건에 맞도록 효율적이고 경제적인 시공방법 강구
> - 현장여건에 따라 작업공간이 넓어 장비작업이 가능한 공종은 기계시공 우선 적용(장비선정은 진입도로 등 작업여건을 최우선 검토하여야 함)

3-3-2 암반청소('08, '14, '20년 보완)

(10㎡당)

구 분	규 격	단 위	수 량 댐	수 량 교량, 옹벽 등
특 별 인 부		인	1.06	0.91
보 통 인 부		인	2.69	2.48
굴 삭 기	0.2㎥	hr	3.78	1.81
양 수 기	1.49kW	hr	3.30	1.58
동 력 분 무 기	4.85kW	hr	3.30	1.58

[주] ① 본 품은 압력살수에 의한 기초 바닥면 청소 기준이다.
② 본 품은 면 고르기(기계 및 인력), 살수, 청소 작업을 포함한다.
③ 물공급을 위한 살수차는 별도 계상한다.

3-4 성토부대공

3-4-1 성토면 고르기('08, '14, '16, '20년 보완)

(10㎡당)

구 분	규 격	단 위	수 량
굴삭기	0.6㎥	hr	0.09

[주] ① 본 품은 하천제방, 램프 등 성토 비탈면의 고르기 기준이다.
② 본 품은 점토, 점질토, 모래, 사질토 기준이다.

3-4-2 식재면 고르기('13년 신설)

(10㎡당)

구 분	단 위	수 량
조 경 공	인	0.01
보 통 인 부	인	0.08

[주] ① 본 품은 부토 및 면고르기가 완료된 상태에서 인력으로 잔돌제거 등 식재면을 정비하는 기준이다.
② 본 품은 식재면고르기가 필요한 공종에 별도 계상한다.

> **有權解釋**
>
> **제목** 식재면 고르기의 식재면 고르기가 필요한 공종?
>
> **질의문**
> 신청번호 1904-045 신청일 2019-04-12
> 질의부분 공통 제3장 토공사 3-6-2 식재면 고르기
>
> 표준품셈 3-6-2 식재면 고르기의 [주]에 아래 ①, ② 같이 표기되어 있습니다.
> ① 본 품은 부토 및 면 고르기가 완료된 상태에서 인력으로 잔돌 제거 등 식재면을 정비하는 기준이다.
> ② 본 품은 식재면 고르기가 필요한 공종에 별도 계상한다.
> - 위의 ②의 식재면 고르기가 필요한 공종이 잔디붙임 공종이 해당되는지?
>
> **회신문**
> 표준품셈 공통부문 "3-6-2 식재면 고르기"는 부토 및 면 고르기가 완료된 상태에서 인력으로 잔돌제거 등 식재면을 정비하는 기준입니다.

3-4-3 암성토('03년 신설, '08, '20년 보완)

(100㎡당)

구 분	규 격	단 위	수 량
특 별 인 부		인	0.059
양족식롤러(자주식)	32톤	hr	0.47
진 동 롤 러	10톤	hr	0.47

[주] ① 본 품은 도로 노체 형성을 위한 암버럭 다짐두께 60cm 기준이다.
② 암버럭의 부설비용은 별도로 계상한다.

3-5 비탈면 보호공

3-5-1 프리캐스트 콘크리트 블록설치

(10㎡당)

시공 구분	운 반 방 법(조건)	비탈경사	특별인부 (인)	보통인부 (인)	크레인 (타이어) (hr)
인력	블록중량이 50kg/개 미만으로서 평균 비탈길이가 15m이하인 경우	1:1.5 이상	0.85	0.99	-
		1:1.0이상~1:1.5 미만	0.94	1.10	-
		1:1.0 미만	1.03	1.21	-
기계	블록중량이 50kg/개 이상인 경우 또는 50kg/개 미만에도 평균 비탈길이가 15m를 초과하는 경우	1:1.5 이상	0.75	0.84	0.9
		1:1.0이상~1:1.5 미만	0.83	0.93	0.9
		1:1.0 미만	0.91	1.02	0.9

[주] ① 본 품은 비탈면 보호를 위해 프리캐스트 콘크리트 블록을 이용하여 비탈틀을 설치하는 품이다.
② 본 품은 소운반이 포함된 것이며, 속채움이 필요한 경우 품은 별도 계상한다.
③ 비탈틀을 고정하기 위한 유항(留杭)을 설치하는 경우는 보통 인부 0.4인/10본당을 계상할 수 있다.
④ 본 품의 크레인(타이어) 규격기준은 15t이며, 시공범위는 수직고 20m이하를 기준으로 한 것이므로 시공 범위를 초과할 때에는 달기중량, 작업반경 등에 따라 적합한 기종을 선정한다.

3-5-2 지압판블록 설치('20년 신설)

(개소당)

구 분	규 격	단 위	수 량
중 급 기 술 자		인	0.09
보 링 공		인	0.09
특 별 인 부		인	0.18
보 통 인 부		인	0.18
크 레 인	-	hr	0.73
고 소 작 업 차	5ton	hr	0.73
강 연 선 인 장 기	60ton	hr	0.55

[주] ① 본 품은 비탈면에 앵커를 사용한 프리캐스트 콘크리트 블록(2ton이하) 설치 기준이다.
　② 본 품은 비탈경사 1:1.5이하, 수직고 30m까지 기준이다.
　③ 본 품은 블록 인양 및 설치, 지압판 및 웨지 조립, 인장 작업을 포함한다.
　④ 장비의 규격은 작업여건(작업범위,위치 등)을 고려하여 변경할 수 있다.
　⑤ 공구손료 및 경장비(절단기, 발전기 등)의 기계경비는 인력품의 6%로 계상한다.

3-5-3 천연섬유사면보호공 설치('06년 신설, '08, '20년 보완)

(10㎡당)

구 분	단 위	수 량
특 별 인 부	인	0.08
보 통 인 부	인	0.12

[주] ① 본 품은 토공사면(비탈경사 1:1.0~1.5)에 천연섬유매트 설치 기준이다.
　② 본 품은 비탈경사 1:1.0~1.5이하, 높이 30m 기준이다.
　③ 본 품은 인력 흙고르기, 매트깔기 작업을 포함한다.
　④ 비탈면 고르기는 별도 계상한다.

3-5-4 절토사면 녹화('98, '13, '19년 보완)

1. 부착망 설치

(10㎡당)

구 분	규 격	단 위	수량(뿜어붙이기 두께)	
			t=10cm 이하	t=15cm
특 별 인 부		인	0.27	0.31
보 통 인 부		인	0.07	0.09
발 전 기	50kW	hr	0.23	0.31
크 레 인	5ton	hr	0.05	0.05
비 고	- 수직고 20m 이상인 경우 인력품에 다음 할증률을 가산한다.			
	수직고	20~30m	30~50m	50m 이상
	할증률(%)	20	30	40

[주] ① 본 품은 절토면의 식생기반제 뿜어붙이기를 위한 부착망 설치 작업으로 철망(PVC코팅) 설치 기준이다.
　② 본 품은 부착망펼치기, 앵커핀 및 착지핀 설치, 정리작업을 포함한다.
　③ 면 고르기가 필요할 경우 별도 계상한다.
　④ 공구손료 및 경장비의 기계경비는 인력품의 2.5%를 계상한다.
　⑤ 잡재료비는 재료비의 3%를 계상한다.

[참고자료]
　　재료량은 다음을 참고하여 적용한다.

구 분	앵커핀(개)	착지핀(개)	부착망(㎡)	철선(m)
규격	ø16, 0.5m	ø16, 0.35m	ø3.258×58 PVC코팅	#8 PVC코팅
t=10cm 이하	2.3	5	13	13
t=15cm	4.6	5	13	17

※ 재료 할증량은 포함되어 있다.

2. 식생기반제 뿜어붙이기
가. 기계기구 설치 및 해체

(회)

구 분	규 격	단 위	수 량
특 별 인 부		인	2
보 통 인 부		인	0.5
크 레 인	5ton	hr	4

[주] ① 본 품은 식생기반재 뿜어붙이기 작업을 위한 기계기구 설치작업 기준이다.
　　② 본 품은 장비세팅, 배관연결, 시험운전, 작업 후 해체정리 작업을 포함한다.

나. 뿜어붙이기

(10㎡당)

구 분	규 격	단 위	수 량 (뿜어붙이기 두께)			
			5cm	7cm	10cm	15cm
조 경 공		인	0.04	0.05	0.07	0.10
기 계 설 비 공		인	0.04	0.05	0.07	0.10
특 별 인 부		인	0.08	0.10	0.14	0.19
보 통 인 부		인	0.07	0.09	0.12	0.18
취 부 기 (녹 생 토)	18.65kW	hr	0.28	0.36	0.51	0.75
공 기 압 축 기	21㎥/min	hr	0.28	0.36	0.51	0.75
발 전 기	50kW	hr	0.28	0.36	0.51	0.75
트 럭 탑 재 형 크 레 인	5ton	hr	0.28	0.36	0.51	0.75
물 탱 크	5500ℓ	hr	0.28	0.36	0.51	0.75
덤 프 트 럭	6ton	hr	0.28	0.36	0.51	0.75
비고	- 수직고 20m이상인 경우 인력품에 다음 할증률을 가산한다.					
	수직고		20 ~ 30m	30 ~ 50m	50m이상	
	할증률(%)		20	30	40	

[주] ① 본 품은 식생기반제와 종자를 혼합하여 비탈면에 뿜어붙이는 기준이며, 비탈면 녹화를 위한 유사공법에 적용할 수 있다.
　　② 재료량은 각 공법의 설계기준에 따라 계상하며, 잡재료비는 재료비의 3%로 계상한다.
　　③ 공구손료 및 경장비의 기계경비는 인력품의 2%로 계상한다.

공통부문

有權解釋

제목 절토사면 녹화중 부착망설치

질의문
신청번호 1901-021 신청일 2019-01-08

당사에서 공사중인 공종중 감독관과 견해차로 인하여 문의 하오니 바쁘신 중이나 답변 부탁드립니다. 2018년 건설공사 표준품셈 4-7/ 4-7-1 절토사면녹화, 1. 부착망설치 중 [주] (2)항의 본 품은 자재 소운반, 부착망 펼치기, 앵커핀 및 착지핀설치, 정리작업을 포함한다.에서 유지관리 목적으로 녹생토작업 시 초본 및 목본류 제거 품이 포함되어 있는지?

회신문
2018년 표준품셈 "4-7-1 절토사면 톡화/ 1. 부착망설치"의 '주 2. 본 품은 자재 소운반, 부착망펼치기, 앵커핀 및 착지핀 설치, 정리 작업을 포함한다.'에서는 초본 및 목본류제거 품이 포함되어 있지 않습니다.

監査

제목 흙쌓기 비탈면구간의 비탈면보호공을 특수공법으로 과다 설계

내용
「도로 비탈면 녹화공사의 설계 및 시공 지침」에 따르면 쌓기 비탈면은 사질토사로 사면경사 1 : 1.5이상인 경우 잔디식재, 거적덮기, 종자 뿜어 붙이기공법을 사용하도록 되어 있으며, 토질특성 및 비탈면 경사도, 주변환경, 지역여건 등을 고려하여 경제적인 녹화공법을 선정하도록 되어 있다.
그런데 도로비탈면의 경사도가 1 : 1.5인 흙쌓기 비탈면구간(4,900m)의 비탈면보호공을 종자 뿜어붙이기 등 도로공사에 일반적으로 적용하는 공법으로 설계에 반영하여야 하는데, 위 공사 흙쌓기 비탈면(4,900m)구간에 OOO스프레이 18,760m²를 설계에 반영하고 그대로 시공할 예정으로 있어 공사비 100,191원 상당을 아끼지 못할 우려가 있다.

조치할 사항
OOOO시장은 흙쌓기구간(4,900m)의 비탈면보호공을 흙쌓기구간에 일반적으로 적용하는 비탈면보호공으로 변경하는 것으로 설계변경하여 공사비 100,191원 상당을 감액하시기 바람[시정]

3-5-5 비탈면 보강공('08년 신설, '14, '20년 보완)

1. 장비 조립·해체

(회당)

구 분	규 격	단 위	수 량
특 별 인 부		인	1
보 통 인 부		인	3
트럭탑재형크레인	5ton	hr	8

[주] 본 품은 천공 및 그라우팅 작업을 위해 크레인으로 장비(그라우팅펌프, 그라우팅믹서, 공기압축기)를 최초 조립 및 해체하는 기준이며, 현장조건에 따라 이동, 조립 및 해체가 발생되는 경우 추가 적용한다.

2. 인력 및 장비 편성

(인/일)

구 분	규 격	단 위	수 량
보 링 공	-	인	1
특 별 인 부	-	〃	3
보 통 인 부	-	〃	1
크롤러드릴(공기식)	17㎥/min	대	1
공 기 압 축 기	21㎥/min	대	1
크 레 인	-	대	1

[주] ① 본 품은 스키드형(크롤러바퀴 제거) 보링장비를 경사면에 위치하여 타격식으로 천공하는 기준이다.
② 크레인 규격은 양중능력 및 작업조건을 고려하여 적용한다.
③ 보링장비가 지반위에 위치할 수 있어 장비 및 자재의 이동이 원활한 경우 크레인을 제외할 수 있다.
④ 천공에 필요한 비트, 물 등 소모재료는 별도 계상한다.

3. 작업소요시간

구 분	개 요	산출방법
T	작업소요시간	T=t1/f
t1	천공시간	t1 : $\Sigma(L1 \times a1)$ L1 : 지층별 굴착연장, a1 : 지층별 굴착시간
f	작업계수	- 스키드형 활용 : 0.75 - 크롤러형 활용 : 0.8

[주] ① 천공시간은 작업준비, 마킹, 천공, 보강재 삽입이 포함된 것으로 천공구경은 105 ~127mm 기준이다.
② 타 공종(토공사 등)과 간섭, 작업시간 통제 등 공사시간의 제약으로 작업시간의 현저한 저하가 예상되는 경우 작업계수를 조정하여 적용할 수 있다.
③ 철근을 보강재로 사용하기 위해 현장에서 가공이 필요한 경우, '[공통부문] 6-2 철근'을 참조하여 적용하며, 보강재 조립(접착판, 스페이서 등 부착)품은 다음과 같다.

(ton당)

구 분	단 위	수 량
철 근 공	인	0.66
보 통 인 부	인	0.33

○ 지층별 굴착시간(a1)

(min/m)

구 분		토사	혼합층	풍화암	연암	보통암	경암
작 업 량	타 격 식	9.38	8.70	5.41	7.50	9.38	13.33

※ 혼합층은 케이싱을 사용할 수 없는 지반에서 자갈, 전석, 지하수로, 공동 등으로 인해 홀 막힘이 발생되는 경우에 적용한다.

4. 그라우팅

(일당)

구 분	규 격	단 위	수 량	시공량(㎥)
보　　링　　공		인	1	
기 계 설 비 공		인	1	
특　별　인　부		인	2	
그 라 우 팅 믹 서	190×2ℓ	대	1	3.2
그 라 우 팅 펌 프	30~60ℓ/min	대	1	
고 소 작 업 차	5ton	대	1	

[주] ① 본 품은 고소작업차를 활용하여 경사면에 직접 시공하는 기준이다.
　② 작업인력이 지반에 위치하여 작업하는 경우 고소작업차를 제외한다.
　③ 물 공급을 위해 살수차 등의 장비가 필요한 경우 기계경비는 별도 계상한다.
　④ 공구손료 및 경장비(발전기 등)의 기계경비는 인력품의 11%를 계상한다.
　⑤ 소모재료(시멘트, 혼화재, 물)는 별도 계상한다.

有權解釋

제목 비탈면보강 고소할증에 대한 질의

질의문
신청번호 2011-015 신청일 2020-11-10
질의부분 공통 제3장 토공사 3-9-1 비탈면 보강공

비탈면 보강공사 시 품셈 고소할증과 관련하여 천공 시 크레인을 사용하여 작업대차위에서 장비를 이용해 천공하는데 이때 고소작업 할증(인건비) 적용이 가능한지?

회신문
표준품셈 공통부문 "3-9-1 비탈면 보강공"은 '크레인+크롤러 드릴'의 작업여건을 포함하여 제시된 것으로 작업높이별 할증을 부여하지 않으셔도 됩니다.

監査

제목 비탈면 구조물콘크리트 등 미 시공물량 준공처리 부적정

내용
발주청의 업무담당자, 계약상대자의 대표(병), 시공감리용역업체의 이사(무)와 합동으로 현장 확인한 결과, 당해공사의 계약문서인 설계서 및 산출내역서에 포함되어 있는 ◪◪동 000-00은 높이 120cm난간 17m 그리고 ◆◆동 산0-0은 두께 15cm 비탈면 구조물콘크리트타설 435㎡중 87㎡와 락볼트설치 10공중 9공이 현장에 시공되어 있지 않았다. 또한 △△동 00-0은 두께 12cm 사면보호공 194㎡와 락볼트설치 10공 그리고 △△동 산00-0은 두께 12cm 사면보호공 116㎡가 현장에 시공되지 않은 것으로 확인되었고, 또한 계약상대자 및 감리원의 요구에 따라 ▽▽동 00-00의 지역은 사면의 흙쏠림 면적이 넓어 안정성이 제한되고 지역주민자치위원회 요청사항 및 현장여건을 감안한다는 사유로 당초 설계된 석축쌓기(높이 1.5m, 연장 33.8m)를 식생토낭쌓기(높이 0.6m, 연장 105m)로 설계변경하면서 석축쌓기 공종을 제외시키면서 수반되는 부대공사비 재료(시멘트·모래·깬돌 등) 운반비는 공제하지 아니하고 그대로 준공처리하여 준공금액 290,100천원의 7.8%에 해당하는 공사대금 22,690천원이 과다하게 집행되는 결과가 초래되었다.

조치할 사항

○○구청장은 ○○, △△동의 시공하지 아니한 공사 량에 해당하는 공사대금 44,296천원과 ▽▽동의 과다 지급한 공사대금 22,690천원을 각기 계약상대자가 발주청에 제출한 각서에 따라 합계 66,986천원을 회수조치 하시기 바람(시정요구)

契約審査

제목 사면천공 품 적적성 검토

내용
사면천공 시에는 품셈 '비탈면 보강천공' 품을 적용하여야 하나 업체견적 품을 적용하여 공사비를 과다하게 계상하고 있어 품셈 '비탈면 보강천공' 품을 적용하여 27백만원을 예산절감

심사 착안사항
- 원가산정 시 건설공사 표준품셈(국토교통부)을 우선적으로 적용하고 여기에 없는 것은 유사한 품셈을 적용하여야 함
- 심사요청 현장조사를 통하여 시공과정과 설계도서 적정성 정밀 검토
- 설계공종 중 시공가능성에 대한 적정성 검토

3-6 보강토 옹벽

3-6-1 패널 설치('20년 보완)

(m²당)

구 분	규 격	단 위	수 량
특 별 인 부		인	0.10
보 통 인 부		인	0.06
철 근 공		인	0.03
형 틀 목 공		인	0.04
크 레 인	10ton	hr	0.20

[주] ① 본 품은 보강재(그리드)를 사용한 패널식 옹벽(1.5m×1.5m) 설치 기준이다.
② 본 품은 패널 설치, 보강재 설치, 빗장고리 설치, 수평 및 수직채움재, 앵커철근 설치, 마감면 정리 작업을 포함한다.
③ 터파기 및 기초콘크리트 타설은 별도 계상한다.
④ 트럭이 필요한 경우 별도 계상한다.
⑤ 재료량(패널, 보강재, 빗장고리, 수평채움재, 수직채움재, 앵커철근)은 설계 수량에 따른다.

> **有權解釋**
>
> **제목** 패널 설치에 관하여 질의
>
> **질의문**
> 신청번호 2105-006 신청일 2021-05-04
> 질의부분 공통 제3장 토공사 3-6-1 패널 설치
>
> 3-6-1 패널설치('20년 보완) [주 ① 본 품은 보강재(그리드)를 사용한 패널식 옹벽(1.5m×1.5m)설치 기준이다. ② 본 품은 패널 설치, 보강재 설치, 빗장고리 설치, 수평 및 수직채움재, 앵커철근 설치, 마감면 정리작업을 포함한다. 여기서 보강재 설치에 PC패널옹벽에 삽입되는 (볼트조립 및 삽입)이 포함되는지 궁금합니다.
>
> **회신문**
> 표준품셈 공통부문 "3-6-1 패널 설치"에서 보강재 설치는 패널간 고정을 위한 보강재, 그리드와 패널간 고정을 위한 보강재, 그리드와 지반의 고정을 위한 보강재 설치가 포함되어 있으며, 빗장고리 설치 및 앵커철근 설치 작업도 포함하고 있습니다. 또한 품셈에서 조사된 패널설치의 PC패널에는 볼트가 기 조립되어 반입된 자재 기준으로, "3-6-1 패널설치"에서는 PC 패널에 볼트삽입 및 조립 작업은 포함하고 있지 않습니다. 볼트조립 및 삽입 작업이 구체적으로 어떤 부위 시공인지 설명하시어 재질의 부탁드립니다.

3-6-2 블록 설치('07년 신설, '08, '15, '20년 보완)

(㎡당)

구 분	규 격	단 위	수 량
특 별 인 부		인	0.21
보 통 인 부		인	0.09
크 레 인	10ton	hr	0.50

[주] ① 본 품은 보강재(그리드)를 사용한 블록식 옹벽 설치 기준이다.
② 본 품은 블록(기초블록, 마감블록 등) 설치, 유공관 및 보강재 설치를 포함한다.
③ 터파기 및 기초콘크리트 타설은 별도 계상한다.
④ 재료량(블록, 보강재, 쇄석, 유공관)은 설계수량에 따른다.

> **監査**
>
> **제목** 호안공사의 경관 옹벽블록에 불필요한 갯버들식재 설계변경 미조치
>
> **내용**
> 호안공사의 경관 옹벽블록(1000×1000×700)에 갯버들식재 1,111㎡를 반영하고 있는데, 경관 옹벽블록의 구조형태상 식재공간이 없고 천단에는 콘크리트를 시공함에 따라 갯버들식재를 삭제하고 공사비 12,430천원(제경비 포함) 상당 감액이 필요하다.
>
> **조치할 사항**
> ○○○○본부장은 식재공간이 없고 천단에는 콘크리트를 시공함에 따라 갯버들식재를 삭제하고 공사비 12,430천원(제경비 포함) 상당은 공사계약 일반조건에 따라 감액조치 하시기 바람

3-6-3 버팀목 설치·해체('20년 보완)

(m당)

구 분	단 위	수 량
형 틀 목 공	인	0.06
보 통 인 부	인	0.03

[주] ① 본 품은 패널식옹벽 하부에 지지하기 위한 버팀목 설치 및 해체 기준이다.
② 본 품은 버팀목 제작 및 설치, 해체 작업을 포함한다.
③ 공구손료 및 경장비(절단기 등)의 기계경비는 인력품의 1%를 계상한다.
④ 재료량은 다음을 참고하여 적용한다.

구 분	규 격	단 위	수 량
각 재	10cm×10cm	m³	0.036

※ 잡재료비는 주재료(각재)비의 2%로 계상한다.

3-6-4 뒤채움 및 다짐('15년 신설, '20년 보완)

(10m³당)

구 분	규 격	단 위	수 량
보 통 인 부		인	0.07
굴 삭 기	0.6m³	hr	0.31
진 동 롤 러	10ton	hr	0.19
진동롤러(핸드가이드식)	0.7ton	hr	0.18

[주] ① 본 품은 보강토 옹벽의 뒤채움 및 다짐 작업 기준이다.
② 본 품은 블록 속채움 및 뒤채움, 다짐 작업을 포함한다.
③ 지지력 시험은 별도 계상한다.
④ 투입장비는 작업여건에 따라 장비조합을 변경하여 적용할 수 있다.

有權解釋

제목 보강토옹벽 뒤채움 및 다짐비 산출기준 문의

질의문

신청번호 2102-044 신청일 2021-02-08
질의부분 공통 제3장 토공사 3-6-4 뒤채움 및 다짐

표준품셈에 뒤채움 및 다짐비 문의드립니다.
[주] ① 본 품은 보강토 옹벽의 뒤채움 및 다짐작업 기준이다
② 본 품은 블록 속채움 및 뒤채움, 다짐 작업을 포함한다.로 명기되어 있습니다.
여기서, 뒤채움이 어디까지인지 문의드립니다. 저희가 보내드린 보강토 표준도를 보시면 그리드를 설치하는 구간은 양질의 토사로 성토하여 다짐할 예정인데 그 부분을 상기 품으로 봐야 하는 것인지? 아님 보강토 표준도를 보시면 뒤채움이라고 표시된 잡석부분만 봐야 하는 것인지? 알고 싶습니다.

회신문

표준품셈 토목부문 "3-6-4 뒤채움 및 다짐"은 작업준비, 고르기, 속채움, 뒤채움 및 다짐, 작업마무리를 포함하며, 잡석 및 토사 뒷채움을 포함하고 있음을 알려드립니다(그리드를 설치하는 구간에 뒷채움 작업을 포함). 재료량은 설계수량에 맞게 별도 계상하시기 바랍니다.

3-7 벌개제근

3-7-1 벌목('08, '18, '20년 보완)

(1,000㎡당)

구 분	규 격	단 위	나 무 높 이		
			5m미만	5m이상~8m미만	8m이상
벌 목 부		인	2.14	2.80	3.65
보 통 인 부		인	0.51	0.66	0.87
굴삭기 + 부착용집게	0.2㎥	hr	2.71	3.54	4.61
비 고	\multicolumn{5}{l	}{- 본 품의 집재거리는 100m까지를 기준한 것이므로, 이를 초과하는 경우 매 100m 증가마다 품을 30%씩 가산한다.}

[주] ① 본 품은 인력과 장비에 의한 벌목작업 기준이며, 나무높이는 평균높이로 한다.
② 본 품은 나무베기, 잔가지 정리, 집재 및 반출을 위한 정리작업을 포함한다.
③ 장비의 규격은 작업여건(작업범위, 위치 등)에 따라 변경할 수 있다.
④ 위험지역(가옥주변, 기존도로 인접구간 등)의 수목은 장비를 추가 반영 할 수 있다.
⑤ 공구손료 및 경장비(엔진톱, 톱날, 휘발유 등)의 기계경비는 인력품의 10%로 계상한다.

監査

제목 표준품셈 적용 부적정(수목 제거)

내용
표준품셈에 따라 지장수목 제거비용 산정 시 벌목 및 뿌리제거 품을 적용하여 공사비를 계상하여야 하는데도 ○○○○에서는 지장수목 제거공사임에도 수목 이식할 경우에 적용하는 굴취 품을 적용하여 공사비 45,000천원 상당 과다하게 계상하였다.

조치할 사항
○○군수는 표준품셈을 잘못 적용하여 과다 계상된 공사비 45,000천원(제경비 포함) 상당은 공사계약 일반조건에 따라 감액 조치하시기 바람(시정)

3-7-2 뿌리뽑기('20년 보완)

(1,000㎡당)

구 분	규 격	단 위	수 량
보 통 인 부		인	1.06
굴삭기 + 부착용집게	0.2㎥	hr	3.76
비 고	\multicolumn{3}{l	}{- 본 품의 집재거리는 100m까지를 기준한 것이므로, 이를 초과하는 경우 매 100m 증가마다 품을 30%씩 가산한다.}

[주] ① 본 품은 벌목 후 지표에 있는 나무 뿌리, 초목 등을 제거하는 기준이다.
② 본 품은 입목본수도 50~60%, 수경 10~20cm이하 기준이다.
③ 본 품은 뿌리 및 초목 제거, 집재 및 정리 작업을 포함한다.

[참고 자료]
입목본수도는 다음을 참고한다.

(992㎡당)

수경(樹經)	연료림	용재림	수경(樹經)	연료림	용재림
4cm	314개	235개	28cm	57개	43개
6	272	204	30	52	39
8	231	174	32	48	36
10	187	140	34	44	33
12	154	115	36	40	30
14	131	98	38	37	28
16	110	82	40	35	26
18	97	73	42	32	24
20	84	63	44	29	22
22	75	57	46	28	21
24	68	51	48	26	20
26	63	47	50	24	18

有權解釋

제목 벌개제근 단가에 대한 문의확인 의미

질의문

신청번호 2211-002 신청일 2022-11-01
질의부분 공통 제3장 토공사 3-7-2 뿌리뽑기

표준품셈 3-7-1 벌목 품과 3-7-2 뿌리뽑기 품으로 설계된 공사를 진행 중에 있으며, 본 공사는 산(임야)에 임도를 개설하는 작업을 하고 있습니다. 임도 개설구간에 지장수목이 있어 도로상에 편입되는 수목은 벌개제근을 하여 뿌리뽑기까지 완료하였습니다.
그런데 도로 법면부(사면) 절개지에 수목의 잔뿌리가 노출되어 있는 상태입니다.
시공사에서는 법면 절개지 부분의 잔뿌리는 뿌리뽑기 품에 미포함되어 추가 공종으로 봐야 하고 따라서, 시공비(잔뿌리 제거 품)가 추가로 들어가야 한다는 입장입니다. 현재 절개지 잔뿌리 부분의 수목은 벌목이 불필요한 상태입니다.
품셈에는 뿌리 및 초목제거, 집재 및 정리 작업을 포함한다. 라고 언급되어 있음

회신문

표준품셈 공통부문 "3-7-1 벌목"은 나무베기, 잔가지 정리, 벤 나무를 집재(반출을 위하여 일정한 장소에 모으기), 반출 가능한 크기로 자르기 및 반출을 위한 정리잡업을 포함하는 기준이며, "3-7-2 뿌리뽑기"의 '벌목 후 지표에 있는 나무 뿌리' 또는 '초목'을 제거하는 기준입니다.
여기서 '초목'은 벌목이 별도로 필요하지 않는 작은 나무류를 의미하며 구체적인 범위는 정하고 있지 않습니다.

3-8 개간

3-8-1 답면고르기('03년 신설)

블록크기(㎡)	시간당작업량(㎡/hr)
2,000미만	281
2,000이상~4,000미만	404
4,000이상~6,000미만	526
6,000이상~8,000미만	648
8,000이상~10,000미만	771

[주] ① 본 품은 습지불도저(4톤)를 사용하여 답면(畓面)을 고르는 품으로, 블록간 이동이 포함된 것이다.
② 물 가두기가 필요한 경우에는 보통인부 1인을 별도로 계상한다.

3-9 스마트 토공

3-9-1 머신 가이던스(MG) 굴삭기('23년 신설)

1. 3D GNSS 머신 가이던스 장비조립·해체

(회당)

구 분	단 위	수 량
중 급 기 술 자	인	2
보 통 인 부	인	1
용 접 공	인	1
조 립	일	1
해 체	일	1

[주] ① 본 품은 머신 가이던스 장치들을 굴삭기에 조립 및 해체하는데 소요되는 품이며, GNSS 기준국(Base station) 설치 및 해체품은 별도 계상한다.
② 공구손료 및 경장비의 기계경비(측량기기, 용접기 등)는 별도 계상한다.

2. 3D GNSS 머신 가이던스 굴삭기 작업능력

(일당)

공 종	시공량	단 위	비 고
터 파 기	850	m3	
성 토 면 고 르 기	1,200	m2	

[주] ① 본 품은 3D GNSS 머신 가이던스(Machine guidance) 시스템을 1.0 m3 굴삭기에 적용하여 시공하는 기준이다.
② 머신 가이던스(Machine Guidance)는 건설 장비의 위치와 자세 정보를 이용하여 설계 목표 대비 현재 작업정보(작업종류, 작업상황, 목표수치, 지면과의 거리 등)를 장비 조종자에게 실시간으로 제공하는 기술을 말한다. 3D GNSS 머신 가이던스는 3차원 도면과 GNSS를 이용한 머신 가이던스 시스템을 말한다.
③ 3D GNSS 머신 가이던스의 구성품은 머신 가이던스 장치(GNSS 이동국, 관성 측정 장치(Inertial Measurement Unit; IMU), 케이블 및 브라켓, 메인 통합 컨트롤러, 머신 가이던스 디스플레이 화면) 등을 포함한다.
④ 본 품은 굴삭기의 말단 장치(End-Effector)에 별도의 어태치먼트(예: 틸트, 로테이터 등)을 부착하지 않은 기본 버킷 규격품을 기준으로 한다.

⑤ 3D GNSS 머신 가이던스 굴삭기의 운용에 3D 도면 제작·변환 작업이 필요한 경우 별도 계상한다.
⑥ 장비는 현장여건에 따라 장비 규격을 변경하여 적용할 수 있다.
⑦ 본 품은 전체 토공량이 중규모(10,000 ㎥) (8-1-2 공사규모별 표준건설기계) 이상의 공사 규모에 대한 품으로 중규모 미만의 공사에 적용할 수 없다.
⑧ 본 품은 연속터파기 작업이 가능하고 작업 방해가 없는 조건에 한하여 적용한다.
⑨ 3D GNSS 머신 가이던스를 사용하는 굴삭기는 주연료에 15% 할증을 적용한다.

제 4 장 조경공사

4-1 잔디 및 초화류

4-1-1 잔디붙임('06, '13, '19년 보완)

(100㎡당)

구 분	단 위	수 량	
		줄 떼	평 떼
조 경 공	인	0.84	0.99
보 통 인 부	인	1.96	2.31

[주] ① 본 품은 재배잔디를 붙이는 기준이다.
② 홈파기, 뗏밥주기, 물주기 및 마무리 작업을 포함한다.
③ 식재 시 1회 기준의 물주기는 포함되어 있으며, 유지관리는 '[공통부문] 4-5 유지보수'에 따라 별도 계상한다.
④ 줄떼는 10~30cm 간격을 표준으로 한다.

有權解釋

제목 잔디면적 산정 시 법면, 떼수로 등 할증 면적 적용 방법

질의문
신청번호 2206-123 신청일 2022-06-28
질의부분 공통 제4장 조경공사 4-1-1 잔디붙임

잔디면적 산정 시 일반적으로 CAD 녹지구적도를 활용하고, 수목 수량을 뺀 면적을 계산하게 됩니다. 여기서 CAD 면적은 평면 면적만을 사용하게 되는데, 지형이 30도 이상 법면이거나 집수정 주변으로 떼수로를 형성하는 경우, 일반 평면보다 많게는 30~40%의 잔디양이 소요되게 됩니다. 실정보고를 통해 이러한 양을 바로 잡으려 할 때 적용할 수 있는 품셈 기준이 있을까요?
초화류(표준품셈 4-1-3 초화류 식재)는 특수화단일 때 20% 가산할 수 있다.라고 나와 있습니다.

회신문
표준품셈 공통부문 "4-1-1 잔디붙임" 항목은 실제 잔디를 식재하는 실제 면적을 기준으로 품 기준을 제시하고 있습니다.

감사

제목 임시가도 비탈면 줄떼 시공으로 공사비 과다 설계

내용
공사용 가도에 비탈면보호를 위한 줄떼 2,152m²를 식재하는 것으로 설계되어 있으나, 가도는 사용 후 철거하여야 할 임시 가시설물이며, 초화류 자연발아로 줄떼 시공이 불필요함에도 11,968천원 과다 설계하였다

조치할 사항
OO시장은 사용후 철거시설인 가도 비탈면에 줄떼 시공으로 공사비 11,968천원 상당이 낭비될 우려가 있으므로 공사계약 일반조건에 따라 설계변경으로 감액 조치 바람

계약심사

제목 평탄지에 식재하면서 하천변 경사지에 적용하는 불량식재 품 적용 조정

내용
평탄지에 초화류를 식재하면서 하천변 경사지에 적용하는 불량식재 품으로 한 것을 평탄지 보통식재 품으로 조정(초화류 식재 420원/본 → 239원/본)

심사 착안사항
- 공사 원가산정 시 현장여건을 감안한 최적의 설계 조치
- 심사요청 현장조사를 통하여 시공과정과 설계도서 적정성 정밀 검토

4-1-2 초류종자 살포(기계살포)('07, '13, '19년 보완)

(100m²당)

구분	규격	단위	수량
조 경 공		인	0.07
보 통 인 부		인	0.04
취 부 기	11.94kW	hr	0.24
트 럭	4.5ton	hr	0.24
펌 프	ø50mm	hr	0.24

[주] ① 본 품은 트럭에 종자살포기가 장착되어 살포하는 기준이다.
② 재료배합, 종자살포 작업을 포함한다.
③ 살수양생 및 객토가 필요한 때는 별도 계상한다.

[참고자료] 초류종자 살포(기계살포) 재료량

(100m²당)

구분	규격	단위	수량
종 자		kg	2~3
비 료	복합비료	kg	10
피 복 제	화이버/펄프류	kg	18
침 식 방 지 안 정 제	합성접착제	kg	5~15
색 소	착색제	kg	0.2

> **契約審査**
>
> **제목** 현지에 맞는 공법으로 조정
>
> **내용**
> 산책로 송이포장에서 친환경매트포장, 산책로 500m에 파고라(W5m×H3.3m) 8개소 제작 설치에서 4개소로 조정, 전체 사업면적 10,566m 중 산책로+조경면적을 공제한 6,018m을 초류종자 파종으로 조정
>
> **심사 착안사항**
> - 공사 원가산정 시 현장여건을 감안한 최적의 설계 조치
> - 특성을 정확하게 파악하여 과다 계상되는 경우가 없도록 조치

4-1-3 초화류 식재('13, '19년 보완)

(100주당)

구 분	단 위	수 량		
		양호	보통	불량
조 경 공	인	0.10	0.15	0.24
보 통 인 부	인	0.05	0.08	0.13

[주] ① 본 품은 초화류 식재, 물주기 및 마무리를 포함한다.
② 특수화단(화문화단, 리본화단, 포석화단)은 20%까지 가산할 수 있다.
③ 식재 시 1회 기준의 물주기는 포함되어 있으며, 유지관리는 '[공통부문] 4-5 유지보수'에 따라 별도 계상한다.
④ 초화류 식재품의 적용은 아래의 조건을 감안하여 적용한다.
  ㉮ 양호 : 작업장소가 넓고 평탄하며, 식재의 내용이 단순하여 작업속도가 충분히 기대되는 조건인 경우
  ㉯ 보통 : 작업장소에 교목류, 조경석 등 지장물이 있어 식재 작업에 지장을 받는 경우
  ㉰ 불량 : 작업장소가 경사지로서 작업조건이 복잡한 경우, 도로변·하천변· 절개지 등 안전사고의 위험이 있는 경우

> **有權解釋**
>
> **제목** 초화류 식재
>
> **질의문**
> 신청번호 1904-000 신청일 2019-04-01
> 질의부분 공통 제4장 조경공사 4-1-3 초화류식재
>
> 건설공사 표준품셈(토목) 제4장 조경공사 중 "4-1-3 초류종자 살포공 1. 초류종자 살포" 품에 절토부 비탈면 고르기 비용 포함 여부?
>
> **회신문**
> 표준품셈 공통부문 "4-1-3 초화류 식재"에서는 비탈면 고르기가 제외되어 있으며, 필요한 경우 '식재면 고르기'를 참조하시기 바랍니다.

4-1-4 거적덮기('07년 신설, '13, '19년 보완)

(100㎡당)

구 분	단 위	수 량
조 경 공	인	0.19
보 통 인 부	인	0.06

[주] ① 본 품은 성토 또는 절토사면에 거적을 덮어 설치하는 기준이다.
② 거적깔기, 핀설치 및 고정 작업을 포함한다.
③ 재료량(거적, 고정핀, 착지핀, 매트고정판, 비닐끈 등)은 설계수량에 따라 별도 계상한다.

> **契約審査**
>
> **제목** 거적덮기 단가 표준품셈에 맞게 조정
>
> **내용**
> – 거적덮기 최근 보완품셈으로 조정
>   ※ 조경공 0.19인, 보통인부 0.07인 → 조경공 0.19인, 보통인부 0.06인
>
> **심사 착안사항**
> 공사 원가산정 시 현장여건과 개정 및 보완(2019년) 품셈 적용에 주의

4-2 관목

4-2-1 굴취('13, '19년 보완)

(10주당)

구 분	단 위	수 량(나무높이)			
		0.3m미만	0.3~0.7m이하	0.8~1.1m이하	1.2~1.5m이하
조 경 공	인	0.07	0.14	0.22	0.34
보 통 인 부	인	0.01	0.03	0.04	0.06

[주] ① 본 품은 근원부에서 분지되어 다년생으로 자라는 관목수종에 적용한다.
② 본 품은 분 보호재(녹화마대, 녹화끈 등)를 활용하여 분을 보호하지 않은 상태로 굴취되는 작업을 기준한 것이다.
③ 나무높이가 1.5m를 초과할 때는 나무높이에 비례하여 할증할 수 있다.
④ 나무높이보다 수관폭이 더 클 때는 그 크기를 나무높이로 본다.
⑤ 굴취수목의 운반을 위하여 운반로를 개설하여야 하는 경우에는 그 비용을 별도 계상한다.
⑥ 녹화마대, 녹화끈을 사용하여 분을 보호할 경우 '[공통부문] 4-3-2 굴취(나무높이)'를 적용한다.
⑦ 굴취 시 야생일 경우에는 굴취품의 20%까지 가산할 수 있다.

> **有權解釋**
>
> **제목** 표준품셈의 문구 해석관련 질의
>
> **질의문**
> 신청번호 2004-033 신청일 2020-04-10
> 질의부분 공통 제4장 조경공사 4-2-1 굴취
>
> 표준품셈 3-7-2 뿌리 뽑기(20년 보완) 품의 [주] 2항 본 품은 입목본수도 50~60%, 수경 10-20cm 이하 기준이다.라고 있는데 현장 가로수 뿌리 뽑기를 하다 보니 수경이 50cm 이상 되는 경우도 많이 있어 이런 경우 표준품셈 그대로 적용하여야 하는지?
>
> **회신문**
> 표준품셈 공통부문 "3-7-2 뿌리 뽑기"는 입목본수도 50~60% 수경 10~20cm 이하 기준으로 그 외의 기준은 적용 실적이 미미하여 2020년 개정 시 삭제되었습니다.

> **監査**
>
> **제목** 하천둔치 관목제거와 관련한 사항
>
> **내용**
> ○○○○ ◎◎과에서는 ㄱ의 하천둔치를 정비하여 수목식재 및 휴식시설, 잔디식재, 자전거도로, 산책로 등에 대한 시설물을 설치하는 조경공사를 분담이행방식을 통하여 시행하면서 ㄹ천둔치에 존치하고 있는 관목류를 제거하는 비용(13,796천원 정도)을 설계변경 등을 통하여 별도로 설계내역에 반영하였습니다.
> 그런데, 설계내역 검토 결과 토목공사 설계내역에 ㄹ천 하천둔치 전체구간에 대하여 표토를 제거(T = 20cm)하도록 설계내역에 이미 반영되어 있어 관목류를 제거하는 비용이 조경공사 설계내역에는 별도로 필요하지 않는데도 설계 변경을 통하여 관목류 제거비용을 중복으로 반영(13,796천원 정도)한 사실이 있습니다.
>
> **조치할 사항**
> ○○본부장은 실제 현장에 맞도록 중복으로 계상된 공종에 대하여 설계변경(감액 13,796천원 정도) 등의 조치를 하시기 바라며(시정), 앞으로 이러한 사례가 발생하지 않도록 업무수행에 철저를 기하시기 바람(주의)

4-2-2 식재(단식(單植))('13, '19년 보완)

(10주당)

구 분	단 위	수 량 (나무높이)			
		0.3m미만	0.3~0.7m이하	0.8~1.1m이하	1.2~1.5m이하
조 경 공	인	0.19	0.24	0.40	0.57
보 통 인 부	인	0.06	0.08	0.13	0.18

[주] ① 본 품은 근원부에서 분지되어 다년생으로 자라는 관목수종의 식재 기준이다.
② 터파기, 가지치기, 나무세우기, 묻기, 물주기, 손질, 뒷정리 작업을 포함한다.
③ 나무높이가 1.5m를 초과할 때는 나무높이에 비례하여 할증할 수 있다.
④ 나무높이보다 수관폭이 더 클 때에는 그 수관폭을 나무높이로 본다.

⑤ 식재 시 1회 기준의 물주기는 포함되어 있으며, 유지관리는 '[공통부문] 4-5 유지보수'에 따라 별도 계상한다.
⑥ 물주기를 위해 살수차 등의 장비가 필요한 경우 기계경비는 별도 계상한다.
⑦ 암반식재, 부적기식재 등 특수식재는 품을 별도 계상할 수 있다.

4-2-3 식재(군식(群植))('02년 신설, '13, '19년 보완)

(10주당)

구 분	단 위	수 량 (나무높이)			
		0.3m미만	0.3~0.7m이하	0.8~1.1m이하	1.2~1.5m이하
조 경 공	인	0.07	0.10	0.15	0.21
보 통 인 부	인	0.02	0.03	0.05	0.07

[주] ① 본 품은 근원부에서 분지되어 다년생으로 자라는 관목수종의 식재 기준이다.
② 터파기, 가지치기, 나무세우기, 묻기, 물주기, 손질, 뒷정리 작업을 포함한다.
③ 나무높이가 1.5m를 초과할 때는 나무높이에 비례하여 할증할 수 있다.
④ 나무높이보다 수관폭이 더 클 때에는 그 수관폭을 나무높이로 본다.
⑤ 식재 시 1회 기준의 물주기는 포함되어 있으며, 유지관리는 '[공통부문] 4-5 유지보수'에 따라 별도 계상한다.
⑥ 물주기를 위해 살수차 등의 장비가 필요한 경우 기계경비는 별도 계상한다.
⑦ 암반식재, 부적기식재 등 특수식재는 품을 별도 계상할 수 있다.
⑧ 군식은 일반적으로 아래의 식재밀도 이상인 경우이다.

(주/㎡)

수 관 폭 (c m)	20	30	40	50	60	80	100
주 수	32	14	8	5	4	2	1

4-3 교목

4-3-1 뿌리돌림('13, '19년 보완)

(주당)

근원직경(cm)	수 량		근원직경(cm)	수 량	
	조경공(인)	보통인부(인)		조경공(인)	보통인부(인)
3	0.03	0.01	36	1.86	0.22
5	0.06	0.01	42	2.04	0.25
7	0.11	0.01	48	2.32	0.28
9	0.17	0.02	54	2.79	0.33
11	0.23	0.03	60	3.07	0.36
13	0.30	0.03	66	4.18	0.50
15	0.37	0.05	72	4.65	0.55
18	0.56	0.06	78	5.21	0.62
21	0.65	0.08	84	6.51	0.78
24	0.74	0.09	90	7.06	0.85
30	1.58	0.19	100	7.90	0.95

[주] ① 뿌리돌림은 수목 이식 전에 뿌리 분 밖으로 돌출된 뿌리를 깨끗이 절단하여 주근 가까운 곳의 측근과 잔뿌리의 발달을 촉진시키는 작업이다.
② 분은 근원직경의 4~5배로 한다.
③ 뿌리 절단 부위의 보호를 위한 재료비는 별도 계상한다.

4-3-2 굴취(나무높이)('13, '19년 보완)

(주당)

나무높이(m)	수 량	
	조 경 공(인)	보통인부(인)
1.0 이하	0.06	0.01
1.1~1.5	0.07	0.02
1.6~2.0	0.08	0.02
2.1~2.5	0.10	0.03
2.6~3.0	0.11	0.03
3.1~3.5	0.13	0.03
3.6~4.0	0.15	0.04
4.1~4.5	0.17	0.04
4.6~5.0	0.19	0.05
비고	- 분이 없는 경우 굴취품의 20%를 감한다.	

[주] ① 본 품은 흉고직경 또는 근원직경을 추정하기 어려운 수종 기준이다.
② 분은 근원직경의 4~5배로 한다.
③ 준비, 구덩이파기, 뿌리절단, 분뜨기, 운반준비 작업을 포함한다.
④ 분뜨기, 운반준비를 위한 재료비는 별도 계상한다.
⑤ 굴취시 야생일 경우에는 굴취품의 20%까지 가산할 수 있다.
⑥ 현장의 시공조건, 수목의 성상에 따라 기계사용이 불가피한 경우 별도 계상한다.
⑦ 굴취수목의 운반을 위하여 운반로를 개설하여야 하는 경우에는 그 비용을 별도 계상한다.

4-3-3 굴취(근원직경)('19년 보완)

(주당)

근원(흉고)직경(cm)	수 량			
	조 경 공(인)	보통인부(인)	굴삭기(hr)	크레인(hr)
4이하	0.08	0.02	-	-
5(4이하)	0.10	0.03	-	-
6 ~ 7(5 ~ 6)	0.17	0.04	-	-
8 ~ 9(7 ~ 8)	0.27	0.07	-	-
10 ~ 11(9)	0.15	0.06	0.49	-
12 ~ 14(10 ~ 12)	0.26	0.08	0.59	-
15 ~ 17(13 ~ 14)	0.40	0.10	0.71	-
18 ~ 19(15 ~ 16)	0.51	0.11	0.81	-
20 ~ 24(17 ~ 20)	0.67	0.13	0.95	0.19

근원(흉고)직경(cm)	수 량			
	조 경 공(인)	보통인부(인)	굴삭기(hr)	크레인(hr)
25 ~ 29(21 ~ 24)	0.90	0.16	1.15	0.23
30 ~ 34(25 ~ 28)	1.12	0.19	1.35	0.27
35 ~ 39(29 ~ 32)	1.35	0.22	1.55	0.31
40 ~ 44(33 ~ 37)	1.57	0.25	1.74	0.35
45 ~ 49(38 ~ 41)	1.80	0.28	1.94	0.39
50 ~ 54(42 ~ 45)	2.02	0.31	2.14	0.43
55 ~ 59(46 ~ 49)	2.25	0.34	2.34	0.47
60(50)	2.38	0.36	2.46	0.50
비 고	- 분이 없는 경우 굴취품의 20%를 감한다.			

[주] ① 본 품은 교목류 수종의 굴취 기준이다.
② 분은 근원직경의 4~5배로 한다.
③ 준비, 구덩이파기, 뿌리절단, 분뜨기, 운반준비 작업을 포함한다.
④ 현장의 시공조건, 수목의 성상에 따라 기계사용이 불가피한 경우 별도 계상한다.
⑤ 분 뜨기, 운반준비를 위한 재료비는 별도 계상한다.
⑥ 굴취시 야생일 경우에는 굴취품의 20%까지 가산할 수 있다.
⑦ 굴취수목의 운반을 위하여 운반로를 개설하여야 하는 경우에는 그 비용을 별도 계상한다.
⑧ 장비 규격은 다음을 기준으로 한다.

근원직경	굴삭기	크레인
10cm ~ 19cm	0.4㎥	-
20cm ~ 26cm	0.6㎥	트럭탑재형 크레인 10ton
27cm ~ 39cm	0.6㎥	트럭탑재형 크레인 15ton
40cm ~ 60cm	0.6㎥	크레인(타이어) 25 ~50ton

有權解釋

제목 굴취 품 관련 질의

질의문

신청번호 1911-054 신청일 2019-11-17
질의부분 공통 제4장 조경공사 4-3-3 굴취(근원 직경)

4-3-3 굴취(근원 직경)에서 보면 근원(흉고)직경 값이 작아지면서 조경공과 보통인부의 수량이 감소하고 있는데 근원(흉고)직경 값 8~9(7~8) 값에서는 왜 조경공이 증가하는지?

회신문

표준품셈 공통부문 "4-3-3 굴취(근원 직경)"에서는 흉고 직경 9cm까지는 인력시공 기준이며, 10cm 이상에서는 장비(굴삭기)를 이용한 품 기준을 제시하고 있습니다. 10~11과 8~9의 차이는 장비사용 유.무로 인한 생산성의 차이로 인해 나타난 결과입니다.

4-3-4 식재(나무높이)('02, '13, '19년 보완)

(주당)

나무높이 (m)	수량				
	인력시공		기계시공		
	조경공(인)	보통인부(인)	조경공(인)	보통인부(인)	굴삭기(hr)
1.0이하	0.07	0.06	-	-	-
1.1~1.5	0.09	0.07	-	-	-
1.6~2.0	0.11	0.09	-	-	-
2.1~2.5	0.15	0.12	0.10	0.06	0.19
2.6~3.0	0.19	0.14	0.11	0.07	0.23
3.1~3.5	0.23	0.17	0.13	0.07	0.26
3.6~4.0	0.29	0.20	0.15	0.08	0.31
4.1~4.5	0.33	0.23	0.16	0.09	0.35
4.6~5.0	0.38	0.27	0.17	0.10	0.40

비고	- 지주목을 세우지 않을 때는 다음의 요율을 감한다.	
	인력시공시	기계시공시
	인력품의 10%	인력품의 20%

[주] ① 본 품은 흉고 또는 근원직경을 추정하기 어려운 수종에 적용한다.
② 재료소운반, 터파기, 나무세우기, 묻기, 물주기, 지주목세우기, 뒷정리 작업을 포함한다.
③ 식재 시 1회 기준의 물주기는 포함되어 있으며, 유지관리는 '[공통부문] 4-5 유지보수'에 따라 별도 계상한다.
④ 물주기를 위해 살수차 등의 장비가 필요한 경우 기계경비는 별도 계상한다.
⑤ 암반식재, 부적기식재 등 특수식재시는 품을 별도 계상할 수 있다.
⑥ 현장의 시공조건, 수목의 성상에 따라 기계 시공이 불가피한 경우는 별도 계상한다.
⑦ 굴삭기 규격은 0.4㎥를 기준으로 한다.

契約審査

제목 산림정비공사 시 식재 규격 조정

내용
정원내 단목 조경수(높이 0.6m×폭 1m)로 식재되는 규격의 회양목을 산림내 줄 식재용으로 과다 설계한 것을 발주청, 설계사와 협의하여 산림내 줄 식재에 적합한 규격의 회양목(높이 0.3m×0.3m)으로 조정(52,323원/본 → 5,087원/본)하고, 자연석 소운반 1회 운반량을 25kg으로 오류 적용한 것을 건설공사 표준품셈에 의거 50kg으로 조정(24,396원/톤)

심사 착안사항
- 현장여건에 맞는 식재방법 선정(정원과 산림여건 확인)
- 심사요청 현장조사를 통하여 시공과정과 설계도서 적정성 정밀 검토
- 설계공종 중 시공가능성에 대한 적정성 검토

4-3-5 식재(흉고직경)('19년 보완)

(주당)

흉고(근원)직경(cm)	수 량			
	조경공(인)	보통인부(인)	굴삭기(hr)	크레인(hr)
4(5)이하	0.10	0.06	-	-
5(6)	0.17	0.08	-	-
6~7(7~8)	0.26	0.13	-	-
8~9(9~11)	0.19	0.11	0.37	-
10~11(12~13)	0.24	0.13	0.43	-
12~14(14~17)	0.31	0.15	0.52	-
15~17(18~20)	0.39	0.17	0.64	-
18~19(21~23)	0.47	0.20	0.72	0.21
20~24(24~29)	0.56	0.22	0.85	0.26
25~29(30~35)	0.69	0.26	1.03	0.34
30~34(36~41)	0.83	0.30	1.21	0.42
35~39(42~47)	0.97	0.35	1.39	0.50
40~44(48~53)	1.11	0.38	1.56	0.58
45~49(54~59)	1.24	0.43	1.75	0.66
50(60)	1.33	0.45	1.85	0.70

비 고	- 지주목을 세우지 않을 때는 다음의 요율을 감한다.	
	인력시공시	기계시공시
	인력품의 10%	인력품의 20%

[주] ① 본 품은 교목류 수종에 적용한다.
② 재료소운반, 터파기, 나무세우기, 묻기, 물주기, 지주목세우기, 뒷정리 작업을 포함한다.
③ 식재 시 1회 기준의 물주기는 포함되어 있으며, 유지관리는 '[공통부문] 4-5 유지보수'에 따라 별도 계상한다.
④ 물주기를 위해 살수차 등의 장비가 필요한 경우 기계경비는 별도 계상한다.
⑤ 흉고직경은 지표면에서 높이 1.2m 부위의 나무줄기 지름이다.
⑥ 암반식재, 부적기식재 등 특수식재시는 품을 별도 계상할 수 있다.
⑦ 현장의 시공조건, 수목의 성상에 따라 기계시공이 불가피한 경우는 별도 계상한다.
⑧ 장비 규격은 다음을 기준으로 한다.

흉고직경	굴삭기	크레인
8cm ~ 17cm	0.4㎥	-
18cm ~ 22cm	0.6㎥	트럭탑재형 크레인 10ton
23cm ~ 34cm	0.6㎥	트럭탑재형 크레인 15ton
35cm ~ 50cm	0.6㎥	크레인(타이어) 25 ~ 50ton

> **監査**
>
> **제목** ○○단지 아파트건설공사(조경) 설계변경 부적정
>
> **내용**
> ○○단지 아파트건설을 위한 조경공사를 시행함에 있어 격조 높은 외부환경과 풍부하고 건강한 주거환경을 목적으로 0000.3.20. 대충식재 구조화 및 트렌드에 맞는 조경공사를 위한 눈향외 7종 5,960본의 수목과 관목외 7종 6,600본의 초화 추가 식재를 위한 설계변경 내부방침을 받아 공사 원가계산을 함에 있어 설계변경 시점인 동일 종 동일 규격의 상반기 조달청장이 조사·공표한 저렴한 가격이 있음에도 불구하고 특별한 사유 없이 고가의 시중 물가자료의 가격을 적용하여 원가계산을 하고 계약금액을 조정, 준공한 결과 19,385천원 상당의 공사비를 낭비한 사실이 있다.
>
> **조치할 사항**
> ○○○○공사사장은 공사원가를 산정할 때에는 예정가격 작성기준(요령)에 따라 거래실례가격(조달청 가격정보 및 시중물가지 포함)을 모두 조사하여 경제적이고 합리적인 가격을 적용하여야 하나 시중물가지 가격으로 설계변경 공종의 원가를 과다산출하여 공사비 19,385천원 상당을 낭비한 담당자는 주의 조치하고, 동일한 사례가 재발생하지 않도록 교육 조치 바람

4-4 조경구조물

4-4-1 정원석 쌓기 및 놓기('03, '19년 보완)

(ton당)

구 분	규 격	단 위	수 량			
			쌓기		놓기	
			20ton 미만	20ton 이상	20ton 미만	20ton 이상
조 경 공		인	1.212	1.040	0.968	0.836
굴 삭 기	0.7㎥	hr	0.657	0.684	0.657	0.684

[주] ① 본 품은 수석, 자연석 또는 조경석을 단독 또는 무리로 설치하여 미관이 고려된 경관(글자석, 상징석 등)을 조성하는 경우에 적용한다.
② 본 품은 다짐 및 정지 작업을 포함한다.
③ 지형 등 작업의 난이도에 따라 20%까지 가산할 수 있다.
④ 공구손료는 인력품의 3%로 계상한다.
⑤ 사이목 식재는 별도 계상한다.

4-4-2 조경유용석 쌓기 및 놓기('13년 신설)

(10ton당)

구 분		규 격	단 위	수 량
인 력	조 경 공		인	0.84
	석 공		인	2.51
장 비	굴 삭 기	0.6㎥	hr	5.88

[주] ① 본 품은 조경석이나 현장유용석을 활용하여 긴 선형의 화단, 수로 경계 등의 수직 방향의 사면을 조성하는 경우에 적용한다.
② 본 품은 재료소운반, 위치선정, 쌓기 및 놓기, 다짐 및 정지 작업을 포함한다.
③ 운반비는 별도 계상한다.
④ 사이목 식재는 별도 계상한다.

有權解釋

제목 조경 유용석 쌓기 및 놓기 인력/장비

질의문

신청번호 2209-001 신청일 2022-09-01
질의부분 공통 제4장 조경공사 4-4-2 조경유용석 쌓기 및 놓기

인력, 장비가 같이 들어가는 품, 예를 들어 4-4-3 잔디블록포장 구분에 인력, 장비 구분없이 구분 하위에 조경공, 굴삭기 등 들어가 있고, 4-4-2 조경유용석 쌓기 및 놓기는 구분에 인력/장비 구분이 되어있는데 해석을 인력으로 조경유용석 쌓기시 조경공, 석공만 반영, 굴삭기 반영 안함
장비로 조경유용석 쌓기 및 놓기 시 인력품없이 굴삭기만 반영함으로 봐도 될까요? 아니면 인력, 장비 둘 다 반영해야 하는 것이라면 구분에 인력, 장비 구분이 없어야 하는 것이 아닌가요?

회신문

표준품셈 공통부문 "4-4-2 조경 유용석 쌓기 및 놓기"는 화단, 산책로, 수로 경계에 미관을 위하여 조경석 또는 현장 유용석을 쌓아 사면을 조성하는 작업을 기준으로 제시한 품으로 "장비+인력" 시공을 기준으로 제시한 품입니다.

監査

제목 1 **경기장 건설공사 조경석 시공 관련

내용

○○○○○○○본부에서는 「**경기장 건설공사」의 체육시설부지 외곽 급경사지의 처리를 위하여 조경석쌓기를 통하여 사면을 안정화하고자 조경석쌓기 시 조경석에 대한 재료할증 10%를 반영하여 설계변경을 하였으나, 건설공사 표준품셈에 조경석에 대한 재료 할증은 반영되어 있지 않아 조경석의 할증은 필요하지 않았음에도 불구하고, 이에 대한 할증을 반영하여 62.46톤의 조경석이 과다 설계가 되었으며, 쌓기 시에는 정미량 624.6톤에 시공비(노무비 및 경비)를 반영하여야 함에도 할증량을 포함한 687.06톤에 대한 재료비 및 시공비를 계상하여 18,100천원의 사업비가 과다 설계된 사실이 있다.

조치할 사항

○○○○○○○본부장은 향후 유사사례가 재발되지 않도록 관계 공무원에 대한 업무연찬 및 교육 실시 등 지도 감독에 철저를 기하시기 바람

제목 2 공원녹지공사 거래실례가격 및 건설품셈 잘못적용으로 공사원가 과다계상

내용

- 공사에 소요되는 조경석 등의 가격을 결정할 때는 거래실례가격 및 실적공사비 등을 정확히 조사하여 산정하고, 규격서 및 설계서 등에 의거 계약목적물의 내용과 특성을 고려하여 그 완성에 적합하다고 인정되는 합리적인 방법으로 산정하여야 하나
  ※ ○○구에서는 조경석에 대한 가격을 조달청에서 조사하여 게시한 가격이 아닌 물가지에 게재된 고가의 가격으로 결정함으로써 8건의 공사에서 140,712천원의 예산을 낭비하였고, ○○구청에서는 15건의 공사에서 56,389천원의 예산을 낭비하였으며,
  ※ ○○구에서는 "○○공원 수해복구공사"등 9건 공사를 시행하면서 수목 예정가격을 결정하면서 타 수종의 가격으로 잘못 적용하는 등 공사원가를 높게 결정하여 19,094천원의 예산을 낭비

- ○○구에서는 "○○공원화사업" 등 6건 공사를 시행하면서 기계시공으로 식재 가능한 것을 인력식재로 공사원가를 계산하는 등으로 26,395천원의 예산을 낭비
- ○○구에서는 "○○○정비공사" 등 3건 공사를 시행하면서 관목류의 식재시 건설공사 표준품셈 조경공사 관목류 식재에 의거 식재밀도(수관 폭, 수량)에 맞게 군식 품을 적용하여야 적정함에도 단식 품을 적용 공사원가를 과다하게 계상하여 28,420천원의 예산을 낭비
- ○○구에서는 "○○공지 녹지조성공사" 등 2건 공사를 시행하면서 조경석쌓기 1m²당 노무품을 과다 적용하는 등으로 공사원가를 과잉 산출하여 공사비 16,101천원의 예산낭비

조치할 사항
- 조치사항 : 행정상 주의, 재정상 환수및 감액(146,399천원), 신분상 문책
- 공사에 소요되는 조경석 등의 가격을 결정할 때는 거래실례가격 등을 철저히 조사하여 원가를 산정하여야 하며, 각 공종별 단위당 가격을 산정하는 때는 실적공사비 및 각종 건설공사 표준품셈 등에 공사원가가 과잉 계산되지 않도록 주의

4-4-3 잔디블록 포장('19년 신설)

(m²당)

구 분	규 격	단 위	수 량
조 경 공		인	0.05
보 통 인 부		인	0.02
굴 삭 기	0.6m³	hr	0.13
플 레 이 트 콤 팩 터	1.5ton	hr	0.04

[주] ① 본 품은 모래를 부설하면서 대형잔디블록을 설치하는 기준이다.
② 모래 부설, 다짐 및 고르기, 잔디블록 절단 및 설치, 잔디식재 작업을 포함한다.
③ 블록절단 시 절단기를 사용할 경우 기계경비는 별도 계상한다.
④ 굴삭기 및 다짐장비의 규격은 작업여건(작업범위, 위치 등)에 따라 변경할 수 있다.

契約審査

제목 잔디블록설치 품 및 재료할증을 품셈에 맞게 조정

내용
주차장용 잔디블록(회색)
- 잔디블록 : 할증 8%, 잔디블록설치 품 42,080원/m² → 할증 5%, 떼심기, 보도블록설치 품 26,525원/m², 감 15,555원/m²

심사 착안사항
- 공정에 따른 설치 품을 품셈에 맞게 적용
- 심사요청 현장조사를 통하여 시공과정과 설계도서 적정성 정밀 검토
- 설계공종 중 시공가능성에 대한 적정성 검토

4-4-4 야자섬유매트포장('22년 신설)

(10㎡당)

구 분	단 위	폭 1.5m 이하	폭 2.0m 이하
조 경 공	인	0.22	0.15
보 통 인 부	인	0.11	0.08

[주] ① 본 품은 설치위치의 토공사가 완료된 상태에서 야자섬유매트로 포장하는 기준이다.
② 본 품은 매트포장면 정리, 야자섬유매트 및 고정핀 설치, 매트연결 및 고정, 마무리 작업을 포함한다.
③ 설치위치의 토공작업은 필요시 별도 계상한다.

제 5 장 기초공사

5-1 흙막이 및 물막이

5-1-1 P.P마대 및 톤마대 쌓기·헐기('09, '14, '21년 보완)

(10개당)

구 분	규격	단위	P.P 마대(0.024㎥/개)			톤마대(0.7㎥/개)		
			만들기	쌓기	헐기	만들기	쌓기	헐기
보 통 인 부		인	0.15	0.06	0.06	0.38	0.18	0.18
특 별 인 부		인	-	-	-	-	0.09	0.09
굴 삭 기	0.2㎥	hr		-	-	1.34	-	-
	1.0㎥	hr	-	-	-	-	0.7	0.7

[주] 본 품은 P.P마대 및 톤마대의 만들기, 쌓기, 헐기하는 기준이며, 토사 채움을 기준한다.

有權解釋

제목 톤마대 쌓기 헐기 해석 관련 질의

질의문
신청번호 2111-026 신청일 2021-11-10
질의부분 공통 제5장 기초공사 5-1-1 PP마대 및 톤마대 쌓기 헐기

당 현장은 해안가에 톤마대를 설치하여 가물막이를 형성하고, 제방을 터파기하여 박스를 설치하는 공사입니다. 터파기 이전에 가물막이를 형성해야 하는바 유용토가 발생할 수 없습니다. 이에 대하여는 발주처도 인정하는 사안입니다. 발주처와 협의 중 품셈의 해석에 대한 이견이 있어 질의합니다.
5-1-1 PP마대 및 톤마대 쌓기 헐기 중 [주] 본 품은 ~~, 토사채움을 기준한다.

질의 사항
- 갑설 : 토사채움을 기준으로 한다.는 문구가 있으므로 토사의 채취 및 운반이 포함된 단가이다.
- 을설 : 토사의 채취 및 운반은 별도의 공정이며, 토사채움은 있는 토사를 유용하여 마대를 채우는 것을 의미한다. 그러한 사유로 유용토가 없다면 별도의 토사 채취 및 운반 공정이 필요하다.
상기와 같은 이견이 있어 이에 대한 품셈의 해석을 요청합니다.

회신문
표준품셈 공통부문 "5-1-1 PP마대 및 톤마대 쌓기 헐기"는 토사채움 작업을 포함하고 있으며, 토사의 채취 및 운반 작업은 포함되어 있지 않습니다. 또한 소운반은 일반적으로 품에서 포함된 것으로 품에서 포함된 것으로 규정된 소운반 거리는 20m 이내의 거리이며, 20m를 초과하는 경우에는 초과분에 대하여 표준품셈 "1-5-1 소운반 및 인력운반" 등을 활용하여 별도 계상하도록 정하고 있습니다. 품 항목과 무관하게 인력운반을 적용하실 경우 전체 운반 거리를 적용하시기 바랍니다.

> **監査**
>
> **제목** 가도 설치 등에 따른 마대 쌓기 변경(pp마대 쌓기→톤마대 쌓기)시공
>
> **내용**
> 교량 설치에 따른 가도공에 포함되어 있는 마대 쌓기가 설계내역서에는 PP마대(인력) 쌓기가 적용되어 있으나 실제는 톤마대로 시공되어 사업비를 과다 집행할 우려가 있는 것으로 확인되어 시공 방법을 변경함(109,142천원 감액)
> 설계내역과 다르게 시공한 부분(교량공의 철근 가공 및 가도공의 마대 쌓기)에 대하여 설계변경에 필요한 설계변경 개요, 도면, 단가산출서, 수량산출서 등을 포함한 실정보고서를 제출받아 검토 후 처리하여야 함에도 감사일 현재까지 조치를 취하지 않고 있어 이대로 반영 시 220,751천원 낭비 우려
>
> **조치할 사항**
> 설계에 반영된 공종과 다르게 시공한 PP마대(인력) 쌓기 등 330,163천원 상당을 설계변경으로 감액 조치하시기 바라며, 위 업무를 부적정하게 처리한 OOO담당에 대하여 '훈계' 처분을 하시기 바람.

5-1-2 H-Beam 설치

(본당)

구 분		단위	H=300~500				
			5m이하	6~8m	9~11m	12~14m	15~18m
띠 장	철 골 공	인	0.16	0.18	0.21	0.23	0.25
	용 접 공	인	0.38	0.41	0.49	0.54	0.59
	보 통 인 부	인	0.14	0.15	0.18	0.19	0.21
	크 레 인	hr	0.33	0.40	0.52	0.60	0.69
버 팀 보	철 골 공	인	0.34	0.36	0.40	0.43	0.45
	용 접 공	인	0.17	0.19	0.20	0.22	0.23
	보 통 인 부	인	0.13	0.14	0.15	0.16	0.17
	크 레 인	hr	0.29	0.35	0.45	0.53	0.61

구 분		단위	H=600~800				
			5m이하	6~8m	9~11m	12~14m	15~18m
띠 장	철 골 공	인	0.21	0.23	0.27	0.29	0.32
	용 접 공	인	0.48	0.54	0.62	0.68	0.74
	보 통 인 부	인	0.17	0.19	0.22	0.24	0.27
	크 레 인	hr	0.42	0.51	0.66	0.77	0.81
버 팀 보	철 골 공	인	0.43	0.46	0.51	0.54	0.58
	용 접 공	인	0.22	0.24	0.26	0.28	0.29
	보 통 인 부	인	0.16	0.17	0.19	0.20	0.22
	크 레 인	hr	0.36	0.44	0.57	0.67	0.77

[주] ① 본 품은 수평지보공(H-Beam)의 띠장 및 버팀보 설치 품이다.
② 본 품은 소운반, H-Beam 가공, 연결재, 보강재, 충전재의 설치작업을 포함한다.
③ 연결재, 보강재, 충전재의 현장 가공 및 제작은 제외되어 있다.
④ H-Beam 설치를 위한 받침재 및 브레이싱 설치는 별도 계상한다.

⑤ 소모재료는 설계수량에 따라 별도 계상한다.
⑥ 공구손료 및 경장비(용접기 등)의 기계경비는 인력품의 3%를 계상한다.
⑦ 크레인은 크레인(타이어) 25ton급을 기준하며, 작업여건에 따라 변경할 수 있다.
⑧ 본 품의 적용범위는 다음을 참고한다.

적용 항목	적용 범위	미적용 범위
사전작업 (제작장 작업)	• H-Beam 현장 절단 • 잭 및 연결재(쐐기 등)의 H-Beam 연결 (볼트 연결) (구멍뚫기 제외)	• H-Beam 마감판 가공 및 접합 * 마감판 보강재 용접 포함 • 연결재, 보강재, 충전재 제작 • 연결재 구멍뚫기

H-Beam
현장설치
	• H-Beam 이음
	  * 띠장 : 연결재 용접
	  * 버팀보 : 볼트/용접 이음
	• H-Beam 연결(볼트 연결)
	  * H-Beam 구멍뚫기 포함
		• 브라켓 설치
		  * 피스브라켓 및 보걸이
		• 브레이싱 설치

보강재 설치	• 띠장 : 보강재, 충전재 설치 • 버팀보 : 보강재 설치	-

有權解釋

제목 1 H-Beam설치 품 중 연결재, 보강재, 충전재설치 범위

질의문

신청번호 2108-043 신청일 2021-08-17
질의부분 공통 제5장 기초공사 5-1-2 H-Beam설치

품셈 5-1-2 H빔설치 품 중 연결재, 보강재, 충전재 설치 품이 다 포함되어 있다.고 기준이 산정되어 있습니다. 띠장 이음일 경우 300×300 기준으로 연결 철판 및 볼트 조이는 수량 기준이 어떻게 산정이 되어 있는지요? 스티프너 보강이 포함이라고 하였는데, 기본 개소당 몇장 붙이는 수량 기준으로 산정되어 있는지요?
까치발이나 우각부 등에 필요한 스티프너들도 전부 띠장이나 버팀보작업 수량에 포함되는지요.

회신문

표준품셈 공통부문 "5-1-2 H-Beam 설치"에서 연결재, 보강재, 충전재는 다음과 같습니다.
- 연결재 : 빔과 빔을 부재의 길이 방향으로 연결하는 부위에 설치되는 자재
- 보강재 : H-Beam의 휨이나 변형을 방지하기 위해 빔 부재의 내부에 설치되는 자재(스티프너)
- 충전재 : 띠장(가로방향) 설치 시 엄지말뚝(세로방향)과 띠장 사이의 공간을 매워 주는 역할을 하는 부재

[답변1]
표준품셈 공통부문 "5-1-2 H-Beam 설치"에서는 볼트연결 작업을 포함하고 있지만, 볼트연결 수량 기준에 대해서는 별도로 제시하고 있지 않습니다.

[답변2]
표준품셈 공통부문 "5-1-2 H-Beam 설치"에서는 보강재 설치 작업을 포함하고 있지만, 스티프너 수량 기준에 대해서는 별도로 제시하고 있지 않습니다.

[답변3]
표준품셈 공통부문 "5-1-2 H-Beam 설치"에서는 띠장 연결, 버팀대 제작, 잭 설치 및 철거, 띠장 우각부를 보강하는 부재의 설치 및 해체는 포함되어 있습니다.

제목 2 H-Beam설치 관련

질의문

신청번호 2011-071 신청일 2020-11-28
질의부분 공통 제5장 기초공사 5-1-2 H-Beam설치

표준품셈 중 H-Beam설치 적용항목이 "사전작업(제작장작업)/ H-Beam현장설치/ 보강재설치" 이렇게 구분이 되어 지는데, 사전작업 항목 중 미적용 범위 항목인 "H-Beam마감판 가공 및 접합(마감판 보강재 용접 포함)" 등은 만약 현장제작으로 품을 적용한다면 "H-Beam현장설치"의 항목에서는 포함되는 부분인가요??

회신문

표준품셈 공통부문 "5-1-2 H-Beam설치"의 '주8'에서 품의 적용범위를 제시하고 있으며, H-Beam부재의 내부에 설치되는 보강재를 설치하는 품은 포함되어 있으나, 마감판 보강재를 제작(가공)하는 작업은 포함되어 있지 않음을 알려드립니다.

감사

제목 공동주차장 건설공사 공사비과다 계상 및 설계변경 미이행

내용

건설공사 표준품셈 제5장 '5-5-1 흙막기 및 물막기 가시설', '2. H-빔설치·철거'에 따르면 H-Beam 설치와 철거 품은 H-빔의 연결을 위한 구멍 뚫기와 볼트 조임, 철거를 위한 볼트풀기와 용접부 해체를 포함(철판 등 부자재 제작은 미포함)하는 것으로 하고 있다. 그러나 위 공사 설계자는 H-빔으로 시공되는 주형보(단면 규격 : H600×W200mm)의 설치·철거 품을 기 반영하였는데도 추가로 H-빔연결을 위한 볼트 조임과 구멍 뚫기, 철판 등 부자재를 세부 구성요소(일위대가)로 하는 '주형보 연결' 공종을 반영함으로써 H-Beam연결을 위한 볼트 조임과 구멍 뚫기 품이 중복 반영되었다.

조치할 사항

OO구청장은 설계서의 오류 등으로 과다하게 산정된 공사물량과 공사여건 변경으로 공사물량이 변경된 사항에 대하여는 '지방자치단체 입찰 및 계약 집행기준' 제13장 '공사계약 일반조건' 제6절, 제7절에 따라 설계 변경하여 계약금액을 감액(23,392천원) 하시기 바람(시정요구)

계약심사

제목 중복 적용 품 띠장 및 버팀보 연결 제외

내용

H-Beam설치 및 철거 품은 연결재 보강재 및 충진재의 설치작업을 포함하고 있으므로 띠장 및 버팀보 연결의 경우 연결재의 자재비 및 제작비만 계상하여야 함에도 연결작업 품이 중복 계상되어 있어 제외

심사 착안사항

- 표준품셈 적용 시 주기사항의 세부적용 방법 확인에 주의
- 설계공종 중 시공가능성에 대한 적정성 검토

5-1-3 H-Beam 철거

(본당)

구 분		단 위	H=300~500				
			5m이하	6~8m	9~11m	12~14m	15~18m
띠 장	철 골 공	인	0.10	0.11	0.13	0.14	0.15
	용 접 공	인	0.23	0.26	0.29	0.32	0.35
	보 통 인 부	인	0.08	0.09	0.11	0.12	0.13
	크 레 인	hr	0.23	0.28	0.36	0.42	0.49
버 팀 보	철 골 공	인	0.20	0.22	0.24	0.26	0.27
	용 접 공	인	0.10	0.11	0.12	0.13	0.14
	보 통 인 부	인	0.08	0.08	0.09	0.10	0.10
	크 레 인	hr	0.20	0.24	0.32	0.37	0.43

구 분		단 위	H=600~800				
			5m이하	6~8m	9~11m	12~14m	15~18m
띠 장	철 골 공	인	0.12	0.14	0.16	0.18	0.19
	용 접 공	인	0.29	0.32	0.37	0.41	0.45
	보 통 인 부	인	0.10	0.12	0.13	0.15	0.16
	크 레 인	hr	0.29	0.36	0.46	0.54	0.62
버 팀 보	철 골 공	인	0.26	0.28	0.30	0.32	0.35
	용 접 공	인	0.13	0.14	0.16	0.17	0.18
	보 통 인 부	인	0.10	0.11	0.12	0.12	0.13
	크 레 인	hr	0.25	0.31	0.40	0.47	0.54

[주] ① 본 품은 수평지보공(H-Beam)의 띠장 및 버팀보 해체 품이다.
② 본 품은 소운반, 연결해체, H-Beam 해체, 잭, 연결재, 보강재, 충전재의 해체 작업을 포함한다.
③ 운반을 위한 H-Beam의 상차 및 운반은 제외되어 있다.
④ 받침재 및 브레이싱 해체는 별도 계상한다.
⑤ 소모재료는 설계수량에 따라 별도 계상한다.
⑥ 공구손료 및 경장비(용접기 등)의 기계경비는 인력품의 3%를 계상한다.
⑦ 크레인은 크레인(타이어) 25ton급을 기준하며, 작업여건에 따라 변경할 수 있다.
⑧ 본 품의 적용범위는 다음을 참고한다.

적용 항목	적용 범위	미적용 범위
H-Beam 현장해체	• H-Beam 이음부 및 연결부 해체 　* 볼트풀기 　* 용접부 해체	-
철거	• H-Beam 내리기	-
보강재 철거	• 띠 장 : 보강재, 충전재 분리 • 버팀보 : 연결재, 보강재 분리	• 마감판 해체

5-1-4 흙막이판 설치 · 철거 ('09, '14, '21년 보완)

(10㎡당)

구 분	규 격	단 위	수 량 설치	수 량 철거
형 틀 목 공		인	0.73	0.58
보 통 인 부		인	0.38	0.30
굴 삭 기	0.2㎥	hr	1.92	1.54

[주] ① 본 품은 흙막이판(각재 및 강재, 높이 200mm이하)의 절단, 설치, 뒤채우기 및 마무리작업을 포함한다.
② 공구손료 및 경장비(엔진톱 등)의 기계경비와 잡재료(철선 등)는 인력품의 3%를 계상한다.
③ 흙막이판의 손율은 다음 표에 따른다.

구 분		손율(%)	비 고
사 용 횟 수 별	1회	50	1회당 사용기간이 3개월 미만인 경우에 적용
	2회	75	
	3회	90	
사 용 기 간 별	3월이상~6월미만	75	1회로서 사용기간이 3개월 이상인 경우에 적용
	6월이상~12월까지	90	
강 재	'[공통부문] 2-2-1 주요자재 / 강재류'를 적용한다.		

有權解釋

제목 흙막이판 설치 철거 관련 문의

질의문
신청번호 2208-076 신청일 2022-08-23
질의부분 공통 제5장 기초공사 5-1-4 흙막이판 설치 철거

표준품셈 5-1-4 흙막이판 설치 철거의 손율 관련하여 (주) 3번에서 흙막이판의 손율의 기준을 제시하고 있는데, 1회당 사용기간이 3개월 미만인 경우에는 사용횟수별로 1회, 2회, 3회로 구분하여 손율를 각각 50%, 75%, 90%로 정하고 있습니다. 이에 사용횟수와 손율과의 관계를 문의드립니다.
[사례]
토류판설치 철거 사용물량이 총 900㎡이며, 1회 사용기간이 20일이고, 사용횟수가 3회인 경우 해당공사의 토류판 수량은 300㎡×90%=270㎡(즉, 900㎡×30%)로 산정하는 것이 맞는지 문의드립니다.

회신문
표준품셈 공통부문 "5-1-4 흙막이판 설치 철거"에서 흙막이판 손율은 사용기간에 따른 가치의 감소를 신재에 대한 백분율로 표시한 것으로 손율 적용 기간은 일반적으로 설치, 존치, 해체하는 기간에 해당됩니다. 1회당 사용회수가 3개월 미만이고, 사용횟수가 3회인 경우 손율 90%를 적용하시면 됩니다.

監査

제목 1 현장상태와 설계서(조립식 간이흙막이) 상이로 시공불가 공법 설계변경 미조치

내용

1, 2, 3구역 가시설공사 조립식 간이흙막이설치에 토류판설치 및 철거 미시공 물량(177m²) 공사비 약 52,798천원(제경비 포함) 감액조치가 필요하고, 4, 5구역 가시설공사에서 조립식 간이흙막이(H = 3~4m, W = 1.5m) 4,163m를 반영하고 있는데, 암거, 대형관 등 지하매설물 하월구간(12개소)은 설치할 수 없으므로 삭제하여 공사비 약 51,034천원(제경비 포함)은 감액하고, 공사구간 중 현장여건과 검측자료 등을 확인한 후 실지 투입물량에 따라 정산 조치가 필요하다.

조치할 사항

OOOO시 OO본부장은 조립식 간이흙막이 지하매설물 하월구간 삭제 등 총 5건, 공사비 약 103,832천원 상당은 「지방자치단체를 당사자로 하는 계약에 관한 법률」 및 "지방자치단체 공사계약 일반조건" 등에 따라 설계변경 등 감액 조치하시기 바람

제목 2 기반암 부분 흙막이가시설 토류판 제외

내용

유지용수 관로매설 시 굴착 깊이가 깊은 일부구간에 흙막이가시설(H-Pile+토류판) 설치를 계획하면서 하부 기반암부분은 토류판(t = 60mm, 100mm)을 설치하는 것으로 설계에 반영 하였으나, 기반암 부분은 토사 붕괴 우려가 낮아 토류판을 설치하지 않고 시공이 가능하며, 실제 시공에서도 토류판을 설치하지 않아 토류판설치 제외를 위한 설계변경(감 8,231천원 정도) 등의 조치가 필요하다.

조치할 사항

OO광역시 OO구청장(군수)은 토류판설치를 제외하기 위한 설계변경(감 8,231천원 정도) 등의 조치를 하시기 바람(시정)

契約審査

제목 1 관로 터파기 가시설공법 변경

내용

관로 터파기 가시설을 "강판 차수공법"으로 설계에 반영하였으나 인근 아파트공사장 굴착으로 지하수위가 저하되어 있어 H-pile토류벽"으로 시공 가능하여 공법 변경

심사 착안사항

- 설계에 반영된 공법이 현장여건에 부합한지 여부
- 심사요청 현장조사를 통하여 시공과정과 설계도서 적정성 정밀 검토
- 설계공종 중 시공가능성에 대한 적정성 검토

제목 2 지하 흙막이공사 원가산출 조정

내용

- 지하 흙막이공사 원가산출 조정
    ※ 지하구조물설치를 위한 흙막이공사로서 토사천공, 케이싱튜브설치, CIP파일설치를 하는 것으로 설계하여 원가를 산출하였으나, 케이싱튜브설치 철거에 대한 단가산출시 본당(10m) 단가로 산출하고서 내역서에는 이를 m당 단가로 적용하였기에 단위에 맞게 조정함

> **심사 착안사항**
> - 지하 흙막이 공사 원가산출 적정성 검토
> - 심사요청 현장조사를 통하여 시공과정과 설계도서 적정성 정밀 검토
> - 설계공종 중 시공가능성에 대한 적정성 검토

5-1-5 어스앵커 공법('20년 보완)

1. 장비조립·해체

(회당)

구 분	규 격	단 위	수 량
특 별 인 부		인	1
보 통 인 부		인	3
트럭탑재형크레인	5ton	hr	8

[주] 본 품은 천공 및 그라우팅 작업을 위해 크레인으로 장비(그라우팅펌프, 그라우팅믹서, 공기압축기)를 최초 조립 및 해체하는 기준이며, 현장조건에 따라 이동, 조립 및 해체가 발생되는 경우 추가 적용한다.

2. 인력 및 장비 편성

(인/일)

구 분	규 격	단 위	수 량 타격식	수 량 회전식
보 링 공	-	인	1	1
특 별 인 부	-	〃	2	3
보 통 인 부	-	〃	1	1
크롤러드릴(공기식)	17㎥/min	대	1	-
공 기 압 축 기	21㎥/min	대	1	-
크롤러드릴(탑승유압식)	110kW	대	-	1

[주] ① 본 품은 크롤러형 보링장비를 지반에 위치하여 천공하는 기준이다.
② 타격식은 케이싱 사용을 통한 2회 천공(1차 케이싱삽입, 2차 비트천공) 기준이며, 회전식은 유압크롤러드릴과 케이싱을 활용하는 이수가압식천공 기준이다.
③ 천공에 필요한 비트, 물 등 소모재료는 별도 계상한다.

3. 작업소요시간

구 분	개 요	산출방법
T	작업소요시간	T=t1/f
t_1	천공시간	t1 : Σ(L1×a1) L1 : 지층별 굴착연장, a1 : 지층별 굴착시간
f	작업계수	0.8

[주] ① 천공시간은 작업준비, 마킹, 천공, 보강재 삽입이 포함된 것으로 천공구경은 105~127mm 기준이다.
② 타 공종(토공사 등)과 간섭, 작업시간 통제 등 공사시간의 제약으로 작업시간의 현저한 저하가 예상되는 경우 작업계수를 조정하여 적용할 수 있다.

○ 지층별 굴착시간(a1)

(min/m)

구 분		토사	혼합층	풍화암	연암	보통암	경암
작업량	타격식	9.38	8.70	5.41	7.50	9.38	13.33
	회전식	5.36	-	-	-	-	-

※ 혼합층은 케이싱을 사용할 수 없는 지반에서 자갈, 전석, 지하수로, 공동 등으로 인해 홀 막힘이 발생되는 경우에 적용한다.

4. 그라우팅

(일당)

구 분	규 격	단 위	수 량	시공량 (㎥)
보 링 공		인	1	
기 계 설 비 공		인	1	
특 별 인 부		인	2	3.2
그 라 우 팅 믹 서	190×2ℓ	대	1	
그 라 우 팅 펌 프	30~60ℓ/min	대	1	

[주] ① 물 공급을 위해 살수차 등의 장비가 필요한 경우 기계경비는 별도 계상한다.
② 공구손료 및 경장비(발전기 등)의 기계경비는 인력품의 11%를 계상한다.
③ 소모재료(시멘트, 혼화재, 물)는 별도 계상한다.

5. 인장

(일당)

구 분	규 격	단 위	수 량	시공량(개소)
중 급 기 술 자		인	1	
보 링 공		인	1	
특 별 인 부		인	2	15
보 통 인 부		인	1	
강 연 선 인 장 기	60ton	대	1	

[주] ① 본 품은 인장작업이 필요한 앵커체(강연선 4가닥 기준)의 인장작업에 적용한다.
② 본 품은 지압판 설치, 웨지조립 및 인장작업이 포함되어 있으며, 좌대는 기성제품 사용을 기준한다.
③ 인장에 필요한 좌대 설치는 다음 품을 적용한다.

(10개소당)

구 분	단 위	수 량
철 공	인	0.41
보 통 인 부	인	0.82

④ 인장을 위하여 별도의 브라켓 설치가 필요한 경우는 재료 및 품을 별도 계상한다.
⑤ 강연선 인장기 규격은 소요 긴장력을 고려하여 변경할 수 있다.
⑥ 공구손료 및 경장비(절단기, 발전기 등)의 기계경비는 인력품의 9%를 계상한다.
⑦ 소모재료는 별도 계상한다.

有權解釋

제목 어스앵커공법내 강선 설치 여부

질의문

신청번호 2209-034 신청일 2022-09-13
질의부분 공통 제5장 기초공사 5-1-5 어스앵커공법

어스앵커공법내 강연선 인장작업에 대한 품은 제시가 되어 있는데 강연선제작 및 설치에 대해서는 나와 있지 않아 질의합니다. 강연선제작 및 설치에 대한 품은 어떻게 적용을 해야 되나요?

회신문

표준품셈 공통부문 "5-1-5 어스앵커공법/3. 작업 소요 시간"에는 보강재 작업이 포함되어 있습니다. 보강재는 강연선, PC강선, 간격재 등이 공장에서 기 조립되어 반입된 상태에서 삽입하는 품입니다. 또한 PC강선 및 간격재 등을 현장에서 별도로 제작하는 품은 표준품셈에서 별도로 정하고 있지 않으며, 표준품셈에서 정하지 않는 사항은 동품셈 1-1-3의 4항을 참조하시어 적정한 예정가격 산정기준을 적의 결정하여 사용하시기 바랍니다.

契約審査

제목 1 공종(pc강연선 D12.7mm×7mm) 단위에 맞게 재료비 금액오류 수정

내용

1. 재료비
   - pc강연선 D12.7mm×7mm 1,150×1.05톤
     = 1,207.5[재 : pc강연선(2종) - D12.7mm×7mm 774.0kg/km-kg]
   - pc강연선 운반 0×1.05톤
     = 0.0(재 : pc강연선 운반-(광양~익산)-톤)
   - 결속선(#20, 0.9mm) 1,215×8.0kg
     = 9,720.0(재 : 보통철선 - #20 0.9mm 200.4m/kg-kg)
   - 고재대 -210×50.0kg
     = -10,500.0(재 : 고철설-용해용(상)(매입가)-kg)

심사 착안사항

- 자재설계 시 설계서간 단위 적용 검토 철저(특히 수량산출과 물량내역서 물량확인 철저)
- 심사요청 현장조사를 통하여 시공과정과 설계도서 적정성 정밀 검토
- 설계공종 중 시공가능성에 대한 적정성 검토

제목 2 지하굴착(연암)구간 흙막이 가시설공법 변경에 대한 안정성 및 경제성 검토

내용

암반(연암) 사면보강 적정성 검토를 위하여 자문결과 암반(연암)구간에 어스앵커시공은 과다한 설계로 판단되므로 어스앵커를 록볼트로 변경하거나 최소화할 수 있는 방안으로 조정
- 당초 : 어스앵커 5단(2,973공)
- 변경 : 어스앵커 2단+록볼트3단(2,160공)
   절개지 경사면의 지반이 단단한 경암구간에 공사원가가 높은 어스앵커공법 반영하였으나 자문결과 암반구간의 흙막이 가시설 지지공법에 적합한 록볼트공법으로 조정
- 어스앵커를 록볼트공법 조정, 흙막이판설치 공종 제외

> **심사 착안사항**
> - 어스앙카공법은 토사지반 흙막이를 지지하는 공법이므로 암반구간 적용은 부적정하며, 설계도면과 지질조사보고서를 비교검토
> - 심사요청 현장조사를 통하여 시공과정과 설계도서 적정성 정밀 검토
> - 설계공종 중 시공가능성에 대한 적정성 검토
> - 본 공사의 특수성과 무관하게 관례적으로 적용한 공정의 필요성 검토

5-2 연약지반처리

5-2-1 매트부설('08, '16, '18, '21년 보완)

(100㎡당)

구 분	규 격	단 위	육상			수중	
			사면	연약지반		사면	연약지반
				도로/철도	매립지		
특 별 인 부		인	0.07	0.09	0.10	0.16	0.24
보 통 인 부		인	0.04	0.05	0.05	0.12	0.12
잠 수 조		조	-	-	-	0.08	0.15
굴 삭 기	0.4㎥	hr	0.10	0.15	0.19		

[주] ① 본 품은 연약지반 및 호안등사면에 합성수지 계통 토목섬유 매트의 포설 및 봉합작업을 기준한 것이다.
② 본 품은 매트부설, 매트봉합 및 마무리 작업이 포함된 것이다.
③ 수중매트 부설에 따른 선박 등 기계경비는 별도 계상한다.
④ 항만 매립지 등에서 토질 특성으로 인해 시공장비 개선(철판, 연결로프 등 사용) 또는 특수장비를 활용한 시공이 필요한 별도 계상한다.
⑤ 수중부설의 수심은 10m 이하를 기준한 것이며, 수심이 10m 이상일 경우 현장조건에 따라 조정 적용한다.
⑥ 조수 및 파랑 등의 현장 조건에 따라 본 품을 조정 적용할 수 있다.
⑦ 공구손료 및 경장비(봉합기)의 기계경비는 인력품의 4%로 계상한다.
⑧ 장비(굴삭기) 규격은 현장조건을 고려하여 적용한다.

[참고자료]
- 매트고정이 필요한 경우 재료량은 다음을 참고한다.

(100㎡당)

구 분	매트 (㎡)	P.P로프(9mm) (m)	모래주머니 (개)	철근(19mm) (m)
육 상 부 설	110	98	64	19
수 중 부 설	115	53	38	11

※ 재료량은 할증이 포함되어 있다.

5-2-2 고압분사 주입공법('09, '15, '21년 보완)

1. 적용범위

① 본 품은 고압분사 주입공법(유효직경 800~2,000mm)을 기준한 것이다.

② 본 품은 장비조립 및 해체, 천공, 분사주입 작업을 포함하며, 적용범위는 다음과 같다.

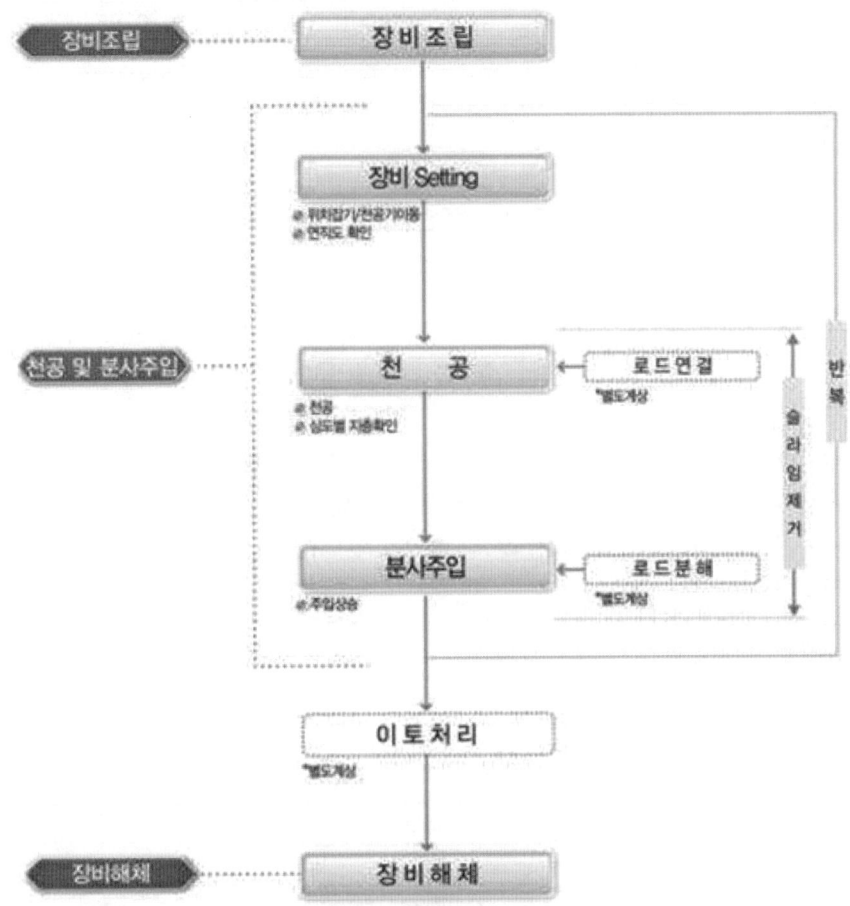

③ 이토처리는 별도 계상한다.

2. 장비 조립·해체

(회당)

구 분		단 위	외부 반출/반입	작업구간 이동
기 계 설 비 공		인	1	1
철 공		〃	2	2
특 별 인 부		〃	1	1
크 레 인		대	1	1
소 요 일 수	조 립	일	2.5	1.5
	해 체	〃	1	0.5

[주] ① 본 품은 시공장비(전용장비 조립 및 부대설비(그라우팅 시스템 등) 설치)를 1회 조립 및 해체하는 기준이며, 시공조건(외부 반출/압입, 작업구간 내 해체 후 이동조립 등)에 따라 조립·해체가 반복되는 경우 추가 계상한다.

② 공구손료 및 경장비(발전기, 전동드릴 등)의 기계경비는 인력품의 3%로 계상한다.
③ 크레인 규격은 양중능력 및 현장조건에 고려하여 적용한다.

3. 인력편성

(인/일)

직종	단위	수량	
		토사	자갈/호박돌
보 링 공	인	1	1
기 계 설 비 공	〃	1	1
특 별 인 부	〃	1	2
보 통 인 부	〃	1	2

4. 장비편성

명칭		규격	단위	수량	천공		분사 주입
					토사	자갈/호박돌	
선천공	유압식 크롤러드릴	110kW	대	1	-	○	-
	케 이 싱		식	1	-	○	-
분사 주입	고압분사전용장비	고압분사용	대	1	○	-	○
	초 고 압 펌 프	200~400kg/㎠	〃	1~2	○	-	○
	공 기 압 축 기	10.3㎥/min	〃	1	○	-	○
	발 전 기	150kW	〃	1	○	-	○
	자동화 믹서플랜트	0.5㎥	〃	1	○	-	○
굴 삭 기		0.4㎥	〃	1	○	○	○

[주] ① 부속장비(사일로, 호스, 양수기, 모터 등)의 경비는 '3. 인력편성' 노무비에 다음 요율을 계상한다.

구분	선천공 미수행시	선천공 수행시
요 율 (%)	19	13

② 기종의 선정은 다음을 기준한다.

지질특성	시공유형	고압분사 전용장비	유압식 크롤러드릴
점 토 / 모 래	천공	○	-
	분사+주입	○	-
자 갈 / 호 박 돌	천공	-	○
	분사+주입	○	-

※ 현장작업조건을 고려하여 장비조합 및 규격을 변경할 수 있다.

5. 장비소요시간

$T = T_1 + T_2$

T_1(천공시간) : $(\Sigma(L_1 \times t_1) + t_2)/f_{11}$

L_1 : 지층별 천공길이

t_1 : 지층별 천공시간

(min/m)

구 분	천공구경 (mm)	토사		자갈	전석/ 호박돌
		점질토	사질토		
고압분사전용장비	89	3.5	5.0	-	-
크 롤 러 드 릴	145	-	-	9.0	11.0

※ 크롤러 드릴은 케이싱 연결 및 해체 시간이 포함되어 있다.
  t_2(로드 연결) : 3min(개소당)
※ 로드연결은 장비조립 시 수행하며, 현장여건 따라 천공 중 로드연결이 필요한 경우에 적용한다.
  f_1(작업계수) : 0.8

T_2(분사주입시간) : $(\Sigma(L_2 \times t_3) + t_4)/f_2$
L_2 : 유효직경별 분사주입 길이
t_3 : 유효직경별 분사주입 시간

(min/m)

구 분	유효직경(mm)				
	800	1,000	1,200	1,500	2,000
분사주입시간 (min/m)	3.61	5.64	8.12	12.69	22.57

t_4(로드분해) : 3min(개소당)
※ 로드분해는 장비해체 시 수행하며, 현장여건 따라 분사주입 중 로드분해가 필요한 경우에 적용한다.
f_2(작업계수) : 0.8

[참고자료]
  가. 2중관주입공법(J.S.P) 지층별 재원

(1본당)

구 분	단 위	점토층		모래층			자갈층· 호박돌층	비 고
		N 0~2	N 3~5	N 0~4	N 5~15	N 16~30		
유 효 직 경	m	1.0	0.8	1.2	1.0	0.8	0.8	
단 위 분 사 량	ℓ/분	160	160	160	160	160	160	
시 멘 트 량	kg/m	351	401	351	401	451	451	
물	ℓ	351	401	351	401	451	451	

  나. 분사주입 재료비

(시간당)

종 별	규 격	단 위	수 량	비 고
더 블 쉬 벨 본 체		개	0.072	
더 블 쉬 벨 부 품		조	0.240	
더 블 로 드	3.0m	본	0.072	
N . J . V 본 체		개	0.090	
N . J . V 부 품		조	0.240	
노 즐		조	0.240	

[주] 분사 재료비는 분사주입 시간(T_2)에 적용한다.

다. 천공 재료비

(시간당)

종별	규격	단위	수량 점토층	모래층
메탈크라운비트		개	0.023	0.019
더블쉬벨본체		〃	0.003	0.003
더블쉬벨부품		조	0.023	0.020
더블로드		본	0.007	0.006
N.J.V본체		개	0.003	0.003
노즐		〃	0.002	0.002

[주] ① 본 품은 고압분사전용장비에 의한 천공에 적용한다.
② 유압식크롤러드릴의 천공에 소요되는 케이싱 및 비트 손료는 별도 계상한다.

5-2-3 플라스틱 보드 드레인(PBD)('13년 신설, '21년 보완)

1. 적용범위
① 본 품은 유압식 PBD천공기를 활용하여 플라스틱 재질의 연직배수재를 설치하는 기준이다.
② 본 품은 PBD천공기 147㎾(리더 38m)는 평균심도 35m기준한 것으로 평균심도 35m 이상은 PBD천공기 184㎾(리더 53m)를 사용할 수 있다.
③ 본 품은 연속적인 작업이 가능한 조건에 적용하며, 선천공으로 인해 PBD 작업이 지속적으로 영향을 받는 경우 작업조건을 고려하여 별도 계상한다.

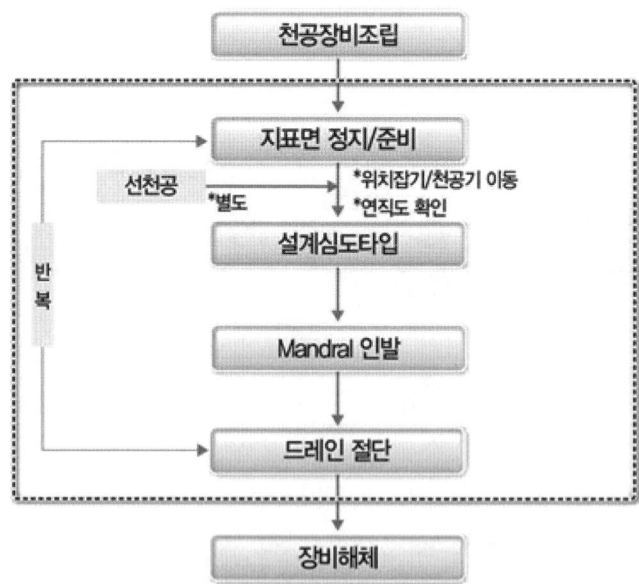

2. 장비조립 및 해체

(회당)

구 분		단 위	수량
인 력	기계설비공	인	1
	철공	〃	2
	특별인부	〃	1
장 비	크레인	대	1
소 요 일 수	조립	일	2
	해체	일	1

[주] ① 본 품은 PBD천공기를 1회 조립 및 해체하는 기준이며, 시공조건(외부 반입/반출)에 따라 조립·해체를 반복 적용한다.
② 공구손료 및 경장비(발전기 등)의 기계경비는 인력품의 3%로 계상한다.
③ 크레인 규격은 양중능력 및 현장조건에 고려하여 적용한다.

3. 장비 및 인력편성

구 분	명 칭	규 격	단 위	수량
인 력	특 별 인 부		인	2
	보 통 인 부		〃	1
장 비	P B D 천 공 기	147kW, 38m(리더길이)	대	1

[주] ① 부속장비(자동기록기, 계측기, 맨드릴 등)의 경비는 '인력편성' 노무비에 15%를 계상한다.
② 재료량(앵커, 드레인 보드(재료할증 4%))은 설계수량을 따른다.

3. 작업능력

$$Q = \frac{3{,}600 \times L \times E}{cm}$$

Q : 시간당 작업량 (m/hr)
L : 드레인 보드 1본당 타설깊이(m/본)
E : 작업효율

구분	도로/철도	항만/매립지
효율	0.75	0.85

※ 도로/철도에서 시설물(교량/터널 등) 및 지형조건(하천 등) 등에 의한 작업방해 없이 연속적인 천공이 가능한 경우에 항만/매립지의 작업효율 적용이 가능하며, 항만/매립지에서 시설물 및 지장물 등에 의한 작업방해로 연속적인 천공이 불가능한 경우에 도로/철도의 작업효율 적용이 가능하다.

cm : 1회 싸이클 타임(sec)
cm = $t_1 + t_2 + t_3$
　t_1 : 준비 및 이동시간(sec)

L	25이하	30이하	35이하	40이하	45이하	50이하	55이하
t_1	27	31	35	39	43	47	51

　t_2 : 타입시간 = $\frac{L}{V_1}$ (sec)

t_3 : 인발시간= $\dfrac{L}{V_2}$ (sec)

V_1 : 표준타입속도(m/sec), V_2 : 표준인발속도(m/sec)

구 분	N치	
	5미만	5이상
V_1	2.54	1.52
V_2	2.33	1.40

5-2-4 다짐말뚝('15, '21년 보완)

1. 적용범위

① 본 품은 진동파일해머에 의한 천공 및 모래 및 자갈(쇄석) 말뚝조성 작업에 적용한다.

말뚝종류	말뚝직경(mm)
다 짐 말 뚝	ø700mm

② 본 품은 장비조립 및 해체, 모래말뚝 타설 작업이 포함된 것이며, 적용범위는 다음과 같다.

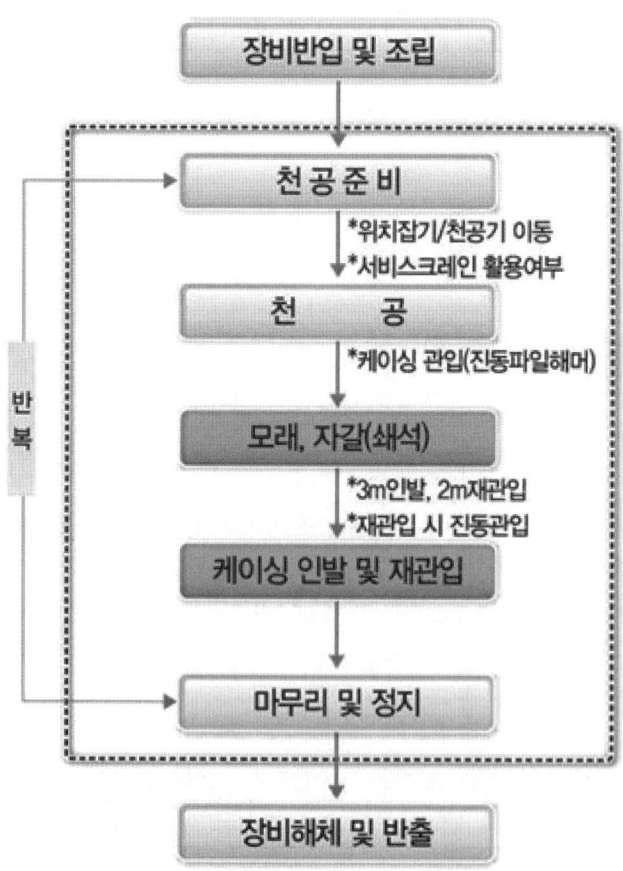

2. 장비조립·해체

(회당)

구 분		단 위	외부 반출/반입	작업구간 이동
기 계 설 비 공		인	1	1
철 공		〃	2	2
특 별 인 부		〃	1	1
크 레 인		대	1	1
소 요 일 수	조 립	일	3	1.5
	해 체	〃	1.5	1

[주] ① 본 품은 말뚝 시공장비(전용장비 조립 및 부대설비 설치 등)를 1회 조립 및 해체하는 기준이며, 시공조건(외부 반출/반입, 작업구간 내 해체 후 이동조립 등)에 따라 조립·해체를 반복 적용한다.
② 공구손료 및 경장비(발전기, 전동드릴 등)의 기계경비는 인력품의 3%로 계상한다.
③ 크레인 규격은 양중능력 및 현장조건에 고려하여 적용한다.

3. 인력편성

구 분	단 위	수 량
보 링 공	인	1
특 별 인 부	〃	1
보 통 인 부	〃	1

4. 장비편성

구 분	규 격		단 위	수 량	작업시간
	ℓ=20m이하	ℓ=20m~35m			
다 짐 말 뚝 전 용 장 비	100ton	120ton	대	1	T
진 동 파 일 해 머	90kW	120kW	대	1	T
공 기 압 축 기	17.0㎥	21.0㎥	대	1	T
발 전 기	350kW	350kW	〃	1	T
로 더	1.34㎥	1.34㎥	〃	1	T

[주] 부속장비(스킵버킷, 공기탱크, 자동기록장치 등)의 기계경비 및 소모자재(용접봉, 호스 등)는 '3. 인력편성' 노무비의 9%를 계상한다.

5. 작업소요시간(본당)

$T = (T_1+T_2)/f$ (min/본)

T_1(준비시간) : 2min(본 작업전 이동, 위치잡기)

T_2(시공시간) : $L_1 \times t_1$

L_1 : 타설길이

t_1 : 타설시간 : 1min

f(작업계수) : 0.8

有權解釋

제목 기초공사 항타장비 조립 해체 일위대가 문의

질의문

신청번호 2211-062 신청일 2022-11-17
질의부분 공통 제5장 기초공사 5-2-4 다짐말뚝

콘크리트파일 천공 항타 시 장비조립 및 해체 일위대가 산정에서 외부반출/ 반입 소요일수:4.5일, 작업구간 이동 소요 일수 : 2.5일
회당 단가, 기계설비공 1인×(소요 일수 : 4.5일, 2.5일), 철공 2인×(소요 일수 : 4.5일, 2.5일)
특별인부 1인×(소요 일수 : 4.5일, 2.5일), 크레인 1대×(소 요일수 : 4.5일, 2.5일)
위와 같이 산정 인원에 소요 일수(조립 해체)를 곱하면 되는지 문의드립니다.

회신문

표준품셈 "5-2-4 다짐말뚝/ 2. 장비조립 해체"는 크레인으로 장비를 최초 1회 조립, 해체 기준이며, 편성 인원 및 편성 장비에 소요일수(외부 반출/반입, 작업구간 내 해체 후 이동조립)를 곱하여 적용하시기 바랍니다.

5-3 말뚝

5-3-1 기성말뚝 기초('99년 신설, '15, '16, '20년 보완)

1. 적용범위

① 본 품은 다음 규격의 기성말뚝 천공 및 말뚝조성 작업에 적용한다.

말뚝종류	말뚝 직경(mm)
강 관 말 뚝	400~800
기 성 콘 크 리 트 말 뚝	

② 본 품은 장비조립 및 해체, 천공, 말뚝조성 작업이 포함된 것이며, 적용범위는 다음과 같다.

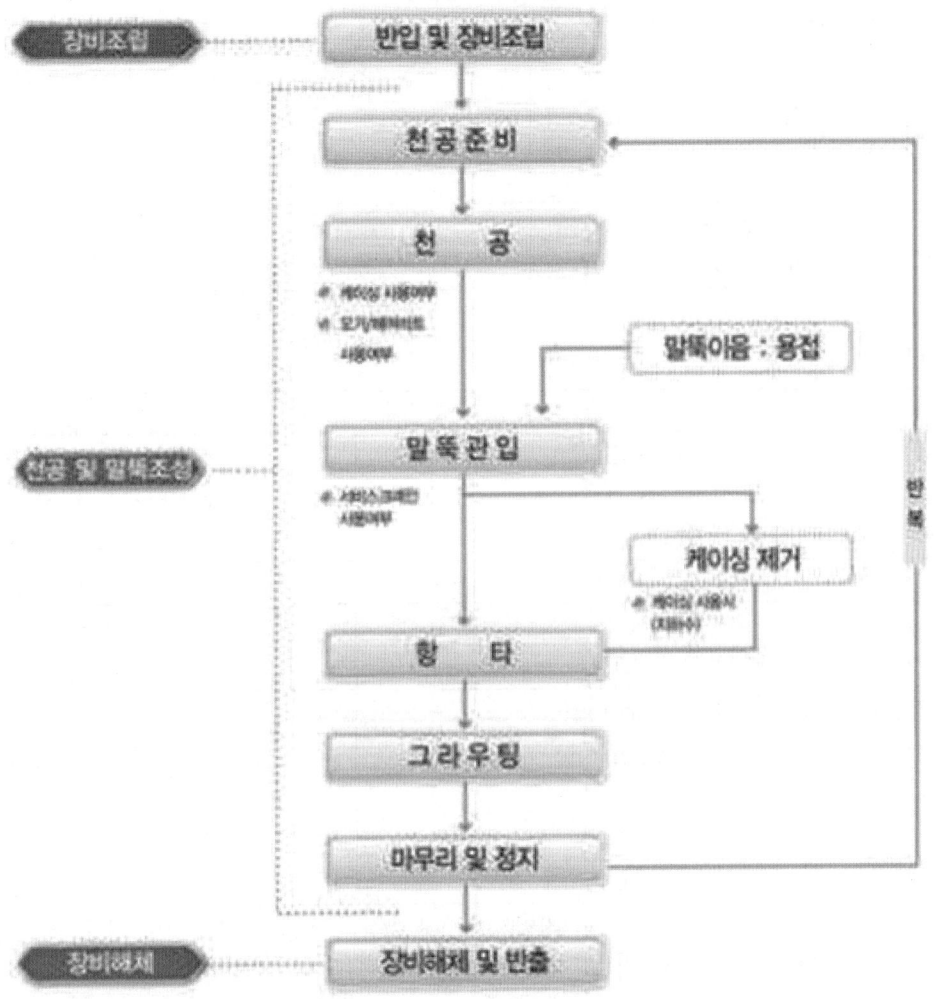

2. 장비조립·해체

(회당)

구 분		단 위	수 량	
			외부 반출/반입	작업구간내 이동
기 계 설 비 공		인	1	1
철 공		〃	2	2
특 별 인 부		〃	1	1
크 레 인		대	1	1
소 요 일 수	조 립	일	3	2
	해 체	〃	1.5	1

[주] ① 본 품은 기성말뚝 시공장비(파일천공전용장비 및 그라우팅 시스템 등)를 1회 조립 및 해체하는 기준이며, 시공조건(외부 반출/반입, 작업구간 내 해체 후 이동조립 등)에 따라 조립·해체를 반복 적용한다.
② 말뚝이음을 위한 서비스케이싱 천공 및 설치는 별도 계상한다.
③ 크레인 규격은 양중능력 및 현장조건을 고려하여 적용한다.

3. 인력편성

(인/일)

직 종		단 위	수 량
보 링 공		인	1
기 계 설 비 공		〃	1
특 별 인 부		〃	2
보 통 인 부		〃	1
용 접 공	말뚝이음필요	〃	1.5
	말뚝이음불필요	〃	0.5

4. 장비편성

구 분		규 격	단 위	수 량	비 고
파일천공전용장비		40~135ton	대	1	리더포함
오 거	스 크 류	59.68~149.2kW	〃	1	-
	케 이 싱	59.68~149.2kW	〃	1	케이싱사용시
발 전 기		450kW	〃	1	오거 구동용
발 전 기		100kW	〃	1	믹서플랜트 구동용
발 전 기		50kW	〃	1	용접용
공 기 압 축 기	오거비트	21㎥/min	〃	1	-
	해머비트	25.5㎥/min	〃	1~2	천공조건 반영
지 게 차		5ton	〃	1	파일운반
굴 삭 기		0.2㎥	〃	1	배토처리
크 레 인		50ton	〃	1	말뚝근입/운반
비 고		시공조건(말뚝이음 유무, 동일 작업장에 2대 이상의 파일천공전용장비 가동, 타공종과 병행 사용 등)에 따라 투입장비 및 수량(적용시간)을 변경하여 적용한다.			

[주] ① 부속장비(그라우팅 장비, 용접장비, 드롭해머 등)의 경비는 '3. 인력편성' 노무비에 다음 요율을 계상한다.

구 분	단말뚝	이음말뚝
요 율 (%)	16	13

② 소모자재(용접봉, 오거스크류, 오거헤드, 케이싱 등) 등의 손료는 '3. 인력편성' 노무비에 다음 요율을 계상한다.

구 분	단말뚝(%)	이음말뚝(%)
케 이 싱 사 용 시	28	30
케 이 싱 미 사 용 시	22	25

※ 해머비트(개량형 비트 포함)의 손료는 별도 계상한다.

③ 전용장비 규격의 기준은 다음과 같다.

말뚝직경(mm)	천공길이(m)	파일천공 전용장비(ton)	오거(kW)
500미만	20미만	100이하	59.68~89.52
500미만	20이상	100이하	89.52~111.90
500~600미만	20미만	100이하	89.52~111.90
500~600미만	20이상	100~135이하	111.90
600이상	-	120~135이하	111.9~149.2

※ 현장작업조건 및 말뚝의 종류/중량 등을 고려하여 장비조합을 변경할 수 있다.
※ 전용장비의 규격은 최대운전하중을 기준으로 한 것이다.

5. 작업소요시간(본당)

구 분	개 요	산출방법
T	작업 소요시간	$T=(t_1+t_2+t_3+t_4)/f$ * 말뚝이음은 별도의 천공홀을 이용한 병행용접 기준이며, 천공홀에서 직접 용접할 경우 t_5(용접) 시간을 추가 계상한다.
t_1	준비시간(이동 / 위치잡기)	5min
t_2	천공시간	$t_2 : \Sigma(L_1 \times a_1)$ L_1 : 지층별 굴착연장 a_1 : 지층별 굴착시간(m당)
t_3	말뚝근입/항타	케이싱 미사용 시 : 5min 케이싱 사용 시 : 8min

t_4 그라우팅 (min)

말뚝길이 \ 직경(mm)	400~600	700~800
10m미만	2	4
10~20미만	4	6
20~30미만	6	8

t_5 용접 (2회용접 기준) (min)

직경(mm)	400	450	500	600	700	800
시간(min)	15	16	18	22	25	29

f	작업계수	- 도로/철도 교량기초 : 0.75 - 건축기초 : 0.85

◦ 지층별 굴착시간(a_1)

(min/m)

구 분	말뚝직경 (mm)	토사		풍화암	연암	경암	혼합층
		점질토	사질토				
오거비트	500미만	0.74	0.96	4.08	-	-	-
	500~600	0.91	1.18	4.99	-	-	-
	700~800	1.24	1.61	6.80	-	-	-
개량형 비트	500미만	0.74	0.96	3.80	-	-	3.28
	500~600	0.91	1.18	4.61	-	-	4.01
	700~800	1.24	1.61	6.32	-	-	5.46
해머비트	500미만	-	-	3.66	8.56	11.93	-
	500~600	-	-	4.48	10.48	14.61	-
	700~800	-	-	6.12	14.32	19.96	-

※ 개량형비트는 오거비트와 해머비트가 복합된 비트이며, 혼합층(호박돌, 전석발생 등 지질 특성으로 오 거비트에 의한 굴착이 어렵거나 작업효율의 현저한 저하가 예상되는 경우)에서 적용 가능하다.

有權解釋

제목 1 기성말뚝 기초 개량형비트 관련 질의

질의문

신청번호 2009-058 신청일 2020-09-22
질의부분 공통 제5장 기초공사 5-3-1 기성말뚝 기초

5-3-1 기성말뚝 기초 4. 장비편성에서 개량형비트사용 시 공기압축기(해머비트) 25.5m³/min 규격을 적용할 수 있는지?

회신문

표준품셈 토목부문 "5-4-1 기성말뚝기초/ 3. 말뚝 조성"의 지층별 굴착시간에서 제시한 개량형비트는 오거비트와 헤머비트가 복합된 비트이며, 현장에서 일반적으로 사용되는 비트를 대상으로 조사된 결과입니다. 여기서 장비조합은 현장작업조건 등을 고려하여 장비조합을 변경할 수 있습니다.

제목 2 기초공사 장비사용 시간 계산에 관하여 질의

질의문

신청번호 2002-059 신청일 2020-02-24
질의부분 공통 제5장 기초공사 5-3-1 기성말뚝 기초

5-3-1 기성말뚝 기초 4항(장비편성)에서 지게차(0.2T), 굴삭기(0.4T), 크레인(0.3T or 1.0T) 작업시간(19년도 표준품셈 기준)이 무엇을 의미하는 것인지?
지게차 작업시간 : 0.2T, 굴삭기 : 0.4T, 크레인 : 0.3T or 1.0T
(예) TE=2.679min/m
Q1(지게차작업량 : 길이) = 60min/(0.2×TE) = 60min/(0.2×2.679min/m)
= 111.98m/hr

회신문

표준품셈 공통부문 "5-3-1 기성말뚝 기초"의 '4. 장비편성'에서 제시하는 지게차 : 0.2T는 1본당 작업시간(T) 동안 지게차의 투입(작업)은 20%만 발생한다는 의미이며, 굴삭기, 크레인에도 해당됩니다. 더불어 개정된 20년 적용 표준품셈에서는 지게차, 굴삭기, 크레인의 작업시간을 T로 정하고 있습니다.

제목 3 쉬트파일 항타 시 항타시간 적용

질의문

신청번호 1909-020 신청일 2019-09-09
질의부분 공통 제5장 기초공사 5-3-1 기성말뚝 기초

가. 당 현장의 쉬트파일 시공이 설계서(단가산출서)에는 "말뚝박기 천공 및 파일 건입(φ500mm미만, L=9.4m, 해머)/공"으로 설계됨.
나. 가)의 설계단가는 2019년 건설공사 표준품셈 5-3-1 기성말뚝 기초 중 1. 적용 범위 ①의 "강관말뚝 및 기성콘크리트말뚝"
다. 5-3-2 말뚝박기용 천공 중 1. 적용 범위 ①의 "본 품은 말뚝 구경 500mm미만의 말뚝박기용 천공을 기준한 것이다."
라. 5-3-1 기성말뚝 기초 중 5. 작업소요시간(본당)의 "t3 말뚝근입/ 항타 항목"의 기준으로 설계됨.
마. 8-2-27 진동파일 해머 중 "2. 강널말뚝"으로 쉬트파일 항타 항목 있음.

[질의]
① 당 현장은 말뚝박기용 천공 후 쉬트파일(강널말뚝)을 항타하는 공정임.
② 단가구성을 표준품셈 5-3 기성말뚝, 5-3-1 기성말뚝 기초의 말뚝박기 천공 및 파일근입을 적용하는 것이 타당한지?
③ 아니면 "표준품셈 5-3-2 말뚝박기용 천공+8-2-27 진동파일 해머 2. 강널말뚝" 항타로 반영하는 것이 타당한지를 질의합니다.

회신문

표준품셈 공통부문 "5-3-2 말뚝박기용 천공"은 가시설 등에 사용되는 500mm미만의 소형말뚝(H-Pile 등 엄지말뚝)을 시공하는 공법으로 천공, 말뚝근입, 항타(필요시), 마무리 작업이 포함되어 있는 것이며, 시트파일 항타와는 서로 다른 기준으로 사료됩니다. 또한 "8-35 진동파일해머"는 별도의 천공작업 없이 시트파일의 항타 및 항발에 적용되는 기준이며, 사전 천공 후 시트파일 항타에 대한 품은 현행 표준품셈에서 별도로 정하고 있지 않습니다.

제목 4 말뚝박기 시 개량형 비트 적용

질의문

'말뚝박기 시 개량형비트 적용(2016.12.01)'의 질의 회신에 따른 추가 질의입니다.
본 현장의 지반은 상부부터 전석층으로 이루어져 있어 일반오거 천공시(three wing bit) 오거비트의 파손으로 인해 일반오거 천공이 불가합니다. 현재 시공은 T-4 해머에 해머비트를 조합하여 시공하고 있습니다.(중간 생략) 개량형비트(외부 오거비트, 내부 해머비트)의 적용시 오거천공에 반영된 경비 및 소모자재(용접봉, 오거스크류, 케이싱 등)이외에 에어해머와 해머비트가 추가로 사용되므로 에어해머와 해머비트의 손료 모두가 반영되는 것이 합당하다고 생각합니다.

> **회신문**
> 표준품셈 "5-4-1 기성말뚝 기초/ 장비편성"에서 해머비트(개량형비트 포함)를 사용할 경우 손료는 별도 계상하게 되어 있으며, 여기에서 별도 계상 가능한 범위는 에어해머와 해머비트에 해당됩니다. 다만 해머비트만 교체할 것인지, 에어해머+해머비트를 교체할 것인지에 대한 판단은 현장여건을 고려하여 공사관계자가 결정하실 사항임을 양지해 주시면 감사드리겠습니다.

5-3-2 말뚝박기용 천공('08, '15, '16, '20년 보완)

1. 적용범위
   ① 본 품은 말뚝구경 500mm미만의 말뚝박기용 천공을 기준한 것이다.
   ② 본 품은 장비조립 및 해체, 천공, 파일근입, 마무리 및 뒷정리 작업을 포함하며 품의 적용범위는 다음과 같다.

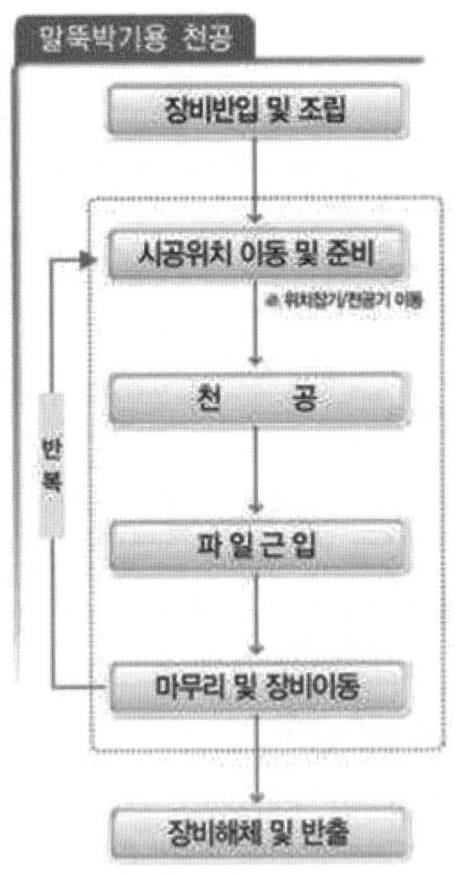

2. 장비조립·해체

(회당)

구 분		단 위	수 량
특 별 인 부		인	1
보 통 인 부		〃	1
용 접 공		〃	1
크 레 인		대	1
소 요 일 수	조 립	일	1
	해 체	〃	0.5

[주] ① 본 품은 크레인으로 천공 장비를 최초 조립 및 해체하는 기준이며, 현장조건에 따라 조립·해체가 반복되는 경우 추가 계상한다.
② 크레인 규격은 양중능력 및 현장조건을 고려하여 적용한다.

3. 인력편성

(인/일)

구 분	단 위	수 량
보 링 공	인	1
특 별 인 부	〃	0.5
보 통 인 부	〃	1
용 접 공	〃	0.5

4. 장비편성

명 칭		규 격	단 위	수 량	비 고
파 일 천 공 전 용 장 비		40~100ton	대	1	리더포함
오 거	스 크 류	59.68~111.90kW	〃	1	
	케 이 싱	59.68~111.90kW	〃	1	케이싱사용시
발 전 기		450kW	〃	1	오거 구동용
공 기 압 축 기	오 거 비 트	10.3~21㎥/min	〃	1	천공조건에 의해 용량결정
	해 머 비 트	25.5㎥/min	〃	1	
굴 삭 기		0.18~0.2㎥	〃	1	배토처리
크 레 인		25ton	〃	1	파일근입/이동
비 고		- 시공조건(말뚝이음 유무, 동일 작업장에 2대 이상의 파일천공전용장비 가동, 타공종과 병행 사용 등)에 따라 투입장비 및 수량을 변경하여 적용한다.			

[주] ① 부속장비(용접장비 등)의 경비 및 소모자재(용접봉, 오거스크류, 케이싱 등) 손료는 '3. 인력편성' 노무비에 다음 요율을 계상한다.

구 분	케이싱 미사용시	케이싱 사용시
요 율(%)	8	9

② 해머비트(개량형 비트 포함) 손료는 별도 계상한다.

③ 전용장비 규격의 기준은 다음과 같다.

말뚝직경(mm)	천공길이(m)	전용장비(ton)	오거(kW)
500미만	10m미만	40ton	59.68~89.52kW
	10~20m미만	60ton	
	20m이상	100ton	89.52~111.90kW

※ 현장작업조건 및 천공길이를 고려하여 장비규격 및 조합을 변경할 수 있다.

5. 작업소요시간

T (작업시간) : $(T_1+T_2+T_3)/f$

T_1(준비시간) : 3 min (천공위치 확인, 천공준비)

T_2(천공시간) : $\Sigma(L_1 \times t_1)$

L_1 : 지층별 천공연장

t_1 : 지층별 천공시간(m당)

(min/m)

구 분	말뚝직경(mm)	토사		풍화암	연암	경암	혼합층
		점질토	사질토				
오 거 비 트	500미만	0.74	0.96	4.08	-	-	
개 량 형 비 트	500미만	0.74	0.96	3.80	-	-	3.28
해 머 비 트	500미만	-	-	3.66	8.56	11.93	

※ 개량형비트는 오거비트와 해머비트가 복합된 비트이며, 혼합층(호박돌, 전석발생 등 지질 특성으로 오거비트에 의한 굴착이 어렵거나 작업효율의 현저한 저하가 예상되는 경우)에서 적용 가능하다.

T_3(말뚝근입시간) : 2min

※ 항타작업이 필요한 경우에는 '[공통부문] 5-3-1 기성말뚝 기초'의 t_3(말뚝근입/항타)의 작업시간을 참고하여 적용한다.

f(작업계수) : 0.8

有權解釋

제목 1 혼합층의 정의

질의문

신청번호 2210-103 신청일 2022-10-27
질의부분 공통 제1장 적용기준 1-6-3 토질 및 암의 분류

1. 지반조사보고서(지질주상도)에서 혼합층이 6m로 명시되어 있습니다.
2. 감리단에서 혼합층 3m+점토 3m로 인정하고 적용합니다
3. 토사층 속에서 전석이나 호박돌이 몇 퍼센트(%)로 섞여 있어야 혼합층으로 적용하는지 궁금합니다.
4. 혼합층의 기준이 있는지도 궁금합니다

회신문

표준품셈 공통부문 "5-3-2 말뚝박기용 천공"에서 '혼합층'은 일반토사에 호박돌, 전석 등이 혼합되어 있는 기준으로 오거비트에 의한 굴착이 어렵거나, 작업효율이 현저히 저하할 경우를 의미합니다. 다만 혼합층이 전석이나 호박돌이 몇 퍼센트로 섞여 있어야 혼합층인지에 대한 기준은 제시하고 있지 않습니다.

제목 2 말뚝박기 천공 질의

질의문

신청번호 2206-006   신청일 2022-06-02
질의부분 공통 제5장 기초공사 5-3-2 말뚝박기용 천공

가시설 Sheet Pile 말뚝박기용 천공 적용 시 설계에 적용되고 있는 방법은 입니다.
1) T3(말뚝 근입시간)에 5분 및 8분 적용하고 별도 항타 미적용 방법(케이싱 미적용 : 5분, 케이싱 적용 : 8분)
2) T3(말둑 근입시간)에 0분을 적용하고 별도 항타를 적용하는 방법

설계VE 등에서 몇년째 논쟁이 되고 있습니다.(시공순서상 사전천공 → Guide beam 설치 → 전장항타 순입니다.) 과거 질의 및 답변에 Sheet Pile 말뚝박기용 천공을 확인할 수 있으며, 2019년 9월 9일 쉬트파일 항타시 항타시간 적용 질의 및 답변을 확인해보면 Sheet Pile 말뚝박기용 천공 적용 방법에 대한 타당성에 대해서 문의하였습니다.
답변에는 사전천공 후 시트파일 항타에 대한 품은 현행 표준품셈에서 별도로 정하고 있지 않습니다. 표준품셈에서 정하지 않는 사항은 동 동 품셈 1-1-3의 4항을 참조하라는 답변이였습니다. 현장 시공순서를 고려하면 T3=0분을 적용하고 별도 항타를 적용하는 것이 타당하며, 표준품셈대로 항타가 포함되었다고 해석하면 T3=5 또는 8분 적용하고 별도 항타를 미적용하는 것이 타당합니다.
이 부분은 계속된 논쟁이며, 공사비 산정시 단가 차이가 크게 발생하므로 정리가 필요합니다.
표준품셈 적용사항에 대해서는 공사비원가관리센터 Q&A 등의 자료로 답변서 등 대응 자료로 활용되고 있으니 Sheet Pile 말뚝박기용 천공 적용 방법에 대해서 답변 부탁드립니다.

회신문

표준품셈 공통부문 "5-3-2 말뚝박기용 천공"은 가시설 등에 사용되는 500mm 미만의 소형말뚝(H-Pile 등 엄지말뚝)을 시공하는 공법으로 천공, 말뚝 근입, 항타(필요 시), 마무리 작업이 포함되어 있습니다. 또한 공통부문 "8-2-27 진동파일 해머"는 별도의 천공작업 없이 시트파일의 항타 및 항발에 적용되는 기준이며, 사전천공 후 시트파일 항타에 대한 품은 현행 표준품셈에서 별도로 정하고 있지 않습니다.

제목 3 말뚝박기 천공 단가산출 방법

질의문

신청번호 2103-028   신청일 2021-03-08
질의부분 공통 제5장 기초공사 5-3-2 말뚝박기용 천공

천공 깊이 5m 말뚝박기 단가산출 시 5번 항목 중 L_1(지층별 천공시간) 적용을 1m로 하여 m당 단가에 5를 곱해야 하는지, 총 천공 연장인 5m를 적용하여 단가를 산출해야 하는지 알고 싶습니다. 말뚝 구경 500mm 이상 천공단가 산출기준을 알고 싶습니다.

회신문

표준품셈 공통부문 "5-3-2 말뚝박기용 천공/ 5. 작업소요 시간"은 지층별 천공 연장 및 천공 시간에 따른 작업소요 시간을 산정할 수 있도록 제시하고 있습니다. 여기서 T_2(천공 시간)은 $\Sigma(L_1 \times t_1)$이며, L_1은 지층별 천공 연장(m)이며, t_1은 지층별 천공 시간(m당)입니다. 여기서 지층별 천공 시간은 제시된 표를 확인하시어 m당 걸리는 min을 참조하시면 됩니다. 또한 말뚝 직경 500mm 이상의 기준에 대해서는 제시하고 있지 않습니다.

제목 4 말뚝박기용 천공에서 작업시간 문의

질의문

신청번호 2101-088 신청일 2021-01-26
질의부분 공통 제5장 기초공사 5-3-2 말뚝박기용 천공

품셈 5-3-2 말뚝박기용 천공 문의드립니다. 작업소요 시간 산정 시 작업시간 $T=(T_1+T_2+T_3)/f$로 되어 있습니다. 이에 따라 T_1, T_3의 시간에 대한 의견이 있습니다.

[의견1]
T_1과 T_3는 본당 시간이므로 본당 준비시간(T_1)은 3분, 근입 시간(T_3)은 2분이다.

[의견2]
말뚝 길이에 따라서 작업 준비시간 및 근입 시간은 변경되는 것이 맞기 때문에 T_1, T_3는 본당 소요되는 평균 시간을 m당 시간으로 환산된 것이다. 즉 1m 천공과 8m 천공은 다른 것이기 때문에 8m 천공은 준비시간 8m×3분=24분, 말뚝 근입 시간은 8m×2분=16분이다.
T_1과 T_3을 어떻게 적용해야 하는지 질의드립니다.

회신문

표준품셈 "5-3-2 말뚝박기용 천공/ 5. 작업소요 시간"의 T(작업시간)은 파일 본당 시간이며, T_1(준비시간 3분), T_3(말뚝 근입시간 2분) 또한 각각 파일 본당 시간입니다.

監査

제목 1 흙막이가시설 말뚝박기 천공 과다 설계

내용

「△△△△△단지 진입도로 개설공사」을 시행하면서 흙막이가시설(H-Pile, 300mm×300mm) 설치를 위하여 기성(강관)말뚝을 천공하는 공법을 적용하여 설계에 반영하였다. 그러나 기성(강관)말뚝 천공은 말뚝 직경이 400~800mm 이내인 경우에 적용하는 것으로 흙막이가시설(H-Pile, 300mm×300mm)의 경우에는 건설공사 표준품셈 5-6-1 말뚝박기용 천공을 적용하는 것이 경제적이고 합리적인 설계다. 그런데 △△△△본부에서는 불합리한 공법이 설계에 반영되어 있음에도 공사비 25,748천원에 대하여 감사일 현재까지 설계변경(감액) 등의 조치없이 공사 중에 있다.

조치할 사항

○○○○시 △△△△본부장은 과다계상된 흙막이가시설설치 공사비 25,748천원(제경비 및 부가가치세 포함)에 대하여 설계변경(감액) 조치하시고, 앞으로 설계도서 검토 소홀로 인한 시정사항이 발생되지 않도록 건설사업관리기술자 및 관련 공무원들에게 지속적인 업무연찬을 실시하는 등 건설공사 추진에 철저를 기하시기 바람

제목 2 계약단가가 있는 파일천공비의 부당 증액을 승인처리

내용

계약상대자는 흙막이시설 'H-Pile + 토류판'을 'CIP'로 변경하고, 임시 작업장으로 사용할 복공판을 추가하는 설계변경 실정보고를 하면서 설계변경의 사유가 되지 않은 암반천공의 구성요소인 비트의 변경(해머비트 → 트리콘비트)을 이유로 이미 계약된 천공 공사량 254m와 증가된 천공 공사량 239m 전체의 암반천공 공사량 493m에 대하여 계약단가인 풍화암·연암의 천공비 75,369원을 적용하지 아니하고 풍화암(트리콘 비트)은 1m당 231,068원(306%증가), 연암(트리콘비트)은 1m당 418,174원(555%증가)으로 m당 단가를 부풀려 부당하게 공사비 142,849천원을 증액시키는 것으로 책임건설사업관리자에게

설계변경 실정보고를 하였고, 발주청에서는 이를 그대로 승인처리하여 계약상대자에게 설계변경 승인통보 하였습니다.

> **조치할 사항**
> OOOO시 OO구청장은 흙막이 벽체를 'H-Pile + 토류판'에서 'CIP'로 변경하는 등 과정에서 기존의 계약단가를 변경하여 부당하게 증액시킨 142,849천원 상당의 암반 천공비는 승인 취소하시기 바람(시정)

5-3-3 말뚝두부정리(강관)('08, '09, '15, '20년 보완)

(본당)

구 분	규 격	단 위	수 량 ø400	ø500	ø600	ø700	ø800
용 접 공		인	0.038	0.047	0.058	0.067	0.077
보 통 인 부		〃	0.038	0.047	0.058	0.067	0.077
굴 삭 기	0.2㎥	hr	0.046	0.052	0.070	0.082	0.094

[주] ① 본 품은 강관말뚝 조성 완료 후 자동절단기(산소+LPG)를 사용하여 설계 높이에 맞게 말뚝두부를 절단하는 기준이며, 말뚝머리 보강에 필요한 품은 별도 계상한다.
② 본 품은 작업준비, 강관말뚝 절단, 작업정리 및 마무리 작업을 포함한다.
③ 공구손료 및 경장비(자동절단기 등)의 기계경비는 인력품의 4%로 계상한다.
④ 자재소모량은 다음 기준을 적용한다.

구 분	단 위	수 량 ø400	ø500	ø600	ø700	ø800
산 소	ℓ	95	113	138	185	220
L P G	kg	0.1	0.13	0.15	0.18	0.21

※ 산소량은 대기압상태의 기준량이며, 압축산소는 35℃에서 150기압으로 압축용기에 넣어 사용하는 것을 기준한다.

5-3-4 말뚝두부정리(콘크리트)('20년 보완)

(본당)

구 분	규 격	단 위	수 량 ø400	ø500	ø600	ø700	ø800
할 석 공		인	0.039	0.054	0.063	0.071	0.080
보 통 인 부		〃	0.039	0.054	0.063	0.071	0.080
굴 삭 기	0.2㎥	hr	0.063	0.089	0.102	0.114	0.127

[주] ① 본 품은 콘크리트파일 조성 완료 후 그라인더를 사용하여 설계높이에 맞게 자르는 기준이며, 말뚝머리 보강에 필요한 품은 별도 계상한다.
② 본 품은 작업준비, 콘크리트말뚝 절단, 작업정리 및 마무리 작업을 포함하며, 절단된 말뚝두부의 파쇄는 제외되어 있다.
③ 공구손료 및 경장비(그라인더 등)의 기계경비는 인력품의 3%로 계상한다.
④ 잡재료 및 소모재료(그라인더날, 철선, 파일캡 등)는 인력품의 9%로 계상한다.

5-3-5 현장타설말뚝('15, '21년 보완)

1. 적용범위

① 본 품은 다음 규격의 현장타설 말뚝에 적용한다.

적용공법	말뚝직경(mm)
R. C. D(Reverse Circulation Drill)	
요 동 식 올 케 이 싱	1,000~3,000
전 회 전 식 올 케 이 싱	

② 본 품은 장비조립 및 해체, 천공 및 말뚝조성 작업이 포함된 것이며, 적용범위는 다음과 같다.

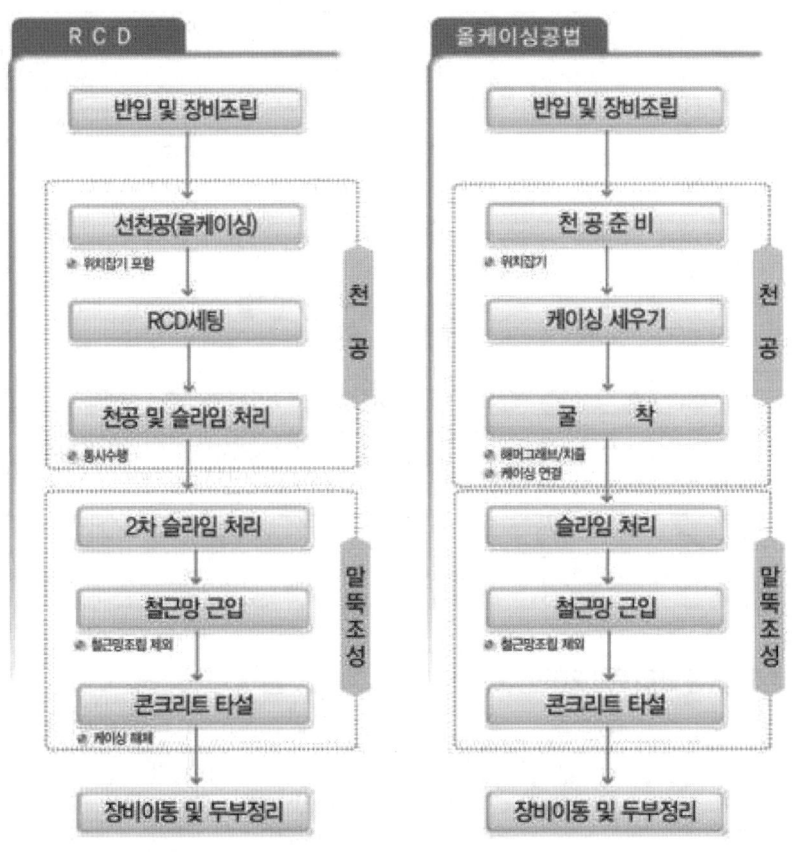

2. 장비 조립·해체

(회당)

구 분		단 위	외부 반출/반입	작업구간 이동
기 계 설 비 공		인	1	1
철 공		〃	2	2
특 별 인 부		〃	1	1
크 레 인		대	1	1
소 요 일 수	조 립	일	3	1.5
	해 체	〃	1.5	1

[주] ① 본 품은 말뚝 시공장비(천공장비, 말뚝조성 및 철근망 제작장비 등)를 1회 조립 및 해체하는 기준이며, 시공조건(외부 반출/반입, 작업구간 내 해체 후 이동조립 등)에 따라 조립·해체를 반복 적용한다.

② 공구손료 및 경장비(발전기, 전동드릴 등)의 기계경비는 인력품의 3%로 계상한다.
③ 크레인 규격은 양중능력 및 현장조건에 고려하여 적용한다.

3. 굴착

가. 인력편성

(인/일)

직 종	단 위	수 량
보 링 공	인	1
특 별 인 부	〃	2
보 통 인 부	〃	1
용 접 공	〃	1

나. 장비편성

명 칭	규 격	단위	수량	작업시간	R.C.D	올케이싱	
						요동식	전회전식
크 레 인	70~120ton	대	1	T	○	○	○
R . C . D 장 비	1,000~3,000mm	〃	1	T	○	-	-
오 실 레 이 터	1,000~3,000mm	〃	1	T	-	○	-
전 회 전 식 천 공 기	1,000~3,000mm	〃	1	T	-	-	○
발 전 기	150kW	〃	1	T	○	○	○
공 기 압 축 기	25㎥/min	〃	1	T	○	-	-
굴 삭 기	0.4~0.6㎥	〃	1	T	-	○	○

[주] ① 케이싱은 굴착깊이+1.5m를 계상한다.
② 부속장비(강재탱크, 해머그래브, 용접기, 치즐 등)의 경비는 '1. 인력편성' 노무비에 다음 요율을 계상한다.

구 분	R.C.D	올케이싱
요율	8%	16%

③ 소모자재(용접봉, 철판재, 호스 등)의 손료는 '1. 인력편성' 노무비의 11%를 계상한다.
④ 케이싱 및 비트 손료는 별도 계상한다.
⑤ 현장작업조건을 고려하여 장비조합 및 규격을 변경할 수 있다.

다. 작업소요시간(본당)

$T = (T_1+T_2)/f$

T_1(준비시간)

구 분	R.C.D	요동식	전회전식
소 요 시 간 (h r)	2	2	2

[주] R.C.D공법은 올케이싱에 의한 굴착 후 후속 굴착작업을 기준한다.
T_2(천공시간) : $\Sigma(L_1 \times t_1)+t_2$
L_1 : 지층별 천공길이
t_1 : 지층별 천공시간

(hr/m)

구 분	말뚝직경 (mm)	토사			풍화암	연암	경암
		점질토	사질토	자갈			
R.C.D	1000	-	-	-	1.04	1.42	2.48
	1500	-	-	-	1.23	1.71	2.97
	2000	-	-	-	1.29	1.82	3.17
	2500	-	-	-	1.35	1.95	3.38
	3000	-	-	-	1.41	2.07	3.61
요동식	1000	0.21	0.30	0.59	0.67	-	-
	1500	0.26	0.35	0.62	0.69	-	-
	2000	0.31	0.40	0.64	0.83	-	-
	2500	0.36	0.45	0.67	0.97	-	-
	3000	0.41	0.50	0.69	1.10	-	-
전회전식	1000	0.20	0.29	0.57	0.64	1.18	1.88
	1500	0.25	0.34	0.59	0.67	1.60	2.55
	2000	0.29	0.39	0.62	0.80	2.02	3.23
	2500	0.34	0.44	0.64	0.93	2.44	3.90
	3000	0.39	0.48	0.66	1.06	2.86	4.57
비 고	- 극경암 등 이상 지질층 발생으로 천공 효율이 떨어지는 경우 천공시간을 증가하여 적용할 수 있다.						

t_2 : 로드연결해체 및 케이싱 연결

(회당)

구 분	로드연결/해체 (R.C.D)	케이싱 연결 (올케이싱)
소요시간(hr)	0.4	0.4

f : 공법별 작업계수

구 분	R.C.D	올케이싱
작업계수(f)	0.85	0.8

4. 말뚝조성

 가. 인력편성

(인/일)

직 종	단 위	수 량
보 링 공	인	1
콘 크 리 트 공	〃	1
특 별 인 부	〃	2

나. 장비편성

명 칭		규 격	단위	수량	작업시간	R.C.D	올케이싱	
							요동식	전회전식
굴착전용장비	오실레이터	1,000~3,000mm	대	1	T	○	○	-
	전회전식 굴착기	1,000~3,000mm	〃	1	T	-	-	○
크 레 인		25ton	〃	1	T	○	○	○
발 전 기		150kW	〃	1	T	○	○	○

[주] ① 트레미파이프는 굴착깊이+1.5.m를 계상한다.
② 부속장비(슬라임제거기, 수중펌프, 트레미파이프 등) 경비 및 잡재료 손료(용접봉, 철판재, 호스 등)는 '1. 인력편성' 노무비에 다음 요율을 계상한다.

요동식+R.C.D	올케이싱
3.0%	5.0%

※ 요동식+R.C.D는 요동식과 R.C.D천공이 연속된 작업을 기준한다.
③ 현장작업조건을 고려하여 장비조합 및 규격을 변경할 수 있다.

다. 작업소요시간(본당)

$T = (T_1+T_2+T_3+T_4)/f$

T_1(준비시간) : 1.0hr

T_2(이토제거)

구 분	R.C.D	올케이싱
소요시간(hr)	1.0	2.0

T_3(타설준비) : t_1+t_2

t_1(철근망 이동·설치 및 이음) : 0.17hr+a_1

a_1(철근망 이음)

(철근망이음 횟수당)

구 분	1,000mm	1,500mm	2,000mm	2,500mm	3,000mm
적 용 시 간	0.26hr	0.32hr	0.39hr	0.45hr	0.51hr

※ 철근망 가공 조립은 별도 계상한다.
t_2(트레미파이프 설치) : 0.092hr/개소당
※ 호퍼 및 수중펌프 설치 시간은 포함되어 있다.
T_4(콘크리트 타설) : 0.037hr/㎥당
※ ① 본 품은 케이싱 및 트레미파이프 해체 작업이 포함되어 있다.
② 1본당 타설량(Q)은 다음과 같다.
$Q = \pi/4 \times D^2 \times L \times \beta$
D : 말뚝직경(m)
L : 말뚝길이(m)
β : 보정계수

구 분	R.C.D	올케이싱
β	1.14	1.08

f(작업계수) : 0.85

5-4 차수

5-4-1 차수재공

(m²당)

구 분		명 칭	규 격	단 위	수 량
부 직 포	자 재	부 직 포	-	m²	1.1
	인 력	방 수 공		인	0.002
		보 통 인 부		〃	0.001
	장 비	크 레 인		hr	0.002
지오 콤포지트	자 재	지 오 콤 포 지 트	6.0mm	m²	1.1
	인 력	방 수 공		인	0.003
		보 통 인 부		〃	0.001
	장 비	크 레 인		hr	0.002
벤토나이트 매 트	자 재	벤 토 나 이 트 매 트	6.0mm	m²	1.1
	인 력	방 수 공		인	0.003
		보 통 인 부		〃	0.001
	장 비	크 레 인		hr	0.002
HDPE 시트	자 재	H D P E 시 트	2~2.5mm	m²	1.1
	인 력	방 수 공		인	0.007
		보 통 인 부		〃	0.002
	장 비	크 레 인		hr	0.006

[주] ① 본 품은 부직포, 지오콤포지트, 벤토나이트매트, HDPE Sheet(고밀도 폴리에틸렌)의 재료를 각각 1겹 설치하는 기준으로 2겹을 설치 할 경우에는 해당 품의 2회를 적용한다.
② 자재를 종류별로 선택하여 설치할 경우에는 해당 자재품만 적용한다.
③ 재료의 할증은 포함되어 있다.
④ 본 품은 소운반, 부설, 연결 및 접합, 정리 작업을 포함한다.
⑤ 본 품은 수직고 50m 이하를 기준한 것으로, 높이 할증은 별도 계상하지 않는다.
⑥ 본 품의 크레인 규격은 다음 기준을 적용한다.

수직고	크레인 규격
30m 이하	30톤급 크레인
30m초과~50m이하	50톤급 크레인

⑦ 크레인의 규격은 작업여건(작업높이, 크레인 위치 등)에 따라 변경할 수 있다.
⑧ 공구손료 및 경장비(발전기, 자동융착기 등)의 기계경비는 구분(인력품)에 다음 요율을 적용한다.

구 분	부직포	지오콤포지트	벤토나이트매트	시트
요율	2%	2%	2%	5%

⑨ 지반고르기, 되메우기가 필요한 경우 별도 계상한다.

제 6 장 철근콘크리트공사

6-1 콘크리트

- 콘크리트량이 많거나 소량이라 할지라도 그 품질상 필요한 경우에는 반드시 배합설계를 하여야 한다.
- 레미콘은 그 경제성 및 품질을 현장 콘크리트와 비교하여 사용여부를 결정하여야 한다.

6-1-1 레디믹스트콘크리트 타설

(㎥당)

유형	구분	규격	단위	수량 무근구조물	수량 철근구조물	수량 소형구조물
인력운반 타설	콘크리트공	-	인	0.12	0.14	0.24
	보통인부	-	인	0.15	0.16	0.30
장비사용 타설	콘크리트공	-	인	0.06	0.07	0.09
	보통인부	-	인	0.02	0.02	0.02
	굴삭기	(0.6~0.8㎥)	hr	0.09	0.10	0.31
비고	- 본 품의 타설유형은 다음의 경우에 적용한다.					
	구분	내용				
	인력운반 타설	- 인력운반 장비(손수레 등)로 콘크리트를 운반하여 시공하는 기준이다.				
	장비사용 타설	- 믹서트럭에서 콘크리트를 굴삭기로 공급받아 근접된 타설 위치에 직접 시공하는 기준이다.				

[주] ① 본 품은 현장 내 콘크리트 운반, 타설, 다짐 및 양생준비를 포함한다.
② 소형구조물은 개소별 소량(6㎥이하)의 타설 위치가 산재되어 있는 경우에 적용한다.
③ 미장공에 의한 표면 마무리가 필요한 경우 '[공통부문] 6-1-3 표면 마무리'를 따른다.
④ 양생은 양생방법 및 시간을 고려하여 별도 계상한다.
⑤ 공구손료 및 경장비(콘크리트 진동기 등) 기계경비는 인력품의 2%로 계상한다.

有權解釋

제목 콘크리트타설 품에 진동기 반영 여부

질의문

신청번호 1903-049 신청일 2019-03-13
질의부분 공통 제6장 철근콘크리트공사 6-1-1 레디믹스트콘크리트타설

표준품셈 공통부문 6-1-1 레디믹스트콘크리트 타설 [주] 5. 공구손료 및 경장비(콘크리트 진동기 등) 기계경비는 인력품의 2%를 계상한다고 명시되어 있습니다.
〈중략〉

제가 검토한 바로는 2016년 품셈까지 6-1-1 콘크리트 타설 ⑦ 다짐에서 진동기를 사용할 경우에는 노무비를 제외한 운전경비 및 손료를 별도 계상한다. 라고 명시되어 있어서 그렇게 적용한 것으로 판단됩니다. 그런데 2017년 품셈부터는 인력품의 2%로 계상한다고 명시되어 있어서 콘크리트 진동기의 기계경비를 삭제되어야 한다고 생각합니다.

질문1. 품셈 [주] 5에 따라 콘크리트 진동기 사용시 인력품의 2%를 계상하고 별도의 진동기 기계경비를 반영하지 않는 것이 맞는 것인지?

질문2. 그러면 바이브레이터가 필요없는 콘크리트 타설에는 진동기 조차 필요 없으니 인력품의 2%도 삭제하여야 하는 것이 맞는 것인지?

회신문

2019년 표준품셈 공통부문 "6-1-1 레디믹스트콘크리트타설"에서 인력품의 2% 계상하면 진동기 기계경비 반영하지 않아도 되며, 진동기가 필요없는 타설의 경우 인력품의 2% 계상할 필요가 없습니다.

6-1-2 현장비빔타설

(m³당)

유형	구분	단위	수량 무근구조물	수량 철근구조물	수량 소형구조물
기계비빔타설	콘크리트공	인	0.15	0.17	0.24
기계비빔타설	보통인부	인	0.46	0.68	0.94
인력비빔타설	콘크리트공	인	0.85	0.87	1.29
인력비빔타설	보통인부	인	0.82	0.99	1.36

[주] ① 본 품은 현장 내 콘크리트 운반, 타설, 다짐 및 양생준비를 포함한다.
② 소형구조물은 소량의 콘크리트 구조물(인력비빔 3㎥내외, 기계비빔 10㎥내외)이 산재되어 있는 경우에 적용한다.
③ 미장공에 의한 표면 마무리가 필요한 경우 '[공통부문] 6-1-3 표면 마무리'를 따른다.
④ 콘크리트 용수를 현장에서 구득하기 어려운 경우에는 운반비를 별도 계상한다.
⑤ 양생은 양생방법 및 시간을 고려하여 별도 계상한다.
⑥ 비빔 및 타설에 필요한 장비(배합기, 진동기 등)의 기계경비는 별도 계상한다.

有權解釋

제목 1 자전거도로 비닐깔기 및 양생과 관련한 사항

내용

"○○재해예방사업"에는 하천둔치에 기존에 설치되어 있는 기존 자전거도로와 연결하여 ㄴ까지 편리하게 자전거로 이동할 수 있도록 설계내역에 자전거도로를 설치하도록 설계내역에 반영되어 있습니다. 그런데, 자전거도로 콘크리트포장공사 시공 표준품셈에는 비닐깔기와 양생 비용이 이미 시공범위에 포함되어 있어 별도의 비닐깔기 및 양생비용에 대한 시공비의 반영이 필요하지 않는데도 설계변경 등을 통하여 중복 반영(9,768천 원 정도)한 사실이 있습니다.

조치할 사항

○○○○장은 중복으로 계상된 콘크리트포장 공종에 대하여 설계변경(감액 9,768천 원) 등의 조치를 하시기 바람(시정)

제목 2   콘크리트 인력비빔 주기사항 미확인에 따른 불필요한 공종 적용으로 공사비 과다계상

내용
'인력비빔 콘크리트타설 공종의 품'은 단위 m²당 콘크리트공 0.85인, 보통인부 0.85인으로 규정되어 있으며, 인력비빔, 재료, 콘크리트소운반, 타설, 다짐 및 양생 등 일련의 작업공정이 모두 포함되어 있으나, ㅇㅇ구청은 '인력비빔 콘크리트포장 복구 공종'의 품(단가)을 산정하면서 인력 적용 여건(차량진입 불가 등), 최대적용 면적 등 세부 기준을 미제시하고 '콘크리트타설 품'에 '콘크리트포장 품(포장공1.2인/a, 보통인부 1.2인/a, 표준품셈 10-3-2)'을 추가(중복)하여 적용함

조치할 사항
'콘크리트포장 복구(콘크리트 기층 설치) 공종'의 적용 세부기준을 마련하여 건설공사 '설계기준'을 개선하고, ㅇㅇ국은 계약심사 강화를 위한 자치구 실무교육 실시하기 바람

6-1-3 표면 마무리

(100m²당)

구 분	단 위	수 량
미 장 공	인	0.34

[주] 본 품은 콘크리트 타설 후 쇠흙손을 이용하여 마감하는 기준이다.

6-1-4 콘크리트 펌프차 타설('08, '09, '17, '22년 보완)

1. 적용범위
   가. 본 품은 콘크리트펌프차(80㎥/hr 이상)를 활용한 콘크리트 타설에 적용한다.
   나. 펌프차 타설은 단일구조물의 1회 타설(셋팅 및 마감)을 기준으로 하며, 작업시간내에 인접되어 있는 두개 이상의 구조물을 연속하여 타설할 경우 동일군으로 계상한다.
       단, 펌프차의 타설범위(타설높이 및 수평거리)를 초과하여 재셋팅이 필요한 경우 '3.작업소요시간의 t_3(펌프차 이동 및 재셋팅)'을 콘크리트 펌프차 운전시간(Tc)에 반영한다.
   다. 본 품은 펌프차를 활용한 타설, 다짐, 양생준비 작업을 포함한다.
   라. 타설 횟수는 설계(시공단계에 따른 타설 위치) 및 시공조건(일 작업시간, 시공이음, 1회가능 타설수량 등)을 고려하여 적용한다.
   마. 타설 후 별도의 표면 마무리가 필요한 경우 '[공통부문] 6-1-3 표면 마무리'를 따른다.
   바. 콘크리트 펌프차 규격은 타설높이 및 수평거리를 고려하여 선정한다.
       배관타설은 붐 타설이 곤란한 경우, 혹은 현장조건 등에 따라 배관타설이 적당한 경우에 적용하며, 배관의 설치 및 철거는 '4.압송관 설치 및 철거'를 따른다.
   사. 양생은 양생방법 및 시간을 고려하여 별도 계상한다.
   아. 소모재료(양생제 등)가 필요한 경우 별도 계상한다.

2. 인력편성

구 분	단위	편성인력(1회 타설)			비 고
		100㎥ 미만	100~200㎥ 미만	200㎥ 이상	
콘 크 리 트 공	인	5	6	6	타설/진동기/면정리
특 별 인 부	인	2	2	3	타설보조/면정리 (배관타설시 1인 추가)
보 통 인 부	인	2	2	2	현장정리/보조

[주] ① 본 편성인력은 콘크리트 진동기 사용 기준으로 진동기를 사용하지 않는 경우 콘크리트공과 특별인부를 각 1인 제외한다.
② 공구손료 및 경장비(콘크리트 진동기 등)의 기계경비와 잡재료비는 인력품에 다음 요율을 적용한다.

구 분	100㎥ 미만	200㎥ 미만	200㎥ 이상
인력품의 %	5%	4%	3%

3. 작업소요시간
  가. 전체작업소요시간(T) : 인력편성 노무비에 적용
   $T = T_c + T_b$
      T_c : 콘크리트펌프차 운전시간
      T_b : 인력에 의한 타설준비 및 마무리 시간

  나. 콘크리트 펌프차 운전시간(T_c) : 콘크리트 펌프차 운전시간 적용
   $T_c = (t_1+t_2+t_3+t_4)/F$
      t_1(펌프차 셋팅) : 20min
      t_2(펌프차 마감) : 20min
      t_3(펌프차 이동 및 재셋팅) : 30min/회당
      t_4(펌프차 타설, min) : 기준시간 × f_1 × f_2 × 타설량
      F(작업계수)
  (1) 펌프차 셋팅 : 펌프차 현장진입 후 타설준비까지 소요시간
  (2) 펌프차 마감 : 믹서트럭 마지막 차량 타설 후 차량마감 및 현장정리
  (3) 펌프차 이동 및 재셋팅은 타설위치가 넓거나 산재하여 펌프차의 이동으로 재셋팅이 필요한 경우에 적용하며, 펌프차 작업가능 수평거리를 고려하여 재셋팅 횟수를 산정한다.
  (4) 펌프차 타설의 기준시간은 다음을 적용한다.

슬럼프	기준시간(min)	
	무근콘크리트	철근콘크리트
8~12cm	1.15	1.35
15cm	1.10	1.25
18cm이상	1.00	1.15

[주] 기준시간은 콘크리트 1㎥당 타설시간임

(5) 시설유형(f_1)

유 형	양호	보통	불량	매우불량
f_1	1.0	1.20	1.40	4.0

[주] ① 양호 : 매트기초 등 펌프차 작업에 제약이 없는 시설물
② 보통 : 벽, 기둥, 보, 슬래브, 교대, 교각 등 펌프차 작업에 큰 지장이 없어 일반적인 시공이 가능한 시설물
③ 불량 : 옹벽, 줄기초, 슬래브 없는[월거더:wall girder]구조의 기둥과 보 등 펌프차 작업에 제약을 받는 타설부위가 좁거나 깊은 시설물
④ 매우불량 : 절·성토부 비탈면에 시공되는 구조물 등 펌프차 작업에 제약이 매우 큰 시설물

(6) 믹서트럭진입 조건(f_2)

유 형	양호	보통	불량
f_2	1.0	1.20	1.40

[주] ① 양호 : 대기공간이 충분히 넓어 믹서트럭 2대가 병렬로 타설준비가 가능하며 지속적인 타설을 수행하는 경우
② 보통 : 믹서트럭이 1대씩 직렬로 대기하며 순차적으로 타설준비하여 타설하는 일반적인 경우
③ 불량 : 믹서트럭의 대기공간이 매우 협소하고 진출입 길이가 길어 연속적인 타설이 어려운 경우

다. 작업계수(F) : 1회 타설규모

유 형	100㎥ 미만	200㎥ 미만	200㎥ 이상
F	0.70	0.80	0.90

라. 타설준비 및 마무리 시간(Tb)

유 형	100㎥ 미만	200㎥ 미만	200㎥ 이상
Tb(min)	25	35	45

[주] ① 타설준비 작업 : 펌프차 셋팅 전 작업인력에 의한 타설위치 확인, 점검 등 작업에 소요되는 시간이다.
② 마무리 작업 : 펌프차 타설 후 인력에 의한 양생준비 등 작업에 소요되는 시간이다.

4. 압송관 설치 및 철거

(m당)

종 류	직 종	품(인) 설치	품(인) 철거	계(인)
압 송 관	비계공	0.009	0.006	0.015

[주] ① 압송관의 고정비계를 필요로 하는 경우에는 설치 및 철거비를 별도 계상한다.
② 소운반은 별도 계상한다.

5. 펌프차의 수송비는 별도 계상한다.(수송시 속도는 20km/hr로 한다)

> **有權解釋**
>
> **제목** 콘크리트타설 중 2-2 인력 품 적용 문의
>
> **질의문**
> 신청번호 2106-043 신청일 2021-06-15
> 질의부분 공통 제6장 철근콘크리트공사 6-1-4 콘크리트펌프차 타설
>
> 6-1-4 콘크리트펌프차 타설 2. 인력편성 중 2번 항목에서 공구손료 및 경장비(콘크리트 진동기 등)의 기계경비와 잡재료비는 인력 품에 다음 요율을 적용한다. 100m³ 이상 인력 품의 5%, 200m³ 이상 4% 이라고 되어 있습니다. 그러면 공구손료 및 경장비의 기계경비는 인력품의 5%, 잡재료비는 인력품의 5%, 이렇게 두번 계산을 해주어야 한다고 생각합니다.
> '공구손료 및 경장비의 기계경비와 잡재료비'는 인력 품에 요율을 적용한다는 의미가 각각을 의미하는 것인지? 기계경비와 잡재료비 합쳐서 5% 한번만 계상을 해주는 것인지? 알고 싶습니다.
>
> **회신문**
> 표준품셈 공통부문 "6-1-4 콘크리트펌프차 타설/ 2. 인력편성"의 '주2 공구손료 및 경장비(콘크리트진동기 등)의 기계경비와 잡재료비는 인력품의 다음 요율을 적용한다'에서 100m³일 경우 5%는 공구손료 및 경장비의 기계경비, 잡재료비를 모두 포함한 비용이 인력품의 5%라는 의미입니다.

6-1-5 에폭시(Epoxy) 콘크리트 접착제 바르기('04, '08, '11, '22년 보완)

(m²당)

구 분	재료명	단 위	수 량	도장공
신구-콘크리트 접착제 바르기	Epoxy신구-콘크리트접착제 시너	kg ℓ	1.2 0.2	0.12인
콘크리트 및 고무 기타 접착제바르기	Epoxy-콘크리트고무접착제 시너	kg ℓ	1.2 0.2	0.12인
비 고	- 상부 슬래브 등 천정 시공은 본 품을 20% 가산한다.			

[주] ① 본 품은 신구(新舊) 콘크리트를 접착시키기 위하여 에폭시(Epoxy)접착제를 바르는 품이다.
② 비계사용시 높이에 따라 다음 할증률에 의한 품을 가산할 수 있으며 19층 이상은 매 3층 증가마다 4%씩 가산할 수 있다.

지하층 및 1~3층	4~6층	7~9층	10~12층	13~15층	16~18층
0	5%	8%	12%	16%	20%

※ 층의 구분을 할 수 없을 때에는 층고를 3.6m로 기준하여 환산 적용한다.
③ 공구손료는 인력품의 2%로 계상한다.
④ 현장조건에 따라 부득이 바름두께가 커질 때는 다음 산식을 적용한다.
  소요량 = 1.0m × 1.0 × 두께 × 비중(1.2)

6-1-6 콘크리트 치핑(Chipping)('08, '21년 보완)

(㎡당)

구 분	단 위	수 량
특 별 인 부	인	0.12
보 통 인 부	인	0.02

[주] ① 본 품은 소형치핑장비(소형브레이커, 치핑기)를 활용한 인력에 의한 작업 기준이다.
② 본 품에는 치핑, 청소 및 정리품을 포함한다.
③ 벽체, 천장 등 치핑을 위한 가시설물이 필요한 경우는 별도 계상한다.
④ 공구손료 및 경장비(소형브레이커, 치핑기 등)의 기계경비는 인력품의 8%로 계상한다.
⑤ 대형 장비(굴삭기 등)를 활용한 기계치핑의 경우는 별도 계상한다.

有權解釋

제목 1 콘크리트 치핑(공통6-1-12)항목 질의

질의문
신청번호 2201-025 신청일 2022-01-07
질의부분 공통 제6장 철근콘크리트공사 6-1-12 콘크리트 치핑(Chipping)

하수암거 보수공사 현장에 구조물 내 열화된 부분을 제거 후 폴리머몰탈을 충진하는 공사관련하여 당 현장은 열화된 깊이에 따라 T10mm~T100mm이상 제거 후 보수해야 하는 현장입니다.
콘크리트구조물의 열화부제거 품을 표준품셈 공통 6-1-12 항목을 적용하는게 맞는 건지 질의드립니다.

회신문
표준품셈 공통부문 "6-1-12 콘크리트치핑(Chipping)"은 소형 치핑장비(소형브레이커, 치핑기)를 활용한 작업기준으로 일반적인 소형 치핑장비에 의한 치핑 현장을 대상으로 조사하였으며, 구체적인 두께 기준은 정하고 있지 않습니다.

제목 2 콘크리트 치핑 관련 인원 수량 산출 근거 문의

질의문
신청번호 2107-013 신청일 2021-07-05
질의부분 공통 제6장 철근콘크리트공사 6-1-12 콘크리트 치핑(Chipping)

콘크리트 치핑(6-1-12)과 관련하여 인원 수량이 0.12가 나온 산출 근거가 궁금합니다.
그래서 질문하고자 하는 것은 콘크리트 강도(ex. 270Mpa)를 몇으로 하여 품셈 값을 산출하였는지? 콘크리트 강도에 따라 인원 수량이 변경될 수 있는지?(현재 600Mpa 정도 됩니다.)
품셈에서 인원 수량이 0.12가 나오게 된 산출 근거와 식? 혹시 저희 현장 기준으로 산정하게 되면 어떻게 산출되는지? 궁금합니다.

회신문
표준품셈 공통부문 "6-1-12 콘크리트 치핑"은 소형 치핑 장비(소형브레이커, 치핑기)를 활용한 인력작업 기준을 제시하고 있으며, 콘크리트 강도에 따른 난이도를 구분하고 있지는 않습니다. 더불어, 품셈의 제.개정은 현장 조사 결과에 의해 이루어지고 있음을 알려드립니다.

> **契約審査**
>
> **제목 1** 콘크리트치핑 공정 삭제
>
> **내용**
> 홍수방어벽 정비(인상)는 기존 콘크리트파쇄(소형착암기) + 콘크리트치핑 + 콘크리트 이어치기로 설계되었으나, 소형착암기 파쇄만으로 신구콘크리트접합을 위한 거친면 확보가 가능하므로 별도의 콘크리트치핑은 삭제
>
> **심사 착안사항**
> 불필요한 공종 설계 반영 및 기타 관련규정 적정 반영 여부
>
> **제목 2** OO교 성능개선 공사시 노후콘크리트 단면제거 품 조정
>
> **내용**
> 지하철 노후구조물 보수를 위한 콘크리트 단면제거(깨기)와 콘크리트 구멍 뚫기를 인력시공으로 원가 산출하였으나, 실제 건설현장에서는 기계로 시공함에 따라 자체 개발한 기계 시공의 새로운 적산기준으로 조정하여 예산절감
> - 노후콘크리트 단면제거(T = 10mm) 13,039원/m² → 6,070원/m²(감 6,969원/m²)
> - 콘크리트구멍 뚫기(ϕ37×200mm) 43,760원/공 → 8,412원/공(감 35,348원/공)
>
> **심사 착안사항**
> - 표준품셈에 없는 사항은 발주기관의 장 책임하에 새로운 품셈을 만들어 사용할 수 있으므로 현장여건에 맞는 품셈 발굴 활용
> - 설계공종 중 시공가능성에 대한 적정성 검토
> - 본 공사의 특수성과 무관하게 관례적으로 적용한 공정의 필요성 검토

6-2 철근

6-2-1 적용범위('22년 신설)

- 인력에 의한 철근 가공 및 조립을 기준하며, 현장여건(주철근 규격 35mm 초과 등)으로 인하여 인력에 의한 단독시공이 불가능한 경우 크레인 등 기계경비를 별도 계상한다.
- 철근 시공상세도(shop drawing) 작성비용은 별도 계상한다.
- PC강선의 가공 및 조립은 별도 계상한다.
- 철근 가공 및 조립의 Type은 아래 표 유형의 각 호 중 어느 하나에 해당하는 경우에 적용한다.

구 분	유 형
Type-Ⅰ	가. 철근가공 및 조립 작업이 일반적인 토목시설(반중력식 옹벽, L형 옹벽, 교량 슬래브, 매트기초, 수문 등) 나. 특정위치에서 철근의 가공 및 조립이 반복되는 경우(빔제작, 철근망 등) 다. 건축시설물에서 직경 13mm이하 철근이 전 철근중량의 50%미만인 경우
Type-Ⅱ	가. 철근가공 및 조립 작업이 복잡한 토목시설(라멘교, 교대, 암거, 지하차도, 부벽식 옹벽 등) 나. 콘크리트대비 소량의 철근이 사용되는 경우(측구/개거, 중력식 옹벽, 일체형 중앙분리대 등) 다. 건축시설물에서 직경 13mm이하 철근이 전 철근중량의 50%이상인 경우 또는 철골과 병행시공되는 경우

구 분	유 형
Type-Ⅲ	가. 철근가공 및 조립 작업이 매우 복잡한 토목시설(교각, 구주식 교대 등) 나. 특수 구조시설물에서 철근직경 35mm를 초과하여 인력에 의한 단독시공이 어려운 경우(플랜트, 원자력 발전소 등)

有權解釋

제목 철근 가공 및 조립의 Type 세부 적용 방법 문의

질의문
신청번호 2201-073 신청일 2022-01-18
질의부분 공통 제6장 철근콘크리트공사 6-2-1 적용 범위

여러 동으로 구분되어 있는 건축공사에서 철근 가공 및 조립의 Type을 적용할 때 직경 13mm이하 철근 중량의 비율의 판단은 전체 동에 소요되는 철근의 중량으로 해야 하는지 아니면 동별 철근 중량으로 해야 하는지 문의드립니다.

회신문
표준품셈 공통부문 "6-2-1 적용 범위"에서 13mm 이하의 철근이 전 철근중량의 50%에서 "전 철근중량"이란 해당 건축물에 소요되는 모든 철근의 중량의 합계를 의미하는 것으로 단지 전체별, 건축물별(예. 복지관, 상가, 아파트 등) 또는 부위별(예. 기초판, 옹벽, 슬래브 등)을 구분하고 있지 않습니다.

監査

제목 가공이 필요 없는 철근(장철근)까지 가공비용 과다 계상

내용
배수펌프장 구조물공사에서 철근가공 및 조립(복잡) 660.71ton을 반영하고 있는데, 건설공사 표준품셈(6-2-1)의 철근 현장가공 및 조립의 '가공은 절단, 절곡(밴딩) 등 철근의 변형을 요하는 작업'이라고 되어있으므로 철근가공이 불필요한 장철근(8m) 약 110.1ton은 가공품을 제외하여 공사비 약 54,000천원(제경비 포함) 감액이 필요하다.

조치할 사항
○○○○사장은 철근가공 및 조립에서 가공이 없는 겹이음철근 정산 등 공사비 약 54,000천원 상당은 「지방자치단체를 당사자로 하는 계약에 관한 법률」및 "지방자치단체 공사계약 일반조건" 등에 따라 설계변경 등 감액 조치하시기 바람

6-2-2 현장가공('08, '14, '22년 보완)

(ton당)

구 분	단위	Type-Ⅰ	Type-Ⅱ	Type-Ⅲ
철 근 공	인	0.69	0.78	0.86
보 통 인 부	인	0.22	0.25	0.27

[주] ① 가공은 절단, 절곡(밴딩) 등 철근의 변형을 요하는 작업이며, 가공수량은 전체 철근조립 수량을 기준한다.
② 철근가공에 사용되는 기계기구(철근 가공기 등) 기계경비는 인력품의 9%를 계상한다.
③ 가공장과 조립 위치의 철근 운반 및 양중에 소요되는 크레인의 기계경비는 별도 계상한다.

> **有權解釋**
>
> **제목** 철근 가공비에 포함되는 철근 범위
>
> **질의문**
> 신청번호 2210-037 신청일 2022-10-13
> 질의부분 공통 제6장 철근콘크리트공사 6-2-2 현장 가공
>
> 현장 가공의 (주)1항에 '가공 수량은 전체 철근조립 수량을 기준한다.'라고 되어 있습니다.
> 개거 설치 시 원철근(8m)을 절단하거나 절곡하지 않고 조립하는 경우에 기존에는 조립비만 계상하였는데, 보완된 기준에 따라 절단하거나 절곡하지 않는 원철근 수량도 철근가공 품으로 계상하여야 한다는 의미인지 답변해 주시기 바랍니다.
>
> **회신문**
> 2022년 개정된 표준품셈 공통부문 "6-2-2 현장 가공"의 가공 수량은 전체 철근조립 수량을 기준으로 하며, 장철근을 포함한 전체 철근조립 수량을 적용하시기 바랍니다. 이는 장철근 및 가공철근을 포함한 전체수량을 공장에서 납품받는 형태로 관리되고 있는 실태를 고려하였습니다.

6-2-3 현장조립('08, '14, '22년 보완)

(ton당)

구 분	단위	Type-Ⅰ	Type-Ⅱ	Type-Ⅲ
철 근 공	인	1.73	1.96	2.18
보 통 인 부	인	0.59	0.67	0.74
비 고	- 산재되어 있는 소형구조물(전체 철근량 3TON미만)에서는 본 품을 50%까지 가산할 수 있다.			

[주] ① 철근의 기계적 이음(나사 및 원터치식) 및 간격재 설치를 포함한다.
② D35mm 이상에서 화약을 이용하여 용접하는 기계적 이음은 별도 계상한다.
③ 철근 조립에 사용되는 기계기구(철근 절단기 등) 손료는 인력품의 2%를 계상한다.
④ 철근 조립에 장비를 필요로 하는 경우(고소작업, 철근야적 장소 미비 등) 철근 양중에 소요되는 크레인의 기계경비는 별도 계상한다.
⑤ 간격재, 결속선 등 소모재료 재료비는 별도 계상하며, 결속선의 표준 사용량은 다음을 참고한다.

(ton당)

구분	Type-Ⅰ	Type-Ⅱ	Type-Ⅲ
사용량(kg)	6.5	8.0	9.5

6-2-4 공장가공('08년 신설, '09, '22년 보완)

(ton당)

구 분	단위	Type-I	Type-II	Type-III
철 근 공	인	0.23	0.30	0.38
보 통 인 부	인	0.03	0.04	0.06

[주] ① 본 품에는 가공 및 상차작업이 포함되어 있다.
② 운반비는 별도 계상한다.
③ 공장관리비는 노무품의 60%까지 계상할 수 있다.
④ 철근의 나사 가공 등 특수 공장가공은 별도 계상한다.

> **監査**
>
> **제목** 교량공의 철근 가공 변경(현장 가공 → 공장 가공)시공
>
> **내용**
> ○○천 구간내 교량 설치를 위한 철근 가공이 설계내역서에는 현장 가공으로 적용되었으나, 실제는 공장에서 가공하여 일부가 시공되었고 나머지 교량에 대하여도 공장가공으로 시공할 계획으로 사업비를 과다 집행할 우려가 있어 시공 방법을 변경함(111,609천원 절감)
>
> **조치할 사항**
> ○○군수는 설계서와 다르게 철근을 현장에서 가공하지 않고 공장에서 가공하는 방법으로 시공하는 등 철근 공장가공에 따른 공사비 약 111,609천원 상당은 「지방자치단체를 당사자로 하는 계약에 관한 법률」 및 "지방자치단체 공사계약 일반조건"등에 따라 설계변경 등 감액 조치하시기 바람

6-2-5 철근의 기계적 이음

(개소당)

구 분	단 위	수 량	비 고
아 세 틸 렌	ℓ	133	
산 소	〃	744	
용 접 공	인	0.06	수평, 수직 이음 공통
연 마 공	〃	0.15	
절 단 공	〃	0.09	
조 력 공	〃	0.11	
비 고	- 철근 두께 3mm 증가시마다 인력품의 5%를 가산한다.		

[주] ① 본 품은 D35mm 이상 철근의 기계적 이음 중 화약을 이용하여 용접하는 품이다.
② 공구 손료 및 잡재료비는 별도 계상한다.
③ 본 품은 높이 10m미만을 기준한 것이며 높이에 따라 다음과 같이 인력품을 별도 계상할 수 있다.

높이	10m~20m미만	20m 이상
할 증 률 (%)	10	20

④ 이음자재(Splices Kit)는 별도 계상한다.
⑤ 품질관리를 위한 검사비용은 별도 계상할 수 있다.
⑥ 본 품은 원자로 격납시설물 등 특수구조물의 철근 이음을 하는 경우 적용한다.

6-3 거푸집

6-3-1 합판거푸집 설치 및 해체('01, '08, '09, '17, '18, '22년 보완)

1. 사용횟수
   - 사용횟수는 구조물 형상 또는 시공조건(타설횟수, 시공물량, 복잡도 등)에 따라 반복 재사용이 가능한 사용횟수를 산출하여 적용한다.
   - 현장 여건상 특수거푸집(종이거푸집, 문양거푸집 등)을 사용할 경우 별도 계상한다.

[참고자료] 사용횟수에 따른 유형별 적용시설은 다음을 참고한다.

사용횟수	유 형	구 조 물
1~2회	제물치장	제물치장 콘크리트
2회	매우복잡/소규모	T형보, 난간, 복잡한 구조의 교각, 교대, 수문관의 본체 등 매우 복잡한 구조 소규모 : 조적턱, 창호턱 등 소규모로 산재되어 있는 구조물
3회	복잡	교대, 교각, 파라펫트, 날개벽 등 복잡한 벽체 구조, 건축 라멘구조의 보, 기둥
4회	보통	측구, 수로, 우물통 등 비교적 간단한 벽체 구조, 교량 및 건축 슬래브
6회	간단	수문 또는 관의 기초, 호안 및 보호공의 기초 등 간단한 구조

2. 자재수량

(㎡당)

구 분	단 위	수 량 1회	1회 사용 자재비의 %				
			2회	3회	4회	5회	6회
합 판	㎡	1.03	55.0%	44.3%	38.0%	35.0%	32.7%
각 재	㎥	0.038					
소 모 자 재 (박 리 재 등)	주자재비의%	4.0%	7.0%	8.0%	9.0%	10.0%	11.0%

[주] ① 자재수량은 설계조건에 따라 별도 계상할 수 있다.
② 2회 이상에서는 1회 사용수량에 대해 해당 요율을 적용한다.
③ 제물치장에 소요되는 볼트, 나무덧쇠, 파이프 등은 별도 계상한다.
④ 폼타이(Form Tie) 사용시 소요수량은 콘크리트의 측압에 따라 다음에 의거 계상한다.

(조/㎡당)

규 격 \ 측압	3 t/㎡	4 t/㎡	5 t/㎡	6 t/㎡
7.9mm	1.07	1.42	1.80	2.14
9.5mm	0.71	0.97	1.19	1.43
12.7mm	0.53	0.72	0.88	1.07

㉮ 폼타이(D형1/2인치 경우) 소요량은 거푸집 ㎡ 당 2.14본(1.07조)으로 하고 사용횟수는 10회로 한다.
㉯ 특수한 경우(거푸집 측압이 6t/㎡ 이상)에는 폼타이 수량을 적의 조정하여 사용한다.
㉰ 세퍼레이터는 필요한 경우에 소모재료로 계상한다.

⑤ 폼 타이 제거 후 구멍땜이 필요한 경우 다음표를 기준으로 계상한다.

(100개소당)

구 분	단 위	수 량	비 고
시　　멘　　트	kg	6.99	배합비 1 : 3 기준
모　　　　　래	m³	0.015	
혼　　화　　재	g	-	(필요에 따라서 별도계상)
보　통　인　부	인	0.62	

※ 폼타이 규격은 12.7mm를 기준한 것이며, 코킹재를 사용할 경우 별도 계상한다.

3. 설치 및 해체

(m²당)

구 분	단 위	유 형				
		제물치장	매우복잡/소규모	복 잡	보 통	간 단
형 틀 목 공	인	0.23	0.20	0.18	0.12	0.11
보 통 인 부	인	0.14	0.05	0.04	0.03	0.02
비　　　고	- 제물치장의 경우 자재 1회사용 기준이며, 2회 사용 시 본 품의 60%를 적용한다. - 본 품은 수직고 7m까지 적용하며, 이를 초과하는 경우 매 3m마다 인력품을 10%까지 가산한다. (현장 여건에 따라 장비가 필요한 경우 양중장비를 계상하고, 인력품을 가산하지 않는다.) - 지붕 슬래브 설치(경사도 20° 미만)에서는 인력품을 20% 가산한다.					

[주] ① 본 품은 설치면적을 기준한 것이며, 합판거푸집(내수합판 12mm기준)의 가공, 제작, 조립, 해체를 포함한다.
② 본 품에는 청소, 박리제 바름 및 보수 품이 포함되어 있으며, 동바리 설치(재료포함)는 제외되어 있다.
③ 곡면 및 특수형상 부분의 품은 별도 계상한다.
④ 공구손료 및 경장비 기계경비는 인력품의 1%로 계상한다.

有權解釋

제목 1 소규모 합판거푸집 적용 여부

질의문

신청번호 2209-054 신청일 2022-09-16
질의부분 공통 제6장 철근콘크리트공사 6-3-1 합판거푸집 설치 및 해체

도로설계를 하면 연장이 길다 보니 교통표지판이 산재되어 많이 들어가게 되어 콘크리트기초에 대한 합판거푸집 내역 적용을 어떤 식으로 적용을 해야 되는지에 대해 질의 있습니다
ex) 사용횟수 2회-소규모 + 설치 및 해체-소규모
ex) 사용횟수 6회-간단 + 설치 및 해체-소규모
1) 사용횟수에서 2회 소규모(조적턱, 창호턱 등 소규모로 산재되어 있는 구조물)로 되어 있는데여기서 소규모란 소규모공사를 의미하는 건지? 레미콘타설 소형구조물 6㎥ 이하인 것을 의미하는 건지?
2) 교통표지판 기초는 산재되어 설치되는데 산재되는 것은 공사금액, 공사규모, 설치개수에 상관없이 무조건 2회를 적용해야 되는지? 기초 등의 간단한 구조로 6회를 적용해야 되는지?

회신문
[답변1]
표준품셈 "6-3-1 합판거푸집"의 [참고자료] 사용 회숫에 따른 유형에서 소규모는 일반적으로 건축공사의 조적턱, 창호턱 등과 같이 소규모로 산재되어 있는 구조물에 해당됩니다.

[답변2]
표준품셈 "6-3-1 합판거푸집"의 사용횟수는 구조물 형상 또는 시공조건(타설 횟수, 시공물량, 복잡도 등)에 따라 반복 재사용이 가능한 사용횟수를 산출하여 적용하시기 바라며, 참고자료에서 사용횟수에 따른 유형별 적용시설을 제시하고 있으니 이를 참조하시고 현장상황에 맞게 적용하시기 바랍니다.

제목 2 공구손료 및 경장비 기계경비는 인력품의 1%로 계상의 경우

질의문
신청번호 2101-021 신청일 2021-01-08
질의부분 공통 제6장 철근콘크리트공사 6-3-1 합판거푸집 설치 및 해체

표준품셈에서 '공구손료 및 경장비 기계경비는 인력품의 1%로 계상한다.'라고 되어 있습니다.
공구손료 및 경장비 기계경비는 인력품의 1%를 각각 1%인지? 같이 1%인지? 같이 1%이면 재료비에 포함인지? 경비에 포함인지? 여부를 알고 싶습니다.

회신문
'공구손료 및 경장비의 기계경비는 인력품의 1%를 계상한다.'에서 1%는 공구손료와 경장비의 기계경비를 모두 포함한 비용이 인력품의 1%라는 의미입니다.

제목 3 슬라브 거푸집 높이에 대한 할증

질의문
신청번호 2003-118, 신청일 2020-03-30
질의부분 공통 제6장 철근콘크리트공사 6-3-1 합판거푸집설치 및 해체

교량 슬라브의 높이는 현 지반고에서 16~28m인데 슬라브 거푸집설치/ 해체에 대한 설계내역서상 규격은 0~7m로 되어 있어, 단가에 고소작업에 대한 할증은 반영되어 있지 않습니다. 교량의 연장이 길어서, 교대부터 순차적으로 작업이 불가능하여, 중간 슬라브공사를 진행하고 있는데요. 저희의 경우 슬라브 거푸집에 대한 작업높이 할증이 누락되어 있는지? 슬라브라는 작업의 특성상 높이 할증이 필요없는지?

회신문
표준품셈 공통부문 "6-3-1 합판거푸집설치 및 해체/ 3. 설치 및 해체" 품에서 "본 품은 수직고 7m까지 적용하며, 이를 초과하는 경우 매 3m마다 인력 품을 10%까지 가산한다(현장 여건에 따라 장비가 필요한 경우 양중장비를 계상하고, 인력품을 가산하지 않는다.)"를 참조하시기 바랍니다.

6-3-2 강재거푸집 설치 및 해체('04, '07, '08, '17, '22년 보완)

1. 사용횟수

구조물	사용횟수	유형	비고
간 단 한 구 조	50~60	측구, 기초, 수로	
약 간 복 잡 한 구 조	40~50	옹벽, 교대, 호안	잔존율
복 잡 한 구 조	30~40	형교, 곡면거푸집, 우물통	10%
터 널	100		

[주] ① 강판의 두께와 형태에 따라 사용횟수를 조정하여 적용할 수 있다.
② 강재거푸집은 두께 3.2mm(터널 6mm)를 기준으로 한 것이다.
③ 강재거푸집 제작(현장제작 포함)은 별도 계상한다.

2. 인력 설치 및 해체

(100㎡당)

명 칭	단 위	설치	해체	계
형 틀 목 공	인	4.5	1.7	6.2
비 계 공	인	4.5	4.5	9.0
보 통 인 부	인	7.5	4.5	12.0
비 고	- 수직고 7m이상인 경우에는 3m증가마다 품을 10%까지 별도 가산할 수 있다.			

[주] ① 본 품은 인력에 의한 강재거푸집 설치 및 해체를 기준한 것이다.
② 본 품은 강재만으로 U클립, 핀, 볼트 및 너트 등으로 조립되는 거푸집을 기준한 것이다.
③ 고임 및 쐐기용 목재손료는 별도 계상한다.

3. 장비조합 설치 및 해체

(100㎡당)

구 분	규 격	단 위	유형 일반	유형 코핑	유형 교각
형 틀 목 공		인	7.5	11.5	9.3
보 통 인 부		인	1.2	2.0	1.6
크 레 인	-	hr	4.6	15.2	10.6

[주] ① 일반 유형은 빔 제작 등 고소 작업이 불필요하고 설치 및 해체가 동일 조건에서 반복 발생하는 시설에 적용하며, 코핑/교각은 고소작업이 필요한 교량의 교각 및 코핑과 같은 시공조건에서 강재거푸집을 설치·해체하는 기준이다.
② 본 품은 강재만으로 U클립, 핀, 볼트 및 너트 등으로 조립되는 거푸집을 기준한 것이다.
③ 크레인 규격은 다음을 참고하여 적용한다.

구분	부설장비규격
일반	25톤급 크레인
코핑/교각	50톤급 크레인
비고	- 작업여건(작업높이, 크레인 위치 등)에 따라 크레인 규격을 변경하여 적용한다.

④ 공구손료 및 경장비(전동드릴 등) 기계경비는 인력품의 4%로 계상한다.
⑤ 고임 및 쐐기용 목재손료는 별도 계상한다.

有權解釋

제목 강재거푸집 사용 횟수

질의문

신청번호 1905-062 신청일 2019-05-22
질의부분 공통 제6장 철근콘크리트공사 6-3-2 강재거푸집설치 및 해체

표준품셈 강재거푸집 항목의 사용 횟수에 대한 질의입니다. 강재거푸집의 사용 횟수는 터널의 경우 100회로 되어 있습니다. 이경우 단가산출시 강재거푸집 재료비에 100회 사용분을 적용하여야 하는지? 예를 들어, 강재거푸집설치 해체 횟수가 50회일 경우 재료비를 100%를 적용하는 것인지? 아니면 100회분을 나누고 50회를 적용하는 것인지?
(강재거푸집 재료비 1,000,000원일 경우 1,000,000원÷100회×50회)

회신문

표준품셈 공통부문 "6-3-2 강재거푸집설치 및 해체/ 1. 사용 횟수"의 '주 1. 강판의 두께와 형태에 따라 사용 횟수를 조정하여 적용할 수 있다.'를 참조하시기 바라며, 터널의 경우 100회 사용시 잔존율 10%로 50회 사용 시에 대한 잔존율은 공사관계자가 직접 결정하실 사항입니다. 잔존율 대상은 강재거푸집을 구성하는 자재에 대한 잔존율을 의미합니다.

6-3-3 유로폼 설치 및 해체('08, '09, '17, '22년 보완)

- 본 품은 유로폼 패널의 벽체 설치 및 해체를 기준한다.

1. 사용횟수

구 분	사용조작회수
패 널 류	12회 사용 잔존율 25%
보, 드롭헤드, 강관파이프, 후크클램프, 웨지핀	25회 사용 잔존율 10%

2. 자재수량

- 자재수량은 일반적인 패널 규격과 난이도에 따른 부자재 사용량을 참고하여 계상한 결과이며, 구조물 형상, 시공조건(복잡도 등)에 따라 자재수량을 산출하여 적용한다.

(10㎡당)

구 분	규격	단위	수 량			
패 널	600×1,200mm	매	0.89			
내 부 패 널	(200+200)×1,200mm	매	0.03			
부 자 재 (웨지핀, 플랫타이, 강관파이프, 후크)	주자재비의	%	- 설치 유형에 따라 다음 주자재비에 다음 요율을 적용한다.			
			구분	간단	보통	복잡
			요율	24%	52%	79%
소모자재(박리재 등)	주자재비의	%	5%			

[주] ① 재료량에는 재료의 할증 및 손율이 포함되어 있다.
② 플랫 타이(FLAT TIE) 대신 폼타이(Form Tie) 사용시 소요수량은 '[공통부문] 6-3-1 합판거푸집 설치 및 해체' 자재 기준을 따른다.

3. 설치 및 해체

(10㎡당)

구 분	단 위	유 형		
		복잡	보통	간단
형틀목공	인	0.16	0.11	0.10
보통인부	인	0.03	0.03	0.02
비 고		- 본 품은 수직고 7m까지 적용하며, 이를 초과하는 경우 매 3m 증가 마다 인력품을 10%까지 가산한다. 다만, 현장여건에 따라 장비가 필요하다고 판단되는 구조물에서는 장비로 계상할 수 있다.		

[주] ① 본 품은 유로폼 패널의 벽체조립 및 해체를 기준한 것이다.
② 본 품에는 청소, 박리제 바름 및 보수 품이 포함되어 있다.
③ 공구손료 및 경장비 기계경비는 인력품의 3%로 계상한다.
④ 유형별 적용시설은 다음표를 참고하며, 구조물 형상 또는 현장 조건에 제한을 받는 경우에는 이를 고려하여 결정할 수 있다.

구 분	유 형
복 잡	토목 : 교대, 날개벽 등 복잡하고 보강이 많은 구조 건축 : 외부 벽체, 보/기둥
보 통	측구, 수로, 옹벽, 일반적인 벽체, 박스 등
간 단	수문 또는 관의 기초, 건축 매트기초 등 간단한 구조

有權解釋

제목 1 합판거푸집 및 유로폼 소모자재 문의

질의문

신청번호 2110-084 신청일 2021-10-28
질의부분 공통 제6장 철근콘크리트공사 6-3-3 유로폼 설치 및 해체

유로폼 6-3-3/ 2. 자재/ ㈜내용 중에 ② 소모재료 및 잡재료비(박리재, 철선, 보조각재 등)는 주재료비의 5%로 계상한다. 소모재료 및 잡재료비에 스페이샤(철근 간격재)의 설치비용이 포함되어 있는지? 아니면 스페이샤(철근 간격재) 비용을 별도 산출 계상해야 하는지? 문의합니다.

회신문

표준품셈 "6-3-3 유로폼 설치 및 해체"의 소모재료 및 잡재료는 박리재, 철선, 보조각재 등이며, 스페이서는 포함하고 있지 않습니다.

제목 2 계단식 콘크리트옹벽의 유로폼 적용 시 할증적용 문의

질의문

신청번호 2101-010 신청일 2021-01-05
질의부분 공통 제6장 철근콘크리트공사 6-3-3 유로폼 설치 및 해체

유로폼 설치 시 할증 관련하여 금회 적용하는 옹벽은 계단식 옹벽은 전체 높이가 20m정도 이지만 실 작업은 높이 1.0~1.5m씩 1주일 간격으로 분할 타설을 하기에 1회 적용하는 유로폼의 높이는 최대 1.5m 이하입니다. 또한 시스템비계 등을 적용하여 약 2~3m 폭의 충분한 작업공간 확보가 가능하며. 유로폼 자재는 장비를 사용하여 반입/반출합니다. 이런 경우 할증의 적용 취지에 비교해보면 작업상의 곤란 사항은 없을 것으로 판단됩니다.

위와 같은 상황이어도 7m 이상 할증이 적용되는 것인가요? 그렇다고 하면 교대기초의 상단부나 고층건물의 옥상에서 외부작업 시 적용되는 할증은 어마어마할 것으로 판단되는데. 이것도 말이 않되는 것 같습니다. 이점에 대해서 답변을 요청드리며, 조금 더 명확한 기준을 품셈에 표기해 주셨으면 합니다.

회신문

표준품셈 공통부문 "6-3-3 유로폼 설치 및 해체"의 '3. 설치 및 해체'에서 '수직고'는 장비 또는 인력이 작업할 수 있는 여건이 마련된 기준면에서부터의 수직으로 측정한 높이를 의미합니다. 일반적으로 구조물 내부의 경우 각 층의 바닥으로부터의 높이, 외부의 경우 공사기준 지반고에서부터 설치 높이까지를 기준으로 하고 있습니다.

제목 3 유로폼설치 및 해체 중 3번 설치 및 해체의 복잡/ 보통/ 간단의 명확한 기준에 대해서 질의

질의문

신청번호 1912-048 신청일 2019-12-26
질의부분 공통 제6장 철근콘크리트공사 6-3-3 유로폼설치 및 해체

표준품셈 6-3-3 유로폼설치 및 해체 중 3번설치 및 해체의 복잡/ 보통/간단의 명확한 기준에 대해서 질의합니다.
1. 복잡의 건축 중 외부벽체를 구분한 기준과 정의에 대한 질의?
2. 보통 중 일반적인 벽체를 구분한 기준과 정의에 대한 질의?
3. 상기 사항을 건설현장에서 어떻게 적용하는지에 대한 질의?

회신문

표준품셈 공통부문 "6-3-3 유로폼설치 및 해체"에서 복잡의 '외부벽체'는 건축물 외부의 벽면을 의미하며, 일반벽체는 건물내부벽체(면)을 의미합니다. 이는 외부벽체의 시공여건(비계위 작업)과 내부에서의 시공여건(슬라브 위)을 고려하여 구분하고 있음을 알려드립니다.

제목 4 유로폼설치 및 해체 중 비계 설치비 포함 여부

질의문

신청번호 1911-064 신청일 2019-11-20
질의부분 공통 제6장 철근콘크리트공사 6-3-3 유로폼설치 및 해체

유로폼설치 및 해체 시 높이 2m 이상은 비계를 이용해야 하는데 품셈(P.221 제6장 철근콘크리트공사)에 "본 품은 수직고 7m까지 적용하며, 이를 초과할 경우 매3m 증가마다 인력 품을 10%까지 가산한다." "본 품은 유로폼 패널의 벽체조립 및 해체를 기준한 것이다"의 내용이 있어서 이것이 비계 설치비가 포함되어 있는지?

회신문

표준품셈 공통부문 "6-3-3 유로폼 설치 및 해체"에는 비계 설치 품을 포함하고 있지 않습니다. 비계 설치 품 기준은 "2-7 비계"를 참조하여 계상하시기 바랍니다.

> **監査**
>
> **제목 1** 콘크리트 구조물의 거푸집 설계변경 미조치
>
> **내용**
> 「국도 건설공사 설계실무 요령」에 따르면 거푸집을 설계할 때 합판거푸집 3회 또는 4회의 경우는 유로폼(20회)과 적용성을 비교 검토한 후 산출 적용하도록 되어 있다. 따라서, 교량 슬래브, 곡선 형태의 교각 구조물 등 유로폼을 적용하기 곤란한 구조물을 제외하고 일반적인 콘크리트 구조물의 거푸집은 합판거푸집 3회 또는 4회로 설계에 반영되어 있는 경우 시공성, 경제성 등을 비교 검토하여 유로폼으로 변경하는 것이 타당하다.
> 그런데도, ○○지방국토관리청에서는 위 공사의 용수개거 4,245m은 유로폼으로 시공이 가능하고, 합판거푸집을 유로폼으로 변경할 경우 시공성과 경제성이 유리한데도, 감사일 현재까지 합판거푸집 10,455m²를 유로폼으로 변경하지 않고 있어 공사비 130,960천원 상당을 아끼지 못할 우려가 있다.
>
> **조치할 사항**
> ○○지방국토관리청장은 용수개거의 합판거푸집을 유로폼으로 변경하는 것으로 설계 변경하여 공사비 130,960천원 상당을 "감액" 하시기 바람(시정)
>
> **제목 2** 거푸집을 실제 작업 내용과 다르게 정산 시행
>
> **내용**
> 철근콘트리트공사에 반영되어 있는 합판거푸집설치 및 해체와 관련하여 설계도서(수량산출 근거 등)에는 기둥, 보 시공 시 합판거푸집(4회, 총 1,807.16m²)을 사용토록 되어 있으나 현장에서는 유로폼으로 사용하였으므로 거푸집 시공방법 변경에 따른 공사비 약 18,377천원(제경비 포함) 감액조치가 필요하다.
>
> **조치할 사항**
> ○○○○시 ○○구청장은 합판거푸집(4회, 총 1,807.16m²)을 유로폼으로 설계변경하고 해당 공사비 약 18,377천원은 「지방자치단체를 당사자로 하는 계약에 관한 법률」 및 "지방자치단체 공사계약 일반조건"등에 따라 설계변경 등 감액 조치하시기 바람

6-3-4 문양거푸집(판넬) 설치 및 해체('16년 신설)

(m²당)

구 분	단 위	수 량
형 틀 목 공	인	0.07
보 통 인 부	인	0.03

[주] ① 본 품은 거푸집에 문양거푸집(판넬)의 설치 및 해체 (1회사용)작업을 기준한 것이다.
② 거푸집 설치(합판, 유로폼 등)는 별도 계상한다.
③ 잡재료 및 소모재료(고정못 등)는 주재료비의 2%로 계상한다.

6-3-5 합성수지(P.E)원형 맨홀 거푸집 설치 및 해체('08년 보완)

(개소당)

구 분	공종	단위	ø740	ø900	ø1200	ø1500	ø1800	비 고
기초 및 슬래브	특별인부	인	0.13	0.14	0.15	0.17	0.21	
	보통인부	〃	0.17	0.25	0.30	0.40	0.50	
벽 체	특별인부	〃	0.23	0.26	0.31	0.37	0.42	H = 1.0m 기준
	보통인부	〃	0.39	0.47	0.63	0.80	0.97	

[주] ① 본 품은 기성 제품인 합성수지 원형 맨홀거푸집을 조립 해체하는 품이다.
　　② 본 품의 벽체는 높이 1.0m를 기준한 것으로 높이에 따라 벽체품을 계상 적용한다.
　　③ 수직고 H=2.0m 이상인 경우에는 비계를 별도 계상할 수 있다.
　　④ 합성수지 원형 맨홀거푸집의 사용횟수는 10회로 한다.

6-3-6 슬립폼 공법

1. 설치 및 해체

(㎡당)

설치			해체		
구 분	단 위	수 량	구 분	단 위	수 량
비 계 공	인	0.199	특 수 비 계 공	인	0.154
보 통 인 부	인	0.091	보 통 인 부	인	0.064
크 레 인	hr	0.132	크 레 인	hr	0.170

[주] ① 슬립폼 제작비용은 별도계상하되, 단면형상은 고정단면을 기준으로 한 것이다.
　　② 거푸집은 높이 1.2m, 교량(교각)을 기준으로 제작된 것이다.
　　③ 크레인은 설치(50~100ton), 해체(80~200ton) 기준이다.
　　④ 고재처리비용은 별도 계상한다.

2. 인상(SLIP-UP)

(㎡당)

구 분	단 위	수 량
기 계 설 비 공	인	0.034
보 통 인 부	인	0.073

[주] ① 거푸집 높이는 1.2m기준이나, 적용면적은 벽체 전체면적에 해당된다.
　　② 단면형상은 교량(교각)의 고정단면을 기준으로 한 것이다.
　　③ 슬립폼 거푸집은 당해 현장에서만 사용하며 전용횟수는 별도로 정하지 않는다.
　　④ 슬립폼 인상은 24시간 연속작업으로 하며, 야간작업시 할증은 별도 계상한다.
　　⑤ 본 품은 거푸집 인상에 따른 수직면 계측·정리, 호이스트 운행 및 마감면정리 작업이 포함되어 있다.

3. 철근조립 및 콘크리트타설

구 분	단 위	수 량
철 근 공	인/ton	0.887
콘 크 리 트 공	인/㎥	0.125

[주] ① 본 품은 슬립폼 내부에서 철근조립 및 콘크리트 타설 기준이며, 철근가공은 '[공통부문] 6-2-1 / 6-2-2 현장가공 및 조립'의 품에 준하여 적용한다.
　　② 단면형상은 교량(교각)의 고정단면을 기준으로 한 것이다.
　　③ 슬립폼 인상 시 철근조립 및 콘크리트 타설은 24시간 연속작업으로 하며, 야간작업 시 할증은 별도 계상한다.
　　④ 철근운반 비용은 별도 계상한다.
　　⑤ 크레인 비용은 별도 계상한다.

> **有權解釋**
>
> **제목** 슬립폼공법(토목) 콘크리트타설 방법
>
> **질의문**
> 신청번호 1904-044 신청일 2019-04-12
> 질의부분 공통 제6장 철근콘크리트공사 6-3-6 슬립폼공법
>
> 3. 철근조립 및 콘크리트타설, 타설관련 노무 : 콘크리트공 0.125인/m³
> 콘크리트타설 품 단가는 모든 인부 및 장비를 포함한 단가인가요? 포함하지 않았다면 다른 필요장비를 반영해야 하는지?(예. 펌프카 등)
> [주] 5. 크레인비용을 별도 계상한다.가 의미하는 것은?(예. 타설장비? 운반장비?)
>
> **회신문**
> 표준품셈 공통부문 "6-3-6 슬립폼 공법/ 3. 철근조립 및 콘크리트타설"에서 콘크리트공(0.125인/m³)은 콘크리트타설을 위한 순수 인력 품이며, 타설에 필요한 장비 비용은 별도 계상하시면 됩니다. [주] ⑤에서 제시된 크레인은 자재(콘크리트 등) 운반을 위한 용도입니다.

6-3-7 알루미늄폼 설치 및 해체('08년 신설, '17년 보완)

1. 적용범위

① 본 품은 철근콘크리트 벽식구조에서 일반 알루미늄폼의 조립, 해체를 기준한 것이다.
② 본 품에는 조립, 해체, 청소, 보수작업이 포함되어 있으며, 동바리 설치 및 해체는 별도 계상한다.
③ 알루미늄 판넬은 150회 사용을 기준한다.
④ 재료 및 기계경비는 별도 계상한다.
⑤ 알루미늄폼의 품 적용은 다음을 참조한다.

구조물	적용면적(m²)
셋 팅 층	알루미늄폼이 설치되는 최저층
일반층 설치 및 해체	전체층수-2개층(셋팅층, 마감층)
마 감 층	알루미늄폼이 해체되는 최상층

⑥ 본 품은 단면에 변화가 없는 기준이며, 단면의 형태 및 크기에 변화가 발생되는 경우 현장 여건에 따라 '2. 셋팅층 및 마감층 설치 및 해체'를 조정하여 별도 계상한다.

2. 셋팅층 및 마감층 설치 및 해체

(10m²당)

구 분	단 위	수량	
		셋팅층	마감층
형 틀 목 공	인	2.73	1.30
보 통 인 부	인	0.87	0.41

[주] ① 셋팅층은 알루미늄폼을 현장 반입하여 최저층에서 최초 조립, 해체하는 기준이다.
② 마감층은 최상층에서 알루미늄폼을 조립하여 해체 정리하는 기준이다.

3. 일반층 설치 및 해체

(10㎡당)

구 분	단 위	수 량
형 틀 목 공	인	0.47
보 통 인 부	인	0.15

[주] 일반층은 셋팅층 이후 최상층전까지 각 층마다 조립 후 해체하는 기준이다.

6-3-8 갱폼 설치 및 해체('08, '09, '17년 보완)

1. 적용범위
   ① 본 품은 철근콘크리트 구조의 갱폼 조립·해체를 기준한 것이다.
   ② 본 품에는 조립, 해체, 청소, 보수작업이 포함되어 있다.
   ③ 양중에 소요되는 기계경비(크레인 등)는 별도 계상한다.
   ④ 공구손료 및 경장비(전동드릴 등)의 기계경비는 인력품의 2%로 계상한다.
   ⑤ 재료 및 손료는 별도 계상한다.
   ⑥ 갱폼용 핸드레일 및 작업발판의 재료 및 품은 별도 계상한다.
   ⑦ 갱폼의 품 적용은 다음을 참조한다.

구조물	적용면적(㎡)
셋 팅 층	갱폼이 설치되는 최저층
일반층 설치 및 해체	전체층수-2개층(셋팅층, 마감층)
마 감 층	갱폼이 해체되는 최상층

   ⑧ 본 품은 단면에 변화가 없는 기준이며, 단면의 형태 및 크기에 변화가 발생되는 경우 현장 여건에 따라 '2. 셋팅층 및 마감층 설치 및 해체'을 조정하여 별도 계상한다.

2. 셋팅층 및 마감층 설치 및 해체

(10㎡당)

구 분	단 위	수 량	
		셋팅층	마감층
형 틀 목 공	인	1.89	1.32
보 통 인 부	인	0.59	0.41

[주] ① 셋팅층은 갱폼을 현장 반입하여 최저층에서 최초 조립, 해체하는 기준이다.
    ② 마감층은 최상층에서 갱폼을 조립 및 해체 정리하는 기준이다.

3. 일반층 설치 및 해체

(10㎡당)

구 분	단 위	수 량
형 틀 목 공	인	0.48
보 통 인 부	인	0.15

[주] 일반층은 셋팅층 이후 최상층전까지 각 층마다 조립 후 해체하는 기준이다.

6-3-9 지수판 설치('18년 보완)

1. PVC 용접

(m당)

구 분	단 위	수 량
특 별 인 부	인	0.151
보 통 인 부	인	0.116

[주] ① 본 품은 PVC 용접기를 사용한 지수판 설치를 기준한 것이다.
② 공구손료 및 경장비(PVC 용접기 등)의 기계경비는 인력품의 3%로 계상한다.
③ 재료량은 다음을 참고하여 적용한다.

(m당)

구 분	규 격	단 위	수 량
P V C 지 수 판	200×5t	m	1.04
P V C 용 접 봉		kg	0.042
철 선	#8	kg	0.21

※ 재료량은 할증이 포함되어 있으며, 설계에 따라 재료를 증감할 수 있다.

2. 소켓 연결

(m당)

구 분	단 위	수 량
특 별 인 부	인	0.085
보 통 인 부	인	0.029

[주] ① 본 품은 지수판 연결재(소켓)를 사용한 지수판 설치를 기준한 것이다.
② 본 품은 지수판 절단 및 설치, 소켓 연결, 실란트 마감 작업이 포함된 것이다.

有權解釋

제목 지수판설치 문의

질의문

신청번호 2110-039 신청일 2021-10-13
질의부분 공통 제6장 철근콘크리트공사 6-3-9 지수판 설치

표준품셈 6-3-9 지수판 설치의 1. PVC용접을 보면 재료량과 단위량은 m당으로 명시하고 있는데, 여기서 말하는 m당 이란 사용 자재의 길이를 말하는 것인지? 아니면, 실제 용접이 되는 용접 부위의 길이만을 의미하는 것인지? 궁금합니다.

회신문

표준품셈 공통부문 "6-3-9 지수판 설치"는 지수판 길이에 따른 m당 설치기준을 제시하고 있으며, 접합 방식에 따른 항목을 구분하고 있습니다. 지수판 길이에 따른 m당 설치기준에는 소켓 길이도 포함되어 있습니다.

6-3-10 신축이음(Expansion Joint) 설치('18년 신설)

1. 다웰바 설치

(ea당)

구 분	단 위	수 량
형 틀 목 공	인	0.043
보 통 인 부	인	0.009

[주] ① 본 품은 콘크리트 구조물의 신축이음부 설치를 기준한 것이다.
② 다웰바의 설치 간격은 150mm를 기준한 것이다.
③ 녹막이 페인트 작업은 '[건축부문] 11-2-6 녹막이페인트칠'을 따른다.

2. 채움재 설치

(㎡당)

구 분	단 위	수 량
형 틀 목 공	인	0.029
보 통 인 부	인	0.006

[주] ① 본 품은 콘크리트 구조물의 신축이음부 설치를 기준한 것이다.
② 채움재(발포폴리스티렌)는 두께 20mm를 기준한 것이다.

3. 실링 마감

(㎡당)

구 분	단 위	수 량
방 수 공	인	0.021
보 통 인 부	인	0.004

[주] ① 본 품은 콘크리트 구조물의 신축이음부 마감을 기준한 것이다.
② 본 품은 V컷팅, 프라이머 바름, 백업재 삽입, 실링재 주입 작업이 포함된 것이다.
③ 공구손료는 인력품의 1%를 계상한다.

6-4 포스트텐션(Post Tension) 구조물 제작

6-4-1 PSC빔 제작('16, '21년 보완)

1. 적용범위
   ① 본 품은 PSC빔제작 시 필요한 포스트텐션(Post Tension) 시공에 적용한다.
   ② 본 품은 정착구, 쉬즈관, 강연선 설치, 인장 및 그라우팅 작업을 포함하며, 적용범위는 다음과 같다.

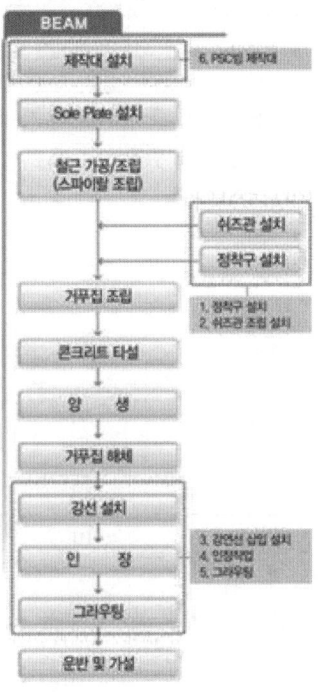

2. 정착구 설치

(개당)

구 분	단 위	수 량
형 틀 목 공	인	0.10
보 통 인 부	인	0.06

[주] ① 본 품은 PSC빔의 정착구(연결 쉬즈관규격 ø85mm 이하)를 설치하는 기준이다.
   ② 본 품은 정착구 고정 및 설치작업이 포함된 것이다.
   ③ 정착구 보강철근의 시공은 '[공통부문] 6-2-1 현장가공 및 조립(토목)'을 적용한다.
   ④ 공구손료 및 경장비(드릴 등)의 기계경비는 인력품의 5%로 계상한다.

3. 쉬즈관 설치

(m당)

구 분	단 위	수 량
철 근 공	인	0.03
보 통 인 부	인	0.01

[주] ① 본 품은 PSC빔 쉬즈관(ø85mm 이하)을 철근에 연결하여 설치하는 기준이다.
   ② 본 품은 쉬즈관 절단 및 조립, 쉬즈 보호호스 삽입 및 제거작업이 포함되어 있다.

③ 공구손료 및 경장비(절단기 등)의 기계경비는 인력품의 2%로 계상한다.
④ 잡재료 및 소모재료(결속선, 쉬즈 보호호스 등)는 주재료비의 5%로 계상한다.

4. 강연선 설치

(ton당)

구 분	단 위	수 량(강연선 규격)	
		ø 12.7mm	ø 15.2mm
철 근 공	인	0.77	0.64
보 통 인 부	인	0.34	0.28

[주] ① 본 품은 쉬즈관 내부에 강연선을 삽입하여 설치하는 기준이다.
② 본 품은 강연선 삽입, 절단작업이 포함되어 있다.
③ 공구손료 및 경장비(강연선삽입기, 절단기 등)의 기계경비는 인력품의 7%로 계상한다.

5. 인장

(개소당)

구 분		규 격	단 위	수량(강연선 규격)	
				ø 12.7mm	ø 15.2mm
인 력	기 계 설 비 공		인	0.15	0.17
	특 별 인 부		인	0.12	0.14
	보 통 인 부		인	0.07	0.08
장 비	강 연 선 인 장 기	250t	hr	0.60	0.71

[주] ① 본 품은 강연선의 양측면 인장작업 기준이다.
② 본 품은 앵커헤드 및 웨지설치, 인장작업 및 절단작업이 포함되어 있다.
③ 강연선 인장기의 규격은 소요 긴장력을 고려하여 변경할 수 있다.
④ 공구손료 및 경장비(절단기, 윈치 등)의 기계경비는 인력품의 5%로 계상한다.

6. 그라우팅

(㎥당)

구 분		규 격	단 위	수 량
인 력	기 계 설 비 공		인	1.03
	특 별 인 부		인	1.74
	보 통 인 부		인	0.81
장 비	그 라 우 팅 믹 서	190×2ℓ	hr	2.90
	그 라 우 팅 펌 프	30~60 ℓ/min	hr	2.90

[주] ① 본 품은 쉬즈관 내부 그라우팅 작업 기준이다.
② 본 품은 주입호스 설치 및 그라우팅 준비, 시멘트 배합 및 주입작업이 포함되어 있다.
③ 물 공급을 위해 살수차 등의 장비가 필요한 경우 기계경비는 별도 계상한다.
④ 공구손료 및 경장비(주입장치 등)의 기계경비는 인력품의 6%로 계상한다.
⑤ 잡재료 및 소모재료(시멘트, 혼화재, 물)는 별도 계상한다.

7. PSC빔 제작대 설치

(10m당)

구 분	규 격	단	수 량
형 틀 목 공		인	0.61
보 통 인 부		인	0.24
굴 삭 기	0.6m³	hr	1.11
덤 프 트 럭	2.5ton	hr	1.11

[주] ① 본 품은 PSC 빔을 제작하기 위한 제작대 설치작업 기준이다.
② 빔 제작장의 지반 조건이 불량하여 콘크리트 타설 등의 기초공사가 필요한 경우는 별도 계상한다.
③ 재료량은 다음을 참고한다.

(10m당)

종 별	단 위	수 량	비 고
각 재	m³	2.34	120mm×150mm×2,100mm×50본 105mm×105mm×10,300mm×4본
판 재	〃	0.15	
꺽 쇠	EA	200	
못	kg	4	
잡 석	m³	2	10.3m×2.1m×0.1m≒2.0m³

※ 각재의 손율은 30%이고 판재의 손율은 10%이다.

6-4-2 PSC BOX 설치('16, '21년 보완)

1. 적용범위
① 본 품은 PSC BOX 제작 시 필요한 포스트텐션(Post Tension) 시공에 적용한다.
② 본 품은 정착구, 쉬즈관, 강연선 설치, 인장 및 그라우팅 작업을 포함하며, 적용범위는 다음과 같다.

2. 정착구 설치

(개당)

구 분	단 위	수 량(쉬즈관 규격)		
		ø75mm 이하	ø100mm 이하	ø130mm 이하
형 틀 목 공	인	0.38	0.48	0.61
보 통 인 부	인	0.18	0.23	0.29
비 고		- 연결정착구의 설치는 본품의 50%를 가산한다.		

[주] ① 본 품은 긴장단 및 고정단의 정착구 설치작업을 기준한 것이다.
　　② 본 품은 정착구 고정 및 설치작업이 포함되어 있다.
　　③ 정착구 보강철근의 시공은 '[공통부문] 6-2-1 현장가공 및 조립(토목)'을 적용한다.
　　④ 공구손료 및 경장비(드릴 등)의 기계경비는 인력품의 4%로 계상한다.

3. 쉬즈관 설치

(m당)

구 분	단 위	수 량(쉬즈관 규격)		
		ø75mm 이하	ø100mm이하	ø130mm이하
철 근 공	인	0.03	0.05	0.07
보 통 인 부	인	0.02	0.02	0.03

[주] ① 본 품은 쉬즈관을 철근에 연결하여 설치하는 기준이다.
　　② 본 품은 쉬즈관 절단 및 조립, 쉬즈 보호호스 삽입 및 제거작업이 포함되어 있다.
　　③ 공구손료 및 경장비(절단기 등)의 기계경비는 인력품의 2%로 계상한다.
　　④ 잡재료 및 소모재료(결속선, 쉬즈 보호호스 등)는 주재료비의 5%로 계상한다.

4. 강연선 설치

(ton당)

구 분	단 위	수량(강연선 규격)	
		ø12.7mm	ø15.2mm
철 근 공	인	1.61	1.39
보 통 인 부	인	0.65	0.56

① 본 품은 쉬즈관 내부에 강연선 삽입 및 설치작업 기준이다.
② 본 품은 강연선 삽입 및 절단작업이 포함되어 있다.
③ 공구손료 및 경장비(강연선삽입기, 절단기 등)의 기계경비는 인력품의 5%로 계상한다.

5. 인장

(개소당)

구분		규격	단위	수 량(강연선 규격)							
				ø12.7mm				ø15.2mm			
				7	12	19	31	7	12	19	31
1단 인장	기계설비공		인	0.26	0.37	0.58	0.87	0.30	0.43	0.67	1.01
	특별인부		인	0.21	0.31	0.48	0.71	0.25	0.35	0.55	0.83
	보통인부		인	0.11	0.16	0.24	0.36	0.13	0.18	0.28	0.42
	강연선인장기	300t	hr	0.66	0.93	1.45	2.18	0.76	1.08	1.68	2.53
양단 인장	기계설비공		인	0.49	0.71	1.07	1.51	0.56	0.83	1.08	1.52
	특별인부		인	0.40	0.58	0.87	1.23	0.46	0.67	0.88	1.24
	보통인부		인	0.20	0.29	0.44	0.62	0.23	0.34	0.44	0.62
	강연선인장기	300t	hr	1.33	1.94	2.94	4.15	1.53	2.25	3.41	4.81

[주] ① 본 품은 강연선의 단측면 및 양측면 인장작업 기준이다.
② 본 품은 앵커헤드 및 웨지설치, 인장작업 및 절단작업이 포함되어 있다.
③ 강연선 인장기의 규격은 소요 긴장력에 따라 변경할 수 있다.
④ 공구손료 및 경장비(절단기, 윈치 등)의 기계경비는 인력품의 5%로 계상한다.

6. 그라우팅

(㎥당)

구분		규격	단위	수량
인력	기계설비공		인	1.43
	특별인부		인	2.40
	보통인부		인	1.12
장비	그라우팅믹서	190×2ℓ	hr	4.43
	그라우팅펌프	30~60 ℓ/min	hr	4.43

[주] ① 본 품은 쉬즈관 내부 그라우팅 작업 기준이다.
② 본 품은 주입호스 설치 및 그라우팅 준비, 시멘트 배합 및 주입작업이 포함되어 있다.
③ 물 공급을 위해 살수차 등의 장비가 필요한 경우 기계경비는 별도 계상한다.
④ 공구손료 및 경장비(주입장치 등)의 기계경비는 인력품의 5%로 계상한다.
⑤ 잡재료 및 소모재료(시멘트, 혼화재, 물)는 별도 계상한다.

有權解釋

제목 PC암거제작 시 강연선 인장에 관하여 질의

질의문

신청번호 2009-075 신청일 2020-09-28
질의부분 공통 제6장 철근콘크리트공사 6-4-2 PSC BOX설치

질의 사항은 아래와 같습니다.
1. 6-4-2 PSC BOX설치에서 인장 품에서 표에서 (개소당)이라고 되어 있는 부분은 PSC BOX 4모서리 모두 강연선으로 인장한다고 하면 품 단가에 곱하기 4를 해서 봐줘야 하나요?
2. 인장 품 표에서 구분에 수량 ø12.7mm로 된 부분은 강연선 다발 직경인가요?

3. 그리고 7, 12, 19, 31은 강연선 다발 안에 강연선 개소 수인가요?
4. 보통 PSC박스가 경간당 2m라고 가정한다면 몇 경간 당 한번씩 인장을 하는지?

회신문

표준품셈 공통부문 "6-4-2 PSC BOX설치/ 5. 인장"에서 제시하는 품은 인장 구멍 1개소당 품을 제시하고 있습니다. PSC BOX에 4개의 인장 구멍에 대하여 인장 작업을 할 경우 4개소를 적용하시기 바랍니다. 또한 7, 12, 19, 31은 하나의 정착구에 강연선의 가닥 수를 의미하며, '7/12.7mm'는 지름 12.7mm의 강연선 7가닥을 의미합니다.

경간당 인장횟수에 대한 기준은 표준품셈에서 제시하고 있지 않으며, 설치 기준 및 수량산출 방법은 현장별 표준시방서와 같은 시공기준을 참조하시기 바랍니다.

6-5 교량 가설공

6-5-1 빔 가설공('08, '21년 보완)

(일당)

구분		규격	단위	수량	일당가설중량(ton)					
					55 ton/개 미만	55~75 ton/개 미만	75~100 ton/개 미만	100~125 ton/개 미만	125~150 ton/개 미만	150~200 ton/개 미만
인력	특별인부		인	7	470	640	780	1,130	1,490	1,960
	보통인부		인	2						
	용접공		인	3						
장비	크레인	200~500ton	대	2						
	고소작업차	5ton	대	1						
비고	- 교량을 확폭하거나, 과도교, 과선교 지하 통로내(낙석, 낙설방지)인 때는 일당 가설 톤수를 15% 감한다.									

[주] ① 본 품은 제작 완료된 빔을 교량아래에서 장비(크레인)로 가설하는 기준이다.
② 본 품은 빔 양중 및 가설, 위치 고정, 전도방지시설 설치를 포함한다.
③ 본 품은 높이의 할증을 추가 계상하지 않는다.
④ 현장에 반입되어 조립이 완료된 크레인에 의하여 빔을 가설하는 기준이며, 크레인의 운반 및 조립은 별도 계상한다.
⑤ 장비의 규격은 작업여건(가설높이, 작업반경, 시공위치 등)을 고려하여 적합한 규격의 크레인을 선정하여 계상하며, 300ton을 초과하는 대형규격 크레인 장비의 기계경비는 별도 계상한다.
⑥ 교량하부까지 운반이 완료된 상태의 빔을 가설하는 기준이며, 가설 지점까지의 현장내 소운반(2차운반)이 발생하는 경우는 별도 계상한다.
⑦ 공구손료 및 경장비(용접기 등)의 기계경비는 인력품의 3%로 계상한다.
⑧ 크레인, 트레일러 등의 반입을 위한 토공사 및 가시설 설치 및 빔 가설용 가교각이 필요한 경우에는 별도 계상한다.
⑨ 포스트텐션 빔에 있어서 제작·가설 공정에 따라 필요한 회송비 및 시공도중에서의 회송비는 별도 계상한다.
⑩ 빔 가설위치가 하천통과구간, 지장물에 의한 저촉 등 가설조건이 불량한 경우 현장여건에 따라 500ton 급을 초과하는 대형크레인의 적용이 가능하며, 가설품은 크레인 가설능력과 현장 상황에 따라 별도 계상한다.

> **有權解釋**
>
> **제목** 빔 가설공 비고 항목 관련하여 질의
>
> **질의문**
> 신청번호 2205-040 신청일 2022-05-11
> 질의부분 공통 제6장 철근콘크리트공사 6-5-1 빔가설공
>
> 6-5-1 빔 가설공 비고 항목 관련하여 질의합니다.
> 비고 항목에 교량을 확폭하거나, 과도교, 과선교 지하 통로내(낙석, 낙설방지)인 때는 일당 가설 톤수를 15% 감한다.
> [질의 내용]
> 철도 상부를 횡단하는 빔을 가설하는 경우에도 일당 가설 톤수를 15% 감하여 적용할 수 있는지 질의합니다.
>
> **회신문**
> 표준품셈 공통부문 "6-5-1 빔 가설공" '비고'에서는 교량을 확폭하거나, 과도교, 과선교 지하통로내(낙석, 박설방지)인 때는 일당 가설 톤수를 15%감한다로 정하고 있으며, 철도상부를 횡단하는 빔 가설이 가도교(철도가 도로위를 횡단하는 경우), 과선교(도로가 철도선로위를 횡단하는 경우), 지하통로내에 해당하는 경우 15%를 감하여 적용하시기 바랍니다.

6-5-2 강재거더 가설공('08, '21년 보완)

(일당)

구 분		규 격	단위	수량	가설중량(ton)				
					35 ton/개 미만	35~55 ton/개 미만	55~75 ton/개 미만	75~100 ton/개 미만	100~130 ton/개 미만
인력	철공		인	9	100	130	150	190	240
	특별인부		인	2					
	보통인부		인	2					
	용접공		인	2					
장비	크레인	100~300ton	대	2					
	고소작업차	5ton	대	1					
비고	- 교량을 확폭하거나, 과도교, 과선교 지하 통로내(낙석, 낙설방지)인 때는 일당 가설 톤수를 15% 감한다.								

[주] ① 본 품은 조립이 완료된 강재거더를 교량아래에서 장비(크레인)로 가설하는 기준이다.
② 본 품은 거더 양중 및 가설, 위치 고정 및 가조립, 전도방지시설 설치를 포함한다.
③ 본 품은 높이의 할증을 추가 계상하지 않는다.
④ 강재거더를 지상에서 조립하는 품은 별도 계상한다.
⑤ 현장에 반입되어 조립이 완료된 크레인에 의하여 강재거더를 가설하는 기준이며, 크레인의 운반 및 조립은 별도 계상한다.
⑥ 장비의 규격은 작업여건(가설높이, 작업반경, 시공위치 등)을 고려하여 적합한 규격의 크레인을 선정하여 계상한다.
⑦ 교량하부까지 운반이 완료된 상태의 거더를 가설하는 기준이며, 가설 지점까지의 현장내 소운반(2차 운반)이 발생하는 경우는 별도 계상한다.

⑧ 공구손료 및 경장비(전기드릴, 용접기, 공기압축기 등)의 기계경비는 인력품의 5%로 계상한다.
⑨ 크레인, 트레일러 등의 반입을 위한 토공사 및 가시설 설치 및 빔 가설용 가교각이 필요한 경우에는 별도 계상한다.
⑩ 가로보(Cross beam), 브레이싱 및 ㄷ형강의 설치 비용은 별도 계상한다.
⑪ 거더 가설위치가 하천통과구간, 지장물에 의한 저촉 등 가설조건이 불량한 경우 현장여건에 따라 300ton급을 초과하는 대형크레인의 적용이 가능하며, 가설품은 크레인 가설능력과 현장 상황에 따라 별도 계상하고, 300ton을 초과하는 대형규격 크레인 장비의 기계경비는 별도 계상한다.

有權解釋

제목 강재거더 가설공 강재거더 기준

질의문

신청번호 2203-103 신청일 2022-03-28
질의부분 공통 제6장 철근콘크리트공사 6-5-2 강재거더가설공

표준품셈 /공통부문 /제6장 철근콘크리트공사 / 6-5 교량 가설공 / 6-5-2 강재거더 가설공 /관련 질문입니다.
첫번째, [주] ①에서 조립이 완료된 강재거더에 대해 갑설, 을설이 있습니다. 어느 것이 맞는지요?
갑설 : 조립이 완료된 1 경간 거더를 가설하는 작업 기준이다.
을설 : 2~3 segment로 조립된 부재와 부재를 교각 위에서 볼트 체결하여 가설하는 작업도 포함된다.
두번째(갑설일 경우)현장 여건상 강BOX 거더 1경간 중 1segment를 교각 위에서 해체하고, 추후 재설치 해야 하는 바 해체 시 1segment를 교각 위에서 볼트를 풀어 해체하고 재설치 시 1segment를 교각 위에서 볼트를 체결하여 설치해야 합니다.
해체 및 재설치 시 적용 가능한 품이 있는지 알려주시면 감사하겠습니다.

회신문

[답변1]
표준품셈 공통부문 "-5-2 강재거더 가설공"는 빔 양중 및 가설, 위치고정 전도방지시설 설치를 위한 인력 품 기준을 제시하고 있으며, 볼트 체결 품이 포함되어 있습니다.
[답변2]
표준품셈에는 강재거더 해체 및 재설치를 위한 기준은 제시하고 있지 않습니다.

6-6 교량 부대공

6-6-1 교량받침 설치(육상)('16, '21년 보완)

(개당)

교각 높이	교량받침 1기당 중량 (ton)	특별인부 (인)	보통인부 (인)	용접공 (인)	크레인 (hr)	고소작업차 (hr)
20m 이하	0.2이하	0.42	0.18	0.07	0.62	1.05
	0.3이하	0.66	0.29	0.11	0.81	1.37
	0.5이하	0.78	0.34	0.14	1.16	1.96
	1.0이하	0.95	0.41	0.16	1.40	2.36
	1.5이하	1.06	0.46	0.18	1.57	2.65
	1.5초과	1.34	0.58	0.23	2.00	3.38
40m 이하	0.2이하	0.51	0.22	0.09	0.74	1.25
	0.3이하	0.79	0.34	0.14	0.97	1.64
	0.5이하	0.94	0.41	0.16	1.39	2.35
	1.0이하	1.14	0.49	0.20	1.68	2.84
	1.5이하	1.27	0.55	0.22	1.88	3.18
	1.5초과	1.61	0.70	0.28	2.40	4.05
40m 초과	0.2이하	0.61	0.27	0.11	0.90	1.52
	0.3이하	0.96	0.42	0.17	1.17	1.98
	0.5이하	1.13	0.49	0.20	1.68	2.84
	1.0이하	1.38	0.60	0.24	2.03	3.43
	1.5이하	1.54	0.67	0.27	2.28	3.85
	1.5초과	1.95	0.84	0.34	2.90	4.90

[주] ① 본 품은 교량의 교대 및 교각의 교량받침(포트받침, 탄성받침 등)을 육상에서 설치하는 기준이다.
② 본 품은 콘크리트 치핑 및 청소, 용접, 위치확인, 받침설치, 무수축 모르타르 타설 및 양생작업이 포함되어 있다.
③ 비계 및 발판, 난간 등의 설치는 별도 계상한다.
④ 투입장비(크레인, 고소작업차 등)의 규격은 다음을 기준 참고하며, 작업여건에 따라 변경할 수 있다.

장 비	크레인	고소작업차
규 격	25~50ton	3~5ton

⑤ 공구손료 및 경장비(치핑기, 용접기, 발전기, 핸드믹서기 등)의 기계경비는 인력품의 3%로 계상한다.
⑥ 교량받침 설치를 위한 소모재료(무수축 모르타르 등)는 설계수량에 따른다.

有權解釋

제목 교량받침 설치에 관하여 질의

질의문

신청번호 2102-096 신청일 2021-02-23
질의부분 공통 제6장 철근콘크리트공사 6-6-1 교량받침 설치

건설공사 표준품셈(2021) 6-6 교량 부대공 6-6-1 교량받침 설치 《주》 ② 본 품은 콘크리트 치핑 및 청소, 용접, 위치측량, 받침 설치, 무수축모르타르 타설 및 양생 작업이 포함되어 있다.에 명시되어 있는 용접의 시공범위가 궁금합니다.

회신문

표준품셈 공통부문 "6-6-1 교량받침 설치"에서 용접은 노출된 구조물 철근에 교량받침을 연결하는 작업을 뜻합니다.

監査

제목 교량 받침교체 시공 부적정

내용

계약상대자는 기존 고가교 교량받침의 내진성능을 확보하기 위해 받침 258개 중 234개를 교체하면서 설계서(도면, 시방서)에 따라 받침확장 플레이트(Plate) 길이는 150mm, 확장 Plate와 SolePlate를 연결하는 용접 규격은 10mm, 확장 Plate강재표면에 녹 발생방지를 위한 도장을 하여야 하는데, 교체한 받침 234개 중 12개에 대하여 현장조사 한 결과에 의하면 설계변경 승인 절차없이 확장 Plate는 설계 규격보다 40mm(27%)가 작은 110mm(73%)로 시공하였고, 확장 Plate와 Sole Plate 를 연결한 용접부위는 퍼티로 표면처리하여 용접실태를 확인할 수 없어 교량받침 3개에 대하여 퍼티를 제거하고 용접규격을 확인한 결과 설계 규격보다 2~4mm(20~40%)가 작은 6~8mm(60~80%)로 불규칙하게 시공하였으며, 확장 Plate와 SolePlate의 강재 표면에는 녹 발생 방지를 위한 도장을 하지 않고 접착제(Putty)로 표면처리를 하였다

건설사업관리기술자는 2차례의 기성검사(4회 기성검사 2014.8.26. 5회기성검사 2014.10.21.)를 하면서도 설계대로 시공한 것으로 처리하였다. 그 결과 교량받침이 설계대로 시공되지 않아 당초설계 기준보다 내구성이 저하된 교량받침을 시공한 결과가 초래되었다.

조치할 사항

○○○○○사장은 교량받침 확장Plate와 SolePlate를 연결하기 위한 용접을 하면서 설계도면과 다르게 시공한 받침 234개에 대하여 용접 시공실태를 전수조사하여 구조적 안전성이 확보되지 않은 받침에 대하여는 「지방자치단체 입찰 및 계약 집행기준」 제13장 "공사계약일반조건" 제1절(총칙)에 따라 계약상대자로 하여금 설계도면에 의한 용접 규격대로 시공(재시공) 하도록 조치하시고(통보)

교량받침 교체공사를 하면서 설계변경 승인없이 설계 규격보다 작게 시공하고, 일부 공종은 시공하지 않은 건설업자·건설기술자·건설사업관리용역업자·건설사업관리기술자에게 「건설기술진흥법」 시행령 제87조 제5항 [별표 8]의 벌점관리 기준에 따라 벌점을 부과하시기 바람(통보)

6-6-2 교량받침 설치(수상)('21년 보완)

(개당)

교각 높이	교량받침 1기당 중량 (ton)	특별인부 (인)	보통인부 (인)	용접공 (인)	크레인 (hr)	고소작업차 (hr)
20m 이하	0.2이하	0.69	0.30	0.12	1.03	1.74
	0.3이하	1.09	0.48	0.18	1.34	2.27
	0.5이하	1.29	0.56	0.23	1.92	3.24
	1.0이하	1.57	0.68	0.26	2.32	3.90
	1.5이하	1.75	0.76	0.30	2.60	4.38
	1.5초과	2.22	0.96	0.38	3.31	5.59
40m 이하	0.2이하	0.84	0.36	0.15	1.22	2.07
	0.3이하	1.31	0.56	0.23	1.60	2.71
	0.5이하	1.55	0.68	0.26	2.30	3.89
	1.0이하	1.89	0.81	0.33	2.78	4.70
	1.5이하	2.10	0.91	0.36	3.11	5.26
	1.5초과	2.66	1.16	0.46	3.97	6.70
40m 초과	0.2이하	1.01	0.45	0.18	1.49	2.51
	0.3이하	1.59	0.69	0.28	1.94	3.28
	0.5이하	1.87	0.81	0.33	2.78	4.70
	1.0이하	2.28	0.99	0.40	3.36	5.67
	1.5이하	2.55	1.11	0.45	3.77	6.37
	1.5초과	3.23	1.39	0.56	4.80	8.11

[주] ① 본 품은 교량의 교대 및 교각의 교량받침(포트받침, 탄성받침 등)을 수상에서 설치하는 기준이다.
② 본 품은 콘크리트 치핑 및 청소, 용접, 위치확인, 받침설치, 무수축 모르타르 타설 및 양생작업이 포함되어 있다.
③ 비계 및 발판, 난간 등의 설치는 별도 계상한다.
④ 투입장비(크레인, 고소작업차 등)의 규격은 다음을 기준 참고하며, 작업여건에 따라 변경할 수 있다.

장 비	크레인	고소작업차
규 격	25~50ton	3~5ton

⑤ 공구손료 및 경장비(치핑기, 용접기, 발전기, 핸드믹서기 등)의 기계경비는 인력품의 3%로 계상한다.
⑥ 교량받침 설치를 위한 소모재료(무수축 모르타르 등)는 설계수량에 따른다.

契約審査

제목 현장과 다른 원가산출에 따른 과다예산 적용

내용
교량의 받침철판 중 평면상태의 받침은 일정 두께의 절단 공종만 필요하고, 경사상태의 받침은 일정 두께의 철판을 공장에서 정밀하게 밀링 가공 필요하나 대부분의 교좌장치 받침철판의 공사원가는 소규모, 경량철판 등의 제작에 필요한 잡철물제작 품으로 산출하고 있어 공사원가 과다산출로 예산 낭비

> **심사 착안사항**
> - 교량의 교좌 받침철판은 정밀시공을 요구받는 중요한 자재이므로 현장에서 잡철물제작하는 방법으로 산소절단 및 가공은 불가하며, 특히 경사진 철판의 경우 현장에서 가공이 불가하므로 공장에서 정밀 가공하여야 함에 주의
> - 설계공종 중 시공가능성에 대한 적정성 검토
> - 본 공사의 특수성과 무관하게 관례적으로 적용한 공정의 필요성 검토

6-6-3 교량신축이음장치 설치(도로교)('21년 보완)

(10m당)

구 분		규 격	단 위	절단폭 900mm 이하	절단폭 1,200mm 이하	절단폭 1,500mm 이하	절단폭 1,800mm 이하
인력	용 접 공		인	1.14	1.23	1.32	1.42
	콘 크 리 트 공		인	0.58	0.63	0.67	0.73
	특 별 인 부		인	3.42	3.70	3.97	4.29
	보 통 인 부		인	2.02	2.18	2.34	2.53
장비	크 레 인	10ton	hr	1.28	2.14	2.9	4.83
	굴삭기+브레이커	0.2㎥	hr	1.67	2.78	3.77	6.28

[주] ① 본 품은 교량에 설치되는 신축이음장치 설치 기준으로, 도로교에서 주로 사용되는 형태(모노셀형, 핑거형, 레일형 등)로 기존 포장 및 콘크리트 파쇄 후 설치하는 기준이다.
② 본 품은 포장절단 및 뜯기, 신축이음장치 설치, 철근가공조립, 보강철근 용접, 간격재(거푸집) 설치, 무수축 콘크리트 타설 및 양생을 포함한다.
③ 공구손료 및 경장비(발전기, 소형브레이커, 용접기, 절단기 등)의 기계경비는 인력품의 6%로 계상한다.
④ 재료량은 설계수량을 적용한다.

> **監査**
>
> **제목** 교량의 신축이음장치 공사원가 과다 책정
>
> **내용**
> ○○○○공단에서는 위 신축이음판 무게가 110kg/m 이하인 신축이음장치 보수의 공사 원가계산을 하면서 건설공사 표준품셈(국토교통부) 토목부문 제6장 철근 콘크리트공사에 신축이음판 무게가 110kg/m 이하인 소형교량 신축이음장치 보수 품은 특별인부 0.29인/m, 보통인부 0.17인/m으로 되어 있는데도, ○○시 ○○사업소에서 제조업체의 견적단가인 특별인부 0.39~0.45인/m, 보통인부 0.26~0.30인/m으로 적용하여 과다 계상된 설계지침상의 신축이음장치 보수 품을 적용함으로써 16백만원의 예산을 낭비하는 결과가 초래되었다.
>
> **조치할 사항**
> ○○○○시 ○○○○○○이사장은 교량 및 고가차도의 신축이음장치보수 품의 공사원가 계산할 때는 건설공사 표준 품셈을 적용하여 예산이 낭비되는 사례가 발생되지 않도록 하시고, 잘못작성된 설계지침이 개정 될 수 있도록 ○○시 ○○○○과 및 각 ○○사업소에 통보하시기 바람(통보)

6-6-4 교량신축이음장치 설치(철도교)('21년 신설)

(10m당)

구 분	단 위	수량
특 별 인 부	인	5.44
보 통 인 부	인	1.05

[주] ① 본 품은 교량에 설치되는 신축이음장치 설치 기준으로, 철도교에서 주로 사용되는 형태로 포장 및 콘크리트의 파쇄 없이 타설전에 매립하여 설치하는 기준이다.
② 본 품은 콘크리트 타설 전 고정레일(알루미늄 프레임) 설치, 고무배수판 삽입, 덮개판 시공을 포함한다.
③ 공구손료 및 경장비(드릴, 절단기 등)의 기계경비는 인력품의 3%로 계상한다.
④ 재료량은 설계수량을 적용한다.

6-6-5 교량점검시설 점검통로 설치('08, '17, '21년 보완)

(발판면적 ㎡당)

구 분	규 격	단 위	20m이하	40m이하
철 공		인	0.05	0.06
보 통 인 부		인	0.01	0.02
크 레 인	-	hr	0.12	0.15
고 소 작 업 차	-	hr	0.12	0.15

[주] ① 본 품은 교량의 점검 및 유지관리를 위해 제작이 완료된 교량 점검시설을 교대 및 교각 등에 설치하는 기준이다.
② 본 품은 천공, 앵커볼트 설치, 점검통로 설치 및 고정, 난간 설치를 포함한다.
③ 본 품은 육상에서 크레인을 이용하여 시공하는 경우를 기준한 것으로, 크레인 진입이 불가하여 비계를 설치하여 작업하는 경우 및 교량상판 위에서 작업하는 경우, 육상이 아닌 해상에서 작업하는 경우 등에 있어서는 각각의 시공방법에 맞도록 별도로 계상하여야 한다.
④ 공구손료 및 경장비(전동드릴 등)의 기계경비는 인력품의 3%로 계상한다.
⑤ 본 품의 장비 규격은 다음을 기준으로 하며, 작업여건에 따라 변경할 수 있다.

수직고(m)	장 비 규 격	
	크레인	고소작업차
20m 이하	15톤급 크레인(타이어)	3ton
30m 이하	25톤급 크레인(타이어)	5ton
40m 이하	40톤급 크레인(타이어)	5ton

監査

제목 교량 점검시설설치 부적정

내용
교량 점검통로 출입사다리의 원형지지대 내경은 설치 기준에 60cm인데도 45cm~1m의 부적정 규격으로 설치되었고, 통로의 길이가 부족하거나 또는 통로가 미설치된 교량이 있는 등 부 적정한 점검시설이 6개 교량에서 확인되었다.

[점검통로 · 출입사다리 부적정 설치 현황]

구분		개소	설치상태	비고
설치	규격(내경)부적합	3	○○(폭 1m), ○○(폭 45cm), ○○(76cm)	
	길이 부족	2	○○(전 통로), ○○교(1개소)	
	미 설치	1	○○교(교대 1, 교각 4)	

조치할 사항

○○○○과장은 안전점검자의 안전이 확보되도록 부적정하게 설치된 6개 교량의 점검통로 등에 대한 개선방안 마련하시기 바람

6-6-6 교량점검시설 점검계단 설치('08, '17, '21년 보완)

(발판면적 m²당)

구 분	규 격	단 위	20m이하	40m이하
철 공		인	0.19	0.22
보 통 인 부		인	0.06	0.08
크 레 인	-	hr	0.44	0.53
고 소 작 업 차	-	hr	0.44	0.53

[주] ① 본 품은 교량의 점검 및 유지관리를 위해 제작이 완료된 교량 점검시설을 교대 및 교각 등에 설치하는 기준이다.
② 본 품은 교량 점검시설 출입을 위한 경사형 계단 기준으로 계단참을 포함한다.
③ 본 품은 천공, 앵커볼트 설치, 점검계단 설치 및 고정을 포함한다.
④ 본 품은 육상에서 크레인을 이용하여 시공하는 경우를 기준한 것으로, 크레인 진입이 불가하여 비계를 설치하여 작업하는 경우 및 교량상판 위에서 작업하는 경우, 육상이 아닌 해상에서 작업하는 경우 등에 있어서는 각각의 시공방법에 맞도록 별도로 계상하여야 한다.
⑤ 공구손료 및 경장비(전동드릴 등)의 기계경비는 인력품의 3%로 계상한다.
⑥ 본 품의 장비 규격은 다음을 기준으로 하며, 작업여건에 따라 변경할 수 있다.

수직고(m)	장 비 규 격	
	크레인	고소작업차
20m 이하	15톤급 크레인(타이어)	3ton
30m 이하	25톤급 크레인(타이어)	5ton
40m 이하	40톤급 크레인(타이어)	5ton

6-6-7 교량방수(도막)('09년 보완)

(m²당)

구 분	단 위	수 량
방 수 공	인	0.06
보 통 인 부	인	0.03

[주] ① 도막 방수에 사용되는 재료는 별도 계상한다.
② 본 품은 바탕처리, 프라이머바름 및 방수층 보호재깔기가 제외되어 있다.
③ 본 품은 방수층의 보호를 위한 누름 모르타르 및 콘크리트 공사는 제외되어 있다.
④ 본 품은 클로로프렌 고무계 바름횟수 4회를 기준으로 한 것이다.
⑤ 공구손료는 인력품의 3%로 계상한다.

6-6-8 교량방수(시트)('09년 신설)

(㎡당)

구 분	단 위	수 량
시 트	㎡	1.2
방 수 공	인	0.05
보 통 인 부	인	0.02

[주] ① 본 품은 바탕처리, 프라이머바름 및 방수층 보호재깔기가 제외되어 있다.
② 본 품은 재료의 할증 및 소운반 품이 포함되어 있다.
③ 본 품은 토치공법에 의한 모체와 시트를 전면 접착시키는 단층공법을 기준한 것으로 연료는 별도 계상한다.
④ 시트 상호 연결부분은 10cm이상 겹치도록 한다.
⑤ 공구손료는 인력품의 3%로 계상한다.
⑥ 시트가 특수한 경우에는 별도 계상할 수 있다.

6-6-9 프리캐스트 콘크리트 패널 설치('08년 신설, '21년 보완)

(㎡당)

구 분	규 격	단	대차시공	크레인시공
특 별 인 부		인	0.047	0.060
보 통 인 부		인	0.015	0.020
콘 크 리 트 공		인	0.019	0.025
이동용대차 + 크레인	-	hr	0.069	-
크 레 인	80ton		-	0.092
지 게 차	5ton	hr	0.069	0.092

[주] ① 본 품은 교량 거더위에 콘크리트 패널을 설치하는 기준으로, 패널설치의 시공 타입은 다음을 기준한다.

구 분	적 용 기 준
대 차 시 공	- 교량상부(거더)에 전용 대차(이동용대차+크레인)를 설치하여 시공하는 경우
크 레 인 시 공	- 교량 외부에서 크레인으로 시공하는 경우

② 본 품은 면정리, 고무패드 설치, 패널 설치, 이음부 모르타르 타설 작업을 포함한다.
③ 크레인과 대차를 활용하여 시공하는 기준이며, 레일을 사용한 대차의 레일 설치 및 철거 비용과 대차의 기계경비는 별도 계상한다.
④ 크레인의 규격은 작업여건에 따라 변경할 수 있다.

6-6-10 교량배수시설 설치('18년 신설, '21년 보완)

(m당)

구 분	규 격	단 위	수 량
배 관 공	-	인	0.251
보 통 인 부	-	인	0.114
고 소 작 업 차	5ton	hr	0.372

[주] ① 본 품은 교량의 노출 배수관 설치 기준이다.
② 배수관 규격은 ∅150~250mm이하이며, 재질은 알루미늄관, FRP관 기준이다.
③ 본 품은 지지철물 설치, 배수관(직관, 곡관) 절단 및 접합, 코킹 작업이 포함된 것이며, 배수구 및 매립 배수관 설치는 제외되어 있다.

④ 공구손료 및 경장비(전동드릴, 절단기 등)의 기계경비는 인력품의 3%로 계상한다.
⑤ 본 품의 장비 규격은 작업여건에 따라 변경할 수 있다.

6-7 조립식 구조물 설치공

6-7-1 플륨관 설치('01, '06, '09, '16, '18, '21년 보완)

(본당)

구 분		규격	단위	본당 중량(kg)									
				50~150 미만	150~300 미만	300~500 미만	500~700 미만	700~900 미만	900~1,100 미만	1,100~1,300 미만	1,300~1,500 미만	1,500~1,800 미만	1,800~2,100 미만
인 력	특별인부		인	0.020	0.027	0.038	0.050	0.061	0.072	0.084	0.103	0.118	0.137
	보통인부		인	0.015	0.020	0.028	0.036	0.045	0.053	0.062	0.061	0.071	0.082
장 비	크 레 인	10ton	hr	0.129	0.141	0.154	0.180	0.193	0.206	0.231	0.325	0.367	0.417

[주] ① 본 품은 철근 콘크리트 플륨관 및 벤치 플륨의 설치 기준이다.
② 본 품은 플륨관의 절단 및 설치, 이음 모르타르 설치 작업을 포함한다.
③ 터파기, 기초(콘크리트, 자갈, 모래), 지반고르기, 되메우기 등은 별도 계상한다.
④ 크레인규격은 작업여건에 따라 변경하여 적용할 수 있다.
⑤ 공구손료 및 소모재료(이음 모르타르 등)는 인력품의 8%로 계상한다.

契約審査

제목 U형 플륨관설치 품을 표준품셈에 맞게 조정

내용
U형 플륨관설치 품을 표준품셈에 맞게 조정
특별인부 : 0.07인/본 보통인부 : 0.24인/본 크레인 : 0.76시간/본 37,327원/m → 특별인부 : 0.047인/본 보통인부 : 0.108인/본 크레인 : 0.18시간/본 12,810원/m

심사 착안사항
공종별 설치 품을 현장여건을 감안하여 유사품으로 조정 검토

6-7-2 조립식 PC맨홀 설치('07년 신설, '17, '21년 보완)

(개당)

구 분	규격	단위	수 량							
			D900		D1,200		D1,500		D1,800	
			하부구체 +상판	연직 구체	하부구체 +상판	연직 구체	하부구체 +상판	연직 구체	하부구체 +상판	연직 구체
특 별 인 부		인	0.48	0.25	0.64	0.33	0.80	0.41	0.96	0.46
보 통 인 부		인	0.23	0.12	0.30	0.15	0.38	0.19	0.48	0.23
크 레 인	10ton	hr	0.98	0.50	1.12	0.57	1.25	0.64	1.44	0.83

[주] ① 본 품은 조립식 PC맨홀 설치 기준이다.
② 본 품의 연직구체는 1개의 설치기준으로 설치수량에 따라 추가 계상한다.

③ 본 품은 맨홀 설치 및 조정, 접합부 연결(고무링, 연결핀, 모르타르 등)을 포함한다.
④ 터파기, 지반고르기, 되메우기, 맨홀뚜껑설치는 별도 계상한다.
⑤ 크레인 규격은 작업여건에 따라 변경할 수 있다.
⑥ 재료량은 별도 계상한다.

> **有權解釋**
>
> **제목** 6-7-3 조립식 pc맨홀 설치 품 문의
>
> **질의문**
> 신청번호 2204-021 신청일 2022-04-06
> 질의부분 공통 제6장 철근콘크리트공사 6-7-3 조립식 PC맨홀 설치
>
> 6-7-3 조립식 pc맨홀설치 품의 D900 하부구체+상판 수량에서 하부구체 1개소+상부슬라브 1개소 이렇게 2개소에 대한 품으로 적용해야 되나요?(예 특별인부 0.48×2개소, 보통인부 0.23×2개소 크레인 0.98×2개소)아니면 하부구체 1개소+상부슬라브 1개소를 1세트로 보고 1개소로 적용하는게 맞나요? (예 특별인부 0.48×1개소, 보통인부 0.23×1개소 크레인 0.98×1개소)
>
> **회신문**
> 표준품셈 공통부문 "6-7-3 조립식 PC 맨홀 설치"는 '하부구체+상판'과 '연직구체'로 분류하여 품을 제시하고 있습니다. '하부구체+상판'은 하부구체와 상판을 함께 설치하는 기준으로 개당 품으로 제시하고 있습니다. 하부구체+상판 1개는 하부구체 1개와 상판 1개를 설치하는 기준입니다.

6-7-3 PC BOX 설치('23년 신설)

(일당)

구 분	단 위	규 격	수 량	단위중량	시공량(개소)
기 계 설 비 공	인		2	5ton미만	20
특 별 인 부	인		4		
보 통 인 부	인		2	10ton미만	16
크 레 인	대		1		
강 연 선 인 장 기	대	120ton	1	15ton미만	14

[주] ① 본 품은 수로암거, 전력구, 공동구 등 일체형 1련 PC BOX를 설치하는 기준이다.
② 본 품은 PC구조물 인양 설치, 강연선 인장작업, 실링 및 정착구 마감 작업을 포함한다.
③ PC구조물 인양 설치는 터파기 등 장애물이 없고 연속작업이 가능할 때를 기준으로 하였으며 흙막이 가시설, 지장물 등으로 인한 작업에 지장을 받는 경우 시공량의 25%를 감하여 적용한다.
④ 토공사(터파기, 되메우기, 고르기 등) 및 기초(콘크리트, 모래 등), 측량, 그라우팅 충전 작업은 별도 계상한다.
⑤ 크레인의 규격은 작업여건(시공높이, 시공위치 등)을 고려하여 적용한다.
⑥ 강연선인장기의 규격은 소요 긴장력에 따라 변경할 수 있다.
⑦ 공구손료 및 경장비(발전기, 절단기 등) 기계경비는 인력품의 2.5%로 계상한다.

> **監査**
>
> **제목** PC박스 운반비 반영 검토 부적정
>
> **내용**
> 주차장구간내 우수를 배수시키기 위하여 L=15m에 대하여 1.5×1.5의 1연 PC 박스를 기성 제품으로 구입하여 설치하는 것으로 계획하고 있으며, 해당 제품은 공장상차도로 규정되어 있어 공장에서 현장까지 100km의 운반비를 반영하였으나 설계에 반영된 PC박스는 00공장(조달등록 제품)에서 생산하는 제품으로 실 운반 거리기 30km내외로 확인되고 있어, 운반비 산출 결과 106,824천원의 예산이 낭비될 우려가 있었다.
>
> **조치할 사항**
> 00군수는 00건설공사 추진 시 설계도서 및 현장 여건 등을 면밀히 검토하여 예산이 과다 집행되는 일이 없도록 감독업무에 철저를 기하기 바라며 상기 지적사항과 같이 과다 집행이 우려되는 사항에 대하여 감액(106,824천원) 검토 등 필요한 조치를 취하시기 바람.

6-7-4 PC기둥 설치('23년 신설)

(일당)

구분	단위	수량	단위중량	시공량(개소)
형틀목공	인	3	5ton미만	15
미장공	인	2	10ton미만	13
보통인부	인	2	20ton미만	10
크레인	대	1	30ton미만	8
비고	- 시공높이 30m를 초과하는 경우 시공량의 10%를 감하여 적용한다.			

[주] ① 본 품은 PC건축물(라멘구조)의 PC기둥을 설치하는 기준이다.
② 본 품은 PC부재 인양 설치, 서포트 설치 및 해체, 수직도 확인, 무수축모르타르 충전, 면정리 작업을 작업을 포함한다.
③ 기초콘크리트 및 기초 앵커볼트 설치 작업은 별도 계상한다.
④ 크레인의 규격은 작업여건(시공높이, 시공위치 등)을 고려하여 적용한다.
⑤ 공구손료 및 경장비(자체추진 고소작업대(시저형), 모르타르 믹서 등) 기계경비는 인력품의 15%로 계상한다.

6-7-5 PC거더 설치('23년 신설)

(일당)

구분	단위	수량	단위중량	시공량(개소)
형틀목공	인	3	5ton미만	19
특별인부	인	1	10ton미만	17
보통인부	인	2	20ton미만	15
크레인	대	1	30ton미만	12
비고	- 시공높이 30m를 초과하는 경우 시공량의 10%를 감하여 적용한다.			

[주] ① 본 품은 PC건축물(라멘구조)의 PC거더를 설치하는 기준이다.
② 본 품은 PC부재 인양설치, 다웰바 고정, 서포트 설치 및 해체, 우레탄폼 충전 및 실링 작업을 포함한다.
③ 크레인의 규격은 작업여건(시공높이, 시공위치 등)을 고려하여 적용한다.
④ 공구손료 및 경장비(자체추진 고소작업대(시저형) 등) 기계경비는 인력품의 15%로 계상한다.

6-7-6 PC슬래브 설치('23년 신설)

(일당)

구 분	단 위	수 량	단위중량	시공량(개소)
형 틀 목 공	인	3	5ton미만	27
특 별 인 부	인	1		
보 통 인 부	인	2	10ton미만	22
크 레 인	대	1		
비 고	- 시공높이 30m를 초과하는 경우 시공량의 10%를 감하여 적용한다.			

[주] ① 본 품은 PC건축물(라멘구조)의 PC슬래브를 설치하는 기준이다.
② 본 품은 PC부재 인양설치, 서포트 설치 및 해체, 우레탄폼 충전 및 실링 작업을 포함한다.
③ 크레인의 규격은 작업여건(시공높이, 시공위치 등)을 고려하여 적용한다.
④ 공구손료 및 경장비(자체추진 고소작업대(시저형) 등) 기계경비는 인력품의 15%로 계상한다.

제 7 장 돌공사

7-1 돌쌓기

7-1-1 메쌓기('12, '19년 보완)

(㎡당)

구 분	규 격	단 위	수 량 (뒷길이)		
			35cm이하	55cm이하	75cm이하
석 공		인	0.10	0.09	0.08
보 통 인 부		인	0.05	0.04	0.03
굴 삭 기 + 부 착 용 집 게	0.6㎥	hr	0.39	0.37	0.35

[주] ① 본 품은 잡석을 채움재로 사용하는 깬돌 및 깬잡석의 골쌓기 기준이다.
② 경사도가 1:1 보다 급한 경우이며, 높이 3m이하 기준이다.
③ 규준틀 설치, 돌쌓기, 잡석 채움, 배수파이프 설치 작업을 포함한다.
④ 기초다짐 및 뒤채움은 '[공통부문] 3-4-2 / 3-4-3 기초다짐 및 뒤채움'을 따른다.
⑤ 굴삭기 규격은 작업여건(작업범위, 위치 등)에 따라 변경할 수 있다.
⑥ 재료량은 설계수량을 적용한다.

有權解釋

제목 제7장 돌공사에서 7-1의 돌과 7-3의 전석의 차이점

질의문
신청번호 2101-025 신청일 2021-01-11
질의부분 공통 제7장 돌공사 7-1-1 메쌓기

산사태, 사방공사(계류보전, 사방댐) 또는 임도 설계 중 돌쌓기 품에 대한 정확한 기준이 필요합니다.
• 현장 : 산사태 복구공사/ 사방공사/ 임도
• 돌 : 석산에서 채취하는 발파석(0.3~0.5m³급) 뒷길이는 60cm~80cm입니다.
• 문제점 : 지역마다 지자체마다 틀리게 적용되고 있으며, 단가 차이가 많이 나고 있습니다.
석산에서 발파석을 구입하여 전석쌓기를 설치하는데도 7-1-1의 돌쌓기 품을 적용하고 있는 실정입니다. 정확한 구분기준 부탁드립니다.

회신문
표준품셈 공통부문 "7-1 돌쌓기"는 잡석 또는 콘크리트를 채움재로 사용하는 깬돌 및 깬잡석의 골쌓기 기준이며, "7-3 전석 쌓기 및 깔기"는 굴삭기를 이용하여 전석(0.3m³~0.5m³급)을 쌓거나 까는 품입니다.

> **契約審査**
>
> **제목** 석축쌓기(메쌓기, 뒷길이 35cm) 단가 조정
>
> **내용**
> 건설공사 표준품셈에 맞게 조정
> 석공 0.25인 → 0.07인, 보통인부 0.2인 → 0.03인, 장비(굴삭기 0.6m급) 0.3hr
>
> **심사 착안사항**
> 표준품셈 적용 및 현장여건 등 과다 설계된 내역 검토

7-1-2 찰쌓기('12, '18, '19년 보완)

(m²당)

구 분	규 격	단 위	수 량 (뒷길이)		
			35cm이하	55cm이하	75cm이하
석 공		인	0.09	0.08	0.07
보 통 인 부		인	0.05	0.04	0.03
굴 삭 기 + 부 착 용 집 게	0.6m³	hr	0.31	0.30	0.28

[주] ① 본 품은 콘크리트를 채움재로 사용하는 깬돌 및 깬잡석의 골쌓기 기준이다.
② 경사도가 1:1 보다 급한 경우이며, 높이 3m이하 기준이다.
③ 규준틀 설치, 돌쌓기, 콘크리트 채움, 배수파이프 설치, 줄눈메꿈 작업을 포함한다.
④ 기초다짐 및 뒤채움은 '[공통부문] 3-4-2 / 3-4-3 기초다짐 및 뒤채움'을 따른다.
⑤ 굴삭기 규격은 작업여건(작업범위, 위치 등)에 따라 변경할 수 있다.
⑥ 재료량은 설계수량을 적용한다.

> **有權解釋**
>
> **제목** 석축 찰쌓기 품 관련 질의
>
> **질의문**
> 신청번호 2003-041 신청일 2020-03-11
> 질의부분 공통 제7장 돌공사 7-1-2 찰쌓기
>
> 표준품셈 7-1-2 찰쌓기에 줄눈 메꿈작업을 포함한다고 되어있는데 줄눈 메꿈을 위한 모르타르배합 품이 포함이 되어 있는지? 아니면 별도 품을 적용해야 하는지?
>
> **회신문**
> 표준품셈 "7-1-2 찰쌓기"에는 채움콘크리트 및 줄눈 메꿈의 모르타르시공 품은 포함되어 있으며, 재료량은 [주6]을 참조하시어 계상하시면 됩니다.

7-2 돌붙임

7-2-1 메붙임('12, '19년 보완)

(㎡당)

구 분	규 격	단 위	수 량 (뒷길이)		
			35cm이하	55cm이하	75cm이하
석 공		인	0.13	0.12	0.11
보 통 인 부		인	0.04	0.03	0.02
굴 삭 기 + 부 착 용 집 게	0.6㎥	hr	0.25	0.24	0.22

[주] ① 본 품은 잡석을 채움재로 사용하는 깬돌 및 깬잡석의 돌붙임 기준이다.
② 경사도가 1:1 보다 완만한 경우이며, 높이 5m이하 기준이다.
③ 규준틀 설치, 돌붙임, 잡석 채움, 배수파이프 설치 작업을 포함한다.
④ 기초다짐 및 뒤채움은 '[공통부문] 3-4-2 / 3-4-3 기초다짐 및 뒤채움'을 따른다.
⑤ 굴삭기 규격은 작업여건(작업범위, 위치 등)에 따라 변경할 수 있다.
⑥ 재료량은 설계수량을 적용한다.

7-2-2 찰붙임('12, '19년 보완)

(㎡당)

구 분	규 격	단 위	수 량 (뒷길이)		
			35cm이하	55cm이하	75cm이하
석 공		인	0.11	0.10	0.09
보 통 인 부		인	0.04	0.03	0.02
굴 삭 기 + 부 착 용 집 게	0.6㎥	hr	0.22	0.21	0.20

[주] ① 본 품은 콘크리트를 채움재로 사용하는 깬돌 및 깬잡석의 돌붙임 기준이다.
② 경사도가 1:1 보다 완만한 경우이며, 높이 5m이하 기준이다.
③ 규준틀 설치, 돌쌓기, 콘크리트 채움, 배수파이프 설치, 줄눈메꿈 작업을 포함한다.
④ 기초다짐 및 뒤채움은 '[공통부문] 3-4-2 / 3-4-3 기초다짐 및 뒤채움'을 따른다.
⑤ 굴삭기 규격은 작업여건(작업범위, 위치 등)에 따라 변경할 수 있다.
⑥ 재료량은 설계수량을 적용한다.

[참고자료] 돌쌓기 규격별 소요량

구 분		단 위	수 량 (뒷길이)						
			25cm	30cm	35cm	45cm	55cm	60cm	75cm
돌 의 전 면 규 격		cm	17×17	20×20	25×25	30×30	35×35	40×40	50×50
㎡ 당 개 수		개	33	24	17	12	9	6	4
고 임 돌 (돌 쌓 기)	깬잡석	㎥	0.09	0.11	0.13	0.16	0.19	0.21	0.26
	깬 돌	㎥	-	0.10	0.12	0.15	0.18	0.20	0.25
틈 메 우 기 돌 (돌 붙 임)		㎥	- 고임돌(돌쌓기)의 15%까지 계상할 수 있다.						
채 움 콘 크 리 트		㎥	0.11	0.14	0.16	0.20	0.25	0.27	0.34
줄 눈 메 꿈 모 르 타 르		㎥	0.009	0.009	0.009	0.009	0.009	0.009	0.009

[주] 돌의 중량은 돌의 형상, 종류, 부피 등을 고려하고 '[공통부문] 1-3-3 재료의 단위중량'을 참고하여 계상한다.

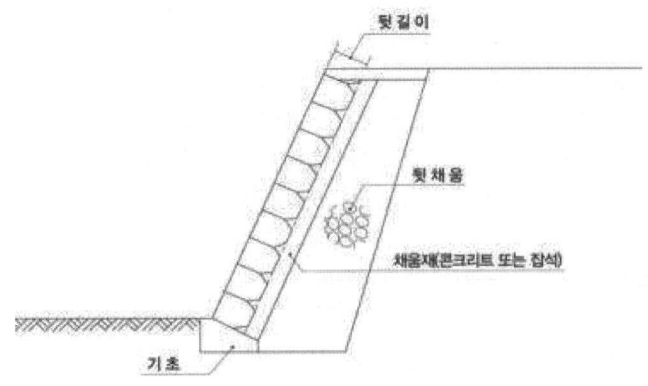

7-3 전석쌓기 및 깔기

7-3-1 전석쌓기('92년 신설, '12, '18년 보완)

(㎡당)

구 분	규 격	단 위	수 량
석 공		인	0.13
보 통 인 부		인	0.02
굴 삭 기	0.6 ㎥	hr	0.43

[주] ① 본 품은 굴삭기를 이용하여 전석(0.3㎥~0.5㎥급)을 쌓는 품이다.
② 본 품은 전석쌓기, 고임돌 및 채움 콘크리트 시공이 포함된 것이다.
③ 기초 콘크리트, 고임돌 소요량은 별도 계상한다.
④ 기초 콘크리트 타설품은 별도 계상한다.
⑤ 장비의 규격은 작업여건(작업범위, 위치 등)에 따라 변경할 수 있다.
⑥ 재료량은 다음을 참고하여 적용한다.

(㎡당)

구 분	단 위	수 량
채 움 콘 크 리 트	㎥	0.2

有權解釋

제목 1 조경 유용석쌓기와 전석쌓기의 차이점

질의문

신청번호 2006-078 신청일 2020-06-24
질의부분 공통 제7장 돌공사 7-3-1 전석쌓기

현장에서 발파 파쇄암을 활용하여 도로변이나 하천호안에 돌쌓기를 하는 경우가 많습니다. 이 경우 7-3-1의 전석쌓기와 4-4-2의 조경 유용석쌓기 및 놓기 품 중 설계사에서 임의로 적용하는 실정입니다. 두 가지 대가의 차이가 크므로 두 단가의 차이를 명확히 할 필요가 있습니다.
전석쌓기의 경우 0.3~0.5㎥급 전석을 쌓는 품이라고 정의되어 있으나, 조경 유용석쌓기에는 조경석이나 현장 유용석이라고만 명시되어 있습니다. 두 단가의 적용기준은?

> **회신문**
> 표준품셈 토목부문 "7-1-3 전석쌓기"의 '주 1. 본 품은 0.5m³ 내외의 전석을 굴삭기를 이용하여 쌓는 품이다.'를 참조하시기 바라며, 전석쌓기에는 전석쌓기, 고임돌 및 채움콘크리트 시공이 포함되어 있습니다. 표준품셈 공통부문 "4-4-2 조경 유용석쌓기 및 놓기"는 조경석이나 현장 유용석을 활용하여 긴 선형의 화단, 수로경계 등의 수직 방향의 사면을 조성하는 경우에 해당됩니다.
>
> **제목 2** 돌쌓기 규격별 소요량 문의(고임돌)
>
> **질의문**
> 신청번호 1901-082 신청일 2019-01-23
>
> 전석쌓기품 중 [주3]에 명시되어 있는 고임돌 소요량과 관련하여 참고자료인 돌쌓기 규격별 소요량에서 고임돌(돌쌓기) 기준이 나와 있지 않아 문의드립니다.
> (예) 뒷길이 60cm일 때 깬잡석 0.21m³이 반영되어 있는데 이 양이 돌쌓기 면적대비 0.21m³량인지 소요 재료량(m³) 대비 0.21m³량인지 애매함
>
> **회신문**
> 표준품셈 공통부문 "7-1 돌쌓기/ 7-2 돌붙임"의 '참고자료'에서 제시하는 고임돌의 소요량은 품의 산정단위와 동일한 m²입니다.

7-3-2 전석깔기('18년 신설)

(m²당)

구 분	규 격	단 위	수 량
석 공		인	0.06
보 통 인 부		인	0.02
굴 삭 기	0.6m³	hr	0.17

[주] ① 본 품은 굴삭기를 이용하여 전석(0.3m³~0.5m³급)을 바닥에 까는 품이다.
② 본 품은 전석깔기, 고임돌 시공이 포함된 것이다.
③ 콘크리트, 고임돌 소요량은 별도 계상한다.
④ 콘크리트 타설품은 별도 계상한다.
⑤ 장비의 규격은 작업여건(작업범위, 위치 등)에 따라 변경할 수 있다.

> **有權解釋**
>
> **제목** 전석깔기 시 실체적률(70%)에 따른 나머지 30%는?
>
> **질의문**
> 신청번호 2011-006 신청일 2020-11-04
> 질의부분 공통 제7장 돌공사 7-3-2 전석깔기
>
> 전석깔기 품(400×500×600, 4목) : 면적×뒷길이 = 전체부피 : (2.4×8.0)×(0.4) = 7.68m³
> - 4목 단위중량 : 0.4×0.5×0.6×0.7(실체적률)×2.65(단위중량) = 0.223ton
> - 1개의 부피 = 0.4×0.5×0.6 = 0.12m³
> - 총 전석 톤수 = 7.68×0.12×0.223 = 14.272ton 맞게 산출 된 건가요? 또한 실체적률을 70% 보면 나머지 30%에 대해서 잡석 및 콘크리트 물량을 별도로 계상해야 되는지?

회신문

표준품셈 공통부문 "7-3-2 전석깔기"는 전석깔기 면적(m²)당 들어가는 품 기준을 제시하고 있으며, 수량산출에 대한 기준은 제시하고 있지 않습니다. 또한 본 품은 전석깔기, 고임돌 시공이 포함되어 있으며, [주3] '콘크리트와 고임돌 소요량은 별도 계상한다.'를 참조하시기 바랍니다.

契約審査

제목 자연석 물량 조정

내용
- 자연석 호안조성 시 실제로는 쌓는 돌과 돌 사이의 공극이 발생함에 따라 수량산출 시 공극만큼 물량을 공제(약 30%)하여야 함에도 공극을 포함한 전체 체적을 적용하여 물량을 산출함으로써 과다하게 계상된 자연석 물량을 조정
- 식생호안블록 설치 장비조합 변경
    ※ 식생호안블록의 개당중량이 60Kg~100Kg임을 고려하여 블록설치 단가를 고가인 인력설치 품으로만 적용한 것을 저렴한 「인력+기계」조합 품으로 변경하여 블록설치 단가를 조정(15,311원/m² → 4,922원/m²)

심사 착안사항
- 자연석 쌓기 단위수량 산출 시에 자연석 단위중량 및 공극률 적용 여부 검토
- 현장여건 및 자재 등에 적합한 장비 조합 검토
- 심사요청 현장조사를 통하여 시공과정과 설계도서 적정성 정밀 검토
- 설계공종 중 시공가능성에 대한 적정성 검토

7-4 석재판 붙임

7-4-1 습식공법('12, '19년 보완)

(m²당)

구 분	단 위	수 량			
		테라조판		화강석	
		바닥	계단부	바닥	계단부
석 공	인	0.26	0.29	0.31	0.35
보 통 인 부	인	0.12	0.13	0.14	0.16

[주] ① 본 품은 모르타르를 사용한 바닥 및 계단부(계단챌판, 계단디딤판, 계단참)에 석재판을 붙이는 기준이다.
② 모르타르 비빔, 모르타르 포설 및 고르기, 석재판 절단 및 붙임, 줄눈채움, 보양 작업을 포함한다.
③ 공구손료 및 경장비(절단기 등)의 기계경비는 인력품의 1%로 계상한다.

공통부문

> **有權解釋**
>
> **제목** 7-1 석재판 붙임 항목의 절단 항목
>
> **질의문**
> 신청번호 2003-082 신청일 2020-03-20
> 질의부분 공통 제7장 돌공사 7-4-1 습식공법
>
> 표준품셈 7-4 석재판 붙임 7-4-1 습식공법 화강석 바닥부에서 석공 0.31인, 보통인부 0.14인으로 일위대가가 적용되었고, 품셈 [주] ② 모르타르비빔, 모르타르포설 및 고르기, 석재판절단 및 붙임, 줄눈채움, 보양작업을 포함한다.에서 석재판절단 및 붙임은 정사각 또는 직사각형 석재판 시공 시 이음부 및 잔여공간(규격 외)을 절단 및 붙임으로 적용으로 알고 있으며, 저희 현장은 석재판 3종류(마천석, 포천석, 익산석)를 100% 원형으로 가공하여야 하는 상황으로 관급 납품업체에서는 석재판 원형가공비를 별도산출 적용하여야 한다고 합니다.
> 상기 표준품셈 기준으로 석재판의 100% 원형가공비가 석재판절단 품에 적용되었는지? 품셈상의 석재판절단 품으로는 현장에서 100% 원형가공이 불가하여 질의합니다.
>
> **회신문**
> 표준품셈 공통부문 "7-4-1 습식공법"에서는 규격별로 재단된 자재가 현장에 들어와서 시공하는 현장을 대상으로 조사된 결과이며, 일부 미미하게 발생되는 재단 및 절단작업(기둥, 벽면부근 등)이 포함된 품입니다.

7-4-2 앵커지지 공법('19년 보완)

(㎡당)

구 분	단위	수 량(석재판 규격)	
		0.3㎡이하	0.3㎡초과~0.8㎡이하
석 공	인	0.39	0.35
보 통 인 부	인	0.15	0.17

[주] ① 본 품은 구조물 벽체에 앵커로 고정하여 석재판을 설치하는 기준이다.
  ② 앵커 구멍뚫기, 지지철물 설치, 석재판 절단 및 설치, 줄눈코킹 작업을 포함한다.
  ③ 석재설치 후 보양을 하는 경우 '[공통부문] 2-9-1 건축물 보양'에 따른다.
  ④ 공구손료 및 경장비(절단기, 윈치 등)의 기계경비는 인력품의 3%로 계상한다.

> **有權解釋**
>
> **제목** 앵커지지 공법 품 적용 시 부속철물(재료비) 계상관련
>
> **질의문**
> 신청번호 2106-076 신청일 2021-06-28
> 질의부분 공통 제7장 돌공사 7-4-2 앵커지지 공법
>
> 앵커지지 공법으로 품 적용 시 부속 연결철물(앵커 및 화스너, 플레이트)이 포함되어 품인지? 아니면 따로 부속 연결철물을 내역에 포함시켜서 공사비 산정을 해야 하는지요. 또한, 석재판(0.3㎡ 이하)을 붙인다고 가정할 때 1개를 붙일 때 사용되는 연결철물 소요 갯수 및 사이즈를 알고 싶으며, 마지막으로 연결철물에는 어떤 부속품이 들어가는지 알려주시면 감사하겠습니다.

회신문
표준품셈 공통부문 "7-4-2 앵커지지 공법"은 지지철물(앵커 및 화스너, 플레이트 형강, 고정핀 등) 설치작업을 포함하고 있습니다. 석재판을 붙이는 인력 및 경장비(공구손료 포함)에 대한 투입 품을 제시하고 있으며, 지지철물 수량 및 종류에 대한 재료비 세부 기준은 별도로 정하고 있지 않습니다.

7-4-3 강재트러스 지지공법('19년 보완)

(m²당)

구 분	단 위	수 량 (석재판 규격)			
		0.3㎡이하		0.3㎡초과~0.8㎡이하	
		강재트러스 설치	석재판 붙임	강재트러스 설치	석재판 붙임
석 공	인	-	0.25	-	0.23
보 통 인 부	인	-	0.16	-	0.15
용 접 공	인	0.20	-	0.18	-
철 공	인	0.07	-	0.06	-

[주] ① 본 품은 구조물 벽체에 강재트러스를 설치한 후 석재판을 설치하는 기준이다.
② 앵커 및 지지철물 설치, 강재트러스 절단 및 용접, 석재판 절단 및 설치, 줄눈(코킹) 작업을 포함한다.
③ 석재설치 후 보양을 하는 경우 '[공통부문] 2-9-1 건축물 보양'에 따른다.
④ 공구손료 및 경장비(절단기, 용접기 등)의 기계경비는 인력품의 3%로 계상한다.

有權解釋

제목 1 강재트러스 지지공법 문의

질의문
신청번호 2210-066 신청일 2022-10-19
질의부분 공통 제7장 돌공사 7-4-3 강재트러스 지지공법

다름이 아니라 설계사무실에서 설계를 하고 석공사를 시공한 업체입니다. 지금 교육청 감사를 받고 있는 중인대요. 품셈 해석에 차이가 있어 의견 부탁드립니다.
요점은 교육청 감사관은 강재트러스 지지공법 품에는 트러스 제작하고 설치하는 품까지 포함이라고(지지대 제작 설치는 중복 품이라 정산처리를 요구함) 해석를 하는 반면, 설계사무소와 시공사는 트러스 제작은 별도 계상함이 맞다고 해석하는 바입니다. 바쁘시더라도 빠른 답변 부탁드립니다

회신문
표준품셈 공통부문 "7-4-3 강재트러스 지지공법"은 앵커 및 지지철물설치, 강재트러스 절단 및 용접 등 연결철물 설치 품은 포함되어 있습니다.

제목 2 강재트러스 지지공법에 대한 문의

질의문

신청번호 2007-074 신청일 2020-07-23
질의부분 공통 제7장 돌공사 7-4-3 강재트러스 지지공법

강재트러스 지지공법에서 '[주] 1항에 강재트러스설치 후 석재판을 설치하는 기준이다.'라고 명기되어 있는데 강재트러스 지지공법은 강재구조물이 설치되어 있는 상태에서 석재판을 고정시키고 설치하는 품셈인지? 아니면 구조체로부터 강재트러스를 설치하고 석재판을 붙이는 것인지?

회신문

표준품셈 공통부문 "7-4-3 강재트러스 지지공법"은 앵커 및 지지철물설치, 강재트러스 절단 및 용접 등 연결철물설치 품은 포함되어 있으며, 자재비(재료비)는 별도 계상하시면 됩니다.

제 8 장 건설기계

8-1 적용기준

8-1-1 건설기계 선정기준('17년 보완)

1. 작업종류별

작업종류	건설기계 종류
벌개, 제근	불도저(레이크도우저)
굴 삭	로더, 굴삭기, 불도저, 리퍼
적 재	로더, 버킷식엑스커베이터
굴 삭, 적 재	로더, 굴삭기, 버킷식 엑스커베이터
굴 삭 · 운 반	불도저, 스크레이퍼
운 반	불도저, 덤프트럭, 벨트컨베이어
부 설	불도저, 모터그레이더
함 수 량 조 절	살수차
다 짐	롤러(타이어, 탬핑, 진동, 로드), 불도저, 진동콤팩터, 래머, 탬퍼
정 지	불도저, 모터그레이더
도 랑 파 기	굴삭기, 트렌처

2. 운반거리별

작업구분	운반거리	표 준
절 붕 · 압 토	평균 20m	불도저
토 운 반	60m이하	불도저
	60~100m	- 불도저 - 로더+덤프트럭 - 굴삭기+덤프트럭
	100m이상	- 로더+덤프트럭 - 굴삭기+덤프트럭 - 모터스크레이퍼

> **有權解釋**
>
> **제목** 기계경비(그라우팅펌프 및 믹서) 질의
>
> **질의문**
> 신청번호 2002-049 신청일 2020-02-20
> 질의부분 공통 제8장 건설기계 8-1-1 건설기계 선정기준
>
> 표준품셈 공통 제8장 건설기계 관련하여 품셈 기계경비 상 6202-0125(그라우팅 펌프) 및 6105-0190 (그라우팅 믹서)는 기계손료만 적용하게 되어있는데, 8-1-3-5. 운전사의 구분항목을 보면 소형그라우트 펌프 및 소형 믹서는 일반기계운전사를 적용하게 되어있습니다. 일반적으로 소형장비가 일반기계운전사가 필요한데 소형장비 보다 규모가 큰 장비에 운전사가 필요하지 않다는 것을 이해하기가 힘들어 문의 드립니다.
> 8-1-3-5. 운전사의 구분항목의 건설기계운전사 항목에 그라우트펌프 및 믹서 운전원이 누락된 것인지, 단순하게 일반기계운전사의 소형장비가 잘못 기재된 것인지? 오류가 없다면 소형장비의 기준이 무엇인지?
>
> **회신문**
> 표준품셈에서 6202-0125(그라우팅펌프) 및 6105-0190(그라우팅믹서)를 사용하는 시공항목은 시공품에 운전원의 투입을 포함하고 있어 별도의 운전원 산정이 불필요합니다.

8-1-2 공사규모별 표준건설기계('04, '17년 보완)

1. 건설공사 설계시 적정 공사비 산정과 기계화 시공의 합리적인 발전을 위해 당해 건설공사의 제반사항을 감안하여 대규모공사에는 대형건설기계, 중규모공사에는 중형건설기계, 소규모공사에는 소형건설기계를 적용한다.

[표준건설기계(예시)]
가. 불도저

작업종류\구분	작업규모	표준규격
유압리퍼작업	중규모 이하	19t
	대규모	32t
굴삭압토(운반)	중규모 이하	19t
	대규모	32t
집토(굴삭, 보조)	중규모 이하	19t
	대규모	32t
습지, 연약토작업		13t

나. 스크레이퍼

작업종류\구분	작업규모	표준규격
스크레이퍼작업	소규모	5.4~9.0㎥
	중규모	11.0~18.0㎥
	대규모	18.0㎥ 이상

다. 굴 삭 기

작업종류 \ 구분	작 업 규 모	표 준 규 격
굴 삭 적 재 작 업	소규모	굴삭기 0.4㎥
	중규모	0.7㎥
	대규모	1.0㎥ 이상

라. 덤 프 트 럭

작업종류 \ 구분	작 업 규 모	표 준 규 격
덤 프 트 럭 운 반	소규모	덤프트럭 8톤 이하
	중규모	〃 8~15톤
	대규모	〃 15톤 이상

[주] ① 각 작업규모별 구체적인 덤프트럭 규격(2.5, 4.5, 6, 8, 10.5, 15, 20, 32톤)은 도로상태, 시공성, 시공규모 등을 감안하여 현장 실정에 맞도록 조정 적용한다.
② 타장비와의 조합 작업 및 암석운반 등 가혹한 작업의 경우는 경제적인 방법으로 선정한다.

2. 공사규모(시공량)는 100,000㎥ 이상의 공사를 대규모, 100,000~10,000㎥의 공사를 중규모, 10,000㎥미만을 소규모로 구분한다.

3. 표준규격을 기준하여 현장조건 및 토질조건(습지, 연약지반)에 따라 탄력적으로 이를 보완 선정한다.

[주] ① 공사규모의 구분은 편의상 시공량으로 표시한 것인 바, 실제 적용과정에서는 공사량, 공사기간, 현장조건에 따라 공사규모를 판단하여야 한다.
② 선형공사(도로, 철도, 관로 등)의 경우는 공사여건을 감안하여 장비규격을 적정 선정한다.
③ 공사규모는 당해년도 공사의 시공량을 기준한 것이므로 공사기간을 감안하여 장비규격을 적정 선정한다.
④ 모든 공사목적에 완전히 부합되는 건설기계는 없으므로 실제 공사시공과정 에서는 여기에 선정된 표준기계에 절대적으로 구애받지 말고 선정된 표준기계를 기준하여 현장여건에 따라 탄력적으로 이를 보완 선정하여야 한다.
⑤ 공사를 시행하는 데 있어 특정한 기계 및 특정규격의 사용이 요구될 때는 본 기준에 의하지 않고 개별적으로 그 특성에 의한 작업능력과 제경비를 산정하여 적용한다.

8-1-3 운반 및 수송('10, '17년 보완)

1. 운반 차량의 구분

공사용 자재의 운반차량은 덤프트럭을 원칙으로 하되 덤핑으로 인하여 훼손 또는 파괴되거나 위험이 수반되는 기자재(드럼들이 아스팔트, 석유류, 시멘트, 관류 등)는 화물 자동차로 운반하는 것으로 한다.

2. 수송비('10년 보완)

가. 건설용기계의 공사 현장까지의 왕복 수송비는 건설공사장에서 가장 가까운 시·도·군·구청소재지(서울특별시, 광역시 포함)로부터 공사현장까지의 수송에 필요한 경비(공인된 수속비, 인건비 등 포함)

를 계상한다.

다만, 구득이 곤란하다고 인정되는 기종에 대하여는 그 기종이 소재한다고 인정되는 가장 가까운 시·도·군·구청소재지(서울특별시, 광역시 포함)로부터의 수송비를 계상할 수 있다.

나. 자주식 건설기계로서 자주로 이동할 경우의 수송비는 다음의 이동속도를 기준으로 하여 수송비를 계상하며 이때의 경비는 건설기계 사용료와 운전 경비의 합계액으로 한다.

〈자주식 건설기계의 이동속도(km/hr)〉

도로구분 \ 기종	덤프 트럭	로더 (타이어)	크레인 (타이어)	모터 그레이더	스크레이퍼	아스팔트 디스트리뷰터 슬러리실 기계	트럭 트랙터 트레일러	리프트 트럭
포장도로 (고속4차선)	60	-	-	-	-	-	-	-
포장도로 (고속2차선)	50	-	-	-	-	50	50	-
포장도로	40	25	30	25	35	40	40	25
사리도로 (양호)	25	15	15	15	25	25	20	15
사리도로 (불량)	10	10	10	10	10	10	10	10

3. 회항비

가. 작업선의 회항비는 공사에 제공되는 피예인선의 편도 수송시간에 대한 선원의 노임, 예인선의 왕복운항시간에 대한 손료 및 운전경비와 예인선 및 피예인선의 회항 보험금의 합계액으로 한다. 다만, 공사현장에 투입되는 예인선의 회항비는 편도 운항경비만을 계상한다.

나. 자항작업선인 경우에는 편도수송시간에 대한 손료 및 운전경비와 회항보험금의 합계액으로 한다.

4. 분해조립비

분해 및 조립을 필요로 하는 기계는 이에 소요되는 경비를 계상한다.

가. 아스팔트 믹싱 플랜트(定置式)
나. 크러싱 플랜트(〃)
다. 콘크리트 플랜트(〃)
라. 벨트 컨베이어(〃)
마. 디젤 파일 해머
바. 크레인류
사. 골재세척설비
아. 기타 분해조립이 필요하다고 인정되는 기계

5. 운전사의 구분

구 분	해 당 기 계
건 설 기 계 운 전 사	건설기계관리법 시행령 제2조에 규정한 기계로서 다음과 같은 기종을 말한다. 불도저, 굴삭기, 로더, 지게차, 스크레이퍼, 덤프트럭(12ton이상), 기중기(차륜 및 무한궤도), 모터 그레이더, 롤러, 노상안정기, 콘크리트배치플랜트, 콘크리트 피니셔, 콘크리트스프레더, 콘크리트 믹서(0.55㎥ 이상), 콘크리트 펌프(5㎥ 이상), 아스팔트 믹싱플랜트, 아스팔트피니셔, 아스팔트살포기, 슬러리실기계, 골재살포기, 쇄석기, 천공기, 항타 및 항발기(0.5ton 이상), 사리채취기, 노면파쇄기, 공기압축기(이동식, 2.83㎥/min 이상), 기타 이와 유사한 기계
화 물 차 운 전 사	자동차관리법 시행규칙 제2조에 규정한 차량류로서 12ton미만의 덤프트럭, 화물트럭, 살수차, 트랙터, 제설차, 노면청소차, 트럭탑재형크레인, 기타 공업용 소형트럭 등을 말한다.
일 반 기 계 운 전 사	건설기계관리법 및 자동차관리법에 규정되어 있지 아니한 기계로서 소형의 공기압축기, 양수기, 소형믹서, 윈치, 소형항타기, 소형그라우트펌프, 벨트컨베이어, 발전기, 래머, 콤팩터, 콘크리트파쇄기, 기타 소형기계 등을 말한다.

6. 운전사 노임

운전사(건설기계운전사, 화물차운전사, 일반기계운전사)의 노임은 상시 고용일 경우에 월정액을 지급함을 원칙으로 하며 예정가격 작성기준(기획재정부 회계예규)에 의거 계상한다.

7. 운반기계의 유류산정

트럭 또는 기타 운반기계로 기자재를 운반할 경우 적재 또는 적하에 소요되는 시간이 10분을 초과할 때는 적재 또는 적하를 제외한 시간의 유류만을 계상한다.

8-1-4 시공능력 산정 기본식

$Q = n \cdot q \cdot f \cdot E$

여기서 Q : 시간당 작업량(㎥/hr 또는 ton/hr)
　　　　n : 시간당 작업싸이클 수
　　　　q : 1회 작업싸이클당 표준작업량(㎥ 또는 ton)
　　　　f : 체적환산계수
　　　　E : 작업효율

[주] ① 계산값의 맺음
　　　Q　: 소수점이하 3자리까지 계산하고 사사오입한다.
　　　n　: 소수점이하 2자리까지 계산하고 사사오입한다.
　　　cm : 소수점이하 3자리까지 계산하고 사사오입한다.
　　② 기계의 작업시간
　　　기계의 시간당 작업량은 기계의 운전시간당 작업량으로 하고, 이 운전시간은 기계의 주기관이 회전하거나 주작동부가 가동하는 시간을 말하며 주목적의 작업을 하는 실작업시간 외에 작업 중의 기계 이동, 기관 또는 주작동부의 예비가동, 운전시간 중의 점검 또는 조정, 주유 조합기계 때의 대기 등이 포함된다.

③ 시간당 작업량(Q)
  토공에 있어서의 작업능력은 일반적으로 ㎥/hr로 표시되고 자연상태의 토량, 흐트러진 상태의 토량, 다져진 후의 토량의 세가지 표시방법이 있으며 기계종류에 따라서 (ton/hr), (㎥/hr), (m/hr) 등으로 작업량을 표시할 때도 있다.

④ 1회 작업 싸이클당 표준작업량(q)
  기계는 일련의 동작을 되풀이 하는 작업을 하게 되고 이때의 1회 싸이클의 동작으로 이루어지는 표준적인 작업조건과 작업관리 상태에 있어서의 작업량을 1회 작업 싸이클당 표준작업량이라고 하며 토량인 경우에는 흐트러진 상태에서 취급 되는 것이 일반적이고 보통 (㎥) 또는 (ton)으로 표시한다.

⑤ 시간당 작업싸이클 수(n)
  $n = \dfrac{60}{cm(\min)}$ 또는 $\dfrac{3,600}{cm(\sec)}$ 으로 표시, cm는 싸이클시간으로서 기계의 작업속도나 주행속도에 따라 분(min) 또는 초(sec)로 표시한다.

⑥ 작업 효율(E)
  기계의 시간당 작업량은 그 기계 고유의 일정한 값이 아니고 작업현장의 제반조건에 따라 변화하는 것이므로 표준적인 작업 능력에 작업현장의 여러가지 여건에 알맞은 효율을 고려하여 산정함이 필요하며 이 작업효율은 일반적으로 능력적 요소와 시간적 요소로 구분된다.
  작업효율(E)=현장 작업 능력계수×실작업시간율

⑦ 현장작업 능력 계수
  기계의 표준적인 작업능력에 영향을 미치는 기상, 지형, 토질, 공사규모, 시공방법, 기계의 종류, 기계 조정원의 기능도, 해상에서는 파도 및 풍향 등의 작업현장 여건을 고려한 계수를 말한다.

⑧ 실작업시간율
  기계의 상태, 공사규모, 시공방법 등에 의하여 변화하며 다음과 같이 표시한다.
  $$실작업시간율 = \dfrac{실작업시간}{운전시간}$$

8-1-5 기계경비 용어와 정의

1. 상각비 : 기계의 사용에 따르는 가치의 감가액을 말한다.
2. 정비비 : 기계를 사용함에 따라 발생하는 고장 또는 성능 저하부분의 회복을 목적으로 하는 분해수리 등 정비와 기계 기능을 유지하기 위한 정기 또는 수시 정비에 소요되는 비용을 말한다.
3. 정비비율 : 기계의 경제적 내용시간 동안에 소요되는 정비비누계액의 기계 취득가격에 대한 비율을 말한다.
4. 관리비 : 보유한 기계를 관리하는데 필요로 하는 이자 및 보관 격납비용을 말한다.
5. 연간관리비율 : 연간 소요되는 기계관리비의 평균취득 가격에 대한 비율을 말한다.
6. 평균취득가격 : 취득가격 × $\dfrac{1.1 \times 경제적내용년수 + 0.9}{2 \times 경제적내용년수}$ 로 계산한 값을 말한다.
7. 취득가격 : 수입가격에 대하여는 C.I.F 가격에 인정할 수 있는 수입에 따르는 제경비를 포함한 가격으로 하고 국산기계는 표준규격에 의한 표준시가로 한다.
8. 경제적 내용시간 : 잔존율이 취득가격의 10%인 경우에 경제적 사용이 가능하다고 인정되는 운전 시간을 말한다.
9. 잔존율 : 경제적 내용시간이 끝날 때의 기계잔존가치의 취득가격에 대한 비율을 말하며 0.1로 한다.
10. 연간표준가동시간 : 기계가 연간 운전하는데 가장 표준이라고 인정되는 시간을 말한다.
11. 경제적 내용년수 : 경제적 내용시간을 연간 표준가동시간으로 나눈 값을 말한다.

12. 시간당 손료 : 손료산정의 시간당 손료계수 합계에는 시간당 상각비계수, 정비비 계수 및 평균취득가격에 의한 시간당 관리비 계수가 포함된 것으로서 시간당 손료는 취득가격에 시간당 손료계수의 합계를 곱한 값을 말한다. (원미만의 값은 절사한다.)

> **有權解釋**
>
> **제목** 기계손료 관리비계수 산출 시 평균취득가격
>
> **질의문**
> 신청번호 2003-088 신청일 2020-03-20
> 질의부분 공통 제8장 건설기계 8-1-5 기계경비 용어와 정의
>
> 표준품셈 중 기계경비의 용어와 정의 중 연간관리비율 관련하여 표준품셈 원문 5. 연간관리비율은 연간 소요되는 기계관리비의 평균취득 가격에 대한 비율을 말한다. 6. 평균취득가격 : 취득가격×(1.1×경제적 내용 년수＋0.9)÷(2×경제적 내용 년수)
> [질의]
> 연간관리비율에 취득가격이 아닌 평균취득가격을 적용하는 이유? 평균 취득가격이 회계상 필요한 개념이기 때문에 적용한 것인지?
>
> **회신문**
> 표준품셈 "8-1-5 기계경비 용어 정의"에서 연간관리비율은 보유한 장비를 관리하는데 필요로 하는 이자 및 보관 격납 비용으로, 평균취득가격을 적용한 이유는 기계경비당 경제적 내용 년수가 다르기 때문에 경제적 내용 년수를 연간관리비율에 반영하기 위함입니다.

8-1-6 기계경비 적산요령('06년 보완)

1. 기계경비 : 기계손료, 운전경비 및 수송비의 합계액으로 하되 특히 필요하다고 인정될 때에는 조립 및 분해조립 비용을 포함한다.
2. 기계손료 : 상각비, 정비비 및 관리비의 합계액으로 한다. 다만, 관리비에 대하여는 1일 8시간을 초과할 경우라도 8시간으로 계산하여야 한다.
3. 운전경비 : 기계를 사용하는데 필요한 다음 각호 경비의 합계액으로 한다.
 가. 연료·전력·윤활유 등
 나. 운전수의 급여 또는 임금과 기타의 운전 노무비
 다. 정비비에 포함되지 않는 소모품비
4. 건설기계 가격 : 건설기계 가격은 부가가치세가 제외된 것으로 단위는 천원이다.

有權解釋

제목 건설기계의 연간 표준가동시간 '인정' 방법?

질의문
표준품셈에서는 건설기계별로 연간 표준가동시간을 제시하고 있으며, 연간 표준가동시간이란 '기계가 연간 운전하는 데 가장 표준이라고 인정하는 시간을 말한다.'로 정의하고 있습니다. 기계가 연간 운전하는데 가장 표준되는 시간을 '인정'하는 방법이나 기준 등이 무엇인지?

회신문
2016년 표준품셈 토목부문 "9-1 건설기계의 경비 산정/ 1. 용어의 정의/ 차. 연간 표준가동 시간 : 기계가 연간 운전하는데 가장 표준이라고 인정되는 시간을 말한다."로 정하고 있으며, "9-2 손료 산정"에서는 장비별 해당되는 연간 표준가동 시간을 제시하고 있습니다.

監査

제목 1 잔토처리 운반비 예정가격 산정 부적정

내용
운반에 이용되는 장비의 기계경비는 경비의 세비목 중 하나에 해당하며, 이 기계경비의 산정기준은 중앙행정기관의 장이나 그가 지정하는 단체에서 제정한 품셈(건설공사 표준품셈, 국토교통부 발행)의 기준을 따르도록 되어 있다. 이와 관련 건설공사 표준품셈 제9장(기계경비 산정), 9-1(건설기계의 경비 산정)에 따르면 운반 장비(기계)의 경비는 기계손료(상각비 등), 운전경비(운전수의 급여 또는 임금과 기타의 운전노무비, 연료 등), 수송비의 합계액으로 산정하도록 되어 있다.

OO기관에서는 **공사를 시행하면서 발생된 잔토처리 운반비를 행정안전부 기준 제3관(공사의 원가계산) 3(공사원가의 체계), 6(경비) 등 관련 규정에 따라 경비 비목으로 적용하지 아니하고 재료비, 직접노무비, 경비 비목으로 구분(분할) 적용하여 설계내역서를 작성하고 공사 발주하였다.

그 결과 운반비를 재료비, 직접노무비, 경비 비목으로 구분 적용하여 해당 공사의 재료비, 직접노무비 등의 합계액을 산출함으로써 제경비(간접노무비, 각종 보험료, 산업안전보건관리비, 기타경비 등)가 과다 산정되어 00백만원의 예산 낭비를 초래하였다.

조치할 사항
OOOO사장은 앞으로 재료비, 노무비, 경비로 각각 구분 적용한 잔토처리 운반비는 행정안전부 기준 제2장(예정가격 작성요령) 제5절(원가계산에 따른 예정가격 결정) 제3관(공사 원가계산) '4-다'(부대비용의 처리) 6(경비) 가(경비개념), 다(경비의 세비목) 등 관련 규정에 따라 경비 비목으로 일괄 적용하시고, 제경비의 과다 산정으로 인한 예산 낭비가 발생되지 않도록 공사원가 설계 방안을 마련·조치하시기 바라며, OOOO시 OO국장은 앞으로 계약심사 시 행정안전부 기준 제2장(예정가격 작성요령) 제5절(원가계산에 따른 예정가격 결정) 제3관(공사 원가계산) '4-다(부대비용의 처리)' 6(경비) 가(경비 개념),다(경비의 세비목) 등 관련 규정에 따라 잔토처리 운반비를 재료비, 노무비, 경비로 각각 구분 적용이 아닌 경비 비목으로 일괄 적용하여 제경비의 과다 산정으로 인한 예산 낭비가 발생되지 않도록 원가심사 방안을 마련·조치하시기 바람(통보)

제목 2 골재 운반비 관련

내용
「지방자치단체 입찰 및 계약 집행기준」 제2장 예정가격 작성요령에 따르면 운반비, 외주가공비, 기계경비, 가설비 등은 경비항목으로 적용하도록 되어있으며, 경비는 공사의 시공을 위하여 소요되는 공사원가 중 재료비, 노무비를 제외한 원가를 말한다고 규정되어 있다. 또한, 경비의 세비목으로 운반비는 재료비에 포함되지 않은 운반비로써 원재료·반재료·기계기구의 운송비, 하역비, 상하차비, 조작비 등을 말한다고 되어있다. 따라서 골재운반비는 노무비, 재료비, 경비로 구분 적용하여서는 안 되며 경비항목으로 적용하여야 한다. 그런데도 상기 관서에서는 블록 뒷채움재 등에 소요되는 골재 11,134m³ 운반비에 대하여 경비항목으로 적용하여야 함에도 노무비, 재료비, 경비로 구분 적용하여 제경비 31,130천원을 과다 계상하였다.

그 결과 OO군 ◎◎과에서는 설계 변경하여 공사비 31,130천원(제경비 포함)을 감액해야 하는데도 이를 이행하지 않는 등 사업추진에 적정을 기하지 못하였다.

조치할 사항

OO군수는 과다 계상된 공사비 31,130천원은 「공사계약 일반조건」에 따라 감액하시고, 앞으로는 공사 관련 업무에 철저를 기하여 유사한 사례가 재발되지 않도록 하시기 바람

8-1-7 손료보정 등

1. 기계손료의 보정

다음 건설기계가 암석굴착, 암석적재, 암석운반 등의 가혹한 작업에 사용되는 경우에는 손료(관리비 제외)를 다음과 같이 보정 가산할 수 있다.

기 종	가산비율	
	암석작업(연암·보통암·경암)	전석섞인토사
불도저(19톤이상 제외)	25	10
굴삭기(무한궤도) 및 로더(무한궤도)	20	10
덤프트럭	25	10

[주] ① 전용덤프트럭(18톤이상)과 불도저(19톤이상)의 경우는 보정하지 않는다.
　　 단, 타이어 불도저, 습지 불도저는 보정할 수 있다.
　② 전석섞인 토사는 전석(0.5㎥이상)의 혼입율이 30%이상 말한다.

2. 기계경비의 보정

건설기계의 운전시간이 현장조건 및 공정계획상 연간 표준 가동시간보다 현저하게 저하될 경우에는 기계손료 중 관리비와 운전경비 중 인건비를 별도 산정할 수 있다.

3. 펌프식 준설선으로 자갈 및 역전석과 쇄암된 암이 포함된 흙을 준설할 때에는 과다마모로 인한 수리비의 증가를 고려하여 손료를 보정계상할 수 있다.
4. 손료산정에서 동력이 포함되어 있지 않은 경우에는 해당되는 디젤, 가솔린 엔진 또는 모터의 손료 및 운전경비를 적용한다.
5. 유류가격은 해당지역의 고시가격으로 한다.
6. 타이어, 삽날 등 기타 가격은 공신력 있는 기관에서 인정하는 가격으로 한다.
7. 불도저 집토거리는 최소 20m를 표준으로 하며 현장여건에 따라 증가할 수 있다.
8. 사석적재 및 투하시의 기중기 효율

사석을 적재할 때의 효율은 0.8로 하고 해상 작업시에는 0.75로 한다.

> **有權解釋**
>
> **제목** 유류가격의 적용기준은
>
> **질의문**
> 신청번호 2003-125 신청일 2020-03-31
> 질의부분 공통 제8장 건설기계 8-1-7 손료 보정 등
>
> 표준품셈 제8장 건설기계 8-1-7 손료 보정 등 5 "유류가격은 해당 지역의 고시가격으로 한다."라고 명기 되어있으나, 기준일 또는 기준 주 등은 명기되어 있지 않아서 설계서 작성시 어려움이 있습니다. 혹시 기준일 또는 기준 주는 어떻게 됩니까? 표준품셈에 명기 되어있지 않으면 예) 유류가격은 발주 전 1주일로 한다.
> (예) 유류가격은 발주 전 2주일로 한다 등 명확한 유류가격 기준일을 명기하여 주세요.
>
> **회신문**
> 표준품셈 "8-1 기계화시공 적용기준/ 4. 손료 보정 등/ 마. 유류 가격은 해당지역의 고시가격으로 한다."에는 유류가격의 기준일, 기준 주에 대한 기준은 없습니다.

8-2 시공능력

8-2-1 불도저

$$Q = \frac{60 \cdot q \cdot f \cdot E}{cm} \quad q = q° \times e$$

여기서 Q : 시간당 작업량(m^3/hr)
　　　　q : 삽날의 용량(m^3)
　　　　q° : 거리를 고려하지 않은 삽날의 용량(m^3)
　　　　e : 운반거리계수
　　　　f : 체적환산계수
　　　　E : 작업효율
　　　　cm : 1회 싸이클 시간

1. q°, e, E의 값
   가. q°의 값(m^3)

종별 \ 급수(ton)	4 (초습지)	7	10	12	13 (습지)	15	19	28	32	33
무 한 궤 도	0.5	1.1	1.5	2.0	1.5	-	3.2	-	5.5	-
타 이 어	-	-	-	-	-	3.1	-	4.0	-	5.7

나. e의 값

운반거리(m)	10이하	20	30	40	50	60	70	80
e	1.00	0.96	0.92	0.88	0.84	0.80	0.76	0.72

다. E의 값

토질명 \ 현장조건	자연상태			흐트러진 상태		
	양 호	보 통	불 량	양 호	보 통	불 량
모 래 , 사 질 토	0.80	0.65	0.50	0.85	0.70	0.55
자갈섞인 흙 , 점성토	0.70	0.55	0.40	0.75	0.60	0.45
파 쇄 암					0.35	0.25

[주] ① 양호 : 작업현장이 넓고(배토판폭의 3배 이상), 지반의 요철 등에 의한 미끄럼이 없고, 또한 하향 구배 등으로서 작업속도가 충분히 기대되는 조건인 경우
② 보통 : 작업현장은 넓으나 작업속도가 기대되지 않는 경우, 작업현장은 좁으나(배토판폭의 3배 미만) 작업속도가 충분히 기대되는 등 제조건이 중간으로 판단되는 경우
③ 불량 : 작업현장이 좁고 지반상태를 고려한 미끄럼이 많고 또 상향 구배 등으로서 작업속도를 저해하는 조건인 경우
④ 정지작업을 겸하는 경우는 0.1을 뺀 값으로 한다.
⑤ 터파기에 대해서는 0.05를 뺀 값으로 한다.
⑥ 리핑한 것은 리핑된 상태를 고려하여 그 상태에 해당하는 토질에서의 값을 취한다.

2. 1회 싸이클 시간

$$cm = \frac{L}{V_1} + \frac{L}{V_2} + t$$

여기서 cm : 1회 싸이클시간(분)
        L : 운반거리(m)
        V_1 : 전진속도(m/분)
        V_2 : 후진속도(m/분)
        t : 기어 변속시간(0.25분)

가. 무한궤도의 V_1 및 V_2의 값

규 격 (ton)	전진속도(m/분)				후진속도(m/분)		
	1단	2단	3단	4단	1단	2단	3단
4(초습지)	40	57	100	-	63	85	-
7	43	67	92	116	53	78	107
10	42	64	88	116	50	75	105
12	40	55	75	107	48	70	100
13(습지)	40	55	75	-	48	70	-
19	40	55	75	103	46	70	98
32	40	52	70	91	43	58	78

[주] ① 굴착 또는 굴착운반, 발근, 석재류집적 작업 등에는 전진 1단, 후진 1단을 사용한다.
② 흐트러진 상태의 토사운반 작업 등에는 전진 2단, 후진 2단을 사용한다.
③ 평탄하고 흐트러진 상태의 정지 전압작업 등의 작업에는 전진 3단, 후진 3단을 사용한다.
④ 제방과 같은 상향작업시에는 전진 1단, 후진 2단을 사용한다.
⑤ 수중작업시에는 전진 1단, 후진 1단을 사용한다.
⑥ 작업현장에서의 이동에는 전진 3단 또는 4단을 사용한다.

나. 타이어형 V_1 및 V_2 값

규 격 (ton)	전진속도(m/분)			후진속도(m/분)	
	1단	2단	3단	1단	2단
15	83	200	415	92	125
28	92	200	482	92	200
33	92	210	546	110	250

[주] ① 흐트러진 상태의 토량운반, 연한 지반의 굴착 운반작업 등에는 전진 1단, 후진 1단을 사용한다.
② 평탄하고 흐트러진 상태에 정지 및 전압작업 등에는 전진 2단, 후진 2단을 사용한다.
③ 작업현장에서의 이동에는 전진 2단 또는 3단을 사용한다.

8-2-2 리퍼(유압식)

$$Q = \frac{60 \cdot An \cdot \ell \cdot f \cdot E}{cm}$$

여기서 Q : 운전시간 1시간당 파쇄량(㎥/hr)
   ℓ : 1회의 작업거리(m)
   An : 1회 리핑 단면적(㎡)
   f : 체적환산계수
   E : 작업효율
   cm : 1회 싸이클 시간(분)
   cm : 0.05ℓ +0.25

1. 1회 리핑단면적(An)

트랙터의 규격 (ton)	1회당 리핑단면적(㎡)		
	1본	2본	3본
20	0.15	0.30	0.45
30	0.20	0.40	0.60

[주] 리퍼의 cm은 불도저의 cm산정식과 같으므로 파쇄되는 암질과 상태에 따라 다르고 작업(전진)시에는 1단 속도가 0.6~0.9정도로 감소되므로 일반적으로 위의 산정식을 사용토록 한다.

2. 작업효율(E)

암 질	발톱수	20 ton 급		30 ton 급	
		탄성파속도 (m/sec)	E	탄성파속도 (m/sec)	E
연질	3본	500	0.85	600	0.85
		700	0.65	800	0.65
		900	0.50	1,000	0.45
중질	2본	700	0.80	900	0.70
		900	0.60	1,200	0.50
		1,200	0.40	1,400	0.40

암 질	발톱수	20 ton 급		30 ton 급	
		탄성파속도 (m/sec)	E	탄성파속도 (m/sec)	E
경질	1본	1,000	0.70	1,200	0.80
		1,300	0.50	1,500	0.50
		1,600	0.30	1,800	0.30

[주] 암질과 탄성파속도와의 관계는 다음과 같다.

구분 암질 암의 종류	탄 성 파 속 도(m/sec)		
	연질	중질	경질
사 암 (砂 岩)	1,000 이하	1,000~1,500	1,500~2,000
점 판 암 (粘 板 岩)	1,000	1,000~1,500	1,500~2,000
석 영 반 암 (石 英 班 岩)	900	900~1,200	1,200~1,500
석 회 암(石 灰 巖), 혈 암(頁 岩)	600	600~1,000	1,100~1,500
화 강 암 (花 崗 岩)	600	600~1,000	1,100~1,500

8-2-3 굴삭기('04, '07, '09년 보완)

$$Q = \frac{3,600 \cdot q \cdot k \cdot f \cdot E}{cm}$$

여기서 Q : 시간당 작업량(㎥/hr)
       q : 버킷용량(㎥)
      f : 체적환산계수
      E : 작업효율
      K : 버킷계수
     cm : 1회 싸이클 시간(초)

1. 버킷계수(K)

현 장 조 건	K
용이하게 굴착할 수 있는 연한 토질로서 버킷에 산적으로 가득찰 때가 많은 조건이 좋은 모래, 보통토인 경우	1.10
위의 토질보다 약간 단단한 토질로서 버킷에 거의 가득 채울 수 있는 모래, 보통토 및 조건이 좋은 점토인 경우	0.90
버킷에 가득 채우기가 어렵거나 가벼운 발파를 필요로 하는 것으로서 단단한 점토질, 점토, 역 토질인 경우	0.70
버킷에 넣기 어렵고 불규칙한 공극이 생기는 것으로서 발파 또는 리퍼작업 등에 의하여 얻어진 암과 파쇄암, 호박돌, 역 등인 경우	0.55

[주] ① 굴삭기는 위치한 지면보다 낮은 데 있는 토량의 굴착에 사용되는 것이 일반이다.
   ② 버킷계수는 굴착하는 토질과 굴착 작업의 높이 또는 깊이에 따라 다르나 작업현장 조건을 고려하여 기종이 선택되므로 특수한 경우를 제외하고는 굴착작업의 깊이는 버킷계수에 영향을 주지 않는 것으

로 한다.
③ 굴삭기는 굴착된 토량을 운반하는 기계와의 상태가 작업상 균형이 유지되고 굴삭기에 대한 운반기계의 적재높이가 적합토록 이루어져야 한다.

2. 작업효율(E)

토질명 \ 현장조건	자연상태			흐트러진 상태		
	양호	보통	불량	양호	보통	불량
모 래 , 사 질 토	0.85	0.70	0.55	0.90	0.75	0.60
자갈섞인 흙, 점성토	0.75	0.60	0.45	0.80	0.65	0.50
파 쇄 암					0.45	0.35

[주] ① 자연상태의 굴삭시 작업효율
 ㉮ 양호 : 자연지반이 무르고, 절토작업이 최적으로 연속작업이 가능하고, 작업방해가 없는 등의 조건인 경우
 ㉯ 보통 : 자연지반은 단단하지만 절토작업이 최적인 경우, 또는 자연지반은 무르지만 절토작업이 곤란한 경우 등 제조건이 중간으로 판단되는 경우
 ㉰ 불량 : 자연지반이 단단하고 또한 연속작업이 곤란하며 작업방해가 많은 등의 조건인 경우
② 흐트러진 상태의 적용은 상기 1항의 조건중 자연지반 상태의 조건을 제외한 기타의 조건을 감안하여 결정한다.
③ 작업장소가 수중 또는 용수작업인 경우는 불량을 적용한다.
④ 터파기에 대하여는 0.05를 뺀 값으로 한다.
⑤ 리핑한 것은 리핑된 상태를 고려하여 그 상태에 해당되는 토질에서의 값을 취한다.
⑥ 굴착작업시 지하매설물(각종 매설관 등)로 인하여 작업이 현저하게 저하하는 경우는 작업효율을 별도로 정할 수 있다.
⑦ 주택가지역에서 상하수도관로부설 등의 공사시 작업장소가 협소하고 지하매설물 등으로 인하여 작업이 현저하게 저하하는 경우에는 다음의 작업효율(E)을 적용할 수 있다.

토질명 \ 현장조건	자연상태	
	보통	불량
모 래 , 사 질 토	0.30	0.19
자갈섞인 흙, 점성토	0.26	0.15

 ㉮ 보통 : 작업현장이 보통의 경우나, 지하장애물이 약간 있는 경우로서 연속적인 굴착이 불가능한 지역
 ㉯ 불량 : 작업현장이 협소한 경우나, 지하장애물이 많은 경우로서 연속적인 굴착이 불가능한 지역

3. 1회 싸이클시간(cm)

규격(m³) \ 각도(도)	싸이클시간(Sec)			
	45	90	135	180
0.12~0.4	13	15	18	20
0.6~0.8	16	18	20	22
1.0~1.2	17	19	21	23
2.0	22	25	27	30

有權解釋

제목 1 굴삭기 주택가 지역 작업효율(E) 관련 문의

질의문

신청번호 2001-031 신청일 2020-01-14
질의부분 공통 제8장 건설기계 8-2-3 굴삭기

8-2-3 굴삭기 2. 작업효율(E) ⑦ "주택가 지역"에서 상하수도관로 부설공사 시 작업장소가 협소하고 지하매설물 등으로 인하여 작업이 현저하게 저하하는 경우에는 다음의 작업효율(E)을 적용할 수 있다. 상기 주석 중 "주택가 지역"의 정의가 어떻게 되는지?
- 1안 : 주택(단독, 다가구, 다세대, 아파트 등)이 밀집된 이면 도로
- 2안 : 건물(빌딩, 학교, 공장, 주택 등)이 밀집된 도심의 이면 및 간선도로

회신문

표준품셈에서 주택가의 정의는 명확하게 규정하고 있지 않으나, 일반적으로 주택이 많이 모여 있는 밀집 지역에서 작업능률에 저하를 가져올 경우 부여되는 할증입니다.

제목 2 8-5 굴삭기 작업효율(E) 관련

질의문

[표준품셈] 8-5 굴삭기 2. 작업효율(E) [주] ④ 터파기에 대하여는 0.05를 뺀 값으로 한다. ⑦ 주택가지역에서 상하수도관로 부설공사 시 작업장소가 협소하고 지하매설물 등으로 인하여 작업이 현저하게 저하하는 경우에는 다음의 작업효율(E)을 적용할 수 있다.

토질명	현장조건	자연상태	
		보통	불량
모래, 사질토		0.30	0.19
자갈섞인 흙, 점성토		0.26	0.15

[질의]
1. 당 현장은 도심지 주택가에 오수관을 부설하는 공사로 작업장소가 협소하고, 지하매설물이 많아 작업효율을 [품셈] 8-5 굴삭기의 2. 작업 효율의 [주] ⑦항에 의거 모래, 사질토의 경우 불량 0.19를 적용코자 합니다.
2. 설계적용 시 터파기의 경우 [주] ④에 의거 0.19에서 0.05를 뺀 값 0.14를 적용하는지? 아니면 0.19만 적용하는지?

회신문

표준품셈 "8-5 굴삭기/ 2. 작업 효율(E)"의 [주] ⑦주택가 지역에서 상하수도관로 부설공사 시 작업장소가 협소하고, 지하매설물 등으로 인하여 작업이 현저하게 저하되는 경우에는 다음의 작업효율(E)을 적용할 수 있다. 에서 추가로 [주] ④의 터파기 0.05를 감하실 필요는 없습니다.

제목 3 굴삭기 작업효율과 주택가 할증관계

질의문

작성일 2013.01.11.

표준품셈 10-5 "굴삭기의 작업효율 [주] 7. 주택가에서 상하수도관로 부설공사 시 작업장소가 협소하고, 지하매설물 등으로 인하여 작업이 현저하게 저하되는 경우에는 다음의 작업효율을 적용할 수 있다."고 되어있습니다. 이와 관련하여 굴삭기의 재료비, 노무비, 경비를 산출할 경우 다음 사항에 대하여 질의합니다.

1. 주택가에서 상하수도관로공사 시 굴삭기 작업효율을 상기 [주] 7항의 작업효율을 적용할 경우 굴삭기운전사 노무비산출 시 표준품셈 1-16 품의 할증 6. 지세별 할증의 주택가 할증(15%)을 추가로 적용할 수 있는지?
2. 아울러 주택가 할증을 적용할 수 있는 기준을 어떻게 정해야 하는지?

회신문

1. 굴삭기의 작업효율과 관련하여 [10-5 굴삭기]의 [주7]에서 제시한 바 있으며 [1-16 품의 할증]은 노무 품에 해당하는 사항으로 장비와는 무관한 사항입니다.
2. 표준품셈에서는 주택가 할증에 관한 상세한 기준을 제시하고 있지 않습니다. 다만 일반적으로 주택가 할증은 주거밀집지역의 골목길 등과 같이 작업공간이 협소하고 장비의 진입에 제한이 있으며, 공사 중 차량통행에 지장 등으로 인하여 작업효율에 영향을 주는 요인에 대한 할증으로 볼 수 있습니다.

8-2-4 트랜처

1. 적용범위 본 작업은 트랜처에 의한 농지의 지하배수시설의 시공에 적용한다.
2. 작업능력 산정

$$Q = \frac{60 \times L \times d \times E}{cm}$$

여기서 Q : 시간당작업량(m/hr)
L : 1열 실작업거리(편도m)
d : 굴착심도계수
E : 작업효율
cm : 1회 싸이클시간(분) = $t_1 + t_2 + t_3$

가. 굴착심도 계수(d)

굴착심도	0.6m	0.7m	0.8m	0.9m	1.0m	1.1m	비고
d	1.29	1.13	1.00	0.90	0.82	0.69	

나. 작업효율(E)

토질별	양호	보통	불량
사 질 토	0.8	0.65	0.50
점 질 토	0.7	0.55	0.40

다. 1회(1열) 싸이클 시간(분)

cm = $t_1 + t_2 + t_3$

(1) 흡수관 삽입 및 수평조절시간(t_1)

t_1 = 2.33분(열당)

(2) 1열 왕복시간(t_2) = $\frac{L_1}{V_1} + \frac{L_2}{V_2}$ (분)

L_1 : 1열 전진거리(m)
L_2 : 1열 후진거리(m)

V_1 : 전진속도(5.3m/분) (d=0.7m 일때 기준)
V_2 : 후진속도(15.6m/분)
(3) 회전 및 기어 변속시간 흡수관 끝봉합 시간(t_3) : 2.5분(열당)

[주] ① 작업보조인부는 트랜처에 왕겨적재 2인, 조절 1인, 유공관유도조정 1인 등 4인 1조이다.
② 소요자재(유공관 등)는 별도 계상한다.
③ 자재의 소운반은 별도 계상한다.
④ 되메우기 및 잔토처리는 별도 계상한다.
⑤ 본 품은 소수재를 왕겨로 기준한 것이므로 모래 등일 때는 별도 산출한다.

8-2-5 로더('07, '20년 보완)

$$Q = \frac{3,600 \cdot q \cdot k \cdot f \cdot E}{cm}$$

여기서 Q : 운전시간당 작업량(㎥/hr)
q : 버킷용량(㎥)
K : 버킷계수
E : 작업효율
f : 체적환산계수
cm : 1회 싸이클 시간(초)
cm = m · ℓ + t_1 + t_2
m : 계수(초/m)　무한궤도식 : 2.0
　　　　　　　　타 이 어 식 : 1.8
ℓ : 편도주행거리(표준을 8m로 한다)
t_1 : 버킷에 토량을 담는데 소요되는 시간(초)
t_2 : 기어변화 등 기본 시간과 다음 운반기계가 도착할 때까지의 시간(14초)

1. t_1의 값

| 기종별 | 무한궤도식 | | 타이어식 | |
작업방법 현장조건	산적상태에서 담을 때	지면부터 굴착 집토하여 담을 때	산적상태에서 담을 때	지면부터 굴착 집토하여 담을때
용 이 한 경 우	5	20	6	22
보 통 인 경 우	8	29	9	32
약간곤란한 경우	9	36	14	41
곤 란 한 경우	11	-	18	-

2. K의 값

현장조건	계수
굴착기계로 깎거나 쌓아모은 산적상태에서 적재하는 것으로 굴착력을 필요로 하지 않고 쉽게 버킷에 산적할 수 있는 것, 즉 조건이 좋은 모래, 보통토 등	1.2
흐트러진 산적상태에서 적재하는 것으로 위 상태보다 약간 삽날이 들어가기 어려운 토질로서 버킷에 가득 채울 수 있는 것, 즉 점토, 역질토	1.0
모래, 사력보통토, 점토, 역질토 등 직접 자연상태에서 굴착적재 할 수 있는 여건으로 버킷에 평적에 약간 미달되게 채울 수 있는 것	0.9
버킷에 가득 채울 수 없는 것으로 다른 기계로 쌓아 모아놓은 부순돌 및 점질토나 역질토로서 굳어진 덩어리상태로 되어 있는 것	0.7
버킷에 넣기 어렵고 허술하며 불규칙한 공극이 생긴 것, 예를 들면 발파 또는 리퍼로 깎은 암괴, 호박돌, 역 등	0.55

[주] ① K치의 적용에 있어 토질 분류에 의한 판단보다는 실지 적재 가능한 양의 판단에 따라 적용하여야 한다.
② 위 표는 타이어식 로더를 기준으로 한 것이다.
단, 발파암 및 암괴 등을 적재할 경우는 무한궤도식 로더로 계상할 수 있다.
③ 함수 조건에 따라 차이가 있는 것으로 저지대 작업 등 특별한 경우는 현실에 맞게 조정할 수 있다.

3. E의 값

토질명 \ 현장조건	자연상태			흐트러진 상태		
	양호	보통	불량	양호	보통	불량
모래, 사질토	0.70	0.55	0.40	0.75	0.60	0.45
자갈섞인흙, 점성토	0.60	0.45	0.30	0.60	0.50	0.35
파쇄암				0.55	0.35	0.25

[주] ① 양호 : 자연지반이 무르고, 적입형식이 덤프트럭 이동형으로서 작업방해가 없고 절토높이가 최적(1~3m) 등의 조건인 경우, 터널 내 암버력 적재 시
② 보통 : 적입형식은 덤프트럭 이동형이지만 작업방해 등이 있는 경우, 또는 적입형식은 덤프트럭 정치형이지만 작업방해가 없는 경우 등 제조건이 중간으로 판단되는 경우
③ 불량 : 자연지반이 단단하여 굴삭이 곤란하고, 적입형식은 덤프트럭 정치형으로서 작업방해가 많고, 절토높이가 최적이 아닌 경우
④ 흐트러진 상태의 토사적재의 경우는 상기의 조건중 단단한 조건을 뺀 기타의 조건을 감안하여 수치를 정하는 것으로 한다.
⑤ 터파기에 대하여는 0.05를 뺀 값으로 한다.
⑥ 리핑한 것은 리핑된 상태를 고려하여 그 상태에 해당되는 토질에서의 값을 취한다.
⑦ 작업방해란 도로개량공사 등에서 시간당 최대교통량이 100대 이상이거나, 현장조건이 이와 유사하다고 판단되는 경우를 말한다.
⑧ 타이어식 로더의 적용은 흐트러진 상태에서 파쇄암 이외의 토질 적재시 현장조건은 양호한 것으로 한다.

※ 적입형식
  ㉮ 덤프트럭 이동형   ㉯ 덤프트럭 정치형

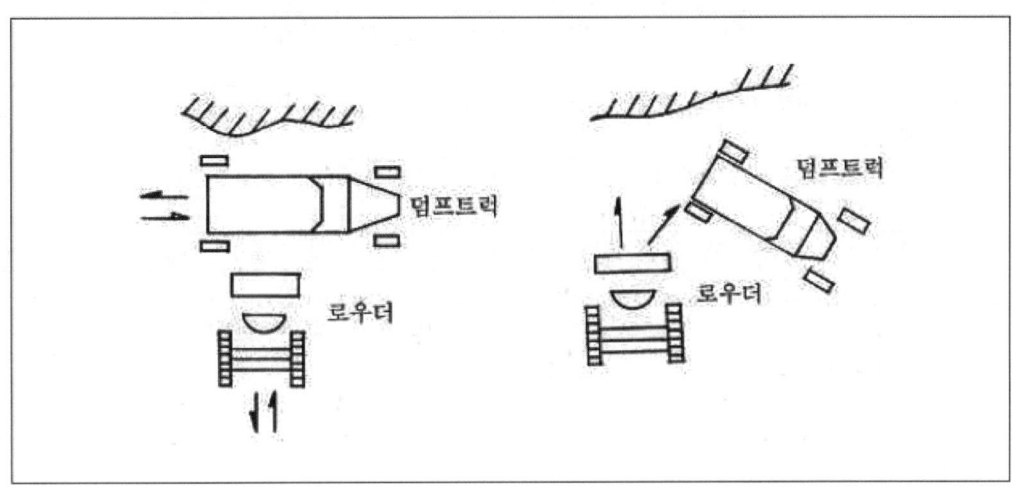

8-2-6 모터 스크레이퍼

$$Q = \frac{60 \cdot q \cdot f \cdot E}{cm}$$

여기서 Q : 시간당 작업량(㎥/hr)
  q : 적재함용적×적재계수(k)
  f : 체적환산계수
  E : 작업효율
  cm : 1회 싸이클 시간

1. 적재계수(K)

토질상태	적재계수
조건이 좋은 보통토	1.13
조건이 좋은 모래, 보통토	1.00
역질토, 모래, 역이섞인 점질토, 점토	0.90
조건이 좋은 점질토, 점토	0.90
조건이 나쁜 점질토, 점토, 암괴, 호박돌, 역	0.80

[주] ① 30cm 이상의 호박돌이 있을 때에는 사용하지 않는 것이 좋다.
  ② 좋은 조건이란 적재함에 산적이 되고 공극(空隙)이 적은 경우를 말한다.
  ③ 나쁜 조건이란 함수비가 극히 높고 적재된 토질이 덩어리가 되어 공극이 많은 경우를 말한다.

2. 작업효율(E)

현장조건	E
작업현장이 넓으며 지형과 토질조건이 좋고 어느 정도 모여 있으므로 작업이 순조롭게 될 때	0.85
작업현장이 넓으나 함수비로 토질의 변화가 일어나기 쉬운 때 등으로 작업이 보통으로 진행될 때	0.80
작업현장이 넓지 않고 다른 작업기계와의 교차가 많고 토질조건도 좋지 않으므로 작업이 순조롭지 못할 때	0.70
작업현장이 좁고 작업이 복잡할 때, 또는 토질조건이 나쁘므로 작업진행이 불량할 때	0.60

3. 1회 싸이클시간(cm)

$$cm = \frac{L_1}{V_1} + \frac{L_2}{V_2} + t$$

여기서 cm : 1회 싸이클시간(분)
  L_1 : 적재시의 주행거리(m)
  L_2 : 공차시의 주행거리(m)
  V_1 : 적재시의 주행속도(m/분)
  V_2 : 공차시의 주행속도(m/분)
  t : 적토, 사토 및 기어변속시간(푸쉬도우저를 사용할 때 1.6분, 사용하지 않을 때 2.8분)

4. V_1 및 V_2의 값

도로상태 \ 구분	적재시주행속도(m/분)	공차시주행속도(m/분)
노면이 단단하고 안전한 도로로서 주행시 타이어가 노면에 침투되지 않고 살수 등 유지된 도로	400	600
노면상태가 별로 좋지 않고 주행시 타이어가 노면에 약간 침투되며 살수된 도로	300	400
노면상태가 잘 정비되어 있지 않으므로 다소 정비는 하나 주행시 타이어가 노면에 약간 침투되는 도로	200	300
노면이 차량에 의하여 울퉁불퉁하여졌고 잘 정비되어 있지 않아 주행시 타이어가 노면에 심하게 침투되는 도로	150	200
흐트러진 모래 또는 자갈	100	150
노면이 극히 불량한 상태	80	100

8-2-7 모터 그레이더

$$A = \frac{60 \cdot D \cdot W \cdot E}{P_1 C_{m1} + P_2 C_{m2} + \cdots P_i C_{mi}}, \quad Q = \frac{60 \cdot \ell \cdot D \cdot H \cdot f \cdot E}{P \cdot cm}$$

여기서 A : 1시간당 작업량(m²/hr)
  Q : 1시간당 작업량(m³/hr)
  D : 1회의 작업거리(편도 m)
  W : 작업장 전체의 폭(m)
  E : 작업효율

Pi : 작업장 전체의 폭을 Vi 속도로 행하는 작업횟수
Cmi : 작업속도 Vi 때의 싸이클시간(분)
H : 굴착 깊이 또는 흙고르기 두께(m)
ℓ : 블레이드의 유효길이(m)
f : 체적환산계수
P : 부설횟수

1. cm 산출공식
  가. 방향변환 또는 블레이드를 선회하여 왕복작업을 할 때

$$cm = 0.06 \times \frac{D}{V_1} + t$$

  나. 전진 작업만을 하고 후진으로 되돌아 오거나 회송이 필요할 때

$$cm = 0.06 \times \left(\frac{D}{V_1} + \frac{D}{V_1}\right) + 2t$$

  D : 작업거리 또는 되돌아 오는 거리(편도 m)
  V_1 : 작업속도(km/hr)
  V_2 : 후진 또는 회송속도(km/hr)
  t : 방향 변환 또는 블레이드 선회 기어변속에 소요되는 시간(분)

○ V_1 및 V_2의 값(km/hr)

작업종류 \ 현장조건	작업 양호	작업 보통	작업 불량	후진 양호	후진 보통	후진 불량	회송 양호	회송 보통	회송 불량
토 사 도 보 수	10	7	4						
측 구 굴 착	4	3	2	9	6.5	4	24	18	12
비 탈 면 의 마 무 리	3	2.5	2						
흙 고 르 기	8	6	4						
마 무 리	8	6	4						
혼 합	10	7	4						
재 설	10	8	6						

[주] ① 작업 및 후진속도에 있어서의 현장조건
  ㉮ 양호 : 작업현장이 넓고 토질의 상태, 지형, 교통량, 함수비 등 조건이 좋아서 목적하는대로 순조롭게 작업이 진행될 때
  ㉯ 보통 : 작업현장이 작업에 지장을 주지 않을 정도로 넓고 토질의 상태, 지형, 교통량, 함수비 등 조건이 고르지 않아서 작업속도에 약간의 변동이 있을 때
  ㉰ 불량 : 작업현장이 협소하고 토질의 상태, 지형, 교통량, 함수비 등 조건이 불량하여 작업속도에 영향을 가져올 때
② 회송속도의 현장조건
  ㉮ 양호 : 2차선 이상으로 완전한 포장도로 또는 노면이 좋은 토사도인 경우
  ㉯ 보통 : 2차선 미만이나 교차가 가능하고 노면보수가 좋은 도로인 경우
  ㉰ 불량 : 작업현장내의 도로 또는 노면보수가 불량한 경우

○ t의 값

작업종류	t(분)
작업거리가 비교적 짧은 경우	2.5
도 로 보 수	1.5
흙 고 르 기	0.5

2. ℓ의 값

작업종류	블레이드의 작업각도	블레이드의 길이(3.6m)
단단한 토질에서의 깎기	45°	2.3
부드러운 토질에서의 깎기	55°	2.7
흙밀기, 제설(除雪)	60°	2.9
마무리	90°	3.4

3. E의 값

작업종류	현장조건		
	양호	보통	불량
토사도의 보수 및 정지 등	0.8	0.7	0.6
흙고르기 등	0.7	0.6	0.5

[주] ① 양호 : 작업현장이 넓고 지형 및 토질상태 기타 작업을 위한 여건이 좋아서 기대하는 작업속도를 충분히 얻을 수 있을 때
② 보통 : 작업현장이 작업에 지장을 주지 않을 정도의 넓이로서 작업속도에 영향을 주는 장애물이 없을 때
③ 불량 : 작업현장이 좁고 지형 및 토질상태가 작업속도에 영향을 주는 장애물이 있을 때

8-2-8 덤프트럭('17년 보완)

$$Q = \frac{60 \cdot q \cdot f \cdot E}{cm}$$

$$q = \frac{T}{\gamma_t} \cdot L$$

여기서 Q : 1시간당 작업량(㎥/hr)
  q : 흐트러진 상태의 덤프트럭 1회 적재량(㎥)
  γ_t : 자연상태에서의 토석의 단위 중량(습윤밀도)(t/㎥)
  T : 덤프트럭의 적재용량(ton)
  L : 체적환산계수에서의 체적변화율

$$L = \frac{흐트러진 상태의 체적(m^3)}{자연상태의 체적(m^3)}$$

  f : 체적환산계수
  E : 작업효율(0.9)
  cm : 1회 싸이클시간(분)
    $cm = t_1 + t_2 + t_3 + t_4 + t_5 + t_6$

1. 적재시간(t_1) : 적재방법에 따라 산출한다.

2. 왕복시간(t_2) :

$$왕복시간(분) = \frac{운반거리}{적재시평균주행속도} + \frac{운반거리}{공차시평균주행속도}$$

3. 운반도로와 평균주행속도(km/hr)('06년 보완)

도로상태	평균속도	
	적재	공차
토치장 또는 토사장 등 열악한 조건의 도로	7	8
교차가 힘든 산간지도로 및 제방 등의 도로	10	15
교차가 가능한 산간지도로 및 제방도로, 미포장도로	15	20
2차로 이상의 공사용도로	30	35
2차로 교통량 및 교통대기가 많은 시가지 포장도로 (7,000대/일 이상)	20	25
4차로 이상의 교통량 및 교통대기가 많은 시가지 포장도로 (40,000대/일 이상)		
2차로 시가지 포장도로(7,000~2,000대/일)	25	30
4차로 이상의 시가지 포장도로(40,000대/일 미만)	30	35
2차로 교외 포장도로(2,000대/일 이상)		
4차로 이상의 교외 포장도로(40,000대/일 이상)		
2차로 교외 포장도로(2,000대/일 미만)	35	35
4차로 이상의 교외 포장도로(40,000대/일 미만)		
2차로 고속도로 또는 교통량(편도) 1일 40,000대 이상의 4차로 고속도로	50	55
4차로 고속도로(편도 교통량 1일 40,000대 미만)	60	60

[주] 차로는 왕복기준이며, 주행속도는 차로수·교통량 등 현장 조건에 따라 주행속도를 측정하여 사용할 수 있다.

4. 적하시간(t_3)

적재한 토량을 내리는데 소요되는 시간으로 차례를 기다리는 시간이 포함된다.

토 질	작업조건(분)		
	양 호	보 통	불 량
모 래 , 역 , 호 박 돌	0.5	0.8	1.1
점 질 토 , 점 토	0.6	1.05	1.5

[주] ① 양호 : 사토장이 넓고 정지된 상태에서 일시에 적하하는 경우
② 보통 : 사토장이 넓으나 움직이는 상태에서 적하하는 경우
③ 불량 : 사토장이 넓지않고 천천히 움직이는 상태에서 적하하는 경우

5. 적재장소에 도착한 때로부터 적재작업이 시작될 때까지의 시간(t_4)
   가. 적재장소가 넓어서 트럭이 자유로이 목적장소에 진입할 수 있을 때……0.15분
   나. 적재장소가 넓지는 않으나 목적장소에 불편없이 진입할 수 있을 때……0.42분
   다. 적재장소가 좁아서 목적장소에 진입하는데 불편을 느낄 때……………0.70분

6. 적재함 덮개 설치 및 해체시간(t_5)

구 분	인력에 의한 경우	자동덮개시설의 경우
시 간 (분)	3.77	0.5

7. 세륜기통과시간(t_6)

세륜시간(min)	1.5

8. 적재기계를 사용하는 경우에는 싸이클시간의 산정은 다음에 의한다.

$$cmt = \frac{cms \cdot n}{60 \cdot Es} + (t_2 + t_3 + t_4 + t_5 + t_6)$$

여기서   cmt : 덤프트럭의 1회 싸이클시간(분)
          cms : 적재기계의 1회 싸이클시간(초)
          Es : 적재기계의 작업효율
          n   : 덤프트럭 1대의 토량을 적재하는데 소요되는 적재기계의 싸이클 횟수

$$n = \frac{Qt}{q \cdot k}$$

          Qt : 덤프트럭 1대의 적재토량(㎥)
          q   : 적재기계의 덤퍼 또는 버킷용량(㎥)
          k   : 리퍼 또는 버킷계수

9. 인력 적재를 하는 경우에는 싸이클 시간 및 적재비를 다음에 의거 산정한다.

종류 \ 구분	적재시간(분/㎥)	조 건
토 사 류	10	적재인부 5인기준
석 재 류	12	평지인 경우

契約審査

제목 1   표준품셈 덤프트럭 인력 적재 기준 문의

질의문

신청번호 2208-013 신청일 2022-08-03
질의부분 공통 제8장 건설기계 8-2-8 덤프트럭

9 인력 적재를 하는 경우에는 싸이클시간 및 적재비를 다음에 의거 산정한다.에서 적재시간 토사류 10분/㎥, 석재류 12분/㎥에서 1㎥ 기준이 자연상태인지? 흐트러진상태인지 문의드립니다.

회신문

표준품셈 공통부문 "8-2-8 덤프트럭"의 작업능력 산정식에서 덤프트럭의 1회 적재량은 흐트러진 상태를 기준으로 하고 있습니다. 토사의 상태(자연상태, 흐트러진상태, 다짐상태)에 맞게 체적변화율을 적용하여 적용하시기 바라며, 덤프트럭의 적재량에 대한 환경기준, 시방기준을 우선하여 적용하시기 바랍니다.

제목 2 뒷채움골재(SB-1) 운반단가 적용

질의문

신청번호 2010-034 신청일 2020-10-19
질의부분 공통 제8장 건설기계 8-2-8 덤프트럭

뒷채움골재(SB-1) 운반관련 뒷채움골재(SB-1)운반 단가산출 시 표준품셈상 암질의 종류를 명확하게 구분하기가 어려워 국도 설계실무 요령에 나와 있는 동상방지층(SB-1)에 의거 운반단가를 산출하였습니다. 발주처에서는 품셈에 명확한 암질 규정이 없으므로 실적공사비중 흙운반(토사)를 적용해야 한다는 입장이고, 시공사는 암질에 대한 시험성적서, 국도 설계실무 요령 등을 반영하여 품셈으로 운반단가를 산출해야 한다는 입장입니다. 실제 적용을 어떻게 해야 할지?

회신문

표준품셈 공통부문 "8-2-8 덤프트럭"의 작업능력 산정식에서 덤프트럭의 1회 적재량은 흐트러진 상태를 기준으로 하고 있습니다. 자연상태의 토사라하여도 운반을 위하여 덤프트럭에 적재할 경우 흐트러진 토사로 체적이 변화하기 때문입니다. 표준품셈 공통부문 "1-3-7 체적환산계수"에서는 토질별 상태별로 환산계수를 제시하고 있습니다.
일반적으로 상차 시 토질의 상태는 흐트러진 상태에 해당이 됩니다. 다만 당해 공사의 설계서 등에서 기준이 되는 토사의 상태(자연 상태, 흐트러진 상태, 다짐 상태)가 어떤 상태인지를 명확히 확인하시고, 이에 해당되는 체적의 변화율은 "1-3-7 체적환산계수"를 참조하시어 적용하시기 바랍니다.

제목 3 세륜기 통과시간 관련 문의

질의문

신청번호 2002-024 신청일 2020-02-12
질의부분 공통 제8장 건설기계 8-2-8 덤프트럭

제8장 건설기계 8-2-8 덤프트럭/ 7. 세륜기 통과시간(t6) = 1.5분
위 세륜기 통과시간(t6)은 덤프적재 후 사토장으로 이동 시 1회 통과하는 세륜기 시간인지?, 아니면, 적재, 공차 왕복 세륜기 통과시간인지?
1) 절토 → 적재이동 → 세륜기 통과(1.5분) → 사토
2) 절토 → 적재이동 → 세륜기 통과(0.75분) → 사토 → 공차이동 → 세륜기 통과(0.75분) → 절토장 도착
위 두가지 중 어떤 의미의 1.5분인지?

회신문

표준품셈 "8-10 덤프트럭/ 7. 세륜기통과시간"에서 세륜시간은 1회 세륜시간을 의미함을 알려드립니다.

8-2-9 롤러('04, '17년 보완)

$$Q = 1,000 \cdot V \cdot W \cdot D \cdot E \cdot \frac{f}{N}$$

$$A = 1,000 \cdot V \cdot W \cdot E \cdot \frac{1}{N}$$

여기서 Q : 시간당 다짐토량(㎥/hr)
　　　 A : 시간당 다짐면적(㎡/hr)
　　　 W : 롤러의 유효폭(m)
　　　 D : 펴는 흙의 두께(m)
　　　 f : 체적환산계수
　　　 N : 소요다짐횟수
　　　 V : 다짐속도(km/hr)
　　　 E : 작업효율

[주] ① 다짐기계는 토질 및 지형조건에 따라 다음의 표를 참조하여 다짐효과를 얻을 수 있도록 선정하여야 한다.

다짐기계의 종류	암괴 호박돌 역	역질토	모래	사질토	점토 및 점질토	역이섞인 점토 및 점질토	연약한 점토 및 점질토	단단한 점토 및 점질토
로 드 롤 러	B	A	A	A	B	B	C	C
자주식 타이어롤러	B	A	A	A	A	A	C	B
탬 핑 롤 러	C	C	B	B	B	B	C	A
진 동 롤 러	A	A	A	A	C	B	B	C
콤 팩 터	A	A	A	A	C	B	C	C
래 머	B	A	A	A	B	B	C	C
불 도 저	A	A	A	A	B	B	C	A
습 지 불 도 저	C	C	C	C	B	B	A	C

㉮ 여기서 A는 효과적이고 적당한 방법이며, B는 따로 적당한 기계가 없을 때 사용하여야 하고, C는 부적당하다.
㉯ 로드롤러(머캐덤, 탠덤)는 노면 등의 마무리에 사용한다.
㉰ 타이어롤러로 하는 흙쌓기 부분의 다짐에는 일반으로 자주식을 사용하는 것이 경제적이나 지형이 복잡하고 여러 공구를 동시에 작업할 경우 등에는 견인식을 사용하는 것도 검토할 필요가 있다.
㉱ 불도저를 흙쌓기 비탈면의 다짐에 사용할 때에는 비탈면의 경사가 1:1.8 보다 낮아질 경우에 능률적이다.
㉲ 래머콤팩터는 구조물의 뒤채움 등 국부적인 장소의 다짐에 사용한다.
㉳ 습지도우저를 흙쌓기 비탈면의 다짐에 사용할 경우에는 qc(콘지수)=4이하의 대단히 연약한 점질토 점토 등에 적용한다.

1. 다짐기계의 유효다짐폭(W)과 다짐속도(V)

다짐기계	규격 (ton)	유효다짐폭 (m)	표준다짐속도(km/hr)		
			노체, 축제 노상	보조기층 기층	표층
머 캐 덤 롤 러	6~8	0.7	2.0	2.5	3.0
	8~10	0.8			
	10~12	0.8			
	12~15	0.9			
탠 덤 롤 러	5~8	1.1	2.0	-	3.0
	8~10	1.1			
	10~14	1.2			
타 이 어 롤 러	5~8	1.4	2.5	4.0	4.0
	8~15	1.8			
	15~25	2.0			
불 도 저	12	0.7	4.0	-	-
	19	0.8			
자 주 식 양 족 식 롤 러	19	1.8	4.0	-	-
진 동 롤 러 (자 주 식)	2.5	0.7	1.0	1.0	
	4.4	0.8	1.0	1.0	
	6.0	1.5	3.0	3.0	
	10.0	1.9	4.0	4.0	

2. 소요다짐 횟수(N) 및 다짐두께(D)

공종	다짐두께 (cm)	다 짐 기 계	규격 (ton)	다짐횟수	다짐도 (%)
노 체	30	진 동 롤 러	10	6	90이상
		타 이 어 롤 러	8~15	4	
노 상	20	진 동 롤 러	10	6	95이상
		타 이 어 롤 러	8~15	4	
동 상 방 지 층	20	진 동 롤 러	10	7	95이상
		타 이 어 롤 러	8~15	4	
보 조 기 층	15~20	진 동 롤 러	10	8	95이상
		타 이 어 롤 러	8~15	4	
입 도 조 정 기 층	15	진 동 롤 러	10	8	95이상
		타 이 어 롤 러	8~15	7	
기 층 (아 스 팔 트 안 정 처 리)	7.5~10	머 캐 덤 롤 러	10~12	4	96이상
		타 이 어 롤 러	8~15	10	
		탠 덤 롤 러	10~14	4	
표 층	5	머 캐 덤 롤 러	8~10	2	96이상
		타 이 어 롤 러	8~15	10	
		탠 덤 롤 러	10~14	4	

공종		다짐두께 (cm)	다짐기계	규격 (ton)	다짐횟수	다짐도 (%)
저수지	심벽(점토)	20	양족식롤러(자주식)	19	10	95이상
	성토	30	〃	19	8	95이상
축제	점성토	30	양족식롤러(자주식)	19	5	90이상
	사질토	30	진동롤러 타이어롤러	10 8~15	6 4	90이상

[주] ① 다짐 횟수는 동일지점을 하중륜이 통과한 횟수로 한다.
② 다짐두께는 다져진 상태의 두께이다.
③ 다짐기계의 규격 및 조합은 보편화된 규격 및 조합방법을 기준한 것이다.
④ 성토용 다짐재료는 다짐이 용이한 실트질흙, 보조기층 재료는 부순 자갈을 기준한 것이다.
⑤ 다짐횟수는 보편화된 조건에서 표준적인 횟수를 정한 것이다.
⑥ 다짐횟수에 따른 다짐도는 다짐장비의 규격과 조합, 토질의 종류, 함수비, 입도 분포 등에 따라 각기 상이하므로 실제 적용 과정에서는 공사규모, 현장조건 등에 따라 다짐 기계규격 및 조합방법을 결정하고 시험시공을 통하여 규정된 다짐 효과를 얻도록 다짐횟수를 결정한다.
⑦ 다짐도는 최대건조 밀도에 대한 다짐 후 건조밀도의 백분율이다.

3. 작업효율(E)

공종	다짐기계 \ 현장조건	양호	보통	불량
표층	머캐덤롤러	0.75	0.55	0.35
	타이어롤러	0.65	0.45	0.25
	탠덤롤러	0.60	0.45	0.30
기층	진동롤러	0.80	0.60	0.40
	머캐덤롤러	0.70	0.50	0.30
보조기층	타이어롤러	0.60	0.40	0.20
노체 축제 노상	불도우저 타이어롤러 진동롤러 양족식롤러(자주식)	0.80	0.60	0.40

[주] 작업효율의 결정은 다음 사항을 고려하여 이들의 조건이 보통의 경우보다 좋을 때에는 양호측으로 나쁠 때에는 불량측의 값을 택한다.
① 흙쌓기 재료 또는 노반재료의 공급능력과 다짐 작업과의 균형(평형 또는 공급능력이 상회하였을 때에는 작업효율은 양호)
② 흙쌓기 재료 또는 노반재료의 토질, 함수비, 입도 배합 등의 적정
③ 작업현장에서의 작업방해의 정도
④ 작업현장의 요철(凹凸) 굴곡 등 지형상황

8-2-10 플레이트 콤팩터

$$Q = 1{,}000 \cdot V \cdot W \cdot D \cdot E \cdot \frac{f}{N}$$

$$A = 1{,}000 \cdot V \cdot W \cdot E \cdot \frac{1}{N}$$

여기서 Q : 시간당 다짐토량(㎥/hr)
　　　 A : 시간당 다짐면적(㎡/hr)
　　　 W : 롤러의 유효다짐폭(m)
　　　 D : 펴는 흙의 두께(m)
　　　 f : 체적환산계수
　　　 N : 소요다짐횟수
　　　 V : 다짐속도(km/hr)
　　　 E : 작업효율

1. 유효다짐폭(W)과 다짐속도(V)

규 격	유효다짐폭(m)	표준다짐속도(km/hr)	비 고
1.5	0.45	1.0	

2. 소요다짐횟수(N) 및 다짐두께(D)

N=3회, D=10cm
다짐횟수는 보편화된 조건에서 표준적인 횟수를 정한 것으로써 다짐도에 따라 증감할 수 있다.

3. 작업효율(E)

양 호	보 통	불 량
0.80	0.60	0.40

[주] '[공통부문] 8-2-9 롤러 3. 작업효율(E)'을 준용한다.

8-2-11 래머

$$Q = \frac{A \times N \times H \times f \times E}{P}$$

여기서 Q : 1시간당 작업량(다짐토량)(㎥/hr)
　　　 A : 1회당 유효다짐면적(㎡)
　　　 N : 1시간당 타격횟수(회/hr)
　　　 H : 다짐두께(m)
　　　 f : 체적환산계수
　　　 E : 작업효율(0.3~0.7)
　　　 P : 중복다짐횟수(57회)

1. 래머의 유효다짐면적(A)과 타격횟수(N)

중량(kg)	1회당 유효다짐면적(m^2)	타격횟수(회/hr)
80	280mm×330mm	36,000

2. 다짐두께
15cm, 점토 10cm

8-2-12 아스팔트 플랜트

1. 시간당 생산능력 표준(ton/hr)

플랜트규격(ton) \ 혼합재의 종류	A (ton)	B (ton)	C (ton)	D (ton)
40	32.0	28.8	25.6	19.2
60	48.0	43.2	38.4	28.8
80	64.0	57.6	51.2	38.4
100	80.0	72.0	64.0	48.0
120	96.0	86.4	76.8	57.6

[주] ① 아스팔트 플랜트의 기계효율을 80%로 한 시간당 생산량을 말한다.
　　② 혼합재의 종류는 다음과 같다.
　　　　A. 밀 조립식 안정처리
　　　　B. 아스팔트(콘크리트)
　　　　C. 소일아스팔트(현지 흙을 사용할 경우)
　　　　D. 샌드 아스팔트

2. 아스팔트 플랜트의 실작업시간
　가. 아스팔트 플랜트의 작업효율은 적용하지 아니한다.
　나. 아스팔트 플랜트의 일생산시간은 6시간으로 한다. (준비예열 및 끝맺음시간은 1시간으로 한다)

8-2-13 스테이빌라이저(노상안정기)

$$A = \frac{W \cdot V \cdot E}{P}$$

여기서　A : 시간당 작업량(m^2/hr)
　　　　W : 유효혼합폭(m)
　　　　V : 작업속도(1,000m/hr)
　　　　E : 작업효율
　　　　P : 혼합횟수

1. 유효혼합폭(W)
　　W = Rotor 폭 − 0.4m

2. 작업효율(E)
   용이한 경우 0.8
   보통의 경우 0.7
   곤란한 경우 0.6

3. 혼합횟수(평균 3회)
재래의 사리노면을 안정처리할 경우 모터 그레이더의 스캐리 파이어 등으로 파 일으키는 것을 고려하여야 하므로 혼합횟수에 대해서는 실정에 맞도록 적용한다.

[주] ① 시멘트 및 역청안정처리 공법을 기준한 것이며 1층의 마무리 두께 7~12cm의 것에 적용한다.
② 혼합기계는 자주식(타이어식)으로 횡축식 Road Stabilizer를 사용하는 것을 표준으로 한다.

8-2-14 크러셔

1. 정치식 크러셔
   가. 벨트컨베이어 운반능력(ton/hr)

폭(mm)	운반능력	폭(mm)	운반능력
400	120	750	450
450	150	900	600
600	300		

[주] 컨베이어 속도 90m/min, 20° 경사, 단위용적중량 1.6ton/㎥의 부순돌을 운반할 때를 기준으로 한다.

나. 에이프런 피더 운반능력(ton/hr)

속도(m/min) \ 폭(mm)	750	900	1,050
10	246	354	494

[주] 암석단위용적중량 1.6ton/㎥, 피더 속도 10m/min을 기준으로 한 것으로 보통의 경우 효율을 75%로 본다.

다. 죠 크러셔 생산능력(ton/hr)

출구간격 \ 규격	025040	025060	045091	063101	106121
19	10~20	10~30	-	-	-
25	15~25	15~40	-	-	-
40	20~35	25~55	40~80	-	-
50	25~45	35~70	50~100	-	-
65	30~55	40~80	60~120	-	-
80	30~65	45~95	70~140	-	-
90	35~75	55~105	80~160	80~160	-
100	-	-	85~165	90~180	180~360

→

출구간격 \ 규격	025040	025060	045091	063101	106121
125	-	-	115~230	110~220	225~450
150	-	-	135~265	140~280	275~550
175	-	-	-	180~360	315~630
200	-	-	-	200~400	360~720
250	-	-	-	-	450~900

[주] ① 규격의 앞의 세 숫자는 죠간의 최대거리, 뒤의 세 숫자는 죠의 폭을 cm로 각각 표시한다.
 (예시 : 063101은 죠간의 거리 63cm, 폭 101cm를 말함)
② 출구 간격은 mm단위이다.
③ 위의 표는 부순돌 상태에서 단위용적중량 1.6ton/㎥ 을 기준으로 한 능력이다.
④ 생산능력은 투입되는 암석의 크기, 단위용적중량, 공급량, 운전조건, 암질 등 작업조건에 따라 변동되므로 작업효율을 아래와 같이 적용한다.
 가. 양호 : 위표의 최대치를 사용한다.
 나. 보통 : 위표의 평균치를 사용한다.
 다. 불량 : 위표의 최소치를 사용한다.
⑤ 1회 통과식(Open Circuit)에서의 생산골재의 크기에 따른 시간당 생산량은 〈별표 1〉을 사용하여 산정한다.
⑥ 재투입식(Closed Circuit)에서의 생산골재의 크기에 따르는 시간당 생산량은 〈별표 2〉를 사용하여 산정한다.
⑦ 이동식(견인식)의 경우에도 본 품을 적용한다.

〈별표 1〉

1회 통과시 크러셔의 골재크기에 따르는 생산량 비율(%)

골재의 크기 (mm)	출구간격(mm)												
	19	25	40	50	65	80	90	100	125	150	175	200	250
250	-	-	-	-	-	-	-	-	-	6.0	18.0	27.0	40.0
250~225	-	-	-	-	-	-	-	-	-	6.0	6.0	5.0	5.0
225~200	-	-	-	-	-	-	-	-	7.0	8.0	7.0	7.0	5.0
200~175	-	-	-	-	-	-	-	-	10.0	8.0	7.0	7.0	6.0
175~150	-	-	-	-	-	-	-	10.0	9.0	9.0	8.0	6.5	5.5
150~125	-	-	-	-	-	4.0	13.0	12.0	10.0	9.0	7.0	6.5	6.5
125~100	-	-	-	-	5.0	12.0	13.0	13.0	10.0	8.0	7.0	7.0	5.0
100~90	-	-	-	-	8.0	8.0	8.0	7.0	6.0	5.0	4.5	3.5	3.5
90~80	-	-	-	7.0	9.0	9.0	8.0	6.0	5.0	4.5	4.0	3.5	3.0
80~70	-	-	-	5.0	4.5	4.5	4.0	3.5	3.0	2.5	2.0	2.0	1.5
70~65	-	-	4.0	6.0	5.5	4.5	4.0	3.5	3.0	2.5	2.5	2.0	1.5
65~56	-	-	3.0	6.0	5.0	4.5	3.5	3.5	3.0	2.5	2.0	1.7	1.5
56~50	-	-	-	6.0	7.0	6.0	4.5	4.0	3.5	3.0	2.5	2.0	1.8	1.6
50~45	-	2.0	7.0	7.0	5.0	5.0	4.0	3.5	3.0	2.5	2.5	2.0	1.8
45~40	-	6.0	9.0	7.5	7.0	5.5	4.5	4.0	3.5	3.0	2.5	2.5	1.6
40~30	3.0	6.0	8.5	6.5	5.0	4.5	4.0	3.5	2.5	2.5	2.1	1.8	1.4

골재의 크기 (mm)	출구간격(mm)												
	19	25	40	50	65	80	90	100	125	150	175	200	250
30~25	7.0	13.0	10.5	8.0	6.5	5.5	5.0	4.5	3.5	3.0	2.5	2.0	1.7
25~22	4.0	7.0	5.5	4.0	3.5	2.5	2.5	2.4	2.0	1.5	1.5	1.1	0.9
22~19	11.0	11.0	7.5	5.5	4.5	4.0	3.5	2.8	2.5	2.0	1.7	1.5	1.2
19~16	8.0	5.5	3.8	3.3	2.7	2.5	2.0	1.8	1.5	1.2	1.1	0.9	0.6
16~13	11.0	8.0	5.4	4.2	3.4	3.0	2.2	2.2	1.7	1.6	1.3	1.1	0.9
13~10	14.0	10.5	7.3	5.5	4.8	3.8	3.6	3.1	2.6	2.2	1.9	1.7	1.2
10~8	4.0	3.0	2.5	1.8	1.4	1.4	1.2	1.1	0.8	0.7	0.7	0.5	0.3
8~6	6.5	5.0	3.0	2.7	2.0	1.6	1.4	1.3	1.1	1.0	0.8	0.7	0.5
6~4	7.5	5.5	4.2	3.0	2.7	2.3	2.0	1.9	1.5	1.3	1.0	0.9	0.6
No.4~No.8	10.5	7.6	5.5	4.3	3.6	3.1	2.8	2.5	2.0	1.6	1.4	1.1	0.7
No.8 미만	13.5	9.9	7.3	5.7	4.9	4.3	3.8	3.4	2.8	2.4	2.0	1.6	1.0
합계 %	100	100	100	100	100	100	100	100	100	100	100	100	100

〈별표 2〉

재투입식 죠 크러셔의 골재크기에 따르는 생산량 비율(%)

골재의 크기 (mm)	출구간격(mm)							
	19	25	40	50	65	80	90	100
100~90	-	-	-	-	-	-	-	10
90~80	-	-	-	-	-	-	9	9
80~70	-	-	-	-	-	8	7	7
70~65	-	-	-	-	-	8	8	7
65~56	-	-	-	-	7	7	7	5
56~50	-	-	-	-	8	8	7	6
50~45	-	-	-	9	9	7	7	7
45~40	-	-	-	8	8	7	7	7
40~30	-	-	11	9	8	7	7	6
30~25	-	-	13	12	11	8	6	5
25~22	-	8	7	7	6	6	5	4
22~19	-	9	8	8	6	4	4	3
19~16	12	12	8	7	6	5	5	4
16~13	13	12	9	7	5	5	4	4
13~10	15	12	9	7	7	6	5	5
10~8	8	7	5	5	4	2	2	2
8~6	8	7	6	4	3	2	2	2
6~No.4	10	7	5	5	4	4	3	2
No.4~No.8	15	11	7	4	2	2	1	1
No.8 미만	19	15	12	8	6	4	4	4
합계(%)	100	100	100	100	100	100	100	100

<별표 3>

롤 크러셔의 골재크기에 따르는 생산량 비율(%)

골재의크기 (mm)	출구간격(mm)													
	6	13	19	25	30	40	45	50	56	65	70	80	90	100
125~	-	-	-	-	-	-	-	-	-	-	-	4.0	13.0	22.0
125~100	-	-	-	-	-	-	-	-	-	5.0	10.0	12.0	13.0	13.0
100~90	-	-	-	-	-	-	-	-	7.0	8.0	9.0	8.0	8.0	7.0
90~80	-	-	-	-	-	-	-	7.0	9.0	9.0	9.0	9.0	8.0	6.0
80~70	-	-	-	-	-	-	4.0	5.0	4.5	4.5	4.5	4.5	4.0	3.5
70~65	-	-	-	-	-	4.0	5.0	6.0	5.5	5.5	5.0	4.5	4.0	3.5
65~56	-	-	-	-	-	3.0	6.0	6.0	5.5	5.0	4.5	4.5	3.5	3.5
56~50	-	-	-	-	5.0	6.0	6.0	7.0	6.5	6.0	5.0	4.5	4.0	3.5
50~45	-	-	-	2.0	5.0	7.0	7.0	7.0	6.0	5.0	5.0	5.0	4.0	3.5
45~40	-	-	-	6.0	8.0	9.0	10.0	7.5	7.0	7.0	6.0	5.5	4.5	4.0
40~30	-	-	-	6.0	7.0	8.5	7.0	6.5	6.0	5.0	5.0	4.5	4.0	3.5
30~25	-	-	10.0	13.0	13.0	10.5	9.0	8.0	7.0	6.5	6.0	5.5	5.0	4.5
25~22	-	-	4.0	7.0	6.0	5.5	4.5	4.0	3.5	3.5	3.0	2.5	2.5	2.4
22~19	-	8.0	11.0	11.0	9.0	7.5	7.0	5.5	5.0	4.5	4.5	4.0	3.5	2.8
19~16	-	4.0	8.0	5.5	4.5	3.8	3.5	3.3	3.0	2.7	2.5	2.5	2.0	1.8
16~13	-	10.0	11.0	8.0	7.0	5.4	5.0	4.2	3.5	3.4	3.0	3.0	2.2	2.2
13~10	3.0	20.0	14.0	10.5	8.5	7.3	6.5	5.5	5.2	4.8	4.3	3.8	3.6	3.1
10~8	5.0	5.0	4.0	3.0	3.0	2.5	1.9	1.8	1.6	1.4	1.4	1.4	1.2	1.1
8~6	13.0	10.0	6.5	5.0	4.0	3.0	2.8	2.7	2.3	2.0	2.0	1.6	1.4	1.3
6~No.4	20.0	10.5	7.5	5.5	5.0	4.2	3.6	3.0	2.8	2.7	2.3	2.3	2.0	1.9
No.4~No.8	26.0	14.5	10.5	7.6	6.5	5.5	4.8	4.3	3.9	3.6	3.4	3.1	2.8	2.5
No.8미만	33.0	18.0	13.5	9.9	8.5	7.3	6.4	5.7	5.2	4.9	4.6	4.3	3.8	3.4
합계(%)	100	100	100	100	100	100	100	100	100	100	100	100	100	100

라. 롤 크러셔의 생산능력(ton/hr)

출구간격 (mm)	규격	040040	060040	076045	076063	076076	101063	104076	139076
	최대출구간격(cm)	28	47	66	66	66	82	82	82
	상용출구간격(cm)	19	40	56	56	56	80	80	80
100		-	-	-	-	-	-	-	1,245
90		-	-	-	-	-	964	1,092	1,092
80		-	-	-	-	-	825	936	936
70		-	-	-	-	858	743	858	858
65		-	-	468	639	780	673	780	780
56		-	-	432	585	702	614	702	702
50		-	333	378	519	624	548	624	624
45		-	291	327	456	548	482	548	548
40		-	249	282	390	468	413	468	468

출구 간격 (mm)	규격	040040	060040	076045	076063	076076	101063	104076	139076
	최대출구간격(cm)	28	47	66	66	66	82	82	82
	상용출구간격(cm)	19	40	56	56	56	80	80	80
25		168	168	186	261	312	274	312	312
19		126	126	141	165	234	205	234	234
13		84	84	93	129	156	139	156	156
6		42	42	45	96	78	69	78	78

[주] ① 규격의 앞 세 숫자는 롤의 직경, 뒤의 세 숫자는 롤의 폭을 cm로 각각 표시한 것이다. (예시 : 101063은 직경 101cm 폭 63cm를 말함)
  ② 위 표는 부순돌 상태에서 단위용적중량 1.6ton/㎥을 기준으로 한 능력이다.
  ③ 생산능력은 투입되는 암석의 크기, 단위용적중량, 공급중량, 운전조건, 암질 등 작업조건에 따라 변동되므로 작업효율을 아래와 같이 적용한다.
    ㉮ 양호 : 효율 65%를 사용한다.
    ㉯ 보통 : 효율 50%를 사용한다.
    ㉰ 불량 : 효율 35%를 사용한다.
  ④ 롤 크러셔의 생산골재 크기에 따르는 시간당 생산량은 〈별표 3〉을 사용하여 선정한다.

마. 스크린 통과능력(ton / hr)

체의 규격 \ 크러셔의 조합방법	1회통과식	재투입식
2.5	0.65	0.85
5	1.10	1.50
6	1.35	1.90
10	1.70	2.45
13	2.05	2.95
16	2.40	3.45
19	2.70	3.85
22	2.95	4.20
25	3.10	4.45
30	3.55	5.05
40	3.90	5.60
45	4.20	6.00
50	4.50	6.45
65	4.95	7.10
80	5.40	7.70
90	5.65	8.10
100	5.90	8.40

[주] ① 체의 규격은 mm단위이다.
  ② 위의 표는 930㎠당 통과량을 말한다.
  ③ 위의 표는 깨어진 자갈(모래 등 포함)을 공급할 때를 기준으로 한다.
  ④ 롤 크러셔는 1회통과식을 적용한다.
  ⑤ 스크린의 효율을 고려한 전체 통과량은 〈별표 4〉를 사용하여 산정한다.
    (예시) : 통과량(ton/hr) = 930㎠당 통과능력

$$(ton/hr) \times A \times B \times C \times D \times E \times 체적면적(㎠) \times \frac{1}{930}$$

〈별표 4〉
스크린의 효율

계수 A		계수 B		계수 C		계수 D		계수 E	
스크린택의 수에 따르는 계수		스크린규격 1/2보다 작은 골재의 양(%)에 따르는 계수		돌을 스크린에 직접 분사할 때 스크린의 규격에 따르는 계수		스크린 규격보다 큰 골재의 양(%)에 따르는 계수		재료의 종류에 따르는 계수	
택의 수	계수A	골재량	계수B	스크린 규격 (mm)	계수C	골재량 (%)	계수D	재료분석	계수E
1	1.00	0	0.40	2.5	2.60	10	1.07	1. 최고 5% 수분을 포함한 깨어지지 않는 자갈	1.15
2	0.90	5	0.47	5.0	2.50	20	1.04		
3	0.80	10	0.53	6.0	2.40	30	1.00		
4	0.70	15	0.59	10.0	2.10	40	0.95	2. 최고 5% 수분을 포함한 50% 깨어진 자갈	1.00
		20	0.66	13.0	1.85	50	0.90		
		25	0.73	19.0	1.50	60	0.85		
		30	0.82	25.0	1.15	70	0.79	3. 5% 수분을 포함한 100% 깨어진 자갈이나 부순물	1.90
		35	0.90	28.0	1.00	80	0.70		
		40	1.00			90	0.55		
		45	1.10			92	0.50	4. 박판상(薄板狀) 또는 후판상(厚板狀)으로 100% 깨어진 부순물	0.60
		50	1.20			94	0.44		
		55	1.30			96	0.35		
		60	1.40			98	0.20		
		65	1.50			100	0.00		
		70	1.60						
		80	1.80						
		90	1.92						
		100	2.00						

2. 이동식 크러셔

규격 (ton)	출구간격(mm) 입구간격(mm)	생 산 능 력(ton/hr)							출력 (kW)
		10	13	16	20	25	30	40	50	
50	85× 90	20	25	30	38	45	50	(57)		93
100	125×140	(35)	45	55	70	80	90	105		155
150	170×190	(54)	72	90	110	135	155	185	200	260
200	180×200	(70)	(90)	110	130	160	180	215	230	326

[주] ① 이동식 크러셔는 죠 및 콘크러셔가 단일기계로 조합된 것이다.
② 본 품은 부순돌 상태에서 단위용적중량 1.6ton/㎥을 기준으로 한 능력이다.

③ 생산능력은 투입되는 암석의 크기, 단위용적중량, 공급량, 운전조건, 암질에 따른 스크린 통과율 등 작업조건에 따라 변동되므로 작업효율을 아래와 같이 적용한다.

양 호	보 통	불 량
0.45	0.40	0.36

④ 강자갈의 경우 작업효율을 양호로 적용한다.

8-2-15 대형브레이커('14, '17년 보완)

1. 조합기계

대형브레이커+굴삭기 0.6~0.8㎥

2. 작업능력

가. 구조물 헐기

(㎥/hr)

구 분	무근 구조물	철근 구조물
구조물의 평균두께 30cm 미만	3.3~5.9	1.6~3.3
구조물의 평균두께 30cm 이상	2.6~4.6	1.4~2.7
간이철근 구조물	2.8~5.0	-
교량상부 강교슬래브	-	1.8~3.7
아스콘 포장 30cm 미만	16.0	
아스콘 포장 30cm 이상	12.5	

[주] ① 본 품은 도로(콘크리트, 아스콘), 하천, 해안 사방공사의 기설 콘크리트 및 구조물의 헐기품이다.
② 터파기, 되메우기, 파쇄물 집적 및 소운반, 싣기 및 운반 등은 포함되지 않았으므로 별도 계상한다.
③ 작업보조로서 보통인부 1인을 별도 계상한다.
④ 철근절단 및 절단기 손료는 별도 계산한다.
⑤ 굴삭기 0.4㎥을 조합 사용하는 경우는 상기 작업능력의 하한치를 적용한다.
(아스콘 포장 제외)
⑥ 인구 밀집지역의 소규모 지선도로 포장깨기에는 0.2㎥ 굴삭기를 조합사용할 수 있으며 이때의 작업능력은 1.75㎥/hr를 적용한다.(아스콘 포장 제외)
⑦ 굴삭기(0.4㎥ 이하)로 아스콘 포장 깨기를 하는 경우 다음을 기준으로 적용한다.

구 분	규 격	단 위	수 량	비 고
굴 삭 기 + 브 레 이 커	0.4㎥	㎥/hr	6.9	두께 20cm이하
	0.2㎥	㎥/hr	4.1	

나. 굴삭

(㎥/hr)

암분류 \ 시공형태	암파쇄	터파기
연 암	4.5~5.5	3.2~3.8
보 통 암	3.1~3.7	2.2~2.8
경 암	2.3~2.9	1.6~2.0

[주] ① 작업 범위는 상하 5m를 기준한다.
② 경사면 고르기, 파쇄물 집적, 적입 등 운반작업은 포함되지 않았다.

③ 시공형태가 지반 이하 또는 터파기라 하더라도 기계가 굴착 개소 내에 들어가 작업할 수 있을 때에는 암파쇄를 적용한다.
④ 현무암 작업시는 30%까지 작업능력 감소를 감안할 수 있다.

다. 적용방법
① 작업 현장이 넓고 장해물이 없이 작업이 순조롭게 진행될 때 상한치
② 작업현장이 작업에 지장을 주지 않을 정도로 넓고 장해물이 있어 작업진행에 약간의 지장이 있을 때 평균치
③ 작업현장이 협소하고 장해물이 많아 작업진행에 영향을 가져올 때 하한치

라. 치즐 소모량

(본/hr)

구 분	연 암	구조물헐기	보 통 암	경 암
0.4㎥용		0.008		
0.7㎥용	0.006	0.01	0.02	0.03

有權解釋

제목 1 대형브레이커 장비조합 변경 시 작업 능력 조정

질의문
신청번호 2204-090 신청일 2022-04-25
질의부분 공통 제8장 건설기계 8-2-15 대형브레이커

공통 8-2-15 대형브레이커 적용 시 장비조합 변경 시 작업 능력 조정이 가능하도록 되어 있습니다. 주 6. 인구 밀집지역의 소규모 지선도로 포장깨기에는 0.2㎥ 굴삭기 적용 시 작업능력 1.75㎥/hr 적용한다.라 명시되어 있습니다. 이때 0.2㎥ 굴삭기 적용 시 작업 능력 1.75 적용 및 주택가 할증(15%) 별도 계상 가능 여부가 궁금합니다.

회신문
표준품셈 공통부문 "8-2-15 대형브레이커" 2. 작업능력 [주] ⑥, ⑦은 주택가, 번화가 등에서 조사된 품으로 동일한 성격의 할증을 반영하실 필요는 없습니다.

제목 2 철근콘크리트깨기 중 발생 고재, 가옥헐기 시 발생 고재의 처리비용 적용

질의문
신청번호 2010-052 신청일 2020-10-23
질의부분 공통 제8장 건설기계 8-2-15 대형브레이커

[질문1] 철근콘크리트 깨기의 고재 처리
철근콘크리트 깨기 시 발생하는 철근고재의 수량산출 및 고재처리 비용이 미적용 되어 있는 실정입니다. 현실적으로 철근콘크리트 깨기 시 발생하는 고재의 수량을 산출하는 것 또한 난해합니다. 고재처리량 산출 및 처리비용 적용을 어떻게 처리해야 하는지?

[질문2] 가옥헐기 시 발생고재의 처리 비용
가옥헐기 시 수량산출은 품셈에 적용된 콘크리트류, 금속 및 철재류와 혼합폐기물의 단위수량으로 산출하여 단위수량은 단독주택 m²당 0.05TON으로 적용하여 건축폐기물중 금속 및 철재류의 수량은 산출한 실정입니다. 수량은 산출되어 있으나 고재처리 비용은 내역상 미 적용되어 있습니다. 고제처리 비용을 어떻게 적용해야 하는지?

신문
표준품셈에서 철근콘크리트깨기 시 발생되는 고재의 수량산출 및 처리방법은 별도로 정하고 있지 않습니다. 참고로, 건설현장에서 시공과정에서 발생되는 발생재의 처리는 표준품셈 공통부문 "1-3-6 발생재의 처리"를 참조하시기 바랍니다.
"1-3-6 발생재의 처리"는 자재사용 후 발생된 고재나 스크랩 등의 대금을 설계 시 미리 공제토록하기 위한 것입니다. '사용고재(시멘트공대 및 공드람 제외)'는 일정기간 동안 목적물의 시공에 사용되는 것이 아닌 단순 발생재로서의 환금가치가 있는 것으로, 자재를 담았던 용기 등과 같이 본 자재 사용에 따라 남게 되는 고재 등을 의미하며, '강재스크랩'은 철근가공 시 발생되는 토막철근 등을 의미합니다. 사용고재나 강재스크랩 외 발생재로 '기타 발생재'가 있습니다.

제목 3 대형브레이커 굴삭기(1.0m³) 질의

질의문
신청번호 2005-057 신청일 2020-05-19
질의부분 공통 제8장 건설기계 8-2-15 대형브레이커

대형브레이커 연암터파기의 경우 굴삭기 0.6~0.8m³이 3.2~3.8m³/hr로 산정되어 있습니다.
굴삭기 1.0m³의 작업량을 산정할 시 0.6m³ = 3.2m³/hr, 0.7m³ = 3.5m³/hr, 0.8m³ = 3.8m³/hr, 0.9m³ = 4.1m³/hr, 1.0m³ = 4.4m³/hr 이런 식으로 비례하여 산정하여도 타당한지?

회신문
표준품셈 공통부문 "8-2-15 대형브레이커/ 2. 작업능력/ 나. 굴삭"에서 연암 터파기의 시공기준은 대형브레이커 + 굴삭기 0.6~0.8m³ 기준이며, 굴삭기 1.0m³의 시간당 작업량의 기준은 제시하고 있지 않습니다.

監査

제목 ○○○○정비사업 추진 부적정

내용
기존구조물깨기는 철근콘크리트 및 무근콘크리트깨기 등 총 2,303m³의 기존구조물깨기가 설계에 반영되어 있으며, 단가산출 구성을 살펴보면 대형브레이카+굴삭기(0.7m³)로 기존구조물을 깨고 굴삭기(무한궤도 0.7m³)를 이용하여 들어내기 후 다시 굴삭기(무한궤도 0.7m³)를 이용하여 폐기물운반 트럭에 상차하는 것으로 단가가 이루어져 있다. 따라서, 기존구조물 깨기로 발생되는 콘크리트폐기물은 깨기 후 폐기물운반 트럭에 곧바로 상차 처리함이 효율적이고 경제적인데도 폐기물상차를 별도 반영하고서도 불필요하게 들어내기 공종을 별도 중복 반영함으로서 공사비 53,529천원(제경비 포함)을 과다 계상하는 결과를 초래하였다.

조치할 사항
○○군수는 과다 계상된 공사비 53,529천원은 공사계약 일반조건에 따라 감액하시고, 앞으로는 공사관련 업무에 철저를 기하여 유사한 사례가 재발되지 않도록 하시기 바람

> **契約審査**
>
> **제목** 기존 교량철거 공법 변경
>
> **내용**
> 노후된 기존 교량의 철거공법은 안전성 및 경제성, 현장여건 등을 고려하여 선정하여야 함에도 철거교량의 전 구간에 고가의 '다이어몬드 Wire Saw공법'이 적용됨에 따라 일부 구간에 대하여 현장여건에 적합하고 저렴한 '굴삭기+브레이커파쇄공법'으로 조정
>
> **심사 착안사항**
> 기존구조물의 철거방법에 대하여 현장여건 및 시공성, 경제성 등을 종합적으로 고려하여 작업방법을 검토

8-2-16 압쇄기(콘크리트 소할용)('04년 신설)

1. 조합기계

   압쇄기(펄버라이저) + 굴삭기 1.0㎥

2. 작업능력

   $Q = q \times E$

   여기서 Q : 시간당 작업량(㎥/hr)

   　　　　q : 작업능력(3.26㎥/hr)

   　　　　E : 작업효율(0.95)

[주] ① 본 품은 콘크리트구조물 헐기후 발생된 폐콘크리트를 성토용으로 재활용할 수 있도록 압쇄기(펄버라이저)를 이용하여 100mm이하로 소할하는 품이다.
　　② 폐콘크리트가 여러곳에 산재되어 일정장소에 적치하여 소할할 경우 이에 따른 운반비는 별도 계상한다.
　　③ 철근 제거가 필요한 경우 보통인부 1인을 별도 계상한다.

8-2-17 법면다짐기

1. 장비조합

   굴삭기 부착용 유압식 진동콤팩터+굴삭기 0.7㎥

   또는 법면다짐판+굴삭기 1.0㎥

2. 작업능력

구 분	다짐력	플레이트규격(cm)	작업량(㎡/h)	비 고
유압식진동콤팩터	6~9톤	76×84	77.7	최대건조밀도 90%이상 기준
법 면 다 짐 판	-	80×80	22.7	-

[주] ① 성토부 비탈면 다짐 또는 이와 유사한 작업에 적용할 수 있다.
　　② 법면 다짐판 사용시는 다짐판 손료는 계상하지 아니한다.

8-2-18 노면 파쇄기('01년 보완)

1. 적용범위

   본 공법은 아스팔트포장 노면절삭작업에 적용한다.

2. 작업능력 산정식

   Q = W × V × t × E

   여기서 W : 기계의 절삭폭

   V : 작업속도(절삭폭 1m인 경우 60m/h, 절삭폭 2m인 경우 200m/h)

   E : 작업효율

   t : 절삭깊이(5cm)

블록연장L(m)	200≥L	200<L≤500	500<L
효 율	0.55	0.65	0.75

[주] 블록은 준비공없이 연속하여 작업할 수 있는 구간으로서 상하행선마다의 도로연장으로 300m 이하의 절삭없는 구간의 이동은 연속으로 보되 블록연장에는 포함하지 아니한다.

8-2-19 골재세척설비('01년 신설)

1. 적용범위

   본 공법은 콘크리트 등의 생산시 굵은골재 세척작업에 적용한다.

2. 작업능력 산정식

   Q = q×E

   여기서 Q : 시간당 작업량

   q : 시간당 표준작업량(62.5㎥/hr)

   E : 작업효율(0.8)

8-2-20 콘크리트 믹서

$$Q = \frac{60}{4} \cdot q \cdot E$$

여기서 Q : 콘크리트 믹서의 시간당 생산량(㎥/hr)

4 : 재료투입 혼합배출 등 작업시간(분)

q : 콘크리트 믹서용량(㎥)

E : 작업효율(0.8)

8-2-21 콘크리트 배치플랜트(강제 혼합식)('00, '02, '11년 보완)

$$Q = \frac{60 \cdot q \cdot E}{cm}$$

여기서 Q : 시간당 작업량(㎥/hr)

q : 믹서의 실용량

E : 작업효율

cm : 1회 싸이클시간(1.5분)

[주] 본 품을 터널 숏크리트용 배치플랜트로 적용시 cm은, 강섬유를 혼합할 경우에는 2.5분, 혼합치 않을 경우에는 1.5분을 적용한다.

1. 믹서의 실용량(q)

규격		60㎥/h (96kW)	90㎥/h (144kW)	120㎥/h (160kW)	150㎥/h (177kW)	180㎥/h (213kW)	210㎥/h (233kW)
슬럼프	5cm이상	1.0㎥	1.5㎥	2㎥	2.5㎥	3.0㎥	3.5㎥
	5cm미만	0.75㎥	1.13㎥	1.5㎥	1.88㎥	2.25㎥	2.63㎥

2. 작업효율(E)

현장조건 \ 공종	도로포장	교량	터널	사방
양호	0.90	0.50	0.75	0.85
보통	0.70	0.45	0.65	0.75
불량	0.50	0.40	0.55	0.65

[주] ① 타설조건과 조합기계로 인하여 콘크리트 배치플랜트의 대기시간이 적은 경우에는 양호, 대기시간이 많은 경우에는 불량으로 한다.
② 터널 숏크리트용 배치플랜트의 경우 현장조건이 매우 불량한 경우에는 작업효율을 0.40으로 적용할 수 있다.

8-2-22 콘크리트 운반

1. 콘크리트 믹서트럭 운반

$$Q = \frac{60 \times W \times E}{cm}$$

여기서 Q : 시간당 운반량(㎥/hr)
W : 적재용량
cm : $t_1 + t_2 + t_3 + t_4$(min)
t_1 : 적입시간
t_2 : 주행시간
t_3 : 배출시간
t_4 : 대기시간

$$t_1 = \frac{W}{q} \cdot cmc (콘크리트플랜트 싸이클시간 참조)$$

$$t_2 = \frac{운반거리}{적재시평균주행속도} + \frac{운반거리}{공차시평균주행속도}$$

t_3 = 배출시간

　　슬럼프 4cm 이하(3~4min)
　　슬럼프 5cm이상(2~3min)
　　단, 콘크리트 펌프와 조합작업시는 10min을 가산한다.

$t_3 = t_4$ = 대기시간(5~10min)

E 　: 작업효율(0.95)

2. 덤프트럭 운반

$$Q = \frac{60 \times W \times E}{cm}$$

여기서 Q 　: 시간당 운반량(㎥/hr)
　　　　W 　: 적재량(㎥)
　　　　cm 　: $cm_1 + cm_2$
　　　　cm_1 : 1회 싸이클의 주행시간(min)
　　　　cm_2 : 1회 싸이클의 작업하역시간 및 대기시간의 합계(min)

가. 적재량

(㎥)

규격	8 톤	10.5 톤	15 톤
W	3.3	4.4	6.0

나. 주행시간

(min)

표준치	cm1=3L+5	비고
범위	±5	L : 편도운반거리(km) L : 15km까지 적용

$$cm_2 = \frac{W}{q} cmc + t_1 + t_2 (min)$$

여기서 　$\frac{W}{q}cmc$ = 작업시간(콘크리트플랜트 싸이클 시간 참조)
　　　　t_1 = 하역시간(1~2min)
　　　　t_2 = 대기시간(5~10min)

다. 작업효율 E(0.95)

[주] 콘크리트 운반은 콘크리트 믹서 트럭으로 운반함을 원칙으로 하되 콘크리트 포장 등과 같이 작업물량이 많고 슬럼프치가 낮아 믹서트럭 운반이 부적합할 경우에는 덤프트럭 운반으로 할 수 있다.

8-2-23 기관차

$$Q = C \cdot N \cdot f \cdot E$$

$$N = \frac{60}{t_1 + \frac{L}{V_1} + \frac{L}{V_2} + t_2}$$

$$C = n \times q$$

여기서 Q : 시간당 작업량(㎥/hr)
        N : 1시간당 운반횟수
        C : 1회 운반토량(㎥)
        f : 체적환산계수
        E : 작업효율
        t_1 : 입환소요시간(5분)
        t_2 : 적재 적하 소요시간(토사류는 17분, 석재류는 20분)
        L : 평균 운반편도(m)
        V_1 : 적재시 기관차의 주행속도(140m/분)
        V_2 : 공차시 기관차의 주행속도(200m/분)
        n : 1회운반시의 대차수(5t일 때 12대, 7t일 때 15대)
        q : 대차의 용량(㎥)

8-2-24 경운기

작업량 산정식

$$Q = \frac{60 \cdot q \cdot f \cdot E}{cm}$$

여기서 Q : 시간당 작업량(㎥/hr)
        q : 흐트러진 상태의 경운기 1회 적재량
        f : 체적환산계수
        E : 작업효율(0.9)

1. 싸이클시간(cm)

$$cm = \frac{L}{V_1} + \frac{L}{V_2} + t$$

여기서 V_1 : 적재시 속도(m/분)
        V_2 : 공차시 속도(m/분)
        L : 거리(m)
        t : 적재 적하시간(분)

2. 적재 적하 시간 및 속도

종류 \ 구분	적재 적하 시간	평균주행속도(m/분)					
		적재			적하		
		양호	보통	불량	양호	보통	불량
토 사 류	11분	83m/분	57m/분	35m/분	117m/분	83m/분	57m/분
석 재 류	13분						

[주] ① 삽작업이 가능한 토석재를 기준한다.
② 적재 적하는 2인을 기준한다.
③ 절취는 별도 계산한다.
④ 작업로에 따른 구분
　　양호 : 작업로가 구배가 없고 평탄할 때
　　보통 : 작업로가 약간 요철이 있는 경우
　　불량 : 작업로가 구배가 약간 있고(7%이하) 요철이 있는 경우

8-2-25 디젤 파일 해머

$$Tc = \frac{Tb + Tw + Ts + Tt + Te}{F}$$

여기서　Tc : 파일 1본당 시공시간(min)
　　　　Tb : 파일 1본당 타격시간(min)
　　　　Tw : 파일 1본당 용접시간(min)
　　　　Ts : 파일 1본당 세우기 및 위치 조정시간(min)
　　　　Tt : 파일 1본당 해머의 이동 및 준비시간(min)
　　　　Te : 파일 1본당 해머의 점검 및 급유 등 기타시간(min)
　　　　F　: 작업계수

1. 강관파일의 경우
　가. 파일 1본당 타격시간(분) : T_b
　　　$T_b = 0.05 \cdot \alpha \cdot L(N+2)$
　　α : 토질계수
　　β : 해머 계수
　　N : 파일 끝이 들어가는 전층의 평균 N치
　　L : 파일 끝이 들어가는 전층의 길이(m)
　　　(파일이 들어가는 전장으로 표시)

　(1) 토질계수(α)

계 수 \ 토 질	점토·부식토	실트·로움·모래	자 갈
α	4.0	1.0	1.4

[주] 2종 이상의 토질로 구성되어 있는 경우는 토층의 두께에 따라 가중 평균을 내어 토질계수를 산출한다.

(2) 해머 계수(β)

파일경(m/m)	파일해머의 램 중량			
	1.5t 급	2.2t 급	3.2t 급	4.0t 급
400	1.2	0.6		
500		1.0	0.6	
600		1.4	0.9	0.6
800			1.5	1.2
900				1.4
1,000				1.7

(3) 평균 N치 = $\dfrac{\text{파일이 들어가는 통과길이 1m당 N치의 합계}}{\text{파일이 들어가는 전장}}$

단, N치 1이하의 경우는 1로 한다.

[주] 토질별 N치

토 질		
구 분	상 태	N치
점토질토	軟泥	4이하
	軟質	4~10
	中質	10~20
	硬質	20~30
	最硬質	30~40
	極硬質	40~50
사 질 토 사	軟質	10이하
	中質	10~20
	硬質	20~30
	最硬質	30~40
	極硬質	40~50
자갈혼합사질토사	軟質	30이하
	硬質	30이상
자 갈 혼 합 사 질 토 사	軟質	40~50
	硬質	50~60

나. 파일세우기 및 위치조정시간(분) : Ts
  Ts : 7Ns
  Ns : 파일세우기 횟수

다. 파일 1본당 이동 및 준비시간(분) : Tt
  $Tt = \dfrac{a + LS \cdot (S-1)/n}{V}$
  a : 파일의 평균간격(m)

LS : 블록간의 거리(m)
S : 블록수
n : 파일의 전 시공 본수
V : 크롤러식 항타기의 자주에 의한 표준주행속도(2.5m / min)

[주] ① 블록간 이동에 분해수송이 필요한 경우의 소요비용은 별도 계상한다.
② 블록간 이동에 필요한 운반로의 조성 등이 필요한 경우의 소요비용은 별도 계상한다.

라. 급유 점검 등의 기타시간(분) : Te

해 머 규 격	1.5t 급	2.2t 급	3.2t 급	4.0t 급
Te(분)	4	6	8	10

마. 작업계수(F)

평 탄 성	항타현장조건		F
	작업 현장의 넓이와 상태		
양호	현장이 넓으며 작업에 장애물이 없는 경우		1.0
	현장이 협소하며 작업에 장애물이 있는 경우		0.8
불량	현장이 넓으며 작업에 장애물이 없는 경우		0.8
	현장이 협소하여 작업에 장애물이 있는 경우		0.6

[주] ① 노면 상태는 지역이 넓고 평탄하며 보조크레인이 말뚝 운반에 지장이 없는 상태를 양호로 한다.
② 넓은 지역은 폭이 25m 이상되는 지역을 말한다.
③ 장애물이란 가옥, 시설구조물, 도로, 철도 부근 등으로 안전관리를 요하는 것을 말한다.

바. 파일 1본당 용접시간(분) : Tw
Tw = tw×Nw
tw : 이음 1개소당 용접시간(분)
Nw : 파일 1본당 이음수

[주] 항판의 두께가 다른 경우는 박판을 기준한다.

(1) 반자동 아크(Arc) 용접기에 의한 용접이음 개소당 용접시간(분)

파일경 (m / m)	관 두 께(m/m)					
	8	9	10	12	14	16
400	20	20	20	20	25	30
500	20	20	25	25	30	30
600	20	25	25	30	35	35
800	25	30	30	35	40	45
900	30	30	35	35	45	50
1,000	30	30	35	40	45	50

[주] 작업준비, 검사, 냉각 등의 시간 10분을 포함한 용접작업 종료까지의 시간이다.

(2) 수동아크용접기에 의한 용접이음 1개소당 용접시간

파일경 (m/m)	관 두 께(m/m)					
	8	9	10	12	14	16
400	40	45	50	35	40	50
500	50	60	60	40	50	60
600	60	35	40	50	60	80
800	50	45	50	70	80	100
900	45	50	60	80	90	110
1,000	50	60	70	90	100	130

[주] 굵은 선내의 수치는 용접기 2대 사용의 것이다.

(3) 파일해머와 용접기의 조합

기 계 명	규 격	대 수	비 고
반자동아크(Arc)용접기	교류 500A 교류 아크(Arc)용 용접기가 딸림	1대	교류 아크(Arc) 용접기는 40KVA(500A)를 표준으로 한다.
수동아크(Arc)용접기	교류 500A	1대 2대	교류 아크(Arc) 용접기는 20KVA(500A)를 표준으로 한다.

(4) 수동아크(Arc) 용접기에 의한 용접이음 1개소당 용접봉 소요량(kg)

파일경 (m/m)	관 두 께(m/m)					
	8	9	10	12	14	16
400	0.9	1.0	1.4	1.8	2.3	2.8
500	1.1	1.3	1.7	2.2	2.8	3.5
600	1.3	1.5	2.1	2.6	3.4	4.1
800	1.8	2.0	2.8	3.5	4.5	5.5
900	2.0	2.3	3.1	4.0	5.1	6.2
1,000	2.2	2.5	3.5	4.4	5.7	6.9

(5) 용접이음 1개소당 전력 소비량(kW/h)

파일경 (mm)	관 두 께(mm)					
	8	9	10	12	14	16
400	5.7	6.9	7.6	10.7	13.9	17.0
500	7.1	8.6	9.4	13.4	17.3	21.2
600	8.5	10.3	11.3	16.0	20.7	25.4
800	11.0	13.7	15.0	21.3	27.6	33.9
900	13.0	15.0	17.0	24.0	31.2	38.2
1,000	14.0	17.3	18.9	26.7	34.5	42.4

2. 콘크리트 파일(PC, RC)의 경우

　가. 파일 1본당 타격시간(분) : Tb

　　Tb = $0.08\alpha \cdot \beta \cdot L(N+2)$

　　　여기서　α : 토질계수(강관파일의 경우와 동일)
　　　　　　β : 해머계수
　　　　　　L : 파일 끝이 들어가는 전층의 길이(m)
　　　　　　　　(파일이 들어가는 전장으로 표시)
　　　　　　N : 평균 N치(강관 파일의 경우와 동일)

○ 해머의 계수(β)

파일해머규격 \ 파일경(mm)	250	300	350	400	450	500
1.5ton 급	0.6	0.8	1.0			
2.2ton 급				0.6	0.8	1.0

　나. 파일 세우기 및 위치조정시간(분) : Ts

　　Ts : 3Ns(파일경이 250, 300mm의 경우)
　　Ts : 5Ns(파일경이 350, 400, 450, 500mm의 경우)

　다. 이동 및 준비시간(분) : Tt

　　일률적으로 3분으로 한다.

　라. 점검 및 급유 등 기타 시간(분) : Te

해머규격	1.5톤 급	2.2톤 급
Te(분)	4	6

3. 파일해머와 크레인의 조합

파일해머규격	1.5t 급	2.2t 급	3.2t 급	4.0t 급
크레인규격	20ton	25ton	30ton	35ton

[주] ① 본 규격은 파일 12m를 기준한 것이며 파일의 길이, 현장작업조건 등을 감안하여 조정할 수 있다.
　　② 해상작업인 경우는 이에 준하지 않는다.

4. 배치인원

비계공	보 통 인 부	용접공
3	2	1(2)

[주] ① 용접공은 강관파일의 경우에만 적용한다.
　　② ( )내의 숫자는 용접기 2대 사용의 경우이다.

8-2-26 유압 파일 해머

1. 작업시간
   가. 강관파일의 경우

   Tc : $\alpha \cdot \beta \cdot$ Ta
   Tc : 파일 1본당 시공시간(min)
   α : 토질계수
   β : 판두께계수
   Ta : 파일규격에 따른 시공시간(min/본)

   (1) 토질계수(α)

계 수 \ N치의 범위	20 미만	20 이상
α	1.0	1.19

   [주] N치는 타입층의 평균 N치로 한다.

   $$\text{평균N치} = \frac{\text{파일이 들어가는 통과길이 1m당 N치의 합계}}{\text{파일이 들어가는 전장}(m)}$$

   단, N치 1이하의 경우는 1로 한다.

   (2) 판두께계수(β)

항타길이 (m)	판 두 께(mm)			
	8~10	12	14	16
16 이하	1.00	1.00	1.00	1.00
17~32	1.00	1.14	1.29	1.48
33~48	1.00	1.18	1.37	1.63
49~64	1.00	1.22	1.45	1.73

   (3) 파일규격에 따른 시공시간(Ta)

항타길이 (m)	파 일 경(mm)		
	400~500	500~800	800~1,200
16이하	58	58	58
17~32	86	110	120
33~48	134	168	182
49~64	163	216	241

   [주] ① 블록간 이동에 분해수송이 필요한 경우의 소요비용은 별도 계상한다.
   ② 블록간 이동에 필요한 운반로의 조성 등이 필요한 경우의 소요비용은 별도 계상한다.
   ③ 말뚝두부정리에 필요한 소요비용은 별도 계상한다.
   ④ 파일이음에 따른 용접시간은 포함되어 있다.

나. 콘크리트 파일의 경우(PC, RC, PHC)

Tc = $\alpha \cdot$ Ta

Tc : 파일 1본당 시공시간(min)

α : 토질계수

Ta : 파일규격에 따른 시공시간(min/본)

(1) 토질계수(α)

계수 \ N치의 범위	20 미만	20 이상
α	1.0	1.13

[주] N치는 타입층의 평균 N치로 한다.

$$평균N치 = \frac{파일이\ 들어가는\ 통과길이\ 1m당\ N치의\ 합계}{파일이\ 들어가는\ 전장(m)}$$

단, N치 1이하의 경우는 1로 한다.

(2) 파일규격에 따른 시공시간(Ta)

(min/본)

항타 길이 (m)	파일경(mm)	
	300~600	600~1,000
15이하	48	58
16~22	82	101
23~29	96	115
30~36	130	158

[주] ① 블록간 이동에 분해수송이 필요한 경우의 소요비용은 별도 계상한다.
② 블록간 이동에 필요한 운반로의 조성 등이 필요한 경우의 소요비용은 별도 계상한다.
③ 말뚝두부정리에 필요한 소요비용은 별도 계상한다.
④ 파일이음에 따른 용접시간은 포함되어 있다.

2. 파일해머의 선정

가. 강관파일의 경우

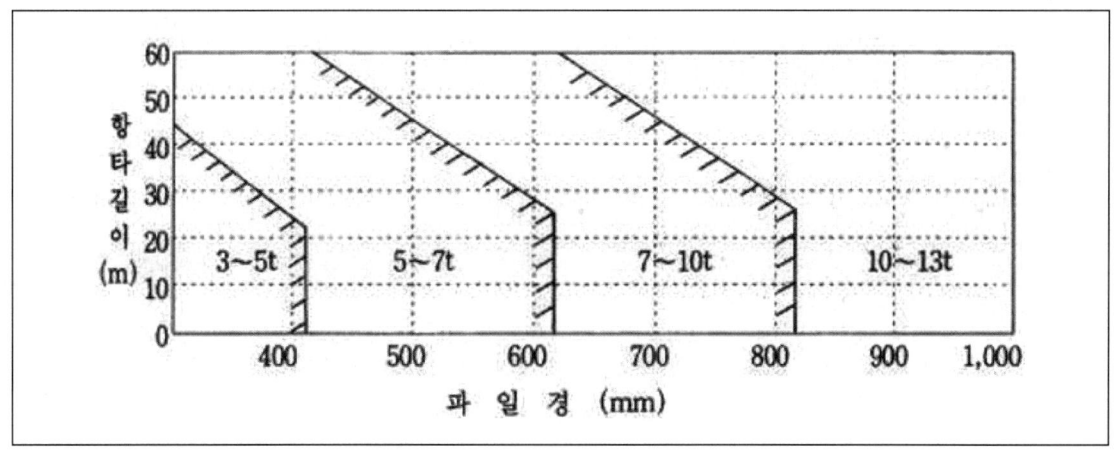

[주] ① 파일의 항타길이가 15m이상으로 아래 조건의 경우에는 1등급 큰 규격을 사용한다.
　　㉮ N치가 30이상으로 층두께 3m 이상의 모래층, 모래자갈의 중간층을 관통할 경우
　　㉯ 층두께 3m 이상의 점토(N치 15이상) 등의 중간층을 관통할 경우
　② 파일의 항타길이(m)에는 보조파일의 길이(m)를 포함한다.

나. 콘크리트파일의 경우

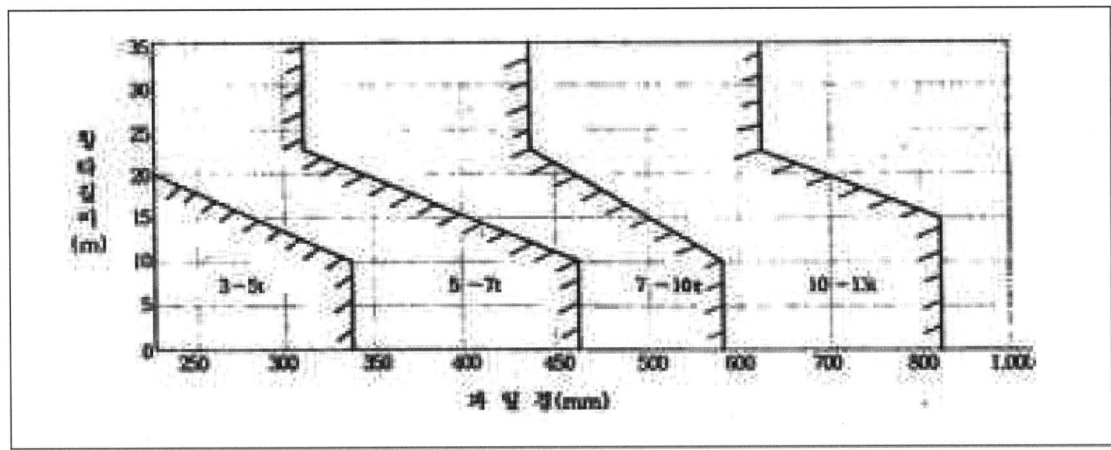

[주] ① 파일의 항타길이가 10m 이상으로 아래 조건의 경우에는 1등급 큰 규격을 사용한다.
　　㉮ N치가 30이상으로 층두께 3m 이상의 모래층, 모래자갈의 중간층을 관통할 경우
　　㉯ 층두께 3m 이상의 점토(N치 15이상) 등의 중간층을 관통할 경우
　② 파일의 항파길이(m)에는 보조파일의 길이(m)를 포함한다.

3. 파일해머와 크레인의 조합

파일해머규격	3 t	5 t	7 t	10 t	13 t
크레인규격	30톤	35톤	50톤	80톤	100톤

[주] ① 본 조합은 파일의 길이 및 현장작업조건 등을 감안하여 조정할 수 있다.
　② 해상작업인 경우는 이에 준하지 않는다.

4. 배치인원

비 계 공	보 통 인 부	용 접 공
2	2	1(2)

[주] ① 강관파일의 직경 800mm 이상의 용접이음시에는 용접공을 2명으로 한다.
　② 파일이음시공이 아닌 경우에는 용접공은 제외한다.

5. 잡재료 등 손료
직접노무비에 다음 표의 비율을 곱한 것을 상한으로 한다.

구 분	단말뚝	이음말뚝
제 잡 비 율	17	22

[주] 잡재료 등 손료란 용접봉, 발판재, 용접기, 발전기손료, 비계재, Cushion재, 수직도 유지관리비 등을 말한다.

6. 장비조합

장비	규격	수량(대)	작업시간	비고
유 압 파 일 해 머	3~13톤	1	Tc	
크 레 인 (무 한 궤 도)	30~100톤	1	Tc	
리 더 (L E A D E R)	24m	1	Tc	
지 게 차	5톤	1	0.3Tc	파일소운반

8-2-27 진동파일 해머('96년 보완)

1. H파일

$$Tc = \frac{Ts + Tb}{F}$$

Tc : 파일 1본당 시공시간(분)
Ts : 파일 1본당 준비시간(분)
Tb : 파일 1본당 항타 또는 항발시간(분)
F : 작업계수

가. 파일 1본당 준비시간(분) : Ts

항 타	항 발
10	6

나. 파일 1본당 항타 또는 항발시간(분) : Tb

Tb : r× ℓ ×k

r : 토질별 항타 또는 항발시간(분/m)
ℓ : 파일 근입장(m)
k : 해머계수

(1) 토질별 항타 또는 항발시간(분/m) : r

공종 \ 토질	사질토, 역질토(r_1)	점 질 토(r_2)
항 타	$0.03N_1+0.6$	$0.05N_2+0.6$
항 발	0.50	0.80

[주] ① N_1, N_2 : 각 지질별 근입장에 대한 가중 평균 N치
② r의 산출은 r_1, r_2를 각각 산출하고 다음식에 따라 가중 평균한다.

$$r = \frac{r_1 \times \ell_1 + r_2 \times \ell_2}{\ell_1 + \ell_2}$$

r : 시공토질에 대한 항타 단위 작업시간(min/m)
r_1 : 사질토, 역질토에 대한 항타 단위 작업시간(min/m)
r_2 : 점질토에 대한 항타 단위 작업시간(min/m)
ℓ_1 : r_1에 대한 근입장(m)
ℓ_2 : r_2에 대한 근입장(m)

(2) 해머계수(k)

구 분	파일크기	H200	H250	H300	H350
항 타		0.8	0.95	1.0	1.05
항 발		0.8	0.9	0.95	1.05

다. 작업계수(F)

$F = F_0 + (f_1 + f_2 + f_3 + f_4)$

(1) F_0값

항 타	항 발
0.8	0.9

(2) 작업조건에 따른 보정계수 : $f_1 \sim f_4$

	보정치 조건	-0.05	0	+0.05	적 요
f_1	가옥, 철도, 교량, 도로, 시설, 구조물 등에 의한 장애의 정도	약간 있다	없다	-	작업중단의 유무 및 기계의 행동에 제약이 있다.
f_2	현장의 넓이에 의한 작업난이 정도	불량	보통	-	기계의 이동 널말뚝의 거치 장소, 널말뚝의 세워넣기 등에 충분한 넓이가 있다.
f_3	비계 상황에 따라 작업에 미치는 정도	불량	보통	양호	연약지반 등에 있어서 비계의 양부
f_4	시공규모	적다	보통	많다	시공수량 50~150본 정도를 표준으로 한다.

라. 진동해머, 크레인(무한궤도) 발전기의 조합

진동파일해머(kW)	크레인(톤)	동력		비 고
		전력(KVA)	발전기	
30	25~35	75~100	100kW	
40~45	35	100~125	100kW	
60	40	125~200	100~150kW	

[주] ① 소운반용 보조 크레인은 10톤급을 표준으로 하고 다음의 경우에 적용한다.
　　　㉮ 시공장소에서 30m 이내에 자재의 적치장을 설치할 수 없을 때
　　　㉯ 민가, 기타시설, 구조물의 파손 또는 위험의 우려가 있을 때
　　　㉰ 보조크레인의 파일 1본당 가동시간은 파일 1본당 항타 또는 항발시간(Tb)의 60%로 한다.
　　② 발전기는 전력설비(한국전력)가 없는 경우에 한한다.

마. 진동파일해머 선정

진동파일해머규격	항 타	항 발
30kW	$\ell \leqq 8$ $N \leqq 15$	-
40kW	$8 < \ell \leqq 10$ $15 < N \leqq 25$	$\ell \leqq 10$
60kW	$10 < \ell \leqq 15$ $25 < N \leqq 35$	$\ell > 10$

바. 배치인원(인/일)

비 계 공	보 통 인 부	작 업 반 장
2	1	1

2. 강널말뚝

가. 적용범위

본 공법은 전동식 진동파일해머 및 유압식 진동파일해머에 의한 강널말뚝의 항타 및 항발의 육상시공에 적용한다.

나. 작업능력 산정

$$Tc = \frac{\{(0.75 + \gamma \times Nmax) \times \ell + \alpha\} \times K}{F}$$

Tc : 파일 1본당 시공시간(min/본)
α, γ : 항타 및 인발에 따른 정수
ℓ : 항타길이와 인발길이(m)
Nmax : 최대 N치
K : 강널말뚝 종류 및 기계 규격에 따른 계수
F : 작업계수

(1) α, γ, k값

진동파일해머의 종류		전동식 진동파일해머						유압식 진동파일해머	
강널말뚝 종류	규격	30kW		45kW		60kW		162kW	
	정수 및 계수	α	K	α	K	α	K	α	K
II-Type (400×100×10.5)	항타	3.38	1.11	4.04	0.93	4.52	0.83	3.68	1.02
	인발	3.24		3.87		4.34		1.70	
III-Type (400×150×13)	항타	2.82	1.33	3.38	1.11	3.75	1.00	3.98	1.22
	인발	2.71		3.24		3.60		1.31	
IV-Type (400×170×15.5)	항타	-	-	3.18	1.18	3.57	1.05	2.91	1.29
	인발	-		3.05		3.43		1.58	
γ	항타	0.02							
	인발	0							

(2) F : 작업계수

F = $F_0+(f_1+f_2+f_3)$

∘ F_0의 값

구 분	항 타	항 발
F_0	0.9	1.0

∘ 작업조건에 따른 보정계수 : $f_1 \sim f_3$

조 건		보정치 -0.05	0	+0.05	적 요
f_1	가옥, 철도, 교량, 도로, 시설, 구조물 등에 의한 장애의 정도	약간 있다	없음	-	작업중단의 유무, 기계의 행동에 제약 여부
f_2	현장의 넓이에 의한 작업난이 정도	불량	보통	-	기계의 이동 널말뚝의 거치장소, 파일을 세울 수 있는 넓이가 충분한지의 여부
f_3	시공규모	100본 미만	100본이상 300본미만	300본 이상	

다. 진동해머, 크레인(무한궤도), 발전기의 조합

진동파일 해머의 조합장비의 규격은 다음표를 표준으로 하되 현장 조건에 따라 본 장비의 적용이 곤란한 경우는 별도로 적용할 수 있다.

기 종	전동식 진동 파일 해머			유압식진동파일해머
	30kW	45kW	60kW	162kW
크롤러크레인(기계식)	35톤		40톤	40톤
크레인(타이어)(유압식)	20톤			20톤
발전기	100KVA (125kW)	125KVA (150kW)	220KVA (250kW)	-

[주] ① 크레인(타이어)(유압식)은 소운반용으로서 다음의 경우에 계상한다.
　　㉮ 시공장소에서 30m이내의 장소에 강널말뚝 적치장을 설치할 수가 없을 경우
　　㉯ 작업장소가 협소하여 민가, 기타시설, 구조물 등의 파손 또는 위험의 우려가 있을 때
② 발전기는 전동식 진동파일해머 적용시 전력설비(한국전력)가 없는 경우에 계상한다.
③ 전기 용접기가 필요한 경우 별도 계상한다.
④ 유압식 진동 파일 해머에 의한 인발의 경우 크롤러 크레인 50ton을 사용한다.
⑤ 크레인(타이어)(유압식) 20ton의 파일 1본당 가동시간은 파일 1본당 가동 시간(Tc)의 60%로 한다.

라. 진동파일 해머 선정
　　(1) 항타시
　　　　(가) 전동식 진동 파일 해머

토질별	규격	항타	비고
점성토	30kW	$\ell \leq 11$ $N \leq 15$	
	45kW	$11 < \ell \leq 13$ $15 < N \leq 30$	
	60kW	$13 < \ell \leq 16$ $30 < N \leq 40$	
사질토, 역질토	30kW	$\ell \leq 8$ $N \leq 30$	
	45kW	$8 < \ell \leq 11$ $30 < N \leq 40$	
	60kW	$11 < \ell \leq 20$ $40 < N \leq 50$	

[주] 강널말뚝 IV형에서는 진동 파일 해머 30kW 범위라도 45kW를 사용한다.

　　　　(나) 유압식 진동 해머

토질별	규격	항타	비고
점성토	162kW	$\ell \leq 10$ $N \leq 20$	
사질토, 역질토	162kW	$\ell \leq 15$ $N \leq 50$	

　　(2) 항발시
　　　　인발경우는 N치 등에 관계없이 다음 규격을 적용한다.

| 강널말뚝 종류 | 전동식 진동 파일 해머 | | 유압식 진동 파일 해머 | |
	인발길이	규격(kW)	인발길이	규격(kW)
II-Type	-	30	-	162
III, IV-Type	15m이하	45	15m이하	
	15m를 초과하는 경우	60		

마. 배치인원(인/일)

작업반장	비계공	보통인부
1	2	1

바. 기타
　　(1) 전기 용접이 필요한 경우 용접기와 용접공(대당 1인)을 2인까지 별도 계상할 수 있다.

(2) 직선형 기준틀 제작

비 계 공	보 통 인 부	비 고
3	2	10m 1조당(H형강 4개)

(3) 직선형 기준틀 사용이 곤란할 경우 현장여건에 따라 별도 계상할 수 있다.
(4) 필요한 경우 쐐기형 강널말뚝을 강널말뚝 30본당 1본을 추가 적용할 수 있다.
　　이 경우 쐐기형 강널말뚝 제작비는 별도 계상하며 쐐기형 Sheet Pile은 5회 사용하는 것으로 한다.

有權解釋

제목 강널말뚝의 작업계수 문의

질의문
신청번호 2102-081 신청일 2021-02-18
질의부분 공통 제8장 건설기계 8-2-27 진동파일해머

2021년도 건설공사 표준품셈 토목·건축·기계설비 P-358 2. 강널말뚝 관련입니다. 8-2-27 진동 파일해머 작업 능력산정 시 강널말뚝 종류(Sheet pile 규격)에 따른 전동식 진동 파일해머의 α, K 값 문의입니다.
강널말뚝은 자재의 종류에 따라 α, K값이 상이합니다. 품셈에는 강널말뚝 600×180×13.4에 대한 α, K값이 없습니다. 강널말뚝 600×180×13.4에 대한 α, K 값은 어떻게 산정해야 하나요?
과거에 있었던 자료라도 있으면 알려주세요. 만약에 없으면 어떻게 해야 하나요?
강널말뚝 - 600×180×13.4에 대한 공사비를 산출하려니 이 규격에 맞는 α, K를 알아야 하는데 없어서 항타 항발 시 공사비를 산출하지 못하고 있습니다.

회신문
표준품셈 공통부문 "8-2-27 진동 파일해머"에서는 작업능력을 산출하기 위해 400규격의 3가지 Type(II-Type(400×100×10.5), III-Type(400×150×13), IV-Type(400×170×15.5))에 대한 α, γ, k값을 제시하고 있으며, 600, 700type에 대한 기준은 별도로 정하고 있지 않습니다.

8-2-28 진동파일해머(워터제트 병용 압입공)

1. 적용범위
본 공법은 강널말뚝 시공에 있어서 진동파일해머로 항타가 곤란한 견고한 점성토, 모래자갈층 및 일반암층에 적용한다.

2. 작업능력산정

$$Tc = \frac{To \times \alpha}{F} \text{(분/본당)}$$

　Tc : 파일 1본(장)당 시공시간(분)
　To : 파일 1본(장)당 기본시공시간(분)
　α : 토질계수
　F : 현장의 조건에 따른 작업계수

가. 파일 1본당 기본 시공시간(분) : To
   To = 0.05L(N+42.5)+9.6
      L : 근입길이(m)
      N : 근입길이의 가중평균 N치

나. 토질계수(α)

토 질	토 질 계 수(α)
사 질 토	0.60
점 성 토	0.70
모 래 · 자 갈 층	0.80
풍 화 암	1.00
연 암	1.20

[주] 여러 토질이 섞여 있는 경우는 근입길이에 의한 가중평균치를 계산하여 적용한다.

다. 작업계수(F)
   F = F_0+(f_1+f_2+f_3+f_4)

(1) F_0의 값

구 분	강 널 말 뚝
F_0	0.95

(2) 작업조건에 따른 보정계수 : f_1~f_4

조 건	보정치	-0.05	0	+0.05	적 요
f_1	가옥, 철도, 교량, 도로, 시설, 구조물 등에 의한 장애의 정도	약간 있다	없다	-	작업중단의 유무 및 기계의 행동에 제약이 있다.
f_2	현장의 넓이에 의한 작업난이 정도	불량	보통	-	기계의 이동, 널말뚝의 거치장소, 널말뚝의 세워넣기 등에 충분한 넓이가 있다.
f_3	비계 상황에 따라 작업에 미치는 정도	불량	보통	양호	연약지반 등에 있어서 비계의 양부
f_4	시공규모	적다	보통	많다	1블록의 시공본수 100~300본 정도를 표준으로 한다.

3. 장비조합

    가. 진동파일해머 선정

토질별	규격	파일연장(m)	최대N치 및 일축압축강도(qu)	비고
점성토	60kW	12< ℓ ≤16	35<N≤45	
	90kW	16< ℓ ≤20	45<N≤50	
사질토, 역질토	60kW	15< ℓ ≤20	50<N≤100	
	90kW	20< ℓ ≤25	100<N≤150	
	120kW	20< ℓ ≤25	150<N≤200	
전석 및 혼합자갈층	60kW	11< ℓ ≤15	N≤300	
	90kW	15< ℓ ≤20	300<N≤500	
	120kW	20< ℓ ≤25	300<N≤500	
풍화암	60kW	12< ℓ ≤15	N≤750	
	90kW	15< ℓ ≤20	N≤750	
	120kW	20< ℓ ≤25	N≤750	
암반층	60kW	7< ℓ ≤15	qu≤300	
	90kW	15< ℓ ≤20	qu≤300	
	120kW	20< ℓ ≤25	qu≤300	

[주] 암반층 항타에서는 강널말뚝 IV형 이상의 단면을 가진 파일을 사용한다.

    나. 워터젯트 펌프선정

토질별	규격	대상토질	비고
점성토	96kW×1대	30<평균N≤40, 40<Nmax≤70	
	96kW×2대	40<평균N≤50, 70<Nmax≤100	
사질토, 역질토	96kW×1대	30<평균N≤40, 50<Nmax≤100	
	96kW×2대	40<평균N≤50, 100<Nmax≤300	
전석 및 혼합자갈층	96kW×2대	ømax≤100, Nmax≤100	
	96kW×3대	100<ømax≤150, 100<Nmax≤300	
	96kW×4대	150<ømax≤200, 300<Nmax≤500	
풍화암	96kW×1대	Nmax≤150	qu=50kg/cm² 이하 지층 대상
	96kW×2대	150<Nmax≤300	
	96kW×3대	300<Nmax≤750	
암반층	96kW×2대	qu≤50	암반층 두께 10m이하 지층대상
	96kW×3대	50<qu≤150	
	96kW×4대	150<qu≤300	

[주] ① 각종 토층이 서로 층을 혼합 형성하고 있는 경우에는 각층의 최대 N치에 의해 기계규격을 선정하고 그중 최대규격의 것을 사용기종으로 한다.

② 워터젯트 96kW(토출압력 150kg/cm², 토출유량 325 ℓ/min)를 2대이상 사용하지 않고 대형워터젯트를 사용하는 경우의 조합은 다음과 같다.
  96kW×2대 = 184kW
  96kW×3대 = 221kW
  96kW×4대 = 327kW

③ N치와 일축압축강도 qu와의 관계는 $qu = \frac{1}{8} \times N$치로 한다.

다. 진동해머, 크레인(무한궤도), 발전기의 조합
    진동파일해머의 조합장비의 규격은 다음표를 기준으로 하되 현장조건에 따라 본 장비의 적용이 곤란한 경우는 별도로 적용할 수 있다.

구 분		크롤러 크레인(TON)		발전기	전기용접기
		L≤22	22<L≤30		
진동해머	60 kW	40	50	200KVA (250kW)	250A
	90 kW	50	60	300KVA (350kW)	
	120kW	60	80	400KVA (500kW)	

[주] ① 크레인(타이어) 20ton의 파일본당 가동시간은 파일 1본당 시공시간(Tc)의 60%로 하며 다음의 경우에 적용한다.
    ㉮ 시공장소에서 30m이내의 장소에 강널말뚝 적치장을 설치할 수 없을 경우
    ㉯ 작업장소가 협소하여 민가, 기타시설, 구조물 등의 파손 또는 위험의 우려가 있을 때
② 발전기는 전동식 진동파일해머 적용시 전력설비(한국전력)가 없는 경우에 계상한다.

라. 수중 펌프 및 수조선정

워터젯트 사용대수		수중펌프	수조(m³)	비고
96kW	1대	ø 80	5	
	2대	ø100	10	
	3대	ø150	20	
	4대		30	

[주] 수원의 공급여건 및 용량에 따라 변경할 수 있다.

4. 배치인원(인/일)

비 계 공	보 통 인 부	작 업 반 장	용 접 공
2	1	1	1

[주] 용접공 1인은 워터젯트 관입 강관 제작설치 및 해체에 적용되는 품이며, 강널말뚝 항타시 전기용접기가 필요한 경우 용접공 1인까지를 별도 계상할 수 있다.

5. 기타
    가. 워터젯트에 소요되는 고압호스, 도수파이프, 노즐, 파이프밴드, 수중펌프장호스 통의 배관계 부재의 손료는 항타기(진동파일해머+워터젯트펌프)의 9%를 계상한다.
    나. 용접시 필요한 용접기 및 소모자재는 별도 계상한다.
    다. 직선형 기준틀 제작 및 쐐기형 강널말뚝은 '[공통부문] 8-2-27 진동파일해머'에 따라 적용한다.

有權解釋

제목 기계화시공 및 기계경비 산정에 대해서

질의문
품셈 제9장 기계화시공 및 기계경비 산정 9-34 진동 파일해머(워터제트병용 압입공) 3. 장비조합 (1) 진동 파일해머 선정 관련하여 진동 파일해머 규격 선정시 ① 파일 연장 ② 최대 N치 및 일축 압축강도 (qu)와 같이 두 개의 조건이 있습니다.

[질의1]
장비규격의 선정 시 ①, ② 두개의 조건을 만족해야 하는지? 아니면 두개의 조건 중 한 개의 조건만 만족해도 장비를 선정할 수 있는지요?

[질의2]
예를 들어 현장의 여건 전석 및 혼합 자갈층 25~30m 이고, N≤300일 때 해머장비의 선정은 60kW를 선정하는지? 아니면 120kW를 선정해야 하는지요?

회신문
표준품셈 "8-36 진동파일 해머(워터제트 병용 압입공)"의 진동파일 해머의 선정은 제시된 L과 N중 한 가지만 충족하면 됩니다.

8-2-29 유압식 압입 인발기(유압식 압입 인발공)

1. 적용범위

본 공법은 강널말뚝 시공에 있어서 유압 작동에 의한 정하중 압입 인발 공법으로 진동, 소음방지를 필요로 하는 시가지와 공사 및 작업장의 높이와 공간이 제한된 현장에 적용한다.

2. 작업 능력 산정

압입 $T_c = \dfrac{T_s + T_b}{F}$ (분/본)

인발 $T_c = \dfrac{1.10\ell + 4.76}{F}$ (분/본)

T_c : 강널말뚝 1본당 시공시간(분/본)
T_s : 압입 강널말뚝 1본당 준비시간(분/본)
T_b : 압입 강널말뚝 1본당 압입시간(분/본)
ℓ : 강널말뚝 1본당 인발길이(m)
F : 작업계수

단, 인발작업은 유압식 압입인발기와 크레인에 의해서 파일을 인발하는 경우가 있음.

가. 준비 시간(T_s)

준비시간은 시공기계의 이동, 파일 매달기 및 조정시간 등을 말하며 다음과 같이 산출한다.

T_s : 0.52L+5.12

T_s : 준비시간(분 / 본)
L : 파일길이(m)

나. 압입시간(T_b)

$T_b : \gamma \times \ell \times k$

T_b : 파일 1본당 압입시간(분/본)
γ : 압입단위 작업시간(분/본)
ℓ : 파일 압입 길이(m)
k : 기종·규격에 따른 계수

(1) 압입 단위 작업 시간(γ)

$\gamma : 0.035 N_{max} + 1.02$

N_{max} : 압입길이에 따른 최대 N치

(2) 기종·규격에 의한 계수(k)

유압식 압입 인발기 규격	k
100~130ton 급	1.00

다. 작업계수(F)

$F = 1.0 + (f_1 + f_2 + f_3)$

◦ 작업조건에 따른 보정계수 : f_1~f_3

조건	보정계수	-0.05	0	+0.05	적요
f_1	가옥, 철도, 교량, 도로, 시설, 구조물에 의한 장애의 정도	약간 있다	없다	-	작업중단의 유무, 기계의 행동에 제약 여부
f_2	현장의 넓이에 의한 난이도의 정도	불량	보통	-	기계의 이동, 파일의 설치 장소, 파일을 세울 수 있는 넓이가 충분한지의 여부
f_3	시공규모(1블록)당	100본 미만	100본이상 300본미만	300본 이상	

3. 압입 인발기, 발전기의 조합

| 기종 | 압입 인발기 규격 | 압입 및 인발 |
		100~130ton 급
크 레 인 (타 이 어) (유 압 식)		25ton
발　　　전　　　기		125kW

[주] ① 현장조건이 위표와 다른 경우는 현장조건에 적합한 규격을 적용한다.
② 발전기는 전력설비(한국전력)가 없는 경우에 계상한다.

4. 압입 인발기 선정

압입 인발기 규격	압입	인발
100~130ton급	10<N≤30, ℓ≤20	10<N≤50, ℓ≤20

5. 배치인원(인/일)

비계공	특별인부	작업반장
2	1	1

[주] 전기용접이 필요한 경우에는 용접기와 용접공(대당 1인)을 2인까지 별도 계상할 수 있다.

6. 유압식 말뚝 압입 인발기의 설치 및 해체

설치는 시공전 시공기계의 배치, 시운전조정, 반력가대의 설치와 반력파일의 압입 등을 말하며 해체는 시공 후의 시공기계의 해체, 철거작업을 말한다.

가. 편성인원 및 조합기계

편성 인원 및 조합 기계는 시공시와 동일한 편성 및 조합으로 한다.

나. 설치·해체

(단위 : 시간/대당·회당)

작업구분	항목		설치해체 시간	조합기계 운전시간		
				유압식 압입 항타기	트럭 크레인	발동 발전기
압 입	공사착공 및 현장내 이설	설치된 파일이 없는 경우	5.3	1.8	2.9	1.8
		설치된 파일이 있는 경우	3.3	0.8	1.5	0.8
인 발	공사착공 및 현장내 이설		3.3	0.8	1.5	0.8

[주] ① 공사 착공은 1개 공사에 기계 1조에 대해 1회 계상한다.
② 현장내 이설은 현장내에 일련의 파일 시공후 현장내의 다른 장소로 이동하는 경우이며 이설 횟수에 따라 계상한다.
③ 설치된 파일이 있는 경우(4매이상)는 이미 설치된 파일에 유압식 압입 인발기를 직접 접속하는 경우에 적용하며 그 이외의 경우는 설치된 파일이 없는 경우를 적용한다.

有權解釋

제목 8-2-30 수중펌프 품셈적용 문의

질의문
신청번호 1903-062 신청일 2019-03-17
질의부분 공통 제8장 건설기계 8-2-30 수중펌프

표준품셈 공통 제8장 건설기계 8-2-30 수중펌프와 관련하여 8-2-30 2. 펌프운전공은 동력원을 상용전원(전기)사용 시에만 적용하고, 발전기사용 시 제외하는 사항인지, 아니면 상용전원, 발전기 둘 중 어느 것을 사용해도(상시 배수 - 상용전원 시 0.17인, 상시 배수 - 발전기사용 시 0.24인) 기준에 맞게 적용하는 사항인지?

회신문
표준품셈 공통부문 : 8-2-30 수중펌프/ 2. 펌프운전공에서 상용 전원사용 시와 발전기사용 시 각각의 투입 인원을 정하고 있으니 이에 맞게 적용하시기 바랍니다.

8-2-30 수중펌프

1. 펌프의 선정

기종	규격		
	구경(mm)	양정(m)	전동기출력
수 중 펌 프	100	0~10이하	3.7kW
	150	0~10이하	7.5kW

[주] ① 공기, 양정 현장여건이 상기표로서 곤란한 경우는, 현장조건에 맞는 기종, 규격의 펌프를 계상할 수 있다.
② 동력원은 상용전원 또는 발전기이며, 현장여건을 감안 적의 결정한다.
③ 배수작업은 작업시 배수, 상시 배수가 있다.
　㉮ 작업시 배수는 작업전(1~3시간)부터 배수를 시작하여 작업종료 후에는 배수를 중지하는 방법이다. 단, 작업시 배수에는 콘크리트 타설전후 거푸집 조립, 양생 등의 일시적인 주·야 배수를 포함한다.
　㉯ 상시배수는 주·야 연속적인 배수방법을 말한다.
④ 적용범위는 수문, 교대, 교각 등의 수중막기, 지중막기의 배수공사에 적용하며 댐본체공사 등 대규모 공사의 배수공사에는 적용하지 않는다.

2. 펌프 운전공(인 / 1개소·일)

배수방법 전원 펌프종류	작 업 시 배 수		상 시 배 수	
	상용전원	발전기	상용전원	발전기
수 중 펌 프	0.12	0.16	0.17	0.24

[주] ① 운전 일당 운전시간은 작업시 배수 8시간, 상시배수 24시간을 기준으로 한 것이다.
② 노임단가는 시간외 수당을 고려하지 않는다.
③ 배수현장 1개소당 펌프대수가 1~5대의 운전노무비를 표준으로 한 것이며, 여러 곳으로 분할된 현장의 경우는 물막이 한 개소를 1개소로 본다.

3. 전력소비량
작업시 배수 8시간, 상시배수 24시간

4. 잡재료 비율(%)

작 업 시 배 수		상 시 배 수	
상 용 전 원	발전기	상 용 전 원	발전기
3	1	1	1

[주] 잡재료비=노무비, 기계손료 및 운전경비의 합×잡재료비율

5. 펌프설치 및 해체(1개소당)

명 칭	단 위	수 량
작 업 반 장	인	0.2
보 통 인 부	인	2.8

[주] ① 인력품 및 운전일수는 한 개소당 펌프설치, 철거대수가 1~5대를 기준한다.
② 펌프설치 및 해체시 소운반비는 별도 계상한다.

8-2-31 터널전단면 굴착기(TBM)

$$Q = \frac{60 \cdot A \cdot \ell \cdot E}{cm}$$

여기서　Q : 1시간당 작업량(㎥/hr)
　　　　ℓ : 1회의 작업거리(m)
　　　　A : 굴착면적(㎡)
　　　　cm : 1회의 싸이클 시간(분)
　　　　E : 작업효율

1. 굴착면적(A) : $\frac{\pi D^2}{4}$

　D = 굴착직경(m)

2. 1회의 작업거리(ℓ)
　장비 성능에 따라 결정(ø4.5m 경우 1.2m)

3. 작업효율(E)

구 분	양 호	보 통	불 량
작 업 효 율	0.75	0.65	0.55

[주] ① 양호 : 암질이 고르고 파쇄층이 5% 이하일 때, 석영분 함유 30% 이하 및 굴진 연장 3km 이하일 경우
　　② 보통 : 파쇄층이 5% 이상 10% 이하일 때, 석영분 함유 30~40% 및 굴진연장 3~5km일 경우
　　③ 불량 : 파쇄층이 10% 이상일 때, 석영분이 45% 이상 및 굴진연장 5km 이상일 경우
　　④ 터널 굴진 연장에 따른 효율은 3km까지는 양호, 3~5km까지는 보통, 5km이상은 불량으로 각각 구분하여 적용한다.

4. 1회 싸이클 시간

　cm = $T_1 + T_2$
　　T_1 = 1스트록 시간
　　T_2 = 정치시간(10분)

　　$T_1 = \frac{\ell}{R \times Pe} \times 100$

　　　R : 굴착면의 분당 회전속도
　　　Pe : 굴착면 1회전당 컷터의 투과깊이(cm/회)

[주] ① R, Pe는 장비 제원에 따라 결정한다.
　　② 철분, 석영분 등 함유량이 상이한 경우 실적치를 참조하여 별도 계상할 수 있다.

8-2-32 펌프식 준설선('10, '11년 보완)

1. 작업능력

$$Q = \frac{q \cdot bo \cdot E}{746}$$

여기서 Q : 펌프준설선의 1시간당 준설능력(㎥/hr)
  q : 펌프준설선의 전동환산(電動換算) 746kW의 1시간당 준설량(㎥/hr)
  bo : 펌프준설선의 전동환산 출력(kW)
  E : 작업효율

2. 전동환산(q 표)

전동환산 746 kW의 1시간당 준설능력(q) -점성토-

토질분류	기준 N값	배송거리 (m)						
		500	600	800	1,000	1,200	1,400	1,600
점성토	0	387	387	387	387	387	387	383
	2	341	341	341	341	341	341	335
	5	298	298	298	298	298	294	288
	10	265	265	265	265	265	260	253
	15	232	232	232	232	229	223	217
	20	199	199	199	199	193	188	182
	30	①147	147	147	②144	139	133	128
	40	③90	90	90	85	81	76	④71

토질분류	기준 N값	배송거리 (m)						
		1,800	2,000	2,200	2,400	2,600	2,800	3,000
점성토	0	①377	370	②361	355	③47	341	334
	2	328	322	315	309	303	296	290
	5	280	275	268	262	255	250	244
	10	248	242	235	230	223	218	④212
	15	212	205	200	193	187	182	175
	20	176	171	165	160	154	148	⑤142
	30	121	116	111	106	101	95	90
	40	66	⑤61	57	51	⑥47	42	36

토질분류	기준 N값	배송거리 (m)							
		3,200	3,400	3,600	3,800	4,000	4,200	4,400	4,600
점성토	0	327	④320	314	306	300	292	286	⑤278
	2	281	274	268	261	255	248	242	236
	5	④237	232	225	219	212	207	199	193
	10	206	199	191	187	182	175	169	163
	15	170	165	158	153	147	141	136	129
	20	⑤137	200	126	120	114	108	102	97
	30	85	79	74	69	-	-	-	-
	40	⑥32	-	-	-	-	-	-	-

토질분류	기준 N값	배송거리 (m)						
		4,800	5,000	5,200	5,400	5,600	5,800	6,000
점성토	0	270	264	257	250	243	236	⑥229
	2	229	223	216	210	203	196	189
	5	186	181	175	168	162	156	-
	10	157	151	145	140	133	-	-
	15	124	117	-	-	-	-	-
	20	92	-	-	-	-	-	-
	30	-	-	-	-	-	-	-
	40	-	-	-	-	-	-	-

전동환산 746 kW의 1시간당 준설능력(q) -사질토-

토질분류	기준 N값	배송거리 (m)						
		500	600	800	1,000	1,200	1,400	1,600
사질토	10	242	242	242	242	237	231	①225
	20	204	204	204	202	195	191	185
	30	①180	180	180	②174	170	165	161
	40	152	152	152	148	142	138	134
	50	③126	126	126	122	115	111	④107

토질분류	기준 N값	배송거리 (m)						
		1,800	2,000	2,200	2,400	2,600	2,800	3,000
사질토	10	219	②214	209	③203	197	190	④185
	20	180	175	170	165	160	155	150
	30	155	151	146	141	136	132	126
	40	128	124	119	113	109	104	⑤99
	50	101	97	⑤93	89	83	⑥79	75

토질분류	기준 N값	배송거리 (m)						
		3,200	3,400	3,600	3,800	4,000	4,200	4,400
사	10	④180	174	169	163	157	152	⑤146
	20	145	139	135	130	124	118	114
질	30	⑤122	116	111	106	102	96	-
	40	95	90	86	81	-	-	-
토	50	⑥70	65	-	-	-	-	-

토질분류	기준 N값	배송거리 (m)							
		4,600	4,800	5,000	5,200	5,400	5,600	5,800	6,000
사	10	141	135	130	124	117	112	⑥106	-
	20	108	103	99	-	-	-	-	-
질	30	-	-	-	-	-	-	-	-
	40	-	-	-	-	-	-	-	-
토	50	-	-	-	-	-	-	-	-

[주] ① 펌프준설선의 주기출력에 대응하는 계제선(階梯線)은 다음표에 의한다.

〈계제선 적용표〉

주기출력		계제선(階梯線)의 번호	비고
공칭(b)	전동환산(bo)		
895	716	①-①	전 동 식
1,641	1,313	②-②	전 동 식
2,462	1,970	③-③	전 동 식
2,984	2,387	④-④	전 동 식
4,476	3,581	⑤-⑤	전 동 식
5,968	4,774	⑥-⑥	전 동 식

bo : 펌프준설선의 전동환산 출력(kW)
bo = 디젤 공칭주기 출력 × 0.8
bo = 터빈 공칭주기 출력 × 0.9

② 본표는 전동주기 746kW의 1시간당 준설토량을 나타낸 것이다.
③ 본표에 규정된 토질이외의 특수한 토실(역전석 등)을 부득이 준설할 필요가 있을 경우에는 실적치를 참조하여 별도로 계상할 수 있다.

3. 단거리의 능력

전동환산표의 배송거리보다 짧은 경우의 746kW당 준설능력은, 전동환산(q표)을 이용하여 다음식으로 산출한다.

$$q = \frac{q_1 + q_2}{2}$$

  q : 단거리 능력 (㎥/hr · 746kW)
  q_1 : 단거리의 환산능력 (㎥/hr · 746kW)
    ※ 해당토질(N값)과 배송거리의 교차값
  q_2 : 적용 최단거리의 환산능력 (㎥/hr · 746kW)
    ※ 해당 주기출력의 최소배송거리 작업능력

단, 배송거리가 전동환산(q표)에서 정하는 보정한계 미만인 경우는 보정한계 거리로 산출한 단거리능력과 동일하게 한다.

규격별 보정한계거리(m)

토질		전동환산 출력			
분류	기준N값	1,970kW	2,387kW	3,581kW	4,774kW
점성토	0	1,600	2,000	2,600	3,400
	2	1,600	1,800	2,600	3,400
	5	1,400	1,600	2,200	2,800
	10	1,200	1,400	2,000	2,600
	15	1,200	1,200	1,600	2,000
	20	1,000	1,200	1,600	1,800
	30	1,000	1,000	1,200	1,600
	40	—	800	1,000	1,200
사질토	10	1,200	1,400	2,200	3,000
	20	1,000	1,200	1,800	2,400
	30	800	1,000	1,400	1,800
	40	—	800	1,200	1,400
	50	—	800	1,000	1,200

[단거리 능력의 산정 예]

산정조건	단거리의 환산능력 (q_1)	적용 최단거리의 환산능력 (q_2)	단거리 능력 (q)
토질 : 사질토 N값 : 10 단거리 : 3,000m 규격 : 3,581kW (전동환산출력bo)	L : 3,000m q_1 = 185	L : 3,400m q_2 = 174	산정식에서 $q = \dfrac{185 + 174}{2}$

4. 작업효율(E)

$E = E_1 \times E_2 \times E_3 \times E_4$

E_1 : 흙의 두께에 따른 효율
E_2 : 평면형상에 따른 효율
E_3 : 단면형상에 따른 효율
E_4 : 해상조건에 따른 효율

가. 흙의 두께에 따른 효율(E_1)

구 분	적당	약간 얇다	얇다
E_1	1.00	0.85	0.75

흙의 두께 해설

구 분	적용 사항
적당	- 준설구간의 흙두께 또는 계획수심이 커터나이프의 길이보다 깊은 경우
약간 얇다	- 준설구간의 흙두께 또는 계획수심이 커터나이프의 길이보다 50% 이상인 경우
얇다	- 준설구간의 흙두께 또는 계획수심이 커터나이프의 길이보다 50% 미만인 경우

나. 평면형상에 따른 효율(E_2)

구 분	적당	약간 산재한다	산재한다
E_2	1.10	1.00	0.90

평면형상 해설

구 분	적용 사항
적당	- 평면형상이 거의 직사각형이며, 적당한 준설폭과 연장을 가지는 경우
약간 산재한다	- "적당"과 "산재한다" 중 어디에도 해당되지 않는 경우
산재한다	- 평면형상이 세로로 길고, 적당한 준설폭을 확보할 수 없는 경우 - 협각이 많거나, 준설개소가 산재해 있는 경우

다. 단면형상에 따른 효율(E_3)

구 분	적당	약간 변화한다	변화한다
E_3	1.10	1.00	0.90

단면형상 해설

구 분	적용 사항
적당	- 단면형상이 평탄한 지반인 경우
약간 변화한다	- "적당"과 "변화한다" 중 어디에도 해당되지 않는 경우
변화한다	- 단면형상의 변화가 큰 지반인 경우

라. 해상조건에 따른 효율(E_4)

구 분	보통	약간 나쁘다	나쁘다
E_4	1.10	1.00	0.90

해상조건 해설

구 분	적용 사항
보통	- 자연지형 또는 방파제 등으로 파랑 또는 너울의 영향을 받지 않는 공사로, 조류, 조위차가 크지 않은 경우
약간 나쁘다	- "보통"과 "나쁘다" 중 어디에도 해당되지 않는 경우
나쁘다	- 자연지형 또는 방파제 등에 의한 차단효과를 기대할 수 없고, 파랑 또는 너울의 영향을 받는 공사로, 조류, 조위차가 큰 경우

8-2-33 그래브 준설선('10, '11년 보완)

$$Q = \frac{3{,}600 q \cdot k \cdot F \cdot E}{cm}$$

여기서 Q : 1시간당 준설량(㎥/hr)
  q : 버킷 또는 디퍼의 용량(㎥)
  k : 버킷 및 디퍼의 계수
  f : 현 지반의 토량을 기준하였을 때와의 준설토량의 변화율(체적 환산계수)
  cm : 1회 싸이클시간(초)
  E : 작업효율

1. 체적환산계수(f)

구분	토질 상태	N의 값	체적의 변화율(f)
점토질토사	연 니 (軟 泥)	4이하	1.00
	연 질	4~10	0.90
	보 통 질	10~20	0.90
	경 질	20~30	0.85
	최 경 질	30~40	0.85
	극 경 질	40~50	0.80
모래질토사	연 질	10이하	0.90
	보 통 질	10~20	0.85
	경 질	20~30	0.80
	최 경 질	30~40	0.80
	극 경 질	40~50	0.75
자갈섞인 점토질토사	연 질	30이하	0.85
	경 질	30이상	0.75
자갈섞인 모래질토사	연 질	30이하	0.85
	경 질	30이상	0.75
암 반	연 질	40~50	0.75
	연 질	50~60	0.75
	보 통 질		0.65
	경 질		(0.60)
	최 경 질		(0.60)
자 갈	느 슨 한 것		0.90
	다 져 진 것		0.75

[주] ( )내는 쇄암 또는 발파후의 준설을 표시한다.

2. 버킷계수(k)

토질			버킷용량			
분류	상태	N의 값	0.65㎥	1.0㎥	1.5㎥	3.0㎥
점토질토사	연니	4이하	0.90	0.90	0.90	0.90
	연질	4~10	0.95	0.95	1.00	1.00
	보통질	10~20	0.65	0.65	0.75	0.80
	경질	20~30	-	-	0.35	0.50
	최경질	30~40	-	-	(0.35)	(0.50)
	극경질	40~50	-	-	(0.35)	(0.50)
모래질토사	연질	10이하	0.90	0.90	0.95	0.95
	보통질	10~20	0.55	0.55	0.75	0.75
	경질	20~30	-	-	0.40	0.55
	최경질	30~40	-	-	(0.40)	(0.55)
	극경질	40~50	-	-	(0.40)	(0.55)
점토질토사	연질	30이하	-	-	0.25	0.40
	경질	30이상	-	-	(0.25)	(0.40)
자갈섞인 모래질토사	연질	30이하	-	-	0.30	0.45
	경질	30이상	-	-	(0.30)	(0.45)
암반	연질	40~50	-	-	(0.25)	(0.40)
	연질	50~60	-	-	(0.25)	(0.40)
	보통질		-	-	(0.25)	(0.40)
	경질		-	-	(0.20)	(0.35)
	최경질		-	-	(0.15)	(0.30)
자갈	느슨한 것		0.90	0.90	0.95	0.95
	다져진 것		-	-	0.50	0.60

[주] ① 모래 함유량 70% 이상을 모래질 토사 그 이하를 점토질 토사로 한다.
② 자갈 함유량 80% 이상의 모래질 토사를 자갈로 한다.
③ ( )내는 쇄암 또는 발파후의 준설을 표시한다.
④ 중량급 또는 초중량급 버킷은 경질(N치 20이상)에서만 사용하며 준설토의 상태 및 현장조건에 따라 선택할 수 있으며 k의 값은 실적치에 의하여 산출한다.

3. 1회 싸이클시간(cm)

구 분	버킷용량(㎥)									
	0.65	1.0	1.5	3.0	5.0	6.0	7.5	12.5	16.0	25.0
싸이클시간(초)	66	69	72	77	111	118	124	147	151	183

[주] 본 품은 수심(평균수심) 10m깊이의 작업조건을 기준한 것이므로, 수심 1m 증감에 따라 2초씩 싸이클 시간을 증감한다.

4. 작업효율(E)

$E = E_1 \times E_2$

  E_1 : 흙의 두께에 따른 효율
  E_2 : 해상조건에 따른 효율

가. 흙의 두께에 따른 효율(E_1)

구 분	적당	약간 얇다	얇다	매우 얇다
E_1	0.85	0.70	0.60	0.50

흙의두께 해설

구 분	적용 사항
적 당	- 준설구간의 흙두께 또는 계획수심이 그래브(버킷)의 길이보다 깊은 경우
약 간 얇 다	- 준설구간의 흙두께 또는 계획수심이 그래브(버킷)의 길이보다 50% 이상인 경우
얇 다	- 준설구간의 흙두께 또는 계획수심이 그래브(버킷)의 길이보다 25% 이상 ~ 50%미만인 경우
매 우 얇 다	- 준설구간의 흙두께 또는 계획수심이 그래브(버킷)의 길이보다 25% 미만인 경우

나. 해상조건에 따른 효율(E_2)

구 분	보통	약간 나쁘다	나쁘다
E_2	0.95	0.90	0.80

해상조건 해설

구 분	적용 사항
보 통	- 자연지형 또는 방파제 등으로 파랑 또는 너울의 영향을 받지 않는 공사로, 조류, 조위차가 크지 않은 경우
약 간 나 쁘 다	- "보통"과 "나쁘다" 중 어디에도 해당되지 않는 경우
나 쁘 다	- 자연지형 또는 방파제 등에 의한 차단효과를 기대할 수 없고, 파랑 또는 너울의 영향을 받는 공사로, 조류, 조위차가 큰 경우

8-2-34 쇄암선(중추식)('11년 보완)

$$Q = \frac{60 \cdot d \cdot S \cdot E}{t + \frac{n}{p}}$$

여기서 Q : 시간당 작업능력(㎥/hr)
    d : 1층쇄암 깊이(m):(1m)
    S : 1본당 쇄암면적(㎡)
    E : 작업효율
    t : 쇄암선이 쇄암위치를 이동하는 소요시간 : 1분
    n : 1층의 쇄암깊이(d)를 쇄암하는데 필요한 낙추횟수
    P : 중추의 1분당 낙추횟수 : (2회 / min)

1. 1본당 쇄암면적(S)

토질분류	상태	중추중량(ton)			
		10	20	30	52
자 갈 섞 인 토 사	경질	2.0	4.0	6.0	7.5
암 반	연질	2.5	5.0	7.0	8.7
	중질	2.5	5.0	7.0	8.7
	경질	2.0	4.0	6.0	7.5

2. 1층 쇄암하는데 필요한 낙추횟수(n)

토질분류	상태	쇄암장(m)	중추중량(ton)			
			10	20	30	52
자 갈 섞 인 토 사	경질	1.0	2.9	3.9	4.5	5.1
암 반	연질	1.0	10.0	9.0	8.4	7.4
	중질	1.0	28.5	22.9	19.7	17.2
	경질	1.0	-	-	48.7	42.8

3. 작업효율(E)

'[공통부문] 8-2-33 그래브 준설선 / 4. 작업효율(E)'를 적용한다.

8-2-35 이동식 임목파쇄기('07년 신설, '11년 보완)

1. 93.25kW

가. 작업량

   Q = 6.0 ㎥/hr

[주] ① 생산능력 및 정산수량은 파쇄후 생산량(파쇄량)으로 한다.
② 장비의 운반비는 별도 계상한다.
③ 동력은 발전기 250kW 기준으로 한다.
④ 작업보조인부 필요시 보통인부 2인을 별도 계상한다.
⑤ 임목파쇄기에 목재를 투입할 시, 굴삭기(0.7㎥)에 부착용집게를 부착하여 투입하고 작업량은 임목파쇄기의 작업량에 준한다.

나. 소모품 소모량

소 모 품	소 모 율	비 고
메 인 파 쇄 기 날	0.00125개/hr	
분 쇄 기 날	0.005개/hr	42개

2. 354.35 ~ 402.84kW

가. 작업량

   Q = q·K·S·E

   Q : 임목파쇄기의 시간당 파쇄능력(㎥/hr)

   q : 354.35kW의 시간당 표준파쇄량(㎥/hr)

K : 임목파쇄기의 규격별 능력계수
S : 임목파쇄기의 스크린계수
E : 작업효율

[주] ① 생산능력은 파쇄후 생산량(파쇄량)으로 한다.
② 장비의 운반비는 별도 계상한다.
③ 작업보조인부 필요시 보통인부 1인을 별도 계상한다.
④ 임목파쇄기에 목재를 투입할 시, 굴삭기(0.8㎥)에 부착용집게를 부착하여 투입하고, 작업량은 임목파쇄기의 작업량에 준한다.

나. 354.35kW의 시간당 표준파쇄량(q) = 26㎥/hr

다. 규격별 능력계수(K)

계 수 \ 규 격	354.35kW	402.84kW
K	1.0	1.5

라. 스크린계수(S)

계 수 \ 규 격	50mm	75mm	100mm	125mm
S	0.8	1.0	1.1	1.3

마. 작업효율(E)

계 수 \ 규 격	불량	보통	양호
E	0.9	1.0	1.1

※ 불량 : 뿌리류   보통 : 팔레트류   양호 : 가지, 잡목류

바. 소모품 소모량

소 모 품	규 격	소 모 율	비 고
해 머	HD12/1:Bolt	0.02개/hr	20개 1조
해 머 팁	78×74.5×41.5/1 Hole	1개/hr	20개 1조
스 크 린	6×8HL/1	0.005개/hr	2개 1조

8-2-36 하천골재채취선('05년 신설)

1. 하천골재채취선 작업량

$$Q = \frac{q \cdot b \cdot E}{746}$$

여기서 Q : 시간당 준설량(㎥/hr)
q : 하천골재채취선 746kW의 시간당 준설량(㎥/hr)
b : 하천골재채취선의 출력(kW)
E : 작업효율

2. 하천골재채취선 746kW의 시간당 준설량(q표)

구 분	상 태	N치	100	150	200	300	400	500
모 래 질 토 사	연질	10이하	340	340	340	340	335	330
	중질	10~20	305	305	305	300	295	285
	경질	20이상	270	270	270	265	260	250
자 갈 섞 인 모 래 질 토 사	연질	30이하	180	180	180	165	160	150
	경질	30이상	150	150	145	140	130	120

3. 작업효율(E)

천후, 평면형상, 위치 등 \ 유속	느림	보통	빠름
보　　　　　　　통	0.93	0.79	0.68
약　간　나　쁘　다	0.88	0.77	0.64
나　　　쁘　　　다	0.78	0.68	0.56

4. 배사관 소모율

(시간당)

구 분	자갈함유량(%)	단위	소모율
모 래 질 토 사	-	개	1.7×10^{-4}
자 갈 섞 인 모 래 질 토 사	20이하	개	4.6×10^{-4}
	20이상	개	13.9×10^{-4}

[주] 배사관규격 12"(14")×12m×12mm 기준

8-3 기계손료

8-3-1 [00]토공기계('19년 보완)

(0101) 불도저(무한궤도)

분류 번호	규격 (ton)	내용 시간	연간표준 가동시간	상각 비율	정비 비율	연간 관리 비율	시 간 당(10^{-7})			
							상각비 계수	정비비 계수	관리비 계수	계
0101-0007	7	12,000	1,250	0.9	0.7	0.1	750	583	478	1,811
0010	10	12,000	1,250	0.9	0.7	0.1	750	583	478	1,811
0012	12	12,000	1,250	0.9	0.7	0.1	750	583	478	1,811
0019	19	12,000	1,250	0.9	0.7	0.1	750	583	478	1,811
0032	32	12,000	1,250	0.9	0.7	0.1	750	583	478	1,811

[주] ① 규격은 작업상태에서의 중량을 말한다.
　　② 삽날(귀삽날 포함)은 운전경비에서 별도 계상한다.

(0102) 불도저(타이어)

분류번호	규격(ton)	내용시간	연간표준가동시간	상각비율	정비비율	연간관리비율	시 간 당(10⁻⁷)			
							상각비계수	정비비계수	관리비계수	계
0102-0015	15	12,000	1,250	0.9	0.6	0.1	750	500	478	1,728
0028	28	12,000	1,250	0.9	0.6	0.1	750	500	478	1,728
0033	33	12,000	1,250	0.9	0.6	0.1	750	500	478	1,728

[주] ① 규격은 작업상태에서의 중량을 말한다.
② 삽날(귀삽날 포함), 타이어는 운전경비에서 별도 계상한다.

(0103) 유압식 리퍼

분류번호	규격(ton)	내용시간	시 간 당(10⁻⁷)
0103-0016	16	12,000	795
0019	19	12,000	795
0023	23	12,000	795
0027	27	12,000	795
0032	32	12,000	795

[주] ① 규격은 해당 불도저의 규격을 말한다.
② 불도저의 부수물로서 사용된다.

(0121) 습지 불도저

분류번호	규격(ton)	내용시간	연간표준가동시간	상각비율	정비비율	연간관리비율	시 간 당(10⁻⁷)			
							상각비계수	정비비계수	관리비계수	계
0121-0004	4	12,000	1,250	0.9	0.7	0.1	750	583	478	1,811
0013	13	12,000	1,250	0.9	0.7	0.1	750	583	478	1,811

[주] ① 규격은 작업상태에서의 중량을 말한다.
② 삽날(귀삽날 포함)은 운전경비에서 별도 계상한다.

(0201) 굴삭기(무한궤도)

분류번호	규격(m³)	내용시간	연간표준가동시간	상각비율	정비비율	연간관리비율	시 간 당(10⁻⁷)			
							상각비계수	정비비계수	관리비계수	계
0201-0012	0.12	10,000	1,250	0.9	0.7	0.1	900	700	485	2,085
0020	0.2	10,000	1,250	0.9	0.7	0.1	900	700	485	2,085
0040	0.4	10,000	1,250	0.9	0.7	0.1	900	700	485	2,085
0060	0.6	10,000	1,250	0.9	0.7	0.1	900	700	485	2,085
0070	0.7	10,000	1,250	0.9	0.7	0.1	900	700	485	2,085
0080	0.8	10,000	1,250	0.9	0.7	0.1	900	700	485	2,085
0100	1.0	10,000	1,250	0.9	0.7	0.1	900	700	485	2,085
0120	1.2	10,000	1,250	0.9	0.7	0.1	900	700	485	2,085
0200	2.0	10,000	1,250	0.9	0.7	0.1	900	700	485	2,085

(0211) 굴삭기(타이어)

분류 번호	규격 (㎥)	내용 시간	연간표준 가동시간	상각 비율	정비 비율	연간 관리 비율	시간 당(10^{-7})			
							상각비 계수	정비비 계수	관리비 계수	계
0211-0018	0.18	10,000	1,250	0.9	0.7	0.14	900	700	679	2,279
0060	0.6	10,000	1,250	0.9	0.7	0.14	900	700	679	2,279
0080	0.8	10,000	1,250	0.9	0.7	0.14	900	700	679	2,279
0100	1.0	10,000	1,250	0.9	0.7	0.14	900	700	679	2,279

(0221) 습지굴삭기(무한궤도)

분류 번호	규격 (㎥)	내용 시간	연간표준 가동시간	상각 비율	정비 비율	연간 관리 비율	시간 당(10^{-7})			
							상각비 계수	정비비 계수	관리비 계수	계
0221-0040	0.4	10,000	1,250	0.9	0.7	0.1	900	700	485	2,085
0070	0.7	10,000	1,250	0.9	0.7	0.1	900	700	485	2,085

(0230) 대형 브레이커

분류 번호	규격 (㎥)	내용 시간	연간표준 가동시간	상각 비율	정비 비율	연간 관리 비율	시간 당(10^{-7})			
							상각비 계수	정비비 계수	관리비 계수	계
0230-0002	0.2	3,000	890	0.9	0.85	0.1	3,000	2,833	768	6,601
0004	0.4	3,000	890	0.9	0.85	0.1	3,000	2,833	768	6,601
0006	0.6	3,000	890	0.9	0.85	0.1	3,000	2,833	768	6,601
0007	0.7	3,000	890	0.9	0.85	0.1	3,000	2,833	768	6,601
0008	0.8	3,000	890	0.9	0.85	0.1	3,000	2,833	768	6,601
0010	1.0	3,000	890	0.9	0.85	0.1	3,000	2,833	768	6,601

(0240) 유압식 진동콤팩터(굴삭기 부착용)

분류 번호	규격 (㎥)	내용 시간	연간표준 가동시간	상각 비율	정비 비율	연간 관리 비율	시간 당(10^{-7})			
							상각비 계수	정비비 계수	관리비 계수	계
0240-0007	0.7	6,000	890	0.9	0.6	0.1	1,500	1,000	693	3,193

(0250) 압쇄기(펄버라이저)

분류 번호	규격 (㎥)	내용 시간	연간표준 가동시간	상각 비율	정비 비율	연간 관리 비율	시간 당(10^{-7})			
							상각비 계수	정비비 계수	관리비 계수	계
0250-0080	0.8	3,000	890	0.9	0.85	0.1	3,000	2,833	768	6,601
0100	1.0	3,000	890	0.9	0.85	0.1	3,000	2,833	768	6,601

[주] 규격은 해당 굴삭기의 규격을 말한다.

(0260) 트랜처('96년 신설)

분류번호	규격(ton)	내용시간	연간표준가동시간	상각비율	정비비율	연간관리비율	시 간 당(10^{-7})			
							상각비계수	정비비계수	관리비계수	계
0260-0355	3.55	3,600	540	0.9	1.15	0.1	2,500	3,194	1,144	6,838

(0301) 로더(무한궤도)

분류번호	규격(m^3)	내용시간	연간표준가동시간	상각비율	정비비율	연간관리비율	시 간 당(10^{-7})			
							상각비계수	정비비계수	관리비계수	계
0301-0057	0.57	10,000	1,250	0.9	1.0	0.1	900	1,000	485	2,385
0076	0.76	10,000	1,250	0.9	1.0	0.1	900	1,000	485	2,385
0095	0.95	10,000	1,250	0.9	1.0	0.1	900	1,000	485	2,385
0115	1.15	10,000	1,250	0.9	1.0	0.1	900	1,000	485	2,385
0134	1.34	10,000	1,250	0.9	1.0	0.1	900	1,000	485	2,385
0153	1.53	10,000	1,250	0.9	1.0	0.1	900	1,000	485	2,385
0172	1.72	10,000	1,250	0.9	1.0	0.1	900	1,000	485	2,385
0287	2.87	10,000	1,250	0.9	1.0	0.1	900	1,000	485	2,385

[주] ① 규격은 버킷용량을 말한다.
② 삽날은 운전경비에서 별도 계상한다.

(0302) 로더(타이어)

분류번호	규격(m^3)	내용시간	연간표준가동시간	상각비율	정비비율	연간관리비율	시 간 당(10^{-7})			
							상각비계수	정비비계수	관리비계수	계
0302-0025	0.25	10,000	1,250	0.9	0.7	0.1	900	700	485	2,085
0057	0.57	10,000	1,250	0.9	0.7	0.1	900	700	485	2,085
0095	0.95	10,000	1,250	0.9	0.7	0.1	900	700	485	2,085
0134	1.34	10,000	1,250	0.9	0.7	0.1	900	700	485	2,085
0172	1.72	10,000	1,250	0.9	0.7	0.1	900	700	485	2,085
0229	2.29	10,000	1,250	0.9	0.7	0.1	900	700	485	2,085
0287	2.87	10,000	1,250	0.9	0.7	0.1	900	700	485	2,085
0350	3.50	10,000	1,250	0.9	0.7	0.1	900	700	485	2,085
0500	5.00	10,000	1,250	0.9	0.7	0.1	900	700	485	2,085

[주] ① 규격은 버킷용량을 말한다.
② 삽날, 타이어는 운전경비에서 별도 계상한다.

(0406) 스크레이퍼(자주식)

분류 번호	규격 (㎥)	내용 시간	연간표준 가동시간	상각 비율	정비 비율	연간 관리 비율	시 간 당(10^{-7})			
							상각비 계수	정비비 계수	관리비 계수	계
0406-0054	5.4	12,000	1,250	0.9	0.7	0.1	750	583	478	1,811
0115	11.5	12,000	1,250	0.9	0.7	0.1	750	583	478	1,811
0161	16.1	12,000	1,250	0.9	0.7	0.1	750	583	478	1,811
0206	20.6	12,000	1,250	0.9	0.7	0.1	750	583	478	1,811

[주] ① 규격은 적재함 용량을 말한다.
　② 삽날(귀삽날 포함), 타이어는 운전경비에서 별도 계상한다.

(0407) 스크레이퍼(피견인식)

분류 번호	규격 (㎥)	내용 시간	연간표준 가동시간	상각 비율	정비 비율	연간 관리 비율	시 간 당(10^{-7})			
							상각비 계수	정비비 계수	관리비 계수	계
0407-0054	5.4	12,000	1,250	0.9	0.3	0.1	750	250	478	1,478
0092	9.2	12,000	1,250	0.9	0.3	0.1	750	250	478	1,478
0107	10.7	12,000	1,250	0.9	0.3	0.1	750	250	478	1,478
0161	16.1	12,000	1,250	0.9	0.3	0.1	750	250	478	1,478
0206	20.6	12,000	1,250	0.9	0.3	0.1	750	250	478	1,478

[주] ① 규격은 적재함 용량을 말한다.
　② 삽날(귀삽날 포함), 타이어는 운전경비에서 별도 계상한다.

(0502) 모터그레이더(일반용)

분류 번호	규격 (m)	내용 시간	연간표준 가동시간	상각 비율	정비 비율	연간 관리 비율	시 간 당(10^{-7})			
							상각비 계수	정비비 계수	관리비 계수	계
0502-0036	3.6	14,000	1,250	0.9	0.55	0.1	643	393	472	1,508

[주] ① 규격은 삽의 폭을 말한다.
　② 삽날(귀삽날 포함), 타이어는 운전경비에서 별도 계상한다.

(0503) 모터그레이더(사리도) ('11년 신설)

분류 번호	규격 (m)	내용 시간	연간표준 가동시간	상각 비율	정비 비율	연간 관리 비율	시 간 당(10^{-7})			
							상각비 계수	정비비 계수	관리비 계수	계
0503-0036	3.6	14,000	1,250	0.9	0.55	0.1	643	393	472	1,508

(0602) 덤프트럭

분류 번호	규격 (ton)	내용 시간	연간표준 가동시간	상각 비율	정비 비율	연간 관리 비율	시 간 당(10^{-7})			
							상각비 계수	정비비 계수	관리비 계수	계
0602-0025	2.5	7,500	1,250	0.9	0.8	0.14	1,200	1,067	700	2,967
0045	4.5	7,500	1,250	0.9	0.8	0.14	1,200	1,067	700	2,967
0060	6	7,500	1,250	0.9	0.8	0.14	1,200	1,067	700	2,967
0080	8	8,000	1,250	0.9	0.8	0.14	1,125	1,000	695	2,820
0105	10.5	10,000	1,250	0.9	0.7	0.14	900	700	679	2,279
0150	15	10,000	1,250	0.9	0.7	0.14	900	700	679	2,279
0200	20	10,000	1,250	0.9	0.65	0.14	900	650	679	2,229
0240	24	10,000	1,250	0.9	0.65	0.14	900	650	679	2,229
0320	32	10,000	1,250	0.9	0.65	0.14	900	650	679	2,229

[주] ① 규격은 적재중량을 말한다.
② 타이어는 운전경비에서 별도 계상한다.

(0610) 덤프트럭 자동덮개시설

분류 번호	규격 (ton)	내용 시간	연간표준 가동시간	상각 비율	정비 비율	연간 관리 비율	시 간 당(10^{-7})			
							상각비 계수	정비비 계수	관리비 계수	계
0610-0150	15톤용	8,000	1,250	0.9	0.85	0.1	1,125	1,063	496	2,684
0200	20톤용	8,000	1,250	0.9	0.85	0.1	1,125	1,063	496	2,684
0240	24톤용	8,000	1,250	0.9	0.85	0.1	1,125	1,063	496	2,684

8-3-2 [10]다짐기계

(1106) 머캐덤 롤러(자주식)

분류 번호	규격 (ton)	내용 시간	연간표준 가동시간	상각 비율	정비 비율	연간 관리 비율	시 간 당(10^{-7})			
							상각비 계수	정비비 계수	관리비 계수	계
1106-0010	8~10	12,000	1,070	0.9	0.6	0.1	750	500	552	1,802
0012	10~12	12,000	1,070	0.9	0.6	0.1	750	500	552	1,802
0015	12~15	12,000	1,070	0.9	0.6	0.1	750	500	552	1,802

[주] 규격의 최소치는 자체중량, 최대치는 드럼에 중량을 추가한 때를 말한다.

(1206) 탠덤롤러(자주식)

분류 번호	규격 (ton)	내용 시간	연간표준 가동시간	상각 비율	정비 비율	연간 관리 비율	시 간 당(10^{-7})			
							상각비 계수	정비비 계수	관리비 계수	계
1206-0008	5~8	12,000	890	0.9	0.55	0.1	750	458	655	1,863
0010	8~10	12,000	890	0.9	0.55	0.1	750	458	655	1,863
0014	10~14	12,000	890	0.9	0.55	0.1	750	458	655	1,863

[주] 규격의 최소치는 자체중량, 최대치는 드럼에 중량을 추가한 때를 말한다.

(1209) 탠덤롤러(진동 자주식)

분류 번호	규격 (ton)	내용 시간	연간표준 가동시간	상각 비율	정비 비율	연간 관리 비율	시간 당(10^{-7})			
							상각비 계수	정비비 계수	관리비 계수	계
1209-0001	1	9,000	1,250	0.9	0.6	0.1	1,000	667	490	2,157
0002	2	9,000	1,250	0.9	0.6	0.1	1,000	667	490	2,157
0004	4	9,000	1,250	0.9	0.6	0.1	1,000	667	490	2,157
0006	6	9,000	1,250	0.9	0.6	0.1	1,000	667	490	2,157
0007	7	9,000	1,250	0.9	0.6	0.1	1,000	667	490	2,157
0008	8	9,000	1,250	0.9	0.6	0.1	1,000	667	490	2,157
0013	13	9,000	1,250	0.9	0.6	0.1	1,000	667	490	2,157

(1305) 진동롤러(핸드가이드식)

분류 번호	규격 (ton)	내용 시간	연간표준 가동시간	상각 비율	정비 비율	연간 관리 비율	시간 당(10^{-7})			
							상각비 계수	정비비 계수	관리비 계수	계
1305-0007	0.7	7,000	890	0.9	0.6	0.1	1,286	857	682	2,825

(1306) 진동롤러(자주식)

분류 번호	규격 (ton)	내용 시간	연간표준 가동시간	상각 비율	정비 비율	연간 관리 비율	시간 당(10^{-7})			
							상각비 계수	정비비 계수	관리비 계수	계
1306-0025	2.5	7,000	890	0.9	0.6	0.1	1,286	857	682	2,825
0044	4.4	7,000	890	0.9	0.6	0.1	1,286	857	682	2,825
0060	6	7,000	890	0.9	0.6	0.1	1,286	857	682	2,825
0100	10	7,000	890	0.9	0.6	0.1	1,286	857	682	2,825
0120	12	7,000	890	0.9	0.6	0.1	1,286	857	682	2,825

(1406) 타이어 롤러(자주식)

분류 번호	규격 (ton)	내용 시간	연간표준 가동시간	상각 비율	정비 비율	연간 관리 비율	시간 당(10^{-7})			
							상각비 계수	정비비 계수	관리비 계수	계
1406-0008	5~8	10,800	1,070	0.9	0.6	0.1	833	556	556	1,945
0015	8~15	10,800	1,070	0.9	0.6	0.1	833	556	556	1,945
0025	15~25	10,800	1,070	0.9	0.6	0.1	833	556	556	1,945

[주] ① 손료는 타이어 경비가 포함된 것이다.
② 규격의 최소치는 자체중량을 말하며 최대치는 작업시 모래 등 하중을 추가한 중량을 말한다.

(1506) 양족식 롤러(자주식)

분류번호	규격(ton)	내용시간	연간표준가동시간	상각비율	정비비율	연간관리비율	시간 당(10^{-7}) 상각비계수	정비비계수	관리비계수	계
1506-0011	11	10,500	1,250	0.9	0.6	0.1	857	571	483	1,911
0012	12	10,500	1,250	0.9	0.6	0.1	857	571	483	1,911
0015	15	10,500	1,250	0.9	0.6	0.1	857	571	483	1,911
0019	19	10,500	1,250	0.9	0.6	0.1	857	571	483	1,911
0025	25	10,500	1,250	0.9	0.6	0.1	857	571	483	1,911
0030	30	10,500	1,250	0.9	0.6	0.1	857	571	483	1,911
0032	32	10,500	1,250	0.9	0.6	0.1	857	571	483	1,911
0037	37	10,500	1,250	0.9	0.6	0.1	857	571	483	1,911

[주] 규격은 자체중량을 말한다.

(1630) 래 머

분류번호	규격(kg)	내용시간	연간표준가동시간	상각비율	정비비율	연간관리비율	시간 당(10^{-7}) 상각비계수	정비비계수	관리비계수	계
1630-0080	80	5,000	890	0.9	0.6	0.1	1,800	1,200	708	3,708

(1730) 플레이트 콤팩터

분류번호	규격(ton)	내용시간	연간표준가동시간	상각비율	정비비율	연간관리비율	시간 당(10^{-7}) 상각비계수	정비비계수	관리비계수	계
1730-0015	1.5	5,000	890	0.9	0.6	0.1	1,800	1,200	708	3,708

[주] ① 원동기(전동기)가 부착되어 있는 것으로 운전경비는 별도 계상한다.
② 규격은 전압력(Impacting Force)을 말한다.

8-3-3 [20]운반 및 하역기계

(2101) 크레인(무한궤도)

분류 번호	규격 (ton)	내용 시간	연간표준 가동시간	상각 비율	정비 비율	연간 관리 비율	시 간 당(10^{-7})			
							상각비 계수	정비비 계수	관리비 계수	계
2101-0010	10 (0.29)	11,200	1,430	0.9	0.65	0.1	804	580	425	1,809
0015	15 (0.38)	12,800	1,430	0.9	0.65	0.1	703	508	420	1,631
0020	20 (0.57)	12,800	1,430	0.9	0.65	0.1	703	508	420	1,631
0025	25 (0.76)	12,800	1,430	0.9	0.65	0.1	703	508	420	1,631
0030	30 (1.15)	12,800	1,430	0.9	0.65	0.1	703	508	420	1,631
0035	35 (1.33)	12,800	1,430	0.9	0.65	0.1	703	508	420	1,631
0040	40 (1.53)	14,000	1,250	0.9	0.75	0.1	643	536	472	1,651
0050	50 (1.91)	14,000	1,250	0.9	0.75	0.1	643	536	472	1,651
0070	70 (2.29)	14,000	1,250	0.9	0.75	0.1	643	536	472	1,651
0080	80 (2.68)	14,000	1,250	0.9	0.75	0.1	643	536	472	1,651
0100	100	14,000	1,250	0.9	0.75	0.1	643	536	472	1,651
0150	150	14,000	1,250	0.9	0.75	0.1	643	536	472	1,651
0220	220	14,000	1,250	0.9	0.88	0.1	643	629	472	1,744
0280	280	14,000	1,250	0.9	0.88	0.1	643	629	472	1,744
0300	300	14,000	1,250	0.9	0.88	0.1	643	629	472	1,744

[주] ① 규격은 표준붐을 사용하였을 때 최대인양 하중을 말하며, ( )내는 버킷용량을 ㎥로 표시한 것이다.
② 위의 표는 기중기 작업상태 때를 기준으로 한 것이다.

(2104) 크레인(타이어)('21년 보완)

분류 번호	규격 (ton)	내용 시간	연간표준 가동시간	상각 비율	정비 비율	연간 관리 비율	시 간 당(10^{-7})			
							상각비 계수	정비비 계수	관리비 계수	계
2104-0010	10	8,400	1,250	0.9	0.45	0.14	1,071	536	691	2,298
0015	15	8,400	1,250	0.9	0.45	0.14	1,071	536	691	2,298
0020	20	8,400	1,250	0.9	0.45	0.14	1,071	536	691	2,298
0025	25	9,800	1,250	0.9	0.45	0.14	918	459	680	2,057

→

분류번호	규격(ton)	내용시간	연간표준가동시간	상각비율	정비비율	연간관리비율	시 간 당(10^{-7})			
							상각비계수	정비비계수	관리비계수	계
0030	30	12,600	1,250	0.9	0.45	0.14	714	357	666	1,737
0035	35	12,600	1,250	0.9	0.45	0.14	714	357	666	1,737
0040	40	12,600	1,250	0.9	0.45	0.14	714	357	666	1,737
0045	45	12,600	1,250	0.9	0.45	0.14	714	357	666	1,737
0050	50	12,600	1,250	0.9	0.45	0.14	714	357	666	1,737
0060	60	14,000	1,250	0.9	0.45	0.14	643	321	661	1,625
0070	70	14,000	1,250	0.9	0.45	0.14	643	321	661	1,625
0080	80	14,000	1,250	0.9	0.45	0.14	643	321	661	1,625
0100	100	14,000	1,250	0.9	0.45	0.14	643	321	661	1,625
0130	130	14,000	1,250	0.9	0.50	0.14	643	357	661	1,661
0160	160	14,000	1,250	0.9	0.50	0.14	643	357	661	1,661
0200	200	14,000	1,250	0.9	0.50	0.14	643	357	661	1,661
0220	220	14,000	1,250	0.9	0.50	0.14	643	357	661	1,661
0250	250	14,000	1,250	0.9	0.50	0.14	643	357	661	1,661
0300	300	14,000	1,250	0.9	0.50	0.14	643	357	661	1,661

[주] ① 규격은 표준붐을 사용하였을 때의 최대인양 하중을 말한다.
② 위의 표는 기중기 작업상태 때를 기준으로 한 것이다.
③ 타이어는 운전경비에서 별도 계상한다.

(2105) 트럭탑재형 크레인

분류번호	규격(ton)	내용시간	연간표준가동시간	상각비율	정비비율	연간관리비율	시 간 당(10^{-7})			
							상각비계수	정비비계수	관리비계수	계
2105-0002	2	7,000	890	0.9	0.25	0.14	1,286	357	955	2,598
0003	3	7,000	890	0.9	0.25	0.14	1,286	357	955	2,598
0005	5	7,000	890	0.9	0.25	0.14	1,286	357	955	2,598
0010	10	7,000	890	0.9	0.25	0.14	1,286	357	955	2,598
0015	15	7,000	890	0.9	0.25	0.14	1,286	357	955	2,598
0018	18	7,000	890	0.9	0.25	0.14	1,286	357	955	2,598

(2106) 고소작업차('20년 신설)

분류번호	규격(ton)	내용시간	연간표준가동시간	상각비율	정비비율	연간관리비율	시 간 당(10^{-7})			
							상각비계수	정비비계수	관리비계수	계
2106-0002	2	7,000	890	0.9	0.25	0.14	1,286	357	955	2,598
0003	3	7,000	890	0.9	0.25	0.14	1,286	357	955	2,598
0005	5	7,000	890	0.9	0.25	0.14	1,286	357	955	2,598

(2107) 터널용고소작업차('20년 신설)

분류번호	규격(ton)	내용시간	연간표준가동시간	상각비율	정비비율	연간관리비율	시간 당(10^{-7})			
							상각비계수	정비비계수	관리비계수	계
2107-0005	0.5	7,000	890	0.9	0.25	0.14	1,286	357	955	2,598

(2115) 리더(LEADER; 고정형)

분류번호	규격(m)	내용시간	연간표준가동시간	상각비율	정비비율	연간관리비율	시간 당(10^{-7})			
							상각비계수	정비비계수	관리비계수	계
2115-0024	24	14,000	1,250	0.9	0.9	0.1	643	643	472	1,758
0031	31	14,000	1,250	0.9	0.9	0.1	643	643	472	1,758
0036	36	14,000	1,250	0.9	0.9	0.1	643	643	472	1,758

(2116) 리더(LEADER; 회전형)

분류번호	규격(m)	내용시간	연간표준가동시간	상각비율	정비비율	연간관리비율	시간 당(10^{-7})			
							상각비계수	정비비계수	관리비계수	계
2116-0031	31	14,000	1,250	0.9	0.9	0.1	643	643	472	1,758
0036	36	14,000	1,250	0.9	0.9	0.1	643	643	472	1,758

(2117) 케이싱(CASING)

분류번호	규격(m)	내용시간	연간표준가동시간	상각비율	정비비율	연간관리비율	시간 당(10^{-7})			
							상각비계수	정비비계수	관리비계수	계
2117-0022	22	2,800	1,250	0.9	0.9	0.1	3,214	3,214	601	7,029
0027	27	2,800	1,250	0.9	0.9	0.1	3,214	3,214	601	7,029

(2118) 스킵버킷(SKIP BUCKET)

분류번호	규격(m^3)	내용시간	연간표준가동시간	상각비율	정비비율	연간관리비율	시간 당(10^{-7})			
							상각비계수	정비비계수	관리비계수	계
2118-0010	10	14,000	1,250	0.9	0.9	0.1	643	643	472	1,758

(2208) 타워크레인

분류번호	규격 (m×ton)	내용시간	연간표준가동시간	상각비율	정비비율	연간관리비율	시간 당(10⁻⁷)			
							상각비계수	정비비계수	관리비계수	계
2208-5008	50×8	12,000	1,780	0.9	0.25	0.1	750	208	346	1,304
5010	50×10	12,000	1,780	0.9	0.25	0.1	750	208	346	1,304
5012	50×12	12,000	1,780	0.9	0.25	0.1	750	208	346	1,304
5016	50×16	12,000	1,780	0.9	0.25	0.1	750	208	346	1,304
5020	50×20	12,000	1,780	0.9	0.25	0.1	750	208	346	1,304

[주] ① 규격은 작업반경(m)×권상능력(ton)을 말한다.
② 부수물과 조립볼트는 별도로 계상한다.
③ 권상용 와이어 소모는 1set(18mm×120m)를 기준으로 하여 시간당 소모율을 0.003으로 계상한다.

(2210) 건설용리프트(인화물용)

분류번호	규격	내용시간	연간표준가동시간	상각비율	정비비율	연간관리비율	시간 당(10⁻⁷)			
							상각비계수	정비비계수	관리비계수	계
2210-0145	1×45	10,000	1,780	0.9	0.5	0.1	900	500	354	1,754

[주] ① 규격은 권상능력(ton)×작업높이(m)를 말한다.
② 산업안전보건법 검사규정에 의한 검사합격품에 적용한다.
③ 동력은 7.5kW×2대로 한다.

(2330) 디젤 기관차

분류번호	규격 (ton)	내용시간	연간표준가동시간	상각비율	정비비율	연간관리비율	시간 당(10⁻⁷)			
							상각비계수	정비비계수	관리비계수	계
2330-0005	5	10,000	890	0.9	0.75	0.1	900	750	663	2,313
0007	7	10,000	890	0.9	0.75	0.1	900	750	663	2,313

(2402) 경운기

분류번호	규격 (kg)	내용시간	연간표준가동시간	상각비율	정비비율	연간관리비율	시간 당(10⁻⁷)			
							상각비계수	정비비계수	관리비계수	계
2402-0001	1,000	5,000	890	0.9	0.5	0.1	1,800	1,000	708	3,508

(2502) 지게차

분류 번호	규격 (ton)	내용 시간	연간표준 가동시간	상각 비율	정비 비율	연간 관리 비율	시 간 당(10^{-7})			
							상각비 계수	정비비 계수	관리비 계수	계
2502-0020	2.0	10,500	1,340	0.9	0.2	0.1	857	190	453	1,500
0025	2.5	10,500	1,340	0.9	0.2	0.1	857	190	453	1,500
0035	3.5	10,500	1,340	0.9	0.2	0.1	857	190	453	1,500
0050	5.0	10,500	1,340	0.9	0.2	0.1	857	190	453	1,500
0075	7.5	10,500	1,340	0.9	0.2	0.1	857	190	453	1,500

[주] 타이어는 운전경비에서 별도 계상한다.

(2602) 트랙터(타이어)

분류 번호	규격 (ton)	내용 시간	연간표준 가동시간	상각 비율	정비 비율	연간 관리 비율	시 간 당(10^{-7})			
							상각비 계수	정비비 계수	관리비 계수	계
2602-0015	1.5	9,000	1,340	0.9	0.5	0.1	1,000	556	460	2,016
0025	2.5	9,000	1,340	0.9	0.5	0.1	1,000	556	460	2,016
0035	3.5	9,000	1,340	0.9	0.5	0.1	1,000	556	460	2,016
0045	4.5	9,000	1,340	0.9	0.5	0.1	1,000	556	460	2,016

[주] 타이어는 운전경비에서 별도 계상한다.

(2702) 트럭 트랙터 및 평판트레일러('11년 보완)

분류 번호	규격 (ton)	내용 시간	연간표준 가동시간	상각 비율	정비 비율	연간 관리 비율	시 간 당(10^{-7})			
							상각비 계수	정비비 계수	관리비 계수	계
2702-0020	20	7,000	1,250	0.9	0.55	0.1	1,286	786	504	2,576
0030	30	7,000	1,250	0.9	0.55	0.1	1,286	786	504	2,576
0040	40	7,000	1,250	0.9	0.55	0.1	1,286	786	504	2,576
0060	60	7,000	1,250	0.9	0.55	0.1	1,286	786	504	2,576

[주] 타이어는 운전경비에서 별도 계상한다.

8-3-4 [30]포장기계

(3108) 아스팔트 믹싱플랜트

분류 번호	규격 (ton/hr)	내용 시간	연간표준 가동시간	상각 비율	정비 비율	연간 관리 비율	시 간 당(10^{-7})			
							상각비 계수	정비비 계수	관리비 계수	계
3108-0040	40t (80kW) 60t	9,000	890	0.9	0.75	0.1	1,000	833	668	2,501

분류 번호	규격 (ton/hr)	내용 시간	연간표준 가동시간	상각 비율	정비 비율	연간 관리 비율	시 간 당(10^{-7})			
							상각비 계수	정비비 계수	관리비 계수	계
0060	(120kW) 80t	11,000	890	0.9	0.75	0.1	818	682	659	2,159
0080	(160kW) 100t	11,000	890	0.9	0.75	0.1	818	682	659	2,159
0100	(200kW) 120t	11,000	890	0.9	0.75	0.1	818	682	659	2,159
0120	(240kW)	11,000	890	0.9	0.75	0.1	818	682	659	2,159

[주] ① 원동기(전동기)가 부착되어 있는 것으로 정치식을 말하며 운전경비는 별도 계상한다.
　　② 자동기록장치 등의 부착이 필요할 때는 이에 상당한 경비를 별도 계상할 수 있다.

(3201) 아스팔트 피니셔

분류 번호	규격 (m)	내용 시간	연간표준 가동시간	상각 비율	정비 비율	연간 관리 비율	시 간 당(10^{-7})			
							상각비 계수	정비비 계수	관리비 계수	계
3201-0001	1.7	8,000	890	0.9	0.45	0.1	1,125	563	674	2,362
0003	3	8,000	890	0.9	0.45	0.1	1,125	563	674	2,362

(3302) 아스팔트 디스트리뷰터

분류 번호	규격 (ℓ)	내용 시간	연간표준 가동시간	상각 비율	정비 비율	연간 관리 비율	시 간 당(10^{-7})			
							상각비 계수	정비비 계수	관리비 계수	계
3302-0030	3,000	8,000	890	0.9	0.4	0.14	1,125	500	944	2,569
0038	3,800	8,000	890	0.9	0.4	0.14	1,125	500	944	2,569
0047	4,700	8,000	890	0.9	0.4	0.14	1,125	500	944	2,569
0057	5,700	8,000	890	0.9	0.4	0.14	1,125	500	944	2,569

[주] ① 규격은 아스팔트 탱크의 용량을 말한다.
　　② 자주식을 말하며 타이어는 운전경비에서 별도 계상한다.

(3430) 아스팔트 스프레이어

분류 번호	규격 (ℓ)	내용 시간	연간표준 가동시간	상각 비율	정비 비율	연간 관리 비율	시 간 당(10^{-7})			
							상각비 계수	정비비 계수	관리비 계수	계
3430-0300	300	8,000	890	0.9	0.6	0.1	1,125	750	674	2,549
0400	400	8,000	890	0.9	0.6	0.1	1,125	750	674	2,549

[주] ① 규격은 아스팔트 탱크의 용량을 말한다.
　　② 수동 견인식이다.

(3450) 현장가열 표층재생기

분류 번호	규격 (kW)	내용 시간	연간표준 가동시간	상각 비율	정비 비율	연간 관리 비율	시 간 당(10⁻⁷)			
							상각비 계수	정비비 계수	관리비 계수	계
3450-0642	479	5,250	670	0.9	0.35	0.1	1,714	667	907	3,288

(3530) 스테이빌라이저(안정기)

분류 번호	규격 (kW)	내용 시간	연간표준 가동시간	상각 비율	정비 비율	연간 관리 비율	시 간 당(10⁻⁷)			
							상각비 계수	정비비 계수	관리비 계수	계
3530-0015	1.5m(3.7)	9,000	890	0.9	0.45	0.1	1,000	500	668	2,168
0036	3.6m(9.0)	9,000	890	0.9	0.45	0.1	1,000	500	668	2,168

[주] 자주식으로 타이어는 별도 계상한다.

(3601) 콘크리트 피니셔(포장용)('20년 보완)

분류 번호	규격 (kW)	내용 시간	연간표준 가동시간	상각 비율	정비 비율	연간 관리 비율	시 간 당(10⁻⁷)			
							상각비 계수	정비비 계수	관리비 계수	계
3601-0102	74.6	8,000	890	0.9	0.4	0.1	1,125	500	674	2,299
0202	160.4	8,000	890	0.9	0.4	0.1	1,125	500	674	2,299
0204	186.5	8,000	890	0.9	0.4	0.1	1,125	500	674	2,299
0302	224.0	8,000	890	0.9	0.4	0.1	1,125	500	674	2,299
0402	299.9	8,000	890	0.9	0.4	0.1	1,125	500	674	2,299

(3611) 콘크리트 피니셔(중앙분리대용)

분류 번호	규격 (kW)	내용 시간	연간표준 가동시간	상각 비율	정비 비율	연간 관리 비율	시 간 당(10⁻⁷)			
							상각비 계수	정비비 계수	관리비 계수	계
3611-0142	105.9	8,000	890	0.9	0.5	0.1	1,125	625	674	2,424

(3701) 콘크리트 스프레더

분류 번호	규격 (m)	내용 시간	연간표준 가동시간	상각 비율	정비 비율	연간 관리 비율	시 간 당(10⁻⁷)			
							상각비 계수	정비비 계수	관리비 계수	계
3701-0200	7.95	8,000	890	0.9	0.5	0.1	1,125	625	674	2,424

(3801) 콘크리트 조면 마무리기

분류 번호	규격 (m)	내용 시간	연간표준 가동시간	상각 비율	정비 비율	연간 관리 비율	시 간 당(10^{-7})			
							상각비 계수	정비비 계수	관리비 계수	계
3801-0795	7.95	8,000	890	0.9	0.5	0.1	1,125	625	674	2,424
0120	12.0	8,000	890	0.9	0.5	0.1	1,125	625	674	2,424

(3805) 콘크리트 롤러페이버('08년 신설)

분류 번호	규격 (m)	내용 시간	연간표준 가동시간	상각 비율	정비 비율	연간 관리 비율	시 간 당(10^{-7})			
							상각비 계수	정비비 계수	관리비 계수	계
3805-0120	12.0	8,000	890	0.9	0.5	0.1	1,125	625	674	2,424

(3901) 슬러리실 기계

분류 번호	규격 (m)	내용 시간	연간표준 가동시간	상각 비율	정비 비율	연간 관리 비율	시 간 당(10^{-7})			
							상각비 계수	정비비 계수	관리비 계수	계
3901-0300	3.0~ 3.8	8,000	890	0.9	0.35	0.1	1,125	438	674	2,237

8-3-5 [40]콘크리트기계

(4108) 콘크리트 배치플랜트

분류 번호	규격 (㎥/hr)	내용 시간	연간표준 가동시간	상각 비율	정비 비율	연간 관리 비율	시 간 당(10^{-7})			
							상각비 계수	정비비 계수	관리비 계수	계
4108-0060	60 (96kW)	11,000	890	0.9	0.65	0.1	818	591	659	2,068
0090	90 (144kW)	11,000	890	0.9	0.65	0.1	818	591	659	2,068
0120	120 (160kW)	11,000	890	0.9	0.65	0.1	818	591	659	2,068
0150	150 (177kW)	11,000	890	0.9	0.65	0.1	818	591	659	2,068
0180	180 (213kW)	11,000	890	0.9	0.65	0.1	818	591	659	2,068
0210	210 (233kW)	11,000	890	0.9	0.65	0.1	818	591	659	2,068

[주] ① 원동기(전동기)가 부착되어 있는 것으로 진동식을 말하며 운전경비는 별도 계상한다.
② ( )숫자는 전동기 동력(kW)을 나타낸다.

(4115) 사일로(SILO)

분류 번호	규격 (㎥/hr)	내용 시간	연간표준 가동시간	상각 비율	정비 비율	연간 관리 비율	시간 당(10^{-7}) 상각비 계수	정비비 계수	관리비 계수	계
4115-0100	100 (7.0kW)	10,000	890	0.9	0.3	0.1	900	300	663	1,663
0150	150 (7.0kW)	10,000	890	0.9	0.3	0.1	900	300	663	1,863
0200	200 (7.7kW)	10,000	890	0.9	0.3	0.1	900	300	663	1,863
0300	300 (7.7kW)	10,000	890	0.9	0.3	0.1	900	300	663	1,863

[주] ① 스크류컨베이어, 시멘트 압송관 등 사일로 운영에 필요한 부대설비가 포함된 것이다.
② ( ) 숫자는 전동기 동력(kW)을 나타낸다.

(4205) 콘크리트 믹서

분류 번호	규격 (㎥)	내용 시간	연간표준 가동시간	상각 비율	정비 비율	연간 관리 비율	시간 당(10^{-7}) 상각비 계수	정비비 계수	관리비 계수	계
4205-0010	0.10	7,000	890	0.9	0.75	0.1	1,286	1,071	682	3,039
0017	0.17	7,000	890	0.9	0.75	0.1	1,286	1,071	682	3,039
0020	0.20	7,000	890	0.9	0.75	0.1	1,286	1,071	682	3,039
0030	0.30	7,000	890	0.9	0.75	0.1	1,286	1,071	682	3,039
0040	0.40	7,000	890	0.9	0.75	0.1	1,286	1,071	682	3,039
0045	0.45	7,000	890	0.9	0.75	0.1	1,286	1,071	682	3,039

[주] ① 동력이 포함되어 있다.
② 손료는 타이어 경비가 포함된 것이다.

(4304) 콘크리트 믹서트럭

분류 번호	규격 (㎥)	내용 시간	연간표준 가동시간	상각 비율	정비 비율	연간 관리 비율	시간 당(10^{-7}) 상각비 계수	정비비 계수	관리비 계수	계
4304-0060	6.0	7,000	890	0.9	0.5	0.14	1,286	714	955	2,955
0061	6.0(L)	7,000	890	0.9	0.5	0.14	1,286	714	955	2,955

[주] ① (L)은 저슬럼프형 믹서트럭이다.
② 규격은 1회 운반경비에서 별도로 계상한다.
③ 타이어는 운전경비에서 별도로 계상한다.

(4430) 커터(콘크리트 및 아스팔트용)

분류번호	규격(mm)	내용시간	연간표준가동시간	상각비율	정비비율	연간관리비율	시 간 당(10⁻⁷)			
							상각비계수	정비비계수	관리비계수	계
4430-0400	320~400	2,250	670	0.9	0.3	0.1	4,000	1,333	1,021	6,354

(4504) 콘크리트 펌프차

분류번호	규격(m) [㎥/hr]	내용시간	연간표준가동시간	상각비율	정비비율	연간관리비율	시 간 당(10⁻⁷)			
							상각비계수	정비비계수	관리비계수	계
4504-0021	21 [65~75]	8,400	1,070	0.9	0.65	0.14	1,071	774	795	2,640
0028	28 [65~75]	8,400	1,070	0.9	0.65	0.14	1,071	774	795	2,640
0032	32 [80~95]	8,400	1,070	0.9	0.65	0.14	1,071	774	795	2,640
0036	36 [80~95]	8,400	1,070	0.9	0.65	0.14	1,071	774	795	2,640
0041	41 [80~95]	8,400	1,070	0.9	0.65	0.14	1,071	774	795	2,640
0043	43 [80~95]	8,400	1,070	0.9	0.65	0.14	1,071	774	795	2,640
0047	47 [80~95]	8,400	1,070	0.9	0.65	0.14	1,071	774	795	2,640
0052	52 [80~95]	8,400	1,070	0.9	0.65	0.14	1,071	774	795	2,640

[주] 시간당 토출량[㎥/hr]은 헤드쪽 기준이다.

(4505) 콘크리트 펌프

분류번호	규격(㎥/hr)	내용시간	연간표준가동시간	상각비율	정비비율	연간관리비율	시 간 당(10⁻⁷)			
							상각비계수	정비비계수	관리비계수	계
4505-0015	12~15 (22kW)	6,000	890	0.9	0.5	0.1	1,500	833	693	3,026
4505-0026	20~26 (30kW)	6,000	890	0.9	0.5	0.1	1,500	833	693	3,026

[주] 동력과 파이프는 별도 계상한다.

(4506) 초고압펌프

분류 번호	규격 (kg/cm²)	내용 시간	연간표준 가동시간	상각 비율	정비 비율	연간 관리 비율	시 간 당(10)			
							상각비 계수	정비비 계수	관리비 계수	계
4506-0200	200	6,000	890	0.9	0.5	0.1	1,500	833	693	3,026
0400	400	6,000	890	0.9	0.5	0.1	1,500	833	693	3,026

(4611) 콘크리트 진동기

분류 번호	규격 (m/m)	내용 시간	연간표준 가동시간	상각 비율	정비 비율	연간 관리 비율	시 간 당(10^{-7})			
							상각비 계수	정비비 계수	관리비 계수	계
4611-0075	전기식 플렉시블형 ø45(0.75kW)	3,000	890	0.9	0.35	0.1	3,000	1,167	768	4,935
0350	엔진식 플렉시블형 ø45(2.6kW)	3,000	890	0.9	0.4	0.1	3,000	1,333	768	5,101

8-3-6 [50]골재생산기계 등

(5105) 크러셔(이동식) ('11년 보완)

분류 번호	규격 (ton/hr) (kW)	내용 시간	연간표준 가동시간	상각 비율	정비 비율	연간 관리 비율	시 간 당(10^{-7})			
							상각비 계수	정비비 계수	관리비 계수	계
5105-0050	50(93)	9,000	890	0.9	0.85	0.1	1,000	944	668	2,612
0100	100(155)	9,000	890	0.9	0.85	0.1	1,000	944	668	2,612
0150	150(260)	9,000	890	0.9	0.85	0.1	1,000	944	668	2,612
0200	200(326)	9,000	890	0.9	0.85	0.1	1,000	944	668	2,612

[주] ① 죠, 콘, 스크린, 벨트컨베이어, 피더의 소모품비와 용접비용이 포함되어 있다.
② 손료에는 타이어 경비가 포함된 것이다.
③ 전동기가 부착되어 있는 것으로 운전경비는 별도 계상한다.

(5111) 벨트 컨베이어

분류 번호	규격	내용 시간	연간표준 가동시간	상각 비율	정비 비율	연간 관리 비율	시 간 당(10^{-7})			
							상각비 계수	정비비 계수	관리비 계수	계
5111-0040	40.64cm× 15.24cm 3.73kW	7,000	890	0.9	0.25	0.1	1,286	357	682	2,325

분류번호	규격	내용시간	연간표준가동시간	상각비율	정비비율	연간관리비율	시간 당(10^{-7})			
							상각비계수	정비비계수	관리비계수	계
0050	45.72cm×15.24cm 5.60kW	7,000	890	0.9	0.25	0.1	1,286	357	682	2,325
0060	60.96cm×15.24cm 7.46kW	7,000	890	0.9	0.25	0.1	1,286	357	682	2,325
0076	76.20cm×15.24cm 11.19kW	7,000	890	0.9	0.25	0.1	1,286	357	682	2,325
0091	91.44cm×15.24cm 14.92kW	7,000	890	0.9	0.25	0.1	1,286	357	682	2,325

[주] ① 규격의 앞 숫자는 벨트의 폭, 뒤 숫자는 컨베이어의 길이를 각각 표시한다.
② 동력이 포함되어 있지 않으므로 별도 계상한다.

(5112) 에이프런 피더

분류번호	규격	내용시간	연간표준가동시간	상각비율	정비비율	연간관리비율	시간 당(10^{-7})			
							상각비계수	정비비계수	관리비계수	계
5112-0001	76.20cm×243.84cm 2.24kW	12,000	890	0.9	0.4	0.1	750	333	655	1,738
0002	91.44cm×243.84cm 3.73kW	12,000	890	0.9	0.4	0.1	750	333	655	1,738
0003	91.44cm×365.76cm 3.73kW	12,000	890	0.9	0.4	0.1	750	333	655	1,738
0004	106.68cm×304.86cm 7.46kW	12,000	890	0.9	0.4	0.1	750	333	655	1,738
0005	106.68cm×426.72cm 7.46kW	12,000	890	0.9	0.4	0.1	750	333	655	1,738

[주] ① 규격의 앞 숫자는 피더의 폭, 뒤 숫자는 피더의 길이를 각각 표시한다.
② 동력이 포함되어 있지 않으므로 별도 계상한다.

(5113) 죠 크러셔

분류번호	규격	내용시간	연간표준가동시간	상각비율	정비비율	연간관리비율	시 간 당(10^{-7})			
							상각비계수	정비비계수	관리비계수	계
5113-0001	25.4cm×40.64cm 18.65kW	12,000	890	0.9	0.85	0.1	750	708	655	2,113
0002	25.4cm×50.8cm 22.38kW	12,000	890	0.9	0.85	0.1	750	708	655	2,113
0003	25.4cm×60.96cm 29.84kW	12,000	890	0.9	0.85	0.1	750	708	655	2,113
0004	25.4cm×91.44cm 44.76kW	12,000	890	0.9	0.85	0.1	750	708	655	2,113
0005	45.72cm×60.90cm 55.95kW	12,000	890	0.9	0.85	0.1	750	708	655	2,113
0006	45.72cm×91.44cm 82.06kW	12,000	890	0.9	0.85	0.1	750	708	655	2,113
0007	50.8cm×91.44cm 104.44kW	12,000	890	0.9	0.85	0.1	750	708	655	2,113
0008	63.5cm×101.6cm 111.90kW	12,000	890	0.9	0.85	0.1	750	708	655	2,113
0009	76.2cm×101.6cm 141.74kW	12,000	890	0.9	0.85	0.1	750	708	655	2,113
0010	76.2cm×106.68cm 141.74kW	12,000	890	0.9	0.85	0.1	750	708	655	2,113
0011	106.68cm×121.92cm 231.26kW	12,000	890	0.9	0.85	0.1	750	708	655	2,113

[주] ① 동력, 벨트컨베이어, 에이프런 피더 등은 별도로 계상한다.
② 정비비에는 죠의 교환 및 용접비용이 포함되어 있다.

(5114) 롤 크러셔

분류 번호	규격	내용 시간	연간표준 가동시간	상각 비율	정비 비율	연간 관리 비율	시 간 당(10^{-7})			
							상각비 계수	정비비 계수	관리비 계수	계
5114-0001	40.64cm× 40.64cm 44.76kW	12,000	890	0.9	0.85	0.1	750	708	655	2,113
0002	60.96cm× 40.64cm 55.95kW	12,000	890	0.9	0.85	0.1	750	708	655	2,113
0003	76.2cm× 45.72cm 111.90kW	12,000	890	0.9	0.85	0.1	750	708	655	2,113
0004	76.2cm× 63.5cm 130.55kW	12,000	890	0.9	0.85	0.1	750	708	655	2,113
0005	76.2cm× 76.2cm 223.80kW	12,000	890	0.9	0.85	0.1	750	708	655	2,113
0006	101.6cm× 66.04cm 149.20kW	12,000	890	0.9	0.85	0.1	750	708	655	2,113
0007	104.14cm× 76.2cm 223.80kW	12,000	890	0.9	0.85	0.1	750	708	655	2,113
0008	139.7cm× 76.2cm 242.45kW	12,000	890	0.9	0.85	0.1	750	708	655	2,113

[주] ① 동력, 벨트컨베이어 등은 별도로 계상한다.
② 롤의 교환 및 용접비용은 정비비에 포함되어 있다.

(5115) 콘 크러셔

분류 번호	규격 (cm)	내용 시간	연간표준 가동시간	상각 비율	정비 비율	연간 관리 비율	시 간 당(10^{-7})			
							상각비 계수	정비비 계수	관리비 계수	계
5115-0030	60.96 (22kW)	12,000	890	0.9	0.7	0.1	750	583	655	1,988
0055	91.44 (40.5kW)	12,000	890	0.9	0.7	0.1	750	583	655	1,988
0075	121.92 (55kW)	12,000	890	0.9	0.7	0.1	750	583	655	1,988
0095	125.94 (70kW)	12,000	890	0.9	0.7	0.1	750	583	655	1,988

[주] 동력, 벨트컨베이어 등은 별도로 계상한다.

(5116) 스크린(2단식)

분류 번호	규격	내용 시간	연간표준 가동시간	상각 비율	정비 비율	연간 관리 비율	시 간 당(10^{-7})			
							상각비 계수	정비비 계수	관리비 계수	계
5116-0001	91.44cm× 243.84cm 5.60kW	12,000	890	0.9	0.55	0.1	750	458	655	1,863
0002	91.44cm× 304.8cm 5.60kW	12,000	890	0.9	0.55	0.1	750	458	655	1,863
0003	121.91cm× 243.84cm 7.46kW	12,000	890	0.9	0.55	0.1	750	458	655	1,863
0004	121.91cm× 304.8cm 7.46kW	12,000	890	0.9	0.55	0.1	750	458	655	1,863
0005	121.91cm× 356.76cm 11.19kW	12,000	890	0.9	0.55	0.1	750	458	655	1,863
0006	121.91cm× 426.72cm 11.19kW	12,000	890	0.9	0.55	0.1	750	458	655	1,863
0007	152.4cm× 365.76cm 14.92kW	12,000	890	0.9	0.55	0.1	750	458	655	1,863
0008	152.4cm× 426.72cm 18.65kW	12,000	890	0.9	0.55	0.1	750	458	655	1,863

[주] 원동기(전동기)가 부착되어 있는 것으로 운전경비는 별도 계상한다.

(5117) 스크린(3단식)

분류 번호	규격	내용 시간	연간표준 가동시간	상각 비율	정비 비율	연간 관리 비율	시 간 당(10^{-7})			
							상각비 계수	정비비 계수	관리비 계수	계
5117-0001	91.44cm× 243.84cm 7.46kW	12,000	890	0.9	0.55	0.1	750	458	655	1,863
0002	109.73cm× 304.8cm 7.46kW	12,000	890	0.9	0.55	0.1	750	458	655	1,863

분류번호	규격	내용시간	연간표준가동시간	상각비율	정비비율	연간관리비율	시 간 당(10^{-7})			
							상각비계수	정비비계수	관리비계수	계
0003	121.91cm× 304.8cm 11.19kW	12,000	890	0.9	0.55	0.1	750	458	655	1,863
0004	121.91cm× 356.76cm 14.92kW	12,000	890	0.9	0.55	0.1	750	458	655	1,863
0005	121.91cm× 426.72cm 14.92kW	12,000	890	0.9	0.55	0.1	750	458	655	1,863
0006	152.4cm× 365.76cm 22.38kW	12,000	890	0.9	0.55	0.1	750	458	655	1,863
0007	152.4cm× 426.72cm 22.38kW	12,000	890	0.9	0.55	0.1	750	458	655	1,863
0008	152.4cm× 487.68cm 29.84kW	12,000	890	0.9	0.55	0.1	750	458	655	1,863

[주] 원동기(전동기)가 부착되어 있는 것으로 운전경비는 별도 계상한다.

(5118) 아그리게이트빈

분류번호	규격	내용시간	연간표준가동시간	상각비율	정비비율	연간관리비율	시 간 당(10^{-7})			
							상각비계수	정비비계수	관리비계수	계
5118-0001	7.65㎥ 7.46kW	12,000	890	0.9	0.25	0.1	750	208	655	1,613
0002	16.06㎥ 11.19kW	12,000	890	0.9	0.25	0.1	750	208	655	1,613
0003	19.11㎥ 14.92kW	12,000	890	0.9	0.25	0.1	750	208	655	1,613
0004	22.94㎥ 14.92kW	12,000	890	0.9	0.25	0.1	750	208	655	1,613
0005	26.76㎥ 18.65kW	12,000	890	0.9	0.25	0.1	750	208	655	1,613
0006	34.41㎥ 22.38kW	12,000	890	0.9	0.25	0.1	750	208	655	1,613
0007	53.52㎥ 29.84kW	12,000	890	0.9	0.25	0.1	750	208	655	1,613

[주] 원동기(전동기)가 부착되어 있는 것으로 운전경비는 별도 계상한다.

(5119) 골재세척설비

분류번호	규격	내용시간	연간표준 가동시간	상각비율	정비비율	연간관리비율	시 간 당(10^{-7})			
							상각비계수	정비비계수	관리비계수	계
5119-0625	15 (62.5 ㎥/hr)	6,000	1,070	0.9	0.6	0.1	1,500	1,000	589	3,089

[주] ① 규격은 전동기 동력(kW)을 말하며, ( )는 시간당 표준 골재세척능력을 말한다.
② 원동기(전동기)가 부착되어 있는 것으로, 정치식을 말한다.
③ 벨트컨베이어(2기)가 포함되어 있는 것이며, 규격은 60.96cm ×914cm를 기준한 것이다.
④ 관정 및 침전조 등 부대시설은 별도 계상한다.

(5202) 파이프추진기(오거부착유압식)

분류번호	규격		내용시간	연간표준 가동시간	상각비율	정비비율	연간관리비율	시 간 당(10^{-7})			
	규격(ton)	굴삭경(m/m)						상각비계수	정비비계수	관리비계수	계
5202-0127	127	600-800	4,500	800	0.9	0.55	0.1	2,000	1,222	788	4,010
0240	240	600-1,200	4,500	800	0.9	0.55	0.1	2,000	1,222	788	4,010
0300	300	1,050	4,500	800	0.9	0.55	0.1	2,000	1,222	788	4,010

(5203) 파이프추진기(공압식)

분류번호	규격			내용시간	연간표준 가동시간	상각비율	정비비율	연간관리비율	시 간 당(10^{-7})			
	램머직경(m/m)	추진파이프직경(mm)	공기소비량(㎥/min)						상각비계수	정비비계수	관리비계수	계
5203-1800	180-195	100-400	5.5	4,000	890	0.9	0.6	0.1	2,250	1,500	730	4,480
2200	220-235	120-500	8.0	4,000	890	0.9	0.6	0.1	2,250	1,500	730	4,480
2700	270-330	200-600	12.0	4,000	890	0.9	0.6	0.1	2,250	1,500	730	4,480
3500	350-400	280-1000	20.0	4,000	890	0.9	0.6	0.1	2,250	1,500	730	4,480
4500	450-510	380-1400	35.0	4,000	890	0.9	0.6	0.1	2,250	1,500	730	4,480

(5204) 유압잭

분류번호	규격(ton)	내용시간	연간표준 가동시간	상각비율	정비비율	연간관리비율	시 간 당(10^{-7})			
							상각비계수	정비비계수	관리비계수	계
5204-0200	200	4,500	800	0.9	0.8	0.1	2,000	1,778	788	4,566
0300	300	4,500	800	0.9	0.8	0.1	2,000	1,778	788	4,566
0400	400	4,500	800	0.9	0.8	0.1	2,000	1,778	788	4,566
0500	500	4,500	800	0.9	0.8	0.1	2,000	1,778	788	4,566
0600	600	4,500	800	0.9	0.8	0.1	2,000	1,778	788	4,566

[주] 유압펌프, 조작 PALEN 및 회로, 유압호스 등이 포함되어 있다.

(5205) 공기압축기(이동식)

분류번호	규격 (㎥/min)	내용시간	연간표준 가동시간	상각비율	정비비율	연간관리비율	시 간 당(10⁻⁷) 상각비계수	정비비계수	관리비계수	계
5205-0035	3.5	12,000	1,070	0.9	0.5	0.1	750	417	552	1,719
0071	7.1	12,000	1,070	0.9	0.5	0.1	750	417	552	1,719
0103	10.3	12,000	1,070	0.9	0.5	0.1	750	417	552	1,719
0170	17.0	12,000	1,070	0.9	0.5	0.1	750	417	552	1,719
0210	21.0	12,000	1,070	0.9	0.5	0.1	750	417	552	1,719
0255	25.5	12,000	1,070	0.9	0.5	0.1	750	417	552	1,719

[주] ① 부수물(호스포함)은 별도 계상한다.
② 손료에는 타이어 경비가 포함되어 있다.

(5210) 소형브레이커(공압식)

분류번호	규 격	내용시간	시 간 당(10⁻⁷)
5210-0010	1.0㎥/min	3,600	2,500
0013	1.3㎥/min	3,600	2,500
0019	1.9㎥/min	3,600	2,500
0027	2.7㎥/min	3,600	2,500

[주] 공기압축기와 부수물의 관계는 다음과 같다.

(대)

공기압축기 규격 (㎥/min)	부수물 규격	래그해머 2.7 ㎥/min	드릴웨곤 (100mm) 74〃	드릴무한궤도 (120mm) 15〃	소형브레이커 1.0 ㎥/min	1.3 ㎥/min	1.9 ㎥/min	2.7 ㎥/min	바이브레이터 25 mm	37 mm	45 mm	60 mm
	사용에어호스경(mm)	19	38	50	19	19	19	19				
3.5		1	-	-	3	2	1	1	3	3	3	3
7.1		2(1)	-	-	7	5	3	2	7	7	7	7
10.3		3(2)	1	-	13	8	5	3	10	10	10	10
17.0		5(4)	2	1	17	13	9	6	17	17	17	17
25.5		9(8)	3	1	25	19	13	9	25	25	25	25

* 숫자는 부수물의 사용가능 대수를 말하며 ( )내의 수치는 수중 4m이하에서 작업할 경우임.

(5220) 소형브레이커(전기식)

분류번호	규 격	내용시간	시 간 당(10⁻⁷)
5220-0015	1.5kW	8,000	2,500

(5330) 드릴웨곤

분류번호	규격 (㎥/min)	내용시간	연간표준가동시간	상각비율	정비비율	연간관리비율	시 간 당(10⁻⁷) 상각비계수	정비비계수	관리비계수	계
5330-0074	7.4 (100mm)	6,000	1,070	0.9	0.25	0.1	1,500	417	589	2,506

[쥐] ① 규격은 1분당 공기소모량을 말하며 ( )내는 드리프터의 피스톤 직경을 말한다.
② 위의 표에는 드릴이 포함되어 있다.
③ 부수물(호스포함)은 별도 계상한다.

(5401) 크롤러드릴(공기식)

분류번호	규격 (㎥/min)	내용시간	연간표준가동시간	상각비율	정비비율	연간관리비율	시 간 당(10⁻⁷) 상각비계수	정비비계수	관리비계수	계
5401-0015	15 (120mm)	10,500	1,340	0.9	0.25	0.1	857	238	453	1,548
0017	17 (120mm)	6,000	1,070	0.9	0.25	0.1	1,500	417	589	2,506

[쥐] ① 규격은 1분당 공기소모량을 말하며 ( )내는 드리프터의 피스톤 직경을 말한다.
② 위의 표에는 드릴이 포함되어 있다.
③ 부수물(호스포함)은 별도 계상한다.

(5405) 크롤러드릴(탑승유압식)('08년 신설)

분류번호	규격 (kW)	내용시간	연간표준가동시간	상각비율	정비비율	연간관리비율	시 간 당(10⁻⁷) 상각비계수	정비비계수	관리비계수	계
5405-0110	110	10,500	1,340	0.9	0.25	0.1	857	238	453	1,548
0150	150	10,500	1,340	0.9	0.25	0.1	857	238	453	1,548

[쥐] 규격은 엔진 출력을 말한다.

(5501) 유압식할암기('20년 신설)

분류번호	규격 (mm)	내용시간	연간표준가동시간	상각비율	정비비율	연간관리비율	시 간 당(10⁻⁷) 상각비계수	정비비계수	관리비계수	계
5501-0080	⌀80	6,300	800	0.9	0.7	0.1	1,429	1,111	759	3,299

[쥐] ① 규격은 할암봉 직경을 기준한 것이다.
② 유압펌프, 유압호스 등이 포함되어 있다.

(5701) 노면파쇄기

분류번호	규격 (m)	내용시간	연간표준가동시간	상각비율	정비비율	연간관리비율	시간 당(10^{-7})			
							상각비계수	정비비계수	관리비계수	계
5701-0010	1.0	4,500	670	0.9	0.5	0.1	2,000	1,111	921	4,032
0020	2.0	4,500	670	0.9	0.5	0.1	2,000	1,111	921	4,032

(5702) 소형노면파쇄기('20년 신설)

분류번호	규격 (m^3)	내용시간	연간표준가동시간	상각비율	정비비율	연간관리비율	시간 당(10^{-7})			
							상각비계수	정비비계수	관리비계수	계
5702-0095	0.95	4,500	670	0.9	0.5	0.1	2,000	1,111	921	4,032

(5801) 터널전단면 굴착기(TBM)

분류번호	규격 (m)	내용시간	연간표준가동시간	상각비율	정비비율	연간관리비율	시간 당(10^{-7})			
							상각비계수	정비비계수	관리비계수	계
5801-0030	3.0	24,000	1,780	0.9	0.4	0.1	375	167	328	870
0035	3.5	24,000	1,780	0.9	0.4	0.1	375	167	328	870
0045	4.5	24,000	1,780	0.9	0.4	0.1	375	167	328	870
0070	7.0	24,000	1,780	0.9	0.4	0.1	375	167	328	870

[주] ① 규격은 굴착경을 말한다.
② Cutter는 별도 계상한다.
③ 정비비에는 벨트 콘베이어의 롤러 교환, 수리비용이 포함되었다.

(5805) 점보드릴('07년 신설)

분류번호	규격 (붐)	내용시간	연간표준가동시간	상각비율	정비비율	연간관리비율	시간 당(10^{-7})			
							상각비계수	정비비계수	관리비계수	계
5805-0002	2	9,000	800	0.9	0.7	0.1	1,000	777	738	2,515
0003	3	9,000	800	0.9	0.7	0.1	1,000	777	738	2,515

(5901) 코아드릴('14년 보완)

분류번호	규격 (cm)	내용시간	연간표준가동시간	상각비율	정비비율	연간관리비율	시간 당(10^{-7})			
							상각비계수	정비비계수	관리비계수	계
5901-0006	15.24	3,000	890	0.9	0.45	0.1	3,000	1,500	768	5,268
0010	25.40	3,000	890	0.9	0.45	0.1	3,000	1,500	768	5,268
0016	40.64	3,000	890	0.9	0.45	0.1	3,000	1,500	768	5,268

[주] ① 규격은 최대 천공직경을 말한다.
② 동력은 별도 계상한다.

8-3-7 [60]기초공사용 기계

(6105) 그라우팅 믹서

분류 번호	규격 (ℓ)	내용 시간	연간표준 가동시간	상각 비율	정비 비율	연간 관리 비율	시 간 당(10^{-7})			
							상각비 계수	정비비 계수	관리비 계수	계
6105-0190	190×2 (2kW)	4,000	890	0.9	0.55	0.1	2,250	1,375	730	4,355
0390	390×2 (5kW)	4,000	890	0.9	0.55	0.1	2,250	1,375	730	4,355

[주] ① 동력은 포함되어 있으며 ( )내의 숫자는 전동기 동력을 나타낸다.
② 시멘트를 주재료로 한 연동식 믹서를 기준한 것이다.

(6202) 그라우팅 펌프

분류 번호	규격 (ℓ/ min)	내용 시간	연간표준 가동시간	상각 비율	정비 비율	연간 관리 비율	시 간 당(10^{-7})			
							상각비 계수	정비비 계수	관리비 계수	계
6202-0060	30~60 (3.7)	4,000	890	0.9	0.55	0.1	2,250	1,375	730	4,355
0125	40~125 (7.5)	4,000	890	0.9	0.55	0.1	2,250	1,375	730	4,355
0200	50~200 (11)	4,000	890	0.9	0.55	0.1	2,250	1,375	730	4,355

[주] ① 시멘트를 주재료로 한 것이다.
② 동력은 포함되어 있으며 ( )내의 숫자는 전동기동력(kW)을 나타낸다.
③ 호스파이프는 별도 계상한다.
④ 규격은 매분 토출량을 말한다.

(6330) 디젤 파일 해머

분류 번호	규격 (ton)	내용 시간	연간표준 가동시간	상각 비율	정비 비율	연간 관리 비율	시 간 당(10^{-7})			
							상각비 계수	정비비 계수	관리비 계수	계
6330-0015	1.5	7,000	890	0.9	0.5	0.1	1,286	714	682	2,682
0022	2.2	7,000	890	0.9	0.5	0.1	1,286	714	682	2,682
0032	3.2	7,000	890	0.9	0.5	0.1	1,286	714	682	2,682
0040	4.0	7,000	890	0.9	0.5	0.1	1,286	714	682	2,682

(6408) 보링 기계

분류 번호	규격 (mm×m)	내용 시간	연간표준 가동시간	상각 비율	정비 비율	연간 관리 비율	시 간 당(10^{-7})			
							상각비 계수	정비비 계수	관리비 계수	계
6408-0015	40.5×150(7.46)	6,300	800	0.9	0.7	0.1	1,429	1,111	759	3,299
0020	50×200(11.19)	6,300	800	0.9	0.7	0.1	1,429	1,111	759	3,299
0030	50×300(11.19)	6,300	800	0.9	0.7	0.1	1,429	1,111	759	3,299
0040	42×400(11.19)	6,300	800	0.9	0.7	0.1	1,429	1,111	759	3,299
0050	66.7×500(14.92)	6,300	800	0.9	0.7	0.1	1,429	1,111	759	3,299
0085	66.7×850(29.84)	6,300	800	0.9	0.7	0.1	1,429	1,111	759	3,299
0100	60×1,000(37.30)	6,300	800	0.9	0.7	0.1	1,429	1,111	759	3,299

[주] ① 규격은 상용, 로드 직경×최대보링 깊이를 나타내며 ( )내의 숫자는 kW를 말한다.
② 로드, 비트, 케이싱 등은 별도 계상한다.
③ 동력은 포함되어 있지 않다.

(6410) 오거

분류 번호	규격 (kW)	내용 시간	연간표준 가동시간	상각 비율	정비 비율	연간 관리 비율	시 간 당(10^{-7})			
							상각비 계수	정비비 계수	관리비 계수	계
6410-0080	59.68	6,300	800	0.9	0.7	0.1	1,429	1,111	759	3,299
0100	74.60	6,300	800	0.9	0.7	0.1	1,429	1,111	759	3,299
0120	89.52	6,300	800	0.9	0.7	0.1	1,429	1,111	759	3,299
0150	111.90	6,300	800	0.9	0.7	0.1	1,429	1,111	759	3,299
0200	149.20	6,300	800	0.9	0.7	0.1	1,429	1,111	759	3,299

(6510) 오실레이터, 로테이터

분류 번호	규격 (mm)	내용 시간	연간표준 가동시간	상각 비율	정비 비율	연간 관리 비율	시 간 당(10^{-7})			
							상각비 계수	정비비 계수	관리비 계수	계
6510-0100	1,000	9,800	1,250	0.9	0.7	0.1	918	714	486	2,118
0150	1,500	9,800	1,250	0.9	0.7	0.1	918	714	486	2,118
0200	2,000	9,800	1,250	0.9	0.7	0.1	918	714	486	2,118
0250	2,500	9,800	1,250	0.9	0.7	0.1	918	714	486	2,118
0300	3,000	9,800	1,250	0.9	0.7	0.1	918	714	486	2,118

[주] 파워팩은 포함되었다.

(6515) 유압파워팩

분류 번호	규격 (kW)	내용 시간	연간표준 가동시간	상각 비율	정비 비율	연간 관리 비율	시간 당(10^{-7})			
							상각비 계수	정비비 계수	관리비 계수	계
6515-0090	67.14	6,300	800	0.9	0.7	0.1	1,429	1,111	759	3,299

(6516) 강연선인장기('14년 신설)

분류 번호	규격 (ton)	내용 시간	연간표준 가동시간	상각 비율	정비 비율	연간 관리 비율	시간 당(10^{-7})			
							상각비 계수	정비비 계수	관리비 계수	계
6516-0060	60	4,500	800	0.9	0.8	0.1	2,000	1,778	788	4,566
0120	120	4,500	800	0.9	0.8	0.1	2,000	1,778	788	4,566
0250	250	4,500	800	0.9	0.8	0.1	2,000	1,778	788	4,566
0300	300	4,500	800	0.9	0.8	0.1	2,000	1,778	788	4,566

[주] 유압펌프, 조작 PANEL 및 회로, 유압호스 등이 포함되어 있다.

(6517) 리버스서큘레이션드릴

분류 번호	규격 (mm)	내용 시간	연간표준 가동시간	상각 비율	정비 비율	연간 관리 비율	시간 당(10^{-7})			
							상각비 계수	정비비 계수	관리비 계수	계
6517-0100	1,000	14,000	1,250	0.9	0.7	0.1	643	500	472	1,615
0150	1,500	14,000	1,250	0.9	0.7	0.1	643	500	472	1,615
0200	2,000	14,000	1,250	0.9	0.7	0.1	643	500	472	1,615
0250	2,500	14,000	1,250	0.9	0.7	0.1	643	500	472	1,615
0300	3,000	14,000	1,250	0.9	0.7	0.1	643	500	472	1,615

(6518) 전회전식천공기('15년 신설)

분류 번호	규격 (mm)	내용 시간	연간표준 가동시간	상각 비율	정비 비율	연간 관리 비율	시간 당(10^{-7})			
							상각비 계수	정비비 계수	관리비 계수	계
6518-0100	1,000	14,000	1,250	0.9	0.7	0.1	643	500	472	1,615
0150	1,500	14,000	1,250	0.9	0.7	0.1	643	500	472	1,615
0200	2,000	14,000	1,250	0.9	0.7	0.1	643	500	472	1,615
0250	2,500	14,000	1,250	0.9	0.7	0.1	643	500	472	1,615
0300	3,000	14,000	1,250	0.9	0.7	0.1	643	500	472	1,615

(6530) 진동파일 해머(전동식)

분류 번호	규격 (kW)	내용 시간	연간표준 가동시간	상각 비율	정비 비율	연간 관리 비율	시 간 당(10^{-7})			
							상각비 계수	정비비 계수	관리비 계수	계
6530-0030	30	7,000	890	0.9	0.5	0.1	1,286	714	682	2,682
0040	40	7,000	890	0.9	0.5	0.1	1,286	714	682	2,682
0045	45	7,000	890	0.9	0.5	0.1	1,286	714	682	2,682
0060	60	7,000	890	0.9	0.5	0.1	1,286	714	682	2,682
0090	90	7,000	890	0.9	0.5	0.1	1,286	714	682	2,682
0120	120	7,000	890	0.9	0.5	0.1	1,286	714	682	2,682

(6532) 진동파일 해머(유압식)

분류 번호	규격 (kW)	내용 시간	연간표준 가동시간	상각 비율	정비 비율	연간 관리 비율	시 간 당(10^{-7})			
							상각비 계수	정비비 계수	관리비 계수	계
6532-0220	162	7,000	890	0.9	0.5	0.1	1,286	714	682	2,682

(6540) 워터젯트

분류 번호	규격 (kW)	내용 시간	연간표준 가동시간	상각 비율	정비 비율	연간 관리 비율	시 간 당(10^{-7})			
							상각비 계수	정비비 계수	관리비 계수	계
6540-0131	96	6,000	1,070	0.9	1.1	0.1	1,500	1,833	589	3,922

(6550) 유압식 압입 인발기

분류 번호	규격 (ton)	내용 시간	연간표준 가동시간	상각 비율	정비 비율	연간 관리 비율	시 간 당(10^{-7})			
							상각비 계수	정비비 계수	관리비 계수	계
6550-0130	100~130	7,000	890	0.9	0.35	0.1	1,286	500	682	2,468

(6630) 유압 파일 해머

분류 번호	규격 (ton)	내용 시간	연간표준 가동시간	상각 비율	정비 비율	연간 관리 비율	시 간 당(10^{-7})			
							상각비 계수	정비비 계수	관리비 계수	계
6630-0003	3	7,000	890	0.9	0.5	0.1	1,286	714	682	2,682
0005	5	7,000	890	0.9	0.5	0.1	1,286	714	682	2,682
0007	7	7,000	890	0.9	0.5	0.1	1,286	714	682	2,682
0010	10	7,000	890	0.9	0.5	0.1	1,286	714	682	2,682
0013	13	7,000	890	0.9	0.5	0.1	1,286	714	682	2,682

[주] 파워팩은 포함되었다.

(6701) PBD천공기(유압식)('13년 신설)

분류 번호	규격	내용 시간	연간표준 가동시간	상각 비율	정비 비율	연간 관리 비율	시간 당(10^{-7})			
							상각비 계수	정비비 계수	관리비 계수	계
6701-0147	147kW, 38m	10,000	1,250	0.9	0.7	0.1	900	700	485	2,085
0184	184kW, 53m	10,000	1,250	0.9	0.7	0.1	900	700	485	2,085

[주] 본 장비는 리더를 포함한다.

(6801) 고압분사전용장비('15년 신설)

분류 번호	규격	내용 시간	연간표준 가동시간	상각 비율	정비 비율	연간 관리 비율	시간 당(10^{-7})			
							상각비 계수	정비비 계수	관리비 계수	계
6801-0010	20ton	14,000	1,250	0.9	0.7	0.1	643	500	472	1,615

(6802) 파일천공전용장비('15년 신설)

분류 번호	규격	내용 시간	연간표준 가동시간	상각 비율	정비 비율	연간 관리 비율	시간 당(10^{-7})			
							상각비 계수	정비비 계수	관리비 계수	계
6802-0040	40	14,000	1,250	0.9	0.7	0.1	643	500	472	1,615
0060	60	14,000	1,250	0.9	0.7	0.1	643	500	472	1,615
0100	100	14,000	1,250	0.9	0.7	0.1	643	500	472	1,615
0120	120	14,000	1,250	0.9	0.7	0.1	643	500	472	1,615
0135	135	14,000	1,250	0.9	0.7	0.1	643	500	472	1,615
0160	160	14,000	1,250	0.9	0.7	0.1	643	500	472	1,615

[주] ① 규격은 전용장비의 최대운전하중을 기준으로 한 것이다.
② 본 장비는 리더가 포함된 것이다.

(6803) 다짐말뚝 전용장비('21년 신설)

분류 번호	규격 (ton)	내용 시간	연간표준 가동시간	상각 비율	정비 비율	연간 관리 비율	시간 당(10^{-7})			
							상각비 계수	정비비 계수	관리비 계수	계
6803-0100	100	10,000	1,250	0.9	0.7	0.1	900	700	485	2,085
0120	120	10,000	1,250	0.9	0.7	0.1	900	700	485	2,085

(6901) 자동화 믹서플랜트('15년 신설)

분류 번호	규격	내용 시간	연간표준 가동시간	상각 비율	정비 비율	연간 관리 비율	시간 당(10^{-7})			
							상각비 계수	정비비 계수	관리비 계수	계
6901-0010	0.5㎥	16,800	1,250	0.9	0.75	0.1	536	446	467	1,449

[주] 물탱크, 아지테이터, 모터 등 관련 부속기기가 포함되어있다.

8-3-8 [70]기타기계

(7101) 고성능 착정기

분류 번호	규격 (kW)	내용 시간	연간표준 가동시간	상각 비율	정비 비율	연간 관리 비율	시 간 당(10^{-7})			
							상각비 계수	정비비 계수	관리비 계수	계
7101-0450	335.70	6,300	800	0.9	0.65	0.1	1,429	1,032	759	3,220

[주] ① 트럭 적재식이고 공기압축기 및 동력이 포함되어 있다.
② 로드, 비트, 케이싱 등은 별도 계상한다.
③ 지하수개발용이다.

(7103) 하수관 천공기

분류 번호	규격	내용 시간	연간표준 가동시간	상각 비율	정비 비율	연간 관리 비율	시 간 당(10^{-7})			
							상각비 계수	정비비 계수	관리비 계수	계
7103-0010	수동식	6,300	800	0.9	0.65	0.1	1,429	1,032	759	3,220

[주] 드릴, 커터 등 소모성 공구가 포함되었다.

(7104) 상수도관 천공기

분류 번호	규격	내용 시간	연간표준 가동시간	상각 비율	정비 비율	연간 관리 비율	시 간 당(10^{-7})			
							상각비 계수	정비비 계수	관리비 계수	계
7104-0010	수동식	6,300	800	0.9	0.65	0.1	1,429	1,032	759	3,220

(7106) 골재 살포기(자주식)

분류 번호	규격 (m)	내용 시간	연간표준 가동시간	상각 비율	정비 비율	연간 관리 비율	시 간 당(10^{-7})			
							상각비 계수	정비비 계수	관리비 계수	계
7106-0035	3.5	8,000	890	0.9	0.65	0.1	1,125	813	674	2,612

(7110) 진공흡입 준설차('08년 신설, '12년 보완)

분류 번호	규격	내용 시간	연간표준 가동시간	상각 비율	정비 비율	연간 관리 비율	시 간 당(10^{-7})			
							상각비 계수	정비비 계수	관리비 계수	계
7110-0013	13톤(3.00㎥적)	8,400	1,070	0.9	0.65	0.1	1,071	774	568	2,413
0025	25톤(7.64㎥적)	8,400	1,070	0.9	0.65	0.1	1,071	774	568	2,413

(7120) 버킷식준설기

분류 번호	규격 (kW)	내용 시간	연간표준 가동시간	상각 비율	정비 비율	연간 관리 비율	시 간 당(10^{-7})			
							상각비 계수	정비비 계수	관리비 계수	계
7120-0746	7.46	5,000	890	0.9	0.5	0.1	1,800	1,000	708	3,508

[주] 호퍼식+자동굴절형을 포함한다.

(7202) 자동세륜기(롤 타입)('12년 보완)

분류 번호	규격 (W×L×H)	내용 시간	연간표준 가동시간	상각 비율	정비 비율	연간 관리 비율	시 간 당(10^{-7})			
							상각비 계수	정비비 계수	관리비 계수	계
7202-0008	2,200×5,150×1,000	3,000	540	0.9	0.7	0.1	3,000	2,333	1,169	6,502
7202-0010	2,650×5,160×1,000	3,000	540	0.9	0.7	0.1	3,000	2,333	1,169	6,502

[주] 자동세륜기 설치 및 해체에 따른 콘크리트 타설 등은 별도 계상한다.

(7204) 물탱크(살수차)

분류 번호	규격 (ℓ)	내용 시간	연간표준 가동시간	상각 비율	정비 비율	연간 관리 비율	시 간 당(10^{-7})			
							상각비 계수	정비비 계수	관리비 계수	계
7204-0018	1,800	11,000	890	0.9	0.7	0.1	818	636	659	2,113
0038	3,800	11,000	890	0.9	0.7	0.1	818	636	659	2,113
0055	5,500	11,000	890	0.9	0.7	0.1	818	636	659	2,113
0065	6,500	11,000	890	0.9	0.7	0.1	818	636	659	2,113
0160	16,000	11,000	890	0.9	0.7	0.1	818	636	659	2,113

[주] ① 트럭적재식이고 모터가 포함되어 있다.
② 타이어는 운전경비에서 별도 계상한다.

(7205) 이동식 임목파쇄기('07년 신설, '11년 보완)

분류 번호	규격 (kW)	내용 시간	연간표준 가동시간	상각 비율	정비 비율	연간 관리 비율	시 간 당(10^{-7})			
							상각비 계수	정비비 계수	관리비 계수	계
7205-0125	93.25	8,000	890	0.9	1.1	0.1	1,125	1,375	674	3,174
0475	354.35	8,000	890	0.9	1.1	0.1	1,125	1,375	674	3,174
0540	402.84	8,000	890	0.9	1.1	0.1	1,125	1,375	674	3,174

(7206) 부착용 집게('07년 신설, '11, '12년 보완)

분류 번호	규격 (㎥)	내용 시간	연간표준 가동시간	상각 비율	정비 비율	연간 관리 비율	시 간 당(10^{-7})			
							상각비 계수	정비비 계수	관리비 계수	계
7206-0020	0.2	3,000	890	0.9	1.1	0.1	3,000	3,667	768	7,435
0070	0.6~0.8	3,000	890	0.9	1.1	0.1	3,000	3,667	768	7,435

[주] 0.2㎥는 철도용 회전집게이며, 0.6~0.8㎥는 임목파쇄기용 부착집게를 의미한다.

(7210) 동력분무기('14년 신설)

분류 번호	규격 (kW)	내용 시간	연간표준 가동시간	상각 비율	정비 비율	연간 관리 비율	시 간 당(10^{-7})			
							상각비 계수	정비비 계수	관리비 계수	계
7210-0485	4.85	8,000	890	0.9	0.8	0.1	1,125	1,000	674	2,799

(7330) 라인 마커

분류 번호	규격 (km/hr)	내용 시간	연간표준 가동시간	상각 비율	정비 비율	연간 관리 비율	시 간 당(10^{-7})			
							상각비 계수	정비비 계수	관리비 계수	계
7330-0010	10	8,000	890	0.9	0.45	0.1	1,125	563	674	2,362

[주] ① 규격은 시간당 작업속도를 나타낸다.
② 타이어는 운전경비에서 별도 계상한다.

(7360) 차선 제거기('20년 보완)

분류 번호	규격 (kW)	내용 시간	연간표준 가동시간	상각 비율	정비 비율	연간 관리 비율	시 간 당(10^{-7})			
							상각비 계수	정비비 계수	관리비 계수	계
7360-0055	4.10	8,000	890	0.9	0.8	0.1	1,125	1,000	674	2,799
0090	6.71	8,000	890	0.9	0.8	0.1	1,125	1,000	674	2,799

(7430) 윈치(수동)

분류 번호	기종	규격 (ton)	내용 시간	연간표준 가동시간	상각 비율	정비 비율	연간 관리 비율	시 간 당(10^{-7})			
								상각비 계수	정비비 계수	관리비 계수	계
7430-1100	수동 싱글 드럼	1 (11.19)	8,000	890	0.9	1.1	0.1	1,125	1,375	674	3,174
1300		3 (22.38)	8,000	890	0.9	1.1	0.1	1,125	1,375	674	3,174
1500		5 (37.30)	8,000	890	0.9	1.1	0.1	1,125	1,375	674	3,174
7430-1100	수동 싱글 드럼	1 (11.19)	8,000	890	0.9	1.1	0.1	1,125	1,375	674	3,174
1300		3 (22.38)	8,000	890	0.9	1.1	0.1	1,125	1,375	674	3,174
1500		5 (37.30)	8,000	890	0.9	1.1	0.1	1,125	1,375	674	3,174

분류 번호	기종	규격 (ton)	내용 시간	연간표준 가동시간	상각 비율	정비 비율	연간 관리 비율	시간 당(10⁻⁷)			
								상각비 계수	정비비 계수	관리비 계수	계
2300	더블 드럼	3 (22.38)	8,000	890	0.9	1.1	0.1	1,125	1,375	674	3,174
2500		5 (37.30)	8,000	890	0.9	1.1	0.1	1,125	1,375	674	3,174

[주] ① 규격의 ( )내 단위는 kW이다.
　　② 원동기(전동기)가 부착되어 있는 것으로 운전경비는 별도 계상한다.
　　③ 정비비에는 와이어가 포함되어 있다.

(7431) 윈치(자동)

분류 번호	기종	규격 (ton)	내용 시간	연간표준 가동시간	상각 비율	정비 비율	연간 관리 비율	시간 당(10⁻⁷)			
								상각비 계수	정비비 계수	관리비 계수	계
7431-1100	자동 싱글 드럼	1 (11.19)	8,000	890	0.9	1.1	0.1	1,125	1,375	674	3,174
1300		3 (22.38)	8,000	890	0.9	1.1	0.1	1,125	1,375	674	3,174
2300	더블 드럼	3 (22.38)	8,000	890	0.9	1.1	0.1	1,125	1,375	674	3,174
2500		5 (37.30)	8,000	890	0.9	1.1	0.1	1,125	1,375	674	3,174

[주] ① 규격의 ( )내 단위는 kW이다.
　　② 원동기(전동기)가 부착되어 있는 것으로 운전경비는 별도 계상한다.
　　③ 정비비에는 와이어가 포함되어 있다.

(7505) 발전기

분류 번호	규격 (kW)	내용 시간	연간표준 가동시간	상각 비율	정비 비율	연간 관리 비율	시간 당(10⁻⁷)			
							상각비 계수	정비비 계수	관리비 계수	계
7505-0025	25	8,000	890	0.9	0.45	0.1	1,125	563	674	2,362
0050	50	8,000	890	0.9	0.45	0.1	1,125	563	674	2,362
0100	100	8,000	890	0.9	0.45	0.1	1,125	563	674	2,362
0125	125	8,000	890	0.9	0.45	0.1	1,125	563	674	2,362
0150	150	8,000	890	0.9	0.45	0.1	1,125	563	674	2,362
0200	200	8,000	890	0.9	0.45	0.1	1,125	563	674	2,362
0250	250	8,000	890	0.9	0.45	0.1	1,125	563	674	2,362
0350	350	8,000	890	0.9	0.45	0.1	1,125	563	674	2,362

분류번호	규격(kW)	내용시간	연간표준가동시간	상각비율	정비비율	연간관리비율	시 간 당(10^{-7})			
							상각비계수	정비비계수	관리비계수	계
0450	450	8,000	890	0.9	0.45	0.1	1,125	563	674	2,362
0500	500	8,000	890	0.9	0.45	0.1	1,125	563	674	2,362
0700	700	8,000	890	0.9	0.45	0.1	1,125	563	674	2,362

[주] ① 원동기(전동기)가 부착되어 있는 것으로 운전경비는 별도 계상한다.
② 전선 기타 부속설비는 별도 계상한다.

(7611) 용접기(교류)

분류번호	규격(Amp)	내용시간	연간표준가동시간	상각비율	정비비율	연간관리비율	시 간 당(10^{-7})			
							상각비계수	정비비계수	관리비계수	계
7611-0200	200	8,000	890	0.9	0.45	0.1	1,125	563	674	2,362
0300	300	8,000	890	0.9	0.45	0.1	1,125	563	674	2,362
0400	400	8,000	890	0.9	0.45	0.1	1,125	563	674	2,362
0500	500	8,000	890	0.9	0.45	0.1	1,125	563	674	2,362

[주] 공구 및 전선 등은 별도 계상한다.

(7612) 용접기(직류)

분류번호	규격(Amp)	내용시간	연간표준가동시간	상각비율	정비비율	연간관리비율	시 간 당(10^{-7})			
							상각비계수	정비비계수	관리비계수	계
7612-0200	200	8,000	890	0.9	0.45	0.1	1,125	563	674	2,362
0300	300	8,000	890	0.9	0.45	0.1	1,125	563	674	2,362
0400	400	8,000	890	0.9	0.45	0.1	1,125	563	674	2,362

[주] 공구 및 전선은 별도 계상한다.

(7613) 용착기

분류번호	규격(mm)	내용시간	연간표준가동시간	상각비율	정비비율	연간관리비율	시 간 당(10^{-7})			
							상각비계수	정비비계수	관리비계수	계
7613-0075	20-75	8,000	890	0.9	0.45	0.1	1,125	563	674	2,362
0150	100-150	8,000	890	0.9	0.45	0.1	1,125	563	674	2,362
0300	200-300	8,000	890	0.9	0.45	0.1	1,125	563	674	2,362
0400	350-400	8,000	890	0.9	0.45	0.1	1,125	563	674	2,362
0600	450-600	8,000	890	0.9	0.45	0.1	1,125	563	674	2,362
0900	700-900	8,000	890	0.9	0.45	0.1	1,125	563	674	2,362

[주] 규격은 맞이음(버트용착식)접합 관경의 규격이다.

(7614) 알곤 용접기

분류번호	규격 (Amp)	내용시간	연간표준가동시간	상각비율	정비비율	연간관리비율	시 간 당(10^{-7})			
							상각비계수	정비비계수	관리비계수	계
7614-0300	300	8,000	890	0.9	0.45	0.1	1,125	563	674	2,362

[주] 공구, 전선 및 냉각장치 등은 별도 계상한다.

(7620) 절단기

분류번호	규격 (cm)	내용시간	연간표준가동시간	상각비율	정비비율	연간관리비율	시 간 당(10^{-7})			
							상각비계수	정비비계수	관리비계수	계
7620-0002	5.08~15.24	2,250	670	0.9	0.25	0.1	4,000	1,111	1,021	6,132
0003	40.64	2,250	670	0.9	0.25	0.1	4,000	1,111	1,021	6,132

(7621) 프라즈마 절단기

분류번호	규격 (Amp)	내용시간	연간표준가동시간	상각비율	정비비율	연간관리비율	시 간 당(10^{-7})			
							상각비계수	정비비계수	관리비계수	계
7621-0100	100	8,000	890	0.9	0.45	0.1	1,125	563	674	2,362

[주] 공구 및 전선 등은 별도 계상한다.

(7730) 건설용펌프(자흡식)

분류번호	규격 (mm)	내용시간	연간표준가동시간	상각비율	정비비율	연간관리비율	시 간 당(10^{-7})			
							상각비계수	정비비계수	관리비계수	계
7730-0050	50(1.49×10)	7,000	890	0.9	0.55	0.1	1,286	786	682	2,754
0080	80(3.73×15)	7,000	890	0.9	0.55	0.1	1,286	786	682	2,754
0100	100(3.73×20)	7,000	890	0.9	0.55	0.1	1,286	786	682	2,754
0125	125(11.19×20)	7,000	890	0.9	0.55	0.1	1,286	786	682	2,754
0150	150(14.92×20)	7,000	890	0.9	0.55	0.1	1,286	786	682	2,754

[주] ① 동력은 포함되어 있지 않으며 ( )내 숫자는 조합시 필요한 동력(㎾)×양정(m)를 말한다.
② 규격은 파이프 직경을 나타낸다.
③ 파이프 또는 호스를 별도 계상한다.

(7740) 수중모터 펌프

분류번호	규격 (mm)	내용시간	연간표준가동시간	상각비율	정비비율	연간관리비율	시 간 당(10^{-7})			
							상각비계수	정비비계수	관리비계수	계
7740-0080	80	6,000	1,070	0.9	1.0	0.1	1,500	1,667	589	3,756
0100	100	6,000	1,070	0.9	1.0	0.1	1,500	1,667	589	3,756
0150	150	6,000	1,070	0.9	1.0	0.1	1,500	1,667	589	3,756

[주] ① 모터, 수중케이블, 케이블밴드, 호스커플링이 포함된다.
② 동력은 포함되어 있지 않으며 규격은 파이프 직경을 나타낸다.

(7750) 취부기(녹생토 암절개면 보호식재용)

분류 번호	규격 (kW)	내용 시간	연간표준 가동시간	상각 비율	정비 비율	연간 관리 비율	시간 당(10^{-7})			
							상각비 계수	정비비 계수	관리비 계수	계
7750-0016	11.94	4,000	890	0.9	0.55	0.1	2,250	1,375	730	4,355
0025	18.65	4,000	890	0.9	0.55	0.1	2,250	1,375	730	4,355

(7770) 실사출기

분류 번호	규격 (노즐류)	내용 시간	연간표준 가동시간	상각 비율	정비 비율	연간 관리 비율	시간 당(10^{-7})			
							상각비 계수	정비비 계수	관리비 계수	계
7770-0004	4	4,000	890	0.9	0.55	0.1	2,250	1,375	730	4,355

(7811) 엔진(가솔린)

분류 번호	기종	규격 (kW)	내용 시간	연간표준 가동시간	상각 비율	정비 비율	연간 관리 비율	시간 당(10^{-7})			
								상각비 계수	정비비 계수	관리비 계수	계
7811-0025	가솔린	1.87	8,000	890	0.9	0.8	0.1	1,125	1,000	674	2,799
0030	엔진	2.24	8,000	890	0.9	0.8	0.1	1,125	1,000	674	2,799
0040		2.98	8,000	890	0.9	0.8	0.1	1,125	1,000	674	2,799
0045		3.36	8,000	890	0.9	0.8	0.1	1,125	1,000	674	2,799
0070		5.22	8,000	890	0.9	0.8	0.1	1,125	1,000	674	2,799
0120		8.95	8,000	890	0.9	0.8	0.1	1,125	1,000	674	2,799

(7812) 엔진(디젤)

분류 번호	기종	규격 (kW)	내용 시간	연간표준 가동시간	상각 비율	정비 비율	연간 관리 비율	시간 당(10^{-7})			
								상각비 계수	정비비 계수	관리비 계수	계
7812-0005	디젤	3.73	8,000	890	0.9	0.8	0.1	1,125	1,000	674	2,799
0007	엔진	5.22	8,000	890	0.9	0.8	0.1	1,125	1,000	674	2,799
0009		6.71	8,000	890	0.9	0.8	0.1	1,125	1,000	674	2,799
0015		11.19	8,000	890	0.9	0.8	0.1	1,125	1,000	674	2,799
0018		13.43	8,000	890	0.9	0.8	0.1	1,125	1,000	674	2,799
0020		14.92	8,000	890	0.9	0.8	0.1	1,125	1,000	674	2,799
0035		26.11	8,000	890	0.9	0.8	0.1	1,125	1,000	674	2,799
0070		52.22	8,000	890	0.9	0.8	0.1	1,125	1,000	674	2,799
0100		74.60	8,000	890	0.9	0.8	0.1	1,125	1,000	674	2,799

분류번호	기종	규격(kW)	내용시간	연간표준가동시간	상각비율	정비비율	연간관리비율	시간 당(10⁻⁷) 상각비계수	시간 당(10⁻⁷) 정비비계수	시간 당(10⁻⁷) 관리비계수	계
0150		111.90	8,000	890	0.9	0.8	0.1	1,125	1,000	674	2,799
0200		149.20	8,000	890	0.9	0.8	0.1	1,125	1,000	674	2,799

(7830) 우레탄폼 분사용기구('15년 신설)

분류번호	규격(kg/min)	내용시간	연간표준가동시간	상각비율	정비비율	연간관리비율	시간 당(10⁻⁷) 상각비계수	시간 당(10⁻⁷) 정비비계수	시간 당(10⁻⁷) 관리비계수	계
7830-0081	8.1	6,000	890	0.9	0.5	0.1	1,500	833	693	3,026

[주] 규격은 토출량을 기준으로 한 것이다.

(7930) 모터

분류번호	규격(kW)	내용시간	연간표준가동시간	상각비율	정비비율	연간관리비율	시간 당(10⁻⁷) 상각비계수	시간 당(10⁻⁷) 정비비계수	시간 당(10⁻⁷) 관리비계수	계
7930-0001	0.75	12,100	980	0.9	0.25	0.1	744	207	598	1,549
0002	1.49	12,100	980	0.9	0.25	0.1	744	207	598	1,549
0003	2.24	12,100	980	0.9	0.25	0.1	744	207	598	1,549
0005	3.73	12,100	980	0.9	0.25	0.1	744	207	598	1,549
0007	5.60	12,100	980	0.9	0.25	0.1	744	207	598	1,549
0010	7.46	12,100	980	0.9	0.25	0.1	744	207	598	1,549
0015	11.19	12,100	980	0.9	0.25	0.1	744	207	598	1,549
0020	14.92	12,100	980	0.9	0.25	0.1	744	207	598	1,549
0025	18.65	12,100	980	0.9	0.25	0.1	744	207	598	1,549
0030	22.38	12,100	980	0.9	0.25	0.1	744	207	598	1,549
0040	29.84	12,100	980	0.9	0.25	0.1	744	207	598	1,549
0050	37.30	12,100	980	0.9	0.25	0.1	744	207	598	1,549
0075	55.95	12,100	980	0.9	0.25	0.1	744	207	598	1,549
0100	74.60	12,100	980	0.9	0.25	0.1	744	207	598	1,549

(7935) 모터(쉴드TBM용)('08년 신설)

분류번호	규격(kW)	내용시간	연간표준가동시간	상각비율	정비비율	연간관리비율	시간 당(10⁻⁷) 상각비계수	시간 당(10⁻⁷) 정비비계수	시간 당(10⁻⁷) 관리비계수	계
7935-0180	180	12,100	980	0.9	0.25	0.1	744	207	598	1,549

(7950) 레일천공기('12년 보완)

분류번호	규격(kW)	내용시간	연간표준가동시간	상각비율	정비비율	연간관리비율	시간 당(10^{-7}) 상각비계수	정비비계수	관리비계수	계
7950-0149	1.49	6,300	800	0.9	0.65	0.1	1,429	1,032	759	3,220

(7951) 파워렌치('12년 보완)

분류번호	규격(kW)	내용시간	연간표준가동시간	상각비율	정비비율	연간관리비율	시간 당(10^{-7}) 상각비계수	정비비계수	관리비계수	계
7951-0066	6.6	8,000	890	0.9	0.8	0.1	1,125	1,000	674	2,799

(7952) 침목천공기('12년 보완)

분류번호	규격(kW)	내용시간	연간표준가동시간	상각비율	정비비율	연간관리비율	시간 당(10^{-7}) 상각비계수	정비비계수	관리비계수	계
7952-0246	2.46	6,300	800	0.9	0.65	0.1	1,429	1,032	759	3,220

(7953) 타이템퍼('12년 보완)

분류번호	규격(회/min)	내용시간	연간표준가동시간	상각비율	정비비율	연간관리비율	시간 당(10^{-7}) 상각비계수	정비비계수	관리비계수	계
7953-3400	3400	3,000	890	0.9	0.35	0.1	3,000	1,167	768	4,935

(7954) 양로기('12년 보완)

분류번호	규격(kW)	내용시간	연간표준가동시간	상각비율	정비비율	연간관리비율	시간 당(10^{-7}) 상각비계수	정비비계수	관리비계수	계
7954-1119	11.19	8,000	890	0.9	0.8	0.1	1,125	1,000	674	2,799

(7991) 모르타르 펌프('14년 보완)

분류번호	규격	시간 당(10^{-7})
7991-0050	3.73kW	4,677
0100	7.46kW	4,677
0500	37kW	4,677

(7992) 모르타르 믹서

분류번호	규격	시간 당(10^{-7})
7992-0001	0.3㎥	3,708

(7993) 양수기

분류번호	규격	시 간 당(10^{-7})
7993-0020	1.49kW	3,375

(7994) POWER TLOWEL

분류번호	규격	시 간 당(10^{-7})
7994-0050	3.73kW	5,313

(7995) 배관파이프

분류번호	규격	시 간 당(10^{-7})
7995-0050	ø50-2.6m	5,000

8-3-9 [80]스마트 건설장비

(8201) 3D GNSS 머신 가이던스(굴삭기용)

분류 번호	규격 (kW)	내용 시간	연간표준 가동시간	상각 비율	정비 비율	연간 관리 비율	시 간 당(10^{-7})			
							상각비 계수	정비비 계수	관리비 계수	계
8201-0100	3D GNSS MG	5,000	1,250	0.9	0.8	0.1	1,800	1,600	530	3,930

[주] 3D GNSS 머신 가이던스의 구성품은 GNSS 이동국, 관성 측정 장치(Inertial Measurement Unit; IMU), 케이블 및 브래킷, 메인 통합 컨트롤러, 머신 가이던스 디스플레이 화면 등이다.

8-3-10 [90]해상장비

(9010) 펌프 준설선('10년 보완)

분류 번호	규격		내용 시간	연간 표준 가동 시간	상각 비율	정비 비율	연간 관리 비율	시 간 당(10^{-7})			
	형식	출력 (kW)						상각비 계수	정비비 계수	관리비 계수	계
9010-0003	비항 SD	224	30,000	2,670	0.9	0.75	0.09	300	250	199	749
0006		448	30,000	2,670	0.9	0.75	0.09	300	250	199	749
0010		746	30,000	2,670	0.9	0.75	0.09	300	250	199	749
0012		895	3,0000	2,670	0.9	0.75	0.09	300	250	199	749
0020		1,492	30,000	2,670	0.9	0.75	0.09	300	250	199	749
0022		1,641	30,000	2,670	0.9	0.75	0.09	300	250	199	749
0033		2,462	30,000	2,670	0.9	0.75	0.09	300	250	199	749
0040		2,984	30,000	2,670	0.9	0.75	0.09	300	250	199	749
0044		3,282	30,000	2,670	0.9	0.75	0.09	300	250	199	749
0060		4,476	30,000	2,670	0.9	0.75	0.09	300	250	199	749
0080		5,968	30,000	2,670	0.9	0.75	0.09	300	250	199	749
0120		8,952	30,000	2,670	0.9	0.75	0.09	300	250	199	749
0200		14,920	30,000	2,670	0.9	0.75	0.09	300	250	199	749

(9020) 그래브 준설선 ('11년 보완)

분류 번호	규격		내용 시간	연간 표준 가동 시간	상각 비율	정비 비율	연간 관리 비율	시 간 당(10^{-7})			
	형식	출력 (kW)						상각비 계수	정비비 계수	관리비 계수	계
9020-	비항 SD										
0010	0.65㎥	75	20,000	1,780	0.9	0.75	0.1	450	375	331	1,156
0015	1.00	112	20,000	1,780	0.9	0.75	0.1	450	375	331	1,156
0016	1.50	119	20,000	1,780	0.9	0.75	0.1	450	375	331	1,156
0022	3.00	164	20,000	1,780	0.9	0.75	0.1	450	375	331	1,156
0035	5.00	261	20,000	1,780	0.9	0.75	0.1	450	375	331	1,156
0050	6.00	373	20,000	1,780	0.9	0.75	0.1	450	375	331	1,156
0072	7.50	537	20,000	1,780	0.9	0.75	0.1	450	375	331	1,156
0160	12.50	1,194	20,000	1,780	0.9	0.75	0.1	450	375	331	1,156
0180	16.00	1,343	20,000	1,780	0.9	0.75	0.1	450	375	331	1,156
0200	25.00	1,491	20,000	1,780	0.9	0.75	0.1	450	375	331	1,156

[주] 규격 중 0010~0022는 경량급 버킷의 평적용량(Water Level)을 기준으로 한 것이며, 0035~0200은 중량급 버킷의 평적용량을 기준으로 한 것이다.

(9030) 예 선 ('10, '11년 보완)

분류 번호	규격		내용 시간	연간 표준 가동 시간	상각 비율	정비 비율	연간 관리 비율	시 간 당(10^{-7})			
	형식	출력 (kW)						상각비 계수	정비비 계수	관리비 계수	계
9030-	SD										
0016	10ton	119	28,000	1,430	0.9	0.8	0.1	321	286	401	1,008
0018	40ton	134	28,000	1,430	0.9	0.8	0.1	321	286	401	1,008
0025	50ton	187	28,000	1,430	0.9	0.8	0.1	321	286	401	1,008
0035	65ton	261	28,000	1,430	0.9	0.8	0.1	321	286	401	1,008
0045	80ton	336	28,000	1,430	0.9	0.8	0.1	321	286	401	1,008
0050	90ton	373	28,000	1,430	0.9	0.8	0.1	321	286	401	1,008
0080	120ton	597	28,000	1,430	0.9	0.8	0.1	321	286	401	1,008
0100	150ton	746	28,000	1,430	0.9	0.8	0.1	321	286	401	1,008
0240		1,790	28,000	1,430	0.9	0.8	0.1	321	286	401	1,008

(9040) 양묘선(앵커바지) ('11년 보완)

분류 번호	규격		내용 시간	연간 표준 가동 시간	상각 비율	정비 비율	연간 관리 비율	시 간 당(10⁻⁷)			
	형식	출력 (kW)						상각비 계수	정비비 계수	관리비 계수	계
9040-	SD										
0010		7.5	28,800	1,430	0.9	0.8	0.1	313	278	400	991
0030		22.4	28,800	1,430	0.9	0.8	0.1	313	278	400	991
0050		37.3	28,800	1,430	0.9	0.8	0.1	313	278	400	991
0060		44.8	28,800	1,430	0.9	0.8	0.1	313	278	400	991
0100		74.6	28,800	1,430	0.9	0.8	0.1	313	278	400	991
0120		89.5	28,800	1,430	0.9	0.8	0.1	313	278	400	991
0200		149.2	28,800	1,430	0.9	0.8	0.1	313	278	400	991
0250		186.5	28,800	1,430	0.9	0.8	0.1	313	278	400	991
0300		223.8	28,800	1,430	0.9	0.8	0.1	313	278	400	991
0380		283.5	28,800	1,430	0.9	0.8	0.1	313	278	400	991
0680		507.3	28,800	1,430	0.9	0.8	0.1	313	278	400	991

(9050) 기중기선(비자항)('11년 보완)

분류 번호	규격		내용 시간	연간 표준 가동 시간	상각 비율	정비 비율	연간 관리 비율	시 간 당(10⁻⁷)			
	형식	출력 (kW)						상각비 계수	정비비 계수	관리비 계수	계
9050-	SD										
0075	15ton 달기	56.0	19,200	1,430	0.9	0.75	0.1	469	391	408	1,268
0150	30ton	111.9	19,200	1,430	0.9	0.75	0.1	469	391	408	1,268
0450	60ton	335.7	19,200	1,430	0.9	0.75	0.1	469	391	408	1,268
0750	120ton	559.5	19,200	1,430	0.9	0.75	0.1	469	391	408	1,268
0850	150ton	634.1	19,200	1,430	0.9	0.75	0.1	469	391	408	1,268

(9060) 토운선('11년 보완)

분류 번호	규격		내용 시간	연간 표준 가동 시간	상각 비율	정비 비율	연간 관리 비율	시 간 당(10⁻⁷)			
	형식	출력 (kW)						상각비 계수	정비비 계수	관리비 계수	계
9060-	SD										
0060	60㎥		19,200	1,430	0.9	0.75	0.1	469	391	408	1,268
0100	100㎥		19,200	1,430	0.9	0.75	0.1	469	391	408	1,268
0200	200㎥		19,200	1,430	0.9	0.75	0.1	469	391	408	1,268
0300	300㎥		19,200	1,430	0.9	0.75	0.1	469	391	408	1,268
0500	500㎥		19,200	1,430	0.9	0.75	0.1	469	391	408	1,268
0600	600㎥		19,200	1,430	0.9	0.75	0.1	469	391	408	1,268

(9070) 이우선(비자항)('11년 보완)

분류 번호	규격		내용 시간	연간 표준 가동 시간	상각 비율	정비 비율	연간 관리 비율	시간 당(10^{-7})			
	형식	출력 (kW)						상각비 계수	정비비 계수	관리비 계수	계
9070-											
0015	50ton대선 5ton달기	11.19	16,000	1,430	0.9	0.7	0.1	563	438	413	1,414
0020	80ton대선 8ton달기	14.92	16,000	1,430	0.9	0.7	0.1	563	438	413	1,414

(9080) 대선('11년 보완)

분류 번호	규격		내용 시간	연간 표준 가동 시간	상각 비율	정비 비율	연간 관리 비율	시간 당(10^{-7})			
	형식	출력 (kW)						상각비 계수	정비비 계수	관리비 계수	계
9080-	SD										
0050	50ton		19,200	1,430	0.9	0.7	0.1	469	365	408	1,242
0080	80ton		19,200	1,430	0.9	0.7	0.1	469	365	408	1,242
0100	100ton		19,200	1,430	0.9	0.7	0.1	469	365	408	1,242
0120	120ton		19,200	1,430	0.9	0.7	0.1	469	365	408	1,242
0150	150ton		19,200	1,430	0.9	0.7	0.1	469	365	408	1,242
0200	200ton		19,200	1,430	0.9	0.7	0.1	469	365	408	1,242
0300	300ton		19,200	1,430	0.9	0.7	0.1	469	365	408	1,242
0500	500ton		19,200	1,430	0.9	0.7	0.1	469	365	408	1,242
0700	700ton		19,200	1,430	0.9	0.7	0.1	469	365	408	1,242
1000	1,000ton		19,200	1,430	0.9	0.7	0.1	469	365	408	1,242
1100	1,100ton		19,200	1,430	0.9	0.7	0.1	469	365	408	1,242
1400	1,400ton		19,200	1,430	0.9	0.7	0.1	469	365	408	1,242
1500	1,500ton		19,200	1,430	0.9	0.7	0.1	469	365	408	1,242
1750	1,750ton		19,200	1,430	0.9	0.7	0.1	469	365	408	1,242
2000	2,000ton		19,200	1,430	0.9	0.7	0.1	469	365	408	1,242
3000	3,000ton		19,200	1,430	0.9	0.7	0.1	469	365	408	1,242

(9090) 하천골재채취선('11년 보완)

분류번호	규격 형식	규격 출력 (kW)	내용시간	연간 표준 가동 시간	상각비율	정비비율	연간 관리비율	시간 당(10^{-7}) 상각비 계수	시간 당(10^{-7}) 정비비 계수	시간 당(10^{-7}) 관리비 계수	계
9090-											
0800		597	30,000	2,670	0.9	0.85	0.1	300	283	221	804
1000		746	30,000	2,670	0.9	0.85	0.1	300	283	221	804
1200		895	30,000	2,670	0.9	0.85	0.1	300	283	221	804
1300		970	30,000	2,670	0.9	0.85	0.1	300	283	221	804
1400		1,044	30,000	2,670	0.9	0.85	0.1	300	283	221	804
1500		1,119	30,000	2,670	0.9	0.85	0.1	300	283	221	804
1600		1,194	30,000	2,670	0.9	0.85	0.1	300	283	221	804

8-4 운전경비 산정('08, '09, '10, '11, '12, '13, '14, '15, '16, '17년 보완)

8-4-1 [00]토공기계

분류번호	기계명	규격	주연료 (ℓ/hr)	잡재료 (주연료의%)	조종원 (인/일)
0101-0007	불도저(무한궤도)	7ton	9.0	16%	1
0010		10	12.5	16	1
0012		12	14.6	16	1
0019		19	25.0	16	1
0032		32	41.6	16	1
0102-0015	불도저(타이어)	15ton	19.2	50	1
0028		28	36.0	50	1
0033		33	42.4	50	1
0121-0004	습지불도저	4ton	5.4	23	1
0013		13	14.6	23	1
0201-0012	굴삭기(무한궤도)	0.12㎥	3.2	21	1
0020		0.2	5.0	21	1
0040		0.4	9.9	22	1
0060		0.6	10.2	22	1
0070		0.7	11.6	22	1
0080		0.8	15.3	22	1
0100		1.0	19.5	22	1
0120		1.2	20.2	22	1
0200		2.0	32.8	22	1
0211-0018	굴삭기(타이어)	0.18㎥	5.6	24	1
0060		0.6	11.6	24	1
0080		0.8	16.3	24	1
0100		1.0	20.5	24	1

→

분류번호	기계명	규격	주연료 (ℓ/hr)	잡재료 (주연료의%)	조종원 (인/일)
0221-0040	습 지 굴 삭 기	0.4㎥	9.5	15	1
0070	(무 한 궤 도)	0.7	11.0	15	1
0260-0355	트 랜 처	3.55톤	6.7	34	1
0301-0057	로 더 (무 한 궤 도)	0.57㎥	4.8	21	1
0076		0.76	6.3	21	1
0095		0.95	7.4	21	1
0115		1.15	9.5	21	1
0134		1.34	11.3	21	1
0153	로 더 (무 한 궤 도)	1.53	13.3	21	1
0172		1.72	14.6	21	1
0287		2.87	25.3	21	1
0302-0025	로 더 (타 이 어)	0.25㎥	3.3	44	1
0057		0.57	3.5	44	1
0095		0.95	6.2	44	1
0134		1.34	7.7	44	1
0172		1.72	9.8	44	1
0229		2.29	13.3	44	1
0287		2.87	16.4	44	1
0350		3.5	19.9	44	1
0500		5.0	29.4	44	1
0406-0054	스 크 레 이 퍼 (자 주 식)	5.4㎥	19.5	22	1
0115		11.5	41.6	22	1
0161		16.1	53.6	22	1
0206		20.6	63.0	22	1
0502-0036	모 터 그 레 이 더 (일 반 용)	3.6m	16.2	39	1
0503-0036	모 터 그 레 이 더 (사 리 도)	3.6m	16.2	113	1
0602-0025	덤 프 트 럭	2.5ton	2.9	38	1
0045		4.5	5.0	38	1
0060		6	8.0	38	1
0080		8	9.3	38	1
0105		10.5	14.1	38	1
0150		15	15.9	38	1
0200		20ton	20.0	38	1
0240		24	23.0	38	1
0320		32	29.1	38	1

8-4-2 [10]다짐기계

분류번호	기계명	규격	주연료 (ℓ/hr)	잡재료 (주연료의%)	조종원 (인/일)
1106-0010	머 캐 덤 롤 러	8~10ton	7.6	18	1
0012	(자 주 식)	10~12	9.3	18	1
0015		12~15	10.9	18	1
1206-0008	탠덤롤러(자주식)	5~8ton	5.0	18	1
0010		8~10	6.8	18	1
0014		10~14	8.4	18	1
1209-0001	탠 덤 롤 러	1ton	2.5	8	1
0002	(진 동 자 주 식)	2	4.1	8	1
0004		4	8.2	8	1
0006		6	10.2	8	1
0007		7	11.2	8	1
0008		8	11.2	8	1
0013		13	16.8	8	1
1305-0007	진동롤러(핸드가이드식)	0.7ton	2.2	13	1
1306-0025	진동롤러(자주식)	2.5ton	2.3	13	1
0044		4.4ton	3.2	13	1
0060		6	11.6	30	1
0100		10	14.4	30	1
0120		12	15.8	30	1
1406-0008	타 이 어 롤 러	5~8ton	4.9	23	1
0015	(자 주 식)	8~15	8.0	23	1
0025		15~25	10.0	23	1
1506-0011	양 족 식 롤 러	11ton	11.3	18	1
0012	(자 주 식)	12	13.7	18	1
0015		15	22.5	18	1
0019		19	27.2	18	1
0025		25	27.2	18	1
0030		30	32.6	18	1
0032		32	35.2	18	1
0037		37	41.4	18	1
1630-0080	래 머	80kg	휘발유0.7	10	1
1730-0015	플레이트콤팩터	1.5ton	휘발유1.0	20	1

8-4-3 [20]운반 및 하역기계('21년 보완)

분류번호	기계명	규격	주연료 (ℓ/hr)	잡재료 (주연료의%)	조종원 (인/일)
2101-0010	크 레 인 (무 한 궤 도)	10ton (0.29)	5.8	20	1
0015		15 (0.38)	7.2	20	1
0020		20 (0.57)	8.6	20	1
0025		25 (0.76)	9.6	20	1
0030		30 (1.15)	10.5	20	1
0035		35 (1.33)	11.2	20	1
0040		40 (1.53)	11.5	20	1
0050		50 (1.91)	12.0	20	1
0070		70 (2.29)	17.2	20	1
0080		80 (2.68)	19.1	20	1
0100		100	23.9	20	1
0150		150	24.4	20	1
0220		220	25	20	1
0280		280	28	20	1
0300		300	28	20	1
2104-0010	크 레 인 (타 이 어)	10ton	3.8	39	1
0015		15	4.7	39	1
0020		20	5.4	39	1
0025		25	6.1	39	1
0030		30	7.7	39	1
0035		35	7.7	39	1
0040		40	8.5	57	1
0045		45	10.0	57	1
0050		50	10.0	57	1
0060		60	10.6	57	1
0070		70	12.3	57	1
0080		80	12.3	57	1
0100		100	15.9	57	1

분류번호	기계명	규격	주연료 (ℓ/hr)	잡재료 (주연료의%)	조종원 (인/일)
0130		130	17.7	63	1
0160		160	19.6	63	1
0200		200	22	63	1
0220		220	22	63	1
0250		250	24	63	1
0300	크 레 인 (타 이 어)	300ton	24	63	1
2105-0002	트 럭 탑 재 형	2ton	2.9	20	1
0003	크 레 인	3	3.1	20	1
0005		5	5.1	20	1
0010		10	10.3	20	1
0015		15	11	20	1
0018		18	11.3	20	1
2106-0002	고 소 작 업 차	2ton	2.9	20	1
0003		3	3.1	20	1
0005		5	5.1	20	1
2107-0005	터널용고소작업차	0.5ton	5.1	20	1
2208-5008	타 워 크 레 인	50×8	-	-	1
5010		50×10	-	-	1
5012		50×12	-	-	1
5016		50×16	-	-	1
5020		50×20	-	-	1
2330-0005	디 젤 기 관 차	5ton	3.5	20.2	1
0007		7	4.2	20.2	1
2402-0001	경 운 기	1ton	1.3	20	1
2502-0020	지 게 차	2.0ton	4.0	37	1
0025		2.5	4.0	37	1
0035		3.5	5.7	37	1
0050		5.0	5.7	37	1
0075		7.5	6.6	37	1
2602-0015	트 랙 터 (타 이 어)	1.5ton	4.5	29	1
0025		2.5	6.8	29	1
0035		3.5	9.2	29	1
0045		4.5	11.3	29	1
2702-0020	트 럭 트 랙 터 및 평 판 트 레 일 러	20ton	16.5	39	1
0030		30	17.2	39	1
0040		40	20.5	39	1
0060		60	26.3	39	1

8-4-4 [30]포장기계

분류번호	기계명	규격	주연료 (ℓ/hr)	잡재료 (주연료의%)	조종원 (인/일)
3108-0040	아스팔트믹싱플랜트	40ton/hr(80kW)	중유487.2	-	2
0060		60 (120)	614.7	-	2
0080		80 (160)	678.4	-	2
0100		100(200)	746.7	-	2
0120		120(240)	819.6	-	2
3201-0001	아스팔트피니셔	1.7m	7	7	1
0003		3m	13	7	1
3302-0030	아스팔트디스트리뷰터	3,000ℓ	8.9	25	1
0038		3,800	10.9	25	1
0047		4,700	11.3	25	1
0057		5,700	14.3	25	1
3430-0030	아스팔트스프레어	300ℓ	휘발유0.8	6	1
0040		400	휘발유1.2	6	1
3450-0642	현장가열표층재생기	479kW	73.7+ 휘발유54.5	20	7
3530-0015	스테이빌라이저 (안정기)	1.5	17.0	27	1
0036		3.6m	35.0	27	1
3601-0102	콘크리트피니셔(포장용)	74.6kW	9.6	14	1
0202	〃	160.4	20.6	14	1
0204	〃	186.5	24.0	14	1
0302	〃	224.0	28.9	14	1
0402	〃	299.9	38.7	14	1
3611-0142	콘크리트피니셔 (중앙분리대용)	105.9kW	10.6	18	1
3701-0200	콘크리트 스프레더	7.95m	12.7	18	1
3801-0795	콘크리트조면마무리기	7.95m	3.9	18	1
0120		12	휘발유5.1	6	1
3805-0120	콘크리트롤러페이버	12m	휘발유4.1	6	1
3901-0300	슬러리실 기계	3.0~3.8m	23.4	29	1

8-4-5 [40]콘크리트기계

분류번호	기계명	규격	주연료 (ℓ/hr)	잡재료 (주연료의%)	조종원 (인/일)
4108-0060	콘크리트배치플랜트	60㎥/hr(96kW)	-	-	1
0090		90 (144)	-	-	1
0120		120 (160)	-	-	1
0150		150 (177)	-	-	1
0180		180 (213)	-	-	1
0210		210 (233)	-	-	1
4205-0010	콘크리트믹서	0.1㎥	휘발유1.3	2	1
0017		0.17	휘발유1.3	2	1
0020		0.20	휘발유1.3	2	1
0030		0.30	휘발유2.0	2	1
0040		0.40	휘발유3.9	2	1
0045		0.45	휘발유3.9	2	1
4304-0060	콘크리트믹서트럭	6.0㎥	13.0	44	1
0061		6.0(L)	13.0	44	1
4430-0400	커터 (콘크리트 및 아스팔트용)	320~400mm	휘발유5.6	20	1
4504-0021	콘크리트펌프차	21m	14.7	35	1
0028		28m	15.3	35	1
0032		32m	17.3	35	1
0036		36m	17.7	35	1
0041		41m	23.3	35	1
0043		43m	26.3	35	1
0047		47m	26.3	35	1
0052		52m	31.0	35	1
4506-0200	초고압펌프	200(kg/㎠)	7.6	16	-
0400		400	21.7	16	-
4611-0350	콘크리트진동기	45ø	휘발유1.0	10	-

8-4-6 [50]골재생산기계 등

분류번호	기계명	규격	주연료 (ℓ/hr)	잡재료 (주연료의%)	조종원 (인/일)
5105-0050	크러셔(이동식)	50ton/hr(93㎾)	-	-	1
0100		100 (155)	-	-	1
0150		150 (260)	-	-	1
0200		200 (326)	-	-	1
5119-0625	골재세척설비	15㎾ (62.5㎥/hr)	-	-	1
5205-0035	공기압축기(이동식)	3.5㎥/min	6.2	16	1
0071		7.1	10.0	16	1
0103		10.3	14.2	16	1
0170		17.0	23.5	16	1
0210		21.0	27.6	16	1
0255		25.5	32.3	16	1
5401-0015	크롤러드릴(공기식)	15(120mm)	-	-	1
0017		17(120mm)	-	-	1
5405-0110	크롤러드릴	110㎾	18.6	23	1
0150	(탑승유압식)	150	25.7	23	1
5701-0010	노면파쇄기	1.0m	13.9	16	1
0020		2.0m	52.7	16	1
5801-0045	터널전단면굴착기	4.5m	동력330㎾	10	-
5805-0002	점보드릴	2붐	135㎾	6	1
0003		3	239㎾	10	1

8-4-7 [60]기초공사용 기계('21년 보완)

분류번호	기계명	규격	주연료 (ℓ/hr)	잡재료 (주연료의%)	조종원 (인/일)
6330-0015	디젤파일해머	1.5ton	7.3	36	1
0022		2.2	11.8	36	1
0032		3.2	15.5	36	1
0040		4.0	20.0	36	1
6540-0131	워터젯트	96㎾	25.0	18	-
6630-0003	유압파일해머	3ton	15.4	18	-
0005		5	19.3	18	-
0007		7	24.0	18	-
0010		10	31.8	18	-
0013		13	42.3	18	-
6701-0147	PBD천공기	147㎾,38m	29.8	15	1
0184	(유압식)	184㎾,53m	37.5	15	1
6801-0010	고압분사전용장비	20ton	16.3	16	1

분류번호	기계명	규격	주연료 (ℓ/hr)	잡재료 (주연료의%)	조종원 (인/일)
6802-0040	파일천공전용장비	40	9.02	20	1
0060		60	13.30	20	1
0100		100	18.69	20	1
0120		120	20.61	20	1
0135		135	21.85	20	1
0160		160	23.65	20	1
6803-0100	다짐말뚝전용장비	100ton	12	20	1
0120		120ton	19.1	20	1

8-4-8 [70]기타기계

분류번호	기계명	규격	주연료 (ℓ/hr)	잡재료 (주연료의%)	조종원 (인/일)
7101-0450	고성능착정기	335.70kW	39.5	50	1
7106-0035	골재살포기(자주식)	3.5m	3.2	24	1
7110-0013	진공흡입준설차	13ton(3.00㎥ 적)	15.2	40	1
0025		25ton(7.64㎥ 적)	27.6	40	1
7120-0746	버킷식준설기	7.46kW	1.3	20	1
7202-0008	자동세륜기	2,200×5,1	동력	-	-
0010	(롤타입)	50×1,000	15.1kW		
		2,650×5,160 ×1,000	동력 15.1kW		
7204-0018	물탱크(살수차)	1,800ℓ	8.2	30	1
0038		3,800ℓ	8.6	30	1
0055		5,500ℓ	9.3	30	1
0065		6,500ℓ	9.4	30	1
0160		16,000ℓ	12.9	30	1
7205-0125	이동식 임목파쇄기	93.25kW	-	-	1
0475		354.35kW	80.9	24	1
0540		402.84kW	95.8	24	1
7210-0485	동력분무기	4.85kW	휘발유1.3	20	-
7330-0010	라인마커	10km/hr	20.7	4	1
7360-0055	차선제거기	4.10kW	휘발유3.38	20	1
0090		6.71	휘발유5.53	20	
7505-0025	발전기	25kW	4.3	24	1
0050		50	8.7	24	1
0100		100	17.4	24	1
0125		125	19.4	24	1
0150		150	23.0	24	1
0200		200	30.6	24	1
0250		250	38.3	24	1

분류번호	기계명	규격	주연료 (ℓ/hr)	잡재료 (주연료의%)	조종원 (인/일)
0350		350	53.6	24	1
0450		450	68.9	24	1
0500		500	76.6	24	1
0700		700	107.3	24	1
7811-0025	엔 진 (가 솔 린)	1.87kW	휘발유0.5	20	-
0030		2.24	0.6	20	-
0040		2.98	0.8	20	-
0045		3.36	0.9	20	-
0070		5.22	1.4	20	-
0120		8.95	2.4	20	-
7812-0005	엔 진 (디 젤)	3.73kW	0.5	16	-
0007		5.22	0.8	16	-
0009		6.71	1.0	16	-
0015		11.19	1.6	16	-
0018		13.43	2.0	16	-
0020		14.92	2.2	16	-
0035		26.11	3.8	16	-
0070		52.22	7.6	16	-
0100		74.60	10.8	16	-
0150		111.90	16.3	16	-
0200		149.20	21.7	16	-
7954-1119	양 로 기	11.19kW	1.6	16	1
7991-0050	모 르 타 르 펌 프	3.73kW	3.73kW	-	-
0100		7.46kW	7.46kW	-	-
0500		37kW	37kW	-	-
7992-0001	모 르 타 르 믹 서	0.3m³	1.87kW 휘발유1.3	2	-
7993-0020	양 수 기	1.49kW	1.49kW	-	-
7994-0050	POWER TROWEL	3.73kW	휘발유1	10	-

[주] ① 휘발유 및 경유
  ㉮ 시간당 소비량을 말하며 엔진부하율(Load Factor) 70~80%, 실작업시간은 50/60을 각각 기준으로하여 산정한 것이다.
  ㉯ 보조엔진에 사용되는 유류는 위의 표에 포함되어 있다.
  ㉰ 주연료란에 휘발유 및 중유로 표시되지 아니한 것은 경유를 말한다.
    (해상장비 포함)
② 엔진유 기어유, 유압유, 구리스, 넝마 등 잡재료는 크랑크케이스용량, 피스톤 및 링의 상태, 기어박스의 용량, 오일의 교환시간 등을 고려하여 보충량을 포함한 시간당 소비량을 주연료비의 비율로 표기한 것이다.
③ 삽날, 귀삽날, 타이어, 티스의 소모율은 잡재료에 포함되었다.
④ 크러셔(정치식)의 운전경비는 크러셔(이동식)의 운전경비를 준용한다.
⑤ 불도저와 리퍼 또는 굴삭기와 브레이커를 조합하여 사용할 때는 불도저 또는 굴삭기의 잡재료 비율을 16%로 계상한 후, 리퍼의 손료 또는 브레이커손료 및 치즐 소모율을 추가하는 것이다.
⑥ 타워크레인의 연료 소모량은 별도 계상한다.

8-4-9 [90]해상기계

(9010) 펌프준설선 ('10, '11년 보완)

명 칭	단위	규격													비 고
		kW 224	kW 448	kW 746	kW 895	kW 1,492	kW 1,641	kW 2,462	kW 2,984	kW 3,282	kW 4,476	kW 5,968	kW 8,952	kW 14,920	
주 연료	ℓ/hr	50.1	101.9	163.1	222.8	370.0	409.0	560.2	649.4	753.8	1,268	1,690	2,291.9	3,819.9	
잡재료	%	36	27	27	27	23	23	23	23	23	23	23	13~18	13~18	주연료의%
준설선 선 장	인	1	1	1	1	1	1	1	1	1	1	1	1	1	
준설선 기관사	〃	2	2	2	3	3	3	3	3	3	3	3	3	3	
준설선 운전사	〃	2	2	2	2	2	2	2	2	2	2	2	2	2	
선 원	〃	3	3	4	4	4	4	4	5	5	6	6	6	8	

(9020) 그래브 준설선 ('10, '11년 보완)

명 칭	단위	규격										비 고
		0.65m³ 75kW	1.00m³ 112kW	1.50m³ 119kW	3.0m³ 164kW	5.0m³ 261kW	6.0m³ 373kW	7.50m³ 537kW	12.5m³ 1,194kW	16.0m³ 1,343kW	25.0m³ 1,491kW	
주 연 료	ℓ/hr	12.7	19.1	20.4	28.0	67.9	79.9	91.7	203.7	224.2	250.5	
잡 재 료	%	63	63	63	54	54	27	27	23	23	23	주연료의%
준설선 선 장	인	1	1	1	1	1	1	1	1	1	1	
준설선 기관사	〃	-	1	1	2	2	2	2	3	3	3	
준설선 운전사	〃	1	1	1	1	1	1	1	1	1	1	
선 원	〃	2	2	2	2	2	3	3	3	3	3	

[주] 주 연료는 주기관의 연료이며 잡재료에는 윤활유, 구리스, 작동유 넝마 및 보조기관용 연료 등이 포함되어 있다.

(9030) 예 선 ('10, '11년 보완)

명 칭	단위	규격								비 고
		kW 119	kW 134	kW 187	kW 261	kW 336	kW 373	kW 597	kW 746	kW 1,790	
주 연 료	ℓ/hr	23.2	26.2	36.4	50.9	65.5	72.8	116.4	145.5	349.2	
잡 재 료	%	45	45	36	36	32	32	27	27	18	주연료의%
선 원	인	3	3	3	3	3	3	4	4	4	

(9040) 양묘선(앵커바지) ('11년 보완)

명 칭	단위	규격										비고
		1ton 7.5 kW	2t 22.4 kW	3t 37.3 kW	4t 44.8 kW	10t 74.6 kW	12t 89.5 kW	20t 149.2 kW	25t 186.5 kW	30t 223.8 kW	40t 283.5 kW	70t 507.3 kW	
주 연 료	ℓ/hr	1.3	3.8	7.1	7.6	12.7	15.3	25.5	31.8	38.1	48.3	86.3	주연료의%
잡 재 료	%	63	63	63	63	63	63	63	63	63	63	63	
선 원	인	2	2	2	2	2	2	3	3	3	3	3	

(9050) 기중기선(비자항) ('11년 보완)

명 칭	단위	규격					비고
		15ton달기 56.0kW	30ton달기 111.9kW	60ton달기 335.7kW	120ton달기 559.5kW	150ton달기 634.1kW	
주 연 료	ℓ/hr	9.5	19.1	57.3	95.5	108.3	주연료의%
잡 재 료	%	81	73	63	58	56	
건설기계운전사	인	1	1	1	1	1	
선 원	인	2	2	3	4	4	

(9060) 토운선 ('11년 보완)

명 칭	단위	규격						비고
		S60㎥적	S100㎥적	S200㎥적	S300㎥적	S500㎥적	S600㎥적	
주 연 료	ℓ/hr	-	-	-	-	-	-	주연료의%
잡 재 료	%	-	-	-	-	-	-	
선 원	인	1	1	1	1	1	1	

[주] 토운선 개폐에 대한 주연료 및 잡재료비는 별도 계상한다.

(9070) 이우선(비자항) ('11년 보완)

명 칭	단위	규격		비고
		5ton 11.19kW	8ton 14.92kW	
주 연 료	ℓ/hr	1.9	2.5	주연료의%
잡 재 료	%	63	63	
선 원	인	3	3	

(9080) 대선 ('11년 보완)

명 칭	단위	규격																	비고
		S 50 ton 적	S 80 ton 적	S 100 ton 적	S 120 ton 적	S 150 ton 적	S 200 ton 적	S 300 ton 적	S 500 ton 적	S 700 ton 적	S 1,000 ton 적	S 1,100 ton 적	S 1,400 ton 적	S 1,500 ton 적	S 1,750 ton 적	S 2,000 ton 적	S 3,000 ton 적	
주연료	ℓ/hr	-	-	-	-	-	-	-	-	-	-	-	-	-	-	-	-	
잡재료	%	-	-	-	-	-	-	-	-	-	-	-	-	-	-	-	-	
고급선원	인	1	1	1	2	2	2	2	2	2	2	2	2	2	2	2	2	

(9090) 하천골재채취선 ('11년 보완)

명 칭	단위	규격							비고
		kW 597	kW 746	kW 895	kW 970	kW 1,044	kW 1,119	kW 1,194	
주 연 료	ℓ/hr	123.8	152.4	208.3	225.4	242.6	259.8	276.9	
잡 재 료	%	29	29	25	25	25	25	25	주연료의%
준설선기관사	〃	1	1	1	1	1	1	1	
준설선운전사	〃	1	1	1	1	1	1	1	
선 원	〃	1	1	1	1	1	1	1	

[주] 잡재료는 윤활유, 구리스, 작동유 이외에 케이싱, 임펠라 등의 소모품비도 포함되어 있다.

8-5 기계가격

8-5-1 [00]토공기계

기 종	분류번호	가격(₩)
불 도 저	0101-0007	68,505
(무 한 궤 도)	0010	151,934
	0012	175,000
	0019	178,140
	0032	240,506
불 도 저	0102-0015	145,269
(타 이 어)	0028	268,427
	0033	340,275
유 압 식 리 퍼	0103-0016	12,646
	0019	15,980
	0023	17,713
	0027	20,629
	0032	25,054
습 지 불 도 저	0121-0004	40,586
	0013	152,011

→

기 종	분류번호	가격(₩)
굴 삭 기 (무 한 궤)	0201-0012 0020 0040 0060 0070 0080 0100 0120 0200	42,390 60,905 76,714 100,529 108,021 118,075 130,772 166,539 285,978
굴 삭 기 (타 이 어)	0211-0018 0060 0080 0100	64,642 110,382 126,963 130,375
습 지 굴 삭 기 (무 한 궤 도)	0221-0040 0070	91,788 147,973
대 형 브 레 이 커	0230-0002 0004 0006 0007 0008 0010	4,173 7,646 12,975 15,827 20,733 26,265
유 압 식 진 동 콤 팩 터 (굴 삭 기 부 착 용)	0240-0007	10,716
압 쇄 기 (펄 버 라 이 저)	0250-0080 0100	21,989 26,150
트 랜 처	0260-0355	241,683
로 더 (무 한 궤 도)	0301-0057 0076 0095 0115 0134 0153 0172 0287	43,135 56,399 69,109 81,887 93,455 104,474 114,589 181,450
로 더 (타 이 어)	0302-0025 0057 0095 0134 0172	28,225 32,251 41,203 83,595 107,782

→

기 종	분류번호	가격(₩)
	0229	116,138
	0287	140,281
	0350	171,630
	0500	288,400
스크레이퍼 (자 주 식)	0406-0054	91,867
	0115	170,898
	0161	226,213
	0206	286,228
스크레이퍼 (피 견 인 식)	0407-0054	30,527
	0092	39,733
	0107	53,208
	0161	73,934
	0206	105,029
모터그레이더 (일 반 용)	0502-0036	282,357
모터그레이더 (사 리 도)	0503-0036	240,118
덤 프 트 럭	0602-0025	20,334
	0045	23,739
	0060	25,940
	0080	34,588
	0105	48,855
	0150	83,860
	0200	117,790
	0240	136,759
	0320	195,237
덤프트럭자동덮개 시 설	0610-0150	1,512
	0200	1,633
	0240	1,754

8-5-2 [10]다짐기계

기종	분류번호	가격(₩)
머캐덤롤러	1106-0010	51,074
(자 주 식)	0012	63,765
	0015	71,519
탠덤롤러	1206-0008	44,916
(자 주 식)	0010	46,674
	0014	53,827
탠덤롤러	1209-0001	10,015
(진동자주식)	0002	18,070
	0004	41,058
	0006	60,291
	0007	77,527
	0008	81,632
	0013	137,166
진동롤러	1305-0007	6,339
(핸드가이드식)		
진동롤러	1306-0025	16,766
(자 주 식)	0044	19,618
	0060	56,292
	0100	88,085
	0120	94,800
타이어롤러	1406-0008	57,442
(자 주 식)	0015	89,878
	0025	127,711
양족식롤러	1506-0011	101,796
(자 주 식)	0012	115,026
	0015	132,447
	0019	190,726
	0025	240,822
	0030	288,973
	0032	309,714
	0037	361,566
래머	1630-0080	1,290
플레이트콤팩터	1730-0015	1,522

8-5-3 [20]운반 및 하역기계

기종	분류번호	가격(₩)
크 레 인 (무 한 궤 도)	2101-0010	72,383
	0015	119,287
	0020	152,238
	0025	176,097
	0030	228,357
	0035	300,674
	0040	302,793
	0050	410,117
	0070	439,324
	0080	590,500
	0100	647,168
	0150	905,097
	0220	1,171,442
	0280	2,174,973
	0300	2,671,903
크 레 인 (타 이 어)	2104-0010	128,600
	0015	172,559
	0020	218,492
	0025	272,390
	0030	306,153
	0035	312,018
	0040	365,743
	0045	402,273
	0050	493,239
	0060	532,723
	0070	623,393
	0080	779,296
	0100	934,159
	0130	1,249,900
	0160	1,672,943
	0200	1,765,550
	0220	2,163,287
	0250	2,523,836
	0300	3,335,887
트 럭 탑 재 형 크 레 인	2105-0002	30,912
	0003	34,121
	0005	37,438
	0010	80,209
	0015	105,314
	0018	111,313

→

기종	분류번호	가격(₩)
고소작업차	2106-0002	37,062
	0003	61,973
	0005	128,244
터널용고소작업차	2107-0005	80,441
리더 (고정형)	2115-0024	23,855
	0031	30,813
	0036	35,783
리더 (회전형)	2116-0031	77,506
	0036	82,475
케이싱	2117-0022	1,135
	0027	1,389
스킵버킷	2118-0010	9,338
타워크레인	2208-5008	270,415
	5010	328,600
	5012	389,869
	5016	474,300
	5020	646,333
건설용 리프트 (인화물용)	2210-0145	22,938
디젤기관차	2330-0005	12,351
	0007	17,297
경운기	2402-0001	1,898
지게차	2502-0020	22,643
	0025	25,220
	0035	31,646
	0050	43,629
	0075	58,824
트랙터 (타이어)	2602-0015	10,119
	0025	14,795
	0035	18,342
	0045	23,542
트럭트랙터 및 평판트레일러	2702-0020	61,567
	0030	82,960
	0040	109,449
	0060	153,227

8-5-4 [30]포장기계

기종	분류번호	가격(₩)
아스팔트믹싱플랜트	3108-0040	311,504
	0060	410,430
	0080	526,310
	0100	635,000
	0120	707,917
아스팔트피니셔	3201-0001	199,250
	0003	217,360
아스팔트디스트리뷰터	3302-0030	45,105
	0038	57,139
	0047	67,939
	0057	76,980
아스팔트스프레이어	3430-0300	2,060
	0400	2,803
현장가열표층재생기	3450-0642	4,108,536
스테이빌라이저(안정기)	3530-0015	104,367
	0036	132,788
콘크리트피니셔(포장용)	3601-0102	152,235
	0202	260,978
	0204	449,000
	0302	612,233
	0402	703,810
콘크리트피니셔(중앙분리대용)	3611-0142	229,486
콘크리트스프레더	3701-0200	331,381
콘크리트조면마무리기	3801-0795	70,079
	0120	75,919
콘크리트롤러페이버	3805-0120	75,999
슬러리실기계	3901-0300	242,150

8-5-5 [40]콘크리트기계

기 종	분류번호	가격(₩)
콘크리트배치플랜트	4108-0060	182,976
	0090	245,493
	0120	339,531
	0150	404,286
	0180	412,500
	0210	478,125
사일로	4115-0100	28,605
	0150	35,434
	0200	42,264
	0300	49,092
콘크리트믹서	4205-0010	1,682
	0017	2,865
	0020	3,369
	0030	4,054
	0040	4,637
	0045	5,219
콘크리트믹서트럭	4304-0060	79,301
	0061	78,805
커터	4430-0400	2,875
콘크리트펌프차	4504-0021	172,299
	0028	218,600
	0032	248,444
	0036	304,313
	0041	328,357
	0043	400,200
	0047	448,125
	0052	474,444
콘크리트펌프	4505-0015	46,828
	0026	66,680
초고압펌프	4506-0200	61,331
	0400	259,759
콘크리트진동기	4611-0075	131
	0350	243

8-5-6 [50]골재생산기계 등

기종	분류번호	가격(₩)
크　　　러　　　셔	5105-0050	220,261
(　이　동　식　)	0100	305,779
	0150	344,003
	0200	374,588
벨　트　콘　베　이　어	5111-0040	5,778
	0050	6,058
	0060	7,177
	0076	8,215
	0091	9,700
에　이　프　런	5112-0001	28,951
피　　　　　더	0002	31,519
	0003	40,805
	0004	42,329
	0005	56,791
죠　크　러　셔	5113-0001	26,634
	0002	28,582
	0003	33,569
	0004	35,982
	0005	48,289
	0006	73,021
	0007	75,635
죠　크　러　셔	0008	117,279
	0009	141,812
	0010	145,818
	0011	337,460
롤　크　러　셔	5114-0001	20,758
	0002	29,147
	0003	46,019
	0004	61,707
	0005	63,680
	0006	84,639
	0007	118,651
	0008	146,623
콘　크　러　셔	5115-0030	54,484
	0055	83,578
	0075	127,837
	0095	141,669

→

기 종	분류번호	가격(₩)
스 크 린 (2 단 식)	5116-0001	16,574
	0002	18,132
	0003	19,238
	0004	19,539
	0005	19,941
	0006	20,916
	0007	34,453
	0008	35,655
스 크 린 (3 단 식)	5117-0001	20,428
	0002	20,772
	0003	22,656
스 크 린 (3 단 식)	0004	23,793
	0005	25,179
	0006	38,122
	0007	39,657
	0008	45,122
아 그 리 케 이 트 빈	5118-0001	5,227
	0002	6,034
	0003	8,948
	0004	11,889
	0005	18,338
	0006	24,355
	0007	25,866
골 재 세 척 설 비	5119-0625	61,930
파 이 프 추 진 기 (오 거 부 착 유 압 식)	5202-0127	149,328
	0240	334,456
	0300	533,658
파 이 프 추 진 기 (공 압 식)	5203-1800	36,517
	2200	44,053
	2700	64,666
	3500	92,697
	4500	150,899
유 압 잭	5204-0200	46,152
	0300	50,881
	0400	53,639
	0500	60,354
	0600	69,446
공 기 압 축 기 (이 동 식)	5205-0035	12,895
	0071	18,668

기종	분류번호	가격(₩)
	0103	30,398
	0170	33,253
	0210	42,105
	0255	66,267
소형브레이커 (공 압 식)	5210-0010	1,759
	0013	1,782
	0019	2,322
	0027	2,800
소형브레이커 (전 기 식)	5220-0015	1,240
드 릴 웨 곤	5330-0074	16,389
크 로 울 러 드 릴 (공 기 식)	5401-0015	94,614
	0017	47,712
크 로 울 러 드 릴 (탑 승 유 압 식)	5405-0110	145,476
	0150	195,842
유 압 식 할 암 기	5501-0080	15,530
노 면 파 쇄 기	5701-0010	286,239
	0020	389,748
소 형 노 면 파 쇄 기	5702-0095	25,883
점 보 드 릴	5805-0002	542,436
	0003	1,033,001
코 아 드 릴	5901-0006	803
	0010	1,134
	0016	2,027

8-5-7 [60]기초공사용기계

기종	분류번호	가격(₩)
그 라 우 팅 믹 서	6105-0190	2,632
	0390	5,476
그 라 우 팅 펌 프	6202-0060	3,708
	0125	5,399
	0200	7,797
디 젤 파 일 해 머	6330-0015	31,825
	0022	41,101
	0032	61,648
	0040	77,446

기 종	분류번호	가격(₩)
보 링 기 계	6408-0015	6,831
	0020	7,676
	0030	8,179
	0040	13,607
	0050	16,736
	0085	20,926
	0100	23,542
오 거	6410-0080	61,667
	0100	72,414
	0120	85,000
	0150	168,933
	0200	199,433
오 실 레 이 터	6510-0100	306,868
	0150	356,691
	0200	407,647
	0250	509,559
로 테 이 터	0300	682,809
유 압 파 워 팩	6515-0090	105,208
강 연 선 인 장 기	6516-0060	6,375
	0120	7,734
	0250	19,250
	0300	20,382
리 버 스 서 큘 레 이 션 드 릴	6517-0100	623,757
	0150	670,920
	0200	738,861
	0250	805,670
	0300	930,534
전 회 전 식 공 기	6518-0100	1,110,531
	0150	1,248,781
	0200	1,697,061
	0250	2,081,301
	0300	2,561,602
진 동 파 일 해 머 (전 동 식)	6530-0030	74,401
	0040	92,840
	0045	103,483
	0060	132,871
	0090	210,814
	0120	273,344
진 동 파 일 해 머 (유 압 식)	6532-0220	424,725

→

기 종	분류번호	가격(₩)
워 터 젯 트	6540-0131	195,085
유 압 식 압 입 인 발 기	6550-0130	968,631
유 압 파 일 해 머	6630-0003	114,063
	0005	156,038
	0007	172,463
유 압 파 일 해 머	0010	238,165
	0013	287,439
P B D 천 공 기 (유 압 식)	6701-0147	452,941
	-0184	543,530
고 압 분 사 전 용 장 비	6801-0010	233,095
파 일 천 공 전 용 장 비	6802-0040	116,345
	0060	266,033
	0100	321,428
	0120	471,626
	0135	969,306
	0160	1,772,883
다 짐 말 뚝 전 용 장 비	6803-0100	445,693
	0120	632,935
자 동 화 믹 서 플 랜 트	6901-0010	83,225

8-5-8 [70]기타기계

기 종	분류번호	가격(₩)
고 성 능 착 정 기	7101-0450	448,559
하 수 관 천 공 기 (수 동 식)	7103-0010	891
상 수 도 관 천 공 기 (수 동 식)	7104-0010	1,704
골 재 살 포 기	7106-0035	55,725
진 공 흡 입 준 설 차	7110-0013	180,720
	0025	278,011
버 킷 식 준 설 기	7120-0746	40,378
자 동 세 륜 기	7202-0008	15,456
(롤 타 입)	7202-0010	19,951
물 탱 크 (살 수 차)	7204-0018	32,277
	0038	37,432
	0055	43,412
	0065	47,207
	0160	83,262

기 종	분류번호	가격(₩)
이 동 식 임 목 파 쇄 기	7205-0125	137,910
	0475	477,147
	0540	501,041
부 착 용 집 게	7206-0020	4,540
	7206-0070	7,149
동 력 분 무 기	7210-0485	847
라 인 마 커	7330-0010	62,732
차 선 제 거 기	7360-0055	12,010
	0090	12,349
윈 치 (수 동)	7430-1100	1,303
	1300	2,145
	1500	2,860
	2300	4,575
	2500	6,005
윈 치 (자 동)	7431-1100	3,548
	1300	6,005
	2300	9,294
	2500	21,447
발 전 기	7505-0025	13,275
	0050	18,238
	0100	22,158
	0125	27,013
	0150	27,874
	0200	36,254
발 전 기	0250	48,106
	0350	58,755
	0450	85,574
	0500	95,671
	0700	143,657
용 접 기 (교 류)	7611-0200	359
	0300	465
	0400	522
	0500	612
용 접 기 (직 류)	7612-0200	1,383
	0300	1,575
	0400	2,275

→

기 종	분류번호	가격(₩)
용 착 기	7613-0075	3,331
	0150	5,004
	0300	6,863
	0400	9,294
	0600	11,867
	0900	31,319
알 곤 용 접 기	7614-0300	1,798
절 단 기	7620-0002	592
	0003	1,847
프 라 즈 마 절 단 기	7621-0100	3,188
건 설 용 펌 프	7730-0050	238
(자 흡 식)	0080	293
	0100	337
	0125	810
	0150	1,061
수 중 모 터 펌 프	7740-0080	792
	0100	928
	0150	1,780
취 부 기	7750-0016	42,805
	0025	66,087
실 사 출 기	7770-0004	16,814
엔 진 (가 솔 린)	7811-0025	184
	0030	202
	0040	266
	0045	358
	0070	469
	0120	1,051
엔 진 (디 젤)	7812-0005	284
	0007	329
	0009	417
	0015	1,091
	0018	2,214
	0020	2,964
	0035	3,456
	0070	4,437
	0100	5,278
	0150	6,682
	0200	12,672
우 레 탄 폼 분 사 용 기 구	7830-0081	26,117
모 터	7930-0001	154
	0002	178

기 종	분류번호	가격(₩)
모 터	0003	213
	0005	271
	0007	345
	0010	456
	0015	557
	0020	801
	0025	1,051
	0030	1,443
	0040	1,754
	0050	2,011
	0075	3,477
	0100	6,039
모 터 (쉴 드 T B M 용)	7935-0180	231,797
레 일 천 공 기	7950-0149	2,873
파 워 렌 치	7951-0066	6,896
침 목 천 공 기	7952-0246	916
타 이 템 퍼	7953-3400	17,239
양 로 기	7954-1119	30,340
모 르 타 르 펌 프	7991-0050	15,534
	0100	20,103
	0500	37,446
모 르 타 르 믹 서	7992-0001	5,231
양 수 기	7993-0020	34
P o w e r　T r o w e l	7994-0050	2,462
배 관 파 이 프	7995-0050	15

8-5-9 [80]스마트 건설장비

기 종	분류번호	가격(₩)
3D GNSS 머신 가이던스(굴삭기용)	8201-0100	55,000

8-5-10 [90]해상기계

기 종	분류번호	가격(₩)
펌 프 준 설 선	9010-0003	660,137
	0006	1,256,316
	0010	2,030,092
	0012	2,436,113
	0020	4,180,111
	0022	4,690,061
	0033	7,184,422
	0040	8,794,224
	0044	9,673,644
	0060	13,248,596
	0080	17,744,806
	0120	26,864,606
	0200	47,094,967
그 래 브 준 설 선	9020-0010	182,978
	0015	284,635
	0016	390,359
	0022	655,031
	0035	802,070
	0050	1,109,754
	0072	1,761,728
	0160	3,320,769
	0180	3,735,865
	0200	4,180,917
예 선	9030-0016	163,496
	0018	169,136
	0025	223,259
	0035	284,148
예 선	0045	351,803
	0050	385,632
	0080	554,767
	0100	699,095
	0240	1,576,794
양 묘 선	9040-0010	23,677
	0030	37,209
	0050	60,888
	0060	72,728
	0100	152,221
	0120	182,784

→

기 종	분류번호	가격(₩)
양 묘 선	0200	304,641
	0250	380,802
	0300	458,401
	0380	582,616
	0680	1,048,262
기 중 기 선 (비 자 항)	9050-0075	155,870
	0150	250,750
	0450	455,192
	0750	688,841
	0850	765,334
토 운 선	9060-0060	60,434
	0100	87,690
	0200	166,493
	0300	223,967
	0500	355,437
	0600	424,739
이 우 선 (비 자 항)	9070-0015	29,034
	0020	38,263
대 선	9080-0050	30,383
	0080	37,849
	0100	42,827
	0120	51,005
	0150	62,877
	0200	80,904
	0300	110,804
	0500	147,299
	0700	187,311
	1000	260,301
	1100	265,483
	1400	327,047
	1500	379,900
	1750	398,871
	2000	492,462
	3000	605,024

기 종	분류번호	가격(₩)
하 천 골 재 채 취 선	9090-0800	587,931
	1000	787,161
	1200	831,652
	1300	902,057
	1400	971,446
	1500	1,040,835
	1600	1,110,224

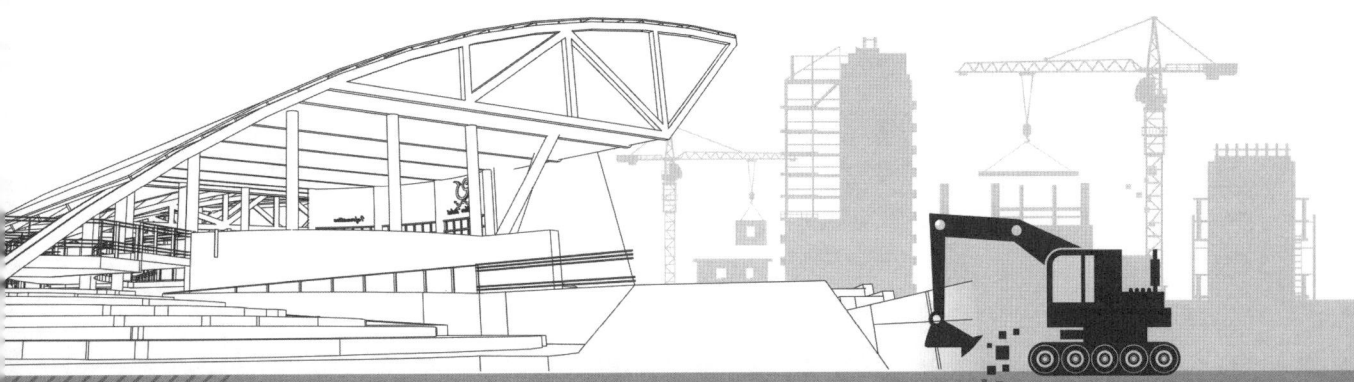

2023
건설공사 표준품셈

부록

Ⅰ. 2023년 상반기 적용 건설업 임금실태 조사 보고서(시중노임단가)

Ⅱ. 관련법령 등

Ⅲ. 「건설공사 표준품셈」 질의응답 모음집

Ⅳ. 조달청 「표준일위대가」 정보공개 안내

Ⅴ. 공사 원가계산 실무 요령

Ⅰ 2023년 상반기 적용 건설업 임금실태 조사 보고서(시중노임단가)

1 조사개요

1. **조사목적** : 건설부문 시중임금 자료 제공

2. **법적근거** : 통계법 제17조에 의한 지정통계(승인번호 제365004호)

3. **조사연혁**
   - 1990.11 통계작성승인 제329-21-04호
   - 1993.11 통계작성 승인번호 변경(승인번호 제36504호)
   - 1994. 9 표본수 조정(945개 → 1,300개 현장)
   - 1998. 5 조사 직종수 조정(173개 → 142개 직종)
   - 1998.10 조사 직종수 조정(142개 → 145개 직종)
   - 1999.12 지정통계로 변경승인(승인번호 제36504호)
   - 2005. 5 표본수 조정(1,300개 → 1,700개 현장)
   - 2009. 7 조사 직종수(145개 → 117개 직종) 및 표본수(1,700 → 2,000개 현장) 조정
   - 2017. 7 조사 직종수 조정(117개 → 123개 직종)
   - 2020. 5 조사 직종수 조정(123개 → 127개 직종)

4. **조사기준**
   - 가. 조사 기준기간 : 2022. 9. 1 ~ 9. 30
   - 나. 조사 실시기간 : 2022. 10. 1 ~ 10. 31
   - 다. 조사범위 : 전국의 2,000개 건설현장
     1) 공사직종 : 건설공사업(종합 또는 전문) 등록업체의 현장
     2) 전기직종 : 전기공사업 등록업체의 현장
     3) 정보 통신 직종 : 정보통신공사업 등록업체의 현장
     4) 문화재 직종 : 문화재 보수 시공업체의 현장
     5) 원자력 직종 : 원자력공사 시공업체의 현장

5. **조사방법**
   - 자계식 우편조사·인터넷 조사와 타계식 현장실사 병행실시

6. **직종별 임금산출 방법**

$$직종별\ 임금 = \frac{직종별\ 조사된\ 총임금}{직종별\ 조사된\ 총인원}$$

- 이상치 처리방법 : 이상치에 대한 가중치 감소 방법 적용
  - 사분위편차**를 활용하여 이상치를 판단하고 이상치에 대한 가중치를 조정하여 영향력을 감소시키는 방법적용
    * 관측값을 순서대로 정렬했을 때 25%에 위치한 값을 1사분위수(Q1), 75%에 위치한 값을 3분위수(Q3)라 하며, 사분위편차(IQR)란 3분위 수와 1분위수의 차이를 의미함. 사분위편차를 이용한 이상치 판단방법에서의 이상치는 1.5×IQR 벗어나는 값임

7. 이용상의 주의사항

가. 통계전반에 걸쳐 사용한 「-」의 기호는 조사되지 않았거나, 비교불능을 나타냄.
나. 직종번호 앞의 「*」 표시는 조사 현장수가 5개 미만인 직종, 「**」 표시는 조사되지 않은 직종이므로 유의하여 적용 (Ⅱ.임금적용 요령 참조)
다. 본 조사임금은 1일 8시간 기준(단, 잠수부는 6시간 기준)금액임.

$$8시간환산임 = \frac{총임금}{8 + (총작업시간 - 8 - 점심시간 - 간식시간) \times 1.5} \times 8$$

* 8시간이상 근무시 적용

8. 평균임금 현황

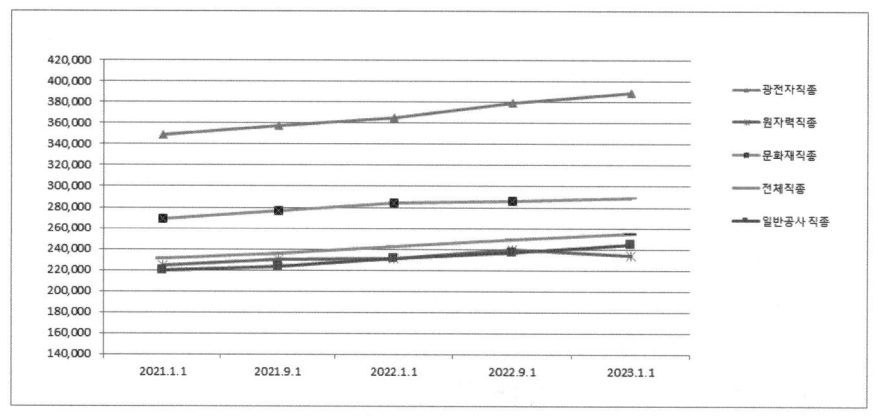

구 분	2021.1.1 (2020년9월)	2021.9.1 (2021년5월)	2022.1.1 (2021년9월)	2022.9.1 (2022년5월)	2023.1.1 (2022년9월)
전체직종(127)	230,798	235,815	242,931	248,819	255,016
일반공사 직종	219,213	223,499	231,044	237,006	244,456
광전자직종	348,470	357,168	365,485	379,757	388,623
문화재직종(18)	268,825	276,915	283,907	286,364	289,247
원자력직종	224,194	229,990	230,632	239,564	234,019
기타직종(11)	234,726	239,470	245,273	252,767	252,767

【주】 1. 2020.9.1 공표 임금부터는 신설된 4개 직종을 포함한 127개 직종으로 조사됨
2. 2018.1.1 공표 임금부터는 신설된 6개 직종을 포함한 123개 직종으로 조사됨
3. 2010.1.1 공표 당시 직종 및 직종수가 조정(145→117개)되어 이전 공표된 평균임금과 차이가 있음
4. 따라서, 물가변동으로 인한 계약금액 조정시 다음의 평균임금을 참고하시기 바람

---

* 관측값을 순서대로 정렬했을 때 25%에 위치한 값을 1사분위수(Q1), 75%에 위치한 값을 3분위수(Q3)라 하며, 사분위편차(IQR)란 3분위 수와 1분위수의 차이를 의미함. 사분위편차를 이용한 이상치 판단방법에서의 이상치는 1.5×IQR 벗어나는 값임

공표일 (조사기준)	전체직종	일반공사 직종	광전 직종	문화재 직종	원자력 직종	기타 직종
2023. 1. 1 (2022년 9월)	255,016	244,456	388,623	289,247	234,019	257,558
2022. 9. 1 (2022년 5월)	248,819	237,006	379,757	286,364	239,564	252,767
2022. 1. 1 (2021년 9월)	242,931	231,044	365,485	283,907	230,632	245,273
2021. 9. 1 (2021년 5월)	235,815	223,499	357,168	276,915	229,990	239,470
2021. 1. 1 (2020년 9월)	(127)230,798 (123)231,779	219,213	348,470	268,825	224,194	(127)234,726 (123)254,205
2020. 9. 1 (2020년 5월)	(127)226,947 (123)227,923	215,178	348,564	264,191	222,691	(127)231,739 (123)251,635
2020. 1. 1 (2019년 9월)	222,803	209,168	335,522	262,914	224,686	247,534
2019. 9. 1 (2019년 5월)	216,770	203,891	330,433	252,022	220,229	242,858
2019. 1. 1 (2018년 9월)	210,195	197,897	316,642	244,131	219,314	231,976
2018. 9. 1 (2018년 5월)	(123)203,332 (117)201,386	190,702	305,604	(123)237,460 (117)235,551	224,152	224,043
2018. 1. 1 (2017년 9월)	(123)193,770 (117)191,599	181,134	282,575	(123)230,322 (117)227,439	222,895	209,344
2017. 9. 1 (2017년 5월)	186,026	175,804	273,471	221,051	222,305	200,653
2017. 1. 1 (2016년 9월)	179,690	169,999	262,656	213,706	214,801	191,745
2016. 9. 1 (2016년 5월)	175,071	165,389	254,913	208,944	216,386	185,041
2016. 1. 1 (2015년 9월)	168,571	159,184	240,606	204,251	209,359	175,270
2015. 9. 1 (2015년 5월)	163,339	154,343	228,408	197,308	211,249	166,795
2015. 1. 1 (2014년 9월)	158,590	149,959	225,312	190,064	202,459	163,185
2014. 9. 1 (2014년 5월)	155,796	147,352	220,954	184,513	205,402	160,079
2014. 1. 1 (2013년 9월)	150,664	142,586	213,715	176,705	206,068	152,362
2013. 9. 1 (2013년 5월)	148,380	140,833	211,106	172,081	198,225	150,490
2013. 1. 1 (2012년 9월)	141,724	134,901	206,053	162,750	179,988	144,950
2012. 9. 1 (2012년 5월)	138,571	132,168	204,110	156,713	175,792	141,355
2012. 1. 1 (2011년 9월)	132,576	126,684	191,119	149,495	165,930	136,032
2011. 9. 1 (2011년 5월)	129,029	123,735	185,429	144,563	159,211	129,806
2011. 1. 1 (2010년 9월)	124,746	120,031	176,985	138,912	151,994	123,801
2010. 9. 1 (2010년 5월)	123,031	118,090	174,848	138,670	152,852	121,205

※ 2009.9.1 이전 공표 평균임금의 변동율은 협회 홈페이지(cak.or.kr, 건설업무〉건설적산기준〉건설임금)를 참고 바람

5.
일반공사직종 : 직종번호 1001~1091번	광전자직종 : 직종번호 2001~2003번
문화재직종 : 직종번호 3001~3018번	원자력직종 : 직종번호 4001~4004번
기타직종 : 직종번호 5001~5011번	

* 직종번호는 「Ⅲ. 개별직종 임금단가」표 참조

9. 참고사항
- 자료위치 : 대한건설협회(www.cak.or.kr)-건설업무-건설적산기준-건설임금
- 문의사항 : 대한건설협회 정보관리실 02-3485-8332

2 임금 적용 요령

1. 시중임금 적용 근거
   - 「국가를 당사자로 하는 계약에 관한 법률 시행규칙」 제7조

   > 제7조(원가계산을 할 때 단위당 가격의 기준) ① 제6조 제1항의 규정에 의한 원가계산을 할 때 단위당 가격은 다음 각 호의 어느 하나에 해당하는 가격을 말하며, 그 적용순서는 다음 각 호의 순서에 의한다.
   > 1. 거래실례가격 또는 「통계법」 제15조의 규정에 의한 지정기관이 조사하여 공표한 가격. 다만, 기획재정부장관이 단위당 가격을 별도로 정한 경우 또는 각 중앙관서의 장이 별도로 기획재정부장관과 협의하여 단위당 가격을 조사·공표한 경우에는 당해 가격
   > 2. 제10조 제1호 내지 제3호의 1의 규정에 의한 가격
   > ② 각 중앙관서의 장 또는 계약담당공무원은 제1항 제1호에 따른 가격을 적용함에 있어 다음 각 호의 어느 하나에 해당하는 경우에는 당해 노임단가에 동 노임단가의 100분의 15 이하에 해당하는 금액을 가산할 수 있다.
   > 1. 「국가기술자격법」 제10조에 따른 국가기술자격 검정에 합격한 자로서 기능계 기술자격을 취득한 자를 특별히 사용하고자 하는 경우
   > 2. 도서지역(제주도를 포함한다)에서 이루어지는 공사인 경우

   - 「지방자치단체를 당사자로 하는 계약에 관한 법률 시행규칙」 제7조

   > 제7조(원가계산을 할 때 단위당 가격의 기준) ① 제6조 제1항의 규정에 의한 원가계산을 할 때 단위당 가격은 다음 각 호의 어느 하나의 가격을 말하며, 그 적용순서는 다음 각 호의 순서에 의한다.
   > 1. 거래실례가격 또는 「통계법」 제15조의 규정에 의한 지정기관이 조사하여 공표한 가격. 다만, 행정안전부장관이 단위당 가격을 별도로 정한 경우 또는 지방자치단체의 장이 별도로 행정안전부장관과 협의하여 단위당 가격을 조사·공표한 경우에는 당해 가격을 말한다.
   > 2. 제10조 제1호 내지 제3호의 어느 하나의 규정에 의한 가격
   > ② 지방자치단체의 장 또는 계약담당자는 제1항 제1호의 규정에 의한 가격을 적용함에 있어 다음 각 호의 어느 하나에 해당하는 경우에는 당해 노임단가에 동 노임단가의 100분의 15이하에 해당하는 금액을 가산할 수 있다.
   > 1. 「국가기술자격법」 제10조의 규정에 의한 국가기술자격검정에 합격한 자로서 기능계 기술자격을 취득한 자를 특별히 사용하고자 하는 경우
   > 2. 도서지역(제주도를 포함한다)에서 이루어지는 공사인 경우

2. 노무비지수 정의
   - 조사·공표된 해당직종의 평균치
     ※ 기획재정부 회계예규 "정부입찰·계약집행기준" 제68조(지수조정율 및 용어의 정의) 제3호 및 행정안전부 예규 "물가변동 조정률 산출요령" 제3조(지수조정률 및 용어의 정의) 제3호

3. 임금 적용 시점
   - 2023. 1. 1
     ※ 차기 임금공표 예정일 : 2023.9.1.

4. 참고사항

□ **원가계산에 의한 예정가격 작성 시 시중임금단가 적용에 참고할 사항**

〈재경원 문서번호 회계 45101-45(1995.1.13) 발췌〉

가. 공표된 시중노임단가는 1일 8시간을 기준으로 한 것이며, 다만 산업안전보건법 제46조 및 동법 시행령 제32조의8에 규정된 작업에 종사하는 직종(잠수부)은 1일 6시간을 기준으로 한 것임.

나. 공표된 시중노임단가는 사용자가 근로의 대가로 노동자에게 일급으로 지급하는 기본급여액임. 따라서 근로기준법에서 규정하고 있는 제수당, 상여금 및 퇴직급여충당금은 시중노임단가를 기준으로 하여 회계예규인 "원가계산에 의한 예정가격작성준칙"(현 "예정가격작성기준")의 정한 바에 따라 계상하여야 함.

다. 조사기관이 조사·공표하지 않은 직종은 조사기관이 조사·공표한 유사한 직종의 시중노임단가에 준하여 적용할 수 있음.

라. 조사기관이 조사·공표한 당해직종의 시중노임단가가 없는 년도(또는 시기)의 경우에는 전후년도(또는 시기)의 당해직종의 시중노임단가에 그간의 전체 평균시중노임단가 증가율을 적용하여 해당년도(또는 시기)의 당해직종의 노임단가를 산정할 수 있음.

□ **2010년 하반기 임금 공표시 직종 통합·폐지 등에 따른「품목조정률에 의한 계약금액 조정시 물가변동 당시 노임단가산정방법」**

〈기획재정부 문서번호 회계제도과-542(2010.4.5) 발췌〉

가. 통합후 존속하는 19개 직종의 물가변동 당시 노임단가는 "10.1.1 이후 당해직종 노임단가" 적용

나. 통합후 소멸되는 25개 직종의 물가변동 당시 노임단가는 "입찰당시(또는 직전조정일당시)의 당해직종 노임단가×(1+'10.1.1 이전 당해직종 노임 증감률 +'10.1.1 이후 당해 직종부문 전기대비 평균노임 증감률)" 적용

다. 폐지되는 10개 직종의 물가변동 당시 노임단가는 "입찰당시(또는 직전조정일당시)의 당해직종 노임단가×(1+'10.1.1 이전 당해직종 노임 증감률+'10.1.1 이후 당해 직종부문 전기대비 평균노임 증감률)" 적용

라. 명칭이 변경된 13개 직종의 물가변동 당시 노임단가는 "10.1.1 이후 명칭이 변경된 당해직종 노임단가" 적용

- 다만, 노임조사기준도 함께 변경된 시험관련기사, 산업기사, 기능사의 경우는 "입찰당시(또는 직전조정일당시)의 당해직종 노임단가×(1+'10.1.1 이전 당해직종 노임 증감률 10.1.1 이후 당해 직종부문 전기대비 평균노임 증감률)" 적용

마. 참고사항

① "당해직종 노임단가"란「건설업 임금실태조사 보고서」상의 '개별직종 노임단가'를 말함

② "당해 직종부문 평균노임"이란「건설업 임금실태조사 보고서」상의 일반공사, 광전자, 문화재, 원자력, 기타부문에 대한 각각의 평균노임을 말함

③ 건설직종 명칭·직종수 조정내역

- 통합후 존속하는 직종(19개 직종) : 보통인부, 특별인부, 조력공, 비계공, 형틀목공, 철근공, 철공, 철판공, 철골공, 용접공(변경전 : 용접공(일반)), 콘크리트공, 준설선기관사, 조적공, 덕트공, 플랜트배관공, 플랜트제관공, 광케이블설치사, H/W시험사, S/W시험사

- 통합후 소멸되는 직종(25개 직종) : 선부, 갱부, 조림인부, 특수비계공, 동발공(터널), 절단공, 용접공(철도), 노즐공, 준설선기관장, 준설선전기사, 보통선원, 고급선원, 치장벽돌공, 함석공, 창호목공, 샷시공, 기계공, 기계설치공, 원자력배관공, 원자력제관공, 특급원자력비파괴시험공, 고급원자력비파괴시험공, 광통신설치사, H/W설치사, CPU시험사

※ 통합 및 명칭 변경 직종

○ 통합직종

연번	당초	통합직종	연번	당초	통합직종
1	수작업반장+작업반장	작업반장	19	계령공+모래분사공+도장공	도장공
2	선부+검조부+양생공+보통인부	보통인부	20	기와공+슬레이트공	지붕잇기공
3	갱부+특별인부	특별인부	21	함석공+덕트공	덕트공
4	조림인부+조력공	조력공	22	철도궤도공+궤도공	궤도공
5	특수비계공+비계공	비계공	23	기계설치공+기계공	기계설비공
6	동발공(터널)+형틀목공	형틀목공	24	준설선기관사+준설선기관장+준설선전기사	준설선기관사
7	철근공+절단공	철근공	25	보통선원+고급선원	선원
8	철공+절단공	철공	26	플랜트배관공+원자력배관공	플랜트배관공
9	철판공+절단공	철판공	27	플랜트제관공+원자력제관공	플랜트제관공
10	절단공+리벳공+철골공	철골공	28	플랜트특별인부+원자력특별인부	플랜트특별인부
11	용접공(일반)+용접공(철도)	용접공	29	플랜트케이블전공+원자력케이블전공	플랜트케이블전공
12	노즐공+바이브레타공+콘크리트공	콘크리트공	30	플랜트계장공+원자력계장공	플랜트계장공
13	우물공+보링공	보링공	31	플랜트덕트공+원자력덕트공	플랜트덕트공
14	치장벽돌공+연돌공+조적공	조적공	32	플랜트보온공+원자력보온공	플랜트보온공
15	창호목공+샷시공+셔터공	창호공	33	특급원자력비파괴시험공+고급원자력비파괴시험공	비파괴시험공
16	미장공+온돌공	미장공	34	광케이블설치사+광통신설치사	광케이블설치사
17	루핑공+방수공	방수공	35	H/W설치사+H/W시험사	H/W시험사
18	아스타일공+타일공	타일공	36	S/W시험사+CPU시험사	S/W시험사

※ 밑줄된 직종은 '10.1.1공표부터 통합된 직종임

○ 직종명칭 변경('10.1.1 공표부터)

연번	당초	변경 명칭	연번	당초	변경 명칭
1	보링공(지질조사)	보링공	8	원자력계장공	플랜트계장공
2	목도	인력운반공	9	원자력덕트공	플랜트덕트공
3	건설기계운전기사	건설기계운전사	10	원자력보온공	플랜트보온공
4	운전사(운반차)	화물차운전사	11	시험관련기사	특급품질관리원
5	운전사(기계)	일반기계운전사	12	시험관련산업기사	고급품질관리원
6	원자력특별인부	플랜트특별인부	13	시험관련기능사	초급품질관리원
7	원자력케이블전공	플랜트케이블전공	–		

○ 신설직종('18.1.1 공표부터)

직종번호	직종명	직종번호	직종명
3013	드잡이공편수	3016	한식단청공편수
3014	한식미장공편수	3017	한식석공조공
3015	한식와공편수	3018	한식미장공조공

○ 신설직종('20.9.1 공표부터)

직종번호	직종명	직종번호	직종명
5008	특급품질관리기술인	5010	중급품질관리기술인
5009	고급품질관리기술인	5011	초급품질관리기술인

3 개별직종 노임단가

(단위 : 원)

번호	직종명	2023.1.1	2022.9.1	2022.1.1	2021.9.1
1001	작업반장	197,546	191,344	189,313	182,544
1002	보통인부	157,068	153,671	148,510	144,481
1003	특별인부	197,450	192,375	187,435	181,293
1004	조력공	165,635	162,577	160,048	153,674
*1005	제도사	209,231	207,792	194,662	188,233
1006	비계공	278,151	269,039	262,297	254,117
1007	형틀목공	259,126	246,376	242,138	230,766
1008	철근공	252,113	240,080	236,805	229,629
1009	철공	223,124	211,415	209,189	202,032
*1010	철판공	202,901	193,615	188,181	185,232
1011	철골공	230,145	216,712	214,374	207,346
1012	용접공	249,748	238,739	234,564	230,706
1013	콘크리트공	245,223	235,988	227,269	220,755
1014	보링공	212,226	199,921	199,076	193,659
1015	착암공	194,463	189,031	185,264	174,178
1016	화약취급공	236,187	226,437	223,097	207,145
1017	할석공	210,767	208,344	200,625	195,374
*1018	포설공	194,853	192,239	183,371	-
1019	포장공	237,245	232,804	225,104	215,034
*1020	잠수부	346,760	323,830	322,115	295,409
1021	조적공	242,636	233,781	222,862	219,340
1022	견출공	232,725	227,145	218,209	209,167
1023	건축목공	254,714	242,631	237,273	225,210
1024	창호공	236,675	234,564	224,380	219,260
1025	유리공	235,191	229,105	221,409	211,036
1026	방수공	199,427	191,620	184,934	176,933
1027	미장공	251,976	239,846	237,304	228,820
1028	타일공	258,576	253,427	247,079	234,370
1029	도장공	242,035	235,799	229,273	217,123
1030	내장공	228,883	222,738	217,517	211,250
1031	도배공	205,156	199,187	192,426	188,914
**1032	연마공	-	186,660	-	170,190
1033	석공	245,307	236,050	226,394	217,417
1034	줄눈공	185,459	181,682	176,807	173,416
1035	판넬조립공	213,197	205,422	198,691	192,957
*1036	지붕잇기공	209,602	204,039	194,244	187,839
*1037	벌목부	224,390	219,920	213,333	201,640
1038	조경공	203,631	192,790	189,749	185,347

번호	직종명	2023.1.1	2022.9.1	2022.1.1	2021.9.1
1039	배관공	214,118	208,255	202,689	202,212
1040	배관공(수도)	226,771	220,741	216,011	208,005
*1041	보일러공	210,465	205,072	-	193,938
1042	위생공	202,504	201,663	196,165	193,759
1043	덕트공	198,718	189,441	188,856	181,078
1044	보온공	194,048	191,095	185,212	183,071
*1045	인력운반공	170,594	162,860	161,039	152,837
1046	궤도공	190,168	182,713	175,508	167,662
*1047	건설기계조장	186,691	183,489	172,131	165,046
1048	건설기계운전사	243,295	230,245	229,676	215,834
1049	화물차운전사	208,927	192,000	190,297	178,501
**1050	일반기계운전사	-	151,669	140,351	-
1051	기계설비공	213,337	210,486	199,489	194,812
*1052	준설선선장	209,438	-	-	-
*1053	준설선기관사	184,956	-	-	-
*1054	준설선운전사	180,381	-	-	-
*1055	선원	175,538	-	160,646	148,176
1056	플랜트배관공	296,392	296,124	289,075	271,268
1057	플랜트제관공	236,086	232,031	228,994	220,871
1058	플랜트용접공	273,303	263,081	254,611	240,972
**1059	플랜트특수용접공	-	-	309,714	-
1060	플랜트기계설치공	240,797	228,122	232,558	224,492
1061	플랜트특별인부	205,095	198,285	187,735	182,649
1062	플랜트케이블전공	290,265	293,572	296,879	290,040
*1063	플랜트계장공	215,631	214,700	208,010	194,262
**1064	플랜트덕트공	-	-	-	-
**1065	플랜트보온공	-	248,570	236,000	227,694
*1066	제철축로공	292,571	282,707	270,000	260,000
1067	비파괴시험공	224,819	221,714	218,137	222,653
**1068	특급품질관리원	-	186,667	-	184,123
*1069	고급품질관리원	186,338	183,333	179,705	178,915
*1070	중급품질관리원	166,550	167,559	165,777	163,497
*1071	초급품질관리원	139,859	140,000	138,833	137,759
1072	지적기사	246,481	250,962	250,223	245,110
1073	지적산업기사	215,026	219,741	219,307	217,040
1074	지적기능사	188,071	181,993	179,864	177,107
1075	내선전공	265,406	259,089	258,917	246,868
1076	특고압케이블전공	420,571	399,437	398,124	379,743
1077	고압케이블전공	353,395	340,018	338,864	321,061
1078	저압케이블전공	288,442	272,282	271,717	261,463
1079	송전전공	536,946	518,464	494,608	478,574

번호	직종명	2023.1.1	2022.9.1	2022.1.1	2021.9.1
1080	송전활선전공	590,847	568,157	542,726	521,531
1081	배전전공	397,259	387,818	379,666	367,399
1082	배전활선전공	520,394	509,392	508,299	496,651
1083	플랜트전공	251,195	241,264	228,988	221,799
1084	계장공	283,405	268,571	259,947	252,262
1085	철도신호공	271,097	261,379	255,337	258,264
1086	통신내선공	251,790	242,964	235,597	226,011
1087	통신설비공	280,506	272,067	262,069	256,098
1088	통신외선공	363,102	357,144	339,610	334,353
1089	통신케이블공	389,536	381,041	364,905	356,624
1090	무선안테나공	319,190	311,012	299,544	284,467
*1091	석면해체공	198,675	191,523	181,057	186,269
2001	광케이블설치사	409,726	398,214	388,288	374,910
2002	H/W시험사	354,947	349,792	330,981	332,268
2003	S/W시험사	401,195	391,265	377,187	364,327
*3001	도편수	457,143	477,025	–	–
**3002	드잡이공	–	280,702	–	281,481
**3003	한식목공	–	279,380	271,227	247,685
**3004	한식목공조공	–	209,937	–	–
*3005	한식석공	303,187	322,748	322,914	330,000
**3006	한식미장공	–	286,134	278,417	262,880
*3007	한식와공	322,581	298,868	293,446	–
**3008	한식와공조공	–	245,275	250,000	–
**3009	목조각공	–	–	–	–
**3010	석조각공	–	–	–	–
**3011	특수화공	–	285,714	–	300,000
**3012	화공	–	252,000	261,905	269,504
**3013	드잡이공편수	–	–	–	–
**3014	한식미장공편수	325,333	–	298,667	279,896
**3015	한식와공편수	–	–	409,618	374,422
**3016	한식단청공편수	–	250,000	–	–
*3017	한식석공조공	308,571	267,610	284,211	260,000
**3018	한식미장공조공	–	227,310	224,000	226,634
4001	원자력플랜트전공	228,504	230,848	221,666	220,447
4002	원자력용접공	197,956	196,805	194,568	201,082
4003	원자력기계설치공	228,419	229,295	223,770	222,881
4004	원자력품질관리사	281,198	301,308	282,525	275,550

번호	직종명	2023.1.1	2022.9.1	2022.1.1	2021.9.1
5001	통신관련기사	292,454	284,842	275,633	265,371
5002	통신관련산업기사	284,281	273,786	268,910	263,046
5003	통신관련기능사	234,222	227,878	221,858	213,828
5004	전기공사기사	299,140	292,105	279,912	272,340
5005	전기공사산업기사	265,465	260,292	249,961	246,849
5006	변전전공	437,936	429,168	410,051	388,030
5007	코킹공	194,831	191,040	184,209	186,456
5008	특급품질관리기술인	266,470	266,992	260,237	264,217
5009	고급품질관리기술인	216,510	214,705	211,437	206,224
*5010	중급품질관리기술인	183,604	181,589	180,523	177,964
5011	초급품질관리기술인	158,227	158,045	155,277	149,841

주) 「*」 표시 직종은 조사현장수가 5개미만 직종임

　　「**」 표시 직종은 조사되지 않은 직종이므로 그 적용은 '6페이지 4.참고 사항 라.'를 참고하시기 바람

4 직종해설

직종번호	직종명	해설
1001	작 업 반 장	각 공종별로 인부를 통솔하여 작업을 지휘하는 사람(십장)
1002	보 통 인 부	기능을 요하지 않는 경작업인 일반잡역에 종사하면서 단순육체노동을 하는 사람
1003	특 별 인 부	보통 인부보다 다소 높은 기능정도를 요하며, 특수한 작업조건하에서 작업하는 사람
1004	조 력 공	숙련공을 도와서 그의 지시를 받아 작업에 협력하는 사람
1005	제 도 사	고안된 설계도면에 따라 도면을 깨끗하게 제도하거나 컴퓨터 프로그램으로 도면을 그리는(작업하는)사람
1006	비 계 공	비계, 운반대, 작업대, 보호망 등의 설치 및 해체작업에 종사하는 사람
1007	형 틀 목 공	콘크리트 타설을 위하여 형틀 및 동바리를 제작, 조립, 설치, 해체작업을 하는 목수
1008	철 근 공	철근의 절단, 가공, 조립, 해체 등의 작업에 종사하는 사람
1009	철 공	철재의 절단, 가공, 조립, 설치 등의 작업에 종사하는 사람
1010	철 판 공	철판을 주자재로 하여 제작, 가공, 조립 및 해체를 하는 사람
1011	철 골 공	H빔 BOX빔 등 철골의 절단, 가공, 조립 및 해체 등의 작업에 종사하는 사람
1012	용 접 공	일반철재, 일반기기 또는 일반배관 등의 용접을 하는 사람 (난이도 일반수준)
1013	콘 크 리 트 공	소정의 중량화 및 용적화의 콘크리트를 만들기 위해 시멘트, 모래, 자갈, 물 비비기와 부어넣기 및 바이브레타를 사용하여 다지기거나 숏크리트를 분사하는 사람
1014	보 링 공	지하수 개발 또는 지질조사나 구조물기초설계를 위한 보링을 전문으로 하는 사람
1015	착 암 공	착암기를 사용하여 암반의 천공작업을 하는 사람
1016	화 약 취 급 공	화약의 저장관리 및 장진 발파작업을 전문으로 하는 사람
1017	할 석 공	큰 돌을 소정의 규격에 맞도록 깨는 사람
1018	포 설 공	골재를 포설하는 사람
1019	포 장 공	도로포장 등 공사에 있어서 표면처리를 하는 사람
1020	잠 수 부	수중에서 잠수작업을 하는 사람
1021	조 적 공	벽돌, 치장벽돌 및 블록을 쌓기 및 해체하는 사람
1022	견 출 공	콘크리트 면을 매끈하게 마감공사를 하는 사람
1023	건 축 목 공	건축물의 축조 및 실내 목구조물의 제작, 설치 또는 해체작업에 종사하는 목수
1024	창 호 공	건물 등에서 목재, 철재, 샤시 등으로 된 창 및 문짝을 제작 또는 설치하는 사람
1025	유 리 공	유리를 규격에 맞게 재단하거나 끼우게 하는 사람
1026	방 수 공	구조물의 바닥, 벽체, 지붕 등의 누수방지작업을 하는 사람
1027	미 장 공	시멘트, 모르타르나 회반죽, 석고 프라스타 및 기타 미장재료를 이용하여 구조물의 내외표면에 바름 작업을 하는 사람
1028	타 일 공	타일 또는 아스타일 등 타일류를 구조물의 표면에 부착시키는 사람
1029	도 장 공	도장을 위한 바탕처리작업 및 페인트류 및 기타 도료를 구조물 등에 칠하는 사람
1030	내 장 공	건물의 내부에 수장재를 사용하여 마무리하는 사람
1031	도 배 공	실내의 벽체, 천정, 바닥, 창호 등 실내표면에 종이나 장판지 등 도배재료를 부착시키는 사람
1032	연 마 공	인조석 및 테라조의 표면을 인력이나 기계로 물갈기 하여 광택작업을 하는 사람
1033	석 공	대할 및 소할 된 석재를 가공하여 형성된 마름돌과 석재를 설치 또는 붙이거나 일반 쌓기를 하여 구조물을 축조하는 사람
1034	줄 눈 공	석축 및 조적조에 줄눈을 장치하는 사람
1035	판 넬 조 립 공	P.C판넬이나 샌드위치 판넬 등에 보온재를 채우거나 자르는 등 가공하여 조립 부착하는 사람
1036	지 붕 잇 기 공	기와 잇기 및 슬레이트를 절단·가공하여 지붕, 벽체, 천정 등에 부착작업을 하는 사람

직종번호	직종명	해설
1037	벌목부	나무를 베는 사람
1038	조경공	수목 식재 및 조경작업을 하는 사람
1039	배관공	설계압력 5kg/㎠미만의 배관을 시공 및 보수하는 사람
1040	배관공(수도)	옥외(건물외부)에서 상·하수도, 공업용수로 등의 배관을 시공 및 보수하는 사람
1041	보일러공	보일러 조립·설치 및 정비를 하는 사람
1042	위생공	위생도기의 설치 및 부대작업을 하는 사람
1043	덕트공	금속박판을 가공하여 덕트 등을 가공, 제작, 조립, 설치작업에 종사하는 사람
1044	보온공	기기 및 배관류의 보온시공을 하는 사람
1045	인력운반공	2인 이상이 1조가 되어 인력으로 중량물을 운반하는 작업에 종사하는 사람(목도 포함)
1046	궤도공	철도의 궤도부설작업 또는 일반 공사장(사업장)내의 운반수단으로 임시 간이궤도를 부설, 해체, 유지 보수하는 작업에 종사하는 사람
1047	건설기계조장	건설기계 조종원을 통솔, 지휘하는 사람
1048	건설기계운전사	각종 건설기계의 운전과 조작을 하는 운전사(12t이상 트럭 포함)
1049	화물차운전사	운반을 목적으로 하는 화물자동차의 운전사
1050	일반기계운전사	발동기, 발전기, 양수기, 원치 등 경기계 조종원
1051	기계설비공	일반기계설비 및 기계의 조립설치, 조정, 검사 및 유지보수를 하는 사람
1052	준설선선장	준설기를 장치한 선박의 선장
1053	준설선기관사	준설기를 장치한 선박의 기관사 (**준설선기관장, 준설선전기사 포함**)
1054	준설선운전사	준설기를 장치한 준설기계 운전사
1055	선원	선박의 운항을 위한 각 부서의 선원
1056	플랜트배관공	유해가스 이송관, 플랜트(철강, 석유, 제지, 화학, 원자력 및 발전 등의 에너지시설)배관 또는 설계압력 5kg/㎠이상의 배관을 시공 및 보수하는 사람(**원자력배관공 포함**)
1057	플랜트제관공	플랜트(철강, 석유, 제지, 화학, 원자력 및 발전 등의 에너지시설) 시설에서 다른 건설공사보다 엄격한 규격 및 품질보증 요구조건에 따라 강제구조물과 압력용기의 가공, 제작시공 및 보수를 하는 사람(**원자력 포함**)
1058	플랜트용접공	유해가스 이송관 및 유해가스 용기를 용접하거나, 플랜트 기기 및 플랜트 배관을 용접하거나, 철재·강관(합금강제외)을 TIG, MIG 등 용접하거나, 각각의 설계압력이 5kg/㎠이상인 기기 또는 배관의 용접을 하는 사람 (난이도 중·고급수준)
1059	플랜트특수용접공	각각의 사용압력이 100kg/㎠이상인 배관 또는 압력용기를 용접하거나, 합금강을 용접하거나, 합금강을 TIG, MIG 등 용접을 하는 사람 (난이도 특급수준)
1060	플랜트기계설치공	정밀을 요하는 플랜트 기계설비의 조립, 설치, 조정, 검사 및 보수를 하는 사람
1061	플랜트특별인부	플랜트(철강, 석유, 제지, 화학, 원자력 및 발전 등의 에너지시설) 시설에서 다른 건설공사보다 엄격한 규격 및 품질보증 요구조건에 따라 전문작업을 보조해주는 사람(**원자력 포함**)
1062	플랜트케이블전공	플랜트(철강, 석유, 제지, 화학, 원자력 및 발전 등의 에너지시설) 시설에서 다른 건설공사보다 엄격한 규격 및 품질보증 요구조건에 따라 케이블시공 및 보수작업을 하는 사람(**원자력 포함**)
1063	플랜트계장공	플랜트(철강, 석유, 제지, 화학, 원자력 및 발전 등의 에너지시설) 시설에서 다른 건설공사보다 엄격한 규격 및 품질보증 요구조건에 따라 계장작업을 하는 사람(**원자력 포함**)
1064	플랜트덕트공	플랜트(철강, 석유, 제지, 화학, 원자력 및 발전 등의 에너지시설) 시설에서 다른 건설공사보다 엄격한 규격 및 품질보증 요구조건에 따라 덕트의 제작·설치작업을 하는 사람(**원자력 포함**)
1065	플랜트보온공	플랜트(철강, 석유, 제지, 화학, 원자력 및 발전 등의 에너지시설) 시설에서 다른 건설공사보다 엄격한 규격 및 품질보증 요구조건에 따라 기기 및 배관류 등의 보온시공을 하는 사람(**원자력 포함**)

직종번호	직종명	해설
1066	제철축로공	제철용 각종로(1,000℃~1,400℃) 내화물시공(R오차 ±1mm이내) 및 보수를 하는 사람
1067	비파괴시험공	일반 또는 플랜트(철강, 석유, 제지, 화학, 원자력 및 발전 등의 에너지시설) 등 시설물의 기기 및 배관 등의 용접부위 또는 구조물 주요부위의 비파괴검사를 실시하는 사람 (검사자)
1068	특급품질관리원	건설현장에 배치되어 품질관리 업무를 수행하는 건설기술인을 보조하는 기능공으로서, 국토교통부 고시 '건설공사 품질관리 업무지침'에 따른 특급 시험인력
1069	고급품질관리원	건설현장에 배치되어 품질관리 업무를 수행하는 건설기술인을 보조하는 기능공으로서, 국토교통부 고시 '건설공사 품질관리 업무지침'에 따른 고급 시험인력
1070	중급품질관리원	건설현장에 배치되어 품질관리 업무를 수행하는 건설기술인을 보조하는 기능공으로서, 국토교통부 고시 '건설공사 품질관리 업무지침'에 따른 중급 시험인력
1071	초급품질관리원	건설현장에 배치되어 품질관리 업무를 수행하는 건설기술인을 보조하는 기능공으로서, 국토교통부 고시 '건설공사 품질관리 업무지침'에 따른 초급 시험인력
1072	지적기사	지적산업기사가 하는 업무와 지적측량의 종합적 계획수립에 종사하는 사람
1073	지적산업기사	지적기능사가 하는 업무와 지적측량에 종사하는 사람
1074	지적기능사	지적측량의 보조 또는 도면의 정리와 등사, 면적측정 및 도면작성에 종사하는 사람
1075	내선전공	옥내전선관, 배선 및 등기구류 설비의 시공 및 보수에 종사하는 사람
1076	특고압케이블전공	특별고압케이블 설비의 시공 및 보수에 종사하는 사람(7,000V 초과)
1077	고압케이블전공	고압케이블 설비의 시공 및 보수에 종사하는 사람 (교류 600V초과, 직류 750V초과 7,000V 이하)
1078	저압케이블전공	저압케이블 및 제어용 케이블 설비의 시공 및 보수에 종사하는 사람(교류 600V이하, 직류 750V이하)
1079	송전전공	발전소와 변전소 사이의 송전선의 철탑 및 송전설비의 시공 및 보수에 종사하는 사람
1080	송전활선전공	소정의 활선작업교육을 이수한 숙련 송전전공으로서 전기가 흐르는 상태에서 필수 활선장비를 사용하여 송전설비에 종사하는 사람
1081	배전전공	22.9kv이하의 배전설비의 시공 및 보수에 종사하는 사람으로서 전주를 세우고 완금, 애자 등의 부품과 기계류(변압기, 개폐기 등)를 설치하고 무거운 전선을 가설하는 등의 작업을 하는 사람
1082	배전활선전공	소정의 활선작업교육을 이수한 숙련배전전공으로서 전기가 흐르는 상태에서 필수 활선장비를 사용하여 배전설비에 종사하는 사람
1083	플랜트전공	발전소 중공업설비·플랜트설비의 시공 및 보수에 종사하는 사람
1084	계장공	기계, 급배수, 전기, 가스, 위생, 냉난방 및 기타공사에 있어서 계기(공업제어장치, 공업계측 및 컴퓨터, 자동제어장치 등)를 전문으로 설치, 부착 및 점검하는 사람
1085	철도신호공	철도신호기를 설치 등 신호보안 설비공사 및 보수에 종사하는 사람
1086	통신내선공	구내통신 배관 및 배선, 박스, 단자함 등을 시공 또는 유지보수 업무에 종사하는 사람
1087	통신설비공	무선기기, 반송기기, 영상·음향·정보·제어설비 등의 시공 및 유지보수 업무에 종사하는 사람
1088	통신외선공	전주, PE내관(전선관)포설, 조가선, 나선로 등의 시공 및 보수 업무에 종사하는 사람
1089	통신케이블공	각종 동선케이블의 가설, 포설, 접속, 연공, 시험 및 유지보수 등의 업무에 종사하는 사람
1090	무선안테나공	무선통신설비의 철탑, 안테나, 급전선의 설치와 점검, 보수, 도색 등 유지보수 업무에 종사하는 사람
1091	석면해체공	건축물, 시설물, 설비 등에서 석면이 함유된 자재를 해체 또는 철거하는 작업에 종사하는 사람
2001	광케이블설치사	광케이블의 포설, 접속, 성단, 시험 및 광전송장치(단말장치, 중계기포함)의 설치, 각종 시험, 교정 등 유지보수 업무에 종사하는 사람

직종번호	직종명	해설
2002	H/W시험사	전자교환기, 기지국, 컴퓨터시스템의 기계설비(하드웨어 포함)의 설치, 시험, 분석, 운영 시공지도, 유지보수 등의 업무에 종사하는 사람
2003	S/W시험사	전자교환기, 기지국, 컴퓨터시스템(CPU 등 포함)의 소프트웨어 및 프로그램 설계, 작성, 입력, 시험, 분석, 설치, 유지보수 등의 업무에 종사하는 사람
3001	도 편 수	전통한식 건조물의 신축 또는 보수 시 설계도를 해독하고 한식목공, 한식석공 등을 총괄, 지휘하며 여러 전문 직종의 우두머리가 되는 사람(**도석수 포함**)
3002	드 잡 이 공	내려앉거나 기울어진 목조건조물, 석조건조물을 바로잡는 일을 하는 사람
3003	한 식 목 공	도편수의 지휘아래 전통한식 기법으로 목재마름질 등 목조건조물의 나무를 치목하여 깎고 다듬어서 기물이나 건물을 짜세우는 일을 전문으로 하는 사람
3004	한 식 목 공 조 공	전통한식 건조물의 치목, 조립을 하는 사람으로 한식목공을 보조하는 사람
3005	한 식 석 공	도편수(도석수)의 지휘아래 전통한식 기법으로 흑두기 등 석재를 마름질하여 기단, 성곽, 석축 등 석조물 조립·해체를 전문으로 하는 사람
3006	한 식 미 장 공	미장 바름재(진흙, 회삼물, 강회 등)를 사용하여 한식벽체·앙벽·온돌·외역기 등을 전통기법대로 시공하는 사람
3007	한 식 와 공	전통한식 건조물의 지붕을 옛 기법대로 기와를 잇거나 보수하는 사람으로 연와공사를 총괄 지휘하는 사람
3008	한 식 와 공 조 공	한식와공의 지도를 받아 전통한식 건조물의 기와를 잇는 사람으로 한식와공을 보조하는 사람
3009	목 조 각 공	목조불상, 한식건축물의 장식물인 포부재, 화반, 대공 등의 조각을 담당하여 새김질을 하는 사람
3010	석 조 각 공	석조불상, 기단우석, 전통석탑 등 석조건조물의 조각을 하는 사람
3011	특 수 화 공	고유단청을 현장에서 시공하는 사람으로서 안료배합 및 초를 낼 수 있고 벽화를 시공할 수 있는 기능을 가진 사람
3012	화 공	고유단청을 현장에서 시공하는 사람으로서 타분, 채색 및 색긋기, 먹긋기, 가칠 등을 전문으로 하는 사람
3013	드 잡 이 공 편 수	전통한식 건조물의 신축 또는 보수 시 설계도를 해독하고 드잡이공을 총괄, 지휘하는 사람
3014	한 식 미 장 공 편 수	전통한식 건조물의 신축 또는 보수 시 설계도를 해독하고 한식미장공을 총괄, 지휘하는 사람
3015	한 식 와 공 편 수	전통한식 건조물의 신축 또는 보수 시 설계도를 해독하고 한식와공을 총괄, 지휘하는 사람
3016	한 식 단 청 공 편 수	전통한식 건조물의 신축 또는 보수 시 설계도를 해독하고 화공 및 특수화공을 총괄, 지휘하는 사람
3017	한 식 석 공 조 공	기단, 성곽, 석축 등 석조물의 치석과 해체, 조립을 하는 사람으로 한식석공을 보조하는 사람
3018	한 식 미 장 공 조 공	전통한식 건조물의 미장을 하는 사람으로 한식미장공을 보조하는 사람
4001	원자력플랜트전공	원자력발전소 건설·보수 시 원전의 안정성 및 신뢰성 확보를 위하여 다른 건설공사에 비해 엄격한 원자력관련 제규정, 규격 및 품질보증 요구조건에 따라 발·변전설비의 시공 및 보수작업을 하는 사람
4002	원 자 력 용 접 공	원자력발전소 건설·보수 시 원전의 안정성 및 신뢰성 확보를 위하여 다른 건설공사에 비해 엄격한 원자력관련 제규정, 규격 및 품질보증 요구조건에 따라 1차계통의 용접작업을 하는 사람
4003	원 자 력 기 계 설 치 공	원자력발전소 건설·보수 시 원전의 안정성 및 신뢰성 확보를 위하여 다른 건설공사에 비해 엄격한 원자력 관련 제규정, 규격 및 품질보증 요구조건에 따라 1차계통의 기계 조립, 설치 및 정비를 전문으로 하는 사람

직종번호	직종명	해설
4004	원자력품질관리사	원자력 품질관리규정(10 CFR 50 APP.B)의 요건에 따라 소정의 교육을 이수 후 관리사자격을 취득하고 원자력관련 제규정 및 규격에 관한 지식을 보유하고 동 규정에 따라 품질보증 업무를 하는 사람
5001	통신관련기사	정보통신공사업법상의 통신기술 자격자(기사)로서 전기통신 설비의 시험·측정·조정·유지보수 등에서 종사하는 사람(광단말장치 및 광중계장치 제외)
5002	통신관련산업기사	정보통신공사업법상의 통신기술 자격자(산업기사)로서 전기통신 설비의 시험·측정·조정·유지보수 등에서 종사하는 사람(광단말장치 및 광중계장치 제외)
5003	통신관련기능사	정보통신공사업법상의 통신기술 자격자(기능사)로서 전기통신 설비의 유지보수 및 엔지니어링 업무 보조자로 종사하는 사람
5004	전기공사기사	전기공사업법상의 전기기술 자격자(기사)로 전기설비의 설치 및 유지보수에 종사하는 사람
5005	전기공사산업기사	전기공사업법상의 전기기술 자격자(산업기사)로 전기설비의 설치 및 유지보수에 종사하는 사람
5006	변전전공	변전소 설비의 시공 및 보수에 종사하는 사람
5007	코킹공	창틀, 욕조 등의 방수나 고정을 위하여 코킹작업을 하는 사람
5008	특급품질관리기술인	건설현장에 배치되어 품질관리 업무를 수행하는 건설기술인으로서, 국토교통부 고시 '건설기술인 등급인정 및 교육훈련등에 관한 기준'에 따른 기술등급이 특급인 자
5009	고급품질관리기술인	건설현장에 배치되어 품질관리 업무를 수행하는 건설기술인으로서, 국토교통부 고시 '건설기술인 등급인정 및 교육훈련등에 관한 기준'에 따른 기술등급이 고급인 자
5010	중급품질관리기술인	건설현장에 배치되어 품질관리 업무를 수행하는 건설기술인으로서, 국토교통부 고시 '건설기술인 등급인정 및 교육훈련등에 관한 기준'에 따른 기술등급이 중급인 자
5011	초급품질관리기술인	건설현장에 배치되어 품질관리 업무를 수행하는 건설기술인으로서, 국토교통부 고시 '건설기술인 등급인정 및 교육훈련등에 관한 기준'에 따른 기술등급이 초급인 자

II 관련법령 등

구분	정부기관	지방자치단체
법령	1. 국가를 당사자로 하는 계약에 관한 법, 동 법 시행령 및 시행규칙	1. 지방자치단체를 당사자로 하는 계약에 관한 법, 동 법 시행령 및 시행규칙
계약(회계)예규	1. 정부 입찰 및 계약집행 기준 2. 예정가격 작성 기준 3. 공사계약 일반조건	1. 지방자치단체 입찰 및 계약집행 기준 - 제2장 예정가격 작성요령 - 제13장 공사계약 일반조건

II-1 예정가격작성기준

[기획재정부 계약예규 제577호, 2021.12.01.]

제1장 총칙

제1조(목적) 이 예규는 「국가를 당사자로 하는 계약에 관한 법률 시행령」(이하 "시행령"이라 한다) 제9조제1항제2호 및 「국가를 당사자로 하는 계약에 관한 법률 시행규칙」(이하 "시행규칙"이라 한다) 제6조에 의한 원가계산에 의한 예정가격 작성, 시행령 제9조제1항제3호 및 시행규칙 제5조제2항에 의한 표준시장단가에 의한 예정가격 작성 및 시행규칙 제5조에 의한 전문가격조사기관(이하 "조사기관"이라 한다.)의 등록 등에 있어 적용하여야 할 기준을 정함을 목적으로 한다. 〈개정 2015.3.1.〉

제2조(계약담당공무원의 주의사항) ① 계약담당공무원(각 중앙관서의 장이 계약에 관한 사무를 그 소속공무원에게 위임하지 아니하고 직접 처리하는 경우에는 이를 계약담당공무원으로 본다. 이하 같다)은 예정가격 작성등과 관련하여 이 예규에 정한 사항에 따라 업무를 처리한다.

② 계약담당공무원은 이 예규에 따라 예정가격 작성시에 표준품셈에 정해진 물량, 관련 법령에 따른 기준가격 및 비용 등을 부당하게 감액하거나 과잉 계상되지 않도록 하여야 하며, 불가피한 사유로 가격을 조정한 경우에는 조정사유를 예정가격조서에 명시하여야 한다. 〈개정 2014.1.10., 2015.9.21.〉

③ 계약담당공무원은「부가가치세법」에 따른 면세사업자와 수의계약을 체결하려는 경우에는 부가가치세를 제외하고 예정가격을 작성할 수 있으며, 이 경우 예정가격 조서에 그 사유를 명시하여야 한다.

④ 계약담당공무원은 공사원가계산에 있어서 공종의 단가를 세부내역별로 분류하여 작성하기 어려운 경우 이외에는 총계방식(이하 "1식단가"라 한다)으로 특정공종의 예정가격을 작성하여서는 아니된다. 〈신설 2019.12.18.〉

제2장 원가계산에 의한 예정가격 작성

제1절 총칙

제3조(원가계산의 구분) 원가계산은 제조원가계산과 공사원가계산 및 용역원가계산으로 구분하되, 용역원가계산에 관하여는 제4절 및 제5절에 의한다.

제4조(원가계산의 비목) 원가는 재료비, 노무비, 경비, 일반관리비 및 이윤으로 구분하여 작성한다.

제5조(비목별 가격결정의 원칙) ① 재료비, 노무비, 경비는 각각 아래에서 정한 산식에 따른다.
- 재료비 = 재료량 × 단위당가격
- 노무비 = 노무량 × 단위당가격
- 경 비 = 소요(소비)량 × 단위당 가격

② 재료비, 노무비, 경비의 각 세비목별 단위당가격은 시행규칙 제7조에 따라 계산한다.

③ 계약담당공무원은 재료비, 노무비, 경비의 각 세비목 및 그 물량(재료량, 노무량, 소요량) 산출은 계약목적물에 대한 규격서, 설계서 등에 의하거나 제34조에 의한 원가계산자료를 근거로 하여 산정하여야 하며, 일정률로 계상하는 일반관리비,

간접노무비 등에 대해서는 사전 공고한 공사원가 제비율을 준수하여야 한다. 〈개정 2014.1.10.〉
④ 계약담당공무원은 제3항의 각 세비목 및 그 물량산출은 계약목적물의 내용 및 특성 등을 고려하여 그 완성에 적합하다고 인정되는 합리적인 방법으로 작성하여야 한다.
⑤ 공사계약의 원가계산에 있어 기 체결한 물품제조·구매계약(국가기관·지방자치단체·공공기관이 발주한 계약을 말한다. 이하 이조에서 같다.)의 내역을 재료비의 단위당 가격으로 활용하려는 경우에는 해당물품의 예정가격 또는 계약예규 「예정가격작성기준」 제44조의3에 따른 기초가격을 재료비의 단위당 가격으로 적용하며, 물품제조·구매계약의 계약금액은 시행규칙 제7조에 따른 거래실례가격으로 보지 아니한다.〈신설 2020.6.19.〉

제6조(원가계산에 의한 예정가격 작성시 주의사항) ① 계약담당공무원은 원가계산방법으로 예정가격을 작성할 때에는 계약수량, 이행의 전망, 이행기간, 수급상황, 계약조건 기타 제반여건을 고려하여야 한다.
② 계약담당공무원은 표준품셈을 이용하여 원가계산을 하는 경우에는 가장 최근의 표준품셈을 이용하여야 한다. 〈신설 2012.4.2.〉
③ 계약담당공무원은 원가계산의 단위당 가격을 산정함에 있어 소요물량·거래조건 등 제반사정을 고려하여 객관적으로 단가를 산정하여야 한다.

제2절 제조원가계산

제7조(제조원가) 제조원가라 함은 제조과정에서 발생한 재료비, 노무비, 경비의 합계액을 말한다.

제8조(작성방법) 계약담당공무원은 제조원가를 계산 하고자 할 때에는 별표1의 제조원가계산서를 작성하고 비목별 산출근거를 명시한 기초계산서를 첨부하여야 한다. 이 경우에 재료비, 노무비, 경비 중 일부를 별표1의 제조원가계산서상 일반관리비 또는 이윤 다음 비목으로 계상하여서는 아니된다.

제9조(재료비) 재료비는 제조원가를 구성하는 다음 내용의 직접재료비, 간접재료비로 한다.
① 직접재료비는 계약목적물의 실체를 형성하는 물품의 가치로서 다음 각호를 말한다. 〈개정 2015.9.21.〉
  1. 주요재료비
     계약목적물의 기본적 구성형태를 이루는 물품의 가치
  2. 부분품비
     계약목적물에 원형대로 부착되어 그 조성부분이 되는 매입부품·수입부품·외장재료 및 제11조제3항제13호 규정에 의한 경비로 계상되는 것을 제외한 외주품의 가치
② 간접재료비는 계약목적물의 실체를 형성하지는 않으나 제조에 보조적으로 소비되는 물품의 가치로서 다음 각호를 말한다.
  1. 소모재료비
     기계오일, 접착제, 용접가스, 장갑, 연마재등 소모성 물품의 가치
  2. 소모공구·기구·비품비
     내용년수 1년미만으로서 구입단가가 「법인세법」 또는 「소득세법」 규정에 의한 상당금액이하인 감가상각대상에서 제외되는 소모성 공구·기구·비품의 가치
  3. 포장재료비
     제품포장에 소요되는 재료의 가치
③ 재료의 구입과정에서 해당재료에 직접 관련되어 발생하는 운임, 보험료, 보관비 등의 부대비용은 재료비에 계상한다. 다만, 재료구입 후 발생되는 부대비용은 경비의 각 비목으로 계상한다.
④ 계약목적물의 제조 중에 발생되는 작업설, 부산물, 연산품 등은 그 매각액 또는 이용가치를 추산하여 재료비에서 공제하여야 한다.

제10조(노무비) 노무비는 제조원가를 구성하는 다음 내용의 직접노무비, 간접노무비를 말한다.
① 직접노무비는 제조현장에서 계약목적물을 완성하기 위하여 직접작업에 종사하는 종업원 및 노무자에 의하여 제공되는 노동력의 대가로서 다음 각호의 합계액으로 한다. 다만, 상여금은 기본급의 년 400%, 제수당, 퇴직급여충당금은 「근로기준법」상 인정되는 범위를 초과하여 계상할 수 없다.
  1. 기본급(「통계법」 제15조의 규정에 의한 지정기관이 조사·공표한 단위당가격 또는 기획재정부장관이 결정·고시하는 단위당가격으로서 동단가에는 기본급의 성격을 갖는 정근수당·가족수당·위험수당 등이 포함된다)
  2. 제수당(기본급의 성격을 가지지 않는 시간외 수당·야간수당·휴일수당·주휴수당 등 작업상 통상적으로 지급되는 금액을 말한다)〈개정 2015.9.21.〉

3. 상여금
  4. 퇴직급여충당금
② 간접노무비는 직접 제조작업에 종사하지는 않으나, 작업현장에서 보조작업에 종사하는 노무자, 종업원과 현장감독자 등의 기본급과 제수당, 상여금, 퇴직급여충당금의 합계액으로 한다. 이 경우에는 제1항 각호 및 단서를 준용한다.
③ 제1항의 직접노무비는 제조공정별로 작업인원, 작업시간, 제조수량을 기준으로 계약목적물의 제조에 소요되는 노무량을 산정하고 노무비 단가를 곱하여 계산한다.
④ 제2항의 간접노무비는 제34조에 의한 원가계산자료를 활용하여 직접노무비에 대하여 간접노무비율(간접노무비/직접노무비)을 곱하여 계산한다.
⑤ 제4항의 간접노무비는 제3항의 직접노무비를 초과하여 계상할 수 없다. 다만, 작업현장의 기계화, 자동화 등으로 인하여 불가피하게 간접노무비가 직접노무비를 초과하는 경우에는 증빙자료에 의하여 초과 계상할 수 있다.

제11조(경비) ① 경비는 제품의 제조를 위하여 소비된 제조원가중 재료비, 노무비를 제외한 원가를 말하며 기업의 유지를 위한 관리활동부문에서 발생하는 일반관리비와 구분된다.
② 경비는 해당 계약목적물 제조기간의 소요(소비)량을 측정하거나 제34조에 의한 원가계산자료나 계약서, 영수증 등을 근거로 하여 산출하여야 한다. 〈개정 2015.9.21.〉
③ 경비의 세비목은 다음 각호의 것으로 한다.
  1. 전력비, 수도광열비는 계약목적물을 제조하는데 직접 소요되는 해당 비용을 말한다. 〈개정 2015.9.21.〉
  2. 운반비는 재료비에 포함되지 않는 운반비로서 원재료 또는 완제품의 운송비, 하역비, 상하차비, 조작비등을 말한다.
  3. 감가상각비는 제품생산에 직접 사용되는 건물, 기계장치 등 유형고정자산에 대하여 세법에서 정한 감가상각방식에 따라 계산한다. 다만, 세법에서 정한 내용년수의 적용이 불합리하다고 인정될 때에는 해당 계약목적물에 직접 사용되는 전용기기에 한하여 그 내용년수를 별도로 정하거나 특별상각할 수 있다.
  4. 수리수선비는 계약목적물을 제조하는데 직접 사용되거나 제공되고 있는 건물, 기계장치, 구축물, 선박차량 등 운반구, 내구성공구, 기구제품의 수리수선비로서 해당 목적물의 제조과정에서 그 원인이 발생될 것으로 예견되는 것에 한한다. 다만, 자본적 지출에 해당하는 대수리 수선비는 제외한다.
  5. 특허권사용료는 계약목적물이 특허품이거나 또는 그 제조과정의 일부가 특허의 대상이 되어 특허권 사용계약에 의하여 제조하고 있는 경우의 사용료로서 그 사용비례에 따라 계산한다.
  6. 기술료는 해당 계약목적물을 제조하는데 직접 필요한 노하우(Know-how) 및 동 부대비용으로서 외부에 지급하는 비용을 말하며 「법인세법」상의 시험연구비 등에서 정한 바에 따라 계상하여 사업년도로부터 이연상각하되 그 적용비례를 기준하여 배분 계산한다.
  7. 연구개발비는 해당 계약목적물을 제조하는데 직접 필요한 기술개발 및 연구비로서 시험 및 시범제작에 소요된 비용 또는 연구기관에 의뢰한 기술개발용역비와 법령에 의한 기술개발촉진비 및 직업훈련비를 말하며 「법인세법」상의 시험연구비 등에서 정한 바에 따라 이연상각하되 그 생산수량에 비례하여 배분 계산한다. 다만, 연구개발비중 장래 계속생산으로의 연결이 불확실하여 미래수익의 증가와 관련이 없는 비용은 특별상각할 수 있다.
  8. 시험검사비는 해당 계약의 이행을 위한 직접적인 시험검사비로서 외부에 이를 의뢰하는 경우의 비용을 말한다. 다만, 자체시험검사비는 법령이나 계약조건에 의하여 내부검사가 요구되는 경우에 계상할 수 있다.
  9. 지급임차료는 계약목적물을 제조하는데 직접 사용되거나 제공되는 토지, 건물, 기술, 기구 등의 사용료로서 해당 계약 물품의 생산기간에 따라 계산한다.
  10. 보험료는 산업재해보험, 고용보험, 국민건강보험 및 국민연금보험 등 법령이나 계약조건에 의하여 의무적으로 가입이 요구되는 보험의 보험료를 말하며 재료비에 계상되는 것은 제외한다.
  11. 복리후생비는 계약목적물의 제조작업에 종사하고 있는 노무자, 종업원등의 의료 위생약품대, 공상치료비, 지급피복비, 건강진단비, 급식비("중식 및 간식제공을 위한 비용을 말한다."이하 같다)등 작업조건유지에 직접 관련되는 복리후생비를 말한다.
  12. 보관비는 계약목적물의 제조에 소요되는 재료, 기자재 등의 창고 사용료로서 외부에 지급되는 경우의 비용만을 계상하여야 하며 이중에서 재료비에 계상되는 것은 제외한다.
  13. 외주가공비는 재료를 외부에 가공시키는 실가공비용을 말하며 부분품의 가치로서 재료비에 계상되는 것은 제외한다.
  14. 산업안전보건관리비는 작업현장에서 산업재해 및 건강장해예방을 위하여 법령에 따라 요구되는 비용을 말한다.
  15. 소모품비는 작업현장에서 발생되는 문방구, 장부대 등 소모품 구입비용을 말하며 보조재료로서 재료비에 계상되는 것은 제외한다.

16. 여비·교통비·통신비는 작업현장에서 직접 소요되는 여비 및 차량유지비와 전신전화사용료, 우편료를 말한다.
17. 세금과 공과는 해당 제조와 직접 관련되어 부담하여야 할 재산세, 차량세 등의 세금 및 공공단체에 납부하는 공과금을 말한다.
18. 폐기물처리비는 계약목적물의 제조와 관련하여 발생되는 오물, 잔재물, 폐유, 폐알칼리, 폐고무, 폐합성수지등 공해유발물질을 법령에 따라 처리하기 위하여 소요되는 비용을 말한다.
19. 도서인쇄비는 계약목적물의 제조를 위한 참고서적구입비, 각종 인쇄비, 사진제작비(VTR제작비를 포함한다)등을 말한다
20. 지급수수료는 법령에 규정되어 있거나 의무지워진 수수료에 한하며, 다른 비목에 계상되지 않는 수수료를 말한다.
21. 법정부담금은 관련법령에 따라 해당 제조와 직접 관련하여 의무적으로 부담하여야 할 부담금을 말한다. 〈신설 2019. 12. 18.〉
22. 기타 법정경비는 위에서 열거한 이외의 것으로서 법령에 규정되어 있거나 의무지워진 경비를 말한다.
23. 품질관리비는 해당 계약목적물의 품질관리를 위하여 관련 법령 및 계약조건에 의하여 요구되는 비용(품질시험 인건비를 포함한다)을 말하며, 간접노무비에 계상되는 것은 제외한다. 〈신설 2021. 12. 1.〉
24. 안전관리비는 제조현장의 안전관리를 위하여 관계법령에 의하여 요구되는 비용을 말한다. 〈신설 2021. 12. 1.〉

제12조(일반관리비의 내용) 일반관리비는 기업의 유지를 위한 관리활동부문에서 발생하는 제비용으로서 제조원가에 속하지 아니하는 모든 영업비용중 판매비 등을 제외한 다음의 비용, 즉, 임원급료, 사무실직원의 급료, 제수당, 퇴직급여충당금, 복리후생비, 여비, 교통·통신비, 수도광열비, 세금과 공과, 지급임차료, 감가상각비, 운반비, 차량비, 경상시험연구개발비, 보험료 등을 말하며 기업손익계산서를 기준하여 산정한다.

제13조(일반관리비의 계상방법) 제12조에 의한 일반관리비는 제조원가에 별표3에서 정한 일반관리비율(일반관리비가 매출원가에서 차지하는 비율)을 초과하여 계상할 수 없다.

제14조(이윤) 이윤은 영업이익(비영리법인의 경우에는 목적사업이외의 수익사업에서 발생하는 이익을 말한다. 이하 같다.)을 말하며 제조원가중 노무비, 경비와 일반관리비의 합계액(이 경우에 기술료 및 외주가공비는 제외한다)의 25%를 초과하여 계상할 수 없다. 〈개정 2008. 12. 29.〉

제3절 공사원가계산

제15조(공사원가) 공사원가라 함은 공사시공과정에서 발생한 재료비, 노무비, 경비의 합계액을 말한다.

제16조(작성방법) 계약담당공무원은 공사원가계산을 하고자 할 때에는 별표2의 공사원가계산서를 작성하고 비목별 산출근거를 명시한 기초계산서를 첨부하여야 한다. 이 경우에 재료비, 노무비, 경비 중 일부를 별표2의 공사원가계산서상 일반관리비 또는 이윤 다음 비목으로 계상하여서는 아니된다.

제17조(재료비) 재료비는 공사원가를 구성하는 다음 내용의 직접재료비 및 간접재료비로 한다.
① 직접재료비는 공사목적물의 실체를 형성하는 물품의 가치로서 다음 각호를 말한다.
1. 주요재료비
   공사목적물의 기본적 구성형태를 이루는 물품의 가치
2. 부분품비
   공사목적물에 원형대로 부착되어 그 조성부분이 되는 매입부품, 수입부품, 외장재료 및 제19조제3항제13호에 의해 경비로 계상되는 것을 제외한 외주품의 가치
② 간접재료비는 공사목적물의 실체를 형성하지는 않으나 공사에 보조적으로 소비되는 물품의 가치로서 다음 각호를 말한다.
1. 소모재료비
   기계오일·접착제·용접가스·장갑등 소모성물품의 가치
2. 소모공구·기구·비품비
   내용년수 1년미만으로서 구입단가가 「법인세법」 또는 「소득세법」 규정에 의한 상당금액이하인 감가상각대상에서 제외되는 소모성 공구·기구·비품의 가치
3. 가설재료비
   비계, 거푸집, 동바리 등 공사목적물의 실체를 형성하는 것은 아니나 동 시공을 위하여 필요한 가설재의 가치
③ 재료의 구입과정에서 해당재료에 직접 관련되어 발생하는 운임, 보험료, 보관비등의 부대비용은 재료비에 계상한다. 다만 재료구입 후 발생되는 부대비용은 경비의 각 비목으로 계상한다.

④ 계약목적물의 시공중에 발생하는 작업설, 부산물 등은 그 매각액 또는 이용가치를 추산하여 재료비에서 공제하여야 한다. 다만, 기존 시설물의 철거, 해체, 이설 등으로 발생되는 작업설, 부산물 등은 재료비에서 공제하지 아니하고, 매각비용 등에 대해 별도 계상한다. 〈단서 신설 2021.12.1.〉

제18조(노무비) 노무비의 내용 및 산정방식은 제5조와 제10조를 준용하며, 간접노무비의 구체적 계산방법 등에 대하여는 별표 2-1을 참고하여 계산한다.

제19조(경비) ① 경비는 공사의 시공을 위하여 소요되는 공사원가중 재료비, 노무비를 제외한 원가를 말하며, 기업의 유지를 위한 관리활동부문에서 발생하는 일반관리비와 구분된다.
② 경비는 해당 계약목적물 시공기간의 소요(소비)량을 측정하거나 제34조에 의한 원가계산 자료나 계약서, 영수증 등을 근거로 산정하여야 한다.
③ 경비의 세비목은 다음 각호의 것으로 한다.
1. 전력비, 수도광열비는 계약목적물을 시공하는데 소요되는 해당 비용을 말한다.
2. 운반비는 재료비에 포함되지 않은 운반비로서 원재료, 반재료 또는 기계기구의 운송비, 하역비, 상하차비, 조작비등을 말한다.
3. 기계경비는 각 중앙관서의 장 또는 그가 지정하는 단체에서 제정한 "표준품셈상의 건설기계의 경비산정기준에 의한 비용을 말한다.
4. 특허권사용료는 타인 소유의 특허권을 사용한 경우에 지급되는 사용료로서 그 사용비례에 따라 계산한다.
5. 기술료는 해당 계약목적물을 시공하는데 직접 필요한 노하우(Know-how) 및 동 부대비용으로서 외부에 지급되는 비용을 말하며 「법인세법」상의 시험연구비 등에서 정한 바에 따라 계상하여 사업초년도부터 이연상각하되 그 사용비례를 기준으로 배분계산한다.
6. 연구개발비는 해당 계약목적물을 시공하는데 직접 필요한 기술개발 및 연구비로서 시험 및 시범제작에 소요된 비용 또는 연구기관에 의뢰한 기술개발 용역비와 법령에 의한 기술개발촉진비 및 직업훈련비를 말하며 「법인세법」상의 시험연구비 등에서 정한 바에 따라 이연상각하되 그 사용비례를 기준하여 배분계산한다. 다만, 연구개발비중 장래 계속시공으로서의 연결이 불확실하여 미래 수익의 증가와 관련이 없는 비용은 특별상각할 수 있다.
7. 품질관리비는 해당 계약목적물의 품질관리를 위하여 관련법령 및 계약조건에 의하여 요구되는 비용(품질시험인건비를 포함한다)을 말하며, 간접노무비에 계상(시험관리인)되는 것은 제외한다.
8. 가설비는 공사목적물의 실체를 형성하는 것은 아니나 현장사무소, 창고, 식당, 숙사, 화장실등 동 시공을 위하여 필요한 가설물의 설치에 소요되는 비용(노무비, 재료비를 포함한다)을 말한다.
9. 지급임차료는 계약목적물을 시공하는데 직접 사용되거나 제공되는 토지, 건물, 기계기구(건설기계를 제외한다)의 사용료를 말한다.
10. 보험료는 산업재해보험, 고용보험, 국민건강보험 및 국민연금보험 등 법령이나 계약조건 에 의하여 의무적으로 가입이 요구되는 보험의 보험료를 말하고, 동 보험료는 「건설산업기본법」 제22조제7항 등 관련법령에 정한 바에 따라 계상하며, 재료비에 계상되는 보험료는 제외한다. 다만 공사손해보험료는 제22조에서 정한 바에 따라 별도로 계상된다. 〈개정 2015.9.21.〉
11. 복리후생비는 계약목적물을 시공하는데 종사하는 노무자·종업원·현장사무소직원 등의 의료위생약품대, 공상치료비, 지급피복비, 건강진단비, 급식비등 작업조건 유지에 직접 관련되는 복리후생비를 말한다.
12. 보관비는 계약목적물의 시공에 소요되는 재료, 기자재 등의 창고사용료로서 외부에 지급되는 비용만을 계상하여야 하며 이중에서 재료비에 계상되는 것은 제외한다.
13. 외주가공비는 재료를 외부에 가공시키는 실가공비용을 말하며 외주가공품의 가치로서 재료비에 계상되는 것은 제외한다.
14. 산업안전보건관리비는 작업현장에서 산업재해 및 건강장해예방을 위하여 법령에 따라 요구되는 비용을 말한다.
15. 소모품비는 작업현장에서 발생되는 문방구, 장부대등 소모용품 구입비용을 말하며, 보조재료로서 재료비에 계상되는 것은 제외한다.
16. 여비·교통비·통신비는 시공현장에서 직접 소요되는 여비 및 차량유지비와 전신전화사용료, 우편료를 말한다.
17. 세금과 공과는 시공현장에서 해당공사와 직접 관련되어 부담하여야 할 재산세, 차량세, 사업소세 등의 세금 및 공공단체에 납부하는 공과금을 말한다.
18. 폐기물처리비는 계약목적물의 시공과 관련하여 발생되는 오물, 잔재물, 폐유, 폐알칼리, 폐고무, 폐합성수지등 공해유발물질을 법령에 의거 처리하기 위하여 소요되는 비용을 말한다.

19. 도서인쇄비는 계약목적물의 시공을 위한 참고서적구입비, 각종 인쇄비, 사진제작비(VTR제작비를 포함한다) 및 공사시 공기록책자 제작비등을 말한다.
20. 지급수수료는 시행령 제52조제1항 단서에 의한 공사이행보증서 발급수수료,「건설산업기본법」제34조 및 「하도급거래 공정화에 관한 법률」제13조의2의 규정에 의한 건설하도급대금 지급보증서 발급수수료,「건설산업기본법」제68조의3에 의한 건설기계 대여대금 지급보증 수수료 등 법령으로서 지급이 의무화된 수수료를 말한다. 이경우 보증서 발급수수료는 보증서 발급기관이 최고 등급업체에 대해 적용하는 보증요율중 최저요율을 적용하여 계상한다. 〈개정 2015.9.21.〉
21. 환경보전비는 계약목적물의 시공을 위한 제반환경오염 방지시설을 위한 것으로서, 관련법령에 의하여 규정되어 있거나 의무 지워진 비용을 말한다.
22. 보상비는 해당 공사로 인해 공사현장에 인접한 도로 하천·기타 재산에 훼손을 가하거나 지장물을 철거함에 따라 발생하는 보상·보수비를 말한다. 다만, 해당공사를 위한 용지보상비는 제외한다.
23. 안전관리비는 건설공사의 안전관리를 위하여 관계법령에 의하여 요구되는 비용을 말한다.
24. 건설근로자퇴직공제부금비는「건설근로자의 고용개선 등에 관한 법률」에 의하여 건설근로자퇴직공제에 가입하는데 소요되는 비용을 말한다. 다만, 제10조제1항제4호 및 제18조에 의하여 퇴직급여충당금을 산정하여 계상한 경우에는 동 금액을 제외한다.
25. 관급자재 관리비는 공사현장에서 사용될 관급자재에 대한 보관 및 관리 등에 소요되는 비용을 말한다. 〈신설 2015.1.1.〉
26. 법정부담금은 관련법령에 따라 해당 공사와 직접 관련하여 의무적으로 부담하여야 할 부담금을 말한다. 〈신설 2019.12.18.〉
27. 기타 법정경비는 위에서 열거한 이외의 것으로서 법령에 규정되어 있거나 의무 지워진 경비를 말한다.

제20조(일반관리비) 일반관리비의 내용은 제12조와 같고 별표3에서 정한 일반관리비율을 초과하여 계상할 수 없으며, 아래와 같이 공사규모별로 체감 적용한다. 〈개정 2011.5.13, 2015.9.21.〉

종합공사		전문·전기·정보통신·소방 및 기타공사	
공사원가	일반관리비율(%)	공사원가	일반관리비율(%)
50억원미만	6.0	5억원 미만	6.0
50억~300억원 미만	5.5	5억~30억원 미만	5.5
300억원이상	5.0	30억원 이상	5.0

제21조(이윤) 이윤은 영업이익을 말하며 공사원가중 노무비, 경비와 일반관리비의 합계액(이 경우에 기술료 및 외주가공비는 제외한다)의 15%를 초과하여 계상할 수 없다. 〈개정 2008.12.29.〉

제22조(공사손해보험료) ① 공사손해보험료는 계약예규「공사계약일반조건」제10조에 의하여 공사손해보험에 가입할 때에 지급하는 보험료를 말하며, 보험가입대상 공사부분의 총공사원가(재료비, 노무비, 경비, 일반관리비 및 이윤의 합계액을 말한다. 이하 같다)에 공사손해 보험료율을 곱하여 계상한다.
② 발주기관이 지급하는 관급자재가 있을 경우에는 보험가입 대상 공사부분의 총공사원가와 관급자재를 합한 금액에 공사손해보험료율을 곱하여 계상한다.
③ 제1항에 의한 공사손해보험료를 계상하기 위한 공사손해보험료율은 계약담당공무원이 설계서와 보험개발원, 손해보험회사 등으로부터 제공받은 자료를 기초로 하여 정한다.

제4절 학술연구용역 원가계산

제23조(용어의 정의) 이 절에서 사용하는 용어의 정의는 다음 각호와 같다.
1. "학술연구용역"이라 함은 "학문분야의 기초과학과 응용과학에 관한 연구용역 및 이에 준하는 용역"을 말하며, 그 이행방식에 따라 다음 각목과 같이 구분할 수 있다.
   가. 위탁형 용역 : 용역계약을 체결한 계약상대자가 자기책임하에 연구를 수행하여 연구결과물을 용역결과보고서 형태로 제출하는 방식
   나. 공동연구형 용역 : 용역계약을 체결한 계약상대자와 발주기관이 공동으로 연구를 수행하는 방식
   다. 자문형 용역 : 용역계약을 체결한 계약상대자가 발주기관의 특정 현안에 대한 의견을 서면으로 제시하는 방식
2. "책임연구원"이라 함은 해당 용역수행을 지휘·감독하며 결론을 도출하는 역할을 수행하는 자를 말하며, 대학 부교수 수준의 기능을 보유하고 있어야 한다. 이 경우에 책임연구원은 1인을 원칙으로 하되, 해당 용역의 성격상 다수의 책임자가 필요한 경우에는 그러하지 아니하다.

3. "연구원"이라 함은 책임연구원을 보조하는 자로서 대학 조교수 수준의 기능을 보유하고 있어야 한다.
4. "연구보조원"이라 함은 통계처리·번역 등의 역할을 수행하는 자로서 해당 연구분야에 대해 조교정도의 전문지식을 가진 자를 말한다.
5. "보조원"이라 함은 타자, 계산, 원고정리등 단순한 업무처리를 수행하는 자를 말한다. 〈신설 2015.9.21.〉

제24조(원가계산비목) 원가계산은 노무비(이하 "인건비"라 한다), 경비, 일반관리비등으로 구분하여 작성한다. 다만, 제23조제1호나목 및 다목에 의한 공동연구형 용역 및 자문형 용역의 경우에는 경비항목 중 최소한의 필요항목만 계상하고 일반관리비는 계상하지 아니한다. 〈개정 2015.9.21.〉

제25조(작성방법) 학술연구용역에 대한 원가계산을 하고자 할 때에는 별표4에서 정한 학술연구용역원가계산서를 작성하고 비목별 산출근거를 명시한 기초계산서를 첨부하여야 한다

제26조(인건비) ① 인건비는 해당 계약목적에 직접 종사하는 연구요원의 급료를 말하며, 별표5에서 정한 기준단가에 의하되, 「근로기준법」에서 규정하고 있는 상여금, 퇴직급여충당금의 합계액으로 한다. 다만, 상여금은 기준단가의 연 400%를 초과하여 계상할 수 없다. 〈개정 2018.12.31.〉
② 이 예규 시행일이 속하는 년도의 다음 년도부터는 매년 전년도 소비자물가 상승률만큼 인상한 단가를 기준으로 한다.

제27조(경비) 경비는 계약목적을 달성하기 위하여 필요한 다음 내용의 여비, 유인물비, 전산처리비, 시약 및 연구용 재료비, 회의비, 임차료, 교통통신비 및 감가상각비를 말한다.
1. 여비는 다음 각호의 기준에 따라 계상한다.
   가. 여비는 「공무원여비규정」에 의한 국내여비와 국외여비로 구분하여 계상하되 이를 인정하지 아니하고는 계약목적을 달성하기 곤란한 경우에 한하며 관계공무원의 여비는 계상할 수 없다.
   나. 국내여비는 시외여비만을 계상하되 연구상 필요불가피한 경우외에는 월15일을 초과할 수 없으며, 책임연구원은 「공무원여비규정」제3조관련 별표1(여비지급구분표) 제1호등급, 연구원, 연구보조원 및 보조원은 동표 제2호등급을 기준으로 한다. 〈개정 2008.12.29, 2015.9.21.〉
2. 유인물비는 계약목적을 위하여 직접 소요되는 프린트, 인쇄, 문헌복사비(지대포함)를 말한다.
3. 전산처리비는 해당 연구내용과 관련된 자료처리를 위한 컴퓨터사용료 및 그 부대비용을 말한다.
4. 시약 및 연구용 재료비는 실험실습에 필요한 비용을 말한다.
5. 회의비는 해당 연구내용과 관련하여 자문회의, 토론회, 공청회 등을 위해 소요되는 경비를 말하며, 참석자의 수당은 해당 연도 예산안 작성 세부지침상 위원회 참석비를 기준으로 한다. 〈개정 2010.4.15, 2016.12.30.〉
6. 임차료는 연구내용에 따라 특수실험실습기구를 외부로부터 임차하거나 혹은 공청회 등을 위한 회의장사용을 하지 아니하고는 계약목적을 달성할 수 없는 경우에 한하여 계상할 수 있다.
7. 교통통신비는 해당 연구내용과 직접 관련된 시내교통비, 전신전화사용료, 우편료를 말한다.
8. 감가상각비는 해당 연구내용과 직접 관련된 특수실험 실습기구·기계장치에 대하여 제11조제3항제3호의 규정을 준용하여 계산한다. 단 임차료에 계상되는 것은 제외한다.

제28조(일반관리비 등) ① 일반관리비는 시행규칙 제8조에 규정된 일반관리비율을 초과하여 계상할 수 없다. 〈개정 2015.9.21.〉
② 이윤은 영업이익을 말하며, 인건비, 경비 및 일반관리비의 합계액에 시행규칙 제8조에서 정한 이윤율을 초과하여 계상할 수 없다. 〈개정 2008.12.29.〉

제29조(회계직공무원의 주의의무) ① 계약담당공무원은 학술연구용역 의뢰시에는 해당 연구에 대한 전문기관 또는 전문가를 엄선하여 연구목적을 달성할 수 있도록 그 주의의무를 다하여야 한다.
② 각 중앙관서의 장은 학술연구용역을 수의계약으로 체결하고자 할 경우에는 해당 계약상대자의 최근년도 원가계산자료(급여명세서, 손익계산서등)을 활용하여 제26조의 상여금, 퇴직금 및 제28조제1항의 일반관리비 산정시 과다 계상되지 않도록 주의하여야 한다. 〈개정 2008.12.29.〉

제5절 기타용역의 원가계산

제30조(기타용역의 원가계산) ① 엔지니어링사업, 측량용역, 소프트웨어 개발용역 등 다른 법령에서 그 대가기준(원가계산기준)을 규정하고 있는 경우에는 해당 법령이 정하는 기준에 따라 원가계산을 할 수 있다.
② 원가계산기준이 정해지지 않은 기타의 용역에 대하여는 제1항 및 제23조 내지 제29조에 규정된 원가계산기준에 준하여 원가계산할 수 있다. 이 경우 시행규칙 제23조의3 각호의 용역계약에 대한 인건비의 기준단가는 다음 각호의 어느 하나에 따른 노임에 의하되, 「근로기준법」에서 정하고 있는 제수당, 상여금(기준단가의 연 400%를 초과하여 계상할 수 없다), 퇴

직급여충당금의 합계액으로 한다. 〈개정 2015.9.21., 2017.12.28.〉
1. 시설물관리용역 : 「통계법」 제17조의 규정에 따라 중소기업중앙회가 발표하는 '중소제조업 직종별 임금조사 보고서'(최저임금 상승 효과 등 적용시점의 임금상승 예측치를 반영한 통계가 있을 경우 동 통계를 적용한다. 이하 이 조에서 '임금조사 보고서'라 한다)의 단순노무종사원 노임(다만, 임금조사 보고서상 해당직종의 노임이 있는 종사원에 대하여는 해당 직종의 노임을 적용한다) 〈신설 2017.12.28.〉〈개정 2018.12.31.〉
2. 그 밖의 용역 : 임금조사 보고서의 단순노무종사원 노임 〈신설 2017.12.28.〉

제6절 원가계산용역기관

제31조(원가계산용역기관의 요건) ① 시행규칙 제9조제3항제2호의 "전문인력 10명 이상"은 다음의 요건을 갖춘 인원을 말한다. 〈개정 2018.12.31.〉
1. 국가공인 원가분석사 자격증 소지자 6인 또는 원가계산업무에 종사(연구기간 포함)한 경력이 3년 이상인자 4인, 5년 이상인자 2인 〈신설 2018.12.31.〉
2. 이공계대학 학위소지자 또는 「국가기술자격법」에 의한 기술·기능분야의 기사 이상인 자 2인 〈신설 2018.12.31.〉
3. 상경대학 학위소지자 2인 〈신설 2018.12.31.〉
② 시행규칙 제9조제2항제2호 및 제3호의 기관의 경우에는 제1항 각호의 인원이 대학(교) 직원 또는 대학(교) 부설연구소 직원이어야 하며, 각 분야별 상시고용인원 중에 교수(부교수, 조교수, 전임강사 포함)는 1인 이하로 하여야 한다. 〈신설 2018.12.31.〉
③ 계약담당공무원은 제9조제5항제3호의 기본재산 요건 구비 여부를 판단함에 있어 자본금은 최근연도 결산재무제표(또는 결산재무상태표)상의 자산총액에서 부채총액을 차감한 금액을 적용하여야 한다. 〈신설 2018.12.31.〉
④ 용역기관은 본부 외에 별도로 지사·지부 또는 출장소, 연락사무소 등을 설치하여 원가계산용역업무를 수행할 수 없다. 〈제2항에서 이동 2018.12.31.〉

제31조의2(용역기관에 대한 제재) 계약담당공무원은 원가계산용역기관이 자격요건 심사 시에 허위서류를 제출하는 등 관련 규정을 위반하거나 원가계산용역을 부실하게 한 경우에는 국가기관의 원가계산용역업무를 수행할 수 없도록 해당 용역기관의 주무관청 등 감독기관에 요청할 수 있다. 〈신설 2010.4.15.〉

제32조(원가계산용역 의뢰시 주의사항) ① 계약담당공무원은 제31조의 요건을 갖춘 기관에 한하여 원가계산내용에 따른 전문성이 있는 기관에 용역의뢰를 하여야 한다. 다만, 제31조의 요건을 갖춘 용역기관들의 단체로서 「민법」 제32조의 규정에 의하여 설립된 법인이 동 요건 충족여부를 확인한 경우에는 별도의 요건심사를 면제할 수 있다.
② 계약담당공무원은 용역의뢰시에 제1항 단서에서 규정한 용역기관들의 단체에게 용역기관의 자격요건 심사를 의뢰하여 그 충족여부를 확인하여야 한다. (제1항 단서에 따라 심사가 면제된 용역기관은 제외) 〈신설 2010.4.15. 개정 2015.9.21.〉
③ 계약담당공무원은 제1항의 경우에 해당 용역기관의 장과 다음 각호의 사항을 명백히 한 계약서를 작성하여야 한다. 다만, 시행령 제49조에 의한 계약서 작성을 생략할 경우에도 다음 각호의 사항을 준용하여 각서 등을 징구하여야 한다. 〈제2항에서 이동 2010.4.15.〉
1. 부실원가계산시 그 책임에 관한 사항
2. 계약의 해제 또는 해지에 관한 사항
3. 원가계산내용의 보안유지에 관한 사항
4. 기타 원가계산 수행에 필요하다고 인정되는 사항
④ 계약담당공무원은 최종원가계산서에 해당 용역기관의 장[대학(교) 연구소의 경우에는 연구소장] 및 책임연구원이 직접 확인·서명하였음을 확인하여야 한다. 〈제3항에서 이동 2010.4.15.〉
⑤ 계약담당공무원은 용역기관에서 제출된 최종원가계산서의 내용이 「국가를 당사자로 하는 계약에 관한 법률」, 동법 시행령, 시행규칙, 이 예규 및 계약서 등의 용역조건에 부합되는지 여부를 검토하여 해당 원가계산의 적정을 기하여야 한다. 이 경우에 원가계산의 적정성을 기하기 위해 필요하다고 판단되는 때에는 해당 원가계산서를 작성하지 아니한 다른 용역기관에 검토를 의뢰할 수 있다. 〈제2항에서 이동 2010.4.15. 개정 2010.10.22. 2016.12.30〉
⑥ 계약담당공무원은 제1항에 따라 원가계산용역기관에 용역의뢰를 하려는 경우 시행규칙 제9조제2항부터 제4항까지의 요건을 확인하기 위해 원가계산용역기관으로 하여금 다음 각 호의 서류를 제출하게 하여야 한다. 〈신설 2018.12.31.〉
1. 정관(학교의 연구소 또는 산학협력단의 경우 학칙이나 연구소 규정)
2. 삭제 〈2020.12.28.〉

3. 설립허가서 등 시행규칙 제9조제2항각호의 기관임을 증명하는 서류
4. 제1항 각호의 인력에 대한 학위, 자격증명서, 재직증명서 등 자격 및 재직여부를 증명하는 서류
5. 재무제표 등 시행규칙 제9조제3항제3호에 따른 기본재산을 증명할 수 있는 서류
6. 기타 자격요건 등 확인을 위해 필요하다고 인정되는 서류

⑦ 계약담당공무원은 제6호의 요건을 확인하는 경우 「전자정부법」 제36조제1항에 따른 행정정보의 공동이용을 통하여 원가계산용역기관의 법인등기부 등본 서류를 확인하여야 한다. 〈신설 2020.12.28.〉

제7절 보칙

제33조(특례설정 등) ① 각 중앙관서의 장은 특수한 사유로 인하여 동 기준에 따른 원가계산이 곤란하다고 인정될 때에는 특례를 설정할 수 있다. 〈개정 2015.9.21.〉

② 각 중앙관서의 장은 반복적 또는 계속적으로 발주되는 공사에 있어서는 최근의 발주된 동종의 공사에 대한 원가계산서에 따라 예정가격을 작성할 수 있다.

제34조(원가계산자료의 비치 및 활용) ① 계약담당공무원은 원가계산에 의한 예정가격을 작성함에 있어서 계약상대방으로 적당하다고 예상되는 2개 업체 이상의 최근년도 원가계산자료에 의거하여 계약목적물에 관계되는 수치를 활용하거나(수의계약대상업체에 대하여는 해당업체의 최근년도 원가계산자료), 동 업체의 제조(공정)확인 결과를 활용하여 제7조, 제15조의 비목별 가격결정 및 제12조, 제20조의 일반관리비 계상을 위한 기초자료로 활용할 수 있다.

② 계약담당공무원은 공사원가계산을 위하여 각 중앙관서의 장 또는 그가 지정하는 단체에서 제정한 "표준품셈"에 따라 제15조의 비목별 가격을 산출할 수 있으며, 동 품셈적용대상공사가 아닌 경우와 동 품셈적용을 할 수 없는 비목계상의 경우에는 제1항을 준용한다.

제35조(외국통화로 표시된 재료비의 환율적용) 예정가격을 산출함에 있어서 외국통화로 표시된 재료비는 원가계산시 외국환거래법에 의한 기준환율 또는 재정환율을 적용하여 환산한다.

제36조(세부시행기준) 이 예규를 운용함에 있어 필요한 세부사항에 관하여는 기획재정부장관이 그 기준을 정할 수 있다.

제3장 표준시장단가에 의한 예정가격작성

제37조(표준시장단가에 의한 예정가격의 산정) ① 표준시장단가에 의한 예정가격은 직접공사비, 간접공사비, 일반관리비, 이윤, 공사손해보험료 및 부가가치세의 합계액으로 한다. 〈개정 2015.3.1.〉

② 시행령 제42조제1항에 따라 낙찰자를 결정하는 경우로서 추정가격이 100억원 미만인 공사에는 표준시장단가를 적용하지 아니한다. 〈신설 2015.3.1.〉

제38조(직접공사비) ① 직접공사비란 계약목적물의 시공에 직접적으로 소요되는 비용을 말하며, 계약목적물을 세부 공종(계약예규 「정부 입찰·계약 집행기준」 제19조 등 관련 규정에 따른 수량산출기준에 따라 공사를 작업단계별로 구분한 것을 말한다)별로 구분하여 공종별 단가에 수량(계약목적물의 설계서 등에 의해 그 완성에 적합하다고 인정되는 합리적인 단위와 방법으로 산출된 공사량을 말한다)을 곱하여 산정한다.

② 직접공사비는 다음 각호의 비용을 포함한다.
1. 재료비
   재료비는 계약목적물의 실체를 형성하거나 보조적으로 소비되는 물품의 가치를 말한다.
2. 직접노무비
   공사현장에서 계약목적물을 완성하기 위하여 직접작업에 종사하는 종업원과 노무자의 기본급과 제수당, 상여금 및 퇴직급여충당금의 합계액으로 한다.
3. 직접공사경비
   공사의 시공을 위하여 소요되는 기계경비, 운반비, 전력비, 가설비, 지급임차료, 보관비, 외주가공비, 특허권 사용료, 기술료, 보상비, 연구개발비, 품질관리비, 폐기물처리비 및 안전관리비를 말하며, 비용에 대한 구체적인 정의는 제19조를 준용한다.

③ 제1항의 공종별 단가를 산정함에 있어 재료비 또는 직접공사경비중의 일부를 제외할 수 있다. 이 경우에는 해당 계약목적물 시공 기간의 소요(소비)량을 측정하거나 계약서, 영수증 등을 근거로 금액을 산정하여야 한다.

④ 각 중앙관서의 장 또는 각 중앙관서의 장이 지정하는 기관은 직접공사비를 공종별로 직접조사·집계하여 산정할 수 있다.

제39조(간접공사비) ① 간접공사비란 공사의 시공을 위하여 공통적으로 소요되는 법정경비 및 기타 부수적인 비용을 말하며, 직접공사비 총액에 비용별로 일정요율을 곱하여 산정한다.
② 간접공사비는 다음 각호의 비용을 포함하며, 비용에 대한 구체적인 정의는 제10조제2항 및 제19조를 준용한다.
1. 간접노무비
2. 산재보험료
3. 고용보험료
4. 국민건강보험료
5. 국민연금보험료
6. 건설근로자퇴직공제부금비
7. 산업안전보건관리비
8. 환경보전비
9. 기타 관련법령에 규정되어 있거나 의무지워진 경비로서 공사원가계산에 반영토록 명시된 법정경비
10. 기타간접공사경비(수도광열비, 복리후생비, 소모품비, 여비, 교통비, 통신비, 세금과 공과, 도서인쇄비 및 지급수수료를 말한다.)
③ 제1항의 일정요율이란 관련법령에 의해 각 중앙관서의 장이 정하는 법정요율을 말한다. 다만 법정요율이 없는 경우에는 다수기업의 평균치를 나타내는 공신력이 있는 기관의 통계자료를 토대로 각 중앙관서의 장 또는 계약담당공무원이 정한다.
④ 제38조에 따라 산정되지 아니한 공종에 대하여도 간접공사비 산정은 제1항 내지 제3항을 적용한다.

제40조(일반관리비) ① 일반관리비는 기업의 유지를 위한 관리활동부문에서 발생하는 제비용으로서, 비용에 대한 구체적인 정의와 종류에 대하여는 제12조의 규정을 준용한다.
② 일반관리비는 직접공사비와 간접공사비의 합계액에 일반관리비율을 곱하여 계산한다. 다만, 일반관리비율은 공사규모별로 아래에서 정한 비율을 초과할 수 없다. 〈개정 2011.5.13, 2015.9.21.〉

종합공사		전문·전기·정보통신·소방 및 기타공사	
직접공사비+간접공사비	일반관리비율(%)	직접공사비+간접공사비	일반관리비율(%)
50억원미만	6.0	5억원 미만	6.0
50억원~300억원 미만	5.5	5억~30억원 미만	5.5
300억원이상	5.0	30억원이상	5.0

제41조(이윤) 이윤은 영업이익을 말하며 직접공사비, 간접공사비 및 일반관리비의 합계액에 이윤율을 곱하여 계산한다. 이윤율은 시행규칙에서 정한 기준에 따른다.

제42조(공사손해보험료) 계약예규 「정부 입찰·계약 집행기준」 제12장에 따른 공사손해보험가입 비용을 말한다.

제43조(총괄집계표의 작성) 계약담당공무원이 표준시장단가에 따라 예정가격을 작성하는 경우, 예정가격을 직접공사비, 간접공사비, 일반관리비, 이윤, 공사손해보험료 및 부가가치세로 구분하여 별표6의 총괄집계표를 작성하여야 한다. 〈개정 2015.3.1.〉

제44조(세부시행기준) 계약담당공무원은 이 장을 운용함에 있어 필요한 세부사항을 정할 수 있다.

제4장 복수예비가격에 의한 예정가격의 결정

제44조의2(복수예비가격 방식에 의한 예정가격의 결정) 각 중앙관서의 장 또는 계약담당공무원은 예정가격의 유출이 우려되는 등 필요하다고 인정되는 경우 복수예비가격 방식에 의해 예정가격을 결정할 수 있으며, 이 경우에는 이 장에서 정한 절차와 기준을 따라야 한다.
[본조신설 2018.12.31.]

제44조의3(예정가격 결정 절차) ① 계약담당공무원은 입찰서 제출 마감일 5일 전까지 기초금액(계약담당공무원이 시행령 제9조제1항의 방식으로 조사한 가격으로서 예정가격으로 확정되기 전 단계의 가격을 말하며, 「출판문화산업 진흥법」제22조에 해당하는 간행물을 구매하는 경우에는 간행물의 정가를 말한다)을 작성하여야 한다.
② 계약담당공무원은 제1항 따라 작성된 기초금액의 ±2% 금액 범위 내에서 서로 다른 15개의 가격(이하 "복수예비가격"이라 한다)을 작성하고 밀봉하여 보관하여야 한다.

③ 계약담당공무원은 입찰을 실시한 후 참가자 중에서 4인(우편입찰 등으로 인하여 개찰장소에 출석한 입찰자가 없는 때에는 입찰사무에 관계없는 자 2인)을 선정하여 복수예비가격 중에서 4개를 추첨토록 한 후 이들의 산술평균가격을 예정가격으로 결정한다.
④ 유찰 등으로 재공고 입찰에 부치려는 경우에는 복수예비가격을 다시 작성하여야 한다.
[본조신설 2018.12.31.]

제44조의4(세부기준·절차의 작성) ① 각 중앙관서의 장은 이 장에서 정하지 아니한 사항으로서 복수예비가격에 의한 예정가격의 작성과 관련하여 필요한 사항에 대하여는 세부기준 및 절차를 정하여 운용할 수 있다.
② 제44조의3의 규정에도 불구하고「전자조달의 이용 및 촉진에 관한 법률」제2조제4호에 따른 국가종합전자조달시스템 또는 동법 제14조에 따른 자체전자조달시스템을 통해 전자입찰을 실시하는 경우에는 제44의3의 규정을 적용하지 아니하고 해당 기관이 정하는 기준에 따라 예정가격을 결정할 수 있다. [본조신설 2018.12.31.]

제5장 전문가격조사기관의 등록 및 조사업무

제45조(전문가격조사기관 등록) 이 장은 시행규칙 제5조제1항제2호에 의한 전문가격조사기관의 등록에 관하여 필요한 사항을 정함으로써, 공신력 있는 조사기관에 의한 조사가격의 객관성과 신뢰성을 확보하여 예정가격의 합리적 결정과 이에 따른 예산의 효율적 집행을 도모함을 목적으로 한다. 〈개정 2016.12.30.〉

제46조(등록자격요건) 전문가격조사기관으로 등록하고자하는 자는 다음 각호의 자격요건을 갖추어야 한다.
1. 정관상 사업목적에 가격조사업무가 포함되어있는 비영리법인
2. 별첨 "표준가격조사요령"에 의하여 조사한 가격의 정보에 관한 정기간행물을 월1회이상 발행한 실적이 있는 자

제47조(등록신청) 제46조의 자격요건을 갖춘 자가 전문가격조사기관으로 등록하고자할 경우에는 별표7의 등록 신청서에 다음 각호의 서류를 첨부하여 기획재정부장관에게 제출하여야 한다.
1. 비영리법인의 설립허가서, 등기부등본 및 정관사본 1부
2. 제46조제2호에 규정한 사항을 증명할 수 있는 자료 1부
3. 조사요원 재직증명서 1부
4. 「국가기술자격법 시행규칙」제4조관련 별표5(기술·기능분야)에 의한 기계, 전기, 통신, 토목, 건축 직무분야 중 3개이상 직무분야의 산업기사 이상인 자의 재직증명서 1부

제48조(등록증의 교부) 기획재정부장관은 제47조에 의한 전문가격조사기관등록신청자가 제46조의 자격요건을 갖춘 경우에는 조사기관등록대장에 등재하고, 그 신청인에게 별표 8의 전문가격조사기관등록증을 교부한다.

제49조(가격정보에 관한 간행물) ① 전문가격조사기관으로 등록한 기관은 매월 1회이상 별첨 표준가격조사요령에 의하여 조사한 가격의 정보에 관한 정기간행물을 발행하여야 한다.
② 제1항에 의한 가격의 정보에 관한 정기간행물에는 조사기관의 등록번호와 등록 년월일을 기재하여야 한다.

제50조(등록사항의 변경신청) ① 전문가격조사기관으로 등록한 자가 제46조의 등록요건과 법인명, 대표자, 주소 등이 변경된 때에는 별표 9의 등록사항변경신고서를 작성하여 기획재정부장관에게 60일이내에 신고하여야 한다.
② 기획재정부장관은 제1항의 등록사항 변경신고서의 내용에 따라 조사기관등록증을 재발급한다. 단, 등록번호 및 등록년월일은 변경하지 아니한다.

제51조(등록의 취소) 기획재정부장관은 다음 각호의 어느 하나에 해당될 경우에는 전문가격조사기관의 등록을 취소할 수 있다.
1. 제46조에 의한 자격요건에 미달될 때
2. 정당한 조사방법에 의하지 아니하고 담합 등 허위로 가격을 게재하는 경우
3. 기획재정부장관의 자료제출의 요구를 받고도 정당한 사유 없이 이를 제출하지 아니하는 경우
4. 기획재정부장관에 의한 3회이상 시정조치를 받고도 이에 응하지 않은 경우
5. 조사원이 윤리강령 등에 위배되는 행동으로 인하여 사회적 물의를 야기한 경우

제52조(등록기관의 지도감독) ① 기획재정부장관은 제45조에 규정한 목적을 달성하기 위하여 필요하다고 인정될 때에는 조사기관에 대하여 가격조사에 관한 필요한 지시 및 시정조치를 명할 수 있다.
② 기획재정부장관은 년 1회이상 조사기관에 대하여 감사를 할 수 있다.

제6장 보칙

제53조(재검토기한) 「훈령·예규 등의 발령 및 관리에 관한 규정」에 따라 이 예규에 대하여 2016년 1월 1일 기준으로 매3년이 되는 시점(매 3년째의 12월 31일까지를 말한다)마다 그 타당성을 검토하여 개선 등의 조치를 하여야 한다. 〈개정 2015.9.21.〉

[별첨] 표준가격조사요령(제4장 관련)

제1조(조사대상가격) 조사기관이 조사할 가격은 정부가 기업 등의 대량수요자가 생산자 또는 도매상으로부터 구입하는 가격(이하 "대량수요자 도매가격"이라 한다)을 원칙으로 하되 필요에 따라 그 외의 가격으로 할 수 있다.

제2조(가격의 구분) ① 가격은 그 형성되는 유형에 따라 시장거래가격, 생산자공표가격, 행정지도가격으로 구분한다.
  1. "시장거래가격"이라함은 수요와 공급의 원리에 의한 시장의 가격조절기능을 통하여 형성되는 가격을 말한다.
  2. "생산자공표가격"이라 함은 상품의 성능·시방 등이 표준화되어있지 않거나 독과점으로 인하여 시장거래가격의 조사가 곤란한 경우에 생산자가 대외적으로 공표한 판매희망가격을 말한다.
  3. "행정지도가격"이라 함은 국민경제의 안정을 위하여 필요하다고 인정되는 상품에 대하여 정부가 그 거래가격의 상한선을 지정·고시하는 가격을 말한다.
② 가격은 그 유통단계에 따라 생산자가격, 도매가격, 대리점가격 또는 소매가격으로 구분한다.
  1. "생산자가격"이라함은 생산자로부터 수요자에게 인도되는 가격을 말한다.
  2. "대리점가격"이라함은 대리점으로부터 수요자에게 인도되는 가격을 말한다.
  3. "소매가격"이라함은 소매상으로부터 수요자에게 인도되는 가격을 말한다.
③ 가격에는 판매방법, 거래량, 결제조건, 기타 부가가치세 등 국세의 포함 여부 등 거래조건에 의한 구분이 명백하게 표시되어져야한다.
  1. "판매방법"이라함은 생산자등이 상품을 수요자에게 인도하는 장소 또는 방법을 말한다.
  2. "거래량"이라함은 통상적인 거래기준량 즉 거래수량하한선을 말한다.
  3. "결제조건"은 현금에 의한 결제를 원칙으로 한다.
  4. 기타부가가치세, 특별소비세, 교육세, 관세 등의 포함여부를 구분한다.

제3조(조사대상상품) ① 조사기관이 조사대상상품을 선정할 경우 해당상품의 유통성·장래성 및 다른 상품에의 영향 등을 고려하여 단위 품조별로 1,000개이상으로 한다.
② 제1항에 의한 조사대상상품이 동일한 경우라 하더라도 생산자에 따라 그 상품의 성능·시방 등에 차이가 있을 경우에는 생산자를 구분한다.(이하 "생산자 구분품목"이라 한다.)
③ 제1항 및 제2항에 의한 조사대상상품에 대하여는 별표 10에 의한 조사표를 작성·비치하여야한다.

제4조(조사처) ① 조사처는 제5조에 의한 조사대상도시에 있어 해당상품의 취급량이 많고 신뢰도가 높은 생산자를 대상으로 하여 3개업체 이상으로 한다.
② 제1항에 의한 조사처에 대하여는 별표 11 및 별표 12에 의한 조사대장 및 품목별 조사처 대장을 작성·비치하여야 한다.

제5조(조사대상 도시) ① 조사대상 도시는 인구·산업·교육문화·행정·도로교통사정·자연지리조건 등을 고려하여 구분하되 서울지역, 경기지역, 강원지역, 충청지역, 전라지역, 경상지역 및 제주지역으로 한다.

제6조(조사방법) ① 가격조사는 제4조에 의한 조사처를 대상으로 매월 일정한 기간내에 동일한 기준과 조건으로 면접에 의한 직접조사를 원칙으로 하되, 증빙서류 등에 의한 간접조사를 병행할 수 있으며, 자재의 품귀, 2중가격 형성 등으로 조사처에 대한 조사만으로 적정한 가격을 파악하기 곤란한 경우에는 수요자를 대상으로 하는 보충조사에 의할 수 있다.
② 제1항에 의한 조사를 하고자 할 때에는 조사처(면접자포함), 대상 품종, 조사자, 조사일시, 조사지역, 조사가격 및 거래조건 등이 기재된 조사 조서를 작성·비치하여야 한다.
③ 제3조 및 제4조에 의한 조사대상 상품, 조사처 등은 정당한 사유 없이 이를 변경할 수 없다.

제7조(공표가격의 결정) 조사기관이 조사하여 공표할 가격은 최빈치가격으로 한다. 다만 이것이 없을 경우에는 조사처의 거래비중을 고려한 가중평균가격으로 할 수 있다.

제8조(수시조사) 제1조 내지 제7조의 규정은 계약담당공무원이 가격조사를 의뢰하는 수시조사의 경우에 이를 준용한다.

제9조(조사요원 등) ① 조사기관의 가격조사에 종사하는 조사요원(이하 "조사요원"이라 한다.)은 전임제로 한다.
② 조사요원은 30인이상으로 한다. 이 경우 제5조에 의한 조사지역별 각 1인이상을 포함한다.
③ 조사기관은 조사요원에 대한 자격요건 및 윤리강령을 제정·운용하여야하고 기타 적정한 조사가 이루어 질수 있도록 그 자질을 유지할 수 있는 교육 등 필요한 조치를 하여야한다.」

④ 조사요원은 소정의 조사증표를 휴대하여야하고, 면접자가 이의 제시를 요구할 경우에는 그에 응해야 한다.
⑤ 제2항에 의한 조사요원 외에 제47조제4호에 의한 자가 그 직무분야별로 1인 이상이어야 한다.

제10조(보고) 조사기관은 제3조, 제4조 및 제9조에 의한 조사상품 기본조사표, 조사처 대장, 조사요원의 자격, 윤리강령, 조사증표 등을 기획재정부장관에게 보고하여야한다.

제11조(보존기한) 조사기간은 제3조에 의한 조사상품기본조사표는 5년, 제4조 및 제6조에 의한 조사처 대장 및 조사조서 등은 3년이상 보관한다.

부 칙(2007.10.12.)
이 회계예규는 2007년 10월 12일부터 시행한다.

부 칙(2008.12.29.)
제1조(시행일) 이 회계예규는 2008년 12월 29일부터 시행한다.
제2조(적용례) 이 예규 시행후 입찰공고를 한 분부터 적용한다.

부 칙(2009.9.21.)
제1조(시행일) 이 회계예규는 2009년 9월 21일부터 시행한다.

부 칙(2010.4.15.)
제1조(시행일) 이 회계예규는 2010년 4월 15일부터 시행한다. 다만 제31조제1항의 개정규정은 2010년 10월 1일부터, 제32조의 개정규정은 2010년 7월 1일부터 시행한다.
제2조(원가계산용역기관에 대한 제재에 관한 적용례) 제31조의2의 개정규정은 시행일 이후 발생한 제재사유 분부터 적용한다.

부 칙(2010.10.22.)
제1조(시행일) 이 회계예규는 2010년 10월 22일부터 시행한다.

부 칙(2011.5.13.)
제1조(시행일) 이 계약예규는 2011년 5월 13일부터 시행한다.
제2조(적용례) 이 예규 시행일 이후 입찰공고를 한 분부터 적용한다.

부 칙(2012.4.2.)
제1조(시행일) 이 계약예규는 2012년 4월 2일부터 시행한다.

부 칙(2012.9.21.)
제1조(시행일) 이 계약예규는 2012년 9월 22일부터 시행한다.

부 칙(2014.1.10.)
제1조(시행일) 이 계약예규는 2014년 1월 10일부터 시행한다.
제2조(적용례) 이 예규 시행일 이후 입찰공고를 한 분부터 적용한다.

부 칙(2015.1.1.)
제1조(시행일) 이 계약예규는 2015년 1월 1일부터 시행한다.
제2조(적용례) 이 예규 시행일 이후 입찰공고를 한 분부터 적용한다.

부 칙(2015.3.1.)
제1조(시행일) 이 예규는 2015년 3월 1일부터 시행한다.

제2조(적용례) 제37조 및 제43조의 개정규정은 이 예규 시행 후 최초로 이 예규에 따라 예정가격을 작성하는 사업부터 적용한다.
제3조(표준시장단가 적용에 관한 특례) 제37조 제2항의 개정규정 중 "100억원"은 2016년 12월 31일까지는 "300억원"으로 본다.

부 칙(2015.9.21.)
제1조(시행일) 이 예규는 2015년 9월 21일부터 시행한다.

부 칙(2016.1.1.)
제1조(시행일) 이 계약예규는 2016년 1월1일부터 시행한다.
제2조(적용례) 제31조의 개정규정은 이 계약예규 시행 후 제31조에 따라 원가계산용역을 의뢰하는 경우부터 적용한다.

부 칙(2016.12.30.)
제1조(시행일) 이 계약예규는 2017년 1월1일부터 시행한다.

부 칙(2017.12.28.)
제1조(시행일) 이 계약예규는 2017년 12월28일부터 시행한다.

부 칙(2018.6.7.)
제1조(시행일) 이 계약예규는 2018년 6월7일부터 시행한다.

부 칙(2018.12.31.)
제1조(시행일) 이 계약예규는 2019년 1월 1일부터 시행한다. 다만, 제31조 및 제32조의 개정규정은 2019년 3월 5일부터 시행한다.
제2조(적용례) 이 계약예규는 부칙 제1조에 따른 시행일 이후 입찰공고하거나 계약체결 하는 경우부터 적용한다.

부 칙(2019.6.1.)
제1조(시행일) 이 계약예규는 2019년 6월 1일부터 시행한다.
제2조(적용례) 제6조의 개정규정은 이 예규 시행일 이후 예정가격을 작성하는 분부터 적용한다.

부 칙(2019.12.18.)
제1조(시행일) 이 계약예규는 2019년 12월18일부터 시행한다.
제2조(적용례) 이 계약예규는 부칙 제1조에 따른 시행일 이후 예정가격을 작성하는 분부터 적용한다.

부 칙(2020. 6. 19.)
제1조(시행일) 이 계약예규는 2020년 12월 19일부터 시행한다.
제2조(적용례) 이 계약예규는 시행일 이후 예정가격 또는 제44조의3에 따른 기초금액을 작성하려는 경우부터 적용한다.

부 칙(2020. 12. 28.)
제1조(시행일) 이 계약예규는 2021년 3월 28일부터 시행한다.
제2조(적용례) 이 계약예규는 부칙 제1조에 따른 시행일 이후 예정가격을 작성하는 경우부터 적용한다.

부 칙(2021.12.1.)
제1조(시행일) 이 계약예규는 2021년 12월 1일부터 시행한다.
제2조(적용례) 이 계약예규는 부칙 제1조에 따른 시행일 이후 예정가격을 작성하는 경우부터 적용한다.

품명:　　　생산량:
규격:　　　단위:　　　제조기간:

비목		구분	금액	구성비	비고
제조원가	재료비	직접재료비			
		간접재료비			
		작업설·부산물 등(△)			
		소계			
	노무비	직접노무비			
		간접노무비			
		소계			
	경비	전력비			
		수도광열비			
		운반비			
		감가상각비			
		수리수선비			
		특허권사용료			
		기술료			
		연구개발비			
		시험검사비			
		지급임차료			
		보험료			
		복리후생비			
		보관비			
		외주가공비			
		산업안전보건관리비			
		소모품비			
		여비·교통비·통신비			
		세금과공과			
		폐기물처리비			
		도서인쇄비			
		지급수수료			
		기타법정경비			
		소 계			
일반관리비( )%					
이윤( )%					
총원가					

별표2) 공사원가계산서

공사명 :   공사기간 :

비목		구분	금액	구성비	비고
순공사원가	재료비	직접재료비			
		간접재료비			
		작업설·부산물 등(△)			
		소계			
	노무비	직접노무비			
		간접노무비			
		소 계			
	경비	전력비			
		수도광열비			
		운반비			
		기계경비			
		특허권사용료			
		기술료			
		연구개발비			
		품질관리비			
		가설비			
		지급임차료			
		보험료			
		복리후생비			
		보관비			
		외주가공비			
		산업안전보건관리비			
		소모품비			
		여비·교통비·통신비			
		세금과공과			
		폐기물처리비			
		도서인쇄비			
		지급수수료			
		환경보전비			
		보상비			
		안전관리비			
		건설근로자퇴직공제부금비			
		기타법정경비			
		소 계			
일반관리비[(재료비+노무비+경비)×( )%]					
이윤[(노무비+경비+일반관리비)×( )%]					
총원가					
공사손해보험료[보험가입대상공사부분의총원가×( )%]					

(별표2-1) 공사원가계산시 간접노무비 계산방법 〈개정 2011.5.13.〉

1. 직접계상방법
    가. 계상기준
    발주목적물의 노무량을 예정하고 노무비단가를 적용하여 계산함.

    $$\langle 공\ 식 \rangle$$
    $$간접노무비 = 노무량 \times 노무비단가$$

    나. 계상방법
    (가) 노무비단가는 「통계법」 제15조의 규정에 의한 지정기관이 조사·공표한 시중노임단가를 기준으로 하며 제수당, 상여금, 퇴직급여충당금은 「근로기준법」에 의거 일정기간이상 근로하는 상시근로자에 대하여 계상한다. 〈개정 2015.9.21.〉
    (나) 노무량은 표준품셈에 따라 계상되는 노무량을 제외한 현장시공과 관련하여 현장관리사무소에 종사하는 자의 노무량을 계상한다.
    (다) 간접노무비(현장관리인건비)의 대상으로 볼 수 있는 배치인원은 현장소장, 현장사무원(총무, 경리, 급사 등), 기획·설계부문종사자, 노무관리원, 자재·구매관리원, 공구담당원, 시험관리원, 교육·산재담당원, 복지후생부문종사자, 경비원, 청소원 등을 들 수 있음.
    (라) 노무량은 공사의 규모·내용·공종·기간 등을 고려하여 설계서(설계도면, 시방서, 현장설명서 등) 상의 특성에 따라 적정인원을 설계반영 처리한다.

2. 비율분석방법
    가. 계상기준
    발주목적물에 대한 직접노무비를 표준품셈에 따라 계상함.

    $$\langle 공\ 식 \rangle$$
    $$간접노무비 = 직접노무비 \times 간접노무비율$$

    나. 계상방법
    (가) 발주목적물의 특성 등(규모·내용·공종·기간 등)을 고려하여 이와 유사한 실적이 있는 업체의 원가계산자료, 즉 개별(현장별) 공사원가명세서, 노무비명세서(임금대장) 또는 직·간접노무비 명세서를 확보한다.
    (나) 노무비 명세서(임금대장)를 이용하는 방법
    ① 개별(현장별) 공사원가명세서에 대한 임금대장을 확보한다.
    ② 확보된 임금대장상의 직·간접노무비를 구분하되, 구분할 자료가 많은 경우에는 간접노무비율을 객관성있게 산정할 수 있는 기간에 해당하는 자료를 분석한다.
    ③ 동 임금대장에서 표준품셈에 따라 계상되는 노무량을 제외한 현장시공과 관련하여 현장관리사무소에 종사하는 자의 노무비(간접노무비)를 계상한다.
    ④ 계상된 간접노무비를 직접노무비로 나누어서 간접노무비율을 계산한다.
    (다) 업체로부터 직·간접노무비가 구분된 「직·간접노무비 명세서」를 확보한 경우에는 위 임금대장을 이용하는 방법에 의하여 자료 및 내용을 검토하여 간접노무비율을 계산한다.

3. 기타 보완적 계상방법

직접계산방법 또는 비율분석방법에 의하여 간접노무비를 계산하는 것을 원칙으로 하되, 계약목적물의 내용·특성 등으로 인하여 원가계산자료를 확보하기가 곤란하거나, 확보된 자료가 신빙성이 없어 원가계산자료로서 활용하기 곤란한 경우에는 아래의 원가계산자료(공사종류 등에 따른 간접노무비율)를 참고로 동비율을 해당 계약목적물의 규모·내용·공종·기간등의 특성에 따라 활용하여 간접노무비(품셈에 의한 직접노무비×간접노무비율)를 계상할 수 있다. 〈개정 2011.5.13.〉

구 분	공사종류별	간접노무비율
공사 종류별	건 축 공 사	14.5
	토 목 공 사	15
	특수공사(포장, 준설 등)	15.5
	기타(전문, 전기, 통신 등)	15
공사 규모별	50억원 미만	14
	50~300억원 미만	15
	300억원 이상	16
공사 기간별	6개월 미만	13
	6~12개월 미만	15
	12개월 이상	17

* 공사규모가 100억원이고 공사기간이 15개월인 건축공사의 경우 예시
  - 간접노무비율=(15%+17%+14.5%)/3=15.5%

(별표3) 일반관리비율

업 종	일반관리비율(%)
○ 제조업	
음·식료품의 제조·구매	14
섬유·의복·가죽제품의 제조·구매	8
나무·나무제품의 제조·구매	9
종이·종이제품·인쇄출판물의 제조·구매	14
화학·석유·석탄·고무·플라스틱제품의 제조·구매	8
비금속광물제품의 제조·구매	12
제1차 금속제품의 제조·구매	6
조립금속제품·기계·장비의 제조·구매	7
기타물품의 제조·구매	11
○ 시설공사업	6

주1) 업종분류 : 한국표준산업분류에 의함.

(별표4) 학술연구용역원가계산서

비목 \ 구분	금액	구성비	비고
인건비 책임연구원 연구원 연구보조원 보조원			
경비 여비 유인물비 전산처리비 시약및연구용역재료비 회의비 임차료 교통통신비 감가상각비 일반관리비( )% 이윤( )% 총원가			

(별표5) 학술연구용역 인건비 기준단가('22년)

등급	월 임금
책임연구원	월 3,327,026원
연구원	월 2,551,119원
연구보조원	월 1,705,337원
보조원	월 1,279,046원

주1) 본 인건비 기준단가는 1개월을 22일로 하여 용역 참여율 50%로 산정한 것이며, 용역 참여율을 달리하는 경우에는 기준단가를 증감시킬 수 있다.

※ 상기 단가는 2022년도 기준단가로 계약예규「예정가격 작성기준」제26조 제2항에 따라 소비자물가 상승률을 반영한 단가입니다.

별표6) 총괄 집계표

공사명 :　　　　　　　　　　공사기간 :

구분		금액	구성비	비고
직접공사비				
간접공사비	간접노무비			
	산재보험료			
	고용보험료			
	안전관리비			
	환경보전비			
	퇴직공제부금비			
	수도광열비			
	복리후생비			
	소모품비			
	여비·교통비·통신비			
	세금과공과			
	도서인쇄비			
	지급수수료			
	기타법정경비			
일반관리비				
이　　윤				
공사손해보험료				
부가가치세				
합　　계				

(별표7) 전문가격조사기관 등록신청서

전문가격조사기관 등록신청서	
① 법인명	
② 대표자성명	
③ 주소	
④ 법인설립허가관청	

예정가격 작성기준 제47조의 규정에 의하여 위와 같이 신청합니다.

년 월 일

신청인 　　　　(인)

(전화 :　　　　)

기획재정부장관 귀하

구비서류　1. 비영리법인의 설립허가서, 등기부등본 및 정관사본 1부.
　　　　　2. 예정가격 작성기준 제46조제2항에 규정한 사항을 증명할 수 있는 자료 1부.
　　　　　3. 조사요원재직증명서 1부.
　　　　　4. 품셈분야별 기술자재직증명서 1부.

22451-01511일　　　　　　　　　　　　　　　　　　　　　　　201mm×297mm
'93.5.18 승인　　　　　　　　　　　　　　　　　　　　　　인쇄용지(특급) 70g/㎡

(별표8) 전문가격조사기관 등록증

전문가격조사기관등록증

등록번호 제　호(　년 월 일)

1. 법 인 명 :

2. 대표자성명 :

3. 주　　소 :

예정가격 작성기준 제48조의 규정에 의하여 위와 같이 등록하였음을 증명함.

년 월 일

기 획 재 정 부 장 관

22451-01611일　　　　　　　　　　　　　　　　　　　　　　　201mm×297mm
'93.5.18 승인　　　　　　　　　　　　　　　　　　　　　　인쇄용지(특급) 70g/㎡

(별표9) 전문가격조사기관 등록사항 변경신고서

전문가격조사기관 등록사항 변경신고서		
① 등록번호	제 호 (년 월 일)	
② 법인명		
③ 대표자성명		
④ 주소		
변경내용	변경전의 사항	변경후의 사항

예정가격 작성기준 제50조의 규정에 의하여 위와 같이 등록사항중 변경내용을 신고합니다.

년 월 일

신청인 (인)

기획재정부장관 귀하

22451-01611일   201mm×297mm
'93.5.18 승인   인쇄용지(특급) 70g/㎡

(**별표10**) 조사상품기본조사표

① 상품명	② 통상명칭	③ 코드번호	④ 수록단위 품종명

상품내용	품질·규격		단위품목수		생산자별취급구분	
⑤ 주요용도	⑧ 공인규격 유무 및 종류		⑪ 단위품목 구분기준		⑭ 생산자별 구분여부	⑰ 기본단위
⑥ 주재질	⑨ 공인형식 또는 성능		⑫ 규격품목과 유통품목수		⑮ 총생산자수	⑱ 포장단위 및 고수량
⑦ 상품형상	⑩ 규격유무별 유통비중		⑬ 주종품목과 거래비중		⑯ 조사대상 생산자의범위	⑲ 거래단위

*1 수급사정(수량 또는 금액)

수급구분	연도별	년	년	년
공급	㉔ 년간능력			
	㉕ 국산			
	㉖ 수입			
수요	㉗ 년간능력			
	㉘ 내수			
	㉙ 수출			
㉚ 계절성				

*2 원가구성내용(구성비 : %)

요소비목	연도별	년	년	년
㉛ 재료비				
㉛-1 재료비 내역 기타				
㉜ 노무비				
㉝ 경비				
㉞ 일반관리비 및 이윤				

조사가격의 종류

조사조건별	연도별	년	년	년
⑳ 가격성격				
㉑ 조사지역				
㉒ 조사단계				
㉓ 단위거래량의 구분여부				

참고사항	단체성격	단체	관련부서명 및 담당자	전화번호
	종목별단체	㉟ 관련단체 (기관)명		
	연구단체			
	정부기관			

㊱ 전문가	성명	소속·직위	전화번호

※ 조사상품기본조사표의 기재요령 (별표 10 서식)
 (1) 상품학상의 상품명으로서 공인된 정식명칭
 (2) 공식명칭이외에 시중거래에서 일반적으로 통용되는 상품명칭
 (3) 코오드번호 부여 후에 기입
 (4) 수록단위품종 편성 후에 기입
 (5) 용도를 기입하되, 용도가 다양할 시에는 용도비중 60%내의 그용도
 (6) 성분35%이상시는 ①, 성분 35%미만시는 60%내중 다성분②
 (7) 상품의 외관상의 형태, 형상
 (8) 산업통상자원부에서 공인된 KS규격 또는 국제규격의 종류 〈개정 2018.12.31.〉
 (9) 형식승인된 공인된 시험성능
 (10) 규격품과 비규격품의 유통비중
 (11) 단위품목을 구분하는 기준의 종류
 (12) 규격상에 있는 총 품목수와 시중에서 유통되는 품목수
 (13) 단위품목중 시중거래비중이 가장높은 품목과 그거래비중
 (14) 품질, 규격, 형식, 성능 등에서 생산자간의 차이로 구분취급의 필요성 유무
 (15) 총생산자수
 (16) 총생산자중 그 생산량이 상위 60%이내에 드는 생산자수
 (17) 상품의 수량을 계산하는 기초단위
 (18) 상품의 포장단위와 포장단위의 수량
 (19) 시중에 유통되는 거래단위
 (20) 가격이 형성되는 유형에 따라 시장거래, 생산자공표, 행정지도로 구분
 (21) 조사대상도시수에 따라 서울(전국), 2대도시, 5대도시, 9대도시등
 (22) 유통단계 중 조사대상 단계를 표시하되, 필요시에는 2개단계도 표시
 (23) 동일조사단계에서도 단위거래량의 과다에 따라 가격의 차이에 따른 구분여부 표시
 (24) 국산과 수입을 합한 연간공급능력을 합산표시
 (25) ~ (26) 생략
 (27) 내수와 수출을 합한 연간수요능력을 합산표시
 (28) ~ (29) 생략
 (30) 상품수급에 있어서 계절적인변화시기를 성수기와 비수기간을 표시
 (31) 기업회계상 각상품의 생산비에서 재료비가 차지하는 비중을 100분율로 표시
 (32) 기업회계상 각 상품의 생산비에서 노무비가 차지하는 비중을 100분율로 표시
 (33) 기업회계상 각 상품의 생산비에서 경비가 차지하는 비중을 100분율로 표시
 (34) 기업회계상 각상품의 생산비이외에 판매비, 일반관리비 및 이윤이 차지하는 비율
 (35) 조사상품에 관계가 있는 단체등에서 자문을 구할 기관
 (36) 조사상품에 관해 업계, 학계의 전문자중 자문을 구할 수 있는 자

(별표11) 조사처 대장

1. 업체개요

상 호	대 표 자	형 태
소 재 지	창 립 년 월 일	취 급 종 목
소 속 업 종 별 단 체	경 쟁 업 체 수	

2. 면접담당자

위 촉 년 월 일	성 명	부서, 직위	전 화

(별표12) 품목별조사처대장

조사품목		조사처			면접담당자			등록	
코드번호	품종별	업체별	업태	소재지	성명	부서 직위	직통 전화	접수	말소

Ⅱ-2 공사계약일반조건

[기획재정부 계약예규 제581호, 2021.12.01.]

제1조(총칙) 계약담당공무원과 계약상대자는 공사도급표준계약서(이하 "계약서"라 한다)에 기재한 공사의 도급계약에 관하여 제3조에 의한 계약문서에서 정하는 바에 따라 신의와 성실의 원칙에 입각하여 이를 이행한다.

제2조(정의) 이 조건에서 사용하는 용어의 정의는 다음과 같다.
1. "계약담당공무원"이라 함은「국가를 당사자로 하는 계약에 관한 법률 시행규칙」(이하 "시행규칙"이라 한다) 제2조에 의한 공무원을 말한다. 이 경우에 각 중앙관서의 장이 계약에 관한 사무를 그 소속공무원에게 위임하지 아니하고 직접 처리하는 경우에는 이를 계약담당공무원으로 본다.
2. "계약상대자"라 함은 정부와 공사계약을 체결한 자연인 또는 법인을 말한다.
3. "공사감독관"이라 함은 제16조에 규정된 임무를 수행하기 위하여 정부가 임명한 기술담당공무원 또는 그의 대리인을 말한다. 다만,「건설기술 진흥법」제39조제2항 또는「전력기술관리법」제12조 및 그 밖에 공사 관련 법령에 의하여 건설사업관리 또는 감리를 하는 공사에 있어서는 해당공사의 감리를 수행하는 건설산업관리기술자 또는 감리원을 말한다. 〈개정 2014.4.1., 2016.1.1., 2016.12.30.〉
4. "설계서"라 함은 공사시방서, 설계도면, 현장설명서, 공사기간의 산정근거(「국가를 당사자로 하는 계약에 관한 법률 시행령」(이하 "시행령"이라 한다) 제6장 및 제8장의 계약 및 현장설명서를 작성하는 공사는 제외한다) 및 공종별 목적물 물량내역서(가설물의 설치에 소요되는 물량 포함하며, 이하 "물량내역서"라 한다)를 말하며, 다음 각 목의 내역서는 설계서에 포함하지 아니한다. 〈개정 2020.9.24.〉
    가. 〈삭제 2010.9.8.〉
    나. 시행령 제78조에 따라 일괄입찰을 실시하여 체결된 공사와 대안입찰을 실시하여 체결된 공사(대안이 채택된 부분에 한함)의 산출내역서
    다. 시행령 제98조에 따라 실시설계 기술제안 입찰을 실시하여 체결된 공사와 기본설계 기술제안입찰을 실시하여 체결된 공사의 산출내역서 〈개정 2010.9.8.〉
    라. 수의계약으로 체결된 공사의 산출내역서. 다만, 시행령 제30조제2항 본문에 따라 체결된 수의계약 공사의 물량내역서는 제외
5. "공사시방서"라 함은 공사에 쓰이는 재료, 설비, 시공체계, 시공기준 및 시공기술에 대한 기술설명서와 이에 적용되는 행정명세서로서, 설계도면에 대한 설명 또는 설계도면에 기재하기 어려운 기술적인 사항을 표시해 놓은 도서를 말한다.
6. "설계도면"이라 함은 시공될 공사의 성격과 범위를 표시하고 설계자의 의사를 일정한 약속에 근거하여 그림으로 표현한 도서로서 공사목적물의 내용을 구체적인 그림으로 표시해 놓은 도서를 말한다.
7. "현장설명서"라 함은 시행령 제14조의2에 의한 현장설명 시 교부하는 도서로서 시공에 필요한 현장상태 등에 관한 정보 또는 단가에 관한 설명서 등을 포함한 입찰가격 결정에 필요한 사항을 제공하는 도서를 말한다.
8. "물량내역서"라 함은 공종별 목적물을 구성하는 품목 또는 비목과 동 품목 또는 비목의 규격·수량·단위 등이 표시된 다음 각 목의 내역서를 말한다.
    가. 시행령 제14조제1항에 따라 계약담당공무원 또는 입찰에 참가하려는 자가 작성한 내역서 〈개정 2010.9.8.〉
    나. 시행령 제30조제2항 및 계약예규「정부입찰·계약 집행기준」제10조제3항에 따라 견적서제출 안내공고 후 견적서를 제출하려는 자에게 교부된 내역서
9. "산출내역서"라 함은 입찰금액 또는 계약금액을 구성하는 물량, 규격, 단위, 단가 등을 기재한 다음 각 목의 내역서를 말한다.
    가. 시행령 제14조제6항과 제7항에 따라 제출한 내역서
    나. 시행령 제85조제2항과 제3항에 따라 제출한 내역서
    다. 시행령 제103조제1항과 제105조제3항에 따라 제출한 내역서
    라. 수의계약으로 체결된 공사의 경우에는 착공신고서 제출 시까지 제출한 내역서
10. 이 조건에서 따로 정하는 경우를 제외하고는「국가를 당사자로 하는 계약에 관한 법률 시행령」,「특정조달을 위한 국가를 당사자로 하는 계약에 관한 법률 시행령 특례규정」(이하 각각 "시행령", "특례규정"이라 한다), 시행규칙 및 계약예규 공사입찰유의서(이하 "유의서"라 한다)에 정하는 바에 의한다.

제3조(계약문서) ① 계약문서는 계약서, 설계서, 유의서, 공사계약일반조건, 공사계약특수조건 및 산출내역서로 구성되며 상호보완의 효력을 가진다. 다만, 산출내역서는 이 조건에서 규정하는 계약금액의 조정 및 기성부분에 대한 대가의 지급시에 적용할 기준으로서 계약문서의 효력을 가진다. 〈개정 2008.12.29.〉
② 〈신설 2011.5.13., 삭제 2016.1.1.〉
③ 계약담당공무원은 「국가를 당사자로 하는 계약에 관한 법령」, 공사관계 법령 및 이 조건에 정한 계약일반사항 외에 해당 계약의 적정한 이행을 위하여 필요한 경우 공사계약특수조건을 정하여 계약을 체결할 수 있다.
④ 제3항에 의하여 정한 공사계약특수조건에 「국가를 당사자로 하는 계약에 관한 법령」, 공사 관계법령 및 이 조건에 의한 계약상대자의 계약상 이익을 제한하는 내용이 있는 경우에 특수조건의 해당 내용은 효력이 인정되지 아니한다.
⑤ 이 조건이 정하는 바에 의하여 계약당사자간에 행한 통지문서 등은 계약문서로서의 효력을 가진다.

제4조(사용언어) ① 계약을 이행함에 있어서 사용하는 언어는 한국어로 함을 원칙으로 한다.
② 계약담당공무원은 계약체결시 제1항에도 불구하고 필요하다고 인정하는 경우에는 계약이행과 관련하여 계약상대자가 외국어를 사용하거나 외국어와 한국어를 병행하여 사용할 수 있도록 필요한 조치를 할 수 있다.
③ 제2항에 의하여 외국어와 한국어를 병행하여 사용한 경우에 외국어로 기재된 사항이 한국어와 상이할 때에는 한국어로 기재한 사항이 우선한다.

제5조(통지 등) ① 구두에 의한 통지·신청·청구·요구·회신·승인 또는 지시(이하 "통지 등"이라 한다)는 문서로 보완되어야 효력이 있다.
② 통지 등의 장소는 계약서에 기재된 주소로 하며, 주소를 변경하는 경우에는 이를 즉시 계약당사자에게 통지하여야 한다.
③ 통지 등의 효력은 계약문서에서 따로 정하는 경우를 제외하고는 계약당사자에게 도달한 날부터 발생한다. 이 경우 도달일이 공휴일인 경우에는 그 익일부터 효력이 발생한다.
④ 계약당사자는 계약이행중 이 조건 및 관계법령 등에서 정한 바에 따라 서면으로 정당한 요구를 받은 경우에는 이를 성실히 검토하여 회신하여야 한다.

제6조(채권양도) ① 계약상대자는 이 계약에 의하여 발생한 채권(공사대금 청구권)을 제3자(공동수급체 구성원 포함)에게 양도할 수 있다.
② 계약담당공무원은 제1항에 의한 채권양도와 관련하여 적정한 공사이행목적 등 필요한 경우에는 채권양도를 제한하는 특약을 정하여 운용할 수 있다.

제7조(계약보증금) ① 계약상대자는 이 조건에 의하여 계약금액이 증액된 경우에는 이에 상응하는 금액의 계약보증금을 시행령 제50조 및 제52조에 정한 바에 따라 추가로 납부하여야 하며 계약담당공무원은 계약금액이 감액된 경우에는 이에 상응하는 금액의 계약보증금을 반환해야 한다. 〈개정 2009.6.29.〉
② 계약담당공무원은 시행령 제52조제1항 본문에 의하여 계약이행을 보증한 경우로서 계약상대자가 계약이행보증방법의 변경을 요청하는 경우에는 1회에 한하여 변경하게 할 수 있다. 〈개정 2010.9.8.〉
1. 〈삭제 2010.9.8.〉
2. 〈삭제 2010.9.8.〉
3. 〈삭제 2010.9.8.〉
③ 계약담당공무원은 시행령 제37조제2항제2호에 의한 유가증권이나 현금으로 납부된 계약보증금을 계약상대자가 특별한 사유로 시행령 제37조제2항제1호 내지 제5호에 규정된 보증서 등으로 대체납부할 것을 요청한 때에는 동가치 상당액 이상으로 대체 납부하게 할 수 있다.

제8조(계약보증금의 처리) ① 계약담당공무원은 계약상대자가 정당한 이유없이 계약상의 의무를 이행하지 아니할 때에는 계약보증금을 국고에 귀속한다.
② 시행령 제69조에 의한 장기계속공사계약에 있어서 계약상대자가 2차 이후의 공사계약을 체결하지 아니한 경우에는 제1항을 준용한다.
③ 시행령 제50조제10항에 의하여 계약보증금지급각서를 제출한 경우로서 계약보증금의 국고귀속사유가 발생하여 계약담당공무원의 납입요청이 있을 때에는 계약상대자는 해당 계약보증금을 지체없이 현금으로 납부하여야 한다.
④ 제1항 및 제2항에 의하여 계약보증금을 국고에 귀속함에 있어서 그 계약보증금은 이를 기성부분에 대한 미지급액과 상계 처리할 수 없다. 다만, 계약보증금의 전부 또는 일부를 면제받은 자의 경우에는 국고에 귀속되는 계약보증금과 기성부분에 대한 미지급액을 상계 처리할 수 있다.
⑤ 계약담당공무원은 계약상대자가 납부한 계약보증금을 계약이 이행된 후에 계약상대자에게 지체없이 반환한다.

제9조(보증이행업체의 자격) ① 시행령 제52조에 의한 보증이행업체는 다음 각호에 해당하는 자격을 갖추고 있어야 하며, 계약담당공무원은 보증이행업체의 적격여부를 심사하기 위하여 계약상대자에게 관련자료의 제출을 요구할 수 있다. 〈개정 2010.9.8.〉
1. 「독점규제 및 공정거래에 관한 법률」에 의한 계열회사가 아닌 자
2. 시행령 제76조에 의한 입찰참가자격제한을 받고 그 제한기간 중에 있지 아니한 자
3. 시행령 제36조에 의한 입찰공고 등에서 정한 입찰참가자격과 동등 이상의 자격을 갖춘 자
4. 시행령 제13조에 의한 입찰의 경우에는 입찰참가자격사전심사기준에 따른 입찰참가에 필요한 종합평점 이상이 되는 자
② 계약담당공무원은 제1항에 의하여 보증이행업체로된 자가 부적격하다고 인정되는 때에는 계약상대자에게 보증이행업체의 변경을 요구할 수 있다. 〈개정 2010.9.8.〉
③ 시행령 제52조제1항제3호에 의한 공사이행보증서의 제출 등에 대하여는 제1항 및 제2항외에 계약예규 「정부 입찰·계약 집행기준」 제11장(공사의 이행보증제도 운용)에 정한 바에 의한다.

제10조(손해보험) ① 계약상대자는 해당 계약의 목적물 등에 대하여 손해보험(「건설산업기본법」제56조제1항제5호에 따른 손해공제를 포함한다. 이하 이 조에서 같다)에 가입할 수 있으며, 시행령 제78조, 제97조 및 추정가격이 200억원이상인 공사로서 계약예규「입찰참가자격사전심사요령」제6조제5항제1호에 규정된 공사에 대하여는 특별한 사유가 없는 한 계약목적물 및 제3자 배상책임을 담보할 수 있는 손해보험에 가입하여야 한다. 〈개정 2010.9.8, 2014.1.10.〉
② 계약상대자는 제1항에 의한 보험가입시에 발주기관, 계약상대자, 하수급인 및 해당공사의 이해관계인을 피보험자로 하여야 하며, 보험사고 발생으로 발주기관이외의 자가 보험금을 수령하게 될 경우에는 발주기관의 장의 사전 동의를 받아야 한다.
③ 계약목적물에 대한 보험가입금액은 공사의 보험가입 대상부분의 순계약금액(계약금액에서 부가가치세와 손해보험료를 제외한 금액을 말하며, 관급자재가 있을 경우에는 이를 포함한다. 이하 같다)을 기준으로 한다.
④ 계약상대자는 제1항에 의한 보험가입을 공사착공일(손해보험가입 비대상공사가 포함된 공사의 경우에는 손해보험가입대상공사 착공일을 말함) 이전까지 하고 그 증서를 착공신고서 제출시(손해보험가입 비대상공사가 포함된 공사의 경우에는 손해보험가입대상공사 착공시) 발주기관에 제출하여야 하며, 보험기간은 해당공사 착공시부터 발주기관의 인수시(시운전이 필요한 공사인 경우에는 시운전 시기까지 포함한다)까지로 하여야 한다.
⑤ 계약상대자는 손해보험가입시 제48조에 의하여 보증기관이 시공하게 될 경우에 계약상대자의 보험계약상의 권리와 의무가 보증기관에 승계되도록 하는 것을 포함하여야 하며, 제44조 내지 제46조에 의하여 계약이 해제 또는 해지된 후에 새로운 계약상대자가 선정될 경우에도 계약상대자의 보험계약상의 권리와 의무가 새로운 계약상대자에게 승계되는 내용이 포함되도록 하여야 한다. 〈개정 2010.9.8.〉
⑥ 계약상대자는 발주기관이 작성한 예정가격조서상의 보험료 또는 계약상대자가 제출한 입찰금액 산출내역서상의 보험료와 계약상대자가 손해보험회사에 실제 납입한 보험료간의 차액발생을 이유로 보험가입을 거절하거나 동 차액의 정산을 요구하여서는 아니된다.
⑦ 계약상대자는 보험가입 목적물의 보험사고로 보험금이 지급되는 경우에는 동 보험금을 해당공사의 복구에 우선 사용하여야 하며, 보험금 지급이 지연되거나 부족하게 지급되는 경우에도 이를 이유로 피해복구를 지연하거나 거절하여서는 아니된다.
⑧ 제1항 내지 제7항의 사항이외에 손해보험과 관련된 기타 계약조건은 계약예규 「정부 입찰·계약 집행기준」 제12장(공사의 손해보험가입 업무집행)에 정한 바에 의한다.

제11조(공사용지의 확보) ① 발주기관은 계약문서에 따로 정한 경우를 제외하고는 계약상대자가 공사의 수행에 필요로 하는 날까지 공사용지를 확보하여 계약상대자에게 인도하여야 한다.
② 계약상대자는 현장에 인력, 장비 또는 자재를 투입하기 전에 공사용지의 확보여부를 계약담당공무원으로부터 확인을 받아야 한다.
③ 발주기관은 공사용지 확보 및 민원 대응 등 공사용지 확보와 직접 관련되는 업무를 계약상대자에게 전가하여서는 아니된다. 〈신설 2019.12.18.〉

제12조(공사자재의 검사) ① 공사에 사용할 자재는 신품이어야 하며 품질·규격 등은 반드시 설계서와 일치되어야 한다. 다만, 설계서에 명확히 규정되지 아니한 자재는 표준품 이상으로서 계약의 목적을 달성하는 데에 가장 적합한 것이어야 한다.
② 계약상대자는 공사자재를 사용하기 전에 공사감독관의 검사를 받아야 하며, 불합격된 자재는 즉시 대체하여 다시 검사를 받아야 한다.

③ 제2항에 의한 검사에 이의가 있을 경우에 계약상대자는 계약담당공무원에 대하여 재검사를 요청할 수 있으며, 재검사가 필요하다고 인정되는 경우에 계약담당공무원은 지체없이 재검사하도록 조치하여야 한다.
④ 계약담당공무원은 계약상대자로부터 공사에 사용할 자재의 검사를 요청받거나 제3항에 의한 재검사의 요청을 받은 때에는 정당한 이유없이 검사를 지체할 수 없다.
⑤ 계약상대자가 불합격된 자재를 즉시 이송하지 않거나 대체하지 아니하는 경우에는 계약담당공무원이 일방적으로 불합격 자재를 제거하거나 대체시킬 수 있다.
⑥ 계약상대자는 시험 또는 조합이 필요한 자재가 있는 경우 공사감독관의 참여하에 그 시험 또는 조합을 하여야 한다.
⑦ 수중 또는 지하에 매몰하는 공작물 기타 준공후 외부로부터 검사할 수 없는 공작물의 공사는 공사감독관의 참여하에 시공하여야 한다.
⑧ 계약상대자가 제1항 내지 제7항이 정한 조건에 위배하거나 또는 설계서에 합치되지 않는 시공을 하였을 때에는 계약담당공무원은 공작물의 대체 또는 개조를 명할 수 있다.
⑨ 제2항 내지 제8항의 경우에 계약금액을 증감하거나 계약기간을 연장할 수 없다. 다만, 제3항에 의하여 재검사 결과에서 적합한 자재인 것으로 판명될 경우에는 재검사에 소요된 기간에 대하여는 계약기간을 연장할 수 있다.

제13조(관급자재 및 대여품) ① 발주기관은 공사의 수행에 필요한 특정자재 또는 기계·기구 등을 계약상대자에게 공급하거나 대여할 수 있으며, 이 경우에 관급자재 등(관급자재 및 대여품을 말한다. 이하 같다)은 설계서에 명시되어 있어야 한다.
② 관급자재 등은 제17조제1항제2호의 공사공정예정표에 따라 적기에 공급되어야 하며, 인도일시 및 장소는 계약당사자간에 협의하여 결정한다.
③ 관급자재 등의 소유권은 발주기관에 있으며, 잉여분이 있을 경우에는 계약상대자는 이를 발주기관에 통지하여 계약담당공무원의 지시에 따라 이를 반환하여야 한다.
④ 제2항에 의한 인도후의 관급자재 등에 대한 관리상의 책임은 계약상대자에게 있으며, 계약상대자가 이를 멸실 또는 훼손하였을 경우에는 발주기관에 변상하여야 한다.
⑤ 계약상대자는 관급자재 등을 계약의 수행외의 목적으로 사용할 수 없으며, 공사감독관의 서면승인 없이는 현장외부로 반출하여서는 아니된다.
⑥ 계약상대자는 관급자재 등을 인수할 때에는 이를 검수하여야 하며 그 품질 또는 규격이 시공에 적당하지 아니하다고 인정될 경우에는 즉시 계약담당공무원에게 이를 통지하여 대체를 요구하여야 한다.
⑦ 계약담당공무원은 필요하다고 인정할 경우에는 관급자재 등의 수량·품질·규격·인도시기·인도장소 등을 변경할 수 있다. 이 경우에는 제20조 및 제23조를 적용한다.

제14조(공사현장대리인) ① 계약상대자는 계약된 공사에 적격한 공사현장대리인(건설산업기본법시행령 제35조 [별표5] 등 공사관련 법령에 따른 기술자 배치기준에 적합한 자를 말한다. 이하 같다)을 지명하여 계약담당공무원에게 통지하여야 한다. 〈개정 2012.7.4.〉
② 공사현장대리인은 공사현장에 상주하여 계약문서와 공사감독관의 지시에 따라 공사현장의 관리 및 공사에 관한 모든 사항을 처리하여야 한다. 다만, 공사가 일정기간 중단된 경우로서 발주기관의 승인을 얻은 경우에는 그러하지 아니한다. 〈단서신설 2012.7.4.〉

제15조(공사현장 근로자) ① 계약상대자는 해당계약의 시공 또는 관리에 필요한 기술과 경험을 가진 근로자를 채용하여야 하며 근로자의 행위에 대하여 책임을 져야 한다. 다만, 계약상대자가 근로자의 관리·감독에 상당한 주의와 의무를 다한 경우에는 그러하지 아니하다. 〈개정 2020.9.24.〉
② 계약상대자는 계약담당공무원이 계약상대자가 채용한 근로자에 대하여 해당계약의 시공 또는 관리상 적당하지 아니하다고 인정하여 이의 교체를 요구한 때에는 즉시 교체하여야 하며 계약담당공무원의 승인없이는 교체된 근로자를 해당계약의 시공 또는 관리를 위하여 다시 채용할 수 없다.

제16조(공사감독관) ① 공사감독관은 계약된 공사의 수행과 품질의 확보 및 향상을 위하여 「건설기술 진흥법」 제39조제6항 및 동법 시행령 제59조, 「전력기술관리법」 제12조, 그 밖에 공사관련법령에 따른 건설사업관리기술자 또는 감리원의 업무범위에서 정한 내용 및 이 조건에서 규정한 업무를 수행한다. 〈개정 2016.1.1. 2016.12.30.〉
② 공사감독관은 계약담당공무원의 승인없이 계약상대자의 의무와 책임을 면제시키거나 증감시킬 수 없다.
③ 계약상대자는 공사감독관의 지시 또는 결정이 이 조건에서 정한 사항에 위반되거나 계약의 이행에 적합하지 아니하다고 인정될 경우에는 즉시 계약담당공무원에게 이의 시정을 요구하여야 한다.
④ 계약담당공무원은 제3항에 의한 시정요구를 받은 날부터 7일이내에 필요한 조치를 하여야 한다.

⑤ 계약상대자는 발주기관에 제출하는 모든 문서에 대하여 그 사본을 공사감독관에게 제출하여야 한다.
⑥ 공사감독관은 계약상대자로부터 제43조의2 제1항에 따른 통보를 받은 경우에는 하수급인 및 계약상대자와 직접 계약을 체결한 건설공사용부품제작납품업자, 건설기계대여업자(이하 "하수급인 및 자재·장비업자"라 한다)로부터 대금 수령내역 및 증빙서류를 제출받아 대금 지급내역 및 수령내역의 일치 여부를 확인하여야 한다. 〈신설 2010.9.8.〉

제17조(착공 및 공정보고) ① 계약상대자는 계약문서에서 정하는 바에 따라 공사를 착공하여야 하며 착공시에는 다음 각호의 서류가 포함된 착공신고서를 발주기관에 제출하여야 한다. 다만, 계약담당공무원은 공사기간이 30일 미만인 경우 등에는 착공신고서를 제출하지 아니하도록 할 수 있다. 〈단서 신설 2019.12.18.〉
1. 「건설기술 진흥법령」 등 관련법령에 의한 현장기술자지정신고서 〈개정 2016.1.1.〉
2. 공사공정예정표
3. 안전·환경 및 품질관리계획서
4. 공정별 인력 및 장비투입계획서
5. 착공전 현장사진
6. 기타 계약담당공무원이 지정한 사항
② 계약담당공무원은 공사의 규모·난이도·성격을 고려하여 착공일을 결정하되, 다음 각 호에서 정한 일자 이전의 날짜로 정하여서는 아니된다. 다만, 재해복구 등 긴급하게 착공하여야 할 필요가 있는 공사계약 및 장기계속공사의 1차 계약 이후 연차계약의 경우에는 계약상대자와의 협의를 거쳐 다음 각호에서 정한 일자 이전의 시점으로 착공일을 결정할 수 있다. 〈신설 2019.12.18.〉
1. 추정가격이 10억원 미만인 경우 : 계약체결일로부터 10일
2. 추정가격이 10억원 이상인 경우 : 계약체결일로부터 20일
③ 계약상대자는 계약의 이행중에 설계변경 또는 기타 계약내용의 변경으로 인하여 제1항에 의하여 제출한 서류의 변경이 필요한 때에는 관련서류를 변경하여 제출하여야 한다. 〈제2항에서 이동 2019.12.18.〉
④ 계약담당공무원은 제1항 및 제3항에 의하여 제출된 서류의 내용을 조정할 필요가 있다고 인정하는 경우에는 계약상대자에게 이의 조정을 요구할 수 있다. 〈개정 2019.12.18.〉
⑤ 계약담당공무원은 제1항에 따라 착공신고서를 제출한 공사인 경우 계약상대자로 하여금 월별로 수행한 공사에 대하여 다음 각호의 사항을 명백히 하여 익월 14일까지 발주기관에 제출(「전자조달의 이용에 및 촉진에 관한 법률」제2조제4호 또는 동법 제14조에 의한 시스템을 통한 제출 포함)하게 할 수 있으며, 이 경우 계약상대자는 이에 응하여야 한다. 〈개정 2019.12.18.〉
1. 월별 공정율 및 수행공사금액
2. 인력·장비 및 자재현황
3. 계약사항의 변경 및 계약금액의 조정내용
4. 공정상황을 나타내는 현장사진
⑥ 계약담당공무원은 공정이 지체되어 소정기한내에 공사가 준공될 수 없다고 인정할 경우에는 제5항에 의한 월별 현황과는 별도로 주간공정현황의 제출 등 공사추진에 필요한 조치를 계약상대자에게 지시할 수 있다. 〈개정 2019.12.18.〉

제18조(휴일 및 야간작업) ① 계약상대자는 계약담당공무원의 공기단축지시 및 발주기관의 부득이한 사유로 인하여 휴일 또는 야간작업을 지시받았을 때에는 계약담당공무원에게 추가비용을 청구할 수 있다. 〈개정 2009.6.29.〉
② 제1항의 경우에는 제23조를 준용한다. 〈개정 2009.6.29.〉

제19조(설계변경 등) ① 설계변경은 다음 각호의 어느 하나에 해당하는 경우에 한다.
1. 설계서의 내용이 불분명하거나 누락·오류 또는 상호 모순되는 점이 있을 경우
2. 지질, 용수등 공사현장의 상태가 설계서와 다를 경우
3. 새로운 기술·공법사용으로 공사비의 절감 및 시공기간의 단축 등의 효과가 현저할 경우
4. 기타 발주기관이 설계서를 변경할 필요가 있다고 인정할 경우 등
② 〈삭제 2007.10.10.〉
③ 제1항에 의한 설계변경은 그 설계변경이 필요한 부분의 시공전에 완료하여야 한다. 다만, 계약담당공무원은 공정이행의 지연으로 품질저하가 우려되는 등 긴급하게 공사를 수행할 필요가 있는 때에는 계약상대자와 협의하여 설계변경의 시기 등을 명확히 정하고, 설계변경을 완료하기 전에 우선시공을 하게 할 수 있다.

제19조의2(설계서의 불분명·누락·오류 및 설계서간의 상호모순 등에 의한 설계변경) ① 계약상대자는 공사계약의 이행중에 설계서의 내용이 불분명하거나 설계서에 누락·오류 및 설계서간에 상호모순 등이 있는 사실을 발견하였을 때에는 설계변경이 필요한 부분의 이행전에 해당사항을 분명히 한 서류를 작성하여 계약담당공무원과 공사감독관에게 동시에 이를 통지하여야 한다.
② 계약담당공무원은 제1항에 의한 통지를 받은 즉시 공사가 적절히 이행될 수 있도록 다음 각호의 어느 하나의 방법으로 설계변경 등 필요한 조치를 하여야 한다.
1. 설계서의 내용이 불분명한 경우(설계서만으로는 시공방법, 투입자재 등을 확정할 수 없는 경우)에는 설계자의 의견 및 발주기관이 작성한 단가산출서 또는 수량산출서 등의 검토를 통하여 당초 설계서에 의한 시공방법·투입자재 등을 확인한 후에 확인된 사항대로 시공하여야 하는 경우에는 설계서를 보완하되 제20조에 의한 계약금액조정은 하지 아니하며, 확인된 사항과 다르게 시공하여야 하는 경우에는 설계서를 보완하고 제20조에 의하여 계약금액을 조정하여야 함
2. 설계서에 누락·오류가 있는 경우에는 그 사실을 조사 확인하고 계약목적물의 기능 및 안전을 확보할 수 있도록 설계서를 보완
3. 설계도면과 공사시방서는 서로 일치하나 물량내역서와 상이한 경우에는 설계도면 및 공사시방서에 물량내역서를 일치
4. 설계도면과 공사시방서가 상이한 경우로서 물량내역서가 설계도면과 상이하거나 공사시방서와 상이한 경우에는 설계도면과 공사시방서중 최선의 공사시공을 위하여 우선되어야 할 내용으로 설계도면 또는 공사시방서를 확정한 후 그 확정된 내용에 따라 물량내역서를 일치
③ 제2항제3호 및 제4호는 제2조제4호에서 정한 공사의 경우에는 적용되지 아니한다. 다만, 제2조제4호에서 정한 공사의 경우로서 설계도면과 공사시방서가 상호 모순되는 경우에는 관련 법령 및 입찰에 관한 서류 등에 정한 내용에 따라 우선 여부를 결정하여야 한다. 〈개정 2008.12.29.〉

제19조의3(현장상태와 설계서의 상이로 인한 설계변경) ① 계약상대자는 공사의 이행 중에 지질, 용수, 지하매설물 등 공사현장의 상태가 설계서와 다른 사실을 발견하였을 때에는 지체없이 설계서에 명시된 현장상태와 상이하게 나타난 현장상태를 기재한 서류를 작성하여 계약담당공무원과 공사감독관에게 동시에 이를 통지하여야 한다.
② 계약담당공무원은 제1항에 의한 통지를 받은 즉시 현장을 확인하고 현장상태에 따라 설계서를 변경하여야 한다.

제19조의4(신기술 및 신공법에 의한 설계변경) ① 계약상대자는 새로운 기술·공법(발주기관의 설계와 동등이상의 기능·효과를 가진 기술·공법 및 기자재 등을 포함한다. 이하 같다)을 사용함으로써 공사비의 절감 및 시공기간의 단축 등에 효과가 현저할 것으로 인정하는 경우에는 다음 각호의 서류를 첨부하여 공사감독관을 경유하여 계약담당공무원에게 서면으로 설계변경을 요청할 수 있다.
1. 제안사항에 대한 구체적인 설명서
2. 제안사항에 대한 산출내역서
3. 제17조제1항제2호에 대한 수정공정예정표
4. 공사비의 절감 및 시공기간의 단축효과
5. 기타 참고사항
② 계약담당공무원은 제1항에 의하여 설계변경을 요청받은 경우에는 이를 검토하여 그 결과를 계약상대자에게 통지하여야 한다. 이 경우에 계약담당공무원은 설계변경 요청에 대하여 이의가 있을 때에는 「건설기술 진흥법 시행령」제19조에 따른 기술자문위원회(이하 "기술자문위원회"라 한다)에 청구하여 심의를 받아야 한다. 다만, 기술자문위원회가 설치되어 있지 아니한 경우에는 「건설기술 진흥법」제5조에 의한 건설기술심의위원회의 심의를 받아야 한다. 〈개정 2009.9.21, 2016.1.1.〉
③ 계약상대자는 제1항에 의한 요청이 승인되었을 경우에는 지체없이 새로운 기술·공법으로 수행할 공사에 대한 시공상세도면을 공사감독관을 경유하여 계약담당공무원에게 제출하여야 한다.
④ 계약상대자는 제2항에 의한 심의를 거친 계약담당공무원의 결정에 대하여 이의를 제기할 수 없으며, 또한 새로운 기술·공법의 개발에 소요된 비용 및 새로운 기술·공법에 의한 설계변경 후에 해당 기술·공법에 의한 시공이 불가능한 것으로 판명된 경우에는 시공에 소요된 비용을 발주기관에 청구할 수 없다. 〈개정 2009.9.21.〉

제19조의5(발주기관의 필요에 의한 설계변경) ① 계약담당공무원은 다음 각호의 어느 하나의 사유로 인하여 설계서를 변경할 필요가 있다고 인정할 경우에는 계약상대자에게 이를 서면으로 통보할 수 있다.
1. 해당공사의 일부변경이 수반되는 추가공사의 발생
2. 특정공종의 삭제
3. 공정계획의 변경

4. 시공방법의 변경
5. 기타 공사의 적정한 이행을 위한 변경

② 계약담당공무원은 제1항에 의한 설계변경을 통보할 경우에는 다음 각호의 서류를 첨부하여야 한다. 다만, 발주기관이 설계서를 변경 작성할 수 없을 때에는 설계변경 개요서만을 첨부하여 설계변경을 통보할 수 있다.
1. 설계변경개요서
2. 수정설계도면 및 공사시방서
3. 기타 필요한 서류

③ 계약상대자는 제1항에 의한 통보를 받은 즉시 공사이행상황 및 자재수급 상황 등을 검토하여 설계변경 통보내용의 이행가능 여부(이행이 불가능하다고 판단될 경우에는 그 사유와 근거자료를 첨부)를 계약담당공무원과 공사감독관에게 동시에 이를 서면으로 통지하여야 한다.

제19조의6(소요자재의 수급방법 변경) ① 계약담당공무원은 발주기관의 사정으로 인하여 당초 관급자재로 정한 품목을 계약상대자와 협의하여 계약상대자가 직접 구입하여 투입하는 자재(이하 "사급자재"라 한다)로 변경하고자 하는 경우 또는 관급자재 등의 공급지체로 공사가 상당기간 지연될 것이 예상되어 계약상대자가 대체사용 승인을 신청한 경우로서 이를 승인한 경우에는 이를 서면으로 계약상대자에게 통보하여야 한다. 이때 계약담당공무원은 계약상대자와 협의하여 변경된 방법으로 일괄하여 자재를 구입할 수 없는 경우에는 분할하여 구입하게 할 수 있으며, 분할 구입하게 할 경우에는 구입시기별로 이를 서면으로 계약상대자에게 통보하여야 한다.

② 계약담당공무원은 공사의 이행 중에 설계변경 등으로 인하여 당초 관급자재의 수량이 증가되는 경우로서 증가되는 수량을 적기에 지급할 수 없어 공사의 이행이 지연될 것으로 예상되는 등 필요하다고 인정되는 때에는 계약상대자와 협의한 후에 증가되는 수량을 계약상대자가 직접 구입하여 투입하도록 서면으로 계약상대자에게 통보할 수 있다.

③ 제1항에 의하여 자재의 수급방법을 변경한 경우에는 계약담당공무원은 통보당시의 가격에 의하여 그 대가(기성부분에 실제 투입된 자재에 대한 대가)를 제39조 내지 제40조에 의한 기성대가 또는 준공대가에 합산하여 지급하여야 한다. 다만, 계약상대자의 대체사용 승인신청에 따라 자재가 대체사용된 경우에는 계약상대자와 합의된 장소 및 일시에 현품으로 반환할 수도 있다.

④ 계약담당공무원은 당초계약시의 사급자재를 관급자재로 변경할 수 없다. 다만, 원자재의 수급 불균형에 따른 원자재가격 급등 등 사급자재를 관급자재로 변경하지 않으면 계약목적을 이행할 수 없다고 인정될 때에는 계약당사자간의 협의에 의하여 변경할 수 있다.

⑤ 제2항 및 제4항에 의하여 추가되는 관급자재를 사급자재로 변경하거나 사급자재를 관급자재로 변경한 경우에는 제20조에 정한 바에 따라 계약금액을 조정하여야 하며, 제3항 본문에 의하여 대가를 지급하는 경우에는 제20조제5항을 준용한다.

제19조의7(설계변경에 따른 추가조치 등) ① 계약담당공무원은 제19조제1항에 의하여 설계변경을 하는 경우에 그 변경사항이 목적물의 구조변경 등으로 인하여 안전과 관련이 있는 때에는 하자발생시 책임한계를 명확하게 하기 위하여 당초 설계자의 의견을 들어야 한다.

② 계약담당공무원은 제19조의2, 제19조의3 및 제19조의5에 의하여 설계변경을 하는 경우에 계약상대자로 하여금 다음 각호의 사항을 계약담당공무원과 공사감독관에게 동시에 제출하게 할 수 있으며, 계약상대자는 이에 응하여야 한다.
1. 해당공종의 수정공정예정표
2. 해당공종의 수정도면 및 수정상세도면
3. 조정이 요구되는 계약금액 및 기간
4. 여타의 공정에 미치는 영향

③ 계약담당공무원은 제2항제2호에 의하여 당초의 설계도면 및 시공상세도면을 계약상대자가 수정하여 제출하는 경우에는 그 수정에 소요된 비용을 제23조에 의하여 계약상대자에게 지급하여야 한다.

제20조(설계변경으로 인한 계약금액의 조정) ① 계약담당공무원은 설계변경으로 시공방법의 변경, 투입자재의 변경 등 공사량의 증감이 발생하는 경우에는 다음 각호의 어느 하나의 기준에 의하여 계약금액을 조정하여야 한다.
1. 증감된 공사량의 단가는 계약단가로 한다. 다만 계약단가가 예정가격단가보다 높은 경우로서 물량이 증가하게 되는 때에는 그 증가된 물량에 대한 적용단가는 예정가격단가로 한다.
2. 산출내역서에 없는 품목 또는 비목(동일한 품목이라도 성능, 규격 등이 다른 경우를 포함한다. 이하 "신규비목"이라 한다)의 단가는 설계변경당시(설계도면의 변경을 요하는 경우에는 변경도면을 발주기관이 확정한 때, 설계도면의 변경을 요하지 않는 경우에는 계약당사자간에 설계변경을 문서에 의하여 합의한 때, 제19조제3항에 의하여 우선시공을 한 경

우에는 그 우선시공을 하게 한 때를 말한다. 이하 같다)를 기준으로 산정한 단가에 낙찰율(예정가격에 대한 낙찰금액 또는 계약금액의 비율을 말한다. 이하 같다)을 곱한 금액으로 한다.
② 발주기관이 설계변경을 요구한 경우(계약상대자의 책임없는 사유로 인한 경우를 포함한다. 이하 같다)에는 제1항에도 불구하고 증가된 물량 또는 신규비목의 단가는 설계변경당시를 기준으로 하여 산정한 단가와 동 단가에 낙찰율을 곱한 금액의 범위안에서 발주기관과 계약상대자가 서로 주장하는 각각의 단가기준에 대한 근거자료 제시 등을 통하여 성실히 협의(이하 "협의"라 한다) 하여 결정한다. 다만, 계약당사자간에 협의가 이루어지지 아니하는 경우에는 설계변경당시를 기준으로 하여 산정한 단가와 동 단가에 낙찰율을 곱한 금액을 합한 금액의 100분의 50으로 한다.
③ 제2항에도 불구하고 표준시장단가가 적용된 공사의 경우에는 다음 각호의 어느 하나의 기준에 의하여 계약금액을 조정하여야 한다. 〈신설 2012.7.4, 개정 2014.1.10, 2015.3.1.〉
1. 증가된 공사량의 단가는 예정가격 산정시 표준시장단가가 적용된 경우에 설계변경 당시를 기준으로 하여 산정한 표준시장단가로 한다.
2. 신규비목의 단가는 표준시장단가를 기준으로 산정하고자 하는 경우에 설계변경 당시를 기준으로 산정한 표준시장단가로 한다.
④ 제19조의4에 의한 설계변경의 경우에는 해당 절감액의 100분의 30에 해당하는 금액을 감액한다. 〈제3항에서 이동 2012.7.4.〉
⑤ 제1항 및 제2항에 의한 계약금액의 증감분에 대한 간접노무비, 산재보험료 및 산업안전보건관리비 등의 승율비용과 일반관리비 및 이윤은 산출내역서상의 간접노무비율, 산재보험료율 및 산업안전보건관리비율 등의 승율비용과 일반관리비율 및 이윤율에 의하되 설계변경당시의 관계법령 및 기획재정부장관 등이 정한 율을 초과할 수 없다. 〈개정 2008.12.29, 제4항에서 이동 2012.7.4〉
⑥ 계약담당공무원은 예정가격의 100분의 86미만으로 낙찰된 공사계약의 계약금액을 제1항에 따라 증액조정하고자 하는 경우로서 해당 증액조정금액(2차 이후의 계약금액 조정에 있어서는 그 전에 설계변경으로 인하여 감액 또는 증액조정된 금액과 증액조정하려는 금액을 모두 합한 금액을 말한다)이 당초 계약서의 계약금액(장기계속공사의 경우에는 시행령 제69조제2항에 따라 부기된 총공사금액)의 100분의 10 이상인 경우에는 시행령 제94조에 따른 계약심의회, 「국가재정법 시행령」 제49조에 따른 예산집행심의회 또는 「건설기술 진흥법 시행령」 제19조에 따른 기술자문위원회의 심의를 거쳐 소속중앙관서의 장의 승인을 얻어야 한다. 〈제5항에서 이동 2012.7.4, 개정 2016.1.1.〉
⑦ 일부 공종의 단가가 세부공종별로 분류되어 작성되지 아니하고 총계방식으로 작성(이하 "1식단가"라 한다)되어 있는 경우에도 설계도면 또는 공사시방서가 변경되어 1식단가의 구성내용이 변경되는 때에는 제1항 내지 제5항에 의하여 계약금액을 조정하여야 한다. 〈제6항에서 이동 2012.7.4.〉
⑧ 발주기관은 제1항 내지 제7항에 의하여 계약금액을 조정하는 경우에는 계약상대자의 계약금액조정 청구를 받은 날부터 30일이내에 계약금액을 조정하여야 한다. 이 경우에 예산배정의 지연 등 불가피한 경우에는 계약상대자와 협의하여 그 조정기한을 연장할 수 있으며, 계약금액을 조정할 수 있는 예산이 없는 때에는 공사량 등을 조정하여 그 대가를 지급할 수 있다. 〈제7항에서 이동 2012.7.4.〉
⑨ 계약담당공무원은 제8항에 의한 계약상대자의 계약금액조정 청구 내용이 부당함을 발견한 때에는 지체없이 필요한 보완요구 등의 조치를 하여야 한다. 이 경우 계약상대자가 보완요구 등의 조치를 통보받은 날부터 발주기관이 그 보완을 완료한 사실을 통지받은 날까지의 기간은 제8항에 의한 기간에 산입하지 아니한다. 〈제8항에서 이동 2012.7.4.〉
⑩ 제8항 전단에 의한 계약상대자의 계약금액조정 청구는 제40조에 의한 준공대가(장기계속계약의 경우에는 각 차수별 준공대가) 수령전까지 조정신청을 하여야 한다. 〈제9항에서 이동 2012.7.4.〉

제21조(설계변경으로 인한 계약금액조정의 제한 등) ① 다음 각 호의 어느 하나의 방법으로 체결된 공사계약에 있어서는 설계변경으로 계약내용을 변경하는 경우에도 정부에 책임있는 사유 또는 천재·지변 등 불가항력의 사유로 인한 경우를 제외하고는 그 계약금액을 증액할 수 없다.
1. 〈신설 2011.5.13, 삭제 2016.1.1.〉
2. 시행령 제78조에 따른 일괄입찰 및 대안입찰(대안이 채택된 부분에 한함)을 실시하여 체결된 공사계약
3. 시행령 제98조에 따른 기본설계 기술제안입찰 및 실시설계 기술제안입찰(기술제안이 채택된 부분에 한함)을 실시하여 체결된 공사계약 〈개정 2010.9.8.〉
② 계약담당공무원은 시행령 제14조제1항 각 호 외의 부분 단서에 따라 물량내역서를 작성하는 경우에는 물량내역서의 누락사항이나 오류 등으로 설계를 변경하는 경우에도 그 계약금액을 변경할 수 없다. 다만, 입찰참가자가 교부받은 물량내역서의 물량을 수정하고 단가를 적은 산출내역서를 제출하는 경우에는 입찰참가자의 물량수정이 허용되지 않은 공종에 대하

여는 그러하지 아니하다. 〈신설 2010.9.8. 개정 2016.1.1.〉
③ 각 중앙관서의 장 또는 계약담당공무원은 시행령 제78조에 따른 일괄입찰과 제98조에 따른 기본설계 기술제안입찰의 경우 계약체결 이전에 실시설계적격자에게 책임이 없는 다음 각 호의 어느 하나에 해당하는 사유로 실시설계를 변경한 경우에는 계약체결 이후에 즉시 설계변경에 의한 계약금액 조정을 하여야 한다. 〈개정 2010.9.8.〉
1. 민원이나 환경·교통영향평가 또는 관련 법령에 따른 인허가 조건 등과 관련하여 실시설계의 변경이 필요한 경우
2. 발주기관이 제시한 기본계획서·입찰안내서 또는 기본설계서에 명시 또는 반영되어 있지 아니한 사항에 대하여 해당 발주기관이 변경을 요구한 경우
3. 중앙건설기술심의위원회 또는 기술자문위원회가 실시설계 심의과정에서 변경을 요구한 경우 〈개정 2016.1.1.〉
④ 제1항 또는 제3항의 경우에서 계약금액을 조정하고자 할 때에는 다음 각호의 기준에 의한다. 〈제3항에서 이동 2010.9.8.〉
1. 실시설계 기술제안입찰은 시행령 제65조 제3항에 의한다. 〈개정 2008.12.29, 2010.9.8.〉
2. 제1항제2호의 경우와 기본설계 기술제안입찰은 시행령 제91조 제3항에 의한다. 〈개정 2008.12.29, 2010.9.8.〉
⑤ 제1항에 정한 정부의 책임있는 사유 또는 불가항력의 사유란 다음 각호의 어느 하나의 경우를 말한다. 다만, 설계시 공사관련법령 등에 정한 바에 따라 설계서가 작성된 경우에 한한다. 〈제4항에서 이동 2010.9.8.〉
1. 사업계획 변경 등 발주기관의 필요에 의한 경우
2. 발주기관 외에 해당공사와 관련된 인허가기관 등의 요구가 있어 이를 발주기관이 수용하는 경우
3. 공사관련법령(표준시방서, 전문시방서, 설계기준 및 지침 등 포함)의 제·개정으로 인한 경우
4. 공사관련법령에 정한 바에 따라 시공하였음에도 불구하고 발생되는 민원에 의한 경우
5. 발주기관 또는 공사 관련기관이 교부한 지하매설 지장물 도면과 현장 상태가 상이하거나 계약이후 신규로 매설된 지장물에 의한 경우
6. 토지·건물소유자의 반대, 지장물의 존치, 관련기관의 인허가 불허 등으로 지질조사가 불가능했던 부분의 경우
7. 제32조에 정한 사항 등 계약당사자 누구의 책임에도 속하지 않는 사유에 의한 경우
⑥ 제4항에 따라 계약금액을 증감조정하고자 하는 경우에 증감되는 공사물량은 수정전의 설계도면과 수정후의 설계도면을 비교하여 산출한다. 〈개정 2010.9.8.〉
⑦ 제3항 각호의 사유 및 제5항 각호의 사유에 해당되지 않는 경우로서 현장상태와 설계서의 상이 등으로 인하여 설계변경을 하는 경우에는 전체공사에 대하여 증·감되는 금액을 합산하여 계약금액을 조정하되, 계약금액을 증액할 수는 없다. 〈개정 2010.9.8. 2016.12.30.〉
⑧ 계약담당공무원은 제7항에 따른 계약금액 조정과 관련하여 연차계약별로 준공되는 장기계속공사의 경우에는 계약체결시 전체공사에 대한 증·감 금액의 합산처리 방법, 합산잔액의 다음 연차계약으로의 이월 등 필요한 사항을 정하여 운영하여야 한다. 〈개정 2010.9.8.〉
⑨ 제1항 내지 제8항에 따른 계약금액조정의 경우에는 제20조제5항 및 제8항 내지 제10항을 준용한다. 〈개정 2010.9.8.〉

제22조(물가변동으로 인한 계약금액의 조정) ① 물가변동으로 인한 계약금액의 조정은 시행령 제64조 및 시행규칙 제74조에 정한 바에 의한다.
② 계약담당공무원이 동일한 계약에 대한 계약금액을 조정할 때에는 품목조정율 및 지수조정율을 동시에 적용하여서는 아니되며, 계약을 체결할 때에 계약상대자가 지수조정율 방법을 원하는 경우외에는 품목조정율 방법으로 계약금액을 조정하도록 계약서에 명시하여야 한다. 이 경우 계약이행중 계약서에 명시된 계약금액 조정방법을 임의로 변경하여서는 아니된다. 다만, 시행령 제64조제6항에 따라 특정규격의 자재별 가격변동으로 계약금액을 조정할 경우에는 본문에도 불구하고 품목조정율에 의한다.
③ 제1항에 의하여 계약금액을 증액하는 경우에는 계약상대자의 청구에 의하여야 하고, 계약상대자는 제40조에 의한 준공대가(장기계속계약의 경우에는 각 차수별 준공대가) 수령전까지 조정신청을 하여야 조정금액을 지급받을 수 있으며, 조정된 계약금액은 직전의 물가변동으로 인한 계약금액조정기준일부터 90일이내에 이를 다시 조정할 수 없다. 다만, 천재·지변 또는 원자재의 가격급등으로 해당 기간내에 계약금액을 조정하지 아니하고는 계약이행이 곤란하다고 인정되는 경우에는 계약을 체결한 날 또는 직전 조정기준일로부터 90일이내에도 계약금액을 조정할 수 있다.
④ 계약상대자는 제3항에 의하여 계약금액의 증액을 청구하는 경우에 계약금액조정 내역서를 첨부하여야 한다.
⑤ 발주기관은 제1항 내지 제4항에 의하여 계약금액을 증액하는 경우에는 계약상대자의 청구를 받은 날부터 30일 이내에 계약금액을 조정하여야 한다. 이 때 예산배정의 지연 등 불가피한 경우에는 계약상대자와 협의하여 그 조정기한을 연장할 수 있으며, 계약금액을 증액할 수 있는 예산이 없는 때에는 공사량 등을 조정하여 그 대가를 지급할 수 있다.

⑥ 계약담당공무원은 제4항 및 제5항에 의한 계약상대자의 계약금액조정 청구 내용이 일부 미비하거나 분명하지 아니한 경우에는 지체없이 필요한 보완요구를 하여야 하며, 이 경우 계약상대자가 보완요구를 통보받은 날부터 발주기관이 그 보완을 완료한 사실을 통지받은 날까지의 기간은 제5항에 의한 기간에 산입하지 아니한다. 다만, 계약상대자의 계약금액조정 청구내용이 계약금액 조정요건을 충족하지 않았거나 관련 증빙서류가 첨부되지 아니한 경우에는 그 사유를 명시하여 계약상대자에게 해당 청구서를 반송하여야 하며, 이 경우에 계약상대자는 그 반송사유를 충족하여 계약금액조정을 다시 청구하여야 한다.

⑦ 시행령 제64조제6항에 따른 계약금액 조정요건을 충족하였으나 계약상대자가 계약금액 조정신청을 하지 않을 경우에 하수급인은 이러한 사실을 계약담당공무원에게 통보할 수 있으며, 통보받은 계약담당공무원은 이를 확인한 후에 계약상대자에게 계약금액 조정신청과 관련된 필요한 조치 등을 하도록 하여야 한다.

제23조(기타 계약내용의 변경으로 인한 계약금액의 조정) ① 계약담당공무원은 공사계약에 있어서 제20조 및 제22조에 의한 경우 외에 공사기간・운반거리의 변경 등 계약내용의 변경으로 계약금액을 조정하여야 할 필요가 있는 경우에는 그 변경된 내용에 따라 실비를 초과하지 아니하는 범위안에서 이를 조정(하도급업체가 지출한 비용을 포함한다)하며, 계약예규「정부입찰・계약 집행기준」제16장(실비의 산정)을 적용한다. 〈개정 2014.1.10., 2018.12.31., 2019.12.18.〉

② 제1항에 의한 계약내용의 변경은 변경되는 부분의 이행에 착수하기 전에 완료하여야 한다. 다만, 계약담당공무원은 계약이행의 지연으로 품질저하가 우려되는 등 긴급하게 계약을 이행하게 할 필요가 있는 때에는 계약상대자와 협의하여 계약내용 변경의 시기 등을 명확히 정하고, 계약내용을 변경하기 전에 계약을 이행하게 할 수 있다.

③ 제1항의 경우에는 제20조제5항을 준용한다.

④ 제1항에 의하여 계약금액이 증액될 때에는 계약상대자의 신청에 따라 조정하여야 한다.

⑤ 제1항 내지 제4항에 의한 계약금액조정의 경우에는 제20조제8항 내지 제10항을 준용한다.

제23조의2(설계변경 등에 따른 통보) 제20조 내지 제23조에 따라 계약금액을 조정한 경우에는 계약담당공무원은 건설산업기본법 관련 규정에 따라 계약금액의 조정사유와 내용을 하수급인에게 통보하여야 한다.
[본조 신설 2008.12.29.]

제23조의3(건설폐기물량의 초과발생에 따른 계약금액의 조정) 시행령 제78조에 따라 체결된 계약에 있어서 「건설폐기물의 재활용 촉진에 관한 법률」제15조에 따라 건설공사와 건설폐기물처리용역을 분리발주한 경우로서 공사수행과정에서 건설폐기물이 계약상대자가 설계시 산출한 물량을 초과하여 발생한 때에는 해당 초과물량에 대하여 발주기관이 실제 폐기물처리업체에 지급한 처리비용만큼 계약금액에서 감액조정한다.
[본조 신설 2010.11.30.]

제24조(응급조치) ① 계약상대자는 시공기간중 재해방지를 위하여 필요하다고 인정할 때에는 미리 공사감독관의 의견을 들어 필요한 조치를 취하여야 한다.

② 공사감독관은 재해방지 기타 시공상 부득이할 때에는 계약상대자에게 필요한 응급조치를 취할 것을 구두 또는 서면으로 요구할 수 있다. 이 경우에 구두로 응급조치를 요구한 때에는 추후 서면으로 보완하여야 한다.

③ 계약상대자는 제2항에 의한 요구를 받은 때에는 즉시 이에 응하여야 한다. 다만 계약상대자가 요구에 응하지 아니할 때에는 계약담당공무원은 일방적으로 계약상대자 부담으로 제3자로 하여금 응급조치하게 할 수 있다.

④ 제1항 내지 제3항의 조치에 소요된 경비중에서 계약상대자가 계약금액의 범위내에서 부담하는 것이 부당하다고 인정되는 때에는 제23조에 의하여 실비의 범위안에서 계약금액을 조정할 수 있다.

제25조(지체상금) ① 계약상대자는 계약서에 정한 준공기한(계약서상 준공신고서 제출기일을 말한다. 이하 같다)내에 공사를 완성하지 아니한 때에는 매 지체일수마다 계약서에 정한 지체상금률을 계약금액(장기계속공사계약의 경우에는 연차별 계약금액)에 곱하여 산출한 금액(이하 "지체상금"이라 한다)을 현금으로 납부하여야 한다. 다만, 납부할 금액이 계약금액(제2항에 따라 기성부분 또는 기납부분에 대하여 검사를 거쳐 이를 인수한 경우에는 그 부분에 상당하는 금액을 계약금액에서 공제한 금액을 말한다)의 100분의 30을 초과하는 경우에는 100분의 30으로 한다. 〈단서신설 2018.12.31〉

② 계약담당공무원은 제1항의 경우에 제29조에 의하여 기성부분에 대하여 검사를 거쳐 이를 인수(인수하지 아니하고 관리・사용하고 있는 경우를 포함한다. 이하 이 조에서 같다)한 때에는 그 부분에 상당하는 금액을 계약금액에서 공제한다. 이 경우에 기성부분의 인수는 그 성질상 분할할 수 있는 공사에 대한 완성부분으로 인수하는 것에 한한다.

③ 계약담당공무원은 다음 각호의 어느 하나에 해당되어 공사가 지체되었다고 인정할 때에는 그 해당일수를 제1항의 지체일수에 산입하지 아니한다.

1. 제32조에서 규정한 불가항력의 사유에 의한 경우

2. 계약상대자가 대체 사용할 수 없는 중요 관급자재 등의 공급이 지연되어 공사의 진행이 불가능하였을 경우
3. 발주기관의 책임으로 착공이 지연되거나 시공이 중단되었을 경우
4. 〈삭제 2010.9.8.〉
5. 계약상대자의 부도 등으로 보증기관이 보증이행업체를 지정하여 보증시공할 경우
6. 제19조에 의한 설계변경(계약상대자의 책임없는 사유인 경우에 한한다)으로 인하여 준공기한내에 계약을 이행할 수 없을 경우 〈개정 2015.9.21.〉
7. 발주기관이「조달사업에 관한 법률」제27조 제1항에 따른 혁신제품을 자재로 사용토록 한 경우로서 혁신제품의 하자가 직접적인 원인이 되어 준공기한내에 계약을 이행할 수 없을 경우 〈신설 2020.12.28.〉
8. 원자재의 수급 불균형으로 인하여 해당 관급자재의 조달지연 또는 사급자재(관급자재에서 전환된 사급자재를 포함한다)의 구입곤란 등 기타 계약상대자의 책임에 속하지 아니하는 사유로 인하여 지체된 경우

④ 〈삭제 2014.1.10〉
⑤ 제3항제5호에 의하여 지체일수에 산입하지 아니하는 기간은 발주기관으로부터 보증채무 이행청구서를 접수한 날부터 보증이행개시일 전일까지(단, 30일 이내에 한한다)로 한다.
⑥ 계약담당공무원은 제1항에 의한 지체일수를 다음 각호에 따라 산정하여야 한다.
1. 준공기한내에 준공신고서를 제출한 때에는 제27조에 의한 준공검사에 소요된 기간은 지체일수에 산입하지 아니한다. 다만, 준공기한 이후에 제27조제3항에 의한 시정조치를 한 때에는 시정조치를 한 날부터 최종 준공검사에 합격한 날까지의 기간(검사기간이 제27조에 정한 기간을 초과한 경우에는 동조에 정한 기간에 한한다. 이하 같다)을 지체일수에 산입한다.
2. 준공기한을 경과하여 준공신고서를 제출한 때에는 준공기한 익일부터 준공검사(시정조치를 한 때에는 최종 준공검사)에 합격한 날까지의 기간을 지체일수에 산입한다.
3. 준공기한의 말일이 공휴일(관련 법령에 의하여 발주기관의 휴무일이거나「근로자의 날 제정에 관한 법률」에 따른 근로자의 날(계약상대자가 실제 업무를 하지 아니한 경우에 한함)인 경우를 포함한다)인 경우에 지체일수는 공휴일의 익일 다음날부터 기산한다. 〈개정 2018.12.31.〉

⑦ 계약담당공무원은 제1항 내지 제3항에 의한 지체상금은 계약상대자에게 지급될 대가, 대가지급지연에 대한 이자 또는 기타 예치금 등과 상계할 수 있다.

제26조(계약기간의 연장) ① 계약상대자는 제25조제3항 각호의 어느 하나의 사유가 계약기간(장기계속공사의 경우에는 연차별 계약기간을 말한다. 이하 이 조에서 같다.)내에 발생한 경우에는 계약기간 종료전에 지체없이 제17조제1항제2호의 수정공정표를 첨부하여 계약담당공무원과 공사감독관에게 서면으로 계약기간의 연장신청을 하여야 한다. 다만, 연장사유가 계약기간내에 발생하여 계약기간 경과후 종료된 경우에는 동 사유가 종료된 후 즉시 계약기간의 연장신청을 하여야 한다. 〈개정 2010.11.30., 2020.6.19.〉
② 계약담당공무원은 제1항에 의한 계약기간연장 신청이 접수된 때에는 즉시 그 사실을 조사 확인하고 공사가 적절히 이행될 수 있도록 계약기간의 연장 등 필요한 조치를 하여야 한다.
③ 계약담당공무원은 제1항에 의한 연장청구를 승인하였을 경우에는 동 연장기간에 대하여는 제25조에 의한 지체상금을 부과하여서는 아니된다.
④ 제2항에 의하여 계약기간을 연장한 경우에는 제23조에 의하여 그 변경된 내용에 따라 실비를 초과하지 아니하는 범위안에서 계약금액을 조정한다. 다만, 제25조제3항 제5호의 사유에 의한 경우에는 그러하지 아니하다. 〈개정 2016.12.30.〉
⑤ 계약상대자는 제40조에 의한 준공대가(장기계속계약의 경우에는 각 차수별 준공대가) 수령전까지 제4항에 의한 계약금액 조정신청을 하여야 한다. 〈개정 2010.11.30.〉
⑥ 계약담당공무원은 제1항 내지 제5항에도 불구하고 계약상대자의 의무불이행으로 인하여 발생한 지체상금이 시행령 제50조제1항에 의한 계약보증금상당액에 달한 경우로서 계약목적물이 국가정책사업 대상이거나 계약의 이행이 노사분규 등 불가피한 사유로 인하여 지연된 때에는 계약기간을 연장할 수 있다.
⑦ 제6항에 의한 계약기간의 연장은 지체상금이 계약보증금상당액에 달한 때에 하여야 하며, 연장된 계약기간에 대하여는 제25조에도 불구하고 지체상금을 부과하여서는 아니된다.
⑧ 계약담당공무원은 장기계속공사의 연차별 계약기간 중 제1항에 의한 계약기간 연장신청(제25조제3항 제1호부터 제3호까지 및 제6호·제7호에 따른 사유로 인한 경우에 한한다)이 있는 경우, 당해 연차별 계약기간의 연장을 회피하기 위한 목적으로 당해 차수계약을 해지하여서는 아니된다. 〈신설 2020.6.19.〉

제27조(검사) ① 계약상대자는 공사를 완성하였을 때에는 그 사실을 준공신고서 등 서면으로 계약담당공무원(「건설기술 진흥법」 제39조제2항에 의하여 건설사업관리 또는 감리를 하는 공사에 있어서는 건설기술용역업자를 말한다. 이하 이조 제2항, 제3항 및 제6항에서 같다)에게 통지하고 필요한 검사를 받아야 한다. 〈개정 2016.1.1.〉
② 계약담당공무원은 제1항의 통지를 받은 날로부터 14일 이내에 계약서, 설계서, 준공신고서 기타 관계 서류에 의하여 계약상대자의 입회하에 그 이행을 확인하기 위한 검사를 하여야 한다. 다만, 천재ㆍ지변 등 불가항력적인 사유로 인하여 검사를 완료하지 못한 경우에는 해당사유가 존속되는 기간과 해당사유가 소멸된 날로부터 3일까지는 이를 연장할 수 있으며, 공사계약금액(관급자재가 있는 경우에는 관급자재 대가를 포함한다)이 100억원이상이거나 기술적 특수성 등으로 인하여 14일이내에 검사를 완료할 수 없는 특별한 사유가 있는 경우에는 7일 범위내에서 검사기간을 연장할 수 있다.
③ 계약담당공무원은 제2항의 검사에서 계약상대자의 계약이행내용의 전부 또는 일부가 계약에 위반되거나 부당함을 발견한 때에는 계약상대자에게 필요한 시정조치를 요구하여야 한다. 이 경우에는 계약상대자로부터 그 시정을 완료한 사실을 통지받은 날로부터 제2항의 기간을 계산한다.
④ 제3항에 의하여 계약이행기간이 연장될 때에는 계약담당공무원은 제25조에 의한 지체상금을 부과하여야 한다.
⑤ 계약상대자는 제2항에 의한 검사에 입회ㆍ협력하여야 한다. 계약상대자가 입회를 거부하거나 검사에 협력하지 아니함으로써 발생하는 지체에 대하여는 제3항 및 제4항을 준용한다.
⑥ 계약담당공무원은 검사를 완료한 때에는 그 결과를 지체없이 계약상대자에게 통지하여야 한다. 이 경우에 계약상대자는 검사에 대한 이의가 있을 때에는 재검사를 요청할 수 있으며, 계약담당공무원은 필요한 조치를 하여야 한다.
⑦ 계약상대자는 제6항에 의한 검사완료통지를 받은 때에는 모든 공사시설, 잉여자재, 폐기물 및 가설물을 공사장으로부터 즉시 철거반출하여야 하며 공사장을 정돈하여야 한다.
⑧ 제39조에 의한 기성대가지급시의 기성검사는 공사감독관이 작성한 감독조서의 확인으로 갈음할 수 있다. 다만, 기성 검사 3회마다 1회는 제1항에 의한 검사를 실시하여야 한다.
⑨ 제8항에 의한 기성검사 시에 검사에 합격된 자재라도 단순히 공사현장에 반입된 것만으로는 기성부분으로 인정되지 아니한다. 다만, 다음 각 호의 경우에는 해당 자재의 특성, 용도 및 시장거래상황 등을 고려하여 반입(해당 자재를 계약목적물에 투입하는 과정의 특수성으로 인하여 가공ㆍ조립 또는 제작하는 공장에서 기성검사를 실시, 동 검사에 합격한 경우를 포함)된 자재를 기성부분으로 인정할 수 있다. 〈개정 2018.12.31.〉
1. 강교 등 해당공사의 기술적ㆍ구조적 특성을 고려하여 가공ㆍ조립ㆍ제작된 자재로서, 다른 공사에 그대로 사용하기 곤란하다고 인정되는 자재: 자재의 100분의 100 범위내에서 기성부분으로 인정 가능〈신설 2018.12.31.〉
2. 기타 계약상대자가 직접 또는 제3자에게 위탁하여 가공ㆍ조립 또는 제작된 자재: 자재의 100분의 50 범위내에서 기성부분으로 인정 가능〈신설 2018.12.31.〉
⑩ 제2항에도 불구하고 「재난 및 안전관리 기본법」 제3조제1호의 재난이나 경기침체, 대량실업 등으로 인한 국가의 경제위기를 극복하기 위해 기획재정부장관이 기간을 정하여 고시한 경우에는 제2항의 14일을 7일로 본다. 〈신설 2020.4.20.〉

제28조(인수) ① 계약담당공무원은 제27조제6항에 의하여 검사완료통지를 한 후에 계약상대자가 서면으로 인수를 요청하였을 때에는 즉시 현장인수증명서를 발급하고 해당 공사목적물을 인수하여야 한다.
② 계약담당공무원은 제1항에 의하여 인수를 요청받은 경우에 공사규모 등을 고려하여 필요하다고 인정할 때에는 계약상대자로 하여금 다음 각호의 사항이 첨부된 준공명세서를 제출하게 하여야 한다.
1. 완성된 공사목적물의 전면ㆍ후면ㆍ측면사진(10"×15") 각 5매 및 사진원본파일
2. 제27조의 주요검사과정을 촬영한 동영상물(CD 등) 5본
3. 착공에서 준공까지의 행정처리과정, 참여기술자, 관련참여업체 등의 내용을 포함하는 「건설기술 진흥법 시행령」 제78조에 의한 준공보고서 〈개정 2016.1.1.〉
③ 계약담당공무원은 계약상대자가 검사완료통지를 받은 날부터 7일이내에 제1항에 의한 인수요청을 아니할 때에는 계약상대자에게 현장인수증명서를 발급하고 해당 공사목적물을 인수할 수 있다. 이 경우 계약상대자는 지체없이 제2항에 의한 준공명세서를 제출하여야 한다.
④계약담당공무원은 공사목적물을 인수한 때에는 다음 사항을 기재한 표찰을 부착하여 공시하여야 한다.
1. 공사명 및 발주기관(관리청)
2. 착공 및 준공년월일
3. 공사금액
4. 계약상대자
5. 공사감독관 및 검사관

6. 하자발생시 신고처
7. 기타 필요한 사항
⑤ 발주관서는 제3항에 의하여 인수된 공사목적물을 계약상대자에게 유지관리를 요구하는 경우에는 이에 필요한 비용을 지급하여야 한다.

제29조(기성부분의 인수) ① 계약담당공무원은 전체 공사목적물이 아닌 기성부분(성질상 분할할 수 있는 공사에 대한 완성부분에 한한다)에 대하여 이를 인수할 수 있다.
② 제1항의 경우에는 제28조를 준용한다.

제30조(부분사용 및 부가공사) ① 발주기관은 계약목적물의 인수전에 기성부분이나 미완성부분을 사용할 수 있으며, 이 경우에 사용부분에 대해서는 해당 구조물 안전에 지장을 주지 아니하는 부가공사를 할 수 있다.
② 제1항의 경우 계약상대자와 부가공사에 대한 계약상대자는 계약담당공무원의 지시에 따라 공사를 진행하여야 한다.
③ 계약담당공무원은 제1항에 의한 부분사용 또는 부가공사로 인하여 계약상대자에게 손해가 발생한 경우 또는 추가공사비가 필요한 경우로서 계약상대자의 청구가 있는 때에는 제23조에 의하여 실비의 범위안에서 보상하거나 계약금액을 조정하여야 한다.

제31조(일반적 손해) ① 계약상대자는 계약의 이행중 공사목적물, 관급자재, 대여품 및 제3자에 대한 손해를 부담하여야 한다. 다만, 계약상대자의 책임없는 사유로 인하여 발생한 손해는 발주기관의 부담으로 한다.
② 제10조에 의하여 손해보험에 가입한 공사계약의 경우에는 제1항에 의한 계약상대자 및 발주기관의 부담은 보험에 의하여 보전되는 금액을 초과하는 부분으로 한다.
③ 제28조 및 제29조에 의하여 인수한 공사목적물에 대한 손해는 발주기관이 부담하여야 한다.

제32조(불가항력) ① 불가항력이라 함은 태풍·홍수 기타 악천후, 전쟁 또는 사변, 지진, 화재, 전염병, 폭동 기타 계약당사자의 통제범위를 벗어난 사태의 발생 등의 사유(이하 "불가항력의 사유"라 한다)로 인하여 공사이행에 직접적인 영향을 미친 경우로서 계약당사자 누구의 책임에도 속하지 아니하는 경우를 말한다. 〈개정 2019.12.18.〉
② 불가항력의 사유로 인하여 다음 각호에 발생한 손해는 발주기관이 부담하여야 한다.
1. 제27조에 의하여 검사를 필한 기성부분
2. 검사를 필하지 아니한 부분중 객관적인 자료(감독일지, 사진 또는 동영상 등)에 의하여 이미 수행되었음이 판명된 부분
3. 제31조제1항 단서 및 동조제3항에 의한 손해
③ 계약상대자는 계약이행 기간 중에 제2항의 손해가 발생하였을 때에는 지체없이 그 사실을 계약담당공무원에게 통지하여야 하며, 계약담당공무원은 통지를 받았을 때에는 즉시 그 사실을 조사하고 그 손해의 상황을 확인한 후에 그 결과를 계약상대자에게 통지하여야 한다. 이 경우에 공사감독관의 의견을 고려할 수 있다.
④ 계약담당공무원은 제3항에 의하여 손해의 상황을 확인하였을 때에는 별도의 약정이 없는 한 공사금액의 변경 또는 손해액의 부담 등 필요한 조치에 대하여 계약상대자와 협의하여 이를 결정한다. 다만, 협의가 성립되지 않을 때에는 제51조에 의해서 처리한다.

제33조(하자보수) ① 계약상대자는 전체목적물을 인수한 날과 준공검사를 완료한 날 중에서 먼저 도래한 날(공사계약의 부분완료로 관리·사용이 이루어지고 있는 경우에는 부분 목적물을 인수한 날과 공고에 따라 관리·사용을 개시한 날 중에서 먼저 도래한 날을 말한다)부터 시행령 제60조에 의하여 계약서에 정한 기간(이하 "하자담보책임기간"이라 한다)동안에 공사목적물의 하자(계약상대자의 시공상의 잘못으로 인하여 발생한 하자에 한함)에 대한 보수책임이 있다. 〈개정 2019.12.18.〉
② 하자담보책임기간은 시행규칙 제70조에 정해진 바에 따라 공종을 구분(하자책임을 구분할 수 없는 복합공사의 경우에는 주된 공종)하여 설정하여야 한다. 〈개정 2016.12.30.〉
③ 제2항에도 불구하고 하자담보책임기간을 공종 구분없이 일률적으로 정하였거나 시행규칙 제70조제1항각호에 정해진 기간과 다르게 정하여 계약이행중인 경우에는 시행규칙에서 정한 대로 계약서상 하자담보책임기간을 조정하여야 한다. 〈개정 2019.12.18.〉
④ 계약상대자는 하자보수통지를 받은 때에는 즉시 보수작업을 하여야 하며 해당 하자의 발생원인 및 기타 조치사항을 명시하여 발주기관에 제출하여야 한다.

제34조(하자보수보증금) ① 계약상대자는 공사의 하자보수를 보증하기 위하여 계약서에서 정한 하자보수보증금율을 계약금액(당초 계약금액이 조정된 경우에는 조정된 계약금액을 말한다)에 곱하여 산출한 금액(이하 "하자보수보증금"이라 한다)을 시행령 제62조 및 시행규칙 제72조에서 정한 바에 따라 납부하여야 한다.

② 계약상대자가 제33조제1항에 의한 하자담보책임기간중 계약담당공무원으로부터 하자보수요구를 받고 이에 불응한 경우에 계약담당공무원은 제1항에 의한 하자보수보증금을 국고에 귀속한다.
③ 계약담당공무원은 제35조제2항에 의한 하자보수완료확인서의 발급일까지 하자보수보증금을 계약상대자에게 반환하여야 한다. 다만, 하자담보책임기간이 서로 다른 공종이 복합된 건설공사에 있어서는 시행규칙 제70조에 의한 공종별 하자담보책임기간이 만료되어 보증목적이 달성된 공종의 하자보수보증금은 계약상대자의 요청이 있을 경우 즉시 반환하여야 한다.

제35조(하자검사) ① 계약담당공무원은 제33조제1항의 하자담보책임기간중 연2회이상 정기적으로 하자발생 여부를 검사하여야 한다.
② 계약담당공무원은 하자담보책임기간이 만료되기 14일 전부터 만료일까지의 기간 중에 따로 최종검사를 하여야 하며, 최종검사를 완료하였을 때에는 즉시 하자보수완료확인서를 계약상대자에게 발급하여야 한다. 이 경우에 최종검사에서 발견되는 하자사항은 하자보수완료확인서가 발급되기 전까지 계약상대자가 자신의 부담으로 보수하여야 한다. 〈개정 2018.12.31.〉
③ 계약상대자는 제1항 및 제2항의 검사에 입회하여야 한다. 다만, 계약상대자가 입회를 거부하는 경우에 계약담당공무원은 일방적으로 검사를 할 수 있으며 검사결과에 대하여 계약상대자가 동의한 것으로 간주한다.
④ 계약상대자의 책임과 의무는 제2항에 의한 하자보수완료확인서의 발급일부터 소멸한다.

제36조(특별책임) ① 계약담당공무원은 제35조제2항에 의한 하자보수완료확인서의 발급에도 불구하고 해당공사의 특성 및 관련법령에서 정한 바에 따라 건축물의 구조적 안정성 확보, 이용자 안전 제고 등을 위해 필요하다고 인정하는 경우에는 계약상대자와 협의하여 제27조 및 제35조에 의한 검사과정에서 발견되지 아니한 시공상의 하자에 대하여는 계약상대자의 책임으로 하는 특약을 정할 수 있다. 이 경우 계약상대자의 책임기간은 해당계약에 대한 하자담보책임의 2배를 초과하여서는 아니된다. 〈개정 2020.9.24.〉
② 계약담당공무원은 제1항에 따른 특약을 설정하려는 경우, 특약 설정의 필요성 및 계약상대자의 책임기간 등에 대하여 시행령 제94조에 따른 계약심의위원회의 심의를 거쳐야 한다. 〈신설 2020.9.24.〉

제37조(특허권 등의 사용) 공사의 이행에 특허권 기타 제3자의 권리의 대상으로 되어 있는 시공방법을 사용할 때에는 계약상대자는 그 사용에 관한 일체의 책임을 져야 한다. 그러나 발주기관이 제3조의 계약문서에 시공방법을 지정하지 아니하고 그 시공을 요구할 때에는 계약상대자에 대하여 제반편의를 제공·알선하거나 소요된 비용을 지급할 수 있다.

제38조(발굴물의 처리) ① 공사현장에서 발견한 모든 가치있는 화석·금전·보물 기타 지질학 및 고고학상의 유물 또는 물품은 관계법규에서 정하는 바에 의하여 처리한다.
② 계약상대자는 제1항의 물품이나 유물을 발견하였을 때에는 즉시 계약담당공무원에게 통지하고 그 지시에 따라야 하며 이를 취급할 때에는 파손이 없도록 적절한 예방조치를 하여야 한다.

제39조(기성대가의 지급) ① 계약상대자는 최소한 30일마다 제27조제8항에 의한 검사를 완료하는 날까지 기성부분에 대한 대가지급청구서[[하수급인 및 자재·장비업자에 대한 대금지급 계획과 하수급인과 직접 계약을 체결한 자재·장비업자(이하 '하수급인의 자재·장비업자'라 한다)에 대한 대금지급계획을 첨부하여야 한다)]를 계약담당공무원과 공사감독관에게 동시에 제출할 수 있다. 〈개정 2010.9.8., 2012.7.4.〉
② 계약담당공무원은 검사완료일부터 5일이내에 검사된 내용에 따라 기성대가를 확정하여 계약상대자에게 지급(「전자조달의 이용 및 촉진에 관한 법률」 제9조의2제1항에 따른 시스템을 통한 지급 포함. 이하 이 조에서 같다.)하여야 한다. 다만, 계약상대자가 검사완료일후에 대가의 지급을 청구한 때에는 그 청구를 받은 날부터 5일이내에 지급하여야 한다. 〈개정 2009.7.3., 2019.12.18.〉
③ 계약담당공무원은 제2항에 따른 기성대가지급시에 제1항의 대금 지급 계획상의 하수급인, 자재·장비업자 및 하수급인의 자재·장비업자에게 기성대가지급 사실을 통보하고, 이들로 하여금 대금 수령내역(수령자, 수령액, 수령일 등) 및 증빙서류를 제출(「전자서명법」제2조에 따른 전자문서에 의한 제출을 포함한다. 이하 제40조제3항 및 제43조의2제1항에 따른 제출 및 통보에 있어 같다)하게 하여야 한다. 〈신설 2010.9.8., 2012.7.4.〉
④ 계약담당공무원은 제27조제9항 단서에 의한 자재에 대하여 기성대가를 지급하는 경우에는 계약상대자로 하여금 그 지급대가에 상당하는 보증서(시행령 제37조제2항에 규정된 증권 또는 보증서 등을 말한다)를 제출하게 하여야 한다. 〈제3항에서 이동 2010.9.8.〉
⑤ 계약담당공무원은 제1항에 의한 청구서의 기재사항이 검사된 내용과 일치하지 아니할 때에는 그 사유를 명시하여 계약상대자에게 이의 시정을 요구하여야 한다. 이 경우에 시정에 소요되는 기간은 제2항에서 규정한 기간에 산입하지 아니한다. 〈제4항에서 이동 2010.9.8.〉

⑥ 기성대가는 계약단가에 의하여 산정·지급한다. 다만, 계약단가가 없을 경우에는 제20조제1항제2호 및 동조 제2항에 의하여 산정된 단가에 의한다.〈제5항에서 이동 2010.9.8.〉
⑦ 기성대가 지급의 경우에는 제40조제5항을 준용한다.〈제6항에서 이동 2010.9.8.〉
⑧ 제2항에도 불구하고 「재난 및 안전관리 기본법」제3조제1호의 재난이나 경기침체, 대량실업 등으로 인한 국가의 경제위기를 극복하기 위해 기획재정부장관이 기간을 정하여 고시한 경우에는 제2항의 5일을 3일로 본다.〈신설 2020.4.20.〉

제39조의2(계약금액조정전의 기성대가지급) ① 계약담당공무원은 물가변동, 설계변경 및 기타계약내용의 변경으로 인하여 계약금액이 당초 계약금액보다 증감될 것이 예상되는 경우로서 기성대가를 지급하고자 하는 경우에는 「국고금관리법 시행규칙」제72조에 의하여 당초 산출내역서를 기준으로 산출한 기성대가를 개산급으로 지급할 수 있다. 다만, 감액이 예상되는 경우에는 예상되는 감액금액을 제외하고 지급하여야 한다.
② 계약상대자는 제1항에 의하여 기성대가를 개산급으로 지급받고자 하는 경우에는 기성대가신청시 개산급신청사유를 서면으로 작성하여 첨부하여야 한다.

제40조(준공대가의 지급) ① 계약상대자는 공사를 완성한 후 제27조에 의한 검사에 합격한 때에는 대가지급청구서(하수급인, 자재·장비업자 및 하수급인의 자재·장비업자에 대한 대금지급계획을 첨부하여야 한다)를 제출하는 등 소정절차에 따라 대가지급을 청구할 수 있다. 〈개정 2010.9.8, 2012.7.4.〉
② 계약담당공무원은 제1항의 청구를 받은 때에는 그 청구를 받은 날로부터 5일(공휴일 및 토요일은 제외한다. 이하 이조에서 같다)이내에 그 대가를 지급(「전자조달의 이용 및 촉진에 관한 법률」제9조의2제1항에 따른 시스템을 통한 지급 포함. 이하 이 조에서 같다)하여야 하며, 동 대가지급기한에도 불구하고 자금사정 등 불가피한 사유가 없는 한 최대한 신속히 대가를 지급하여야 한다. 다만, 계약당사자와의 합의에 의하여 5일을 초과하지 아니하는 범위안에서 대가의 지급기간을 연장할 수 있는 특약을 정할 수 있다. 〈개정 2009.7.3., 2019.12.18.〉
③ 계약담당공무원은 제2항에 따른 대가지급시에 제1항의 대금 지급 계획상의 하수급인, 자재·장비업자 및 하수급인의 자재·장비업자에게 대가지급 사실을 통보하고, 이들로 하여금 대금 수령내역(수령자, 수령액, 수령일 등) 및 증빙서류를 제출하게 하여야 한다. 〈신설 2010.9.8, 2012.7.4.〉
④ 천재·지변 등 불가항력의 사유로 인하여 대가를 지급할 수 없게 된 경우에는 계약담당공무원은 해당사유가 존속되는 기간과 해당사유가 소멸된 날로부터 3일까지는 대가의 지급을 연장할 수 있다. 〈제3항에서 이동 2010.9.8.〉
⑤ 계약담당공무원은 제1항의 청구를 받은 후 그 청구내용의 전부 또는 일부가 부당함을 발견한 때에는 그 사유를 명시하여 계약상대자에게 해당 청구서를 반송할 수 있다. 이 경우에는 반송한 날로부터 재청구를 받은 날까지의 기간은 제2항의 지급기간에 산입하지 아니한다.〈제4항에서 이동 2010.9.8.〉
⑥ 제2항에도 불구하고 「재난 및 안전관리 기본법」제3조제1호의 재난이나 경기침체, 대량실업 등으로 인한 국가의 경제위기를 극복하기 위해 기획재정부장관이 기간을 정하여 고시한 경우에는 제2항의 5일을 3일로 본다.〈신설 2020.4.20.〉

제40조의2(국민건강보험료, 노인장기요양보험료 및 국민연금보험료의 사후정산) 계약담당공무원은 「정부 입찰·계약 집행기준」제93조에 의하여 국민건강보험료, 노인장기요양보험료 및 국민연금보험료를 사후정산 하기로 한 계약에 대하여는 제39조 및 제40조에 의한 대가지급시 계약예규 「정부 입찰·계약 집행기준」제94조에 정한 바에 따라 정산하여야 한다. 〈개정 2016.12.30.〉

제41조(대가지급지연에 대한 이자) ① 계약담당공무원은 대가지급청구를 받은 경우에 제39조 및 제40조에 의한 대가지급기한(국고채무부담행위에 의한 계약의 경우에는 다음 회계년도 개시후 「국가재정법」에 의하여 해당 예산이 배정된 날부터 20일)까지 대가를 지급하지 못하는 경우에는 지급기한의 다음날부터 지급하는 날까지의 일수(이하 "대가지급지연일수"라 한다)에 해당 미지급금액에 대하여 지연발생 시점의 금융기관 대출평균금리(한국은행 통계월보상의 금융기관 대출평균금리를 말한다)를 곱하여 산출한 금액을 이자로 지급하여야 한다.
② 불가항력의 사유로 인하여 검사 또는 대가지급이 지연된 경우에 제27조제2항 단서 및 제40조제4항에 의한 연장기간은 대가지급 지연일수에 산입하지 아니한다.

제42조(하도급의 승인 등) ① 계약상대자가 계약된 공사의 일부를 제3자에게 하도급 하고자 하는 경우에는 「건설산업기본법」등 관련법령에 정한 바에 의하여야 한다.
② 계약담당공무원은 제1항에 의하여 계약상대자로부터 하도급계약을 통보받은 때에는 국토교통부장관이 고시한 건설공사 하도급심사기준에 정한 바에 따라 하도급금액의 적정성을 심사하여야 한다. 〈개정 2015.9.21.〉

제43조(하도급대가의 직접지급 등) ① 계약담당공무원은 계약상대자가 다음 각호의 어느 하나에 해당하는 경우에 「건설산업기본법」등 관련법령에 의하여 체결한 하도급계약중 하수급인이 시공한 부분에 상당하는 금액에 대하여는 계약상대자가 하

수급인에게 제39조 및 제40조에 의한 대가지급을 의뢰한 것으로 보아 해당 하수급인에게 직접 지급하여야 한다.
1. 하수급인이 계약상대자를 상대로 하여 받은 판결로서 그가 시공한 분에 대한 하도급대금지급을 명하는 확정판결이 있는 경우
2. 계약상대자가 파산, 부도, 영업정지 및 면허취소 등으로 하도급대금을 하수급인에게 지급할 수 없게 된 경우
3. 「하도급거래 공정화에 관한 법률」또는 「건설산업기본법」에 규정한 내용에 따라 계약상대자가 하수급인에 대한 하도급대금 지급보증서를 제출하여야 할 대상 중 그 지급보증서를 제출하지 아니한 경우
② 계약담당공무원은 제1항에도 불구하고 하수급인이 해당 하도급계약과 관련하여 노임, 중기사용료, 자재대 등을 체불한 사실을 계약상대자가 객관적으로 입증할 수 있는 서류를 첨부하여 해당 하도급대가의 직접지급 중지를 요청한 때에는 해당 하도급대가를 직접 지급하지 아니할 수 있다.
③ 계약상대자는 제27조제1항에 의한 준공신고 또는 제39조에 의한 기성대가의 지급청구를 위한 검사를 신청하고자 할 경우에는 하수급인이 시공한 부분에 대한 내역을 구분하여 신청하여야 하며, 제39조 및 제40조에 의하여 제1항의 하도급대가가 포함된 대가지급을 청구할 때에는 해당 하도급대가를 분리하여 청구하여야 한다.

제43조의2(하도급대금 등 지급 확인) ① 계약상대자는 제39조 및 제40조에 의한 대가를 지급받은 경우에 15일 이내에 하수급인 및 자재·장비업자가 시공·제작·대여한 분에 상당한 금액(이하 "하도급대금 등"이라 한다)을 하수급인 및 자재·장비업자에게 현금으로 지급(「전자조달의 이용 및 촉진에 관한 법률」제9조의2제1항에 따른 시스템을 통한 지급 포함. 이하 이 조에서 같다.)하여야 하며, 하도급대금 등의 지급 내역(수령자, 지급액, 지급일 등)을 5일(공휴일 및 토요일은 제외한다) 이내에 발주기관 및 공사감독관에게 통보하여야 한다. 〈신설 2010.9.8., 개정 2019.12.18〉
② 계약상대자는 제1항에 따라 하수급인에게 하도급대금 등을 지급한 경우에 하수급인으로 하여금 제1항을 준용하여 하수급인의 자재·장비업자가 제작·대여한 분에 상당한 금액을 하수급인의 자재·장비업자에게 지급하고, 이들로 하여금 그 내역(수령자, 지급액, 지급일 등)을 발주기관 및 공사감독관에게 통보하도록 하여야 한다. 〈신설 2010.9.8, 개정 2012.7.4.〉
③ 계약담당공무원은 제1항 및 제2항에 의한 대금 지급내역을 제39조제3항 또는 제40조제3항에 따라 하수급인, 자재·장비업자 및 하수급인의 자재·장비업자로부터 제출받은 대금 수령내역과 비교·확인하여야 하며, 하수급인이 하수급인의 자재·장비업자에게 대금을 지급하지 않은 경우에는 계약상대자에게 즉시 통보하여야 한다. 〈신설 2012.7.4.〉

제43조의3(노무비의 구분관리 및 지급확인) ① 계약상대자는 발주기관과 협의하여 정한 노무비 지급기일에 맞추어 매월 모든 근로자(직접노무비 대상에 한하며, 하수급인이 고용한 근로자를 포함)의 노무비 청구내역(근로자 개인별 성명, 임금 및 연락처 등)을 제출하여야 한다.
② 계약담당공무원은 현장인 명부 등을 통해 제1항에 따른 노무비 청구내역을 확인하고 청구를 받은 날부터 5일 이내에 계약상대자의 노무비 전용계좌로 해당 노무비를 지급(「전자조달의 이용 및 촉진에 관한 법률」제9조의2제1항에 따른 시스템을 통한 지급 포함. 이하 이 조에서 같다.)하여야 한다. 〈개정 2019.12.18.〉
③ 계약상대자는 제2항에 따라 노무비를 지급받은 날부터 2일(공휴일 및 토요일은 제외한다) 이내에 노무비 전용계좌에서 이체하는 방식으로 근로자에게 노무비를 지급하여야 하며, 동일한 방식으로 하수급인의 노무비 전용계좌로 노무비를 지급하여야 한다. 다만, 근로자가 계좌를 개설할 수 없거나 다른 방식으로 지급을 원하는 경우 또는 계약상대자(하수급인 포함)가 근로자에게 노무비를 미리 지급하는 경우에는 그에 대한 발주기관의 승인을 받아 그러하지 아니할 수 있다.
④ 계약상대자는 제1항에 따라 노무비 지급을 청구할 때에 전월 노무비 지급내역(계약상대자 및 하수급인의 노무비 전용계좌 이체내역 등 증빙서류)을 제출하여야 하며, 계약담당공무원은 동 지급내역과 계약상대자가 이미 제출한 같은 달의 청구내역을 비교하여 임금 미지급이 확인된 경우에는 해당 사실을 지방 고용노동(지)청에 통보하여야 한다.
[본조신설 2012.1.1.]

제44조(계약상대자의 책임있는 사유로 인한 계약의 해제 및 해지) ① 계약담당공무원은 계약상대자가 다음 각호의 어느 하나에 해당하는 경우에는 해당 계약의 전부 또는 일부를 해제 또는 해지할 수 있다. 다만, 제3호의 경우에 계약상대자의 계약이행 가능성이 있고 계약을 유지할 필요가 있다고 인정되는 경우로서 계약상대자가 계약이행이 완료되지 아니한 부분에 상당하는 계약보증금(당초 계약보증금에 제25조제1항에 따른 지체상금의 최대금액을 더한 금액을 한도로 한다)을 추가납부하는 때에는 계약을 유지한다. 〈개정 2010.9.8, 2014.1.10, 2018.12.31〉
1. 정당한 이유없이 약정한 착공시일을 경과하고도 공사에 착수하지 아니할 경우
2. 계약상대자의 책임있는 사유로 인하여 준공기한까지 공사를 완공하지 못하거나 완성할 가능성이 없다고 인정될 경우

3. 제25조제1항에 의한 지체상금이 시행령 제50조제1항에 의한 해당 계약(장기계속공사계약인 경우에는 차수별 계약)의 계약보증금상당액에 달한 경우
4. 장기계속공사의 계약에 있어서 제2차공사 이후의 계약을 체결하지 아니하는 경우
5. 계약의 수행중 뇌물수수 또는 정상적인 계약관리를 방해하는 불법·부정행위가 있는 경우
6. 제47조의3에 따른 시공계획서를 제출 또는 보완하지 않거나 정당한 이유 없이 계획서대로 이행하지 않을 경우 〈신설 2012.4.2.〉
7. 입찰에 관한 서류 등을 허위 또는 부정한 방법으로 제출하여 계약이 체결된 경우 〈신설 2014.1.10.〉
8. 기타 계약조건을 위반하고 그 위반으로 인하여 계약의 목적을 달성할 수 없다고 인정될 경우

② 계약담당공무원은 제1항에 의하여 계약을 해제 또는 해지한 때에는 그 사실을 계약상대자 및 제42조에 의한 하수급자에게 통지하여야 한다.

③ 제2항에 의한 통지를 받은 계약상대자는 다음 각호의 사항을 준수하여야 한다.
1. 해당 공사를 즉시 중지하고 모든 공사자재 및 기구 등을 공사장으로부터 철거하여야 한다.
2. 제13조에 의한 대여품이 있을 때에는 지체없이 발주기관에 반환하여야 한다. 이 경우에 해당 대여품이 계약상대자의 고의 또는 과실로 인하여 멸실 또는 파손되었을 때에는 원상회복 또는 그 손해를 배상하여야 한다.
3. 제13조에 의한 관급재료중 공사의 기성부분으로서 인수된 부분에 사용한 것을 제외한 잔여재료는 발주기관에 반환하여야 한다. 이 경우에 해당 재료가 계약상대자의 고의 또는 과실로 인하여 멸실 또는 파손되었을 때, 또는 공사의 기성부분으로서 인수되지 아니하는 부분에 사용된 때에는 원상회복 하거나 그 손해를 배상하여야 한다.
4. 발주기관이 요구하는 공사장의 모든 재료, 정보 및 편의를 발주기관에 제공하여야 한다.

④ 계약담당공무원은 제1항에 의하여 계약을 해제 또는 해지한 경우 및 제48조에 의하여 보증기관이 보증이행을 하는 경우에 기성부분을 검사하여 인수한 때에는 해당부분에 상당하는 대가를 계약상대자에게 지급하여야 한다. 〈개정 2010.9.8.〉

⑤ 제1항에 의하여 계약이 해제 또는 해지된 경우에 계약상대자는 지급받은 선금에 대하여 미정산잔액이 있는 경우에는 그 잔액에 대한 약정이자상당액[사유발생 시점의 금융기관 대출평균금리(한국은행 통계월보상의 대출평균금리를 말한다)에 의하여 산출한 금액을 가산하여 발주기관에 상환하여야 한다.

⑥ 제5항의 경우에 계약담당공무원은 선금잔액과 기성부분에 대한 미지급액을 상계하여야 한다. 다만, 「건설산업기본법」 및 「하도급 거래공정화에 관한 법률」에 의하여 하도급대금 지급보증이 되어 있지 않은 경우로서 제43조제1항에 의하여 하도급대가를 직접 지급하여야 하는 때에는 우선적으로 하도급대가를 지급한 후에 기성부분에 대한 미지급액의 잔액이 있으면 선금잔액과 상계할 수 있다.

제45조(사정변경에 의한 계약의 해제 또는 해지) ① 발주기관은 제44조제1항 각조의 경우외에 다음 각 호의 사유와 같이 객관적으로 명백한 발주기관의 불가피한 사정이 발생한 때에는 계약을 해제 또는 해지할 수 있다. 〈개정 2021.12.1.〉
1. 정부정책 변화 등에 따른 불가피한 사업취소
2. 관계 법령의 제·개정으로 인한 사업취소
3. 과다한 지역 민원 제기로 인한 사업취소
4. 기타 공공복리에 의한 사업의 변경 등에 따라 계약을 해제 또는 해지하는 경우

② 제1항에 의하여 계약을 해제 또는 해지하는 경우에는 제44조제2항 본문 및 제3항을 준용한다.

③ 발주기관은 제1항에 의하여 계약을 해제 또는 해지하는 경우에는 다음 각호에 해당하는 금액을 제44조제3항 각호의 수행을 완료한 날부터 14일이내에 계약상대자에게 지급하여야 한다. 이 경우에 제7조에 의한 계약보증금을 동시에 반환하여야 한다.
1. 제32조제2항제1호 및 제2호에 해당하는 시공부분의 대가중 지급하지 아니한 금액
2. 전체공사의 완성을 위하여 계약의 해제 또는 해지일 이전에 투입된 계약상대자의 인력·자재 및 장비의 철수비용

④ 계약상대자는 선금에 대한 미정산잔액이 있는 경우에는 이를 발주기관에 상환하여야 한다. 이 경우에 미정산잔액에 대한 이자는 가산하지 아니한다.

제46조(계약상대자에 의한 계약해제 또는 해지) ① 계약상대자는 다음 각호의 어느 하나에 해당하는 사유가 발생한 경우에는 해당계약을 해제 또는 해지할 수 있다.
1. 제19조에 의하여 공사내용을 변경함으로써 계약금액이 100분의 40이상 감소되었을 때
2. 제47조에 의한 공사정지기간이 공기의 100분의 50을 초과하였을 경우

② 제1항에 의하여 계약이 해제 또는 해지되었을 경우에는 제45조제2항 내지 제4항을 준용한다.

제47조(공사의 일시정지) ① 공사감독관은 다음 각호의 경우에는 공사의 전부 또는 일부의 이행을 정지시킬 수 있다. 이 경우에 계약상대자는 정지기간중 선량한 관리자의 주의의무를 게을리 하여서는 아니된다.
1. 공사의 이행이 계약내용과 일치하지 아니하는 경우
2. 공사의 전부 또는 일부의 안전을 위하여 공사의 정지가 필요한 경우
3. 제24조에 의한 응급조치의 경우
4. 기타 발주기관의 필요에 의하여 계약담당공무원이 지시한 경우
② 공사감독관은 제1항에 의하여 공사를 정지시킨 경우에는 지체없이 계약상대자 및 계약담당공무원에게 정지사유 및 정지기간을 통지하여야 한다.
③ 제1항 각호의 사유가 발생한 경우로서 공사감독관이 제2항에 따른 통지를 하지 않는 경우 계약상대자는 서면으로 공사감독관 또는 계약담당공무원에게 공사 일시정지 여부에 대한 확인을 요청할 수 있다. 〈신설 2019.12.18.〉
④ 공사감독관 또는 계약담당공무원은 제3항의 요청을 받은 날부터 10일 이내에 공사계약상대자에게 서면으로 회신을 발송하여야 한다. 〈신설 2019.12.18.〉
⑤ 제1항 및 제4항에 의하여 공사가 정지된 경우에 계약상대자는 계약기간의 연장 또는 추가금액을 청구할 수 없다. 다만, 계약상대자의 책임있는 사유로 인한 정지가 아닌 때에는 그러하지 아니한다. 〈개정 2019.12.18.〉
⑥ 발주기관의 책임있는 사유에 의한 공사정지기간(각각의 사유로 인한 정지기간을 합산하며, 장기계속계약의 경우에는 해당 차수내의 정지기간을 말함)이 60일을 초과한 경우에 발주기관은 그 초과된 기간에 대하여 잔여계약금액(공사중지기간이 60일을 초과하는 날 현재의 잔여계약금액을 말하며, 장기계속공사계약의 경우에는 차수별 계약금액을 기준으로 함)에 초과일수 매 1일마다 지연발생 시점의 금융기관 대출평균금리(한국은행 통계월보상의 금융기관 대출평균금리를 말한다)를 곱하여 산출한 금액을 준공대가 지급시 계약상대자에게 지급하여야 한다. 〈제4항에서 이동 2019.12.18.〉
⑦ 제6항에서 정하는 발주기관의 책임있는 사유란, 부지제공·보상업무·지장물처리의 지연, 공사 이행에 필요한 인·허가 등 행정처리의 지연과 계약서 및 관련 법령에서 정한 발주기관의 명시적 의무사항을 정당한 이유없이 불이행하거나 위반하는 경우를 말하며, 그 외 계약상대자의 책임있는 사유나 천재·지변 등 불가항력에 의한 사유는 제외한다. 〈신설 2021.12.1.〉

제47조의2(계약상대자의 공사정지 등) ① 계약상대자는 발주기관이 「국가를 당사자로 하는 계약에 관한 법률」과 계약문서 등에서 정하고 있는 계약상의 의무를 이행하지 아니하는 때에는 발주기관에 계약상의 의무이행을 서면으로 요청할 수 있다.
② 계약담당공무원은 계약상대자로부터 제1항에 의한 요청을 받은 날부터 14일이내에 이행계획을 서면으로 계약상대자에게 통지하여야 한다.
③ 계약상대자는 계약담당공무원이 제2항에 규정한 기한내에 통지를 하지 아니하거나 계약상의 의무이행을 거부하는 때에는 해당 기간이 경과한 날 또는 의무이행을 거부한 날부터 공사의 전부 또는 일부의 시공을 정지할 수 있다.
④ 계약담당공무원은 제3항에 의하여 정지된 기간에 대하여는 제26조에 의하여 공사기간을 연장하여야 한다.

제47조의3(공정지연에 대한 관리) ① 계약상대자는 자신의 책임 있는 사유로 다음 각호의 사례가 발생한 경우에는 즉시 이를 해소하기 위한 시공계획서를 제출하여야 한다.
1. 실행공정률이 계획공정률에 비해 10%p 이상 지연된 경우
2. 골조공사 등 주된 공사의 시공이 1개월 이상 중단된 경우
② 발주기관과 계약상대자는 상호 협의하여 공사의 규모나 종류·특성 등에 따라 제1항 각호의 내용을 조정하거나 새로운 내용을 추가할 수 있다.
③ 계약담당공무원은 제1항에 따라 계약상대방이 제출한 계획서를 검토하고 필요한 경우에 보완을 요구할 수 있다. [본조신설 2012.4.2.]

제48조(공사계약의 이행보증) ① 계약담당공무원은 계약상대자가 제44조제1항 각호의 어느 하나에 해당하는 경우로서 시행령 제52조제1항제3호에 의한 공사이행보증서가 제출되어 있는 경우에는 계약을 해제 또는 해지하지 아니하고 제9조에 의한 보증기관에 대하여 공사를 완성할 것을 청구하여야 한다. 〈개정 2010.9.8.〉
② 제1항의 청구가 있을 때에는 보증기관은 지체없이 그 보증의무를 이행하여야 한다. 이 경우에 보증의무를 이행한 보증기관은 계속공사에 있어서 계약상대자가 가지는 계약체결상의 이익을 가진다. 다만, 보증기관은 보증이행업체를 지정하여 보증의무를 이행하는 대신 공사이행보증서에 정한 금액을 현금으로 발주기관에 납부함으로써 보증의무이행에 갈음할 수 있다. 〈개정 2010.9.8.〉

③ 제2항에 의하여 해당 계약을 이행하는 보증기관은 계약금액중 보증이행부분에 상당하는 금액을 발주기관에 직접 청구할 수 있는 권리를 가지며 계약상대자는 보증기관의 보증이행부분에 상당하는 금액을 청구할 수 있는 권리를 상실한다. 〈개정 2010.9.8.〉
④ 〈삭제 2010.9.8.〉
⑤ 보증기관은 공사진행 상황 및 계약상대자의 이행능력 등을 조사할 수 있으며, 제44조제1항 각호의 사유가 발생하는 경우 계약담당공무원에게 보증이행의 청구를 건의할 수 있다. 〈신설 2012.4.2.〉
⑥ 제1항 내지 제3항 외에 공사이행보증서 제출에 따른 보증의무이행에 대하여는 계약예규 「정부 입찰·계약 집행기준」 제11장(공사의 이행보증제도 운용)에 정한 바에 의한다.

제49조(부정당업자의 입찰참가자격 제한) ① 계약상대자가 시행령 제76조에 해당하는 경우에는 1월 이상 2년 이하의 범위내에서 입찰참가자격 제한조치를 받게 된다. 〈개정 2010.9.8.〉
② 〈삭제 2014.1.10〉

제50조(기술지식의 이용 및 비밀엄수의무) ① 계약담당공무원은 사업목적 달성 또는 공공의 이익 등을 위해 필요하다고 인정되는 경우, 계약내용에 따라 계약상대자가 제출하는 각종 보고서, 정보 기타 자료 및 이에 의하여 얻은 기술지식(계약목적물의 내용에 포함되는 경우는 제외한다. 이하 이 조에서 "기술지식 등"이라 한다)의 전부 또는 일부를 계약상대자의 승인을 얻어 복사·이용 또는 공개할 수 있다. 〈개정 2020.6.19.〉
② 계약상대자는 해당 계약을 통하여 얻은 정보 또는 국가의 비밀사항을 계약이행의 전후를 막론하고 외부에 누설할 수 없다.
③ 계약담당공무원은 시장에서 거래되는 등 재산적 가치가 있는 기술지식 등을 제1항에 따라 복사·이용 또는 공개하려는 경우에는 계약상대자에게 정당한 이용대가를 지급하여야 한다. 이 경우 기술지식 등의 이용대가는 시장거래가격 등을 기초로 계약상대자와 협의하여 결정한다. 〈신설 2020.6.19.〉

제51조(분쟁의 해결) ① 계약의 수행중 계약당사자간에 발생하는 분쟁은 협의에 의하여 해결한다.
② 제1항에 의한 협의가 이루어지지 아니할 때에는 법원의 판결 또는 「중재법」에 의한 중재에 의하여 해결한다. 다만 「국가를 당사자로 하는 계약에 관한 법률」 제28조에서 정한 이의신청 대상에 해당하는 경우 국가계약분쟁조정위원회 조정결정에 따라 분쟁을 해결할 수 있다. 〈개정 2015.9.21.〉
③ 제2항에도 불구하고 계약을 체결하는 때에 「국가를 당사자로 하는 계약에 관한 법률」 제28조의2에 따라 분쟁해결방법을 정한 경우에는 그에 따른다. 〈신설 2018.3.20.〉
④ 계약상대자는 제1항부터 제3항까지의 분쟁처리절차 수행기간중 공사의 수행을 중지하여서는 아니된다. 〈신설 2018.3.20.〉

제52조(공사관련자료의 제출) 계약담당공무원은 필요하다고 인정할 경우에 계약상대자에게 산출내역서의 기초가 되는 단가산출서 또는 일위대가표의 제출을 요구할 수 있으며 이 경우에 계약상대자는 이에 응하여야 한다.

제53조(적격·PQ심사·종합심사낙찰제 관련사항 이행) ① 계약상대자는 계약예규 「입찰참가자격사전심사요령」, 「적격심사기준」 및 「종합심사낙찰제 심사기준」 별표의 심사항목에 규정된 사항에 대하여 심사당시 제출한 내용대로 철저하게 이행하여야 한다. 〈개정 2012.1.1, 2016.1.1.〉
② 계약담당공무원(「조달사업에 관한 법률」 제3조에 따라 조달청에 의뢰하여 계약한 공사로서 수요기관이 공사관리를 하는 경우에는 수요기관)은 제1항에 규정한 이행상황을 수시로 확인하여야 하며, 제출된 내용대로 이행이 되지 않고 있을 때에는 즉시 시정토록 조치하여야 한다. 〈개정 2008.12.29, 2015.9.21.〉
③ 계약상대자는 제40조에 따른 대가지급을 청구할 때에 계약예규「입찰참가자격사전심사요령」 제4조에 따른 표준계약서 사용계획의 이행결과로서 하도급 및 건설기계임대차 계약서를 제출하여야 한다. 〈신설 2012.1.1.〉
④ 계약상대자가 제3항에 따른 계약서를 제출하지 않거나 하수급인 등의 계약상 이익을 제한하는 내용으로 표준계약서의 일부를 수정·삭제한 경우 또는 이면계약을 체결한 경우에는 표준계약서를 사용하지 않은 것으로 본다. 〈신설 2012.1.1.〉
⑤ 계약담당공무원은 계약상대자가 표준계약서를 사용하지 않은 경우에 해당 업체명, 부여한 가점과 그에 따른 감점, 표준계약서 사용계획 대비 미사용 비율(계약금액 기준)을 전자조달시스템에 게재하고 동 사실을 계약상대자에게 통보하여야 한다. 〈신설 2012.1.1.〉

제54조(재검토기한) 「훈령·예규 등의 발령 및 관리에 관한 규정」에 따라 이 예규에 대하여 2016년 1월 1일 기준으로 매3년이 되는 시점(매 3년째의 12월 31일까지를 말한다)마다 그 타당성을 검토하여 개선 등의 조치를 하여야 한다. 〈개정 2015.9.21.〉

부 칙(2007.10.12.)

제1조(시행일) 이 회계예규는 2007년 10월 12일부터 시행한다. 다만, 제2조제4호가목 및 제21조제1항제1호의 개정규정은 2008년 1월 1일부터 시행한다.

제2조(일괄입찰 등의 설계변경으로 인한 계약금액 조정에 관한 적용례) 제21조제2항의 개정규정은 이 예규 시행 후 계약금액을 조정하는 분부터 적용한다.

제3조**(특정규격의 자재별 가격변동으로 인한 계약금액 조정 등에 관한 경과조치)** 제22조제2항단서 및 제7항의 개정규정은 「국가를 당사자로 하는 계약에 관한 법률 시행령」(대통령령 제19782호, 2006.12.29.) 시행일 이후 입찰공고를 한 분부터 적용한다.

부 칙(2008.12.29.)

제1조(시행일) 이 회계예규는 2009년 6월 29일부터 시행한다.

제2조(유효기간) 제9조제6항제2호및제7항의 개정규정은 2010년 12월 31일까지 효력을 가진다. 다만, 2010년 12월 31일까지 입찰공고한 사업에 대해서는 그 사업이 종료될 때까지 제9조제6항제2호및제7항의 개정규정을 적용한다.

제3조(공동수급체 구성원별 최소지분율에 관한 적용례) 제9조제6항제2호의 개정규정은 이 예규 시행일이후 입찰공고를 한 분부터 적용한다.

제4조(지역업체 소재기간에 관한 적용례) 제9조제7항의 개정규정은 이 예규 시행일이후 해당 공사현장을 관할하는 특별시·광역시 및 도로 주된 영업소를 이전하거나 신설한 업체부터 적용한다.

부 칙(2009.6.29.)

제1조(시행일) 이 회계예규는 2009년 6월 29일부터 시행한다.
제2조(적용례) 제7조, 제18조 개정규정은 이 예규 시행후 입찰공고를 한 분부터 적용한다.

부 칙(2009.7.3.)

① **(시행일)** 이 회계예규는 2009년 7월 3일부터 시행한다.
② **(대가지급에 관한 적용례)** 제39조제2항 및 제40조제2항의 개정 규정은 대통령령 제21578호 국가를 당사자로 하는 계약에 관한 법률 시행령 일부개정령의 시행일(2009. 6.29)이후 대가지급을 청구하는 분부터 적용한다.

부 칙(2009.9.21.)

제1조(시행일) 이 회계예규는 2009년 9월 21일부터 시행한다.
제2조(적용례) 이 예규 시행후 입찰공고를 한 분부터 적용한다.

부 칙(2010.9.8.)

제1조(시행일) 이 회계예규는 2010년 9월 8일부터 시행한다. 다만, 제2조 제4호 가목, 제2조 제8호, 제10조 제1항, 제21조(제1항 제3호, 제3항, 제4항 제2호 개정부분은 제외함), 제44조 제1항의 개정 규정은 2010년 10월 22일부터 시행하고, 제7조 제2항, 제9조, 제10조 제5항, 제25조, 제44조 제4항, 제48조, 제49조의 개정규정은 2011년 1월 1일부터 시행한다.
제2조(적용례) 이 회계예규 시행 후 입찰공고를 한 분부터 적용한다.

부 칙(2010.11.30.)

제1조(시행일) 이 회계예규는 2010년 11월 30일부터 시행한다.
제2조(적용례) 이 예규 시행 후 입찰공고를 한 분부터 적용한다.

부 칙(2011.5.13.)

제1조(시행일) 이 계약예규는 2011년 5월 13일부터 시행한다.
제2조(적용례) 이 예규 시행일 이후 입찰공고를 한 분부터 적용한다.

부 칙(2012.1.1.)

제1조(시행일) 이 계약예규는 2012년 1월 1일부터 시행한다.

부 칙(2012.7.4.)

제1조(시행일) 이 계약예규는 2012년 7월 9일부터 시행한다.
제2조(적용례) 이 예규 시행일 이후 입찰공고를 한 분부터 적용한다.

부 칙(2012.4.2.)

제1조(시행일) 이 계약예규는 2012년 4월 2일부터 시행한다.
제2조(적용례) 이 예규 시행일 이후 입찰공고를 한 분부터 적용한다.

부 칙(2014.1.10.)

제1조(시행일) 이 계약예규는 2014년 1월 10일부터 시행한다.
제2조(적용례) 이 예규는 시행일 이후 입찰공고를 한 분부터 적용한다.
제3조(실적공사비가 적용된 공사의 설계변경에 관한 적용례) 제20조 제3항의 개정규정은 이 예규 시행일 이후 계약체결을 한 분부터 적용한다.

부 칙(2014.4.1.)

제1조(시행일) 이 계약예규는 2014년 4월 1일부터 시행한다.
제2조(적용례) 이 예규 시행일 이후 입찰공고를 한 분부터 적용한다.

부 칙(2015.1.1.)

제1조(시행일) 이 계약예규는 2015년 1월 1일부터 시행한다.
제2조(적용례) 이 예규 시행일 이후 입찰공고를 한 분부터 적용한다.

부 칙(2015.3.1.)

제1조(시행일) 이 예규는 2015년 3월 1일부터 시행한다.

부 칙(2015.9.21.)

제1조(시행일) 이 예규는 2015년 9월 21일부터 시행한다.

부 칙(2016.1.1.)

제1조(시행일) 이 계약예규는 2016년 1월1일부터 시행한다.
제2조(최저가낙찰제의 폐지에 따른 경과규정) 이 계약예규 시행일 이전에 최초로 입찰공고를 한분에 대하여는 제3조, 제21조 제1항 및 제2항의 개정규정에도 불구하고 종전규정을 적용한다.

부 칙(2016.12.30.)

제1조(시행일) 이 계약예규는 2016년 12월30일부터 시행한다.
제2조(적용례) 제26조의 개정규정은 이 계약예규 시행일 이후 최초로 입찰공고하는 분부터 적용한다.

부 칙(2018.3.20.)

제1조(시행일) 이 계약예규는 2018년 3월 20일부터 시행한다.
제2조(적용례) 제51조의 개정규정은 이 예규 시행후 최초로 입찰공고를 하거나, 체결하는 계약부터 적용한다.

부 칙(2018.12.31.)

제1조(시행일) 이 계약예규는 2019년 1월 1일부터 시행한다.
제2조(일반적 적용례) 이 계약예규는 부칙 제1조에 따른 시행일 이후 입찰공고 하거나 계약체결 하는 경우부터 적용한다.
제3조(지체상금 부과 및 계약보증금 추가 납부 한도에 관한 적용례) 제25조제1항 및 제44조제1항의 개정규정은 2018년12월 4일 이후에 계약기간이 만료되어 지체상금이 발생하는 경우부터 적용한다.

부 칙(2019.6.1.)

제1조(시행일) 이 계약예규는 2019년 6월 1일부터 시행한다.
제2조(적용례) 제26조의 개정규정은 이 예규 시행일 이후 입찰공고를 하거나 수의계약을 체결하는 분부터 적용한다.

부 칙(2019.12.18.)

제1조(시행일) 이 계약예규는 2020년 3월18일부터 시행한다.
제2조(적용례) 이 계약예규는 부칙 제1조에 따른 시행일 이후 입찰공고를 하거나 수의계약을 체결하는 분부터 적용한다.

부 칙(2020.4.20.)

제1조(시행일) 이 계약예규는 2020년 5월 6일부터 시행한다.

부 칙(2020. 6. 19.)

제1조(시행일) 이 계약예규는 2020년 9월 19일부터 시행한다.

부 칙(2020. 9. 24.)

제1조(시행일) 이 계약예규는 2020년 12월 24일부터 시행한다.
제2조(적용례) 이 계약예규는 시행일 이후 입찰공고하는 경우부터 적용한다.

부 칙(2020. 12. 28.)

제1조(시행일) 이 계약예규는 2021년 3월 28일부터 시행한다.
제2조(적용례) 이 계약예규는 부칙 제1조에 따른 시행일 이후 입찰공고를 하거나 수의계약을 체결하는 경우부터 적용한다.

부 칙(2021.12.1.)

제1조(시행일) 이 계약예규는 2021년 12월 1일부터 시행한다.
제2조(적용례) 이 계약예규는 부칙 제1조에 따른 시행일 이전에 입찰공고된 계약으로서 시행일 이후 제45조제1항에 따른 사정변경에 의해 계약을 해제 또는 해지하는 경우, 제47조제6항, 제7항에 따라 공사지연기간을 계산하는 경우에 적용한다.

Ⅱ-3 계약일반조건

[지방자치단체 입찰 및 계약 집행기준 행정안전부 예규 제231호, 2023.01.01.]

제1절 총칙

1. 계약의 기본원칙

    계약담당자와 계약상대자는 표준계약서(이하 "계약서"라 한다)에 기재한 계약에 관하여 이 장에서 정한 계약문서에 따라 신의와 성실의 원칙에 입각하여 이를 이행한다.

2. 용어 정의

    가. 공통분야

    1) "계약담당자"란 시행규칙 제2조 제1호에 정한 자를 말한다. 이 경우 지방자치단체의 장이 계약에 관한 사무를 그 소속공무원에게 위임하지 아니하고 직접 처리하는 때에는 이를 계약담당자로 본다.
    2) "계약상대자"란 지방자치단체(계약사무 위·수탁기관을 포함한다. 이하 "발주기관"이라 한다) 등과 계약을 체결한 자연인 또는 법인을 말한다.
    3) 이 조건에서 사용하는 용어의 정의는 이 조건에 따로 정하는 경우를 제외하고는「지방자치단체를 당사자로 하는 계약에 관한 법률·시행령·시행규칙」(각각 "법", "시행령", "시행규칙"이라 한다), 시행령 제5조에서 준용하는「특정조달을 위한 국가를 당사자로 하는 계약에 관한 법률 시행령 특례규정」(이하 "특례규정"이라 한다) 및 행정안전부 예규 「계약집행기준」·「낙찰자결정기준」 등에 정하는 바에 따른다.

    나. 공사 분야

    1) "공사감독관"이란 이 장에서 정한 임무를 수행하기 위하여 지방자치단체가 임명한 기술직원이나 그의 대리인을 말한다. 다만「건설기술 진흥법」제39조제2항 또는「전력기술관리법」제12조 및 그밖에 공사 관련 법령에 의하여 건설사업관리 또는 감리를 하는 공사에 있어서는 해당공사의 감리를 수행하는 건설사업관리기술인 또는 감리원을 말한다.
    2) "설계서"란 공사설계설명서(시방서), 설계도면, 현장설명서 및 공종별 목적물 물량내역서(가설물 설치에 소요되는 물량을 포함한다. 이하 "물량내역서"라 한다)를 말한다.
    3) "공사설계설명서(시방서)"란 공사에 쓰이는 재료, 설비, 시공체계, 시공기준 및 시공기술에 대한 기술설명서와 이에 적용되는 행정명세서로서 설계도면에 대한 설명이나 설계도면에 기재하기 어려운 기술적인 사항을 표시해 놓은 도서를 말한다.
    4) "설계도면"이란 시공될 공사의 성격과 범위를 표시하고 설계자의 의사를 일정한 약속에 근거하여 그림으로 표현한 도서로서 공사목적물의 내용을 구체적인 그림으로 표시해 놓은 도서를 말한다.
    5) "현장설명서"란 시행령 제15조에 따른 현장설명 할 경우 교부하는 도서로서 시공에 필요한 현장상태 등에 관한 정보나 단가에 관한 설명서 등을 포함한 입찰가격 결정에 필요한 사항을 제공하는 도서를 말한다.
    6) "공종별 목적물 물량내역서"란 공종별 목적물을 구성하는 품목·비목과 그 품목·비목의 규격·수량·단위 등이 표시되고, 시행령 제15조 제1항·제30조 제2항에 따른 입찰공고·수의계약 안내공고 또는 낙찰자 결정 후에 입찰참가자(낙찰자·견적제출자)에게 교부된 내역서를 말한다.
    7) "산출내역서"란 시행령 제15조 제6항, 제7항 또는 제9항에 따라 발주기관이 교부한 물량내역서에 입찰자나 계약상대자가 단가를 적어서 제출한 내역서, 시행령 제98조 제2항과 제3항에 따라 제출한 내역서, 시행령 제132조 제1항과 제134조 제2항에 따라 제출한 내역서, 수의계약으로 체결한 공사는 착공신고서 제출 시까지 제출한 내역서를 말한다.

    다. 용역 분야

    1) "기술용역"이란「건설기술진흥법」제2조 제3호,「엔지니어링산업진흥법」제2조 제1호,「건축사법」제2조 제3호·4호,「전력기술관리법」제2조 제3호·제4호,「정보통신공사업법」제2조 제5호,「소방시설공사업법」제2조 제1호 가·다목,「주택법」제24조 제1항,「공간정보의 구축 및 관리 등에 관한 법률」제2조 제1호와 이에 준하는 용역을 말한다.
    2) "학술용역"이란 학문분야의 기초과학과 응용과학에 관한 연구용역과 이에 준하는 용역을 말하며 그 이행방식에 따라 다음과 같이 구분할 수 있다.

        가) 위탁형 용역 : 용역계약을 체결한 계약상대자가 자기 책임 아래 연구를 수행하여 연구결과물을 용역결과보고서 형태로 제출하는 방식
        나) 공동연구형 용역 : 용역계약을 체결한 계약상대자와 발주기관이 공동으로 연구를 수행하는 방식
        다) 자문형 용역 : 용역계약을 체결한 계약상대자가 발주기관의 특정 현안에 대한 의견을 서면으로 제시하는 방식

3) "일반용역"이란 "기술용역"과 "학술용역" 이외의 용역을 말한다.
4) "기본업무"란 계약상대자가 수행해야 하는 업무로서 과업지시서에 기재된 용역을 말한다.
5) "추가업무"란 계약목적의 달성을 위해 기본업무 외에 과업내용에 추가업무 항목으로 기재되거나 계약담당자가 추가하여 지시·승인한 용역을 말한다.
6) "특별업무"란 계약목적 외의 목적을 위해 계약특수조건 등에 특별업무 항목으로 기재되거나 계약담당자가 그 수행을 지시·승인한 용역항목으로서 "4)"와 "5)"에 속하지 아니하는 용역을 말한다.

3. 계약 일반조건의 적용방법

　가. 계약담당자는 계약체결 시 이 조건 중 해당 공사·용역·물품과 관련 되지 않은 조건은 적용되지 아니하는 것으로 본다.
　나. 이 조건에 특별히 정하지 아니한 공사·용역·물품의 경우에는 유사한 공사·용역·물품의 계약조건을 준용할 수 있다.

제2절 계약의 체결

1. 계약체결 시 유의사항

　가. 입찰에 따른 계약은 계약상대자가 낙찰자 결정 통지를 받은 날로부터 10일 이내에 계약을 체결해야 하며, 계약담당자는 낙찰자가 정당한 이유 없이 계약을 체결하지 아니한 때에는 입찰보증금을 해당 지방자치단체에 세입조치하고 법 제31조에 따라 입찰참가자격을 제한한다.
　나. 계약은 계약서 작성 후 계약당사자가 기명·날인함으로써 확정된다.

2. 계약문서

　가. 계약문서의 효력
　　1) 계약문서는 상호보완의 효력을 가지며 이 조건에서 정하는 바에 따라 계약당사자간에 행한 통지문서 등도 계약문서의 효력을 가진다.
　　2) 산출내역서는 이 조건에서 정하는 계약금액의 조정과 기성부분에 대한 대가지급 시 단가산정에 적용할 기준으로서 계약문서의 효력을 가진다.

　나. 공사 계약문서의 종류
　　1) 품의서·계획서
　　2) 계약서 (계약당사자간 상호 전자서명·날인·간인)
　　　– 계약금액 5천만 원 이하, 국가기관·지방자치단체 간 계약은 계약서 작성 생략 가능 (시행령 제50조)
　　3) 입찰유의서, 계약일반조건, 계약특수조건 (필요시)
　　4) 설계서 (설계설명서, 설계도면, 현장설명서)
　　5) 물량내역서 (입찰·수의계약안내공고의 경우)
　　6) 착공·준공신고서, 공정예정표, 산출내역서 등
　　7) 감독관, 검사·검수공무원이 지정하는 서류, 감독조서, 검사·검수조서 등
　　8) 입찰·계약·하자·선금 보증서 (계약기간·보증기간·보증금액 등 확인)
　　　– 면제자는 보증금 지급확약서
　　9) 정부수입인지 (인지세법)
　　10) 지역개발공채 매입필증 등 (지역개발기금설치조례 등)
　　11) 하도급계약서 사본 (하도급계약 통지의 경우)
　　12) 하도급대금 직불합의서 (하도급대금 직불의 경우)
　　13) 공동계약이행계획서 (공동계약의 경우)
　　14) 「산업안전보건기준에 관한 규칙」에 따른 밀폐공간 작업시행 계획서 등 근로자 안전관련 계획서
　　15) 그 밖의 계약이행에 필요한 서류

　다. 용역 계약문서의 종류
　　1) 계약서 (계약당사자간 상호 전자서명·날인·간인)
　　　– 계약금액 5천만 원 이하, 국가기관·지방자치단체 간 계약은 계약서 작성 생략 가능 (시행령 제50조)
　　2) 입찰유의서, 계약일반조건, 계약특수조건 (필요시)
　　3) 과업내용서, 산출내역서 등

　라. 물품 계약문서의 종류
　　1) 계약서 (계약당사자간 상호 전자서명·날인·간인)

　　　　－ 계약금액 5천만 원 이하, 국가기관・지방자치단체 간 계약은 계약서 작성 생략 가능 (시행령 제50조)
　　2) 입찰유의서, 계약일반조건, 계약 특수조건 (필요시)
　　3) 규격서, 산출내역서 등
　마. 계약담당자는 지방계약법령, 관계법령 및 이 조건에 정한 계약 일반사항 외에 해당 계약의 적정한 이행을 위하여 필요한 경우 계약 특수조건을 정하여 계약을 체결할 수 있다.
　바. 계약담당자는 "마"에 따라 정한 계약 특수조건에「지방계약법령」, 관계법령 및 이 조건에 정한 계약상대자의 계약상 이익을 부당하게 제한하는 내용이 있는 경우 법 제6조에 따라 그 내용은 효력이 인정되지 아니한다.
3. 통지 등의 방법과 효력
　가. 구두에 따른 통지・신청・청구・요구・회신・승인 또는 지시 등(이하 "통지 등"이라 한다)은 문서로 보완되어야 효력이 있다.
　나. 통지 등의 장소는 계약서에 기재된 주소로 하며, 주소를 변경하는 때에는 이를 즉시 계약당사자에게 통지해야 한다.
　다. 통지 등의 효력은 계약문서에 따로 정하는 경우를 제외하고는 계약당사자에게 도달한 날부터 발생한다. 이 경우 도달일이 공휴일인 때에는 그 다음날부터 효력이 발생한다.
　라. 계약당사자는 계약이행 중 이 조건과 관계법령 등에서 정한 바에 따라 서면으로 정당한 요구를 받은 때에는 이를 성실히 검토하여 회신해야 한다.
4. 사용언어
　가. 계약을 이행함에 있어서 사용하는 언어는 한국어를 원칙으로 한다.
　나. 계약담당자는 "가"에도 불구하고 계약체결 시 필요하다고 인정하는 경우에는 계약이행과 관련하여 계약상대자가 외국어를 사용하거나 외국어와 한국어를 병행하여 사용할 수 있도록 필요한 조치를 할 수 있다.
　다. "나"에 따라 외국어와 한국어를 병행하여 사용한 경우 외국어로 기재된 사항이 한국어와 상이할 때에는 한국어로 기재한 사항이 우선한다.

제3절 채권양도

1. 계약상대자는 이 계약에 따라 발생한 채권(대금 청구권)을 제3자(공동수급체 구성원을 포함)에게 양도할 수 있다.
2. 계약담당자는 "1"에 따른 채권양도와 관련하여 적정한 계약이행 목적 등 필요한 경우에는 채권양도를 제한하는 특약을 정하여 운용할 수 있다.

제4절 계약의 이행보증

1. 계약보증금과 제출방법
　가. 계약상대자는 시행령 제51조에 정한 바에 따라 계약의 이행을 보증해야 한다. 계약을 체결하려는 자는 계약체결일까지 현금 또는 시행령 제37조 제2항 각 호의 보증서 등으로 계약보증금을 납부해야 한다.
　나. 계약상대자는 이 조건에 따라 계약금액이 증액된 경우에는 이에 상응하는 계약보증금을 시행령 제51조에 정한 바에 따라 추가로 납부해야 하며, 계약담당자는 계약금액이 감액된 경우에는 이에 상응하는 계약보증금을 반환해야 한다. 다만, 계약보증서를 제출한 경우로서 계약금액의 증액・감액이 있는 경우에는 증・감된 계약금액에 상응하는 보증서로 변경하여 제출해야 한다.
　다. 계약보증금의 전부 또는 일부의 납부를 면제받은 자는 "정당한 이유없이 계약상의 의무를 이행하지 아니한 경우" 계약보증금에 해당하는 금액을 현금으로 납입할 것을 보장하기 위하여 그 지급을 확약하는 내용의 문서(계약보증금 지급확약서)를 제출해야 한다.
　라. 물품 단가계약에 의하는 경우로서 수회에 걸쳐 분할하여 계약을 이행하게 하는 때에는 매회별 이행예정량 중 최대량에 계약단가를 곱한 금액의 100분의 10 상당액 이상을 계약보증금으로 납부하게 해야 한다.
　마. 계약담당자는 법 제30조에 따른 지연배상금이 계약금액의 100분의 10 이상에 달했으나 해당 계약을 해제 또는 해지하지 아니하는 경우에는 계약상대자로 하여금 잔여계약 이행금액에 대하여 계약보증금을 추가로 내도록 해야 한다.
2. 이행보증서의 제출
　가. 계약담당자는 공사계약을 체결하려는 경우와 공사를 제외한 물품・용역 등의 계약을 체결하는 경우로서 계약상대자와 합의가 이루어진 경우에는 시행령 제51조제1항제2호에 따라 계약보증금을 내지 아니하고 이행보증서를 제출하는 방법으로 계약의 이행을 보증하게 할 수 있다.

나. "가"에도 불구하고 계약담당자는 공사계약의 특성상 필요하다고 인정되는 경우에는 공사이행보증서를 제출하는 방법으로 한정할 수 있으며, 제42조제1항제1호, 제6장 및 제9장에 따른 공사계약인 경우에는 반드시 공사이행보증서를 제출하는 방법으로 계약의 이행을 보증하게 하여야 한다.
다. "가"에 따른 이행보증서의 제출에 따른 보증이행 등에 대하여는 제1장 제5절 "공사 이행보증 운용"을 준용한다.
3. 계약보증방법의 변경
  가. 계약담당자는 시행령 제51조 제1항 본문에 따라 계약이행을 보증한 경우로서 계약상대자가 계약이행보증방법의 변경을 요청하는 경우에는 한 차례만 변경하게 할 수 있다. 다만, 공사의 경우 시행령 제54조에 따라 지방자치단체에 계약보증금을 세입조치 하여야 할 것으로 예상되는 경우에는 그 계약의 이행보증방법을 변경하게 하여서는 아니된다.
  나. 계약담당자는 현금 또는 시행령 제37조 제2항 제2호에 따른 상장증권으로 납부된 계약보증금을 계약상대자가 특별한 사유로 시행령 제37조 제2항 제1호부터 제5호까지의 보증서 등으로 대체 납부할 것을 요청한 때에는 그 가치 상당액 이상으로 대체 납부하게 할 수 있다.
4. 계약보증금의 처리
  가. 계약상대자가 정당한 이유 없이 계약상의 의무를 이행하지 아니한 때에는 계약보증금을 해당 지방자치단체에 세입 조치한다. 다만, 법 제25조에 따른 단가계약으로서 여러 차례로 분할하여 계약을 이행하는 경우에는 당초의 계약보증금 중 이행이 완료된 분에 해당하는 계약보증금은 세입 조치하지 아니한다.
  나. "가"는 시행령 제78조에 따른 장기계속 계약이나 시행령 제78조의2에 따른 단년도 차수계약에 있어서 계약상대자가 제2차 이후의 계약을 체결하지 아니한 경우에 이를 준용한다.
  다. 계약상대자는 시행령 제53조 제2항에 따라 계약보증금 지급확약서를 제출한 경우로서 계약보증금의 세입조치 사유가 발생하여 계약담당자의 납입요청이 있을 때에는 해당 계약보증금을 지체 없이 현금으로 납부해야 한다.
  라. "가"와 "나"에 따라 계약보증금을 해당 지방자치단체에 세입 조치할 때에는 그 계약보증금을 기성부분에 대한 미지급액과 상계 처리할 수 없다. 다만, 시행령 제53조에 따라 계약보증금이 면제되는 경우에는 상계 처리할 수 있다.
  마. 계약상대자가 납부한 계약보증금은 계약이 이행된 후 계약상대자에게 지체 없이 반환한다.
5. 공사계약 손해보험
  가. 계약상대자는 해당 계약의 목적물 등에 대하여 손해보험에 가입할 수 있으며, 시행령 제94조와 「계약일반기준」 제1장 제6절에 정한 공사는 특별한 사유가 없는 한 계약목적물 손해와 제3자 배상책임을 담보할 수 있는 손해보험에 가입해야 한다.
  나. 손해보험과 관련된 그 밖의 계약조건은 「계약일반기준」 제1장 제6절에 정한 바에 따른다.

제5절 계약의 이행
1. 공사계약의 이행
  가. 공사용지의 확보
    1) 발주기관은 계약문서에 따로 정한 경우를 제외하고는 계약상대자가 공사의 수행에 필요로 하는 날까지 공사용지를 확보하여 계약상대자에게 인도해야 한다.
    2) 계약상대자는 현장에 인력, 장비 또는 자재를 투입하기 전에 공사용지의 확보 여부를 계약담당자로부터 확인을 받아야 한다.
    3) 발주기관은 공사용지 확보 관련 업무를 계약상대자에게 지시하거나 전가하여서는 아니된다.
  나. 공사자재의 검사
    1) 공사에 사용할 자재는 신품이어야 하며 품질·규격 등은 반드시 설계서와 일치되어야 한다. 그러나 설계서에 명확히 정하지 아니한 것은 표준품 이상으로서 계약의 목적을 달성하는 데에 가장 적합한 것이어야 한다.
    2) 계약상대자는 공사자재를 사용하기 전에 공사감독관의 검사를 받아야 하며, 불합격된 자재는 즉시 대체하여 다시 검사를 받아야 한다.
    3) "2)"에 따른 검사에 이의가 있을 경우 계약상대자는 계약담당자에게 재검사를 청구할 수 있으며, 재검사가 필요하다고 인정되는 경우 계약담당자는 지체 없이 재검사하도록 조치해야 한다.
    4) 계약담당자는 계약상대자로부터 공사에 사용할 자재의 검사를 요청받거나 "3)"에 따른 재검사의 요청을 받은 때에는 정당한 이유 없이 검사를 지체할 수 없다.
    5) 계약상대자가 불합격된 자재를 즉시 이송하지 않거나 대체하지 아니하는 경우에는 계약담당자가 일방적으로 불합격자재를 제거하거나 대체시킬 수 있다.

6) 계약상대자는 시험·조합이 필요한 자재가 있는 경우 공사감독관의 참여하에 그 시험·조합을 해야 한다.
7) 수중·지하에 매몰하는 인공구조물 그밖에 준공 후 외부로부터 검사할 수 없는 인공구조물의 공사는 공사감독관의 참여하에 시공해야 한다.
8) 계약상대자가 "1)"부터 "7)"까지 정한 조건에 위배되거나 설계서에 합치되지 않는 시공을 한 때에는 계약담당자는 인공구조물의 대체·개조를 명할 수 있다.
9) "2)"부터 "8)"까지의 경우 계약금액을 증감하거나 계약기간을 연장할 수 없다. 다만, "3)"에 따라 재검사 결과 적합한 자재인 것으로 판명될 때에는 재검사에 소요된 기간에 대하여는 계약기간을 연장할 수 있다.

다. 관급자재와 대여품
1) 발주기관은 공사의 수행에 필요한 특정자재나 기계·기구 등을 계약상대자에게 공급하거나 대여할 수 있으며 이 경우 관급자재 등(관급자재와 대여품을 말한다. 이하 같다)은 설계서에 명시해야 한다.
2) 관급자재 등은 공사공정예정표에 따라 적기에 공급되어야 하며, 인도일시와 장소는 계약당사자간에 협의하여 결정한다.
3) 관급자재 등의 소유권은 발주기관에 있으며, 잉여분이 있을 경우 계약상대자는 이를 발주기관에 통지하여 계약담당자의 지시에 따라 이를 반환해야 한다.
4) "2)"에 따른 인도 후의 관급자재 등에 대한 관리 책임은 계약상대자에게 있으며, 이를 멸실·훼손한 경우에는 발주기관에 변상해야 한다.
5) 계약상대자는 관급자재 등을 계약의 수행 외의 목적으로 사용할 수 없으며, 공사감독관의 서면승인 없이는 현장 외부로 반출해서는 아니 된다.
6) 계약상대자는 관급자재 등을 인수할 때에는 이를 검수해야 하며 그 품질·규격이 시공에 적당하지 아니하다고 인정될 경우에는 즉시 계약담당자에게 이를 통지하여 이의 대체를 요구해야 한다.
7) 계약담당자는 필요하다고 인정할 경우에는 관급자재 등의 수량·품질·규격·인도시기·인도장소 등을 변경할 수 있다. 이 경우에는 제7절 "1", "4"에 따른 계약금액의 조정을 적용한다.

라. 공사현장 종사자
1) 공사현장대리인
  가) 계약상대자는 계약된 공사에 적격한 공사 현장대리인(「건설산업기본법」시행령 제35조(별표5)등 공사관련 법령에 따른 기술자 배치기준에 적합한 자를 말한다. 이하 같다)을 지명하여 계약담당자에게 통지해야 한다.
  나) 공사 현장대리인은 공사현장에 상주하여 계약문서와 공사감독관의 지시에 따라 공사현장 단속과 공사에 관한 모든 사항을 처리해야 한다. 다만, 공사가 일정기간 중단된 경우로서 발주기관의 승인을 얻은 경우에는 그러하지 아니하다.
2) 공사현장 근로자
  가) 계약상대자는 해당계약의 시공·관리에 필요한 기술과 경험을 가진 근로자를 채용해야 하며 근로자의 행위에 대하여 모든 책임을 져야 한다.
  나) 계약상대자는 채용한 근로자에 대하여 해당계약의 시공·관리에 적당하지 아니하다고 인정하여 계약담당자가 교체를 요구한 때에는 즉시 교체해야 하며 계약담당자의 승인 없이는 교체된 근로자를 해당계약의 시공·관리를 위하여 다시 채용할 수 없다.
  다) 계약상대자는 해당 계약의 이행을 위하여 채용한 근로자에 대하여 「최저임금법」 제6조 제1항·제2항과 「근로기준법」 제43조를 준수해야 한다.
3) 공사감독관
  가) 공사감독관은 계약된 공사의 수행과 품질의 확보와 향상을 위하여 「건설기술 진흥법」제39조 제6항과 같은 법 시행령 제59조, 「전력기술관리법」 제12조 및 그밖에 공사관련 법령에 따른 건설사업관리기술인 또는 감리원의 업무범위에서 정한 내용과 이 조건에서 정한 업무를 행한다.
  나) 공사감독관은 계약담당자의 승인 없이 계약상대자의 의무와 책임을 면제시키거나 증감시킬 수 없다.
  다) 계약상대자는 공사감독관의 지시·결정이 이 조건에서 정한 사항에 위반되거나 계약의 이행에 적합하지 아니하다고 인정될 경우에는 즉시 계약담당자에게 이의 시정을 요구해야 한다.
  라) 계약담당자는 "다)"에 따른 시정요구를 받은 날부터 7일 이내에 필요한 조치를 해야 한다.
  마) 계약상대자는 그가 발주기관에 제출하는 모든 문서에 대하여 그 사본을 공사감독관에게 제출해야 한다.

마. 착공·공정보고
  1) 계약상대자는 계약문서에서 정하는 바에 따라 착공해야 하며 착공 시에는 다음 각 호의 서류가 포함된 착공신고서를 발주기관에 제출해야 한다. 다만, 계약담당자는 관련법령에서 특별한 규정이 없는 경우 공사기간이 30일 미만인 경우 등에는 착공신고서를 제출하지 아니하도록 할 수 있다.
     가) 「건설기술진흥법령」등 관련법령에 따른 현장기술자지정신고서
     나) 공사공정예정표
     다) 안전·환경 및 품질관리계획서
     라) 공정별 인력·장비투입계획서
     마) 착공 전 현장사진
     바) 직접시공계획통보서(관련법령에서 정한 경우)
     사) 그밖에 계약담당자가 지정한 사항
  2) 다음 각 호에 해당하는 공사는 시행령 제15조 제6항에 따라 낙찰자가 착공신고서를 제출할 때에 산출내역서를 제출하게 해야 한다.
     가) 추정가격이 100억 원 미만인 공사나 시행령 제19조 제1항에 따라 재입찰에 부치는 공사
     나) 시행령 제42조의3에 따른 종합평가 낙찰자 결정기준이나 제43조(협상에 의한 계약)에 따라 낙찰자를 결정하는 공사로서 물량내역서를 내주지 않은 공사
     다) "나"에도 불구하고 제42조의3에 따른 결정기준 중 제안서 등 세부평가항목이 규정되지 아니할 경우의 산출내역서 제출 방법 및 시기는 시행령 제15조 제6항 본문의 규정에 따른다.
  3) 계약상대자는 계약의 이행 중에 설계변경이나 그밖에 계약내용 변경으로 인하여 "1)"에 따라 제출한 서류의 변경이 필요한 때에는 관련서류를 변경하여 제출해야 한다.
  4) "1)"과 "3)"에 따라 제출된 서류의 내용을 조정할 필요가 있다고 인정하는 경우에는 계약상대자에게 이의 조정을 요구할 수 있다.
  5) 계약담당자는 "1)"에 따라 착공신고서를 제출한 공사인 경우 계약상대자로 하여금 월별로 수행한 공사에 대하여 다음 각 호의 사항을 명백히 하여 다음 달 14일까지 발주기관에 제출(「지방자치단체를 당사자로 하는 계약에 관한 법률 시행령」 제6조의2에 의한 시스템을 통한 제출 포함)하게 할 수 있으며 이 경우 계약상대자는 이에 따라야 한다.
     가) 월별 공정률과 수행공사금액
     나) 인력·장비와 자재현황
     다) 계약사항의 변경과 계약금액의 조정내용
     라) 공정상황을 나타내는 현장사진
  6) 계약담당자는 공정이 지체되어 정한 기한 안에 공사가 준공될 수 없다고 인정할 경우에는 "5)"에 따른 월별 현황과는 별도로 주간 공정현황의 제출 등 공사추진에 필요한 조치를 계약상대자에게 지시할 수 있다.
  7) 계약담당자는 계약상대자의 책임있는 사유로 다음 각호의 사례가 발생한 경우에는 즉시 이를 해소하기 위한 시공계획서를 제출하게 해야 한다.
     가) 실행공정률이 계획공정률(장기계속공사의 차수별 계획공정률)에 비해 10%p 이상 지연된 경우. 단, 계약기간이 100일 미만인 공사의 경우에는 30%p 이상 지연된 경우
     나) 골조공사 등 주된 공사의 시공이 1개월 이상 중단된 경우
  8) 발주기관과 계약상대자는 상호 협의하여 공사의 규모나 종류·특성 등에 따라 "사"의 내용을 조정하거나 새로운 내용을 추가할 수 있으며, 계약담당자는 시공계획서를 검토하여 필요한 경우 보완을 요구할 수 있다.
바. 재해 방지를 위한 응급조치
  1) 계약상대자는 시공기간 중 재해방지를 위하여 필요하다고 인정할 때에는 미리 공사감독관의 의견을 들어 필요한 조치를 취해야 한다.
  2) 공사감독관은 재해방지 그밖에 시공 상 부득이할 때에는 계약상대자에게 필요한 응급조치를 취할 것을 구두·서면으로 요구할 수 있으며, 구두로 응급조치를 요구한 때에는 추후 서면으로 이를 보완해야 한다.
  3) 계약상대자는 "2)"에 따른 요구를 받은 때에는 즉시 이에 따라야 한다. 다만, 계약상대자가 요구에 따르지 아니할 때에는 계약담당자는 일방적으로 계약상대자 부담으로 제3자로 하여금 응급조치하게 할 수 있다.
  4) "1)"부터 "3)"까지의 조치에 소요된 경비 중에서 계약상대자가 계약금액의 범위 안에서 부담하는 것이 부당하다고 인정되는 때에는 제7절 "4"에 따라 실비의 범위 안에서 계약금액을 조정할 수 있다.

사. 발굴물의 처리
　1) 공사현장에서 발견한 모든 가치 있는 화석·금전·보물 그 밖의 지질학·고고학상의 유물·물품은 관계법규에서 정한 바에 따라 처리한다.
　2) 계약상대자는 "가"의 물품이나 유물을 발견한 때에는 즉시 계약담당자에게 통지하고 그 지시에 따라야 하며 이를 취급할 때에는 파손이 없도록 적절한 예방조치를 해야 한다.
2. 용역계약의 이행
　가. 용역의 착수와 보고
　　1) 계약상대자는 계약문서에서 정하는 바에 따라 용역을 착수해야 하며, 착수 시에는 관련법령에서 정한 서류와 다음 각 호의 사항이 포함된 착수신고서를 발주기관에 제출해야 한다.
　　　가) 용역공정예정표
　　　나) 인력 및 장비투입계획서
　　　다) 공동계약이행계획서(공동계약의 경우)
　　　라) 그밖에 계약담당자가 지정한 사항
　　2) 계약상대자는 계약의 이행 중에 과업내용의 변경 등으로 인하여 "1)"에 따라 제출한 서류의 변경이 필요한 때에는 관련서류를 변경하여 제출해야 한다.
　　3) 계약담당자는 "1)"과 "2)"에 따라 제출된 서류의 내용을 조정할 필요가 있다고 인정될 경우에는 계약상대자에게 이의 조정을 요구할 수 있다.
　　4) 계약담당자는 용역의 전부 또는 일부의 진행이 지연되어 정한 기간 안에 수행이 불가능하다고 인정되는 경우에는 주간공정 현황을 제출토록 하는 등 계약상대자에게 필요한 조치를 지시할 수 있다.
　나. 계약이행의 감독
　　1) 계약담당자는 해당 용역계약의 적정한 이행을 위하여 수행과정이나 계약이행상황 등을 감독할 필요가 있다고 인정할 때에는 계약문서에 따라 스스로 감독하거나 담당공무원에게 그 사무를 위임하여 감독을 할 수 있다.
　　2) 시행령 제56조 제1항 제2호에 따라 전문적인 지식·기술이 필요하거나 그밖에 부득이한 사유로 인하여 전문기관을 따로 지정하여 감독을 하게 할 경우에는 시행규칙 제65조, 제67조에 따라 감독조서의 작성과 그 결과를 문서로써 제출하게 해야 한다.
3. 물품계약의 이행
　가. 물품의 납품
　　1) 계약상대자는 계약서에 정한 납품기일까지 해당물품(검사에 필요한 서류 등을 포함한다)을 「산업표준화법」 제24조에 정한 바에 따라 한국산업표준(특별한 사유가 없는 한 「물류정책기본법」 제24조에 따른 물류표준기준을 포함한다)을 준수하여 계약담당자가 지정한 장소에 납품해야 한다.
　　2) "1)"에 따라 납품된 물품을 검사·수령하기까지 발주기관의 책임 없는 사유로 인하여 발생된 물품의 망실·파손 등은 계약상대자의 부담으로 한다.
　　3) 계약담당자가 필요에 따라 분할납품을 요구하거나 계약상 분할납품이 허용된 경우를 제외하고는 분할납품을 할 수 없다.
　나. 물품의 규격
　　1) 모든 물품의 규격은 계약상 명시된 규격명세, 규격번호 및 발주기관이 제시한 견품의 규격에 맞아야 하며, 구매 목적에 맞는 신품이어야 한다.
　　2) 계약상 규격이 명시되어 있지 아니한 경우에는 상관습과 기술적 타당성 및 구매 규격 등에 부합되는 견고하고 손색 없는 물품이어야 한다.
　　3) 예비부속품으로서 기계·기구를 완성하는데 필요한 조립비는 물품대에 포함되어 있는 것으로 본다. 다만, 계약에 부속품으로 기계·기구를 완성하는데 필요한 조립비가 별도로 표시되어 있는 경우에는 예외로 한다.
　다. 포장과 품목표시
　　1) 포장은 계약조건과 계약 규격서에 정한 포장조건에 따라야 하며 내용물의 보전에 충분해야 한다.
　　2) 기계의 모체와 분리하여 부속품·예비부속품을 포장할 때에는 관련 참조번호와 기호 등을 명기한 꼬리표를 붙여야 한다.
　　3) 계약상대자는 대한민국 외에서 제조된 계약물품을 납품하려는 때에는 관세청장이 고시한 「원산지제도 운영에 관한 고시」와 산업통상자원부장관이 고시한 「대외무역 관리규정」에 따라 원산지를 해당 물품에 표시해야 한다.

라. 포장에 표기할 사항

물품의 포장에는 다음 각 호의 사항을 명기해야 한다.
1) 제작자 상호와 계약상대자 상호
2) 계약번호
3) 품명 및 물품저장번호
4) 포장내용물의 일련번호 및 수량
5) 순무게, 총무게 및 부피
6) 취급 시 주의사항
7) 그밖에 계약상 요구되는 표기

마. 표기방법
1) 납품한 물품에는 계약상 규격서에 정한 포장 외에 제작자명 또는 상표와 발주기관 소유의 물품이라는 표시를 해야 한다.
2) 표지는 물품의 형태·성질에 따라 인쇄, 꼬리표 또는 그 밖의 방법에 따라 표시해야 한다.
3) 물품에 표기해야 할 표지는 그 물품의 지구성과 같아야 하며 포장의 표지는 목적된 장소에 도착할 때까지 선명해야 한다.

바. 포장명세서
1) 계약상대자는 납품할 때 포장내용물에 관하여 상세히 기재한 포장명세서를 제출해야 한다.
2) 포장명세서에는 포장번호, 포장수, 포장품명, 수량, 순무게, 부피 등을 명기해야 한다.
3) 포장에는 포장명세서 1통을 첨부해야 한다. 다만, 드럼통 등 명세서를 첨부하기 어려운 것에는 용기에 명기해야 한다.

사. 사용 및 취급주의서

사용 및 취급상의 주의가 필요하다고 생각될 때에는 그 물품의 사용, 보관, 수리 등의 요령과 주의사항을 명기한 주의서를 제출해야 한다.

아. 계약 이행의 감독
1) 계약담당자는 계약의 적정한 이행을 확보하기 위하여 필요하다고 인정하는 경우에는 물품의 제조를 위하여 사용하는 재료와 그밖의 제조공정에 대하여 감독할 수 있으며 계약상대자에 대하여 필요한 조치를 요구할 수 있다.
2) 계약상대자는 발주기관의 감독업무수행에 협력해야 하며, 발주기관은 감독업무를 수행함에 있어서 계약상대자의 업무를 부당하게 방해해서는 아니 된다.

4. 공사 및 용역 계약상대자의 근로자

가. 계약상대자는 해당계약의 시공·관리 및 용역에 필요한 기술과 경험을 가진 근로자를 채용해야 하며 근로자의 행위에 대하여 모든 책임을 져야 한다.

나. 계약담당자는 계약상대자가 채용한 근로자가 다음 각호의 사유에 해당한다고 판단될 경우 해당 근로자의 교체를 요청할 수 있다.
1) 입찰공고 및 계약문서에서 특정한 기준을 갖춘 근로자를 배치할 것을 조건으로 명시한 계약에서 해당기준을 미달하는 근로자를 배치한 경우
2) 고의 또는 중과실로 업무수행시 준수하여야 할 법령 또는 기준을 위반한 경우
3) 뇌물·사기 등 부정행위를 한 경우
4) 기타 1)부터 3)까지에 준하는 사유로서 계약의 적정성·공정성을 저해한 경우

다. 계약상대자가 "나"에 따른 요청을 받은 경우 발주기관과 협의하여 해당 근로자의 교체여부를 결정하여야 한다.

라. 계약상대자는 해당 계약의 이행을 위하여 채용한 근로자에 대하여 「최저임금법」 제6조 제1항·제2항과 「근로기준법」 제43조를 준수해야 한다.

5. 공사 및 용역 휴일작업과 야간작업

가. 계약상대자는 계약문서에서 별도로 정하고 있지 아니하는 한 계약담당자의 필요에 따른 경우를 제외하고는 휴일·야간 작업을 할 수 없다.

나. 계약상대자는 "가"에 따라 발주기관과 협의하여 휴일·야간작업을 하는 때에는 추가비용을 청구할 수 없다. 다만, 계약담당자의 기간 단축 지시나 발주기관의 부득이한 사유로 인하여 휴일·야간작업을 지시한 때에는 그러하지 아니하다.

다. "나" 단서의 경우는 제7절 "4"에 따른 계약금액의 조정을 준용한다.

제6절 공사 설계 변경, 용역 과업내용 변경 및 물품수량조절 등

1. 공사의 설계변경
    가. 공사 설계변경은 다음 각 호의 어느 하나에 해당하는 때에 한다.
        1) 설계서의 내용이 불분명하거나 누락·오류 또는 상호 모순되는 점이 있을 경우
        2) 지질, 용수 등 공사현장의 상태가 설계서와 다를 경우
        3) 새로운 기술·공법 사용으로 공사비의 절감과 시공기간의 단축 등의 효과가 현저할 경우
        4) 그밖에 발주기관이 설계서를 변경할 필요가 있다고 인정할 경우 등
    나. "가"에 따른 설계변경에 있어서 다음 각 호의 사항은 설계서에 포함하지 아니한다.
        1) 수의계약으로 체결한 공사의 산출내역서. 다만, 시행령 제30조 제1항 본문과 제2항에 따라 수의계약 안내공고 시 교부하거나 게재하는 물량내역서는 설계서에 포함한다.
        2) 시행령 제94조에 따른 일괄입찰과 대안입찰(대안이 채택된 공종에 한함) 공사의 산출내역서
    다. "가"에 따른 설계변경은 그 설계변경이 필요한 부분의 시공 전에 완료해야 한다. 다만, 계약담당자는 공정 이행의 지연으로 품질 저하가 우려되는 등 긴급하게 공사를 수행할 필요가 있는 때에는 계약상대자와 협의하여 설계변경의 시기 등을 명확히 정하고, 설계변경을 완료하기 전에 우선시공을 하게 할 수 있다.

2. 공사 설계서의 정정·보완
    가. 계약상대자는 공사계약의 이행 중 설계서의 내용이 불분명하거나 설계서에 누락·오류가 있거나 설계서간에 상호모순 등이 있는 사실을 발견한 때에는 설계변경이 필요한 부분의 이행 전에 해당사항을 분명히 한 서류를 작성하여 계약담당자와 공사감독관에게 동시에 이를 통지해야 한다.
    나. 계약담당자는 "가"에 따른 통지를 받은 즉시 공사가 적절히 이행될 수 있도록 다음 각 호의 어느 하나에 해당하는 방법으로 설계변경 등 필요한 조치를 해야 한다.
        1) 설계서의 내용이 불분명한 경우(설계서만으로는 시공방법, 투입자재 등을 확정할 수 없는 경우)에는 설계자의 의견과 발주기관이 작성한 단가산출서·수량산출서 등의 검토를 통하여 당초 설계서에 따른 시공방법·투입자재 등을 확인한 후 확인된 사항대로 시공해야 하는 경우에는 설계서를 보완하되 제7절 "1"에 따른 계약금액의 조정은 필요 없으며, 확인된 사항과 다르게 시공해야 하는 경우에는 설계서를 보완하고 제7절 "1"에 따라 계약금액을 조정해야 한다.
        2) 설계서에 누락·오류가 있는 경우에는 그 사실을 조사 확인하고 계약목적물의 기능과 안전을 확보할 수 있도록 설계서를 보완한다.
        3) 설계도면과 공사설계설명서는 서로 일치하나 물량내역서와 상이한 경우에는 설계도면과 공사설계설명서에 물량내역서를 일치시킨다.
        4) 설계도면과 공사설계설명서가 상이한 경우로서 물량내역서가 설계도면과 상이하거나 공사설계설명서와 상이한 경우에는 설계도면과 공사설계설명서 중 최선의 공사 시공을 위하여 우선되어야 할 내용으로 설계도면·공사설계설명서를 확정한 후 그 확정된 내용에 따라 물량내역서를 일치시킨다.
    다. "나"의 "3)"과 "4)"는 "1-나"의 공사에는 적용되지 아니한다. 다만, "1-나"의 공사로서 설계도면과 공사설계설명서가 상호 모순되는 경우에는 관련 법령과 입찰에 관한 서류 등에 정한 내용에 따라 우선 여부를 결정해야 한다.

3. 현장상태에 따른 공사 설계변경
    가. 계약상대자는 공사의 이행 중 지질, 용수, 지하매설물 등 공사현장의 상태가 설계서와 다른 사실을 발견한 때에는 지체 없이 설계서에 명시된 현장상태와 상이하게 나타난 현장상태를 기재한 서류를 작성하여 계약담당자와 공사감독관에게 동시에 이를 통지해야 한다.
    나. 계약담당자는 "가"의 통지를 받은 즉시 현장을 확인하고 현장상태에 따라 설계서를 변경해야 한다.

4. 신기술·신공법·특허공법에 따른 공사 설계변경
    가. 계약상대자는 새로운 기술·공법(발주기관의 설계와 동등이상의 기능·효과를 가진 기술·공법 및 기자재 등을 포함한다. 이하 같다)을 사용함으로써 공사비의 절감과 시공기간의 단축 등에 효과가 현저할 것으로 인정하는 경우에는 다음 각 호의 서류를 첨부하여 공사감독관을 거쳐 계약담당자에게 서면으로 설계변경을 요청할 수 있다.
        1) 제안사항에 대한 구체적인 설명서
        2) 제안사항에 대한 산출내역서
        3) 제5절 "1-마)-1)-나)"에 대한 수정공정예정표
        4) 공사비의 절감과 시공기간의 단축 효과
        5) 그 밖의 참고사항

나. 계약담당자는 "가"에 따라 설계변경을 요청받은 때에는 이를 검토하여 그 결과를 계약상대자에게 통지해야 한다. 이 경우 새로운 기술·공법 등의 범위와 한계에 대하여 이의가 있을 때에는 「건설기술 진흥법 시행령」제19조에 따른 기술자문위원회(이하 "기술자문위원회"라 한다)에 청구하여 심의를 받아야 한다. 다만, 기술자문위원회가 설치되어 있지 아니한 경우에는 「건설기술 진흥법」제5조에 따른 지방건설기술심의위원회의 심의를 받아야 한다.
다. 계약상대자는 "가"에 따른 요청이 승인된 때에는 지체 없이 새로운 기술·공법으로 수행할 공사에 대한 시공 상세도면을 공사감독관을 거쳐 계약담당자에게 제출해야 한다.
라. 계약상대자는 "나"에 따른 계약담당자의 결정에 대하여 이의를 제기할 수 없으며, 또한 새로운 기술·공법의 개발에 소요된 비용과 새로운 기술·공법에 따른 설계변경 후 그 기술·공법에 따른 시공이 불가능한 것으로 판명된 경우 시공에 소요된 비용을 발주기관에 청구할 수 없다.

5. 발주기관의 필요에 따른 공사 설계변경 통보
   가. 계약담당자는 다음 각 호의 어느 하나에 해당하는 사유로 인하여 설계서를 변경할 필요가 있다고 인정할 경우에는 계약상대자에게 이를 서면으로 통보할 수 있다.
      1) 해당공사의 일부변경이 수반되는 추가공사의 발생
      2) 특정공종의 삭제
      3) 공정계획의 변경
      4) 시공방법의 변경
      5) 그밖에 공사의 적정한 이행을 위한 변경
   나. 계약담당자는 "가"에 따라 설계변경을 통보할 때에는 다음 각 호의 서류를 첨부해야 한다. 다만, 발주기관이 설계서를 변경 작성할 수 없을 경우에는 설계변경 개요서만 첨부하여 설계변경을 통보할 수 있다.
      1) 설계변경개요서
      2) 수정 설계도면과 공사설계설명서
      3) 그 밖에 필요한 서류
   다. 계약상대자는 "가"에 따른 통보를 받은 즉시 공사 이행상황과 자재 수급상황 등을 검토하여 설계변경 통보내용의 이행 가능 여부(이행이 불가능하다고 판단될 경우에는 그 사유와 근거자료를 첨부)를 계약담당자와 공사감독관에게 동시에 이를 서면으로 통지해야 한다.

6. 공사 소요자재의 수급방법 변경
   가. 계약담당자는 발주기관의 사정으로 인하여 당초 관급자재로 정한 품목을 계약상대자와 협의하여 계약상대자가 직접 구입하여 투입하는 자재(이하 "사급자재"라 한다)로 변경하거나 관급자재 등의 공급지체로 공사가 상당기간 지연될 것이 예상되어 계약상대자가 대체사용 승인을 신청한 경우로서 이를 승인한 경우에는 이를 서면으로 계약상대자에게 통보해야 한다. 이 때 계약담당자는 계약상대자와 협의하여 변경된 방법으로 일괄하여 자재를 구입할 수 없는 경우에는 분할하여 구입하게 할 수 있으며, 분할구입하게 할 경우에는 구입시기별로 이를 서면으로 계약상대자에게 통보해야 한다.
   나. 계약담당자는 공사의 이행 중 설계변경 등으로 인하여 당초 관급자재의 수량이 증가되는 경우로서 증가되는 수량을 적기에 지급할 수 없어 공사의 이행이 지연될 것으로 예상되는 등 필요하다고 인정되는 때에는 계약상대자와 협의한 후 증가되는 수량을 계약상대자가 직접 구입하여 투입하도록 이를 서면으로 계약상대자에게 통보할 수 있다.
   다. 계약담당자는 당초 계약 시의 사급자재를 관급자재로 변경할 수 없다. 다만, 원자재의 수급 불균형에 따른 원자재 가격 급등 등 사급자재를 관급자재로 변경하지 않으면 계약목적을 이행할 수 없다고 인정될 때에는 계약당사자간에 협의하여 변경할 수 있다.
   라. 관급자재를 사급자재로 변경하거나 사급자재를 관급자재로 변경한 경우에는 제7절 "1"에 정한 바에 따라 계약금액을 조정해야 한다. 다만, 계약상대자의 대체사용 승인신청에 따라 자재를 대체 사용한 경우에는 계약상대자와 합의된 장소와 일시에 현품으로 반환할 수도 있다.

7. 공사 설계변경에 따른 추가조치 등
   가. 계약담당자는 "1-가"에 따라 설계변경을 하는 경우 그 변경사항이 목적물의 구조변경 등으로 인하여 안전과 관련이 있는 때에는 하자 발생 시 책임한계를 명확하게 하기 위하여 당초 설계자의 의견을 들어야 한다.
   나. 계약담당자는 "2", "3" 및 "5"에 따라 설계변경을 하는 경우 계약상대자로 하여금 다음 각 호의 사항을 계약담당자와 공사감독관에게 동시에 제출하게 할 수 있으며, 이 경우 계약상대자는 이에 따라야 한다.
      1) 해당공종의 수정공정예정표
      2) 해당공종의 수정도면과 수정 상세도면

3) 조정이 요구되는 계약금액과 기간
4) 다른 공정에 미치는 영향
다. 계약담당자는 "나-2)"에 따라 당초의 설계도면과 시공 상세도면을 계약상대자가 수정하여 제출하는 경우에는 그 수정에 소요된 비용을 제7절 "4"에 따라 계약상대자에게 지급해야 한다.
라. 계약담당자는 시행령 제74조에 따라 설계변경을 한 때에는 15일 이내에 관련 하도급 업체에 통보하여야 한다.

8. 용역 과업내용의 변경
가. 계약담당자는 계약의 목적상 필요하다고 인정될 경우에는 다음 각 호의 과업내용을 계약상대자에게 지시할 수 있다.
1) 추가업무 및 특별업무의 수행
2) 용역공정계획의 변경
3) 특정용역 항목의 삭제 또는 감소
나. "가"에 따른 과업내용의 변경은 그 변경이 필요한 부분의 이행 전에 완료해야 한다. 다만, 계약담당자는 계약이행의 지연으로 품질 저하가 우려되는 등 긴급하게 용역을 수행해야 할 필요가 있을 때에는 계약상대자와 협의하여 그 변경시기 등을 명확히 정하고, 과업내용의 변경을 완료하기 전에 우선용역을 이행하게 할 수 있다.
다. 계약상대자는 계약의 기본방침에 대한 변동 없이 과업내용서의 용역항목을 변경함으로써 발주기관에 유리하다고 판단될 경우에는 "가"의 각 호에 해당하는 제안을 할 수 있다. 이 경우 계약담당자는 제안요청을 받은 날로부터 14일 이내에 그에 대한 승인 여부를 계약상대자에게 통지해야 한다.

9. 물품 수량조절
가. 계약담당자는 필요에 따라 계약된 물품(품목·규격)의 수량을 100분의 10 범위 안에서 계약상대자와 협의하여 증감 조절할 수 있다. 다만, 계약상대자는 물품의 수급 상황 등을 고려하여 수량 변경이 불가능하다고 판단될 경우에는 그 사유와 근거자료를 첨부하여 계약담당자에게 서면으로 통지해야 한다.
나. "가"에도 불구하고 계약담당자는 해당 물품의 수급 상황 등을 고려하여 부득이하다고 판단하는 경우 계약상대자와 협의하여 100분의 10 범위를 초과하여 계약수량을 변경할 수 있다.

제7절 계약금액의 조정

1. 공사 설계변경·용역 과업내용 변경·물품수량 조절 등으로 인한 계약금액의 조정
가. 공사 설계변경으로 인한 계약금액의 조정
1) 계약담당자는 설계변경으로 시공방법의 변경, 투입자재의 변경 등 공사량의 증감이 발생하는 경우에는 다음 각 호의 어느 하나에 해당하는 기준에 따라 계약금액을 조정해야 한다.
가) 증감된 공사량의 단가는 계약단가로 한다. 다만, 계약단가가 예정가격단가보다 높은 경우로서 물량이 증가하게 되는 경우 그 증가된 물량에 대한 적용단가는 예정가격단가로 한다.
나) 산출내역서에 없는 품목·비목(동일한 품목이라도 성능, 규격 등이 다른 경우를 포함한다. 이하 "신규비목"이라 한다)의 단가는 설계변경 당시(설계도면의 변경을 요하는 경우에는 변경도면을 발주기관이 확정한 때, 설계도면의 변경을 요하지 않는 경우에는 계약당사자간에 설계변경을 문서로 합의한 때, 제6절 "1-다"에 따라 우선시공을 한 경우에는 그 우선시공을 하게 한 때를 말한다. 이하 같다)를 기준으로 산정한 단가에 낙찰률(예정가격에 대한 낙찰금액·계약금액의 비율을 말한다. 이하 같다)을 곱한 금액으로 한다.
2) 발주기관이 설계변경을 요구한 경우(계약상대자의 책임 없는 사유로 인한 경우를 포함한다. 이하 같다)에는 "1)"에도 불구하고 증가된 물량이나 신규비목의 단가는 설계변경 당시를 기준으로 하여 산정한 단가와 그 단가에 낙찰률을 곱한 금액의 범위 안에서 발주기관과 계약상대자가 서로 주장하는 각각의 단가기준에 대한 근거자료 제시 등을 통하여 성실히 협의(이하 "협의"라 한다)하여 결정한다. 다만, 계약당사자간에 협의가 이루어지지 아니하는 경우에는 설계변경 당시를 기준으로 하여 산정한 단가와 그 단가에 낙찰률을 곱한 금액을 합한 금액의 100분의 50으로 한다.
3) "2)"에도 불구하고 설계변경에 따른 계약금액 조정시 표준시장단가를 적용하는 경우에는 다음 각 호의 규정에 따라 계약금액을 조정한다.
가) 증가된 공사량의 단가는 예정가격 산정시 표준시장단가가 적용된 경우 설계변경 당시를 기준으로 하여 산정한 표준시장단가로 한다.
나) 신규비목의 단가는 표준시장단가를 기준으로 산정하고자 하는 경우 설계변경 당시를 기준으로 산정한 표준시장단가로 한다.
4) 신기술·신공법·특허공법에 따른 설계변경의 경우에는 해당 절감액의 100분의 30에 해당하는 금액을 감액한다.

5) "1)"과 "2)"에 따른 계약금액의 증감분에 대한 간접노무비, 산재보험료 및 산업안전보건관리비 등 승률비용과 일반관리비 및 이윤은 산출내역서의 간접노무비율, 산재보험료율 및 산업안전보건관리비율 등의 승률비율과 일반관리비율 및 이윤율에 의하되 설계변경 당시의 관계법령과 행정안전부장관 등이 정한 율을 초과할 수 없다.

6) 계약담당자는 예정가격의 100분의 86 미만으로 낙찰된 공사계약의 계약금액을 "1)"에 따라 증액 조정하려는 경우로서 해당 증액조정금액(제2차 이후의 계약금액 조정에 있어서는 그 전에 설계변경으로 인하여 감・증액 조정된 금액과 증액 조정하려는 금액을 모두 합한 금액을 말한다)이 당초 계약서의 계약금액(장기계속공사나 단년도 차수계약의 경우에는 부기된 총 공사금액)의 100분의 10 이상인 경우에는 지방자치단체의 장의 승인을 얻어야 한다.

7) 일부 공종의 단가가 세부공종별로 분류되어 작성되지 아니하고 총계방식으로 작성(이하 "1식 단가"라 한다)되어 있는 경우에도 설계도면이나 공사설계설명서가 변경되어 1식 단가의 구성내용이 변경되는 때에는 "1)"부터 "6)"까지에 따라 계약금액을 조정해야 한다.

나. 용역 과업내용・물품 수량조절 변경으로 인한 계약금액의 조정

1) 용역의 경우 제6절 "8-가"와 "다"에 따라 과업내용의 변경을 지시하거나 승인한 경우에 계약금액조정은 시행령 제74조 제1항부터 제7항 및 "1-가" 계약금액의 조정을 준용한다.
2) 물품의 경우 제2절 "2-라"에서 정한 산출내역서를 기준으로 계약금액을 조정한다

다. 공사 및 용역・물품 계약금액의 조정 공통

1) 발주기관은 "가"와 "나"에 따라 계약금액을 조정하는 경우에는 계약상대자의 계약금액조정 청구를 받은 날부터 30일 이내에 계약금액을 조정해야 한다. 이 경우 예산배정의 지연 등 불가피한 경우에는 계약상대자와 협의하여 그 조정기한을 연장할 수 있으며, 계약금액을 조정할 수 있는 예산이 없는 때에는 공사량 및 업무량 등을 조정하여 그 대가를 지급할 수 있다.
2) 계약담당자는 "1)"에 따른 계약상대자의 계약금액조정 청구내용이 부당함을 발견한 때에는 지체 없이 필요한 보완요구 등의 조치를 해야 한다. 이 경우 계약상대자가 보완요구 등의 조치를 통보받은 날부터 발주기관이 그 보완을 완료한 사실을 통지받은 날까지의 기간은 "1)"의 기간에 산입하지 아니한다.
3) "1)" 전단에 따른 계약상대자의 계약금액조정 청구는 제9절 "5"에 따른 준공대가 및 완료대가(장기계속공사의 경우에는 각 차수별 준공대가 및 완료대가) 수령 전까지 해야 조정금액을 지급받을 수 있다.

2. 공사 설계변경으로 인한 계약금액 조정의 제한 등

가. 다음 각 호의 어느 하나의 방법으로 체결된 공사계약에 있어서는 설계변경으로 계약내용을 변경하는 경우에도 지방자치단체의 책임있는 사유 또는 천재・지변 등 불가항력의 사유로 인한 경우를 제외하고는 그 계약금액을 증액할 수 없다.

1) 시행령 제94조에 따른 일괄입찰과 대안입찰(대안이 채택된 공종에 한함)을 실시하여 체결된 공사계약(시행령 제26조제1항 따라 일괄입찰, 대안입찰로 발주되었으나 재공고입찰 결과 입찰자가 1인뿐인 경우로 해당 입찰참가자와 수의계약을 체결한 경우를 포함한다)
2) 시행령 제126조에 따른 기본설계 기술제안입찰 또는 실시설계 기술제안 (기술제안이 채택된 부분에 한함)을 실시하여 체결된 공사계약(시행령 제26조제1항 따라 기술제안입찰로 발주되었으나 재공고입찰 결과 입찰자가 1인뿐인 경우로 해당 입찰참가자와 수의계약을 체결한 경우를 포함한다)

나. 계약담당자는 다음 각 호의 어느 하나에 해당하는 경우에는 물량내역서의 누락사항이나 오류 등으로 설계를 변경하는 경우에도 그 계약금액을 증액할 수 없다.

1) 시행령 제15조제7항제1호나목에 따라 입찰참가자가 교부받은 물량내역서를 수정하여 작성한 경우(발주기관에서 물량 수정을 허용한 부분에 한함)
2) 시행령 제15조제7항제2호에 따라 입찰에 참가하려는 자가 물량내역서를 직접 작성하고 단가를 적은 산출내역서를 제출하는 경우

다. 지방자치단체의 장 또는 계약담당자는 시행령 제94조에 따른 일괄입찰과 제126조에 따른 기본설계 기술제안입찰의 경우 계약체결 이전에 실시설계적격자에게 책임이 없는 다음 각 호의 어느 하나에 해당하는 사유로 실시설계를 변경한 경우에는 계약체결 이후 즉시 설계변경에 의한 계약금액 조정을 하여야 한다.

1) 민원이나 환경・교통영향평가 또는 관련 법령에 따른 인허가조건 등으로 인하여 기본설계에 따른 실시설계를 추가로 변경하는 경우
2) 발주기관이 제시한 기본계획서・입찰안내서 또는 기본설계서에 명시되거나 반영되지 아니한 사항에 대하여 해당 발주기관이 보완을 요구하거나 실시설계 심의 시 보완을 요구하는 경우

3) 지방건설기술심의위원회(시행령 제96조제5항 및 제100조의2에 따라 심의를 위탁한 경우 중앙건설기술심의위원회 또는 중앙행정기관에 설치된 기술자문위원회를 말한다)가 실시설계 심의과정에서 변경을 요구한 경우
라. "가"와 "다"에 따라 계약금액을 조정하려는 경우 다음 각 호의 기준을 적용한다.
   1) 시행령 제127조제2호에 따른 실시설계 기술제안입찰에 의한 공사계약은 시행령 제74조제4항
   2) 시행령 제94조에 따른 일괄입찰 또는 대안입찰과 시행령 제127조제3호에 따른 기본설계 기술제안입찰은 시행령 제103조제3항
마. "가"에 정한 지방자치단체의 책임 있는 사유나 불가항력의 사유란 다음 각 호의 어느 하나에 해당하는 경우를 말한다. 다만, 설계 시 공사 관련법령 등에 정한 바에 따라 설계서가 작성된 경우에 한한다.
   1) 사업계획 변경 등 발주기관의 필요에 따른 경우
   2) 발주기관 외에 해당공사와 관련된 인허가기관 등의 요구가 있어 이를 발주기관이 수용하는 경우
   3) 공사 관련법령(표준설계설명서, 전문설계설명서, 설계기준 및 지침 등 포함)의 제·개정으로 인한 경우
   4) 공사 관련법령에 정한 바에 따라 시공했음에도 불구하고 발생되는 민원에 따른 경우
   5) 발주기관이나 공사 관련기관이 교부한 지하매설 지장물 도면과 현장 상태가 상이하거나 계약이후 신규로 매설된 지장물에 따른 경우
   6) 토지·건물소유자의 반대, 지장물의 존치, 관련기관의 인허가 불허 등으로 지질조사가 불가능한 부분의 경우
   7) 제9절 "11"에 따른 불가항력으로 발생한 손해 등 계약당사자 누구의 책임에도 속하지 않는 사유인 경우
바. "라"에 따라 계약금액을 증·감 조정하려는 경우 증·감되는 공사물량은 수정전의 설계도면과 수정후의 설계도면을 비교하여 산출한다.
사. "마"의 각 호의 어느 하나에 정한 사유에 해당되지 않는 경우로서 현장상태와 설계서의 상이 등으로 인하여 설계변경을 하는 경우에는 전체공사에 대하여 증·감되는 금액을 합산하여 계약금액을 조정하되, 계약금액을 증액할 수는 없다.
아. 계약담당자는 "사"에 따른 계약금액 조정과 관련하여 연차계약별로 준공되는 장기계속공사의 경우에는 계약 체결 시 전체공사에 대한 증·감 금액의 합산처리방법, 합산잔액의 다음 연차계약으로의 이월 등 필요한 사항을 정하여 운영해야 한다.
자. "가"부터 "사"까지에 따른 계약금액 조정은 "1-가-5)", "1-다-1)"부터 "1-다-3)"까지를 준용한다.
3. 물가변동으로 인한 계약금액의 조정
   가. 공사·용역·물품 물가변동 계약금액의 조정
      1) 물가변동으로 인한 계약금액의 조정은 시행령 제73조와 시행규칙 제72조에 정한 바에 따른다.
      2) 동일한 계약에 대한 계약금액의 조정 시 품목조정률과 지수조정률을 동시에 적용해서는 아니 되며, 계약을 체결할 때에 계약상대자가 지수조정률 방법을 원하는 경우 외에는 품목조정률 방법으로 계약금액을 조정하도록 계약서에 명시해야 한다. 이 경우 계약이행 중 계약서에 명시된 계약금액 조정방법을 변경해서는 아니 된다. 다만, 계약서에 명시하지 않은 경우 품목조정률에 따르며, 공사의 경우 시행령 제73조 제6항에 따라 특정규격의 자재별 가격변동에 따른 계약금액을 조정할 경우 품목조정률에 따른다.
      3) "1)"에 따라 계약금액을 증액하는 경우에는 계약상대자의 청구에 의하고, 계약상대자는 제9절 "6"에 따른 준공·완료·완납대가(장기계속계약의 경우는 각 차수별 준공·완료·완납대가) 수령 전까지 조정신청을 해야 조정금액을 지급받을 수 있으며, 조정된 계약금액은 직전의 물가변동으로 인하여 계약금액 조정기준일로부터 90일 이내에 이를 다시 조정할 수 없다. 다만, 천재·지변이나 원자재의 가격급등으로 해당 기간 안에 계약금액을 조정하지 아니하고는 계약이행이 곤란하다고 인정되는 경우에는 계약을 체결한 날이나 직전 조정기준일로부터 90일 이내에도 계약금액을 조정할 수 있다.
      4) 계약상대자는 "3)"에 따라 계약금액의 증액을 청구하는 경우에는 계약금액 조정 내역서를 첨부해야 한다. 계약상대자가 시행규칙 제72조 제7항에 따라 입찰당시가격 산정 시 적용한 기준과 방법을 동일하게 적용하기 위해 예정가격 작성 기초자료를 요구할 경우 계약담당자는 관련 자료를 제공해야 한다.
      5) 발주기관은 "1)"부터 "4)"까지에 따라 계약금액을 증액하는 경우에는 계약상대자의 청구를 받은 날로부터 30일 이내(용역·물품의 경우 20일 이내)에 계약금액을 조정해야 한다. 이 경우 예산배정의 지연 등 불가피한 경우에는 계약상대자와 협의하여 그 조정기한을 연기할 수 있으며, 계약금액을 증액할 수 있는 예산이 없는 때에는 공사량·업무량·제조량 등을 조정하여 그 대가를 지급할 수 있다.
      6) 계약담당자는 "4)"와 "5)"에 따른 계약상대자의 계약금액 조정 청구내용이 일부 미비하거나 분명하지 아니한 경우에는 지체 없이 필요한 보완요구를 해야 하며, 이 경우 계약상대자가 보완요구를 통보받은 날부터 발주기관이 그 보완

을 완료한 사실을 통지받은 날까지의 기간은 "5)"의 기간에 산입하지 아니한다. 다만, 계약상대자의 계약금액 조정 청구내용이 계약금액 조정요건을 충족하지 않았거나 관련 증빙서류가 첨부되지 아니한 경우에는 그 사유를 명시하여 계약상대자에게 해당 청구서를 반송해야 하며, 이 경우 계약상대자는 그 반송사유를 충족하여 계약금액 조정을 다시 청구해야 한다.

나. 공사 물가변동 중 하도급 관련 계약금액의 조정
1) 시행령 제73조 제6항에 따른 계약금액 조정 요건을 충족했으나 계약상대자가 계약금액 조정신청을 하지 않을 경우 하수급인은 이러한 사실을 계약담당자에게 통보할 수 있으며, 통보받은 계약담당자는 이를 확인한 후 계약상대자에게 계약금액 조정신청과 관련된 필요한 조치 등을 해야 한다.
2) 계약담당자는 시행령 제73조에 따라 계약금액을 조정한 때에는 하도급 업체에 15일 이내에 통보한 후 40일 이내에 계약상대자의 관련 하도급 계약금액의 조정 여부를 확인해야 하며, 하도급 금액을 조정하지 않았다면 계약상대자에게 즉시 조정하도록 요구해야 한다.

다. 용역 물가변동 중 노임단가 변동 관련 계약금액의 조정
1) "가-1)"부터 "가-3)"까지의 규정에도 불구하고 시행규칙 제23조의2에 따른 용역계약의 경우 기준 노임단가가 변동된 경우 시행령 제73조 제8항에 따라 계약금액을 조정한다.
2) "1)"에 따라 계약금액을 증액하는 경우에는 계약상대자의 청구에 의한다.
3) 계약상대자는 "1)"에 따라 계약금액이 증액된 경우 증액된 노무비에 대하여는 근로자의 임금으로 지급하여야 한다.
4) "1)"에 따라 계약금액을 조정하는 경우 "가-4)"에서 "가-6)"까지의 규정을 준용한다.

4. 그밖에 계약내용의 변경 및 계약기간 연장에 따른 계약금액의 조정
가. 공사 및 용역 등 계약금액의 조정
계약담당자는 공사·용역계약에 있어서 "1"과 "3"의 경우 외에 공사기간·운반거리의 변경 등 계약내용의 변경 및 계약기간 연장에 따라 계약금액을 조정해야 할 필요가 있는 경우에는 그 변경된 내용에 따라 실비를 초과하지 아니하는 범위 안에서 이를 조정한다.

나. 공사 계약금액의 조정
1) "가"에 따른 계약내용의 변경은 변경되는 부분의 이행에 착수하기 전에 완료해야 한다. 다만, 계약담당자는 계약 이행의 지연으로 품질 저하가 우려되는 등 긴급하게 계약을 이행하게 할 필요가 있는 때에는 계약상대자와 협의하여 계약내용 변경의 시기 등을 명확히 정하고, 계약내용을 변경하기 전에 계약을 이행하게 할 수 있다.
2) "가"의 경우에는 "1-가-5)"를 준용한다.
3) "가"의 경우 계약금액이 증액될 때에는 계약상대자의 신청에 따라 조정해야 한다.
4) "가", "나-1)부터 "나-3)"까지에 따른 계약금액 조정의 경우에는 "1-다-1)"부터 "1-다-3)"까지를 준용한다.
5) 계약담당자는 시행령 제75조 및 시행령 제75조의2에 따라 계약내용의 변경 및 계약기간 연장을 한 때에는 15일이내에 관련 하도급 업체에 통보하여야 한다.

다. 용역 계약금액의 조정
1) 계약담당자는 시행규칙 제23조의2에 따른 용역계약에서 「최저임금법」에 따른 최저임금이 변경되어 최저임금 지급이 곤란한 경우 시행령 제75조 제2항에 따라 계약금액을 조정한다.
2) "가"와 "다-1)"의 경우에는 시행령 제74조 제7항을 준용한다.
3) "가"와 "다-1)"부터 "다-2)"까지에 따른 계약금액조정의 경우에는 "1-다-1)"부터 "1-다-3)"을 준용한다.

제8절 계약이행의 지체와 계약의 해제·해지

1. 지연배상금
가. 계약상대자는 계약서에 정한 기한(공사의 경우 계약서상 준공신고서 제출기일을 말한다. 이하 같다) 안에 계약을 완성하지 아니한 때에는 매 지체일수(법정공휴일, 일요일 포함)마다 계약서에 정한 지연배상금률을 계약금액(장기계속 계약은 연차별 계약금액)에 곱하여 산출한 금액(이하 "지연배상금"이라 한다)을 현금으로 납부해야 한다. 다만, 지연배상금이 계약금액의 100분의 30을 초과하는 경우 100분의 30으로 한다.
나. 계약담당자는 "가"의 경우에 제9절 "3"에 따라 기성부분에 대하여 검사를 거쳐 이를 인수(인수하지 아니하고 관리·사용하고 있는 경우를 포함한다. 이하 이 조에서 같다)한 때에는 그 부분에 상당하는 금액을 계약금액에서 공제한다. 이 경우 기성부분의 인수는 그 성질상 분할할 수 있는 공사·용역·물품에 대한 완성부분으로 인수하는 것에 한한다.

다. 계약담당자는 다음 각 호의 어느 하나에 해당되어 공사·용역·물품이 지체되었다고 인정할 때에는 그 해당일수를 "가"의 지체일수에 산입하지 아니한다.
　　1) 제9절 "11"에 정한 불가항력의 사유에 따른 경우
　　2) 계약상대자가 대체 사용할 수 없는 중요 관급자재, 관급재료 등의 공급이 지연되어 공사의 진행 및 물품 제조공정의 진행이 불가능한 경우
　　3) 발주기관의 책임으로 공사착공 및 용역착수·제조의 착수가 지연되거나 시공·용역수행·제조가 중단된 경우
　　4) 계약상대자의 부도 등으로 공사 및 용역 보증기관이 보증이행업체를 지정하여 보증 시공 및 이행할 경우
　　5) 제6절 "1"에 따른 공사 설계변경으로 인하여 준공기한 안에 계약을 이행할 수 없을 경우
　　6) 공사의 경우 원자재의 수급 불균형으로 인하여 해당 관급자재의 조달 지연이나 사급자재(관급자재에서 전환된 사급자재를 포함한다)의 구입곤란 등 그밖에 계약상대자의 책임에 속하지 아니하는 사유로 인하여 지체된 경우
　　7) 물품의 경우 계약상대자의 책임 없이 납품이 지연된 경우로서 다음 각 호의 어느 하나에 해당하는 경우
　　　　가) 발주기관의 물품제작을 위한 설계도서 승인이 계획된 일정보다 지연된 경우(관련서류의 누락 등 계약상대자의 잘못을 보완하는 기간은 제외한다.)
　　　　나) 계약상대자가 시험기관 및 검사기관의 시험·검사를 위해 필요한 준비를 완료하였으나 시험기관 및 검사기관의 책임으로 시험·검사가 지연된 경우
　　　　다) 설계도서 승인 후 발주기관의 요구에 의한 설계변경으로 인하여 제작기간이 지연된 경우
　　8) 그밖에 계약상대자의 책임에 속하지 않는 사유로 인하여 지체된 경우
라. 공동계약의 경우 공동이행방식은 공동수급체 구성원 중 마지막으로 남은 구성원의 부도 등이 확정된 날을 기준으로 하고, 분담이행방식은 분담 구성원의 부도 등이 확정된 날을 기준으로 한다.
마. "다-4)"에 따라 지체일수에 산입하지 아니하는 기간은 발주기관으로부터 보증채무 이행청구서를 접수한 날부터 보증이행 개시일 전일까지(단, 30일 이내에 한한다)로 한다.
바. 계약담당자는 "가"에 따른 지체일수를 다음 각 호에 따라 산정해야 한다.
　　1) 준공 등(용역수행, 납품 포함) 기한 안에 준공신고서 등(물품 검사에 필요한 서류 및 용역목적물·용역완료보고서)을 제출한 때에는 제9절 "1"에 따른 준공 등의 검사에 소요된 기간은 지체일수에 산입하지 아니한다. 다만, 준공 등의 기한 이후에 제9절 "1"에 따른 시정조치를 한 때에는 시정조치를 한 날부터 최종 준공 등의 검사에 합격한 날까지의 기간(검사기간이 제9절 "1"에 정한 기간을 초과하는 경우에는 같은 규정에 정한 기간을 말한다. 이하 같다)을 지체일수에 산입한다.
　　2) 준공 등의 기한을 지나서 준공신고서 등을 제출한 때에는 준공 등 기한의 다음날부터 준공 등 검사(시정조치를 한 때에는 최종 준공 등 검사)에 합격한 날까지의 기간을 지체일수에 산입한다.
　　3) 준공 등 기한의 말일이 공휴일(토요일과 관련 법령에 따라 발주기관의 휴무일이거나 「근로자의 날 제정에 관한 법률」에 따른 '근로자의 날'(계약상대자가 실제 업무를 하지 아니한 경우에 한함)을 포함한다. 이하 같다)인 경우는 준공 등 기한이 다음날로 종료되고 지체일수는 그 종료일의 다음날부터 기산한다.
사. 계약담당자는 "가"부터 "다"까지에 따라 산출된 지연배상금은 계약상대자에게 지급될 대가, 대가지급지연에 대한 이자나 그 밖의 예치금 등과 상계할 수 있다.
아. 시행령 제88조제1항에 따라 공동수급체의 구성원이 분담하여 계약을 이행하도록 한 공동계약을 체결한 경우로서 그 공동계약의 일부 구성원이 그가 분담하는 부분의 계약 이행을 지연하여 다른 구성원이 분담하여 이행하는 부분의 계약 이행이 지연된 경우에는 해당 계약의 지연을 직접 야기한 구성원으로 하여금 지연배상금을 납부하게 하여야 한다. 이 경우 전체 계약금액에서 해당 계약의 지연을 야기하지 아니한 구성원의 계약금액을 뺀 금액을 기준으로 지연배상금을 계산하여야 한다.

2. 계약기간의 연장
가. 계약상대자는 "1-다"의 어느 하나의 사유가 계약 기간(장기계속계약의 경우에는 연차별 계약기간을 말한다) 안에 발생한 경우에는 지체 없이 계약담당자(공사의 경우 제5절 "1-마-1)-나")에 대한 수정공정표를 첨부하여 공사감독관을 경유)에게 서면으로 계약기간의 연장을 청구해야 한다. 다만, 연장사유가 계약기간 안에 발생하여 계약기간을 지나서 종료된 경우에는 그 사유가 종료된 후 즉시 계약기간의 연장을 청구해야 한다.
나. 계약담당자는 "가"에 따른 계약기간 연장 신청이 접수된 때에는 즉시 그 사실을 조사 확인하고 업무가 적절히 이행될 수 있도록 계약기간의 연장 등 필요한 조치를 해야 한다.

다. 계약담당자는 "가"에 따른 연장청구를 승인한 경우에는 그 연장기간에 대하여는 "1"에 따른 지연배상금을 부과해서는 아니 된다.
라. "나"에 따라 계약기간을 연장한 경우에는 제7절 "4"에 따라 그 변경된 내용에 따라 실비를 초과하지 아니하는 범위 안에서 계약금액을 조정한다. 다만, "1-다-4)"의 사유에 따른 경우에는 그러하지 아니한다.
마. 계약담당자는 "가"부터 "라"까지에도 불구하고 계약상대자의 의무불이행으로 인하여 발생한 지연배상금이 시행령 제51조에 따른 계약보증금 상당액에 달한 경우로서 계약목적물이 국가정책사업 대상이거나 계약의 이행이 노사분규 등 불가피한 사유로 인하여 지연된 때에는 계약기간을 연장할 수 있다.
바. "마"에 따른 계약기간의 연장은 지연배상금이 계약보증금 상당액에 달한 때에 해야 하며, 연장된 계약기간에 대하여는 "1"에도 불구하고 지연배상금을 부과해서는 아니 된다.
사. "나"와 "마"에 따라 계약기간을 연장하는 경우 계약상대자는 계약기간 연장계약 체결 전까지 계약기간 연장이 표시된 보증서 등을 발주기관에 제출해야 한다. 다만, 보증서 등의 보증기간이 해당 계약 실제 완료일까지 유효한 것으로 약정된 경우에는 그러하지 아니한다.
아. 계약담당자는 장기계속계약의 연차별 계약기간 중 "가"에 의한 계약기간 연장신청("1-다-4)"에 따른 사유로 인한 경우는 제외한다)이 있는 경우, 당해 연차별 계약기간의 연장을 회피하기 위한 목적으로 당해 차수계약을 해지하여서는 아니된다.

3. 계약상대자의 책임 있는 사유로 인한 계약의 해제·해지
   가. 공사·용역·물품 계약상대자의 책임으로 인한 계약 해제·해지
      1) 다음 각 호의 어느 하나에 해당하는 경우에는 계약상대자의 책임 있는 사유로 인한 계약의 해제·해지 사유가 된다.
         가) 계약상대자의 계약상 의무 불이행을 이유로 법 제15조 제3항에 따라 계약보증금 또는 계약보증금에 해당하는 금액을 해당 지방자치단체에 세입 조치하는 경우
         나) 법 제30조에 따른 지연배상금의 징수 사유가 발생하고 그 금액이 계약금액(장기계속계약의 경우 차수별 계약금액)의 100분의 10 이상인 경우로서 계약상대자의 책임 있는 사유로 인하여 계약을 이행할 가능성이 없음이 명백하다고 인정되는 경우
         다) 입찰과정에서 거짓서류를 제출하여 부당하게 낙찰을 받은 경우
         라) 입찰, 수의계약 및 계약 이행 과정에서 관계공무원 등에게 직접 또는 간접적으로 사례, 증여, 금품·향응 제공을 하는 등 법 제6조의2에 따른 청렴서약서의 내용을 위반한 경우
         마) 계약상대자가 정당한 이유 없이 계약담당자의 이행 촉구에 따르지 아니한 경우
         바) 계약상대자의 부도, 파산, 해산, 영업정지, 사업 또는 영업에 관한 등록·인가·허가 등의 취소, 그 밖의 사유로 계약 이행이 곤란하다고 인정되는 경우
         사) 계약상대자의 책임 있는 사유로 인하여 준공 등 기한까지 공사·용역·물품제조를 완성하지 못하거나 완성할 가능성이 없다고 인정될 경우
         아) 장기계속 계약에 있어서 제2차 이후의 계약을 체결하지 아니하는 경우
         자) 공사의 경우 제5절 "1-마-7)"에 따른 시공계획서를 제출 내지 보완하지 않거나 정당한 이유 없이 계획서대로 이행하지 않은 경우
         차) 용역의 경우 해당 계약이행과 관련하여 계약상대자가 최저임금법 제6조 제1항·제2항이나 근로기준법 제43조를 위반하여 최저임금법 제28조나 근로기준법 제109조에 따라 처벌을 받은 경우(다만, 지체 없이 시정된 경우에는 그러하지 아니하다)
         카) 그밖에 정상적인 계약관리를 방해하는 불법·부정행위가 있거나 계약조건을 위반하고 그 위반으로 인하여 계약의 목적을 달성할 수 없다고 인정될 경우
      2) 계약담당자는 "가-1)-나)"의 경우에는 계약을 해제·해지해야 하며, "가-1)-가), 다), 라)"의 경우에는 해당 지방자치단체의 계약심의위원회에서 다음의 사유 중 어느 하나에 해당된다고 인정하는 경우를 제외하고는 해당 계약을 해제·해지해야 한다.
         가) 다른 법률에서 계약의 해제·해지를 특별히 금지한 경우
         나) 재난복구공사 등 계약의 긴급한 이행이 필요한 경우로서 새로운 계약을 체결하면 계약의 목적을 달성하기 곤란한 경우
         다) 천재지변 등 부득이한 사유로 계약의 이행이 지연되는 경우로서 계약을 계속 유지할 필요성이 있다고 인정되는 경우

라) 그 밖에 계약의 이행정도 등을 고려하여 계약을 해제 또는 해지하면 계약목적을 달성하기 곤란하거나 지방자치단체에 손해가 발생할 것으로 판단되는 경우
3) 계약담당자는 "1)"에 따라 계약을 해제·해지한 때에는 그 사실을 계약상대자와 제12절 "1"의 하수급인에게 통지해야 한다.
4) 계약담당자는 "1)"에 따라 계약을 해제·해지한 경우와 "8"에 따라 보증기관이 보증이행을 하는 경우에 기성부분을 검사하여 인수한 때에는 해당부분에 상당하는 대가를 계약상대자에게 지급해야 한다.
5) "1)"에 따라 계약이 해제·해지된 경우 계약상대자는 지급받은 선금에 대하여 미정산 잔액이 있는 경우에는 그 잔액에 대한 약정이자 상당액을 가산하여 발주기관에 상환해야 하며 계약담당자는 상환할 금액과 기성부분의 대가를 상계할 수 있다.
6) 「건설산업기본법」과 「하도급거래 공정화에 관한 법률」에 따라 하도급대금 지급보증이 되어 있지 않은 경우로서 제12절 "2-가"에 따라 하도급대가를 직접 지급해야 하는 때에는 우선적으로 하도급대가를 지급한 후 기성부분에 대한 미지급액의 잔액이 있을 경우 선금잔액과 상계할 수 있다.

나. 공사 계약상대자의 준수사항
1) "가-3)"에 따른 통지를 받은 계약상대자는 다음 각 호의 사항을 준수해야 한다.
가) 해당공사를 즉시 중지하고 모든 공사자재와 기구 등을 공사장으로부터 철거해야 한다.
나) 제5절 "1-다"에 따른 대여품이 있을 때에는 지체 없이 발주기관에 반환해야 한다. 이 경우 해당 대여품이 계약상대자의 고의·과실로 인하여 멸실·파손되었을 때에는 원상회복하거나 그 손해배상을 해야 한다.
다) 제5절 "1-다"에 따른 관급재료 중 공사의 기성부분으로서 인수된 부분에 사용한 것을 제외한 잔여재료는 발주기관에 반환해야 한다. 이 경우 해당 재료가 계약상대자의 고의·과실로 인하여 멸실·파손되었을 때, 또는 공사의 기성부분으로서 인수되지 아니하는 부분에 사용된 때에는 원상회복하거나 그 손해배상을 해야 한다.
라) 발주기관이 요구하는 공사장의 모든 재료, 정보 및 편의를 발주기관에 제공해야 한다.

4. 사정변경에 따른 계약의 해제·해지
가. 발주기관은 계약상대자의 책임 있는 사유 외에 객관적으로 명백한 발주기관의 불가피한 사정이 발생한 때에는 계약을 해제·해지할 수 있다.
나. "3-가-3)", "3-나"는 "3-가-1)"에 따라 계약을 해제·해지하는 경우에 이를 준용한다.
다. 발주기관은 "가"에 따라 계약을 해제·해지하는 경우에는 다음 각 호에 해당하는 금액을 해제·해지를 완료한 날(공사의 경우에는 "3-나"의 각호의 수행을 완료한 날)부터 14일 이내에 계약상대자에게 지급해야 한다. 이 경우 제4절 "1"에 따른 계약보증금을 동시에 반환해야 한다.
1) 제9절 "11-나-1)", "11-나-2)"에 해당하는 시공부분, 용역부분, 기성부분·기납부분의 대가 중 지급하지 아니한 금액
2) 전체 공사, 용역, 물품제조의 계약 완성을 위하여 계약의 해제일·해지일 이전에 투입된 계약상대자의 인력·재료·자재 및 장비의 철수 비용
라. 계약상대자는 선금에 대한 미정산 잔액이 있는 경우에는 이를 발주기관에 상환해야 한다. 이 경우 미정산 잔액에 대한 이자는 가산하지 아니한다.

5. 계약상대자에 의한 계약의 해제·해지
가. 계약상대자는 다음 각 호의 어느 하나에 해당하는 사유가 발생한 경우에는 해당계약을 해제·해지할 수 있다.
1) 제6절 "1", "8", "9"에 따라 공사·용역·물품 내용을 변경함으로써 계약금액이 100분의 40 이상 감소되었을 때
2) "6"에 따른 공사·용역·물품 정지기간이 계약기간의 100분의 50을 초과한 경우
나. "4"의 "나"부터 "라"까지는 "가"에 따라 계약이 해제·해지된 경우에 이를 준용한다.

6. 공사·용역·물품의 일시정지
가. 공사감독관 및 사업부서담당자 또는 계약담당자는 다음 각 호의 경우에는 공사·용역·물품의 전부 또는 일부의 이행을 정지시킬 수 있다. 이 경우 계약상대자는 정지기간 중 선량한 관리자의 주의 의무를 해태해서는 아니 된다.
1) 공사·용역·물품의 이행이 계약내용과 일치하지 아니하는 경우
2) 공사·용역·물품의 전부 또는 일부의 안전을 위하여 정지가 필요한 경우
3) 공사의 경우 제5절 "1-바"에 따른 응급조치의 경우
4) 그밖에 발주기관의 필요에 따라 계약담당자가 지시한 경우

나. 공사감독관 및 사업부서담당자 또는 계약담당자는 "가"에 따라 공사·용역·물품을 정지시킨 경우에는 지체 없이 계약상대자와 계약담당자에게 정지사유와 정지 기간을 통지해야 한다.

다. "가"의 어느 각호에 따른 사유가 발생하였음에도 "나"에 따른 통지를 하지 않는 경우 계약상대자는 서면으로 공사감독관 및 사업부서담당자 또는 계약담당자에게 일시정지 여부에 대한 확인을 요청할 수 있으며, 공사감독관 및 사업부서담당자 또는 계약담당자는 요청을 받은 날부터 10일 이내에 계약상대자에게 서면으로 회신하여야 한다.

라. "가" 내지 "다"에 따라 정지시킨 경우 계약상대자는 계약기간의 연장이나 추가금액을 청구할 수 없다. 다만, 계약상대자의 책임 있는 사유로 인한 정지가 아닌 때에는 그러하지 아니한다.

마. 발주기관의 책임 있는 사유에 따른 정지기간(각각의 사유로 인한 정지 기간을 합산하며, 장기계속계약은 해당 차수내의 정지 기간을 말한다)이 60일을 초과한 경우 발주기관은 그 초과된 기간에 대하여 잔여 계약금액(정지기간이 60일을 초과하는 날 현재의 잔여계약금액을 말하며, 장기계속 계약은 차수별 계약금액을 기준으로 한다)에 초과일수 매 1일마다 「지방회계법」 제38조에 따라 지방자치단체의 장이 지정한 금고의 일반자금 대출금리를 곱하여 산출한 금액을 계약상대자의 청구에 따라 준공대가 지급 시 계약상대자에게 지급해야 한다.

7. 발주기관의 의무불이행에 따른 계약상대자의 공사·용역·물품 정지

가. 계약상대자는 발주기관이 「지방계약법령」과 계약문서 등에서 정하고 있는 계약상의 의무를 이행하지 아니하는 때에는 발주기관에 계약상의 의무이행을 서면으로 요청할 수 있고, 발주기관은 요청을 받은 날부터 14일 이내에 이행계획을 서면으로 계약상대자에게 통지해야 한다.

나. 계약상대자는 계약담당자가 "가"에 정한 기한 안에 통지를 하지 아니하거나 계약상의 의무이행을 거부하는 때에는 해당 기간이 경과한 날이나 의무이행을 거부한 날부터 공사·용역·물품의 전부 또는 일부의 시공 및 이행을 정지할 수 있다.

다. 계약담당자는 "나"에 따라 정지된 기간에 대하여는 제8절 "2"에 따라 계약기간을 연장해야 한다.

8. 계약의 보증이행

가. 계약담당자는 계약상대자의 책임 있는 사유로 인한 계약의 해제·해지 사유에 해당하는 경우로서 시행령 제51조제1항제2호에 따른 이행보증서가 제출되어 있는 경우에는 계약을 해제 또는 해지하지 아니하고 제4절 "2"에 따른 보증기관에 대하여 보증채무 의무를 이행할 것을 청구해야 한다.

나. "가"의 청구가 있을 때에는 보증기관은 지체 없이 그 보증의무를 이행해야 한다. 이 경우 보증의무를 이행한 보증기관은 계약상대자가 가지는 계약체결의 이익을 가진다. 다만, 보증기관은 보증이행업체를 지정하여 보증의무를 이행하는 대신 이행보증서에 정한 금액을 현금으로 발주기관에 납부함으로써 보증의무 이행에 갈음할 수 있다.

다. "나"에 따라 해당계약을 이행하는 보증기관은 계약금액중 보증이행부분에 상당하는 금액을 발주기관에 직접 청구할 수 있는 권리를 가지며 계약상대자는 보증기관의 보증이행부분에 상당하는 금액을 청구할 수 있는 권리를 상실한다.

라. "가"부터 "다"까지 이외에 이행보증서 제출에 따른 보증의무 이행에 대하여는 제1장 5절에서 정한 바에 따른다.

마. 공사의 경우 보증기관은 공사진행 상황 및 계약상대자의 이행능력 등을 조사할 수 있으며, 제5절 "1-마-7" 각 호의 사유가 발생하는 경우 계약담당자에게 보증이행의 청구를 건의할 수 있다.

제9절 검사와 대가지급

1. 공사·용역·물품 검사

가. 준공검사 등

1) 계약상대자는 공사·용역·물품납품(제조)을 완료한 때에는 그 사실을 준공신고서 등 서면으로 계약담당자(공사의 경우 「건설기술 진흥법」제39조 제2항또는 「전력기술관리법」 제12조 및 그밖에 공사 관련 법령에 의하여 건설사업관리 또는 감리를 하는 공사에 있어서는 해당공사의 감리를 수행하는 건설사업관리기술인 또는 감리원을 말한다.)에게 통지하고 필요한 검사를 받아야 하며, 기성·기납 부분에 대하여 완성 전에 대가의 전부 또는 일부를 지급받고자 할 때에도 위와 같다.

2) 계약담당자가 "1)"의 통지를 받은 때에는 계약서, 설계서, 준공신고서 등 그 밖의 관계서류에 따라 그 날로부터 14일 이내에 계약상대자의 참관하에 그 이행을 확인하기 위한 검사를 해야 한다. 다만, 천재·지변 등 불가항력적인 사유로 인하여 검사를 완료하지 못한 경우에는 해당사유가 존속되는 기간과 해당사유가 소멸된 날로부터 3일까지는 이를 연장할 수 있으며, 공사의 경우 공사계약금액(관급자재가 있는 경우에는 관급자재 대가를 포함한다)이 100억 원 이상이거나 기술적 특수성 등으로 인하여 14일 이내에 검사를 완료할 수 없는 특별한 사유가 있는 때에는 7일 범위 안에서 검사기간을 연장할 수 있다.

3) 계약담당자는 "2)"의 검사에 있어서 계약상대자의 계약이행 내용의 전부 또는 일부가 계약에 위반되거나 부당함을 발견한 때에는 필요한 시정조치를 해야 한다. 이 경우에는 계약상대자로부터 그 시정을 완료한 사실을 통지받은 날부터 검사 기간을 계산한다.
4) "3)"의 경우에 계약이행기간이 연장될 때에는 계약담당자는 제8절 "1"에 따른 지연배상금을 부과해야 한다.
5) 계약상대자는 "2)"에 따른 검사에 참관·협력해야 한다. 계약상대자가 참관을 거부하거나 검사에 협력하지 아니함으로써 발생하는 지체에 대하여는 "3)"과 "4)"를 준용한다.
6) 계약담당자는 검사를 완료한 때에는 그 결과를 지체 없이 서면으로 계약상대자에게 통지해야 한다. 통지를 받은 계약상대자는 검사에 대한 이의가 있을 때에는 재검사를 요청할 수 있으며 계약담당자는 재검사 등 필요한 조치를 해야 한다.
7) 공사의 경우 계약상대자는 "6)"에 따른 검사완료 통지를 받은 때에는 모든 공사시설, 잉여자재, 폐기물 및 가설물을 공사장으로부터 즉시 철거 반출해야 하며 공사장을 정돈해야 한다.

나. 공사 기성검사
1) 기성 대가지급 시의 기성검사는 공사감독관이 작성한 감독조서의 확인으로 갈음할 수 있다. 다만, 그 검사 3회마다 1회는 "가-1)"에 따른 검사를 실시해야 한다.
2) 기성검사 시 검사에 합격된 자재라도 단순히 공사현장에 반입된 것만으로는 기성부분으로 인정할 수 없다. 다만, 다음 각 호의 경우에는 해당 자재의 특성, 용도 및 시장거래상황 등을 고려하여 반입(해당 자재를 계약목적물에 투입하는 과정의 특수성으로 인하여 가공·조립 또는 제작하는 공장에서 기성검사를 실시, 동 검사에 합격한 경우를 포함)된 자재를 기성부분으로 인정할 수 있다.
    가) 강교 등 해당공사의 기술적·구조적 특성을 고려하여 가공·조립·제작된 자재로서, 다른 공사에 그대로 사용하기 곤란하다고 인정되는 자재는 100분의 100 범위내에서 기성부분으로 인정 가능
    나) 기타 계약상대자가 직접 또는 제3자에게 위탁하여 가공·조립 또는 제작된 자재는 100분의 50 범위내에서 기성부분으로 인정 가능

다. 물품의 검사 요령 등
1) "가-2)"에 따른 검사는 검사 관계 규정과 다음 각 호의 요령에 따라 해야 한다.
    가) 검사는 품질, 수량, 포장, 표기상태, 포장명세서, 품질 식별기호 등에 관하여 행한다.
    나) 물품을 신규로 제조할 필요가 있거나 물품의 성질상 제조과정이 중요한 경우에는 제조과정에서 검사를 할 수 있다.
    다) 계약상대자는 검사를 받기 위하여 발주기관이 지정하는 장소에 물품을 반입한 때에는 즉시 반입통지를 해야 한다.
    라) 검사에 필요한 일체의 비용과 검사를 하기 위한 변형, 소모, 파손 또는 변질로 생기는 손상은 계약상대자의 부담으로 한다.
    마) 검사공무원 등은 납품검사 시 제출된 시험성적서 등의 위·변조 여부 등을 관련 기관에 확인할 수 있다.
2) 법 제17조 및 시행령 제64조의2에 의하여 「산업표준화법」제15조에 따라 인증을 받은 제품(KS인증기관협의회 시스템 통해 확인), 「산업표준화법」제31조의4 제2항에 따라 수상자로 선정된 기업 등 및 개인이 제조한 제품, 「조달사업에 관한 법률」제18조에 따라 조달청장이 정하여 고시한 품질관리기준에 적합한 자가 제조한 물품에 대하여는 "가"에 불구하고 검사를 하지 아니할 수 있다. 다만, 국민의 생명 보호, 안전, 보건위생 등을 위하여 검사가 필요하다고 인정하거나, 불량 자재의 사용, 다수의 하자 발생, 관계기관의 결함보상명령 등으로 해당 물품에 대한 품질의 확인이 필요한 경우에는 법 제17조제1항에 따른 검사를 하여야 한다.
3) 계약담당자는 "2)"에 따라 납품검사 면제를 받은 물품 중 다음 어느 하나에 해당하는 경우에는 즉시 면제를 중단하여야 하며, 의견진술 기회를 부여한 후 그 사유가 확정된 경우에는 지체 없이 검사를 하여야 한다.
    가) 「산업표준화법」에 따라 인증 받은 제품의 인증 취소·반납·자격정지 등으로 인증이 유효하지 않은 경우
    나) 「산업표준화법」에 따라 수상자로 선정된 기업 등 및 개인이 선정 정지 또는 취소처분을 받은 경우
    다) 「조달사업에 관한 법률」에 따라 조달청장이 고시한 품질관리기준에 적합한 자가 정지 또는 취소처분을 받은 경우
    라) 수요기관의 품질점검결과 불합격 판정을 받은 경우
    마) 부정당업자 제재를 받은 경우
4) 검사공무원 등은 납품검사 시 계약조건에 있는 신기술, 신제품, 특허 등이 해당제품에 적용되었는지 여부를 확인하되 검사공무원 등이 그 적용 여부를 확인하기 어려운 경우에는 계약상대자가 증명하여야 하며 검사공무원 등은 계약상대자에게 관련 인증서 사본을 징구하고 신기술, 특허 등의 적용여부를 확인하기 위한 설명이나 공인시험·검사기관 등에서 발급하는 증빙자료 제출을 요구할 수 있다.

5) 계약담당자는 납품검사 기준이 별도로 필요한 경우에는 계약체결 시 구매규격서에 품목특성에 따라 납품검사기준을 명시한다.
6) 계약담당자는 국민의 생명보호, 안전, 보건위생 등을 위하여 검사가 필요한 경우에는 전문기관에 납품검사를 의뢰할 수 있다.
7) 계약담당자는 납품검사시 다음 어느 하나의 사유로(계약목적 달성을 위한 범위 내에서 동등 이상의 제품이 납품된 경우는 제외한다) 최종적으로 불합격한 제품에 대해서는 제품의 정보와 불합격 사유를 지정정보처리장치에서 정하는 바에 따라 등록하여야 한다.
　가) 시험성적서·품질인증서·수입신고필증을 위·변조한 경우
　나) 계약조건에 있는 신기술, 신제품, 특허 등을 적용하지 않은 경우
　다) 원산지와 우수제품 지정여부가 계약조건과 다른 경우

라. 물품 품질의 보증
1) 계약상대자는 검수와는 별도로 납품 후 1년간 납품한 물품의 규격과 품질이 계약내용과 동일함을 보증해야 한다.
2) 계약담당자는 납품 후 1년 이내 납품한 물품의 규격과 품질이 계약내용과 상이함을 발견한 때에는 그 사실을 계약상대자에게 통지하고 해당 물품을 대체납품하거나 해당 물품대금을 반환하도록 청구할 수 있다.
3) 계약상대자는 "2)"의 통지를 받으면 조속히 해당 물품을 계약조건에 따라 대체 납품해야 한다. 이 경우에 모든 대체 물품가격과 이에 따르는 경비는 계약상대자의 부담으로 한다.
4) "3)"의 대체물품에 대하여도 "1)"을 적용한다.
5) 계약상대자가 계약담당자가 요구한 물품의 대체를 거부하거나, 계약담당자가 통지를 한 후 정한 기일 안에 물품의 대체 납품을 하지 못할 때에는 계약상대자는 해당 물품가격을 발주기관에 반납해야 한다.

2. 공사 및 용역 목적물의 인수
가. 공사 목적물의 인수
1) 계약담당자는 검사완료 통지를 한 후 계약상대자가 서면으로 인수를 요청한 때에는 즉시 현장인수증명서를 발급하고 해당 공사목적물을 인수해야 한다.
2) 계약담당자는 계약상대자가 "1)"에 따라 인수를 요청할 경우 공사규모 등을 고려하여 필요하다고 인정할 때에는 계약상대자로 하여금 다음 각 호의 사항이 첨부된 준공명세서를 제출하게 해야 한다.
　가) 완성된 공사목적물의 전면·후면·측면사진(10"×15") 각 5매
　나) "가"의 주요검사과정을 촬영한 비디오테이프(VHS)등 5본
　다) 착공에서 준공까지의 행정처리과정, 참여기술자, 관련참여업체 등의 내용을 포함하는 「건설기술 진흥법 시행령」 제78조에 따른 준공보고서
3) 계약담당자는 계약상대자가 검사완료 통지를 받은 날부터 7일 이내에 "1)"에 따른 인수 요청을 아니할 때에는 계약상대자에게 현장인수증명서를 발급하고 해당 공사목적물을 인수할 수 있다. 이 경우 계약상대자는 지체 없이 "2)"에 따른 준공명세서를 제출해야 한다.
4) 계약담당자는 공사목적물을 인수한 때에는 다음 사항을 기재한 표찰을 부착하여 공시해야 한다.
　가) 공사명과 발주기관(관리청)
　나) 착공년월일과 준공년월일
　다) 공사금액
　라) 계약상대자
　마) 공사감독관과 검사관
　바) 하자발생시 신고처
　사) 그밖에 필요한 사항
5) 발주기관은 "3)"에 따라 인수된 공사목적물에 대해 계약상대자에게 유지관리를 요구하는 경우에는 이에 필요한 비용을 지급해야 한다.

나. 용역 목적물의 인수
1) 계약담당자는 검사에 따라 용역의 완성을 확인한 후 계약상대자가 서면으로 인수를 요청한 때에는 즉시 해당 용역 목적물을 인수해야 한다.
2) 계약담당자는 계약상대자가 "1)"의 요청을 아니한 때에는 용역대가의 지급과 동시에 당해 용역 목적물의 인도를 요구할 수 있다. 이 경우에 계약상대자는 지체 없이 해당 목적물을 인도해야 한다.

3. 공사 및 용역 기성부분의 인수

   계약담당자는 전체 공사 및 계약 목적물이 아닌 기성부분(성질상 분할할 수 있는 공사 및 용역에 대한 완성부분에 한한다)에 대하여 이를 인수할 수 있으며 "2"를 준용한다.

4. 부분사용과 부가공사

   가. 발주기관은 계약목적물의 인수 전에 기성부분이나 미완성부분을 사용할 수 있으며 그 부분에 대하여는 해당 구조물 안전에 지장을 주지 아니하는 부가공사를 할 수 있다.

   나. "가"의 경우 계약상대자와 부가공사에 대한 계약상대자는 계약담당자의 지시에 따라 공사를 진행해야 한다.

   다. 계약담당자는 "가"에 따른 부분사용·부가공사로 인하여 계약상대자에게 손해가 발생한 경우나 추가공사비가 필요한 경우로서 계약상대자의 청구가 있는 때에는 제7절 "4"에 따라 실비의 범위 안에서 보상하거나 계약금액을 조정해야 한다.

5. 준공·완성·완납 대가의 지급

   가. 계약상대자는 준공·완성·완납한 후 "1"에 따른 검사에 합격한 때에는 정한 절차에 따라 대가지급을 청구할 수 있다.

   나. 계약담당자는 "가"의 청구를 받은 때에는 그 청구를 받은 날로부터 5일(공휴일과 토요일은 제외한다. 이하 이 "5"에서 같다) 이내에 그 대가를 지급해야 하며, 그 대가지급기한에도 불구하고 자금사정 등 불가피한 사유가 없는 한 최대한 신속히 대가를 지급해야 한다. 다만, 계약당사자 간의 합의에 따라 5일을 초과하지 아니하는 범위 안에서 대가의 지급기간을 연장할 수 있는 특약을 정할 수 있다.

   다. 천재·지변 등 불가항력의 사유로 인하여 대가를 지급할 수 없게 된 경우에는 해당사유가 존속되는 기간과 해당사유가 소멸된 날로부터 3일까지는 대가의 지급을 연장할 수 있다.

   라. 계약담당자는 "가"의 청구를 받은 후 그 청구내용의 전부 또는 일부가 부당함을 발견한 때에는 그 사유를 명시하여 계약상대자에게 해당 청구서를 반송할 수 있다. 이 경우에는 반송한 날로부터 재청구를 받은 날까지의 기간은 "나"의 지급기간에 이를 산입하지 아니한다.

   마. 계약담당자는 "나"에 따라 공사의 준공대가를 지급한 경우에는 하수급인, 자재·장비업자 및 하수급인의 자재·장비업자에게 이 사실을 통보하고, 계약상대자에게 하수급인, 자재·장비업자 및 하수급인의 자재·장비업자의 대금 수령내역(수령자, 수령액, 수령일 등) 및 증빙서류를 제출하게 하여야 한다.

6. 공사·용역·물품 기성대가의 지급

   가. 공사·용역·물품 공통

      1) 계약상대자는 특별한 사유가 없는 한 적어도 30일마다 기성 부분에 대한 검사를 완료하는 날까지 기성부분에 대한 대가지급청구서를 발주기관에 제출할 수 있고, 계약담당자는 이에 대한 대가를 지급하는 경우, 계약수량, 이행의 전망, 이행 기간 등을 참작하여 적어도 30일마다 지급해야 한다.

      2) 계약담당자는 검사완료일부터 5일(공휴일과 토요일 제외 이하 이 "6"에서 같다) 이내에 검사된 내용에 따라 기성대가를 확정하여 계약상대자에게 지급해야 한다. 다만, 계약상대자가 검사완료일 후에 대가의 지급을 청구한 때에는 그 청구를 받은 날부터 5일 이내에 지급해야 한다.

      3) 계약담당자는 "1)"에 따른 청구서의 기재 사항이 검사된 내용과 일치하지 아니할 때에는 그 사유를 명시하여 계약상대자에게 이의 시정을 요구해야 한다. 이 경우 시정에 소요되는 기간은 "2)"에 정한 기간에 산입하지 아니한다.

      4) 기성대가는 계약단가(물품의 경우는 계약문서의 산출내역서 단가에 따라 이를 계산)에 따라 산정·지급한다. 다만, 공사의 경우 계약단가가 없을 경우에는 제7절 "1-가-1)-나)"와 제7절 "1-가-2)"에 따라 산정된 단가에 따른다.

      5) "5-다"는 기성대가 지급의 경우에 이를 준용한다.

   나. 공사 기성대가의 지급

      1) 계약담당자는 하수급인, 자재·장비업자 및 하수급인의 자재·장비업자에게 기성대가 지급 사실을 통보하고, 기 지급한 기성대가가 있는 경우에는 계약상대자에게 하수급인, 자재·장비업자 및 하수급인의 자재·장비업자의 대금 수령내역(수령자, 수령액, 수령일 등) 및 증빙서류를 제출하게 하여야 한다.

      2) 계약담당자는 "1-나-3)" 단서에 따른 자재에 대하여 기성대가를 지급하는 경우에는 계약상대자로 하여금 그 지급대가에 상당하는 보증서(시행령 제37조 제2항의 상장증권·보증서 등을 말한다)를 제출하게 해야 한다.

7. 공사·용역·물품 계약금액 조정 전의 기성대가의 지급

   가. 계약담당자는 물가변동, 설계변경 및 그밖에 계약내용의 변경으로 인하여 계약금액이 당초 계약금액보다 증감될 것이 예상되는 경우로서 기성대가를 지급하려는 경우에는 「지방회계법」 제35조에 따라 당초 산출내역서를 기준으로 산출한 기성대가를 개산급으로 지급할 수 있다. 다만, 감액이 예상되는 경우에는 예상되는 감액금액을 제외하고 지급해야 한다.

나. 계약상대자는 "가"에 따라 기성대가를 개산급으로 지급받고자 하는 경우에는 기성대가 신청 시 개산급 신청사유를 서면으로 작성하여 첨부해야 한다.
8. 공사·용역·물품 대가지급 지연에 대한 이자
   가. 계약담당자는 대가지급청구를 받은 경우에 "5"와 "6"에 따른 대가지급기한(채무부담행위에 따른 계약의 경우에는 다음 회계연도 개시 후 「지방재정법」에 따라 해당 예산이 배정된 날부터 20일)까지 대가를 지급하지 못하는 경우에는 지급기한의 다음날부터 지급하는 날까지의 일수(이하 "대가지급지연일수"라 한다)에 해당 미지급금액에 대하여 「지방회계법」 제38조에 따라 지방자치단체의 장이 지정한 금고의 일반자금 대출 시 적용되는 연체이자율을 곱하여 산출한 금액을 이자로 지급해야 한다.
   나. 천재·지변 등 불가항력적인 사유로 인하여 검사·대가지급이 지연된 경우에 "1-가-2" 단서와 "5-다"에 따른 연장기간은 "가"의 대가지급 지연일수에 산입하지 아니한다.
9. 공사 및 용역근로자 근로조건 보호지침 대상 계약에서 노무비의 구분관리 및 지급확인
   가. 계약상대자는 발주기관과 협의하여 정한 노무비 지급기일에 맞추어 매월 모든 근로자(직접노무비 대상에 한하며, 하수급인이 고용한 근로자를 포함)의 노무비 청구내역(근로자 개인별 성명, 임금 및 연락처 등)을 제출해야 한다. 이 경우 개인정보보호법령 관련 동의를 구하여야 한다.
   나. 계약담당자(사업담당자)는 현장인·작업 명부 등을 통해 "나"에 따른 노무비 청구내역을 확인하고 청구를 받은 날부터 5일 이내에 계약상대자의 노무비 전용계좌로 그 노무비를 지급해야 한다.
   다. 계약상대자는 "나"에 따라 노무비를 지급받은 날부터 5일(공휴일 및 토요일은 제외한다) 이내에 노무비 전용계좌에서 이체하는 방식으로 근로자에게 노무비를 지급해야 하며, 동일한 방식으로 하수급인의 노무비 전용계좌로 노무비를 지급해야 한다.
   라. 계약상대자는 "가"에 따라 노무비 지급을 청구할 때 전월 노무비 지급내역(계약상대자 및 하수급인의 노무비 전용계좌 이체내역 등 증빙서류)을 제출해야 하며, 계약담당자(사업담당자)는 전월 지급내역과 계약상대자가 이미 제출한 같은 달의 청구내역을 비교하여 임금 미지급이 확인된 경우 당해 사실을 지방 고용노동(지)청에 통보해야 한다.
   마. "가"부터 "라"까지의 규정에도 불구하고 계약상대자는 근로자가 계좌를 개설할 수 없거나 다른 방식으로 지급을 원하는 경우, 근로자에게 노무비를 미리 지급하는 경우, 그밖의 사유로 해당 규정을 적용할 수 없다고 인정되는 경우에는 발주기관의 승인을 받아 적용하지 아니할 수 있다.
   바. 계약담당자는 임금체불 해소가 필요하다고 판단되는 경우 간접노무비 임금지급 여부를 확인할 수 있다.
10. 계약의 이행 중 공사 및 용역 목적물 등에 발생한 손해
    가. 계약상대자는 계약의 이행 중 공사 및 용역 목적물, 관급자재, 대여품 및 제3자에 대한 손해를 부담해야 한다. 다만, 계약상대자의 책임 없는 사유로 인하여 발생한 경우에는 발주기관의 부담으로 한다.
    나. 제4절 "5"에 따라 손해보험에 가입한 공사계약의 경우 "가"에 따른 계약상대자와 발주기관의 부담은 보험에 의하여 보전되는 금액을 초과하는 부분으로 한다.
    다. "2"와 "3"에 따라 인수한 공사 및 용역 목적물에 대한 손해는 발주기관이 부담해야 한다.
11. 불가항력으로 인하여 발생한 손해
    가. 불가항력이란 계약상대자의 통제범위를 초월하는 다음 각호의 사유(이하 "불가항력의 사유"라 한다)가 계약이행에 직접적인 영향을 미친 경우로서 계약당사자 누구의 책임에도 속하지 아니하는 경우를 말한다.
      1) 호우, 해일, 대설, 한파, 가뭄, 폭염, 황사, 조류(藻類) 대발생, 조수(潮水), 화산활동, 그 밖에 이에 준하는 자연현상
      2) 붕괴, 폭발, 화생방사고·환경오염사고, 에너지·통신·교통·금융·의료·수도 등 국가기반체계의 마비, 「감염병의 예방 및 관리에 관한 법률」에 따른 감염병 또는 「가축전염병 예방법」에 따른 가축전염병의 확산, 「미세먼지 저감 및 관리에 관한 특별법」에 따른 고농도 미세먼지 비상저감조치의 시행
      3) 전쟁, 사변, 테러 또는 폭동
      4) 그 밖에 계약상대자의 통제범위를 벗어난 사유로서 행정안전부장관이 정하여 고시하는 사유
    나. "가"에 정한 불가항력의 사유로 인하여 다음 각 호에 발생한 손해는 발주기관이 부담해야 한다.
      1) "1"에 따라 검사를 필한 기성부분
      2) 검사를 필하지 아니한 부분 중 객관적인 자료(감독일지, 사진 또는 비디오테이프 등)로 이미 시공되었음이 판명된 부분
      3) "10-가" 단서와 "10-다"에 따른 손해
    다. 계약당사자는 계약이행 기간 중 "나"의 손해가 발생한 때에는 지체 없이 그 사실을 계약담당자에게 통지해야 하며, 계약담당자는 통지를 받았을 때에는 즉시 그 사실을 조사하고 그 손해의 상황을 확인한 후 그 결과를 계약상대자에게 통지해야 한다. 공사의 경우에는 공사감독관의 의견을 참작할 수 있다.

라. 계약담당자는 "다"에 따라 손해의 상황을 확인한 때에는 별도의 약정이 없는 한 계약금액의 변경이나 손해액의 부담 등 필요한 조치를 계약상대자와 협의하여 이를 결정한다. 다만, 협의가 성립되지 않을 때에는 제10절 "3"에 따라 처리한다.

12. 공사·용역·물품 국민건강보험료 등의 사후정산
    가. 계약담당자는 「지방자치단체 입찰 및 계약일반기준」제1장 제9절 "보험료 사후정산 등"에 따라 국민건강보험료 등을 사후 정산하기로 한 계약에 대하여는 "4"와 "6"에 따른 대가지급 시 「지방자치단체 입찰 및 계약일반기준」제1장 제9절 "2"에 정한 바에 따라 정산해야 한다.
    나. 계약담당자는 설계서 등의 변경으로 인하여 직접노무비가 증·감될 경우 그 증·감 비율만큼 국민건강보험료 등을 조정해야 한다.

13. 공사·용역·물품 특허권 등의 사용
    공사·용역·물품제조 수행에 제3자의 권리의 대상으로 되어 있는 특허권 등을 사용할 때에는 계약상대자는 그 사용에 관한 일체의 책임을 져야 한다. 그러나 발주기관이 계약문서에 수행방법을 지정하지 아니하고 그 수행이나 적용을 요구할 때에는 계약상대자에게 소요된 비용을 지급할 수 있다.

14. 시공평가
    가. 계약담당자(사업담당자)는 「건설기술 진흥법」 제50조 및 국토교통부 고시 「건설엔지니어링 및 시공 평가지침」에 정한 대상에 해당하는 공사에 대하여는 해당 규정에 따라 시공에 대한 평가를 하여야 한다.

제10절 부정당업자의 제재와 당사자의 의무

1. 부정당업자의 입찰참가자격 제한
    가. 지방자치단체의 장(지방자치단체의 장이 법 제7조 제1항에 따라 중앙행정기관의 장 또는 다른 지방자치단체의 장에게 계약사무를 위임하거나 위탁하여 처리하는 경우에는 그 위임 또는 위탁을 받은 중앙행정기관의 장 또는 지방자치단체의 장을 포함한다)은 계약상대자, 입찰자 또는 지정정보처리장치를 이용한 견적서 제출자가 법 제31조에 해당하는 경우에는 일정기간 동안 입찰참가자격을 제한해야 한다.
        1) 중앙행정기관의 장은 "가"에 따라 부정당업자에 대하여 입찰 참가자격을 제한하는 경우에는 「국가를 당사자로 하는 계약에 관한 법률 시행령」제94조에 따른 계약심의위원회의 자문을 거쳐야 한다.
        2) 중앙행정기관의 장 또는 지방자치단체의 장은 부정당업자에 대한 입찰 참가자격을 제한하려는 경우에는"가"에 따라 계약사무를 위임·위탁한 지방자치단체의 장에게 입찰참가 자격 제한에 필요한 자료나 협조를 요청할 수 있다.
    나. 지방자치단체의 장(지방자치단체의 장이 법 제7조 제1항에 따라 다른 지방자치단체의 장에게 계약사무를 위임하거나 위탁하여 처리하는 경우에는 그 위임 또는 위탁을 받은 지방자치단체의 장을 포함한다.)이 "가"에 따라 입찰참가자격을 제한하려는 경우에는 계약심의위원회의 심의를 거쳐야 한다. 다만, 법 제31조제1항제3호, 제5호, 제6호, 시행령 제92조 제2항제1호다목부터 마목, 사목, 같은 항 제2호가목, 라목의 어느 하나에 해당하는 자의 경우에는 계약심의위원회의 심의를 거치지 아니하고 입찰참가자격을 제한할 수 있다.
    다. 입찰참가자격을 제한받는 자는 그 제한기간 동안 각 지방자치단체에서 시행하는 모든 입찰에 대하여 참가자격에 제한된다. 다른 법령에 따라 입찰참가자격의 제한을 받은 자도 또한 같다.
    라. 지방자치단체의 장은 입찰참가자격을 제한받은 자와 수의계약을 체결하여서는 아니 된다. 다만, 입찰참가자격을 제한받은 자 외에는 적합한 자가 없는 등 부득이한 사유가 있는 경우에는 그러하지 아니하다.
    마. 부정당업자 정보의 지정정보처리장치 게재시, 지방자치단체의 장은 제재확인서를 해당 입찰이 공고된 지정정보처리장치 및 국가종합전자조달시스템(www.g2b.go.kr)에 함께 게재하여야 한다.(단, 해당 입찰이 공고된 지정정보처리장치에 제재확인서 게재 기능이 구현되어 있지 않은 경우 국가종합전자조달시스템에만 게재할 수 있다)

2. 기술지식의 이용과 비밀엄수 의무
    가. 발주기관은 계약서에 정한 바에 따라 계약상대자가 제출하는 각종 보고서, 정보, 그 밖의 자료와 이에 따라 얻은 기술지식의 전부 또는 일부를 계약상대자의 승인을 얻어 발주기관의 이익을 위하여 복사·이용 또는 공개할 수 있다.
    나. 계약상대자는 해당 계약을 통하여 얻은 정보나 지방자치단체의 비밀사항을 계약이행의 전후를 막론하고 외부에 누설할 수 없다.
    다. 계약상대자는 업무를 수행함에 있어 제반 문제점, 이에 대한 해소방안 등을 문서로 작성, 비치해야 하며, 발주기관의 제출요구가 있을 경우에는 이에 따라야 한다.

3. 분쟁의 해결
   가. 계약의 수행 중 계약당사자간에 발생하는 분쟁은 협의하여 해결한다.
   나. "가"에 따른 협의가 이루어지지 아니할 때에는 법원의 판결이나 중재법에 따른 중재로 해결한다. 다만, 법 제34조에서 정한 이의신청 대상에 해당하는 경우에는 지방자치단체 계약분쟁조정위원회의 조정 결정에 따라 분쟁을 해결할 수 있다.
   다. "나"에도 불구하고 계약 체결 시 법 제34조의2에 따라 분쟁해결방법을 정한 경우에는 그에 따른다.
   라. 계약상대자는 "가"에서 "다"에 따른 분쟁처리절차 수행기간 중 계약의 이행을 중지해서는 아니 된다.
4. 계약 관련 자료의 제출
   계약담당자는 필요하다고 인정할 경우 계약상대자에게 산출내역서의 기초가 되는 단가산출서·일위대가표 등의 제출을 요구할 수 있으며 이 경우 계약상대자는 이에 따라야 한다.
5. 적격심사 관련사항의 이행
   가. 시행령 제42조 제1항 및 제42조의3 제1항에 따른 공사·용역·물품 제조·구매 계약을 이행함에 있어 계약상대자는 「지방자치단체 입찰시 낙찰자결정기준」 제2장 적격심사 세부기준, 제3장 종합평가 낙찰자 결정기준의 심사항목에 정한 사항에 대하여 적격심사 당시 제출한 내용대로 철저하게 이행해야 한다.
   나. 공사감독자 및 계약담당자는 "가"에 정한 이행상황을 수시로 확인해야 하며, 제출된 내용대로 이행이 되지 않고 있을 때에는 즉시 시정토록 조치해야 한다.
   다. 공사의 경우 계약상대자는 하수급자를 변경하고자 하는 경우에는 발주기관의 승인을 얻어 당초 적격심사 시 제출한 조건 이상의 하수급인을 선정하여야 한다.
6. 용역 저작권 귀속의 공동소유 이행 등
   가. 지방자치단체의 장은 「공유재산 및 물품관리법」 제43조의10에 따라 해당 지방자치단체 외의 자와 저작물 제작을 위한 계약을 체결하는 경우 그 결과물에 대한 저작권 귀속에 관한 사항을 계약내용에 포함하여야 한다.
   나. 지방자치단체의 장이 해당 지방자치단체 외의 자와 공동으로 창작하기 위한 계약을 체결하는 경우 그 결과물에 대한 저작권은 공유재산 및 물품관리법 제8조에도 불구하고 공동으로 소유하며, 별도의 정함이 없으면 그 지분은 균등한 것으로 한다. 다만, 그 결과물에 대한 기여도 및 국가안전보장, 국방, 외교관계 등 계약목적물의 특수성을 고려하여 협의를 통하여 저작권의 귀속주체 또는 지분율 등을 달리 정할 수 있다.
   다. 지방자치단체의 장은 「공유재산 및 물품관리법」 제43조의10 제1항 및 제2항에 따른 계약을 체결하는 경우 그 결과물에 대한 저작권의 전부를 해당 지방자치단체 외의 자에게 귀속시키는 내용의 계약을 체결하여서는 아니 된다.

제11절 공사목적물의 하자

1. 하자보수
   가. 계약상대자는 전체목적물을 인수한 날과 시행령 제64조 제1항에 따른 검사를 완료한 날 중에서 먼저 도래한 날(공사계약의 부분 완료로 관리·사용이 이루어지고 있는 경우에는 부분 목적물을 인수한 날과 공고에 따라 관리·사용을 개시한 날 중에서 먼저 도래한 날을 말한다)부터 시행령 제69조에 따라 계약서에 정한 기간(이하 "하자담보책임기간"이라 한다)동안 공사목적물의 하자(계약상대자의 시공 잘못으로 인하여 발생한 하자에 한함)에 대한 보수책임이 있다.
   나. 하자담보책임기간은 시행규칙 제68조 제1항에 정한 바에 따라 공종을 구분(하자책임을 구분할 수 없는 복합공사의 경우에는 주된 공종)하여 설정해야 한다.
   다. "나"에 불구하고 하자담보책임기간을 공종 구분 없이 일률적으로 정했거나 시행규칙 제68조 제1항에 정한 기간과 다르게 정하여 계약이행 중인 경우에는 그 시행규칙에서 정한 대로 계약서의 하자담보책임기간을 조정해야 한다.
   라. 계약상대자는 하자보수통지를 받은 때에는 즉시 보수작업을 해야 하며 해당 하자의 발생원인과 그 밖의 조치사항을 명시하여 발주기관에 제출해야 한다.
2. 하자보수보증금
   가. 계약상대자는 공사의 하자보수를 보증하기 위하여 계약서에서 정한 하자보수보증금률을 계약금액(당초 계약금액이 조정된 경우에는 조정된 계약금액을 말한다)에 곱하여 산출한 금액(이하 "하자보수보증금"이라 한다)을 시행령 제71조와 시행규칙 제70조에 정한 바에 따라 납부해야 한다.
   나. 계약상대자가 "1-가"에 따른 하자담보책임기간 중 계약담당자로부터 하자보수요구를 받고 이행하지 아니하거나 이행할 수 없는 경우에는 하자보수보증금 중 시행령 제71조의3에 따라 설계서·규격서·과업이행요청서 등에 따라 산정한 하자보수에 필요한 금액을 즉시 해당 지방자치단체에 귀속시켜야 한다. 다만, 하자보수보증금을 보증서로 보관하는 경우에는 하자보수의무를 보증한 기관에 보증한도액 범위에서 하자보수를 이행하도록 요구할 수 있다.

다. 계약담당자는 "3-나"에 따른 하자보수완료확인서의 발급일까지 하자보수보증금을 계약상대자에게 반환해야 한다. 다만, 하자담보책임기간이 서로 다른 공종이 복합된 건설공사에 있어서는 시행규칙 제68조에 따른 공종별 하자담보책임기간이 만료되어 보증목적이 달성된 공종의 하자보수보증금은 계약상대자의 요청이 있을 경우 즉시 반환해야 한다.

3. 하자검사
   가. 계약담당자는 "1-가"의 하자담보책임기간 중 연 2회 이상 정기적으로 하자를 검사해야 한다.
   나. 계약담당자는 하자담보책임기간이 만료되기 14일 전부터 만료일까지의 기간 중에 최종검사를 해야 하며, 최종검사와 정기검사 기간이 중복될 경우 최종검사로 갈음할 수 있다. 최종검사를 완료한 때에는 즉시 하자보수완료확인서를 계약상대자에게 발급해야 하며 이 경우 최종검사에서 발견되는 하자사항은 이 확인서가 발급되기 전까지 계약상대자가 자신의 부담으로 보수해야 한다.
   다. 계약상대자는 "가"와 "나"의 검사에 참관해야 한다. 다만, 계약상대자가 참관을 거부하는 경우에는 계약담당자는 일방적으로 검사를 할 수 있으며 검사결과에 대하여 계약상대자가 동의한 것으로 본다.
   라. 계약상대자의 책임과 의무는 "나"에 따른 하자보수완료확인서의 발급일로부터 소멸한다.

4. 시공 하자에 대한 특별책임
   가. 계약담당자는 "3-나"에 따른 하자보수완료확인서의 발급에 불구하고 해당공사의 특성과 관련법령에서 정한 바에 따라 필요하다고 인정하는 경우 제9절과 "3"에 따른 검사과정에서 발견되지 아니한 시공 하자에 대하여는 계약상대자의 책임으로 하는 특약을 정할 수 있다.

제12절 하도급

1. 하도급의 승인 등
   가. 계약상대자가 계약된 공사의 일부를 제3자에게 하도급하려는 경우에는 「건설산업기본법」등 관련법령에 정한 바에 따라야 한다.
   나. 계약담당자는 "가"에 따라 계약상대자로부터 하도급계약을 통보받은 때에는 국토교통부장관이 고시한 건설공사 하도급 심사기준에 정한 바에 따라 하도급 금액의 적정성을 심사해야 한다.

2. 하도급 대가의 직접 지급 등
   가. 계약담당자는 계약상대자가 다음 각 호의 어느 하나에 해당하는 경우 「건설산업기본법」등 관련법령에 따라 체결한 하도급계약 중 하수급인이 시공한 부분에 상당하는 금액에 대하여는 계약상대자가 하수급인에게 제9절 "5"와 "6"에 따른 대가지급을 의뢰한 것으로 보아 해당 하수급인에게 직접 지급해야 한다.
      1) 하수급인이 계약상대자를 상대로 하여 받은 판결로서 그가 시공한 분에 대한 하도급대금지급을 명하는 확정판결이 있는 경우
      2) 계약상대자가 파산, 부도, 영업정지 및 면허취소 등으로 하도급대금을 하수급인에게 지급할 수 없게 된 경우
      3) 「하도급거래 공정화에 관한 법률」이나 「건설산업기본법」에 정한 내용에 따라 계약상대자가 하수급인에 대한 하도급대금 지급 보증서를 제출해야 할 대상 중 그 지급 보증서를 제출하지 아니한 경우
   나. 계약담당자는 "가"에 불구하고 하수급인이 해당 하도급계약과 관련하여 노임, 중기사용료, 자재대 등을 체불한 사실을 계약상대자가 객관적으로 입증할 수 있는 서류를 첨부하여 해당 하도급대가의 직접 지급중지를 요청한 때에는 해당 하도급대가를 직접 지급하지 아니할 수 있다.
   다. 계약상대자는 제9절 "1-가"에 따른 준공신고나 제9절 "6"에 따른 기성대가의 지급청구를 위한 검사를 신청하려는 경우에는 하수급인이 시공한 부분에 대한 내역을 구분하여 신청해야 하며, 제9절 "5"와 "6"에 따라 "가"의 하도급대가가 포함된 대가지급을 청구할 때에는 해당 하도급대가를 분리하여 청구해야 한다.

3. 하도급대금 등 지급 확인
   가. 계약상대자는 제9절 "5"와 "6"에 따른 대가를 지급받은 경우 15일 이내에 하수급인과 계약상대자와 직접 계약을 체결한 자재·장비업자의 시공·제작·대여 분에 상당한 금액(이하 "하도급대금 등"이라 한다, 이하 "3"에서 같다)을 하수급인과 자재·장비 업자에게 현금으로 지급해야 하며, 하도급대금 등의 지급내역(수령자, 지급액, 지급일 등)을 5일(공휴일과 토요일은 제외한다) 이내에 발주기관과 공사감독관에게 통보해야 한다.
   나. 계약상대자는 하도급대금 등을 지급한 경우 "가"의 규정을 준용하여 하수급인으로부터 하수급인의 자재·장비업자가 제작·대여한 분에 상당한 금액에 대한 지급내역(수령자, 지급액, 지급일 등)을 확인하여 5일(공휴일과 토요일은 제외한다) 이내에 발주기관 및 공사감독관에게 통보해야 한다.

다. 계약담당자(계약담당자가 사업부서에 위임한 경우 사업부서 담당자를 말한다)는 "가"와 "나"에 따른 대가 지급내역을 제9절 "6-나-1)" 또는 "5-마"에 따라 하수급인, 자재·장비업자 및 하수급인의 자재·장비업자로부터 제출받은 대금 수령내역과 비교·확인하여야 한다. 이 경우 하수급인이 하수급인의 자재·장비업자에게 대금을 지급하지 않은 경우에는 계약상대자에게 즉시 통보하여야 한다.
라. 계약담당자는 하도급대금 지급여부 확인결과 계약상대자에게 공사대금을 지급한 날로부터 15일 이내에 하수급인에게 지급되지 않았거나 일부만 지급된 경우나 현금을 지급하지 아니한 경우 즉시 시정하도록 요구하고 요구한 날부터 7일 이내에 시정조치하지 않는 경우 특별한 사유가 없는 한 대가지급 시 이를 공제하고 지급해야 한다.
마. 계약담당자는 계약상대자가 하도급대금을 지급하지 않은 경우로서 계약상대자에 대한 대가지급 시 미지급금을 공제한 때에는 「건설산업기본법」제35조에 따라 하수급인에게 대금을 직접 지급한다.

제13절 엔지니어링용역 일반조건

1. 적용대상
「엔지니어링산업진흥법」 제2조 및 같은 법 시행령 제3조에 따른 엔지니어링기술과 관련된 용역에 적용한다.
2. 계약상대자의 손해배상 책임
  가. 「엔지니어링산업진흥법」, 「건설기술진흥법」 등 설계자의 손해배상을 규정하고 있는 법령에 따른 엔지니어링 용역의 경우 계약상대자는 고의 또는 과실로 해당 용역 목적물 또는 제3자에게 손해를 발생하게 한 경우 그 손해를 배상하기 위한 손해보험 또는 공제에 가입하여야 한다.
  나. "가"에 따른 보험료는 발주기관이 부담하되, 시중의 일반적인 요율을 초과하는 금액에 대하여는 계약상대자가 부담하여야 한다.
  다. "나"의 보험에는 발주기관과 계약상대자를 공동피보험자로 기명하여야 한다.
  라. 보험가입기간 및 가입금액은 「엔지니어링산업진흥법시행령」 제42조, 「건설기술진흥법시행령」제50조 등 관련규정에 정한 바에 따라야 한다.
  마. "가"에 의한 계약상대자의 배상책임은 "라"에서 규정한 보험가입금액을 상한으로 한다.
3. 설계용역의 작업장소
  가. 작업 장소는 계약상대자의 사무소 등 계약상대자가 정한다.
  나. 발주기관은 "가"에 불구하고 사업의 특성상 합동사무실 등 별도의 작업 장소에서 설계용역 수행이 필요한 경우 직접 제공하거나, 계약상대자에게 요구할 수 있다.
  다. "나"에 따라 계약상대자에게 별도의 작업장소를 요구한 경우에는 임대료 등 추가비용에 대하여 제6절 "3"에 따라 실비를 초과하지 아니하는 범위 내에서 계약금액을 조정한다.
  라. "다"에 따른 계약금액 조정의 경우에는 다른 법령에서 별도로 대가기준을 규정하고 있는 경우를 제외하고는 「엔지니어링사업대가의 기준」을 준용하여 산정한다.
4. 과업내용의 변경
  가. 사항의 변경, 민원발생, 그 밖에 사업환경 변화 등 계약계약담당자는 발주기관의 기본계획 변경, 사업의 인·허가 또는 행정상대자의 책임 없는 사유에 따른 재작성 또는 전면적인 과업내용 변경이 발생하는 경우로서 계약을 해제·해지 사유에 해당하지 않는 경우로서 과업내용을 변경하는 경우에는 변경 후 새로운 과업에 대한 계약금액 조정 외에 제9절 "1-가"에 의한 검사를 완료한 기성부분과 검사를 완료하지 아니한 부분 중 객관적인 자료(감독일지, 사진 또는 작성중인 도서 등)에 의하여 이미 수행되었음이 판명된 부분 중 대가를 지불하지 않은 부분에 대하여는 대가를 지급하여야 한다.
  나. 계약담당자는 "가"에 따른 과업변경시 기 이행된 부분 중 재활용이 가능한 부분에 대해서는 대가를 지급하지 아니하며, 재활용 가능여부에 대해서는 계약당사자간에 합의하여 결정한다. 이와 관련하여 계약당사자간에 이견이 발생하는 경우에는 「건설기술 진흥법 시행령」 제19조에 따른 기술자문위원회의 심의 또는 계약당사자 및 외부 전문가가 참여하는 과업변경심의위원회를 구성하여 심의하여야 한다.
5. 설계도서의 서명·날인
계약담당자는 「엔지니어링산업 진흥법」제27조, 「건설기술진흥법」제48조, 「건축사법」제21조 등 관련 법령에 정한 바에 따라 계약상대자로 하여금 설계도서 또는 보고서를 작성·변경할 경우 책임기술자와 분야별책임기술자로 하여금 설계도서 또는 보고서에 서명·날인하게 하여야 한다.

6. 용역평가
    가. 계약담당자(사업담당자)는 「건설기술 진흥법」 제50조 및 국토교통부 고시 「건설엔지니어링 및 시공 평가지침」에 정한 대상에 해당하는 엔지니어링 용역에 대하여는 설계용역평가를 하여야 한다.
    나. 계약담당자(사업담당자)는 설계용역평가에 앞서 시공자 및 건설사업관리 용역업자가 제출한 설계용역에 관한 검토보고서를 참조할 수 있으며, 설계용역평가 대상 용역을 해당 업체에 사전 통보하여 설계용역평가에 필요한 자료를 요청하여야 한다.

Ⅲ 「건설공사 표준품셈」 질의응답 모음집

[공통부문]
제1장 적용기준

1-1-3 적용방법

> **有權解釋**
>
> **제목 1** 총 시공량이 일일 시공량 미만일 경우 적용 품
>
> **질의문**
> 신청번호 2103-103 신청일 2021-03-31
> 질의부분 공통 제1장 적용기준 1-1-3 적용 방법
>
> [현황]
> 1) 품셈 1-5-2 기층포설 : 3m≤시공 폭(5~7cm) 시공량 4,900m²/일
>   1-5-5 표층포설 : 3m≤시공 폭 시공량 4,800m²/일
>   1-11-1 절삭 후 아스팔트 덧씌우기 B-TYPE 3,400/일
>   1-1-3 적용방법 6. 본 표준품셈에서 "시공량/일"으로 명시된 항목 중 총 시공량이 본 품(시공량/일)의 기준 미만일 경우에는 현장여건 등을 고려하여 별도 계상한다.
> 2) 당 현장 포장시공량 : 표층 252m²+기층 252m²+절삭후 아스팔트 덧씌우기
>   1,941m²=2,445m²
>
> [질의]
> 당 현장과 같이 총 포장시공량(2,445m²)이 표준품셈에 명시된 항목의 기준 미만일 경우 일 시공량을 2,445m²로 적용하면 문제가 되는지 질의합니다.
>
> **제목 2** 기계 기자재(펌프 등) 설치 후 전기 결선작업 업무 구분
>
> **질의문**
> 신청번호 2103-059 신청일 2021-03-19
> 질의부분 공통 제1장 적용기준 1-1-3 적용 방법
>
> [현안 내용]
> 기계설비부분 품셈 제4장 4-1-1 일반펌프 설치 4-1-2 집수정 배수펌프 설치 품을 적용하여 기계공사에서 일반펌프 및 집수정 배수펌프를 현장에 설치하였습니다.
> [질의1]
> 다음 공정인 1차측 전기전원선과 펌프간의 결선공사는 전기공사업체 또는 기계공사업체 중 누가 해야 하나요?
> 〈참고 의견자료〉 전기 품 5-13 제어용 케이블 설치 품에는 단자처리, 도입선 넣기, 결선이 포함되어 있으므로 전기공사업체에서 수행함이 타당할 것으로 해석됩니다(제어용 케이블 설치는 전기공사에 포함되어 있음)
> [질의2]
> 상기 전기 품 5-13 제어용 케이블 설치에 결선 품이 포함되어 있음에도, 전기품셈 5-38 전동기
> 〈참고 의견자료〉 전기 품 5-13 제어용 케이블 설치 품에는 결선이 포함되어 있으므로 추가 반영하면 중복된다고 판단됨(전기품셈 5-38 전동기 결선 품은 기계설비부분 전동기 결선 교체 시에만 적용)

> **회신문**
> 표준품셈 기계설비부문 "4-1-1 일반펌프설치"는 펌프 설치, 자동제어설비와의 결선, 펌프 시운전 및 교정작업이 포함되어 있으며, 펌프 기초 및 방진가대, 전기배선 및 입선, 펌프 3 주위 연결배관은 제외되어 있습니다.
> 또한 표준품셈 기계설비부문 "4-1-2 집수정 배수펌프 설치"는 지지대 및 가이드파이프 설치, 펌프 연결 및 고정, 자동제어설비와 결선, 시운전 및 교정작업을 포함하고 있으며, 기초, 전기배선 및 입선, 펌프 주위 연결배관, 자동제어설비의 설치는 제외되어 있습니다.

1-2-4 재료 및 자재의 단가

> **有權解釋**
>
> **제목 1** 발생재의 처리 중 강재 스크랩의 공제율 관련 질의
>
> **질의문**
> 신청번호 2207-003 신청일 2022-07-01
> 질의부분 공통 제1장 적용기준 1-3-6 발생재의 처리
>
> 강관파일을 시공하는 현장입니다. 시공 후 발생한 강재스크랩의 처리와 관련하여 표준품셈 1-3-6 "발생재의 처리"에는 강재 스크랩의 공제율이 70%로 나와 있는데,
> [질의1]
> 100%가 아닌 70%를 공제하는 이유가 무엇인지 문의드립니다.
> [질의2]
> 나머지 30%에 해당하는 수량은 왜 소멸되는지 문의드립니다.
>
> **회신문**
> 표준품셈 공통부문 "1-3-6 발생재의 처리"에서 사용고재 등 발생재의 처리에서 공제율을 제외한 수량(100-공제율)은 소멸 또는 고재처리가 불가한 것으로 처리하시면 됩니다. 여기서 강재스크랩 공제율 70%는 고재처리가 가능한 강재스크랩의 양을 뜻하며, 나머지 30%는 소멸 또는 고재처리가 불가능한 발생재입니다.
>
> **제목 2** 발생재의 처리 중 강관파일의 해당품명 문의
>
> **질의문**
> 신청번호 1902-012 신청일 2019-02-07
>
> 표준품셈 1-3-6 발생재의 처리 중 강관파일의 할증 수량(발생량)은 1) 사용 고재(시멘트공대 및 공드람 제외) 2) 강재스크랩 3) 기타 발생재 3가지 품명 중 어느 품명에 해당하는지?
>
> **회신문**
> 2019년 표준품셈 공통부문 "1-3-6 발생재의 처리"는 자재사용 후 발생된 고재나 스크랩 등의 대금을 설계 시 미리 공제하기 위한 것입니다.
> '사용 고재(시멘트 공대 및 공드람 제외)'는 일정 기간 동안 목적물의 시공에 사용되는 것이 아닌 단순 발생재로서의 환금가치가 있는 것으로, 자재를 담았던 용기 등과 같이 본 자재 사용에 따라 남게 되는 고재 등을 의미하며, '강재스크랩'은 철근가공 시 발생되는 토막철근 등을 의미합니다. 사용 고재나 강재 스크랩 외 발생재로 '기타 발생재'가 있을 수 있으나, 표준품셈에서는 이에 대한 정의나 사례는 별도로 정하고 있지 않습니다.

제목 3 주재료와 잡자재

질의문

신청일 2018-04-05

표준품셈을 참고하면 잡자재의 경우 주재료의 5%까지 계상 가능하다고 되어 있는데 어디까지를 주재료로 보아야 할지 문의드립니다.
예1) 타일공사 – 주재료: 타일, 잡재료: 애폭시, 보양지 등
예2) 도색공사 – 주재료: 페인트, 붓, 잡재료: 보양지 등
위의 예시처럼 주재료와 잡재료가 정해지는 건가요? 주재료는 직접적으로 사용되는 자재를 말하고 잡재료는 이에 부합되는 여러 부자재가 되는 것인지?

회신문

현행 표준품셈 "1-12 공구손료 및 잡재료 등"에서 주재료, 잡재료에 대한 정의를 제시하고 있으니 이를 참조하시기 바랍니다. 귀하께서 예로 제시한 도색공사의 붓은 공구손료에 해당합니다.

1-2-6 공구 및 경장비

有權解釋

제목 공구손료 적용 시 인력품

질의문

신청번호 2204-078 신청일 2022-04-20
질의부분 공통 제1장 적용기준 1-3-5 공구손료 및 잡재료등

잡재료비 계상 시 인력품의 2%로 계상한다.의 경우 인력품의 할증은 전부 제외해서 적용해야 하는지? 잡재료비는 주재료비의 5%를 계상한다고 했을 때 주재료비에 재료의 할증이 포함된 경우 할증을 제외한 주재료비의 5%를 계상해야 하는지 궁금합니다.

회신문

[답변1]
표준품셈에서 제시하는 잡재료비의 인력품 대비 계상 비율은 본 품에서 제시하는 할증기준이 반영되지 않은 인력품에서 계상하시기 바랍니다.
[답변2]
표준품셈에서 제시하는 "잡재료비는 주재료비의 5%를 계상한다."의 주재료는 할증이 감안되지 않은 정미 수량 기준입니다.

1-2-7 운반

> **有權解釋**
>
> **제목 1** 소운반 및 인력 운반 내용 문의
>
> **질의문**
> 신청번호 2105-002 신청일 2021-05-03
> 질의부분 공통 제1장 적용기준 1-5-1 소운반 및 인력 운반
>
> 소운반 및 인력 운반 본문 내용 중 삽으로 적재할 수 없는 자재(시멘트 등)의 인력 적사는 기본공식을 적용하되 25kg을 1인의 비율로 계산
> 여기서 25kg을 1인의 비율로 계산해야 한다는 것은 무슨 값에 어떻게 계산을 해야 하는가요
> 예시) q: 1회 운반량 200kg 5포=200/25=8
> 예시대로 계산한 경우 단위당 노임단가가 포당 계산 시 기본공식 ㎥나 kg으로 계산된 값보다 0.625배 정도 감소되는 건가요?
>
> **회신문**
> 표준품셈 "1-5-1 소운반 및 인력 운반"에서 25kg을 1인의 비율로 계산하라는 말은 인력운반공의 1회 운반량이 25kg이라는 뜻입니다.
>
> **제목 2** 인력운반(기계설비)에 관하여 질문
>
> **질의문**
> 신청번호 2008-003 신청일 2020-08-03
> 질의부분 공통 제1장 적용기준 1-5-1 소운반 및 인력운반
>
> 인력운반(기계설비)관련하여 25kg을 1인의 비율로 계산한다고 하였는데, 이것은 사람이 직접 들고 움직인 것을 말하는 것인지 아니면 대차를 이용하여 25kg 이동하는 것도 포함이 되는지?
> 혹여 안된다면 대차를 이용하여 운반하는 것은 어떤 것을 적용하면 되는지?
>
> **회신문**
> 표준품셈 공통부문 "1-5-1 소운반 및 인력운반/ 5. 인력운반(기계설비)"는 총운반량(M)을 운반공 1인이 1회 25kg씩 몇회 운반해야 하는지 구하는 공식입니다. 표준품셈에서는 소운반에 사용되는 대차 등을 이용한 운반기준은 별도로 정하고 있지 않습니다.

1-3 재료 및 노임할증

1-3-1 재료의 할증

> **有權解釋**
>
> **제목 1** 재료 할증 예외 기준 관련
>
> **질의문**
> 신청번호 2108-037 신청일 2021-08-12
> 질의부분 공통 제1장 적용기준 1-4-1 재료의 할증
>
> "1-4-1 재료의 할증"에 '공사용 재료의 할증률은 일반적으로 다음표의 값 이내로 한다.'라는 내용이 있습니다. 일반적으로는 재료의 할증을 적용하지만, 시공 여건상 할증을 초과하는 경우는 예외적으로 추가 할증 적용이 필요할 수도 있을 것으로 판단됩니다. 표준품셈에서 제시하는 재료 할증을 초과하는 상황에 대해 예외적으로 할증을 추가할 수 있는 경우가 규정된 것이 있는지 궁금합니다.
>
> **회신문**
> 표준품셈 공통부문 "1-4-1 재료의 할증"에서 재료별 할증률을 제시하고 있습니다. 제시하는 할증률은 일반적으로 현장에서 시공 시 발생되는 손실분을 보정해 주기 위한 것이며, 표준품셈에서는 재료의 할증을 초과하는 상황에 대한 예외 기준은 별도로 정하고 있지 않습니다.
>
> **제목 2** 원형덕트 재료 할증관련 문의
>
> **질의문**
> 신청번호 2103-071 신청일 2021-03-24
> 질의부분 공통 제1장 적용기준 1-4-1 재료의 할증
>
> 할증 적용관련 원형덕트(스파이럴)공사 설계 시 아래 할증을 적용해도 되는지요?(판이라는 단어 때문에 각형 덕트에만 적용되는 것 같아서 문의드립니다)
> 1-4-1 재료의 할증('11, '12, '19년 보완) - 5. 강재류 - 덕트용금속판
> 덕트 특성상 설치 중에 절단 작업으로 인해 손실이 발생됩니다.
>
> **회신문**
> 표준품셈 공통부문 "1-4-1 재료의 할증률/ 5. 강재류/ 덕트용금속판"는 현장에서 금속덕트를 제작하고 설치하는데 재료의 손실분을 보정해 주기 위한 할증률입니다.
>
> **제목 3** 손실없는 건설재료 할증 적용여부
>
> **질의문**
> 신청번호 2012-015 신청일 2020-12-07
> 질의부분 공통 제1장 적용기준)1-4-1 재료의 할증
>
> 재료할증의 경우 재료의 운반, 절단, 가공, 시공 중에 발생하는 손실량을 보전해 주기 위해 반영하는 것으로 알고 있음
> [질의1]
> 절단 등이 없어 손실이 없는 재료의 경우 할증을 반영하여야 하는지?

[질의2]
직접사용자재가 아닌 손료가 적용되는 가설자재인 경우도 할증을 반영하여야 하는지?

회신문

표준품셈 "1-4-1 재료의 할증"에서 제시하는 할증률은 일반적으로 현장에서 시공시 발생되는 손실분을 보정해 주기 위한 것입니다. 표준품셈의 적용여부 및 판단, 수량산출 등에 관련된 사항은 해당공사의 특성을 고려하시고 표준품셈을 참조하시어 공사관계자가 직접 결정하실 사항임을 양지해 주시면 감사드리겠습니다.

제목 4 야간작업 품의 할증을 재료비에 반영 가능 여부

질의문

신청번호 2011-065 신청일 2020-11-26
질의부분 공통 제1장 적용기준 1-4-1 재료의 할증

표준품셈 공통부분 1-4 할증 1-4-3 품의 할증 4. 야간작업
PERT/CPM공정 계획에 의한 공기산출 결과 정상 작업(정상 공기)으로는 불가능하여 야간작업을 할 경우나 공사 성질상 부득이 야간작업을 하여야 할 경우에는 품을 25%까지 가산한다.
표준품셈 공통부분 1-4 할증 1-4-1 재료의 할증
공사용 재료의 할증률은 일반적으로 다음표의 값 이내로 한다. 다만, 품셈의 각 항목에 할증률이 포함 또는 표시되어 있는 것에 대하여는 본 할증률을 적용하지 아니한다.
[질의사항]
붙임과 같이 화강석 재료비에 표준품셈 공통부분 1-4 할증 1-4-1 재료의 할증 6. 기타재료의 할증에 더불어 1-4-3 품의 할증 4. 야간작업 품 할증을 추가 적용한 사항에 대한 적정성 여부를 문의드립니다.
갑설 : 재료비에는 재료의 할증만 적용
을설 : 재료비에 재료의 할증과 야간작업에 따른 품 할증을 함께 적용해야 한다

회신문

표준품셈 "1-4-1 재료의 할증률"에서 제시하는 할증률은 일반적으로 현장에서 시공 시 발생되는 손실분을 보정해 주기 위한 것입니다. 또한 표준품셈 "1-4-3 품의 할증/ 4. 야간작업"은 "PERT/CPM공정 계획에 의한 공기산출 결과 정상 작업(정상 공기)으로는 불가능하여 야간작업을 할 경우나 공사성질상 부득이 야간작업을 하여야 할 경우에 품을 25%까지 가산한다."라고 제시하고 있으며, 야간할증은 야간작업 시 능률저하에 따른 생산성을 보정하는 값입니다.
야간 할증은 야간작업 시 능률저하에 따른 생산성을 보정하는 값을 명시하고 있으며, 근로시간에 대한 적용 기준은 현장별로 협의하여 적용할 수 있음을 알려드립니다.

제목 5 대형 형강 할증 문의

질의문

신청번호 2008-021 신청일 2020-08-10
질의부분 공통 제1장 적용기준 1-4-1 재료의 할증

대형 H형강의 할증이 플랜지 또는 웨브가 100mm이상이면 대형 H형강으로 구분하는데 100mm이상이면 대형 H형강이 맞습니까? ㄱ형강이면 이해합니다. 제철사에서는 400mm*400mm이상이 대형 H형강으로 구분하는데…제철사와 품셈의 기준이 다르나요?

> **회신문**
>
> 형강류는 구조용 압연강재로 각종 단면형상을 가진 봉 모양 압연재를 총칭하는 것으로 주로 철골구조용으로 사용되며, 그 모양에 따라 일반적으로 H형강, I형강, ㄷ형강, ㄴ형강 등이 있습니다. 또한 형강의 칫수는 [H(높이)×B(폭)×t1(복부두께)×t2(플랜지두께)]로 표현됩니다.
>
> 여기서 플랜지의 길이는 폭(B)에 해당되고, 웨브는 높이(H, A)에 해당되며, 건설공사 표준품셈에서는 대형강, 소형강의 구분을 플랜지와 웨브의 높이에 따라 다음과 같이 구분하고 있습니다.
>
> 대형형강 : 플랜지 또는 웨브가 100mm이상 (혹은 양 플랜지의 합이 200mm이상)인것 중형형강 : 플랜지 또는 웨브가 50~100mm (혹은 양 플랜지의 합이 100~200mm)인 것 소형형강 : 플랜지 또는 웨브가 50mm미만(혹은 양 플랜지의 합이 100mm미만)인 것으로 정하고 있습니다. 다만, 제철사 및 물가정보지와의 기준이 다를 수 있으며, 판단 여부는 현장여건을 고려하시어 공사관계자께서 직접 결정하시기 바랍니다.

1-4 품의 할증

1-4-6 작업제한

> **有權解釋**
>
> **제목 1** 작업시간 제한을 두는 공정에 대한 단가의 산출 및 작업시간 할증률계상
>
> **질의문**
>
> 신청번호 2211-027 신청일 2022-11-09
> 질의부분 공통 제1장 적용기준 1-4-3 품의 할증
>
> 산업안전보건법 제139조 제2항 "대통령령으로 정하는 유해하거나 위험한 작업"이란 에 해당하는 공정은 작업시간을 1일 6시간을 초과할 수 없다.라고 되어 있는데 그 공종의 단가산출은 1일 6시간을 기준으로 산출하는 것인지요. 작업시간 제한에 따른 할증률을 적용하는 것인지요.
>
> **회신문**
>
> 표준품셈 공통부문 "1-4-3 품의할증/ 12. 작업시간제한 할증률"은 휴전, 운행선 상의 선로일시 사용 중지를 필요로 하는 궤도공사, 이와 유사하게 작업시간에 제한을 받는 성격의 공사인 경우, 1일 8시간의 작업을 수행하기 곤란할 때 작업시간별 할증률을 부여하는 기준으로 휴전이 불필요하거나 운행선 상의 궤도공사가 아닐지라도 현장의 특성 상 1일 8시간의 작업수행이 불가능할 경우 할증을 부여할 수 있습니다.
>
> '작업시간제한 할증'은 운행선상의 궤도공사와 같이 작업시간에 제한을 받음으로 인하여 저하되는 능률을 보정하기 위하여 제시하고 있는 사항입니다.
>
> 표준품셈은 공통부문 "1-1-3 적용 방법" '2. 본 표준품셈에서 제시된 품은 일일 작업시간 8시간을 기준한 것이다' 에 따라 8시간 작업의 품을 제시하고 있으며, 8시간 작업에 제한이 있을 경우 "1-4-3 / 12. 작업시간 제한할증률"을 참조하시기 바랍니다.

제2장 가설공사

2-1 가설물의 한도

2-1-1 현장사무소 등의 규모(토목)

> **有權解釋**
>
> **제목 1** 구강재 사용 시 손료계산 기준 질의
>
> **질의문**
> 신청번호 2201-020 신청일 2022-01-05
> 질의부분 공통 제2장 가설공사 2-2-1 주요 자재
>
> 건설공사 표준품셈 공통부분 2-2 손율과 관련 질의드립니다.
> ④강재의 손료 산정 방법 = 강재 수량×(1+재료의 할증률)×신재 단가×손율
> [질의]
> 구강재(재사용 강재) 사용시 손료 산정기준에 대하여 아래와 같이 이견이 있어 질의드립니다.
> 갑설) 손료 = 강재 수량×(1+재료의 할증률)×신재 단가×손율
>   구강재를 사용할 경우에도 신재 단가를 적용하여 손료 산정
> 을설) 손료 = 강재 수량×(1+재료의 할증률)×고재 단가×손율
>   고재의 잔존가(3개 이상의 견적가)를 적용하여 손료 산정
> 병설) 건설공사 표준품셈에는 고재를 사용할 경우의 손료 산정 방법은 별도로 정하고 있지 않으므로 계약당사자간 협의하여 진행하여야 함.
>
> **회신문**
> 건설공사 표준품셈 "2-2-1 주요자재"는 사용기간에 따른 가치의 감소를 신강재에 대한 백분율로 표시한 것이며, 고재(구강재)를 사용했을 경우 손율 고재단가 적용은 별도로 제시하고 있지 않습니다.
>
> **제목 2** 현장사무소 등의 규모 관련
>
> **질의문**
> 신청번호 2105-004 신청일 2021-05-03
> 질의부분 공통 제2장 가설공사 2-1-1 현장사무소 등의 규모(토목)
>
> 표준품셈 제2장 가설공사 2-1-1 현장사무소 등의 규모(토목)에서 직접노무비율별로 숙소(㎡)를 반영하게 되어 있습니다. 숙소의 대상이 일용직근로자만 포함되는지? 아니면 관리직(ex 현장대리인 포함 도급사 직원)도 포함하는 개념인지 문의드립니다.
> 현장대리인 등의 도급사 직원은 일반관리비 항목 내 여비(숙박비)에 숙박이 포함되어 있어 2-1-1 현장사무소 등의 규모에서의 숙소는 일용직근로자만을 위하여 계상하는 것이 아닌가 사료되어 질의드립니다.
>
> **회신문**
> 표준품셈 "2-1-1 현장사무소 등의 규모(토목)"에서 숙소는 공사규모별 필요한 근로자의 숙소면적을 제시한 것으로 사용주체(수급자, 감독자, 관리자)에 대해서는 별도로 정하는 바는 없습니다.

2-2 손율

2-2-1 주요자재

> **有權解釋**
>
> **제목 1** 강판 고재처리에 대하여
>
> **질의문**
>
> 신청번호 2109-002 신청일 2021-09-01
> 질의부분 공통 제2장 가설공사 2-2-1 주요 자재
>
> ○ 강판 고재처리 관련하여 가시설 강재(판)사용 후 발생된 자재에 대하여 고재처리함에 있어 아래와 같은 이견이 있어 질의합니다
>   - 사례 : 강판(스티프너)설치 및 철거/ 개소
>   1. 재료비[강판(270×145×14mm)]
>   - 자재 수량 : 9.466kg×1.1(할증)=10.4126
>   - 자재 가격 : 10.4126kg×850원/kg=8,850원
> ○ 고재처리에 따른 이견 발생
>   갑설) 할증량을 포함하여 전량 고재처리에 반영하여야 함
>   ☞ 고재대1): 9.466kg×1.1(할증)=10.4126kg×359원/kg=-3,738원(할증 포함)
>   을설) 1-3-6 발생재 처리 규정에 따라 할증량은 고재처리에서 제외하여야 함
>   ☞ 고재대2): 9.466kg×359원/kg=-3,398원(할증 제외)
>   병설) 강재손료 계산 규정을 준용하여 할증량에 공제율을 곱하여 고재처리에 반영하여야 함
>   ☞ 고재대3): 9.466kg×(0.9466kg×0.7)×359원/kg=-2,251원(할증과 공제율포함)
>
> **회신문**
>
> 표준품셈 "2-2-1 /2. 손율[주]④에서 강재를 절단하지 않고 사용하는 경우와 절단하여 사용하는 경우를 구분하여 적용 방법을 제시하고 있으니 참조하시기 바랍니다.
>
> **제목 2** 복공판 손율
>
> **질의문**
>
> 신청번호 1905-058 신청일 2019-05-22
> 제2장 가설공사 2-2-1 주요자재 복공판 손율에 대해서 알고 싶습니다.
>
> **회신문**
>
> 현행 표준품셈 "2-2-1 손율"에서 '강재류'에는 강널말뚝, 강관파일, H파일, 그리고 복공판을 포함하고 있습니다.
>
> **제목 3** 가시설 강재손료(시트파일, 띠장) 기간의 추가적용 시 신규비목 여부
>
> **질의문**
>
> 문서번호 인터넷 질의 작성일 2011-07-25
>
> 당 현장은 OO기관에서 발주한 OO청사 신축공사현장이며, 계약은 적격심사기준에 의한 내역입찰 공사입니다. 계약예규 [공사계약 일반조건] 제19조의2 및 제20조(설계변경으로 인한 계약금액의 조정) 2항에 따른 적용단가와 관련한 질의입니다.
> 물량내역서 품명에 손료 6개월이 표기(하기 변경전후 물량내역서 참조)되고 실시설계 도면상 「건축지하층 시공 완료 후 되메우기를 실시하면서 하단 E/A부터 단계별 해체」으 명기되었으며, 예정공정표상 12개월이 예상됨에 따라 손료 12개월 산정으로 발주처 승인을 득한 상황입니다.

이러한 상황에서,
- 갑설 : 기존 내역서에 있는 동일한 성능, 규격(품목)으로 판단하여 추가되는 강재 손료 6개월은 단순히 증감된 공사량의 단가로 해석하여 기존 계약단가를 적용하는 것이 타당한 것인지, 아니면
- 을설 : 당초 내역서에 있는 그 자재의 성능, 규격(품목) 등과 다른 경우로 보아 손료 기간이 증감된 그 자재는 신규비목으로 보아 신규단가를 적용하는 것이 타당한 것인지 여부에 대하여 의견이 상이하여 질의함.

회신문
국가기관이 체결한 공사계약에 있어서 발주기관의 요구에 의한 설계변경으로 손료 사용 기간이 증가되는 경우 그 손료(사용료)는 사용 기간의 연장에 따라 증가되는 사용료를 산출한 후 협의에 의하여 새로운 단가를 책정할 수 있을 것입니다.

귀 질의의 경우 처음부터 12개월의 손료로 계산한 후 당초의 손료를 감하여 증가액을 산출하는 방법과 당초의 6개월분은 그대로 두고 앞으로의 6개월분만 따로 산출하는 경우가 있을 것이나 전체적으로 물량 자체가 증가되는 것은 아닐 것입니다.

따라서 동일한 자재를 계속하여 사용하는 경우라면 처음부터 12개월로 처리하여 증감액을 산출하되 당초의 사용 기간이 경과하는 등의 사유가 있어 그렇게 처리하지 못할 경우에는 앞으로의 6개월분을 산출하여 처리할 수 있을 것입니다.

제목 4 가시설 강재 운반 및 손료 적용에 대한 회신

질의문
회신일자 2001-06-25

○○군 하수처리공사 차집관로(6개 라인)에 사용될 가시설 강재(H-PILE, SHEET PILE)운반비 및 손료적용에 관합니다.
- 갑설 : 운반비는 각 라인별 총 소요 수량의 20% 적용하고 손료는 각 라인별 총 소요 수량의 손율 3개월 미만 적용
- 을설 : 운반비는 1개 라인 선정 총소요 수량 적용 나머지는 라인별 소요 수량만큼 소운반 손료는 1개 라인 선정 총 소요 수량의 손율 12개월 이상 적용하고 나머지 라인은 손료 적용 없음

[질의1]
정부발주 공사임에도 불구하고 발주기관별 가시설 강재의 운반비 및 손료 적용 방식이 상이한데 어떠한 적용이 맞는지 알려주시기 바랍니다.

[질의2]
"을설"과 같이 적용했을 시 각 라인별 소요 근입 심도가 각각 다른데도 불구하고 1개 라인을 선정 일률적으로 산정 적용함이 타당한 것인지 알려주시기 바랍니다.

[질의3]
"을설"과 같이 적용함이 옳다면 가설물 자재인 비계나 동바리도 한 건물에만 필요한 소요 총수량을 적용한 후 나머지 건물에는 손료를 적용하지 않을 수 도 있을 텐데 각각의 건물별 가설물자재손료를 적용해 준다는 것은 모순이 아닌지 알려주시기 바랍니다.

회신문
[질의1에 대하여]
가설강재의 운반비는 강재의 전용을 고려하여 산출해야 할 것이며, 손율은 전체 사용 기간을 기준으로 적용해야 할 것입니다. 만일, 귀 질의의 경우가 1개 라인의 강재를 다른 라인으로 전용하여 사용하는 경우라면 1개 라인의 수량만을 운반비로 계상하고, 나머지는 현장 내 소운반을 적용해 주어야 할 것이며, 이 경우 손율은 1~6라인까지의 사용 기간을 산출하여 표준품셈에 따라 적용하면 될 것입니다.

[질의2에 대하여]
라인별 근입 심도가 다를 경우에는 평균적인 수량으로 적용하는 등 합리적인 방법으로 적용하시기 바랍니다.

[질의3에 대하여]
만일 비계나 동바리를 한 건물에 사용한 후 나머지 건물에 사용한다면 귀 질의대로 손료를 적용치 않는 것이 아니라 사용량이 줄어드는 대신 사용 기간이 길어져 손율은 올라갈 것입니다. 따라서 각 건물별로 가설재 손료를 계상해 주는 것이 됩니다. 다만, 비계 및 동바리를 전용하여 사용할 것인지 아니면 일시에 전체 수량을 사용할 것인지는 현장의 제반 여건을 검토하여 판단할 사항이라고 생각합니다.

제목 5 가시설공사의 강재 손료계산 시점 회신

질의문

회신일자 2001-06-11

흙막이 가시설공사의 강재(H-Beam) 손료적용 시 손료적용의 시점과 종점에 관하여 문의코자 합니다. 다음 중 어느 것을 적용하는지요?

[시점]
1. 가시설공사의 착공일
2. 자재(H-Beam)의 반입일 : 이 경우 반입 일자가 다르므로 각각 다르게 적용하여야 하는지
3. 자재(H-Beam)의 시공일 : 이 경우 시공 일자가 다르므로 각각 다르게 적용하여야 하는지
4. 가시설공사의 완료일. 등

[종점]
1. 자재(H-Beam)의 해체일 : 이 경우 해체 일자가 다르므로 각각 다르게 적용하여야 하는지 등

회신문

가설재의 손율적용 시 사용 기간은 현장에 대기·보관하는 기간 및 가설재의 설치·존치·해체 기간을 포함하여 산정해야 할 것인바, 자재의 반입일로부터 반출일까지의 기간을 기준하여 산정하면 될 것입니다. 다만, 귀 질의에서와 같이 반입 등이 동일 날짜에 이루어지지 않은 경우에는 평균적인 기간으로 적용하는 등 현장여건에 맞게 적의 적용하시기 바랍니다.

제목 6 강재 손료 산정

질의문

하수관거 사업추진중 당초 설계는 강재 1,522ton 5회, 3개월 미만 손료 30%, 운반비 5회 사용이므로 1/5(304ton)만 적용하였으며, 발주처에서 설계사에 검토 의뢰하여 설계사 회신결과 변경설계는 1,522ton/5회 = 304ton에 대한 3개월 미만 손료 30%를 적용하고, 운반비는 당초 설계와 같이 5회 사용이므로 1/5(304ton)만 적용하였음

[질의]
강재의 손료는 수량을 1,522ton 대한 3개월 미만 손료 30% 적용하여야 하는지?
1,522ton/5회 = 304ton에 대한 3개월 미만 손료 30%를 적용하여야 하는지?

회신문

강재의 사용 기간은 설치·해체 횟수에 관계없이 강재의 총 사용기간 기준으로서, 강재 손료산정 시 대상이 되는 강재 수량은 각 횟수별 사용 수량이 동일하다면 총 수량에 전용횟수(5회)를 나눈 값을 적용하여야 합니다.

제목 7 표준품셈 손율 적용 범위

질의문

신청번호 1901-031 신청일 2019-01-10

표준품셈 2-2 손율 2-2-1 주요자재
암파쇄 방호벽에 들어가는 라이너플레이트의 적용을 철물로 하여야 하는지? 아니면 강재로 하여야 하는지? 이와 관련하여 철재토류판의 적용 범위에 대해서 궁금하여 문의 드립니다.

회신문

표준품셈 공통부문 "2-2 손율"에서 철물은 철재를 가공하여 만든 주재료의 조립, 보강 등에 쓰이는 부속재료이며, 강재류는 강널말뚝, 강관파일, H파일, 복공판 등이 해당됩니다.
라이너플레이트에 대한 철물 또는 강재 적용여부는 재료의 특성과 용도를 고려하시어 공사관계자가 직접 결정하실 사항임을 양지해 주시면 감사드리겠습니다.

2-6 동바리

2-6-3 시스템 동바리 설치 및 해체

有權解釋

제목 1 시스템동바리 높이별로 설치 시 위험 할증율 적용

질의문

신청번호 2210-050 신청일 2022-10-17
질의부분 공통 제1장 적용기준 1-4-3 품의 할증

당사는 복합 발전소 현장 구조물 공사를 수행하고 있는 전문업체입니다. 당사가 수행하고 있는 구조물 공사 "시스템동바리 설치" 계약 내역이 10m이하로 되어 있었으나, 현장 구조물 도면 확정으로 인한 설치 높이(H=25.0m)가 변경되어, 변경 수량에 대한 설치 높이(10m초과 20m이하, 20m초과 30m이하)별로 내역을 적용하려고 하오니, 건설공사 품셈에 적용되고 있는 "1-4-3 품의 할증", "9. 위험할증율", "나. 고소작업 지상(비계틀 불사용 시)에 적용 되고 있는 할증율 적용이 가능합니까?
또한 시스템동바리 설치 및 해체 품에 안전발판 설치 및 해체 품이 포함된 것인가요?

회신문

[답변1]
표준품셈 공통부문 "2-6-3 시스템동바리 설치 및 해체"에서 동바리 설치 높이에 따라 '10m이하, 10m초과~20m이하, 20m초과~30m이하로 구분하고 있으니 동바리설치 높이에 맞게 적용하시기 바랍니다.
또한 표준품셈 공통부문 "1-4-3품의 할증/ 8. 위험할증률/ 나. 다. 고소작업 지상"은 고소작업을 위해 비계 등의 가시설물 위에서 작업시 위험에 따른 생산성 저하를 보정해 주기 위한 할증입니다.
여기에서 비계틀 사용은 일반적인 비계(예, 쌍줄비계 등)에서의 작업을 의미하며, 비계틀 불사용은 매달린 비계(예, 달비계 등)에서의 작업을 의미합니다. 고소작업은 지면을 기준으로 해당 높이별로 위험작업에 대한 할증량을 제시한 것(비계틀사용 및 비계틀불사용으로 구분)입니다.

[답변2]
동바리는 타설된 콘크리트가 소정의 강도를 얻기까지 고정하중 및 시공하중 등을 지지하기 위하여 설치하는 가설 부재로 조립식 강관동바리에 작업발판을 설치하여 작업하는 경우는 표준품셈에서 별도의 기준을 정하고 있지 않습니다.

제목 2 토목 2-5-2 시스템동바리 요율 및 손율 적용관련

질의문

신청일 2017-05-16

품셈에 시스템동바리 관련하여 "(주)6번 재료량은 설계 수량을 적용한다."라는 말의 뜻과 설계 수량 자료요청 및 설치 간격 요율과 사용 월별 손율의 적용 방법은?

회신문

건설공사 표준품셈 [2-5-2 시스템동바리] 적용 시 재료량을 설계 수량에 따라 계상토록 하고 있으며, 당해 공사에서 수량산출 등에 관련된 사항은 해당공사의 특성을 고려하여 공사관계자가 직접 결정하실 사항입니다.
설치 간격에 따른 요율과 동바리의 손율 적용방법은 다음과 같습니다.
- 설치 간격에 따른 요율 적용 : 본 품×멍에 간격에 따른 요율%
- 손율 적용 : 손료=자재수량×신재단가×손율

2-7 비계

2-7-1 강관비계 설치 및 해체

有權解釋

제목 1 비계 물량 산정

질의문

신청번호 2210-105 신청일 2022-10-28
질의부분 공통 제2장 가설공사 2-7-1 강관비계 설치 및 해체

공사완료 후 정산 과정에서 발주처와 비계 물량 산정에 대해 이견이 있어 드립니다.
비계 물량 산정 시 폭 3m×길이 3m×높이 7m의 비계를 설치 시 비계 물량은 어떻게 되는지요? 또한 산출식은 어떻게 되는지 확인 부탁드립니다.

회신문

표준품셈 공통부문 가설공사 "2-7-1 강관비계 설치 및 해체"의 '(주) ② 본 품은 비계(발판 및 이동용 내부계단) 설치, 해체 작업이 포함되어 있다.'로 명시되어 있으며, 외벽으로부터 90cm 이격된 지점에 비계 폭 약 1.2m, 비계면적(외주둘레×높이=㎡, 난간 포함) ㎡당 설치기준입니다.
또한 표준품셈 "2-7 비계"에서는 비계 설치에 투입되는 품 기준에 대해 제시하고 있으며, 비계 설치에 대한 방법 및 기준에 대해서는 제시하고 있지 않습니다.
비계 설치 관련 규정 및 방법에 대해서는 산업안전보건법 및 산업안전보건기준에 관한 규칙 등을 참조하시고 관련 기관에 문의하여 주시면 감사드리겠습니다.

제목 2 강관비계 품셈 적용

질의문

신청번호 2103-005 신청일 2021-03-02
질의부분 공통 제2장 가설공사 2-2-4 구조물비계

[강관비계 품셈 적용]
- 설치 높이 : 13m
- 품셈 적용 방법
  1) 시공사 : 13m 전체를 "10m초과~20m이하" 적용
  2) 사업주 : 1m~10m까지는 "10m이하" 적용, 11m~13m까지는 "10m~20m이하" 적용 방법

높이별로 2가지로 분리해야 한다고 합니다. 상기 시공사 주장과 사업주 주장 중 어떤 것이 적합한 것인지요?

회신문

표준품셈 공통부문 "2-7 비계"에서 높이별 품 구분은 '10m이하/ 10m초과~20m이하/ 20m초과~30m 이하'로 구분하여 높이별 품 구분은 해당 작업구간별로 적용하시기 바랍니다.

제목 3 강관비계설치 및 해체관련 문의

질의문

신청번호 2007-009 신청일 2020-07-02
질의부분 공통 제2장 가설공사 2-7-1 강관비계설치 및 해체

표준품셈 2-7-1 강관비계설치 및 해체에서 기준은 면적으로 알고 있는데, 수량별 적용 품셈이 달라서 수량(10m이하, 10m초과~20m이하, 20m초과~30m이하)이 단위면적인지? 아니면 비계설치 높이인지?

회신문

표준품셈 공통부문 가설공사 "2-7-1 강관비계설치 및 해체"의 '[주] ②본 품은 비계(발판 및 이동용 내부계단)설치, 해체작업이 포함되어 있다.'로 명시되어 있으며, 외벽으로부터 90cm 이격된 지점에 비계 폭 약 1.2m, 비계 면적(가로×세로 = m^2, 난간 포함) m^2당 설치기준입니다.
수량(10m이하, 10m 초과~20m이하, 20m초과~30이하)은 높이별 품 구분으로 해당 작업구간에 적용하시기 바랍니다.

제목 4 강관비계설치 및 해체관련 내부계단 의미

질의문

신청번호 1905-070 신청일 2019-05-23
질의부분 공통 제2장 가설공사 2-7-1 강관비계설치 및 해체

품셈상에 2-7-1 강관비계설치 및 해체 에 관한 질의입니다.
해당품셈 [주] 2. 본 품은 비계(발판 및 이동용 내부계단)설치, 해체작업이 포함되어 있다. 이 경우 이동식 내부계단은 무엇을 칭하는 건지요? 2-7-5의 가설계단과는 다른 계단인지요?

> 회신문

표준품셈 공통부문 "2-7-1 강관비계설치 및 해체"의 이동용 내부계단은 비계내부에서 층과 층 사이를 이동하기 위한 가설계단으로 이에 대한 설치 및 해체는 강관비계설치 및 해체 품에 포함되어 있습니다. 또한 동 품셈 "2-7-5 경사형 가설계단설치 및 해체"는 외부에서 비계로의 접근을 위한 계단을 의미하며, "2-7-6 타워형 가설계단설치 및 해체"는 교각 등 설치에 필요한 타워형태의 가설계단을 의미합니다.

제목 5   강관비계 면적 산출 방법 문의

> 질의문

신청번호 1905-014 신청일 2019-05-09
질의부분 공통 제2장 가설공사 2-7-1 강관비계설치 및 해체

강관비계설치 시 벽면이나 구조물 외면에 설치되는 강관비계가 아니라 강관비계 단독으로 설치 시 (Platform 개념) 비계설치 면적에 대한 문의 드립니다.
외면에 설치되는 경우 외벽으로부터 90cm 이격된 지점에 비계 폭 약 1.2m, 비계면적(가로×세로 = m^2, 난간포함) m^2당 설치를 기준으로 하고 있는 것으로 알고 있으나, 외면이 아닌 단독으로 설치되는 경우 설치 면적을 비계 높이× 연장(길이) 으로 하는 것으로 알고 있습니다.
연장(길이)을 구하는 산출식이 어떻게 되는지?
(예) 가로 10m, 세로 10m 정사각형(ㅁ)의 경우
   1) 연장 10×2(가로)+10×2(세로) = 40m
   2) 연장 10(가로)+10(세로) = 20cm
상기 예시로 답변 부탁드립니다.

> 회신문

현행 표준품셈 "2-6-1 강관비계"는 일반적으로 옥외 시설물에 설치되는 쌍줄비계 기준으로 단독으로 설치되는 기준은 별도로 정하고 있지 않습니다.

제목 6   강관비계설치 및 해체에서 발판 및 이동용 내부계단 재료비 포함인가요?

> 질의문

신청번호 1905-002 신청일 2019-05-02
질의부분 공통 제2장 가설공사 2-7-1 강관비계설치 및 해체

2-7-1 강관비계설치 및 해체 [주] 2. 본 품은 비계(발판 및 이동용 내부계단)설치, 해체 작업이 포함되어 있다. 발판 및 이동용 내부계단설치 해체작업이 포함되었다고 주석에 나왔는데 발판,이동용 내부계단의 재료비도 포함된 건가요? 별도 계상하는 건가요?

> 회신문

현행 표준품셈 "2-6-1 강관비계 설치 및 해체"는 발판 및 내부계단 설치를 포함한 30m미만의 쌍줄비계설치 및 해체에 대한 인력 품을 제시한 사항이며, 재료비는 설계수량에 따라 별도로 계상하여야 합니다.

제목 7 비계설치에 이동용 내부계단이 가설계단인가요?

질의문

신청번호 1902-008 신청일 2019-02-01

발주처 OO공사의 공사감독관은 비계설치 품에 이동용 내부계단을 가설계단을 동일한 자재로 판단하고 있는데, 시공사 입장에서는 현장사진에서 보듯이 가설계단이 내역에서 누락되어 신규비목을 추가하려고 합니다. 표준품셈에 가설계단 항목이 나와 있음을 확인시켜 주었음에도 이동식 내부계단 = 가설계단이라고 하고 있습니다. 이에 대한 명확한 답변을 부탁드리겠습니다.

회신문

2019년 표준품셈 "2-7-1 강관비계설치 및 해체"의 이동용 내부계단은 비계내부에서 층과 층 사이를 이동하기 위한 가설계단으로 이에 대한 설치 및 해체는 강관비계설치 및 해체 품에 포함되어 있습니다. 참고로 동 품셈 "2-7-5 경사형 가설계단 설치 및 해체"는 외부에서 비계로의 접근을 위한 계단을 의미하며, "2-7-6 타워형 가설계단 설치 및 해체"는 교각 등 설치에 필요한 타워형태의 가설계단을 의미합니다.

제목 8 강관비계 구간별 품 설정에 따른 가격작성 문의

질의문

'16년 개정 표준품셈 중 가설공사 등에 구간별 품 관련하여 가설공사 2-6-1의 강관비계 품이 3단계 구간(10m이하/ 10초과 20m이하/ 20초과 30m이하)으로 구분되어 개정되었습니다. 그 적용에 대해 아래와 같이 갑설, 을설의 의견이 있어 귀 기관의 해석을 받고자 질의드립니다.

[가정] 30m 높이의 강관비계를 설치할 경우 강관비계설치 품은

- 갑설 : 30m높이에 해당하는 구간의 품(20m이하 30m초과)을 전체 높이에 적용한다(비계공 0.07, 보통인부 0.02을 전체 높이에 적용)
- 을설 : 각 높이별 품이 다르므로 구간별로 품을 별도 적용한다(10m까지 비계공 0.05인, 보통인부 0.02인 적용, 20m까지 각 0.06, 0.02인 적용 및 30m까지 각 0.07, 0.02인을 적용하여 합하여 계산한다)

갑설, 을설에 따른 일위대가 작성에 변경이 있어, 부득이 질의합니다.

회신문

2016년 표준품셈 "2-6-1 강관비계"는 10m이하, 10m초과~20m이하, 20m초과~30m이하로 설치/해체 품이 구성되어 있으며, 해당 높이별 품을 각각 적용하시면 됩니다.

2-7-2 시스템비계 설치 및 해체

> **有權解釋**
>
> **제목 1** 시스템비계 및 가설전기 인입비관련
>
> **질의문**
> 신청번호 1911-045 신청일 2019-11-14
> 질의부분 공통 제2장 가설공사 2-7-2 시스템비계설치 및 해체
>
> 1) 시스템비계를 20층 계단실 옥탑작업 시 고소작업의 할증을 주는지?
> 2) 지하2층에 시스템비계 작업할 경우 시스템비계 작업 시는 바닥레벨이었으나 추후 되메우기 후에는 지하층이 되는 경우 지하 할증의 적용 여부
> 3) 시스템비계 가설계단이 생성될 때 실적단가상 가설계단 적용이 되는지? 시스템비계로 적용하여야 하는지?
> 4) 가설전기 인입비에 대한 표준품셈이 있는지 여부?
>
> **회신문**
> [답변1, 2]
> 비계설치 시 할증적용을 위한 높이 기준은 비계가 설치되는 바닥면을 기준으로 계산하시기 바라며, "8. 위험할증률/ 라. 지하작업"은 4m이하 지하시설물공사 시 위험에 따른 작업능률 저하를 보정하기 위한 것입니다.
> [답변3]
> 가설계단은 "2-7-5 경사형 가설계단 설치 및 해체"를 참조하시기 바랍니다.
> [답변4]
> 표준품셈에서 가설전기인입비 관련 기준은 정하고 있지 않습니다.
>
> **제목 2** 시스템비계 물량 산출기준 확인 요청
>
> **질의문**
> 신청번호 1901-004 신청일 2019-01-03
>
> 당 현장 건축공사내역 중 가설공사인 시스템비계설치 내역관련하여, 발주처와 수량에 대하여 당사는 실시공 수량대로 설계변경을 요구하였으나, 발주처에서는 발주처 수량산정 기준으로 인정한다는 입장입니다. 다만 그 발주처 수량산정 기준에 일부 동의하기 어려운 부분이 있어, 국가에서 내역작성 시 산출하는 기준에 대하여 답변을 요청드립니다.
>
> **회신문**
> 2019년 표준품셈 "2-7-2 시스템비계설치 및 해체"는 외벽으로부터 90cm 이격된 지점에 비계 폭 약 1.2m, 비계면적(가로×세로 = m^2, 난간포함) m^2당 설치기준입니다.

제3장 토공사

3-1 굴착

3-1-2 인력굴착(토사)

> **有權解釋**
>
> **제목 1** 인력터파기 질의
>
> **질의문**
> 신청번호 2001-052 신청일 2020-01-29
> 질의부분 공통 제3장 토공사 3-1-2 인력굴착(토사)
>
> 2020년 품셈(3-1-2)개정에 따라 "인력터파기 1-2"가 삭제되었으나 1-2 터파기 시행이 필요하다면 별도 계상(2019년 품셈 참조)하여야 하는지, 개정된 인력굴착(토사)을 적용하여야 하는지, 또한 "되메우기에 있어서는 0.1인을 별도 계상한다."라는 문구도 삭제되었는데 인력 되메우기가 필요시 별도 계상(2019년 품셈 참조) 가능한지?
>
> **회신문**
> 2020년 표준품셈 공통부문 "3-1-2 인력굴착(토사)"에서는 깊이 1m이하의 인력에 의한 구조물 터파기 또는 흙깎기 품을 제시하고 있으며, 1~2m, 2~3m 관련 품은 삭제되었습니다.
> 공공 건설공사에서 적용 실적이 미미한 항목은 표준품셈 정비 계획에 의해 삭제되고 있으며, 표준품셈에서 삭제되거나 정함이 없는 사항은 발주기관의 장의 책임하에 적정한 예정가격 산정기준을 적용하도록 하고 있음을 알려드립니다.
>
> **제목 2** 인력굴착(토사) 주석 관련 질의
>
> **질의문**
> 신청번호 2001-032 신청일 2020-01-14
> 질의부분 공통 제3장 토공사 3-1-2 인력굴착(토사)
>
> 주석⑤ 주위에 장애물(가시설물, 인접건물 및 기타시설물)이 있을 때와 협소한 독립기초파기 때에는 품을 50%까지 가산할 수 있다. 상기 주석의 "기타시설물"에 상수도관, 하수도관, 도시가스관 등의 지하시설물이 포함되는지요? 인력굴착(토사) 시에 주위에 지하시설물이 있을 때에 50%까지 가산할 수 있는지?
>
> **회신문**
> 표준품셈 공통부문 "3-1-2 인력굴착(토사)"에서는 협소한 장소, 용수가 있는 곳, 주위에 장애물이 있을 때, 협소한 독립기초파기 각각에 대하여 50%까지 할증이 가능하며, 지하시설물도 이에 해당됩니다.

3-1-9 암발파(일반발파 TYPE-Ⅴ)

有權解釋

제목 발파암 소할 관련 질의

질의문
신청번호 2007-107 신청일 2020-07-31
질의부분 공통 제3장 토공사 3-1-9 암발파(일반발파TYPE-Ⅴ)

유용사석에 대한 단가 구성이 [선별 및 집석+사석 적재 운반+사석투하 고르기] 로 구성되어 있으며, 일반발파를 하여 유용을 해야 하는데 유용 사석에 대한 소할을 설계변경을 하고자 하는데 적용 가능한지? 유용해서 공사할 부분은 저수지 제방의 내제피복사석, 외제 사석, 이설 도로 유용 성토용 등입니다.

회신문
표준품셈 암발파 [주] ⑨에서 발파암 유용 시 기계 소할 품과 소할 물량의 유용량에 대한 기준을 제시하고 있습니다. [주] ⑨는 일반발파 및 대규모발파를 수행하게 되면 대규모 암괴가 발생하는 경우가 많아 이를 다시 취급이나 운반 등이 가능한 정도의 크기로 소할하는 경우를 의미하는 것으로, 유용량의 15%로 정하고 있습니다.
발파암중 소할 대상 수량이 얼마인지에 대해서는 암질이나 발파패턴 등 제반 현장여건에 따라 달라지므로 일률적인 수치를 제시하기 어려우므로 공사관계자와 협의하여 결정하시기 바랍니다.

제4장 조경공사

4-3-3 굴취(근원직경)

有權解釋

제목 굴취 품에 분뜨기 후 뿌리가 있던 빈공간을 메우는 것은 어떻게 반영하는지

질의문
신청번호 1906-029 신청일 2019-06-11
질의부분 공통 제4장 조경공사 4-3-3 굴취(근원직경)

표준품셈 공통부문 4장 조경공사에서 4-3-3 굴취(근원직경)에서 분뜨기 후 뿌리가 있던 화단의 빈공간을 메우는 작업은 어떻게 반영하는지?

회신문
표준품셈 공통부문 "4-3-3 굴취"에서 교목의 굴취 후 빈공간을 되메우기하는 작업은 제외되어 있으며, 되메우기 관련 품은 "3-4 되메우기를 참조하시기 바랍니다.

제5장 기초공사

5-1 흙막이 및 물막이

有權解釋

제목 톤마대 쌓기 헐기 해석 관련 질의

질의문
신청번호 2111-026 신청일 2021-11-10
질의부분 공통 제5장 기초공사 5-1-1 PP마대 및 톤마대 쌓기 헐기

당 현장은 해안가에 톤마대를 설치하여 가물막이를 형성하고, 제방을 터파기하여 박스를 설치하는 공사입니다. 터파기 이전에 가물막이를 형성해야 하는바 유용토가 발생할 수 없습니다. 이에 대하여는 발주처도 인정하는 사안입니다. 발주처와 협의 중 품셈의 해석에 대한 이견이 있어 질의합니다.
5-1-1 PP마대 및 톤마대 쌓기 헐기 중 [주] 본 품은 ~~, 토사채움을 기준한다.
[질의 사항]
- 갑설 : 토사채움을 기준으로 한다.는 문구가 있으므로 토사의 채취 및 운반이 포함된 단가이다.
- 을설 : 토사의 채취 및 운반은 별도의 공정이며, 토사채움은 있는 토사를 유용하여 마대를 채우는 것을 의미한다. 그러한 사유로 유용토가 없다면 별도의 토사 채취 및 운반 공정이 필요하다.

상기와 같은 이견이 있어 이에 대한 품셈의 해석을 요청합니다.

회신문
표준품셈 공통부문 "5-1-1 PP마대 및 톤마대 쌓기 헐기"는 토사채움 작업을 포함하고 있으며, 토사의 채취 및 운반 작업은 포함되어 있지 않습니다. 또한 소운반은 일반적으로 품에서 포함된 것으로 품에서 포함된 것으로 규정된 소운반 거리는 20m 이내의 거리이며, 20m를 초과하는 경우에는 초과분에 대하여 표준품셈 "1-5-1 소운반 및 인력운반" 등을 활용하여 별도 계상하도록 정하고 있습니다. 품 항목과 무관하게 인력운반을 적용하실 경우 전체 운반 거리를 적용하시기 바랍니다.

5-1-2 H-Beam 설치

有權解釋

제목 1 H-Beam설치 품 중 연결재, 보강재, 충전재설치 범위

질의문
신청번호 2108-043 신청일 2021-08-17
질의부분 공통 제5장 기초공사 5-1-2 H-Beam설치

품셈 5-1-2 H빔설치 품 중 연결재, 보강재, 충전재 설치 품이 다 포함되어 있다.고 기준이 산정되어 있습니다. 띠장 이음일 경우 300×300 기준으로 연결 철판 및 볼트 조이는 수량 기준이 어떻게 산정이 되어 있는지요? 스티프너 보강이 포함이라고 하였는데, 기본 개소당 몇장 붙이는 수량 기준으로 산정되어 있는지요?
까치발이나 우각부 등에 필요한 스티프너들도 전부 띠장이나 버팀보작업 수량에 포함되는지요.

회신문

표준품셈 공통부문 "5-1-2 H-Beam 설치"에서 연결재, 보강재, 충전재는 다음과 같습니다.
- 연결재 : 빔과 빔을 부재의 길이 방향으로 연결하는 부위에 설치되는 자재
- 보강재 : H-Beam의 휨이나 변형을 방지하기 위해 빔 부재의 내부에 설치되는 자재(스티프너)
- 충전재 : 띠장(가로방향) 설치 시 엄지말뚝(세로방향)과 띠장 사이의 공간을 매워 주는 역할을 하는 부재

[답변 1]
표준품셈 공통부문 "5-1-2 H-Beam 설치"에서는 볼트연결 작업을 포함하고 있지만, 볼트연결 수량 기준에 대해서는 별도로 제시하고 있지 않습니다.

[답변 2]
표준품셈 공통부문 "5-1-2 H-Beam 설치"에서는 보강재 설치 작업을 포함하고 있지만, 스티프너 수량 기준에 대해서는 별도로 제시하고 있지 않습니다.

[답변 3]
표준품셈 공통부문 "5-1-2 H-Beam 설치"에서는 띠장 연결, 버팀대 제작, 잭 설치 및 철거, 띠장 우각부를 보강하는 부재의 설치 및 해체는 포함되어 있습니다.

제목 2 H-pile 말뚝이음 문의

질의문

신청번호 1901-013 신청일 2019-01-04

품셈 5-2-1-2 H-Beam설치 및 철거(14년보완) 관련
1. 띠장 및 버팀에 대한 이음(연결) 기준은 10m 적용으로 되어 있으나, 말뚝이음 내용이 없어 기준을 알고 싶어서 문의 드립니다.
   - 당 현장의 H-Beam 말뚝시공을 하는데 본당 길이가 6m~17m까지 다양하게 분포되어 있는데 말뚝이음의 기준을 통상적으로 생산되는 H-Beam 길이 10m로 적용하는게 맞는지?
2. 10m 이상의 H-Beam운반 시 별도의 운반할증을 반영하여야 하는지?

회신문

표준품셈 공통부문 "5-1-3 H-Beam설치"는 수평지보공(H-Beam)의 띠장 및 버팀보설치 기준으로 소운반을 포함하고 있습니다. 표준품셈에서 정의하는 '말뚝이음'은 동 품셈 "5-3 말뚝"을 참조하시기 바랍니다. 더불어 표준품셈에서 '10m이상의 H-Beam운반' 품은 별도로 정하고 있지 않습니다. 표준품셈에서 정하지 않는 사항은 동품셈 1-3의 4항을 참조하시어 적정한 예정가격 산정기준을 적의 결정하여 사용하시기 바랍니다.

제목 3 H-Beam설치 및 철거 질의

질의문

신청일 2018-04-12 접수번호 1804-054

표준품셈 5-2-1 흙막기 및 물막기 가시설의 2. H-Beam설치 및 철거 품셈 중 [주]의 H-Beam설치 및 철거 "적용항목표"의 내용과 관련하여 "적용항목표"의 보강재 설치에서 적용 범위에 보강재설치/보강재, 연결재 분리가 적용 범위로 들어가 있는데 여기서 보강재라 함은 어떤 항목을 말하는 것인지
예) 사보강재, 스티프너 등등
특히 스티프너(버팀보, 띠장)가 위의 보강재에 포함되는 것인지?

> **회신문**
> 현행 표준품셈 토목부문 "5-2-1/ 2. H-Beam설치 및 철거"에서 연결재, 보강재, 충전재는 다음과 같습니다.
> – 연결재 : 빔과 빔을 부재의 길이방향으로 연결하는 부위에 설치되는 자재
> – 보강재 : H-Beam의 휨이나 변형을 방지하기 위해 빔 부재의 내부에 설치되는 자재(스티프너)
> – 충전제 : 띠장(가로 방향)설치시 엄지말뚝(세로방향)과 띠장 사이의 공간을 매워주는 역할을 하는 부재

제목 4 H-Beam설치 및 철거 질의

질의문
신청일 2015. 7.30
1. 마감판 보강재 용접 포함의 의미
2. H-Beam 현장설치에서 구멍뚫기 작업을 '사전작업'에 반영 필요
3. 띠장의 보강재와 충전재 정의

회신문
[질의1]
H-Beam마감판과 마감판 보강재는 마감판과 마감판보강재를 의미하며, 본 품에서는 H-Beam마감판 가공 및 접합, 마감판 보강재 용접은 제외되어 있음
[질의2]
볼트연결을 위한 H-Beam구멍 뚫기는 현장별로 시공위치가 상이하므로 현장에서 필요에 따라 작업을 수행하며, 구멍 뚫기 작업은 현장설치인 "H-Beam연결(볼트연결)"의 세부항목으로 포함하여 제시된 것임.
[질의3]
띠장 및 버팀보의 보강재는 스티프너(stiffner)에 해당되며, 띠장의 충전재는 강재충전재에 해당되며, 그 외 몰탈, 특수재료의 충전재는 본 품에서는 제시하고 있지 않음.

5-1-4 흙막이판 설치·철거

有權解釋

제목 흙막이판의 손율

질의문
신청번호 1905-090 신청일 2019-05-29
질의부분 공통 제5장 기초공사 5-1-4 흙막이판설치 철거

2018년도 건설공사 표준품셈 흙막이판의 손료 적용에 보면 1회사용 50%, 2회사용 75%, 3회사용 90%를 적용한다.로 되어있습니다. 설계적용 시 위와 같이 적용되지만, 현장에서는 위와 같이 적용이 매우 힘듭니다.
목재토류판설치 후 해체 시 구조물과 가시설 벽체와 간격이 좁아 해체가 쉽지 않고, 해체를 한다고 하더라도 목재가 수분을 함유로 무거워 해체가 어려운 점이 있으며, 해체 후 뒷틀림을 방지하기 위하여, 직사광선이 없는 곳에서 말려야 하는데 그만한 공간을 확보하기도 어렵고, 뒷틀림을 구분하여 정리하는 것도 매우 어려워 현실적으로 적용이 부적정하여 질의합니다.

목재토류판 사용 후 해체가 불가능하여 그대로 매립되는 경우가 많이 있고, 해체후 처리를 하려면 폐기물로 처리할 수 밖에 없으며, 부분 공종이기는 하지만 시공과정에서 발생하는 적자의 일부분으로 나타나고 있으며, 또한 목재토류판을 사용하는 것은 어찌보면 자연을 훼손하는 현상이기도 하여 목재토류판의 손율을 적용하는 것을 개정하였으면 하는 의견을 제시합니다.

회신문
귀하께서 제시하신 고견은 향후 해당분야 검토하도록 하겠습니다. 더불어 해당 시공내용에 대한 품셈 제.개정 요청은 유관기관(발주기관인 국가, 지방자치단체, 공기업, 준정부기관, 기타공공기관), 건설회사의 경우 관련 협회(대한건설협회, 전문건설협회, 대한설비건설협회 등)를 통해 요청해 주시면 감사드리겠습니다.

5-3 말뚝

5-3-1 기성말뚝 기초

有權解釋

제목 1 기성말뚝 기초에서 장비 조립.해체 일위대가 적용기준에 대한 질의

질의문
신청번호 2107-057 신청일 2021-07-16
질의부분 공통 제5장 기초공사 5-3-1 기성말뚝 기초

표준품셈 5-3-1 기성말뚝 기초의 2) 장비 조립. 해체의 일위대가 작성 시 소요 일수(조립. 해체) 적용에 관한 질의입니다. 일위대가 작성 시 발주처와 당사의 표준품셈 해석이 아래와 같이 서로 상이하여 어떤 것의 올바른 적용인지 문의드립니다
1) 소요 인원 단위 수량×소요 일수(조립 3일+해체 1.5일=4.5일)
2) 소요 인원 단위 수량×1회당(기준이 회당 품셈이므로 소요 일수가 수량에 포함)

회신문
표준품셈 "5-3-1 기성말뚝 기초/ 2. 장비조립 해체"는 크레인으로 장비를 최초 1회 조립, 해체 기준이며, 편성 인원 및 편성 장비에 소요 일수를 곱하여 적용하시기 바랍니다.

제목 2 관급자재(강관파일) 할증 관련 질의

질의문
신청번호 2010-024 신청일 2020-10-15
질의부분 공통 제5장 기초공사 5-3-1 기성말뚝기초

우리현장에 강관파일은 관급자재이며, 할증률은 5%입니다. 예를 들어 설계강관파일 길이가 20m일 경우 할증률을 더하면 21m가 됩니다. 발주처에 강관파일 지급을 요청할 때 20m로, 아니면 21m로 해야 하는지 문의드립니다. 참고로 저희는 지금까지 20m로 신청하였습니다.
사유는 강관파일을 지급받아 시공을 할 경우 강관파일의 근입 깊이가 덜 들어가서 잘라내는 경우도 있고, 더 들어가서 용접 이음하여 사용하는 경우도 있습니다. 강관파일이 3m이하로 남을 경우는 고재처리 하고 3m 이상이 남을 경우는 용접이음하여 사용하게 됩니다.

할증은 이러한 고재처리하는 물량을 위해 반영해 놓은 여유분이라고 생각해서 20m 만 신청하였던 것입니다. 만약에 할증을 포함하여 21m를 신청하면 고재가 발생하였을 경우 고재처리에 반영되는 여유수량이 없어 강관파일 수량이 부족할 수 있다고 생각하였기 때문입니다.

회신문

표준품셈 "1-4-1 재료의 할증"에서 제시하는 할증률은 일반적으로 현장에서 시공 시 발생되는 손실분을 보정해 주기 위한 것입니다.

제목 3 기성말뚝 재료비 반영 여부

질의문

신청번호 2010-011 신청일 2020-10-12
질의부분 공통 제5장 기초공사 5-3-1 기성말뚝기초

"표준품셈 5-3 말뚝"에 소요되는 그라우팅 시멘트 자재비에 대하여 질의하고자 합니다. 5-3-1 기성말뚝 기초 4. 장비편성을 보면 ② 소모자재(용접봉, 오거스크류, 오거헤드, 케이싱 등)의 손료는 '3. 인력편성' 노무비에 요율을 계산한다. 라고 명시되어 있습니다. 일부 의견이 "그라우팅에 소요되는 시멘트가 소모자재이므로 ② 소모자재 등의 손료에 포함되어 있음"으로 주장하고 있습니다. 그러나, 표준품셈의 4. 장비편성 항목에 소모자재 손료는 장비에 소요되는 소모자재를 의미하는 것으로서 그라우팅공사에 소요되는 자재를 의미하는 것은 아닌 것으로 알고 있습니다.
[질의]
- 갑설 : 말뚝공사 그라우팅용 시멘트는 4. 장비편성의 소모자재에 포함되어 있으므로 별도계상 불필요하다.
- 을설 : 소모자재는 장비에 대한 자재를 노무비 요율로 반영한 것이므로 그라우팅용 시멘트 자재비는 별도 반영하여야 한다.

회신문

표준품셈 공통부문 "5-3-1 기성말뚝기초/ 4. 장비편성"에서 소모 자재에는 그라우팅을 위한 시멘트의 자재는 제외되어 있으므로 재료량은 별도로 계상하시면 됩니다.

제목 4 말뚝박기용 천공

질의문

신청번호 2002-037 신청일 2020-02-17
질의부분 공통 제5장 기초공사 5-3-2 말뚝박기용 천공

2020년 표준품셈 5-3-2 말뚝박기용 천공에서 작업소요시간
  $T(작업시간) = (T_1 + T_2 + T_3)/f$
  $T_1(준비시간) = 3min$ (천공위치 확인, 천공준비)
  $T_2(천공시간) = \Sigma(L1 \times t1)$
  L_1 = 지층별 천공연장
  t_1 = 지층별 천공시간(m당)
  $T_3(말뚝 근입시간) = min$

여기서 예를 들어 12m(점질토6m+풍화암6m)말뚝 100본을 시공하는데 있어 총작업시간을 구하면

T_1(준비시간) = 3분×100본 = 00분

T(점질토 천공시간) = (0.74분×6m×100본) = 444분

T(풍화암 천공시간) = (3.8분×6m×100본) = 2,280분

T_3(말뚝 근입시간) = 2분×100본 = 200분

※ 총 작업소요시간 = (300분+444분+2280분+200분)/0.8 = 4,030분 이게 맞는 건지요?

T_1 = 3min, T_3 = 2min으로 되어있는데 여기서 전체 100본당 3분, 2분을 보는 건지? 아니면 1본당 3분, 2분을 보는 건지?

회신문

표준품셈 "5-3-2 말뚝박기용 천공/ 5. 작업소요 시간"의 T(작업 시간)은 파일 본당 시간이며, T_1(준비시간 3분), T_3(말뚝근입 시간 2분) 또한 각각 파일 본당 시간입니다.

제목 5 혼합층의 설계변경 적용

질의문

신청번호 1905-051 신청일 2019-05-21
질의부분 공통 제1장 적용기준 1-6-3 토질 및 암의 분류

설계변경 시 혼합층 적용과 관련하여 건설공사 표준품셈에 있는 "5-3-2 말뚝박기용 천공의 5. 작업소요 시간 주) 항목"에 보면 "개량형 비트는 오거 비트와 해머 비트가 복합된 비트이며, 혼합층(호박돌, 전석발생 등 지질 특성으로 오거비트에 의한 굴착이 어렵거나 작업 효율의 현저한 저하가 예상되는 경우)에서 적용 가능하다."라고 되어 있어 "1-6-3 토질 및 암의 분류"에서 찾아보았으나 보통토사에서부터 극경암까지 있는데, 혼합층은 없어서 문의드립니다.
현장 시험천공 결과 지반에서 일정구간은 오거굴착으로 가능하나 그외의 구간은 불가능하며 토질분류에 없는 혼합층과 관련하여 설계변경을 하고자 할 때에는 "5-3-2 말뚝박기용 천공의 5. 작업소요 시간 주) 항목"을 적용하여 설계변경을 하면 되는지?

회신문

현행 표준품셈 토목부문 "5-3-2 말뚝박기용 천공"에서 '혼합층'은 일반토사에 호박돌, 전석 등이 혼합되어 있는 기준으로 오거 비트에 의한 굴착이 어렵거나 작업효율이 현저히 저하할 경우를 의미하며, 당해 공사에서 혼합층 적용 여부 및 깊이에 대한 판단은 표준품셈을 참조하시고 현장여건을 고려하시어 공사관계자가 직접 결정하실 사항임을 양지해 주시면 감사드리겠습니다.

제목 6 PHC파일 천공 표준품셈 적용방안

질의문

신청번호 1902-094 신청일 2019-02-25

저희는 직경 500mm의 PHC(기성콘크리트)말뚝시공 후 매트기초가 형성되는 현장입니다.
파일시공 중 풍화암, 연암층이 출현하여 설계변경을 진행하고 있는 바, 이와 관련하여 표준품셈을 확인하는 중에 5-3-1 기성말뚝기초와 5-3-2 말뚝박기용 천공으로 구분되어 있다는 것을 알게 되었습니다. 5-3-1항은 기성콘크리트말뚝(직경 400~800)을 적용하고, 말뚝근입, 케이싱, 그라우팅주입 등의 일련의 작업을 수행하여 기초형성을 하는 공법이고, 5-3-2항은 직경 500mm 미만의 말뚝을 단순히 천공하여 말뚝박기만 하는 현장에 적용되는 공법으로 판단됩니다.
저희 현장과 같이 직경 500mm PHC(기성콘크리트)말뚝에 의한 기초가 형성되는 현장에는 어느 항목으로 적용하여야 하는지?

> **회신문**
> 표준품셈 "5-3-1 기성말뚝 기초"는 말뚝을 조성하기 위해 천공, 말뚝, 관입, 항타, 그라우팅 등의 작업을 포함하고 있으며, "5-3-2 말뚝박기용 천공"은 가시설 등에 사용되는 500mm 미만의 소형말뚝(H-Pile 등 엄지말뚝)을 시공하는 공법입니다.

제목 7 기성말뚝 기초공사 관련

질의문

표준품셈 토목 5-5-1. 3. 말뚝 조성에 대해서
(1) 인적조성의 직종별 인력 품 산정 시 상여금(예:16/12) 및 휴무수당(25/20) 등을 반영해야 하는지요?
(2) 장비편성
  - 편성 장비에 대한 기계경비 산정 시 원가계산서상 재료비, 노무비, 경비로 구분해서 반영해야 하는지, 재료비, 노무비, 경비를 산정한 합계액을 경비로 적용해야 하는지요?
  - 케이싱사용 시 오거는 스크류용과 케이싱용 두가지 모두를 반영해야 하는지, 케이싱용 오거만 반영하면 되는지요?
  - 연약지반에 말뚝박기 시 공기압축기는 오거비트용 1대만 반영하면 되는지요?
  - 작업소요 시간(T) 산정 시 지반천공, 말뚝 근입 및 항타, 그라우팅 병행 시 용접시간은 계상하지 않는게 맞는지요?

회신문

[답변 1]
원가계산서 작성 시 직종별 인력품의 상여금액 및 휴무수당, 기계경비의 재료비, 노무비, 경비 구분 반영은 표준품셈관리기관에서 답변드릴 수 없는 사항임을 양지해 주시기 바랍니다.

[답변 2]
스크류와 케이싱을 모두 사용하는 경우 오거는 스크류용 오거와 케이싱용 오거 두대를 적용하시면 됩니다.

[답변 3]
공기압축기는 오거비트용과 해마비트용 두가지로 제시되어 있으니 필요한 사항을 적용하시면 됩니다.

[답변 4]
[5-5-1 기성말뚝/ 3. 다. 작업소요 시간]의 "T"에서 "병행작업"이란 천공과는 별개로 별도의 장소(용접장 등)에서 용접이음된 말뚝을 근입하는 경우입니다. 따라서 별도의 장소에서 용접이음된 말뚝을 근입하는 경우에는 말뚝조성의 장비편성 시간에서 "t5(용접시간)"를 계상하지 말라는 의미입니다.

5-3-2 말뚝박기용 천공

> **有權解釋**
>
> **제목 1** 풍화토 천공에 대한 지층별 굴착시간 적용
>
> **질의문**
> 신청번호 2210-051 신청일 2022-10-17
> 질의부분 공통 제5장 기초공사 5-3-2 말뚝박기용 천공
>
> 표준품셈 제5장 기초공사 중 5-3-2 말뚝박기용 천공에 대한 지층별 굴착시간 적용 질의입니다. 당 현장은 오거비트로 설계되어 있습니다(천공 깊이 약 16.0m).
> 오거비트로 시험천공 시 원지반에서 1.5m까지는 오거비트로 시공이 가능하나 그 이하 퇴적층(실트질 모래+자갈)은 천공이 불가한 실정입니다.(붙인 시추주상도 참조)
> 그래서 시험천공 시 감리단과 시공사는 T4천공을 하기로 합의하여 작업을 진행할 예정입니다 그런데 풍화토 부분에서 감리단과 시공사의 의견 차이가 있어 질의코자 합니다.
> [시공사 의견]
> 풍화토의 N치가 50이상일 경우 오거천공이 어려우니 지층별 굴착시간(a1)을 혼합층으로 적용
> [감리단 의견]
> 풍화토는 토사이므로 N치와 관계없이 점질토로 적용
> 이렇게 주장이 대립하여 귀 센터의 의견을 구하고자 합니다
>
> **회신문**
> 표준품셈 공통부문 "5-3-2 말뚝박기용 천공"에서는 풍화토 굴착시간을 별도로 정하고 있지 않습니다. 또한 '혼합층'은 일반토사에 호박돌, 전석 등이 혼합되어 있는 기준으로 오거비트에 의한 굴착이 어렵거나 작업효율이 현저히 저하할 경우를 의미합니다.
>
> **제목 2** 표준품셈 작업계수의 의미 및 산정기준 문의
>
> **질의문**
> 신청번호 2202-050 신청일 2022-02-16
> 질의부분 공통 제5장 기초공사 5-3-2 말뚝박기용 천공
>
> 표준품셈에서 정하고 있는 작업계수(f)의 개념과 산정방식 관련하여 5-3-2 말뚝박기용 천공에서 작업소요시간 산정 시 작업계수(f)를 0.8로 정하여 나누고 있음.
> [질의1]
> 여기서 언급된 작업계수의 의미가 무엇이고, 말뚝박기용 천공의 작업계수를 0.8이라는 값으로 정한 근거는 어디에 있는지?
> 8-2-27 진동파일해머 등에도 작업계수가 있는데, 여기서는 기본값과 작업조건을 보정한 작업계수를 적용하고 있음.
> [질의2]
> 말뚝박기용 천공에서는 작업계수를 0.8로 정하고 있는데 반해 진동파일 해머에서는 작업계수를 기본값과 작업조건에 따른 보정계수를 합산하여 정하고 있는데 말뚝박기용 천공에서는 보정계수를 두지 않는 이유는 무엇인지와 진동파일해머 등에서 작업계수의 기본값(항타 0.8, 항발 0.9)을 정할 때의 기준은 무엇인지?
> 표준품셈에서 작업계수를 적용하는 공종은 천공 또는 항타공종 등 파일을 박거나 천공하는 작업에 국한된 것으로 추정됨

[질의3]
천공 또는 파일항타 외 작업계수를 적용한 공종이 있는지?
(질의) 버킷트럭 등 공중작업에서도 작업계수를 적용할 수 있는지?

회신문

[답변1]
표준품셈 공통부문 "5-3-2 말뚝박기용 천공"에서 f(작업계수)는 작업 소요시간에 영향을 미치는 조건을 계수화 한 것으로, 작업계수는 현장실사의 결과 값으로 제시된 것입니다.

[답변2]
표준품셈 공통부문 "5-3-2 말뚝박기용 천공"은 말뚝구경 500mm미만의 말뚝박기용 천공을 기준으로 한 것으로 오거비트, 개량형비트, 해머비트 등을 활용하여 천공한 기준으로 작업 소요시간에 영향을 미치는 요인이 다른 천공 및 파일 공사에 비하여 없기에 작업계수를 0.8 하나로 제시하고 있습니다.
표준품셈 공통부문 "8-2-27 진동파일해머"에서 명시하고 있는 f(작업계수)는 장애정도, 현장넓이 정도, 비계상황, 시공규모 등 작업 소요시간에 영향을 미치는 조건들을 반영하기 위해 계수화하였으며, 작업계수의 기본값은 현장실사의 결과 값으로 제시되었습니다.

[답변3]
표준품셈에서 작업계수는 비탈면보강공, 어스앵커, 고압분사주입공법, 다짐말뚝, 기성말뚝기초, 말뚝박기용천공, 현장타설말뚝, 콘크리트펌프차타설, 디젤파일해머, 진동파일해머, 유압식압입인발기 항목에 적용되고 있으며, 주로 천공과 파일공사에 적용되고 있으나, '콘크리트펌프차 타설'에도 제시하고 있으며, 작업 소요시간에 영향을 미치는 조건들이 있을 경우 이를 반영하기 위한 계수를 제시하고 있습니다. 또한 "8-2 시공능력"에서 작업계수 외에 작업효율을 제시하고 있는 장비들도 있으니 참조하시기 바랍니다.

[답변4]
표준품셈에서는 버킷트럭에 대한 작업계수 기준은 별도로 정하고 있지 않습니다.

제목 3 말뚝박기용 천공(혼합층)

질의문

신청번호 2206-050 신청일 2022-06-13
질의부분 공통 제5장 기초공사 5-3-2 말뚝박기용 천공

표준품셈 제5장 기초공사 중 5-3-2 말뚝박기용 천공관련 당 현장은 오거비트로 설계(평균 근입 깊이 6.5m)되어 있으며, 오거비트로 시험시공 시 원지반에서 1m정도는 오거비트로 천공이 가능하나 그 이하는 불가한 실정입니다. 천공 위치의 지반은 매립층으로 토사 및 전석(70cm 이상)으로 구성되어 있습니다(시굴착으로 확인함)
그래서 당 현장에서는 T4천공으로 작업을 진행할려고 하고 있습니다

[질의1]
위와 같은 조건일 경우 지층별 천공 시간(T2)을 어떤 것을 적용하는 것이 맞을까요?(오거비트, 개량형비트, 해머비트)

[질의2]
표준품셈 제5장 기초공사 중 5-3-2 말뚝박기용 천공 중 5. 작업 소요시간 지층별 천공시간 오거비트, 개량형비트, 해머비트로 구성되어 있는데, 개량형 비트는 오거비트와 해머비트가 복합된 비트이며, 혼합층(호박돌, 전석발생 등 지질 특성으로 오거비트에 의한 굴착이 어렵거나 작업효율이 현저한 저하가 예상되는 경우)에서 적용 가능하다. 혼합층의 정의가 무엇인지(예시 호박돌: 00cm, 전석 : 00cm)

[질의3]
시험천공시 1m는 오거비트로 천공이 가능하고 나머지는 천공이 불가할 경우
1) 오거비트(1m)+개량형비트(5.5m) or 해머비트(5.5m)
2) 개량형비트(6.5m) or 해머비트(6.5m)
2가지 중 어떤 것을 반영하여야 하는지?

회신문
[답변1]
T4천공은 표준품셈 공통부문 "5-3-2 말뚝박기용 천공"에서 "해머비트"를 의미합니다.
[답변2]
표준품셈 공통부문 "5-3-2 말뚝박기용 천공"에서 '혼합층'은 일반토사에 호박돌, 전석 등이 혼합되어 있는 기준으로 오거비트에 의한 굴착이 어렵거나 작업효율이 현저히 저하할 경우를 의미합니다.
[답변3]
표준품셈 공통부문 "5-3-2 말뚝박기용 천공/ 5. 작업 소요시간"을 참조하시어 지층별 천공시간을 계산하시기 바랍니다.

제목 4 기초 "혼합층" 정의 문의

질의문
신청일 2018-04-24 접수번호 1804-098

표준품셈 토목부문 제5장 기초 5-4 기성말뚝 개량형비트 적용과 관련하여 "혼합층"의 정의에 관해 질의합니다. 토사와 호박돌, 전석 등이 혼합되어(섞여 있어 또는 혼재되어) 오거비트로 굴착이 곤란한
1. 지층구간을 뜻하는 것인지?
2. 아니면 전석이나 호박돌이 출현한 그 깊이만을 뜻하는 것인지요?

회신문
현행 표준품셈 토목부문 "5-6-1 말뚝박기용 천공"에서 혼합층은 일반 토사에 호박돌, 전석 등이 혼합되어 있는 기준으로 오거비트에 의한 굴착이 어렵거나 작업효율이 현저히 저하할 경우를 의미합니다.

제목 5 말뚝박기용 천공 내역작성 시 작업소요시간

질의문
신청일 2017-06-09

건설공사 표준품셈 5-6-1 말뚝박기용 천공에서 5. 작업소요시간 산정 시 T1, T2, T3가 있습니다. T2산정 시 말뚝 평균길이를 적용하여 산정하여 내역서를 만드는지 아니며 산출기준은 m당 산정하여야 하는지? T3 말뚝 근입 시간은 몇m를 기준으로 적용하여야 하는 겁니까?

회신문
건설공사 표준품셈 [5-6-1 말뚝박기용 천공/ 5. 작업소요시간]에서 제시하는 말뚝근입 시간은 말뚝의 길이와 무관하며 500mm 기성 말뚝의 본당 근입 시간을 제시한 사항입니다.

제목 6 5-4-1 기성말뚝 중 장비편성 문의

질의문

표준품셈 유권해석(2017.3.23.)

기성말뚝 천공(PHC 파일) 시공중 장비편성에 대한 발주처와 시공사간 의견 차이가 있습니다.
- 발주처: 장비편성 중 오거(스크류, 케이싱)는 케이싱을 사용 안하면 스크류오거를 사용하고, 케이싱을 사용하면 케이싱오거를 사용하므로 오거는 1대만 편성한다는 의견
- 시공사: 장비편성 중 오거(스크류, 케이싱)는 케이싱을 사용 안하면 스크류오거를 사용하고, 케이싱을 사용하면 스크류오거에 케이싱오거를 더해서 사용하므로 오거는 2대 편성한다는 의견

회신문

표준품셈 "5-4-1 기성말뚝 기초"의 장비편성에서 케이싱을 사용할 경우 오거는 2대(스크류오거+케이싱오거)를 적용하시면 됩니다.

제목 7 5-5-1 기성말뚝 기초 (지층별 굴착시간)

질의문

말뚝조성공사 관련 개정 품에서 말뚝조성공사 품이 명확하게 정리가 된 것으로 사료되어 적용해 보는 중입니다
1) "품 5-5-1"항목의 지층별 굴착시간 중 오거비트와 해머비트의 작업이 토사(점질토, 사질토)와 암석(풍화암, 연암, 경암)으로 구분되어 있습니다.
2) 그런데 이번에 제가 설계하는 현장의 경우 지층이 호박돌(전석, 암편)층이 있는데 "품 5-5-1"항목의 "지층별 굴착시간"에서는 해당되는 지층의 굴착시간이 없는 것으로 보입니다
3) "품5-5-1"항목의 경우 공법상 전석 및 호박돌층의 천공이 불가능하여 빠진 것인지 알고 싶습니다
4) 그렇지 않다면 본 품으로 적용 가능한 방법이 있는지요 만약에 천공이 불가능하면 다른 공법을 찾아 보아야 할것 같네요

회신문

현행 표준품셈 "5-5-1 기성말뚝 기초"에서는 지층별 굴착시간을 토질 및 암의 유형별로 제시한 사항입니다.(동 품셈 "1-29 토질 및 암의 분류" 참조, 토사, 풍화암, 연암, 경암 등) 동 항목의 작업소요시간에는 작업계수(f=0.8) 등을 통해 부분적으로 전석 및 호박돌이 섞여 있는 경우까지 굴착시간에 포함시켜 반영되어 있으나, 순수 전석층 및 호박돌층만을 굴착하는 시간은 별도로 정하고 있지 않습니다.

제목 8 해머비트 손료관련

질의문

품셈 제5장 기초 5-6 기타공법 4. 장비편성 (3) 해머비트 손료는 별도 계상한다. 상기의 내용 해머비트 손료와 관련하여 발주처(감리단)와 시공사의 의견이 아래와 같이 상이하여 질의 합니다.
시공사 의견: 파일천공 전용장비 해머의 구성은 에어함마와 해머비트(버튼비트)로 구성되어 있고 이 두 부품중 하나라도 누락되면 천공장비로서의 기능수행을 못하므로 품셈에서 해머비트라 하는 것은 에어함마와 해머비트(버튼비트)를 통칭하는 것이다. 발주처(감리단) 의견: 품셈에 명기된 해버비트(버튼비트)만의 손료를 계상하여 적용한다.
질의 내용 : 품셈에 명기된 해머비트의 정의는 에어함마+해머비트(버튼비트)인지? 아니면 해머비트(버튼비트)만인지?

회신문

표준품셈 "5-6-1 말뚝박기용 천공 [주] ③"에서 해머비트를 사용할 경우 손료는 별도 계상하게 되어 있으며, 여기에서 별도계상 가능한 범위는 에어해머와 해머비트 모두 해당됩니다.
다만 해머비트만 교체할 것인지, 에어해머+해머비트를 교체할 것인지에 대한 판단은 현장여건을 고려하여 공사관계자가 결정하실 사항임을 양지해 주시면 감사드리겠습니다.

제목 9 말뚝박기용 천공 및 쉬트파일 항타

질의문

당초 설계시 쉬트파일을 풍화토지반까지 근입하게 되어 있어, 품셈 5-6 기타공법 5-6-1 말뚝박기용 천공이 적용되었으며, 별도의 쉬트파일 항타를 반영하지 않고 쉬트파일 뽑기만 반영되어 설계사에 문의한 결과 5-6-1 말뚝박기용 천공에 4. 장비편성 크레인(25ton) 파일근입/ 이동 항목이 쉬트파일 항타부분에 해당한다는 답변입니다.
풍화토지반까지 말뚝박기천공 후 건설공사 표준시장단가 적용 공종 및 단가(AE14*쉬트파일항타) 또는 표준품셈 제8장 기계화시공 8-35 진동파일해머 2. 강널말뚝을 적용한 후 쉬트파일 뽑기를 적용하는게 맞다고 생각하는데 확인 부탁드립니다

회신문

건설공사 표준품셈 토목공사편 "5-6-1 말뚝박기용 천공"관련, "5-4-1-5 작업소요 시간" 주기사항에서는 파일근입 시 항타작업이 필요한 경우에는 "5-4-1 기성말뚝 기초"의 t_3(말뚝근입/ 항타)의 작업을 참고하여 적용할 수 있도록 규정하고 있으니 참조하시기 바랍니다.

제목 10 말뚝박기 천공(케이싱설치 및 해체)

질의문

표준품셈 5-6-1 말뚝박기 천공에서 4. 장비편성에 주) '② 부속장비(용접장비 등)의 경비 및 소모자재(용접봉, 오거스크류, 케이싱 등) 손료는 노무비에 해당 요율을 계상한다.'고 명시되어 있어 이는 케이싱 자재에 대한 손료에 대해서만 해당되어 진다고 생각되는데, 케이싱 설치 및 철거에 대한 공사비도 이에 포함되는 것인지 아니면 별도로 산출되어야 하는지 문의드립니다.
또한, 장비편성의 오거장비는 케이싱사용 시 편성을 어떻게 적용해야 되는지?(스크류+케이싱 또는 케이싱 단독)

회신문

표준품셈 "5-6-1 말뚝박기용 천공"에서 케이싱 자재 등의 손료는 '4. 장비편성의 [주] ②'에 의거하여 계상하시면 되며, 케이싱 설치 및 철거 비용은 '5. 작업소요 시간'에 포함되어 비용으로 산정되므로 별도로 계상하지 않으시면 됩니다. 또한 오거는 케이싱을 사용할 경우, 스크류오거와 케이싱오거 2대를 적용하시면 됩니다.

제목 11 말뚝박기 천공

질의문

장비편성 : 오거 스크류 59.68~111.90 1대, 케이싱 59.68~111.90 1대
상기와 같이 되어있는데 케이싱작업 시 오거장비를(스크류+케이싱) 2대 사용하라는 것인지?

회신문

표준품셈 "5-6-1 말뚝박기용 천공"에서 케이싱작업을 수행할 경우, 오거는 스크류용, 케이싱용 2대를 적용하시면 됩니다.

제6장 철근콘크리트공사

6-1 콘크리트

6-1-4 콘크리트 펌프차 타설

有權解釋

제목 콘크리트 펌프차 타설 3-나. t_4 타설량 정의 질의

질의문
신청번호 2103-060 신청일 2021-03-19
질의부분 공통 제6장 철근콘크리트공사 6-1-4 콘크리트 펌프차 타설

6-1-4 콘크리트 펌프차 타설 3-나. t_4 타설량 정의를 명확히 알려 주시기 바랍니다.
[답변 예시]
펌프차의 타설 능력/인력편성기준의 1회 타설량/시공 타설량 등

회신문
표준품셈 공통부분 "6-1-2 콘크리트펌프차 타설/ 3. 작업소요 시간 산정"에서 타설량은 실제 현장에서의 시공물량을 의미하며, 시공한 타설량에 따라 해당 범위를 구분하여 적용합니다.

6-3 거푸집

6-3-1 합판거푸집 설치 및 해체

有權解釋

제목 1 품의 할증 관련 문의

질의문
신청번호 2003-094 신청일 2020-03-24
질의부분 공통 제6장 철근콘크리트공사 6-3-1 합판거푸집설치 및 해체

2020년 건설공사 표준품셈 제6장 철근콘크리트공사 6-3-1 합판거푸집설치 및 해체의 3. 설치 및 해체의 "비고"란에 지붕 슬래브(경사도 20° 미만)에서는 인력 품을 20% 가산한다.라고 되어 있습니다. 지붕 슬래브 거푸집의 경사도가 20°미만인 경우는 인력 품의 할증을 20% 가산하는 것으로 되어 있어 적용하고 있으며, 경사도가 없는 건축 평슬래브인 경우도 경사도 20° 미만에 해당되어 인력 품의 할증 20%를 적용해야 하는지?

회신문
표준품셈 공통부문 "6-3-1 합판거푸집설치 및 해체/ 3. 설치 및 해체"의 비고. 지붕슬래브설치(경사도 20도 미만)에서는 인력 품을 20% 가산한다.는 지붕슬래브설치를 위한 거푸집을 제작하기 위한 할증으로 20도 미만의 지붕에 대한 할증입니다.

제목 2 '합판거푸집 유형(소규모)' 관련 질의

질의문

신청일 2018-02-08 접수번호 1802-038

2018 건설공사 표준품셈 토목편 6-3-1 합판거푸집 1. 재료사용 (1) 사용횟수에 따르면 사용횟수 2회를 적용할 수 있는 "소규모로 산재되어 있는"에 대한 기준에 대해 좀 구체적으로 알려주시기 바랍니다. "거푸집 수량 3m^{2}이하"라든지 하는 구제적인 기준이 필요할 것 같습니다.
- 예를 들면 보차도경계 측구에 20~30m 간격으로 30개 정도 설치되어있는 빗물받이(1호, 410×510×1,000) 신설에 소요되는 합판거푸집(1개당 거푸집 수량 2.5m^{2}내외)은 사용횟수를 몇 회로 적용하여야 하는 지요? (소규모, 2회)에 해당되는지?

회신문

표준품셈 토목부문 "6-3-1 합판거푸집/ 1. 재료사용"에서 '소규모로 산재되어 있는.'에 대한 '소규모'의 구체적인 기준은 제시해 드리고 있지 않고 있음을 알려드립니다.

6-3-3 유로폼 설치 및 해체

有權解釋

제목 1 유로폼 부자재 관련

질의문

신청번호 2201-110 신청일 2022-01-26
질의부분 공통 제6장 철근콘크리트공사 6-3-3 유로폼 설치 및 해체

금년도 유로폼 설치 및 해체 품이 조정되어 관련 사항 질의드립니다. 부자재(웨지핀, 플랫타이, 강관파이프, 후크)가 주자재비의 간단의 경우 24%로 변경되었습니다.
1. 주자재의 24%는 각 자재별 계상하는지 아니면 4개 항목 전체가 주자재의 24%로 한번 계상하는지요?
2. 단위는 10㎡당으로 주자재의 24%를 계산 후 10으로 나눈 값을 적용하는 것이 맞는지요?
    예) 만일 주자재가 2,000원일 경우 2,000×0.24/10=48원 이렇게 계산하는 것이 맞는지 궁금합니다.

회신문

답변1. 2022년 표준품셈 공통부문 "6-3-3 유로폼 설치 및 해체/ 2. 자재 수량"에서 부자재가 간단의 경우 웨지핀, 플랫타이, 강관파이프, 후크 4개 항목 전체의 부자재 비가 주자재비의 24%임을 뜻합니다.
답변2. 2022년 표준품셈 공통부문 "6-3-3 유로폼 설치 및 해체/ 2. 자재수량"은 10㎡당 투입되는 기준입니다. ㎡당 부자재 투입비용은 주자재의 24%를 10으로 나눈 값을 적용하시기 바라며, 10㎡당 부자재 투입비용은 주자재비의 24%를 적용하시기 바랍니다.

제목 2 계단식옹벽 유로 폼 높이 할증

질의문

신청번호 2005-040 신청일 2020-05-14
질의부분 공통 제6장 철근콘크리트공사 6-3-3 유로 폼설치 및 해체

유로폼설치 및 해체 품 중 '수직고 7m를 초과하는 경우 인력 품을 가산할 수 있다.'고 되어있는데 계단식 옹벽(한층 높이 1.5m, 전체 높이 27m, 18단)의 경우에도 해당 항목을 적용할 수 있는지

– 갑설 : 1단의 높이가 1.5m이므로 적용 불가
– 을설 : 전체 구조물의 높이가 7m 이상이므로 동일한 방법으로 인력 품 가산 가능
이 항목을 계단식 콘크리트 옹벽에도 적용 가능한지?

회신문
표준품셈 "6-3-3 유로 폼설치 및 해체"에서 '수직고'는 지상에서 해당 작업 높이까지의 수직거리를 의미하며, 구조물별(계단식 층별) 지상에서 설치되는 높이를 고려하여 적용하시기 바랍니다.

제목 3 유로폼 설치 및 해체 중 3번 설치 및 해체의 복잡/ 보통/ 간단의 명확한 기준 질의

질의문
신청번호 1912-048 신청일 2019-12-26
질의부분 공통 제6장 철근콘크리트공사 6-3-3 유로폼 설치 및 해체

표준품셈 6-3-3 유로폼 설치 및 해체 중 3번 설치 및 해체의 복잡/ 보통/ 간단의 명확한 기준에 대해서 질의합니다.
1. 복잡의 건축 중 외부 벽체를 구분한 기준과 정의에 대한 질의?
2. 보통 중 일반적인 벽체를 구분한 기준과 정의에 대한 질의?
3. 상기 사항을 건설현장에서 어떻게 적용하는지에 대한 질의?

회신문
표준품셈 공통부문 "6-3-3 유로폼 설치 및 해체"에서 복잡의 '외부 벽체'는 건축물 외부의 벽면을 의미하며, 일반벽체는 건물 내부 벽체(면)을 의미합니다. 이는 외부 벽체의 시공 여건(비계위 작업)과 내부에서의 시공 여건(슬라브 위)을 고려하여 구분하고 있음을 알려드립니다.

제목 4 유로폼 설치 및 해체 중 비계 설치비 포함 여부

질의문
신청번호 1911-064 신청일 2019-11-20
질의부분 공통 제6장 철근콘크리트공사 6-3-3 유로폼 설치 및 해체

유로폼 설치 및 해체 시 높이 2m 이상은 비계를 이용해야 하는데 품셈(P.221 제6장 철근콘크리트공사)에 "본 품은 수직고 7m까지 적용하며, 이를 초과할 경우 매 3m 증가마다 인력 품을 10%까지 가산한다." "본 품은 유로폼 패널의 벽체조립 및 해체를 기준한 것이다"의 내용이 있어서 이것이 비계 설치비가 포함되어 있는지?

회신문
표준품셈 공통부문 "6-3-3 유로폼설치 및 해체"에는 비계설치 품을 포함하고 있지 않습니다. 비계설치 품 기준은 "2-7 비계"를 참조하여 계상하시기 바랍니다.

제목 5 6-3-2 유로 폼 노무비 할증 관련

질의문

신청번호 1905-024   신청일 2019-05-13
질의부분 공통 제6장 철근콘크리트공사 6-3-3 유로 폼설치 및 해체
표준품셈 6-3-2 유로 폼 2. 인력투입-나. 수량 비고) 수직고 7m까지 적용하며, 이를 초과하는 3m 증가마다 인력 품을 10%까지 가산한다.와 관련하여 현장 유로폼설치 및 해체하는 외벽 높이(수직고)는 24.5m입니다. 그렇다면 인력 품 할증 10% 계산은 총 수직고 24.5m-7.0m = 17.5m로서 3.0m마다 10% 인력 품 할증을 할 수 있으므로 17.5m÷3.0m = 5.83회×10% = 58.3%인지? 아니면 총 수직고 24.5m-7.0m = 17.5m로서 3.0m마다 10% 인력 품 할증을 할 수 있으므로 17.5m 수직고에 해당하는 유로 폼 면적만 인력 품×10%를 더 하는지?

회신문

표준품셈 "6-3-2 유로 폼"은 일반적으로 수직고 7m까지 적용하며, 이를 초과하는 경우 매 3m 증가마다 인력 품을 10%까지 가산하게 되어있습니다. 수직고는 일반적으로 내부의 경우 각 층의 바닥면에서, 외부의 경우 지반고에서부터 설치 높이까지를 기준으로 하고 있습니다. 높이에 따른 할증은 작업을 수행하는 해당 구간에 한하여 적용하시기 바랍니다.

6-4 포스트텐션(Post Tension) 구조물 제작

6-4-2 PSC BOX 설치

有權解釋

제목 인장작업에 대한 규격에 질의

질의문

제6장 철근콘크리트 6-5-1 PSC BOX설치에 기술된 7/12.7mm에 대한 기준은 아래의 내용 중 어디에 속하는 것인가요?
1. 7개 소선이 꼬여진 상태로 전체 강연선 직경이 12.7mm
2. 12.7mm 강연선이 7가닥이 꼬여진 것, 2번의 경우 현재 1번 기준일 경우 적용하는 방법은?

회신문

건설공사 표준품셈 토목부문 [6-5-1 PSC BOX설치/2. 정착구설치]에서 제시하는 "7/12.7mm"는 지름 12.7mm의 강연선 7가닥을 정착구에 설치하는 품을 제시한 것이며, "31/12.7mm"는 지름 12.7mm 강연선 31가닥을 정착구에 설치하는 품을 제시한 사항입니다.
지름 12.7mm의 강연선은 KSD-7002에 따라 7개의 소선을 사용하여 만들어지고 있으며, 동 기준에서 제시하는 7연선의 종류는 "SWPC7A-6.2mm/7.9mm/9.3mm/10.8mm/12.4mm/15.2mm", "SWPC7B-9.5mm/11.1mm/12.7mm/15.2mm" 등이 있습니다. 이를 기준으로 미루어 동 품셈 [6-5-1 PSC BOX설치/ 2. 정착구설치/"7/12.7mm"]는 지름 12.7mm의 7연선 7가닥을 정착구에 설치하는 품에 해당하며 [-/"31/12.7mm"]은 지름 12.7mm의 7연선 31가닥을 정착구에 설치하는 품에 대한 기준입니다.

제7장 돌공사

7-1 돌쌓기

7-1-1 메쌓기

有權解釋

제목 돌쌓기 기준에 대한 문의

질의문
신청일 2018-03-15 접수번호 1803-071

표준품셈 "7-1 돌쌓기", "7-2 돌붙임"의 적용 단위 면적(m^2)에 대한 질의입니다.
토목공사 - 하천공사 - 저수호안 - 돌쌓기 공종을 진행중에 있습니다. 본 공사의 해당 돌쌓기 경사는 상세도상 1:1사면입니다. 이러한 경우, 면적산출에 대한 기준이
1. 돌쌓기 수직길이×돌쌓기구간 거리(직고 면적산출)
2. 돌쌓기 경사길이×돌쌓기구간 거리(사고 면적산출), 둘 중 어느 기준이 옳은 기준인지?

회신문
현행 표준품셈 "7-1 돌쌓기, 7-2 돌붙임"에서 적용 단위 면적(m^2)은 사면 길이에 해당 거리를 곱한 면적을 의미합니다.

7-3 전석쌓기 및 깔기

7-3-1 전석쌓기

有權解釋

제목 1 전석쌓기와 돌쌓기 규격

질의문
신청번호 1903-064 신청일 2019-03-17
질의부문 공통 제7장 돌공사 7-3-1 전석쌓기

표준품셈 7. 돌공사에서 전석쌓기는 규격을 $0.3m^2 \sim 0.5m^2$로 규격을 정해놓고 있는데 만약 전석 규격이 $0.3m^2$미만이라면 전석쌓기가 아닌 돌쌓기(메쌓기) 품을 적용해야 되는 것인지?

회신문
표준품셈 공통부문 "7-3-1 전석쌓기"에서는 $0.3m^2 \sim 0.5m^2$로 규격을 대상으로 조사된 품이며, $0.3m^2$ 미만의 전석을 쌓는 품은 별도로 정하고 있지 않습니다.

제목 2 유용쌓기 품의 포함 범위

질의문
표준품셈 중 유용쌓기 품 해설에 보면 '소운반, 위치선정, 쌓기, 놓기, 다짐, 정지 품을 포함한다.'라고 되어있는데 다짐, 정지 품이 뒷채움 잡석도 포함인지? 놓기 위한 다짐, 정지 품인지? 유용 시 재료의 규격에 맞게 사용할려고 한다면 할석 품도 포함된 것인지?

회신문

조경 유용석쌓기는 쌓기와 조경석과 원지반 사이의 메우기 및 다짐/정지 작업을 포함하고 있으며, 본 품은 조경 유용석이 반입된 상태로 시공되는 것으로 별도의 규격별 가공이 필요한 경우에는 별도 계상하시기 바랍니다.

제목 3   정원석쌓기와 전석쌓기의 적용

질의문

전석쌓기와 정원석쌓기에 대하여 용역사와 인근 시군에 문의를 해봐도 품 적용에 대하여 논란이 있어 질의합니다.

회신문

표준품셈에서 명시된 토목부문 「4-6 정원석쌓기 및 놓기」은 평지에 자연석 또는 수석을 기술적으로 배치하여 정원의 경관을 조성하는 것이며, 「제7장 돌쌓기 및헐기」은 토목공사의 성토, 절토 또는 하천공사 등에서 적용되는 공종으로서 품셈의 적용에 있어서는 공사의 목적 및 성격, 현장여건 등에 따라 귀 기관에서 판단할 사항임을 양지하시기 바랍니다.

제목 4   전석쌓기 면적산출 기준

질의문

전석쌓기 수량산출에 대하여 계단식으로 전석을 쌓을 경우 사거리로 산출을 해야 하는지? 아니면 직고로 산출을 해야 하는지?

회신문

전석쌓기의 일반적인 물량산출 방법은 사거리로 산출하고 있습니다.

7-4 석재판 붙임

7-4-2 앵커지지 공법

有權解釋

제목   석재 앙카공법 앙카철물 산출

질의문

신청번호 1905-020 신청일 2019-05-10
질의부분 공통 제7장 돌공사 7-4-2 앵커지지공법

제7장 돌공사 4-2 앵커지지 공법에 있어 구분은 석공 및 보통인부만 나와 있고 [주] ② "앵커 구멍뚫기, 지지철물설치, 석재판절단 및 설치, 줄눈코킹 작업을 포함한다."라고 되어 있습니다.
품에 재료비는 전혀 나타나 있지 않고 [주] ④에 공구손료 및 경장비(절단기, 원치 등)의 기계경비는 인력품의 3%로 계상한다. 라고만 되어 있는데 지지철물 및 코킹재료는 별도 계상하여야 하는지 아니면? ④항에 포함되어 있다고 판단하여야 하는지?

회신문

표준품셈 공통부문 "7-4-2 앵커지지공법"은 석재판을 붙이는 인력 및 경장비(공구손료 포함)에 대한 투입 품을 제시하고 있으며, 지지철물 및 코킹 재료는 별도로 정하고 있지 않습니다.

제8장 건설기계

8-2 시공능력

8-2-8 덤프트럭

> **有權解釋**
>
> **제목 1** 덤프트럭 후진운행 시 운반속도 적용
>
> **질의문**
>
> 신청번호 2107-076 신청일 2021-07-22
> 질의부분 공통 제8장 건설기계 8-2-8 덤프트럭
>
> 당 현장의 하천 고수부지내 자전거도로 및 보행자도로 설치 중 덤프운반 및 포장을 위한 건설기계 품 적용에 대해 질의코자 합니다.
>
> [질의 1]
> 고수부지의 폭이 좁아 정지를 위한 기계(굴삭기 등)가 먼저 진입하고, 그 뒤로 덤프트럭이 후진으로 진입하여야 하는 여건으로 "표준품셈 8-2-8의 덤프트럭"의 "3. 운반도로와 평균 운행속도"를 적용하려 하나 후진 진입에 관련한 운반 속도 적정한 적용기준이 궁금하여 질의드립니다.
>
> [질의 2]
> 위의 여건에 고수부지가 외길에 폭이 좁아 골재포설 및 아스콘포장 시 골재, 아스콘 운반 장비인 덤프트럭이 한대씩만 후진으로 진입하여야 하므로 포설장비(굴삭기 외), 포장장비는 덤프트럭이 진입하여 포설 시까지 대기시간이 발생하게 되므로 할증을 적용코자 합니다.
> 이때, 외길에 폭이 좁은 상황을 적용하여 표준품셈 중 "도로포장공사 중 1-3-2 보조기층 기계포설(길어깨)"을 적용코자 하며, 여기에 추가로 덤프트럭 후진진입 시 많은 대기시간 발생에 따라 표준품셈 중 "공통 1-4-3 품의 할증 중 13. 기타 할증 작업장소의 협소"를 적용하거나 혹은 "14. 원거리 작업, 계속 이동작업(중략) 이동에 상당한 시간이 요하여 실 작업시간이 현저하게 감소될 경우 50%까지 가산할 수 있다" 혹은 "토목 1-6-2 콘크리트포장 표층포설(인력)의 콘크리트믹스트럭의 후진 진입의 Q×50%"을 근거로 할증을 적용하려 합니다.
> 이렇게 도로 폭이 좁아 '길어깨 포장' 품 적용+후진 진입으로 인한 '할증 50%' 적용은 동일성격의 품 할증 요소의 이중 적용에 해당하는지 질의드립니다.
>
> **회신문**
>
> [답변1]
> 표준품셈 공통부문 "8-2-8 덤프트럭" '3. 운반 도로와 평균 주행속도'에서는 덤프트럭의 왕복시간 계산을 위한 적재 시 평균 주행속도와 공차 시 평균 주행속도 값을 제시하고 있습니다. 후진 진입에 관련한 운반 속도는 별도로 제시하고 있지 않으며, [주]차로는 왕복 기준이며, 주행속도는 차로 수, 교통량 등 현장 조건에 따라 주행속도를 측정하여 사용할 수 있다.를 참조해 주시기 바랍니다.
>
> [답변2]
> 표준품셈 "1-3-2 기계포설(길어깨)"는 굴삭기를 사용한 소로구간의 보조기층 포설 및 다짐 기준으로 덤프트럭의 후진 진입과 관련된 작업은 포함하고 있지 않습니다.
> 또한 2021년 표준품셈 "1-6-2 표층 인력포설"은 콘크리트 믹서트럭으로 직접 타설하는 기준으로 믹서트럭으로 직접 타설할 경우 A-type, 믹서트럭으로 후진 진입하면 B-Type시공량을 적용하시면 되며, 콘크리트 믹스트럭이 아닌 골재, 아스콘 운반을 위한 덤프트럭 기준은 아닙니다.
> 또한 표준품셈 공통부문 "1-4-3 품의 할증/ 13. 기타할증률"은 동일 장소에 수종의 장비가동, 작업장소의 협소, 소음, 진동, 위험 등이 해당되는 경우, 최대 50%까지 부여할 수 있는 기준이며, 일부 조건이 해당될 때 부분 적용은 가능하나 그에 대한 할증량 및 적용 여부는 현장 여건을 고려하시어 공사관계자가 판단하시기 바랍니다.

"14 원거리 작업, 계속 이동작업, 분산 작업 시"는 품의 50%까지 가산할 수 있으나 도달시간(왕복) 또는 이동시간이 1시간 이내의 경우는 특별한 경우를 제외하고는 적용하지 않도록 명시하고 있음을 참고하시기 바랍니다.

제목 2 덤프트럭 운반량 산정 시 토량변화율 적용

질의문
문서번호 건협기술 제1478호 회신일자 1999.06.15.

수해복구공사의 사석 붙임을 위하여 덤프트럭으로 사석을 운반코자 하는데, 덤프트럭의 작업량 산정에 있어 토량변화율 L = 1.85, f = C/L = 1.40/1.85로 적용함이 타당하다고 생각하는데 이에 대한 의견은?

회신문
〈q값 산정시〉
토량변화율(L값) 적용은 γt를 모암의 단위중량을 적용하느냐 파쇄된 상태의 단위 중량을 적용하느냐에 따라 달라질 것이므로 이를 토대로 현장여건에 맞는 적절한 값을 토질시험을 통해 결정하면 될 것임
〈Q값 산정시〉
덤프트럭은 토사 등을 흐트러진 상태로 운반하고 운반된 토사는 다져지는 것이 일반적이므로 내역서 물량이 설계도면 물량(다짐 상태)으로 되어있다면 덤프트럭 작업량 산정 시의 토량환산계수(f)는 C/L이 되어야 함. 다만, 토량변화율 적용에 있어 귀 현장은 운반된 사석을 다지는 것이 아니고 붙이는 것으로 되어있으므로, 토질시험을 통하여 이에 맞는 적절한 토량변화율을 결정. 적용하는 것이 타당할 것으로 생각됨

[토목부문]
제1장 도로포장공사

1-3 보조기층

1-3-1 인력식 소규모장비 포설

> **有權解釋**
>
> **제목** 골재포설 및 다짐 시 골재량 산출에 관련하여 질문
>
> **질의문**
> 신청번호 2004-013 신청일 2020-04-06
> 질의부분 토목 제1장 도로포장 공사 1-3-1 인력식 소규모장비 포설
>
> 골재 포설 및 다짐에 관련하여 골재량 100m³, 체적환산계수 1.2(골재를 운반하여 와서 다짐) 위처럼 가정하였을 때 골재 수량산출을 하고 싶은데, 다른 사례들을 보니 재료의 할증 4%와 체적환산계수는 별개라고 답변하신 것을 보았습니다. 그렇다면 일위대가작성 시에 골재량 104m³(할증량 적용), 골재량 20m³(체적환산계수 적용), 골재포설 및 다짐 100m³, 이렇게 가는 게 맞는 것인가요? 올바른 산출방식이 어떤 것인지?
>
> **회신문**
> 일반적으로 재료의 할증량은 작업에 따른 재료의 손실분을 보정해 주기 위한 것이며, 체적환산계수는 재료의 상태변화에 따른 재료량의 변화를 계수로 표현한 것으로 서로 성격이 다른 사항입니다. 재료의 할증률은 표준품셈 공통부문 "1-4-1 재료의 할증"을 참조하시기 바라며, 토량환산계수는 표준품셈 공통부문 "1-3-7 체적환산계수"를 참조하시기 바랍니다.

1-7 저속도로포장

1-7-1 보도용 블록 설치(21년 보완)

> **有權解釋**
>
> **제목 1** 보도용 블록 설치
>
> **질의문**
> 신청번호 2104-002 신청일 2021-04-01
> 질의부분 토목 제1장 도로포장공사 1-7-1 보도용 블록 설치
>
> 토목 1-7-1 보도용 블록 설치 품 비고란에 유도.점자블록을 설치하는 경우 시공량의 10%를 감하여 적용한다.라고 명시되어 있습니다. 이 경우 1. 유도.점자블록이 설치가 되면 전체 물량에 10%를 감하여야 되는 것인지? 내역을 분리해서 유도.점자블록 설치 물량만 10%를 감하여 적용해야 되는지? 궁금합니다.
>
> **회신문**
> 2021년 표준품셈 토목부문 "1-7-1 보도용 블록 설치" 비고에서 '유도·점자블록을 설치하는 경우 시공량의 10%를 감하여 적용한다.'는 보도용 블록 설치 중 유도점자 블록구간을 대상으로 하는 경우를 뜻합니다.

제목 2   보도용 블록 설치 관련 문의

질의문
신청번호 2101-107   신청일 2021-01-30
질의부분 토목 제1장 도로포장공사 1-7-1 보도용 블록 설치

1-7-1 보도용 블록 설치('08, '12, '21년 보완)
본 품은 모래부설, 모래층 다짐 및 고르기 각 포함되어 있다고 했는데 입도조정기층 위에 포설(3~4cm) 하는 모래 자재 단가도 해당 품에 포함되어 있는지 아니면 계상해야 하는지 궁금합니다.
만약 포함된다면 1-10-23 보도용 블록 설치 재설치, 1-10-24 보도용 블록 소규모보수, 여기서도 똑같이 적용하여 계상하는지 궁금합니다.

회신문
표준품셈 토목부문 "1-7-1 보도용 블록 설치, 1-10-23 보도용 블록 재설치, 1-10-24 보도용 블록 소규모보수" 작업을 위해 사용되는 모래는 별도 계상하시기 바랍니다.

제목 3   보도용 블록 설치 중 정밀절단

질의문
신청번호 2101-016   신청일 2021-01-06
질의부분 토목 제1장 도로포장공사 1-7-1 보도용 블록 설치

2021년 품셈 제1장 도로포장공사 1-7-1 보도용 블록 설치 비고 중 블록 정밀절단(전동전단기)에 의한 시공이 아닌 경우, 특별인부 1인을 감하여 적용한다.라고 적혀 있습니다. 정밀전단(전동전단기)에 의한 시공과 일반적인 시공의 구분이 어떻게 되는지? 재료의 차이로 생기는 것인지? 시공자의 선택(전동절단, 수동절단)인지?

회신문
표준품셈 토목부문 "1-7-1 보도용 블록 설치"에서 블록 정밀절단 기준은 전동 절단기를 사용하여 정밀한 절단 작업 유무에 따른 구분입니다.

1-9 부대공

1-9-1 방음벽 설치(21년 보완)

有權解釋

제목   방음판 설치 질의

질의문
신청번호 2110-022   신청일 2021-10-08
질의부분 토목 제1장 도로포장공사 1-9-1 방음벽 설치

선택 항목 "3. 방음판 설치"에서 "지주 높이"가 "방음벽 기초높이"를 포함하는지 문의드립니다.

회신문
건설공사 표준품셈 "1-9-1 방음벽 설치/ 3. 방음판 설치"에서의 지주 높이는 방음판이 설치되는 노출부를 의미합니다.

1-9-2 보차도 및 도로경계블록 설치 (21년 신설)

有權解釋

제목 2021년 개정 품셈중 누락된 장비비 "크레인 5ton, 굴삭기+빔커터기" 처리방법 질의

질의문
신청번호 2101-011 신청일 2021-01-05
질의부분 토목 제1장 도로포장공사 1-9-2 보차도경계석(화강암) 설치

이번 개정된 품셈으로 일위대가 작업중 1-9-2 보차도 및 도로경계 블록 설치 중 현행 '트럭탑재형크레인 5ton'에서 '크레인 5ton' 12-1-4 철골재 철거(기계) 중 '굴삭기+빔커터기'가 중기비 항목에 없어서 이 두 장비에 대해 어떤 다른 대체 장비를 적용해야 하는지 확인 부탁드립니다.

회신문
표준품셈 "1-9-2 보차도 및 도로경계 블록 설치"에서 제시된 크레인 5ton은 현장 조건을 고려하여(트럭탑재형크레인, 타이어크레인, 무한궤도크레인)을 선정하여 적용하도록 크레인으로 반영하였습니다. 또한 크레인 5ton, 굴삭기+빔커터기에 대한 기준은 표준품셈에서 정하고 있지 않습니다.

제2장 하천공사

2-3 하천호안공

2-3-3 블록 붙이기(기계)

有權解釋

제목 1 블록 붙이기(기계)

질의문
신청번호 2104-104 신청일 2021-04-24
질의부분 토목 제2장 하천공사 2-3-3 블록붙이기(기계)

세굴을 방지하기 위하여 하상에 설치하는 세굴방지 블록의 설치에 대하여 표준품셈 공통 6-7-2 중량구조물 설치품을 적용하는 것이 적정한지, 표준품셈 토목 2-3-3 블록붙이기(기계)를 적용하는 것이 적정한지 답변 부탁드립니다

회신문
표준품셈 공통부문 "6-7-2 중량구조물"은 일반적으로 낙차공, 분수관, L형플륨관 등을 설치하기 위한 기준이며, 표준품셈 토목부문 "2-3-3 블록붙이기(기계)"는 하천제방에 장비를 사용하여 호안블록을 설치하는 기준입니다. 표준품셈에서는 세굴방지 블록 설치에 대한 기준은 별도로 제시하고 있지 않습니다.

제목 2 하천에 식생 옹벽 블록설치 시(기계사용) 2-3-3 블록 붙이기(기계) 적용

질의문
신청번호 2008-010 신청일 2020-08-05
질의부분 토목 제2장 하천공사 2-3-3 블록붙이기(기계)

하천 호안에 식생 옹벽블록 설치 시(장비사용) 건설공사 표준품셈 제2장 하천공사의 2-3-3의 블록붙이기(기계) 품을 적용해도 되는지?

> **회신문**
>
> 표준품셈 "2-3-3 블록 붙이기(기계)"는 일반적이고 보편적인 기준의 호안블록 붙이기 기준이며, 표준품셈에서는 특정업체의 호안블록(식생블록 등) 붙이기의 품은 별도로 정하고 있지 않습니다.

제6장 관부설 및 접합공사

6-1 공통사항

6-1-2 적용기준

> **有權解釋**
>
> **제목 1** 택지, 단지에서 관로공사
>
> **질의문**
> 신청번호 2210-087 신청일 2022-10-25
> 질의부분 토목 제6장 관부설 및 접합공사 6-1-2 적용기준
>
> "택지개발공사, 농수로공사 등 이와 유사한 현장에서 토공사 작업에 직접적인 영향을 받지 않고 연속적인 관부설 및 접합 공사가 가능한 경우, 본 품(인력+장비)을 50%까지 감하여 적용한다."라는 내용이 있습니다.
> 예를 들어, 택지이든 아니든 관접합(용접, 플랜지 접합 등), 강관 도장, 관 절단 등의 작업 시, 작업시간과 인건비는 동일한데, 50% 감해서 설계에 적용하는 것이 맞는 것인지 궁금합니다. 실제 걸리는 시간은 절반이 아닌데 말이죠. 그리고, 50%까지 감하여 적용하는게 강제 사항인지, 여건에 따라 달라질 수 있는지도 궁금합니다.
>
> **회신문**
> 표준품셈 토목부문 "6-1-2 적용기준"으로 내용이 이동되어 모든 관에 적용할 수 있도록 개정되었으며, 동 품 "3. 본 품은 토공사와 관 부설 및 접합공사 기 병행 시공되는 작업을 기준한 것으로, 택지개발공사, 농수로공사 등 이와 유사한 현장에서 토공사 작업에 직접적인 영향을 받지 않고 연속적인 관부설 및 접합 공사가 가능한 경우, 본 품(인력+장비)을 50%까지 감하여 적용한다."로 명시하고 있습니다. '토공사 작업에 직접적인 영향을 받지 않고 연속적인 관부설이 가능한 경우'는 미리 토공사 작업이 선행되어 관부설 시 토공작업으로 인한 대기시간이 없이 연속부설이 가능한 경우를 의미하며, '품을 50%까지 감하여 적용한다.'에서는 0~50%이내에 적용이 가능하다는 의미이며, 할감율의 수치는 공사관계자가 직접 결정하실 사항임을 알려드립니다.
>
> **제목 2** 수로관설치 시 '잡재료 및 소모재료'의 용도?
>
> **질의문**
> 신청일 2018-03-30 접수번호 1803-129
>
> 수로관설치 할 경우 잡재료 및 소모재료의 용도는 수로관을 올리고 내릴 때 쓰는 집게와 좌우 수평을 맞추는 수평계, 땅을 고르게 하는 삽 등등의 잡재료로 알고 있습니다. 잡재료 및 소모재료에 수로관의 이음쇠를 연결하는 몰탈을 마감해야 하는데 수로관의 설치 시 몰탈마감의 비용이 따로 산출하여야 하는지 아니면 품셈에 포함되어 있는지?

> **회신문**
>
> 표준품셈 토목부문 "제16장 관부설 및 접합"에서 제시하는 '공구손료 및 잡재료'에서 '공구손료'는 집게, 수평계, 삽 등의 손료이며, '잡재료'는 관을 이음하는데 필수적으로 필요한 소모재료(몰탈, 고무링 등)에 해당됩니다. 해당 항목 [주]에서 공구손료 및 잡재료의 포함 여부는 제시되어 있으니 이를 참조하시기 바랍니다.

6-2 주철관

6-2-1 부설 (23년보완)

> **有權解釋**
>
> **제목** 제6장 관부설 및 접합공사에 대하여...
>
> **질의문**
>
> 신청번호 2007-085 신청일 2020-07-27
> 질의부분 토목 제6장 관부설 및 접합공사 6-2-1 부설
>
> 2018년 품셈부터 제6장 관부설 및 접합공사 항목을 보면 "본 품은 토공사와 관부설 및 접합 공사가 3. 병행 시공되는 작업을 기준한 것으로, 택지개발공사, 농수로공사 등 이와 유사한 현장에서 토공사 작업에 직접적인 영향을 받지 않고 연속적인 관부설 및 접합 공사가 가능한 경우, 본 품(인력+장비)을 50%까지 감하여 적용한다."라는 내용이 있습니다. 여기서 50%까지 감한다는 말은 10%, 20%, 30% 등등 최대 50%까지 감한다는 내용으로 이해됩니다.
>
> 1. 그럼 10%를 감할 것인지 20%를 감할 것인지, 아니면 최대 50%를 감할 것인지는 어떻게 정해야 하나요? 발주처 감독과 협의하에 정해야 하는 건가요? 아니면 기준이 있는 건가요?
> 2. 또한 이렇게 감해야 하는 사유가 무엇인가요? 연속작업 시 부설인건비, 접합인건비가 두번 계상되는 것이라 판단이 돼서 감하는 건가요?
>
> **회신문**
>
> 표준품셈 "6장 관 부설 및 접합"은 도로, 도심지, 주택가 등 다양한 여건의 현장(작업방해가 없는 대단위 택지조성 공사 제외)을 대상으로 조사된 기준입니다.
> 택지개발공사, 농수로 공사 등은 도로, 도심지, 주택가 등에서 발생하는 작업방해가 없기 때문에 "택지개발공사, 농수로 공사 등 이와 유사한 현장에서 토공사 작업에 직접적인 영향을 받지 않고 연속적인 관부설 및 접합 공사가 가능한 경우, 본 품(인력+장비)을 50%까지 감하여 적용한다."로 명시하고 있습니다.
> 다만, 50%까지의 범위에서 할감비율의 적용과 같은, 당해 공사에서 표준품셈의 적용 여부 및 판단에 관련된 사항은 해당 공사의 특성을 고려하시고 표준품셈을 참조하시어 공사관계자가 직접 결정하실 사항임을 양지해 주시면 감사드리겠습니다.

6-3 강관

6-3-1 부설 (23년보륀)

> **有權解釋**
>
> **제목** 가배수로 흄관 손료 적용 문의
>
> **질의문**
> 신청번호 2004-056 신청일 2020-04-21
> 질의부분 토목 제6장 관부설 및 접합공사 6-3-1 부설
>
> 하천공사와 관련하여 하천횡단 가도설치 시 가배수로(흄관D1000) 자재에 대하여 당 현장 설계서에서는 50% 손료를 적용하고 있습니다. 하지만 콘크리트제품의 경우 해체 시 제품 손상으로 인하여 재사용이 불가함으로 철거 후 폐기물 처리하여야 함이 타당하다고 사료되는데 손료 적용 여부 및 폐기물처리 등에 대하여 검토 후 답변 부탁드립니다.
>
> **회신문**
> 표준품셈 토목부문 "6-3-1 부설"에서는 가배수로 자재 손료에 대한 기준은 정하고 있지 않습니다. 폐기물처리는 표준품셈 공통부문 "1-7-9 환경관리비"의 건설공사에서 환경오염을 방지하고 폐기물을 적정하게 처리하기 위해 필요한 환경보전비·폐기물처리 및 재활용비 등 환경관리비는 건설기술진흥법 시행규칙 제61조 규정에 따른다.에 따라 건설기술진흥법 시행규칙 제61조를 참조하시기 바랍니다.

6-4 P.V.C관

6-4-2 고무링 접합 및 부설 (23년보륀)

> **有權解釋**
>
> **제목** 6-4 PVC관 및 6-5 PE관 절단 관련 질의
>
> **질의문**
> 신청번호 2109-010 신청일 2021-09-02
> 질의부분 토목 제6장 관 부설 및 접합공사 6-4-2 고무링접합 및 부설
>
> 표준품셈 제2편 토목공사 6-4 PVC관과 6-5 PE관 절단이 관 접합 및 부설 품에 포함되어 있는지 여부를 알고 싶습니다. 답변 자료를 보면 어디는 포함되어 있다 하고 또 다른 곳은 포함이 안 되어 있다고 하여 혼동이 되고 있습니다. 명확한 답변 부탁드립니다.
>
> **회신문**
> 표준품셈 "6-4 PVC관", "6-5 PE관"은 일반적인 6m 기준의 PE관이 반입되어 현장 여건에 맞게 절단, 부설 및 접합되는 것으로 관 절단, 접합, 부설작업이 포함된 품임을 알려드립니다.

6-7 기타관

6-7-5 강관압입추진공

有權解釋

제목 1 압입추진공사 중 용수 발생

질의문

신청번호 2109-019 신청일 2021-09-04
질의부분 토목 제6장 관부설 및 접합공사 6-7-4 강관압입추진공

1. 하수관으로 콘크리트 및 강관(D1,800mm) 압입시공 중에 용수가 발생되어 품 할증 적용이 적합한지를 문의드립니다.
2. 추진공사에 표준품셈에 근거한 관 압입이 설계내역 수량에 반영되어 있으며, 관 압입 및 굴착은 용수를 배제시키며 진행되고 있습니다.
3. 위 경우, 용수구간 굴착 품 할증 적용이 적합한지를 문의드립니다.

회신문

표준품셈 토목부문 "6-7-4 강관압입추진공"에서 주 1에 따라 터파기는 별도 계상하시기 바랍니다. 표준품셈 공통부문 "3-3-1 인력터파기"의 '[주] (4) 협소한 장소와 용수가 있는 곳은 본 품의 50%까지 가산'은 터파기 장소가 협소하고 용수가 발생되어 생산성에 저하가 발생될 경우 최대 50%까지 품을 가산할 수 있는 것을 말합니다.
굴삭기를 활용한 굴착일 경우 표준품셈 공통부문 "8-2-3 굴삭기/ 2. 작업효율"에 '주 3. 작업장소가 수중 또는 용수작업인 경우는 불량을 적용한다.'를 참조하시기 바랍니다.

제목 2 강관압입추진공(관경 관련)

질의문

신청번호 2004-073 신청일 2020-04-22
질의부분 토목 제6장 관 부설 및 접합공사 6-7-4 강관압입추진공

품셈 6-7-4 강관압입추진공에서 추진 관경은 800-3,000mm로 구성되어 있습니다. 그리고 설계 및 시공 시 800mm미만의 관경에 대하여도 압입 추진이 이루어지고 있습니다.
[질의 1] 강관압입추진공 관경 800mm이상으로 구성된 이유?
작업편성 인원에 갱부가 포함된 것으로 보아 추진관 압입 후 인력굴착 필요성 때문으로 보입니다.
[질의 2] 강관압입추진공 관경 800mm미만 적용 방안?
현재 강관압입공사는 유압JACK외 강관을 타입 후 관내 토사는 에어컴프레서로 제거하는 방법도 있습니다. 이에 따라 800mm미만 규격은 표준품셈 제정요구가 필요할지 아니면 유사품 파이프루프공(2-10-3) 사용이 대안이 될런지요?

회신문

표준품셈 토목부문 "6-7-4 강관압입추진공"은 인력이 추진관 내에서 굴착하며, 관을 추진하는 기준으로 추진관경 800mm미만의 기준에 대해서는 제시하고 있지 않습니다.

제목 3 강관압입추진공 관련 질의

질의문

신청번호 1911-026   신청일 2019-11-08
질의부분 토목 제6장 관부설 및 접합공사 6-7-4 강관압입추진공

건설공사 표준품셈 19-4-2 강관압입추진공 1. 작업편성인원 및 2. 작업편성장비 관련
[질의1]
해당 품에서 강관내 토사반출에 대한 품도 포함되어 있는 것인지?
[질의2]
토사반출에 대한 품이 포함되어 있다면, 강관내 토사를 추진구 근처 및 부근에 적재 시 단순 적재의 개념인지? 아니면 크레인에 부착된 버켓에 적재까지 하는 품인지?
[질의3]
작업편성장비의 트럭탑재형크레인(15톤)의 경우 수직구에서 단순히 강관을 내리기만을 위한 장비편성인지? 아니면 강관을 내리기위한 장비 및 강관내 토사반출을 위한 장비로 구성되어 있는 것인지?
[질의4]
질의3 연계하여 만약 크레인이 강관자재 이동만을 위한 편성인 경우 강관내 토사반출을 위한 크레인 및 기타장비에 대한 품을 추가로 계상해야 되는 것인지?

회신문

[답변1, 2]
표준품셈 토목부문 "6-7-4 강관압입추진공/ 2. 작업편성인원"에서 압입된 강관내 토사를 추진구내 및 추진구부근에 적재하는 품은 포함되어 있으며, 현장외부로 반출하는 품은 제외되어 있습니다. 다만, 추진구내 토사를 외부로 반출하기 위하여 버켓에 적재하는 품의 포함여부는 공사관계자가 직접 결정하시기 바랍니다.
[답변3, 4]
트럭탑재형크레인으로 강관을 추진구에 내리는 작업을 수행하는 기준으로 조사된 장비이며, 트럭탑재형크레인을 토사반출을 위한 장비로 활용하는 것에 대한 판단은 공사관계자가 직접 결정하시기 바랍니다.

[건축부문]
제1장 철골공사

1-1 철골 가공 조립(공장생산)

1-1-1 기본철골공수

> **有權解釋**
>
> **제목 1** 철골가공 조립에 설치비가 포함 여부
>
> **질의문**
> 신청번호 2110-027 신청일 2021-10-08
> 질의부분 건축 제1장 철골공사 1-1-1 기본철골공 수
>
> 건축품셈 철골공사에 보면 철골가공 조립이 있습니다. 이 품이 철골공사 설치 품이 포함된 건지 궁금합니다.
>
> **회신문**
> 표준품셈 건축부문 "1-1 철골가공 조립(공장생산)"는 일반적인 철골 건축구조물의 형강부재를 공장에서 생산을 위한 품입니다.
> 표준품셈 건축부문 "1-2-1 현장세우기"는 가공이 완료된 상태의 철골을 현장에 설치하는 기준임을 참고하시기 바라며, 일반적인 철골건축구조물의 생산 및 세우기를 위한 품으로, 일반적으로 조립공장, 창고, 사무청사, 라멘구조 등에 해당됩니다.
>
> **제목 2** 철골가공 조립(공장생산) 제경비에 관한 질의
>
> **질의문**
> 신청번호 2102-052 신청일 2021-02-09
> 질의부분 건축 제1장 철골공사 1-1-1 기본 철골공 수
>
> 건축공사 표준품셈 1-1 철골가공 조립(공장생산)에서 공장제작에 따른 제경비는 기본 철골공 수의 60%이며, 철골가공 조립 단가산정 시 기본 철공공 수에 제경비를 추가하여 작성하는 것이 맞는지요? 그리고 산재보험료, 기타경비, 간접노무비, 일반관리비, 이윤 등은 포함되지 않았다.는 것은 원가계산 시 산업안전보건비, 국민연금보험료 등은 1항의 "제경비"에 포함된 것으로 보고, 산재보험료, 기타경비, 간접노무비, 일반관리비, 이윤 등 산정 시에는 철골가공 조립(공장생산)비용을 반영하여 계산하면 되는지요?
>
> **회신문**
> 표준품셈 건축부문 "1-1-1 기본 철골공 수"에서 정하는 '제경비'는 건축철골을 공장에서 생산하는 것으로, 공장 제작에 따른 제경비는 철골 공장생산에 따른 중기임차료 및 유지비, 운반비(현장내운반), 외주가공비, 잡비 등을 말합니다. 현장제작 시에는 공장제작비용을 제외하시기 바랍니다. 공장 제작에 따른 제경비는 작업난이도가 반영된 기본 철골공 수의 60%에 해당된다는 것을 의미하는 것으로 산재보험료, 기타경비, 간접노무비, 일반관리비, 이윤 등은 포함되어 있지 않습니다.

1-2 철골 세우기

1-2-2 철골세우기 장비의 작업능력

[有權解釋]

제목 철골 세우기 장비의 작업능력 문의

질의문
신청번호 2107-037 신청일 2021-07-12
질의부분 건축 제1장 철골공사 1-2-2 철골세우기 장비의 작업 능력

철골세우기 장비 작업능력 '1일 처리능력'의 1일은 몇 시간입니까? 그리고 [주] (1)의 '부재의 단위중량에 대한 작업량 및 작업 여건에 따라 처리능력을 별도로 결정할 수 있다'라고 하였는데 결정할 수 있는 기준은 따라 제시되지 않은 건가요? 현장 경험을 통해 임의로 정하는 것인가요?

회신문
표준품셈에서 정하는 1일은 8시간 기준으로 산정된 시간임을 알려드립니다. 또한 표준품셈 건축부문 "1-2-2 철골세우기 장비의 작업 능력"의 '주1.' 부재의 단위중량에 대한 작업량 및 작업여건에 따라 처리능력을 별도로 결정할 수 있다.'는 처리능력을 현장 여건에 따라 별도로 결정하실 수 있다는 뜻이며, 별도의 기준은 제시하고 있지 않습니다.

1-2-5 앵커볼트 설치

[有權解釋]

제목 앵커볼트 설치에 대한 질의

질의문
신청번호 2102-102 신청일 2021-02-24
질의부분 건축 제1장 철골공사 1-2-5 앵커볼트 설치

예전 질의들을 참조했을 때 현 품셈상 앵커볼트 설치는 L형 앵커볼트를 기준으로 하여 후시공 앵커와 현장타설 앵커의 기준으로 보면 현장타설 앵커로 보입니다.
- 후시공앵커 : 기초설치 후 콘크리트구조체에 구멍을 뚫어 설치
- 현장타설앵커 : 기초설치 전 앵커 설치 후 레미콘을 타설하여 설치
이 경우 '1-2-5의 앵커볼트 설치'는 현장타설 앵커의 시공만 적용 가능한 것이고, 기타 후시공 앵커는 '8-4-1 각종 잡철물제작 설치'의 잡철물 설치에 해당한다고 해석해도 되는지 질의합니다.

회신문
건축부문 "1-2-5 앵커볼트 설치"는 철골조 시설물에서 일반적으로 형강류의 기둥을 콘크리트기초 구조물에 연결하기 위해 매립할 경우 적용되는 품입니다.
표준품셈 건축부문 "8-4-1 각종 잡철물제작 설치"에서는 철골공사에서 해당되지 않는 철제품(주자재 : 철판, 앵글, 파이프 등)을 제작/설치하는 것으로 일반적인 잡철물의 예는 동 항목 [주]⑨에서 "피트 및 맨홀뚜껑류, PD문, DC문, 환기구철물, 간이창호류, Checked Plate, Expanded Metal류 등), 기타 철골공사에 해당되지 않는 철재품의 제작 및 설치"로 해당 품을 제시하고 있습니다. 목적물을 설치하기 위해 앵커볼트가 사용되었다면 이는 잡철물의 설치작업에 포함된 것입니다.

1-4 부대공사

1-4-4 경량형강철골조 조립설치

> **有權解釋**
>
> **제목 1** 경량 형강철골조조립 설치 관련 질문
>
> **질의문**
> 신청번호 2110-043 신청일 2021-10-14
> 질의부분 건축 제1장 철골공사 1-4-4 경량 형강철골조조립 설치
>
> 건축부분 제1장 철골공사 1-4-4 경량 형강철골조조립 설치에서 조립 설치 품 하단 해설부분 중 3번 '지붕트러스는 내력식을 적용한다.'에서 지붕트러스에만 내력식을 적용하는지? 다른 품목에도 적용되는지 알고 싶습니다. 그리고 내력식과 비내력식의 정의 및 사용처나 예시를 알고 싶습니다.
>
> **회신문**
> 표준품셈 건축부문 "1-4-4 경량 형강철골조조립 설치"는 경량 형강철골조의 내력식, 비내력식 설계기준은 설치하고자 하는 구조의 내력 여부 등을 판단하여 적용하시기 바랍니다.
> 내력식은 구조물을 이루는 부재가 구조물의 하중을 견디기 위해 만드는 구조체를 말하며, 비내력식은 부재가 자체 하중만을 받고 구조물의 상부하중은 받지 않는 구조체를 뜻합니다.
>
> **제목 2** 내력식과 비내력식이 지칭하는게 무엇인가요?
>
> **질의문**
> 신청번호 2108-004 신청일 2021-08-02
> 질의부분 건축 제1장 철골공사 1-4-4 경량 형강철골조조립 설치
>
> 건축부분 제1장 철골공사 1-4-4 경량 형강철골조조립 설치에서 지칭하는 내력식과 비내력식의 정의 및 사용처나 예시를 알고 싶어서 질의하게 되었습니다. 내력식이 기둥과 기둥 사이 보를 연결하여(라멘구조형식) 하중을 보+기둥으로 전달되어 견디는 방식으로 알고 있는데 이것이 맞는 것인지 궁금하고요(아파트에서 많이 사용하는 내력벽식으로 보는 것인지?) 비내력식 철골조는 어떤 형식인지 도무지 감이 잡히지 않습니다.
>
> **회신문**
> 표준품셈 건축부문 "1-4-4 경량형강철골조 조립 설치"는 경량형강철골조의 내력식, 비내력식 설계기준은 설치하고자 하는 구조의 내력 여부 등을 판단하여 적용하시기 바랍니다.
> 내력식은 구조물을 이루는 부재가 구조물의 하중을 견디기 위해 만드는 구조체를 말하며, 비내력식은 부재가 자체 하중만을 받고 구조물의 상부하중은 받지 않는 구조체를 뜻합니다.

제2장 조적공사

2-2 블록

2-2-2 블록보강 쌓기

有權解釋

제목 블록 보강쌓기

질의문
신청번호 2101-045 신청일 2021-01-14
질의부분 건축 제2장 조적공사 2-2-2 블록 보강 쌓기

블록 보강쌓기 중 철망 및 고정철물, 철근 재료비 별도 산출해야 하는지 알려 주십시오.

회신문
표준품셈 건축부문 "2-2-2 블록 보강 쌓기"는 콘크리트블록 보강쌓기를 위한 인력 품 기준으로 재료비는 포함하고 있지 않습니다. 보강 쌓기를 위한 재료비(철망 및 고정철물, 철근)는 별도 계상하시기 바랍니다.

3-2 타일 붙임

3-2-2 압착 붙이기

有權解釋

제목 타일공사 부착공법 중 계량압착공법과 밀착공법에 대한 질문

질의문
신청번호 1903-075 신청일 2019-03-19
질의부분 건축 제3장 타일공사 3-3-2 타일붙임

타일공사 부착공법 중 계량압착공법과 밀착공법에 대한 품셈이 필요합니다. 위 공법에 대한 품셈을 어떻게 적용할 수 있는지요? 기존 품셈에 할증을 한다면 어떻게 적용할 수 있는지, 그리고 추후 위 공법에 대한 품셈을 추가할 계획이 있는지요?

회신문
표준품셈 건축부문 타일공사에서는 모르타르를 사용한 "3-2 떠붙이기"와 "3-3 압착 붙이기", 접착제를 사용한 "3-4 첩착 붙이기" 이외의 공법은 별도로 정하고 있지 않습니다.

제10장 창호 및 유리공사

10-1 창호

10-1-2 강제창호 설치

有權解釋

제목 창호철거 품 산정

질의문
신청번호 2007-002 신청일 2020-07-01
질의부분 건축 제10장 창호 및 유리공사 10-1-2 강제창호설치

건축 10-1-1~10-1-4 창호설치에서 강재, 목재, 알루미늄, 합성수지 창호설치 품외, 동일조건하에 창호철거 품은 어떻게 적용되어야 하는지? 설치 품의 50%로 적용하여도 괜찮은지?

회신문
표준품셈 건축부문 "10-1창호"에서 창호철거 관련 해당 품은 현행 표준품셈에서 별도로 정하고 있지 않습니다. 또한 표준품셈 건축부문에서는 철거, 해체 품의 적용비율(설치 품 대비)에 대한 기준은 제시하고 있지 않습니다.

10-3 유리

10-3-1 창호유리 설치

有權解釋

제목 1 10-3-1 창호유리 설치 판유리끼우기 코킹 시공비 포함 여부

질의문
신청번호 2004-064 신청일 2020-04-21
질의부분 건축 제10장 창호 및 유리공사 10-3-1 창호유리설치

19년도 판유리 끼우기에는 코킹재설치, 실링재도포 및 마무리로 구분이 되어 코킹재설치가 명확하게 되어있는데 20년도 표준품셈 개정 이후 코킹재설치라는 문구는 삭제가 되었습니다.
다른 답변을 보면 표준품셈 건축부문 "10-3-1 창호유리설치"에서는 유리와 창호틀 사이에 실링재 도포작업이 포함되어 있다고 답변을 해주셨는데, 그렇다면 2020년 표준품셈 상 [실링재 도포작업]을 [실링재 도포작업(코킹재 설치 포함)]으로 해석해도 되는 것인지요?
유리와 창호틀 사이에 [실링재 도포작업]이 포함되어 있는 것이 궁금한 것이 아니라, [실링재 도포작업] 안에 코킹재 설치가 포함/불포함인지? 코킹재설치 포함/불포함으로 명확한 답변 부탁드립니다.

회신문
표준품셈 건축부문 "10-3-1 창호유리 설치"에서는 유리와 창호틀 사이의 실링재, 코킹재 설치작업이 포함되어 있습니다.

제목 2   유리끼우기 코킹등 부자재의 재료비 포함 여부

질의문

신청번호 2003-019 신청일 2020-03-05
질의부분 건축 제10장 창호 및 유리공사 10-3-1 창호유리설치

품셈 창호유리설치 10-3 유리 "10-3-1 주기) 유리끼우기, 누름대설치, 실링재도포, 마무리작업을 포함한다.""10-3-2 주기) 노튼테이프설치, 유리붙이기, 구조실란트 및 방수실링재 도포, 유리닦기 및 마무리작업을 포함한다.에서 포함한다.의 의미는 소요되는 잡재료(코킹재, 노턴테이프, 구조용실런트)의 재료비도 포함으로 하는 것인지?

회신문

표준품셈 건축부문"10-3-1 창호유리설치""10-3-2 커튼월유리설치"는 유리를 설치하는 시공범위를 명시하는 것으로 재료비는 포함되지 않습니다.

10-4 커튼월

10-4-2 외벽 패널 설치

有權解釋

제목   외벽 패널 설치에 관한 질의

질의문

신청번호 2007-030 신청일 2020-07-10
질의부분 건축 제10장 창호 및 유리공사 10-4-2 외벽패널 설치

품셈 10-4-2 외벽패널 설치 부분 중 주기 ② 본 품은 앵커철물 설치, 트러스절단 및 설치, 패널 설치, 마무리 작업이 포함된 것이다.
[질의내용]
주기②의 앵커철물 설치 품이 포함되어 있다는 내용이 트러스 설치를 설치할 때 앵커철물 설치 품이 포함된 것인지 패널 설치 또한 앵커철물 설치 품이 포함된 것인지?

회신문

표준품셈 건축부문 "10-4-2 외벽패널 설치"는 커튼월공사를 위한 외벽의 강재트러스와 패널을 설치는 기준으로 제시된 품이며, 트러스와 패널설치를 위한 앵커철물설치, 트러스절단 및 설치, 패널설치, 마무리작업을 포함하고 있습니다.

제11장 칠공사

11-2 페인트

11-2-7 오일스테인칠

[有權解釋]

제목 바탕처리용 스테인 휠러로 되었는데 스테인 휠러가 무엇인가요

질의문
신청번호 2003-111, 신청일 2020-03-27
질의부분 건축 제11장 칠공사 11-2-7 오일스테인칠

오일스테인칠에만 바탕처리용 스테인휠러는 별도 가산하고, 품은 m^2당 0.021~ 0.03인을 가산한다.로 되어 있는데 바탕처리용 스테인휠러가 무엇인지?

회신문
표준품셈 건축부문 "11-2-7 오일스테인칠"의 비고에서 제시하는 '스테인 휠러'는 퍼티 또는 필러(휠러) 등의 자재로 목재면의 균열 및 갈라진 틈 등 표면을 메꾸는 작업을 의미합니다.

11-2-8 에폭시 페인트칠

[有權解釋]

제목 1 에폭시 페인트칠 질의

질의문
신청번호 2003-032 신청일 2020-03-10
질의부분 건축 제11장 칠공사 11-2-8 에폭시페인트칠

2020년 건축공사 표준품셈 11-2-8 에폭시 페인트칠의 일위대가(표준품, 에폭시페인트 등 재료량)와 관련하여 두가지 질의 드립니다.
1. 에폭시 코팅(롤러 칠), 에폭시라이닝(레기 칠)의 두께는 각각 몇 mm를 구현하는 것으로 보아야 하는지요?
2. 주석란에 "위 재료량은 할증이 포함된 것이다."라고 되어 있는데, 여기서 할증이 의미하는 것이 무엇인지요(에폭시 페인트칠에서 할증을 주는 이유?

회신문
[답변1]
현행 표준품셈 "11-2-8 에폭시 페인트칠"에서 제시하는 품은 시방서 등의 기준에 부합하는 작업조건을 기준으로 산정된 것이며, 품셈에서 별도의 두께 기준을 제시하고 있지 않습니다.
[답변2]
표준품셈에서 제시하는 재료의 할증률은 일반적으로 현장에서 시공 시 발생되는 손실분을 보정해 주기 위한 것입니다.

제목 2 에폭시페인트칠 질의

질의문

신청번호 1808-051 신청일 2018-08-16

표준품셈 17-6 에폭시페인트와 관련하여 아래와 같이 질의드립니다.
1. 에폭시코팅(롤러칠)과 에폭시라이닝(레기칠)의 설계 기준이 된 도장두께
2. 도장두께 50μm, 100μm로 1회 도장하는 경우 두께에 따라 도장 품을 다르게 적용해야하는지?

회신문

표준품셈 "17-6 에폭시페인트"는 바탕만들기가 완료된 상태에서 바탕정리(이물질제거 등), 하도1회(프라이머), 퍼티 및 연마, 에폭시페인트(2회), 부분적인 보조 붓칠의 작업범위이며, 두께 기준은 별도로 정하고 있지 않음을 알려드립니다.

[기계설비부문]
제1장 배관공사
1-1 강관
1-1-1 용접접합

有權解釋

제목 1 스텐레스 플랜지용접 일위대가 질의

질의문
신청번호 2007-039 신청일 2020-07-13
질의부분 설비 제1장 배관공사 1-1-1 용접 접합

별첨 사진과 같이 플랜지를 내,외로 용접하는 경우 접합개소를 어떻게 적용하는지요?
[설계 현황]
1) 일위대가 : 스텐레스 강관용접 (개소당) 적용
2) 설계예산서 : D32~D600까지 개소당 적용(제2편 기계설비공사) 1-1-2 금속관 배관. 1.가 (2)용접접합(개소당)
   예) D32: 10개소. D50: 12개소. D100: 20개소. D300: 10개소. D600: 15개소
[질의 내용]
별첨 사진과 같이 플랜지 내외에 용접을 하는 경우
갑설) 강관용접 (개소당) 품셈이므로 내외로 용접을 하여야 한다
을설) 내외용접 규정이 없음으로 2개소 용접비를 반영하여야 한다

회신문
표준품셈 기계설비부문 "1-3-1 용접 접합"에서 정하는 '용접 개소'는 스테인리스 강관의 접합부분을 용접하는 개소를 의미하며, 배관과 배관을 접합하는 용접 기준입니다. 배관용집 시 내외용접에 대한 품 구분은 별도로 정하고 있지 않습니다.
참고로, 플랜지관련 품 기준은 "13-1-5 Flage 취부"를 참조하시기 바랍니다.

제목 2 스텐레스강관 용접접합 용접배관의 차이가 궁금합니다.

질의문
신청번호 2003-124 신청일 2020-03-30
질의부분 설비 제1장 배관공사 1-1-1 용접접합

스텐레스강관 용접 배관 m당 단가? 스텐레스강관 용접 접합 개소당 단가?
예로 D150 스텐레스강관 길이가 22m 중간에 플랜지접합을 위한 용접이 4개소, 용접이음쇠(티이 3개) 9개소, 강관용접 배관 m당 단가를 적용시 22m×단가 적용은?
강관용접 접합 개소당 단가를 적용시 플랜지 4개 이음쇠(티이) 3개(9개소), 합이 D150 용접접합이 13개소×단가 적용?
이렇게 각각 적용을 하는 것이 맞는가요?

회신문
표준품셈 기계설비부문 "1-1-1 용접 접합"은 배관을 용접하는 개소당 품이며, "1-1-2 용접 배관"은 용접식 배관을 설치하는 품으로 m당 품입니다.

1-1-2 용접배관

> **有權解釋**
>
> **제목 1** 2020 건설공사 표준품셈 관련 질의
>
> **질의문**
> 신청번호 2009-054 신청일 2020-09-18
> 질의부분 설비 제1장 배관공사 1-1-2 용접배관
>
> 당 현장 배관설비공사의 주요 물량은 SPP PIPE이며, 일부 SPPS PIPE로 구성됩니다. PJT특성상 설계압력은 10kg/㎠, 용접접합은 전체 TIG용접으로 수행하고 있으며, 용접사의 경우 절차서에 따른 기량테스트(비파괴검사 포함)를 거쳐 용접사자격 부여 후 현장에 투입하고 있습니다.
> 이러한 경우
> 1. 1-1-2 용접배관 품적용 시 배관공 대신 플랜트배관공 적용이 가능한지 여부?
> 2. 배관공사에는 TIG용접에 대한 별도 품이 없어 플랜트설비 13-2-3 강관용접 2. TIG용접 품 적용이 가능한지 여부?(동일 구경 SPP PIPE와 SCH PIPE의 단위 중량에 비례 계상)
> 3. 스테인리스강관 용접의 경우 1-3-1 용접접합을 적용하는지 위 2)의 품에 재질에 따른 배관 용접품 할증률을 적용하는지 여부?
>   상기 질의 사항에 대하여 확인 및 회신 부탁드립니다.
>
> **회신문**
> [답변1]
> 대한건설협회에서 발표하는 직종해설에 따르면 '배관공'은 계압력 5kg/㎠미만의 배관을 시공 및 보수하는 사람. '플랜트배관공'은 유해가스 이송관, 플랜트(철강, 석유, 제지, 화학, 원자력 및 발전 등의 에너지시설)배관 또는 설계압력 5kg/㎠이상의 배관을 시공 및 보수하는 사람(원자력배관공 포함) 로 정의하고 있습니다.
> [답변2]
> 표준품셈 기계설비부문 "1-1 강관"은 강관을 용접하는 기준으로 강관을 TIG용접하는 기준은 별도로 정하고 있지 않습니다. 또한 표준품셈 기계설비부문 "1장 배관공사"는 일반적으로 주거용, 업무용, 공공용 등의 건축시설물 대상이고, "13장 플랜트설비공사"는 플랜트시설물을 대상으로 적용되고 있습니다. 표준품셈에서 정하지 않는 사항은 동 품셈 1-1-3의 4항을 참조하시어 적정한 예정가격산정기준을 적의 결정하여 사용하시기 바랍니다.
> [답변3]
> 스테인리스강관 용접의 경우 표준품셈 기계설비부문 "1-3-1 용접접합"에서 스테인리스강관을 TIG용접하는 기준으로 정하고 있으니 이를 참조하시기 바랍니다.
>
> **제목 2** 용접배관(탄소강관, 단위중량에 비례한 계상 기준) 적용기준 문의
>
> **질의문**
> 신청번호 2008-055 신청일 2020-08-24
> 질의부분 설비 제1장 배관공사 1-1-2 용접배관
>
> 1. 〈건설공사 표준품셈〉에 나와 있지 않은 항목의 적용에 관한 질의입니다.
> 2. 〈건설공사 표준품셈〉 기계설비부문 '제1장 배관공사 1-1-2 용접배관(867쪽)' 및 '제13장 플랜트설비공사 13-1-1 플랜트배관설치(955쪽)' 관련입니다.

3. 건축공사현장에서 강관배관을 할 때 보통은 '배관용 탄소강관 KSD3507(이하 3507)'을 사용하고 있으나, 경우에 따라서는 '압력배관용 탄소강관 KDS3562 SCHE#40(이하 #40)'을 사용하기도 합니다. 인건비 산출에 있어서 '3507'은 기계설비부문 '제1장 배관공사 1-1-2 용접배관'의 기준을 적용하지만, '#40'의 경우엔 기준이 나와 있지 않습니다.

4. 한편 플랜트 설비공사의 경우엔 '제13장 플랜트설비공사 13-1-1 플랜트 배관 설치'에 '3507'의 기준과 '#40'의 기준이 명확히 나와 있습니다. 그리고 "[주] ⑨"에는 "규격이 같고 두께가 다를 경우 단위 중량에 비례 계상한다."고 되어 있습니다.

5. 질의 : 일반 배관공사에서 '#40' 파이프 사용시 인건비를 산출할 때, 플랜트설비공사에 있는 "[주] ⑨ 규격이 같고 두께가 다를 경우 단위 중량에 비례 계상한다." 항목을 적용해도 문제가 없는지 알고 싶습니다. 즉, 일반 배관공사에서 '#40' 파이프 사용시에는 '제1장 배관공사 1-1-2 용접배관' 기준으로 인건비를 산출한 후 '3507'과 '#40'의 중량 비율만큼 할증해서 적용해도 되는지?

회신문
표준품셈 기계설비부문 제1장 배관공사는 일반적으로 주거용, 업무용, 공공용 등의 건축시설물 대상이고, 제13장 플랜트설비공사 "13-1-1 플랜트 배관 설치"는 플랜트시설물을 대상으로 적용되고 있음을 참조하시기 바랍니다. 현행 표준품셈 일반건축물에서 압력배관용탄소강관 SCH#40 품은 별도로 정하고 있지 않습니다.

제목 3 기계배관 고소작업 비계 및 품 할증 문의

질의문
신청번호 1911-089 신청일 2019-11-27
질의부분 기계설비 제1장 배관공사 1-1-2 용접배관

기계배관 STS 250A 옥외설치(지상 7m) 시 할증 문의입니다.
1. 배관, 보온설치 시 비계를 사용하였을 경우 → 비계임대료 별도 산정, 비계설치+해체+손료적용 (2019년 품셈 P124) : 적용하여도 되는지?
2. 배관설치 품에 고소작업 품 할증 적용하여 공사비 산정하여도 되는지? 나. 고소작업 지상(비계틀 불사용) 5~10m 20% 할증 (2019년 품셈 P89)
3. 플랜트배관설치 품, (주) 3. 배관설치 높이가 지상 4m 초과하는 경우 매 4m 증가마다 3%씩 가산한다. → 품 3% 할증 적용해도 되는지요?

[추가 질의]
1. P868 스테인리스 강관설치 시 현장여건상 장비와 비계사용 공사함, 장비사용료, 비계사용료 산정을 어떻게 하는지?
2. (주) 2. 공구손료 및 경장비 기계경비는 인력품의 4%(인력시공), 13%(자체 추진 고소작업대(시저형) 시공)를 계상한다. 여기서 기계경비 13%가 배관설치 시 장비 사용료인지요? 품 비고에는 고소작업대 시공의 경우 20% 감한다와 상충되지 않는지?

회신문
[답변 1,2]
표준품셈 기계설비부문 "1-1-2 용접배관"에서 비계설치 품은 제외되어 있으며, 필요하신 경우 별도 계상하시기 바랍니다. "1-4-3 품의 할증/ 8. 위험할증률/ 나. 다. 고소작업 지상"은 고소작업을 위해 비계 등의 가시설물위에서 작업 시 위험에 따른 생산성 저하를 보정해 주기 위한 할증입니다. 여기에서 비계 틀 사용은 일반적인 비계(예, 쌍줄비계 등)에서의 작업을 의미하며, 비계 틀 불사용은 매달린 비계(예, 달비계 등)에서의 작업을 의미합니다.

[답변 3]
귀하의 질의가 용접배관에 "13-1-1 플랜트배관 설치"의 주 3.의 할증 기준을 적용한다는 것인지가 명확하지 않아 답변드릴 수 없으니 질의내용을 명확히 하여 재질의하여 주시기 바랍니다.

[답변 4]
"1-3-2 용접배관"에서 배관 설치에 투입되는 경장비의 경비는 '주 7.'에서 정하고 있으며, 비계 설치비는 필요시 별도 계상하시기 바랍니다.

[답변 5]
"1-3-1 용접접합"에서 인력으로 시공할 경우 본 품을 적용하며, 기계경비는 인력품의 4%를 적용하시기 바라며, '자체 추진 고소작업대'로 시공할 경우 본 품을 20% 감하고 기계경비는 13%를 적용하시기 바랍니다. 이는 고소작업대 사용으로 인한 생산성 향상과 고소작업대의 사용료를 반영한 사항입니다.

제목 4 정산 시 배관 길이 산출기준 문의

질의문

신청번호 1911-079 신청일 2019-11-22
질의부분 기계설비 제1장 배관공사 1-1-2 용접배관

배관 길이 산출 시 엘보, 티, 레듀샤 등 부속값을 제외하고 끝에서 끊어서 길이를 산출하는지? 배관 실측 및 정산 시 이슈가 발생되어 이렇게 질의드립니다.

회신문

표준품셈 기계설비부문 "1-1-2 용접배관"에서 배관길이는 배관+배관부속품의 중심선을 기준으로 길이를 산출하시기 바랍니다.

제4장 펌프 및 공기설비공사

4-1 펌프

4-1-2 집수정 배수펌프 설치

有權解釋

제목 1 암반관정 수중모터설치에 대한 설치 품 적용

질의문
신청번호 2003-068 신청일 2020-03-17
질의부분 설비 제4장 펌프 및 공기설비공사 4-1-2 집수정배수펌프설치

암반관정에 설치하는 심정용 수중모터&펌프의 설치 품은 어떻게 적용하여야 하나요? 질의부문 선택에는 없는데 그럼 어떤 부문에 실려있는지요?

회신문
표준품셈 공통부문 "8-2-30 수중펌프"에서 수중펌프 운전 및 설치 품 기준을 정하고 있으니 이를 참조하시기 바랍니다.

제목 2 펌프 및 휀 동력 결선관련 문의

질의문
기계설비의 품에 적용되어 있는 장비설치 시 조립설치 및 조정 검사 및 유지보수는 적용이 되어 있는 것으로 명기 되어 있습니다. 여기에서 업무관련해서 펌프 및 기타장비 설치 시 결선에 관련 즉 MCC판넬까지 동력원 결선은 명기 및 업무관련하여 문의를 드리고자 합니다. 대부분의 장비가 380V이상이므로 결선작업은 계장공이 있는 부분에서 반영하는 것인지

회신문
표준품셈에서 기계설비공사의 작업범위는 일반적으로 기계설비가 가동될 수 있는 조립 및 설치에서 전원연결 및 시운전, 교정까지를 의미합니다. 펌프 등 장비 설치에서 결선 이전의 전기배선 및 입선 작업은 제외되어 있으며, 결선작업은 포함되어 있습니다.

제목 3 집수정 배수펌프 모터, 송풍기 모터의 전원연결(결선) 작업 품외 질의

질의문
[질의1]
"1-6-1 펌프설치 2. 집수정 배수펌프"에서 집수정 배수펌프 모터의 전원 연결(결선) 품이 포함되어 있는지요?
[질의2]
"1-7 송풍기설치"에서 송풍기 모터의 전원 연결(결선) 품이 포함되어 있는지요?
[질의3]
"2-2-2 냉동기설치"에서 냉동기 콘트롤판넬에 전원연결(결선) 품이 포함되어 있는지요?

회신문
건설공사 표준품셈에서 기계설비공사의 작업 범위는 일반적으로 기계설비가 가동될 수 있는 조립 및 설치에서 전원연결 및 시운전, 교정까지를 의미합니다. 펌프, 송풍기, 냉동기 등의 설치는 모든 배관배선이 별도 작업조에 의해 완료된 상태에서 펌프의 가동을 위한 연결(결선) 작업은 본 품에 포함되어 있습니다.

제8장 공기조화설비공사

8-1 냉동기 및 냉각탑

8-1-3 냉각탑 설치

有權解釋

제목 8-1-3 냉각탑 설치 품셈관련

질의문
신청번호 2007-008 신청일 2020-07-02
질의부분 설비 제8장 공기조화설비공사 8-1-3 냉각탑 설치

지하에 설치하는 냉각탑의 경우 2층 건물 품셈을 적용하려고 하고 있습니다. 그런데 구분 중 1회, 2회가 있는데 이것은 같은 장소에 1대, 2대 설치를 얘기하는 것인지요? 또한 옥상은 알겠습니다만 탑 옥 1층 탑 옥 3층이 무슨 뜻인지?

회신문
표준품셈 기계설비부문 "8-1-3 냉각탑 설치"는 탑 본체, 수조 등 부속기기의 반입 및 설치를 포함한 기준이며, 1회 및 2회는 작업 횟수를 뜻합니다. 또한 탑 옥은 건물의 옥상에 돌출된 구간을 뜻합니다.

제13장 플랜트설비공사

13-1 플랜트 배관

13-1-1 플랜트 배관 설치

有權解釋

제목 1 플랜트 배관 설치 품에 비파괴검사 품의 포함 여부

질의문
신청번호 2103-070 신청일 2021-03-24
질의부분 설비 제13장 플랜트설비공사 13-1-1 플랜트배관 설치

기계설비 표준품셈 13-1-1 플랜트배관 설치 품에 비파괴검사 품(RT)의 포함 여부
13-1-1플랜트배관 설치-주해 (12) "비파괴검사 시 KS1급 기준인 경우는 본 품에 100%까지 가산 할 수 있다."는 비파괴시험 시 "13-2-7 플랜트 용접 개소 비파괴시험"을 적용하지 않고, 플랜트배관 설치 품에 100%(2배)를 가산하면 비파과시험이 포함되는 것인지요?

회신문
표준품셈 기계설비부문 "13-1-1 플랜트배관 설치"의 '주12. 비파괴검사 KS 1급 기준인 경우 본 품에 100%까지 가산할 수 있다.'에서 100% 할증은 비파괴검사로 인한 작업 지연과 KS1급 기준으로 배관을 설치 할 경우 일반용접 및 배관보다 품질을 향상시켜야 하므로 부여되는 플랜트배관품 할증이며, 검사 비용은 제외되어 있습니다. 비파괴검사의 품은 동품셈 "13-2-7 플랜트 용접 개소 비파괴시험"에 따라 계상하실 수 있습니다.

제목 2 플랜트 배관공사 관련 질의입니다.

질의문

신청번호 2004-052 신청일 2020-04-20
질의부분 설비 제13장 플랜트설비공사 13-1-1 플랜트배관 설치

제13장 플랜트설비공사(965p), [주] 2항에 본 설치품은 Fitting류 및 Valve류의 중량의 전체 배관 설치 중량의 30%로 간주하여 배관하는 품으로 '10% 증감할 때마다 폰 품에 10%씩 가감하고' 이 부분에서 Fitting류설치 중량이 전체 배관 설치 중량의 40%일 경우, 전체 배관 설치 중량의 기본 공량이 110%가 되어야 하는게 맞는지?, Fitting류설치 중량이 전체 배관설치 중량의 5%일 경우 전체 배관설치 중량의 기본 공량이 75%가 되어야 하는게 맞는지?

회신문

표준품셈 기계설비부문 "13-1-1 플랜트배관 설치"는 전체 배관 설치 중량(배관중량+ Fitting류, Bracket류, Support류, Valve류 등)에 적용되는 품으로 여기에서 전체 배관 설치 중량이 100ton이라 가정하면 이중 배관 중량(70%인 70ton), Fitting류, Bracket류, Support류, Valve류 등의 중량(30%인 30ton)을 기준으로 제시된 것입니다. 또한, '주 2.'에서 "Fitting류, Bracket류, Support류, Valve류 등의 중량이 전체 배관 설치 중량의 30%에서 10%씩 증감할 때 마다 본 품에 10%씩 가감 적용해야 합니다.

제목 3 플랜트 설비공사

질의문

신청번호 2002-060 신청일 2020-02-24
질의부분 설비 제13장 플랜트설비공사 13-1-1 플랜트배관설치

본 품은 Raw Material 기준으로 한 것이며 소운반, 절단, Edge Cutting, 나사 내기, 배열, Fitting재 취부, Valve류 취부, 용접, 나사접합, Hangering, Supporting, Flushing, 기밀시험(leak test) 및 내압시험(Air, gas, Water test) 등이 포함되어 있다. 내용의 용접은 어떤 용접타입 기준인가요? 전기아크, 티그, 전기아크 기준이면 티그용접 노임 계상은 어떤 품셈을 적용해야하나요?

회신문

표준품셈 기계설비부문 "13-1-1 플랜트 배관설치"는 플랜트시설물을 대상으로 한 전기아크용접 기준입니다. TIG용접은 "1-3-1 용접 접합"을 참조하시기 바랍니다.

제목 4 플랜트설비 시운전관련

질의문

신청번호 2001-035 신청일 2020-01-15
질의부분 설비 제13장 플랜트설비공사 13-1-1 플랜트배관설치

플랜트설비공사의 플랜트배관 등의 시운전이 품에 포함되어 있지 않은 것 같은데 확인 부탁드립니다. 그리고 별도로 품을 산정하여야 한다면 9장 기타공사의 9-5 시운전 및 조정에 의하여 품을 산정하여도 되는지?

회신문

표준품셈 기계설비부문 "13-1-1 플랜트배관설치"에서는 배관의 시운전 품이 제외되어 있으며, 시운전 관련 품은 "9-5-1 시운전"에서 정하고 있으니 이를 참조하여 계상하시기 바랍니다.

> **제목 5** 플랜트배관설치 시 공장제작 조립 할감(~30%) 적용의 건
>
> **질의문**
>
> 신청번호 1905-053 신청일 2019-05-21
> 질의부분 기계설비 제13장 플랜트설비공사 13-1-1 플랜트배관설치
>
> 표준품셈중 플랜트배관설치 주기중 "Fitting류, Bracket류, Support 및 밸브류 등이 공장에서 제작 조립된 경우에는 본 품에 30%까지 감하여 적용할 수 있다."에 대한 적용여부에 대한 질의
> [질의사항]
> 1. 현장의 배관을 SHOP장(배관제작 가공장)에서 제작, 조립(Fitting조립, Flange부착, By-pass제작, 조립 등)하여 현장에 반입, 설치할 경우 할감 30%의 일부 적용 여부?
> 2. 적용불가 시 상기 주기사항의 적용되는 경우는 어느 경우인지?
>
> **회신문**
>
> 표준품셈 기계설비부문 제4편 "13-1-1 플랜트배관설치"의 '주2. Fitting류, Bracket, Support 및 밸브류 등이 공장에서 제작 조립된 경우에는 본 품에 30%까지 감하여 적용할 수 있다.'는 플랜트배관의 Fitting류, Bracket, Support 및 밸브류 등의 조립이 공장에서 이루어져 현장에서 조립과정에 발생되지 않을 경우를 의미하며, 이는 Fitting류, Bracket, Support 및 밸브류 를 조립하는 비용을 공장제작으로 별도로 계상된 경우를 의미합니다.

13-2 플랜트 용접

13-2-3 강관용접

> **有權解釋**
>
> **제목** 비파괴검사 관련 문의
>
> **질의문**
>
> 신청번호 1904-075 신청일 2019-04-19
> 질의부분 설비 제13장 플랜트설비공사 13-2-3 강관용접
>
> 비파괴검사 관련하여 2019년 건설공사 표준품셈 13-2-3 강관용접 1. 전기아크용접에 [주] 5번. 비파괴검사 KS 1급 적용 시에는 본 품의 100%까지 가산할 수 있다.라고 되어있습니다.
> 가스배관 볼밸브 교체작업을 하면서 비파괴검사는 용역업체 계약하여 수행하는데요. 그럴 경우 품 100%가산을 하지 않는게 맞는지요?
> 품셈에서 비파괴 품 100% 가산의 의미는 시공업체에서 시공부터 비파괴까지 모두 수행했을 경우 적용하는 것이 맞는지요?
>
> **회신문**
>
> 표준품셈 기계설비부문 "13-2-3 강관용접/ 1. 전기아크용접"의 '[주] 5. 비파괴검사 KS1급 적용 시에는 본 품에 100%까지 가산할 수 있다.'에서 100% 할증은 비파괴검사로 인한 작업지연과 일반용접 및 배관보다 품질을 향상시켜야 하므로 부여되는 플랜트배관 품 할증입니다.

[유지관리부문]
제2장 토목

2-1-3 절삭 후 아스팔트 덧씌우기

有權解釋

제목 1 절삭 후 아스팔트 덧씌우기 중기 운반비 반영 여부

질의문
신청번호 2108-069 신청일 2021-08-25
질의부분 토목 제1장 도로포장공사 1-10-2 절삭 후 아스팔트 덧씌우기

내역서에 중기 운반비용이 있는데, 절삭 후 아스팔트 덧씌우기(1-10-2)에 대한 장비 운반이 미반영된 상태입니다. 절삭 후 아스팔트 덧씌우기 시 표준품셈 기준 노면파쇄기, 로더, 피니셔, 롤러 3대 등 트레일러를 통하여 운반이 필요합니다. 표준품셈에 포장장비 운반비에 대한 비용 반영 여부 및 반영 방법이 확인않되어 문의드립니다.
도심지 구간에서 임시포장 후 수시로 절삭 포장을 해야 하는데, 공사비는 시공비만 반영이 되어 있어 절삭 포장공사를 위한 운반비는 설계변경 가능 여부에 대하여 문의드립니다.

회신문
표준품셈 토목부문 "1-10-2 절삭 후 아스팔트 덧씌우기"에서는 절삭 및 포장장비의 현장반입 및 이동을 위한 기준은 포함되어 있지 않으니 별도 계상하시기 바랍니다.

제목 2 절삭 후 아스팔트 덧씌우기 관련

질의문
신청번호 2102-104 신청일 2021-02-24
질의부분 토목 제1장 도로포장공사 1-11-1 절삭 후 아스팔트 덧씌우기

절삭 후 아스팔트 덧씌우기 관련해서 A타입, B타입, C타입 중에 A타입 5,000m² 단가로 적용되어 있습니다. 총 시공 물량이 이면도로 1,061m²인데 A타입으로 단가 적용이 맞는 것인지? 시공사 입장에선 불합리하다 판단되어 이렇게 문의드립니다.

회신문
표준품셈 토목부문 "1-10-2 절삭 후 아스팔트 덧씌우기"에서는 현장 여건을 고려하여 Type을 정한 후, 일당 시공량을 산정하시기 바랍니다.
Type별 일당 시공량은 본 품에서 제시하는 장비 및 인력조합으로 작업하는 평균적인 시공량을 의미하며, 현장 여건에 따라 실제 시공에서 시공량(A-Type 5,000m², B-Type 3,400m², C-Type 1,800m²) 미만 혹은 초과가 될 수 있습니다.
또한 현장 여건별 적용기준은 주3의 표를 참조하시어 현장 여건을 고려하여 Type을 결정하시기 바랍니다. 장비 조합의 경우 '주 5. 작업 시 공사시방에 따라 장비 조합을 변경할 수 있다'를 참조하시어 해당 공사의 특성을 고려하시고 표준품셈을 참조하시어 공사관계자가 직접 결정하실 사항임을 양지해 주시면 감사드리겠습니다.

제목 3 절삭후 아스팔트 덧씌우기(유지보수) 관련 질의요청

질의문

신청번호 2009-001 신청일 2020-09-01
질의부분 토목 제1장 도로포장공사 1-11-1 절삭 후 아스팔트 덧씌우기

2020년 개정된 표준품셈 내용과 관련하여 질의 드립니다.
제1장 도로포장공사/ 1-11 유지보수(2020년 보완)/ 1-11-1 절삭 후 아스팔트 덧씌우기(2020년 보완) 내용을 보면 아래와 같이 나누어져 있습니다.
- A타입(시공량 5,000m^2) : 고속도로, 자동차 전용도로, 평면 교차로가 없는 일반도로 등과 같이 시공구간이 연결되어 있는 경우
- B타입(시공량 3,400m^2) : 평면교차로 등으로 인해 시공구간이 단절되어 일시적인 장비의 이동이 발생하되, 이동을 위한 장비의 운반이 발생되지 않는 경우
- C타입(시공량 1,800m^2) : 평면교차로 등으로 인해 시공구간이 단절되어 작업위치 이동을 위한 장비의 운반이 발생되는 경우

금회 포장공사 계획된 위치는 도시고속도로이나 시공량은 대략 1,000m^2이하의 물량이 계획되어 있습니다. 이 경우 A타입과 C타입 중 어느 타입을 적용해야 하는지?

회신문

표준품셈 공통부문 "1-1-3 적용 방법" 6에서 "시공량/일로 명시된 항목 중 시공량이 본 품(시공량/일)의 기준 미만일 경우에는 현장 여건 등을 고려하여 별도 계상한다."를 참조하시기 바랍니다.

제목 4 절삭 후 아스팔트 덧씌우기 관련

질의문

신청번호 2004-022 신청일 2020-04-07
질의부분 토목 제1장 도로포장공사 1-11-1 절삭 후 아스팔트 덧씌우기

본 항목 중 "로더(타이어)+소형노면파쇄기"만의 아스팔트절삭 시공량에 대한 정보는 없는지 알고 싶습니다. Type별 시공량(SM)에 노면파쇄기만의 시공량을 제외해도 되는지?

회신문

표준품셈 토목부문 "1-11-1 절삭 후 아스팔트 덧씌우기"는 노면파쇄기를 이용한 절삭기준으로 아스팔트포장 면을 대형장비로 절삭(밀링깊이 70mm 이하)후 아스팔트로 재포장하는 기준입니다.
대형장비 투입이 어려운 상황에서 아스팔트포장 면을 소형장비로 절삭 후 아스팔트로 재포장하는 기준("로더(타이어)+소형노면파쇄기")은 표준품셈 토목부문 "1-11-4 소파보수(표층)"을 참조하시기 바랍니다.

제목 5 절삭 후 아스팔트 덧씌우기 관련 질의

질의문

신청번호 2002-023 신청일 2020-02-11
질의부분 토목 제1장 도로포장공사 1-11-1 절삭 후 아스팔트 덧씌우기

해당 품을 보면 '절삭, 유제살포, 포장 및 다짐을 포함한다.'되어 있는데 시공 시 들어가는 유제도 포함된 것인지 별도 계상해도 되는지, A시공 여건에 따라 A, B, C타입으로 구분을 해놨는데 주택가 할증을 추가로 반영시켜도 되는지? 올해 보완되어서 그런지 다들 적용기준이 다른 것 같아서 질의드립니다.

> **회신문**
> [답변 1]
> 표준품셈 토목부문 "1-11-1 절삭 후 아스팔트 덧씌우기"에는 유제를 살포하는 작업이 포함되어 있으며, 재료비는 별도 계상하시기 바랍니다.
> [답변 2]
> 본 품은 주택가, 번화가 등에서 조사된 품으로 동일한 성격의 할증을 반영하실 필요는 없습니다.

2-1-7 소파 보수(포장 복구)

> **有權解釋**
>
> **제목 1** 소파 보수(포장복구)
>
> **질의문**
> 신청번호 2107-047 신청일 2021-07-14
> 질의부분 토목 제1장 도로포장공사 1-10-6 소파 보수(포장 복구)
>
> 진동롤러(진동+타이어) 2.5Ton 장비사용 품이 타이어가 붙은 진동롤러인가요? 아니면 진동롤러(2.5Ton)+타이어롤러(2.5Ton)를 투입하여 다짐하는 품인가요?
>
> **회신문**
> 표준품셈 토목부문 "1-10-6 소파 보수(포장 복구)"에서 '진동롤러(진동+타이어)'는 '(1306-0025)진동롤러(자주식) 2.5ton'을 적용하시기 바랍니다.
>
> **제목 2** 20년 품셈(도로포장)개정 사항 문의
>
> **질의문**
> 신청번호 2001-007 신청일 2020-01-03
> 질의부분 토목 제1장 도로포장 공사 1-11-7 소규모 포장복구
>
> 2020년 표준품셈 도로포장 부분이 개정되었는데 이번에 Type-A, B, C로 일당 시공량이 정해졌는데 5번 주석을 보면 타입별 평균 시공면적에 따라 시공량 할증계수가 생겼습니다. 그렇다면 예를 들면 Type-B로 간다는 가정하게 하루에 3군데 소파 보수를 하였고, 평균 시공면적이 20m²로 산정되었으면 품셈 적용할 때 35×1.06 = 37.1m²일 하루 시공량으로 하여 산정한 단가 내역에 반영하면 되는 것일까요?
>
> **회신문**
> 표준품셈 토목부문 "1-11-6 소파 보수(도로복구)"에서는 현장여건을 고려하여 Type을 정한 후, 시공 개소의 평균 면적에 따른 Type별 할증계수를 적용하여 일당 시공량을 산정하시기 바랍니다.

2-1-24 보도용 블록 설치 재설치(21년 신설)

> **有權解釋**
>
> **제목 1** 블록 재설치 품 문의
>
> **질의문**
> 신청번호 2103-022 신청일 2021-03-06
> 질의부분 토목 제1장 도로포장공사 1-8-1 보도용 블록 설치
>
> 2021년 표준품셈 1-10-23 보도용 블록 설치 재설치(21년 신설) [주] ① 본 품은 기존에 설치되었던 블록이 철거된 상태에서 신규 블록(규격 $0.1m^2$이하, 두께 8cm이하)을 재설치하는 기준이다.
> 1-10-26 보차도 및 도로경계블록 재설치(21년 신설) [주] ① 본 품은 기존에 설치되었던 블록이 철거된 상태에서 신규 블록을 재설치하는 기준이다.
> 질의) 기존에 설치되었던 블록이 철거된 상태 → 상기 재설치 품은 기존 블록의 철거 품을 포함하고 있는지 문의드립니다.
>
> **회신문**
> 표준품셈 "1-10-23 보도용 블록 재설치"와 "1-10-26 보차도 및 도로경계블록 재설치"는 블록이 철거된 상태에서 신규 블록을 재설치하는 기준으로, 철거 품은 포함하고 있지 않습니다.
>
> **제목 2** 보도용 블록 설치 재설치 관련 문의
>
> **질의문**
> 신청번호 2102-068 신청일 2021-02-16
> 질의부분 토목 제1장 도로포장공사 1-8-1 보도용 블록 설치
>
> 2021년 신설된 품셈에 관하여 1-10-23 보도용 블록 설치 재설치 [주]1에서 '신규 블록'의 의미가 새 보도블록을 의미하는지? 아니면 재사용 목적으로 철거한 보도블록도 포함하는 의미인지? 재사용 목적으로 철거한 보도블록도 포함이라면, 굴착을 위해 보도블록 철거 후 기존 보도블록 재설치의 경우 1-10-21 또는 22와 1-10-23을 적용하면 되는 것인지?
>
> **회신문**
> 표준품셈 토목부문 "1-10-23 보도용 블록 재설치"에서 신규 블록은 새 보도블록을 의미합니다.

2-4 관부설 및 접합

2-4-7 하수관 준설(흡입식)

有權解釋

제목 1 하수관 준설(흡입식) 관련

질의문

신청번호 2109-054 신청일 2021-09-23
질의부분 토목 제6장 관 부설 및 접합공사 6-9-7 하수관 준설(흡입식)

③ 본 품은 장비셋팅, 하수관 내부세정(집토), 준설토 흡입, 정리 및 이동 작업을 포함한다.에서
[문의1] 준설(폐기물)을 배출하기 위한 차량의 이동을 포함한 것인지?
[문의2]
품셈 1-4-3 품의 할증 14. "계속 이동작업"을 포함한 품인지요?

회신문

[답변1]
표준품셈 토목부문 "6-9-7 하수관 준설(흡입식)"은 흡입차량이 폐기장에 가서 배출하는 것을 포함하고 있습니다.
[답변2]
표준품셈 토목부문 "6-9-7 하수관 준설(흡입식)"은 장비 셋팅, 하수관 내부세정(집토), 준설토 흡입, 정리 및 이동 작업을 포함하고 있습니다.

제목 2 진공흡입준설차 운전사의 구분에 대한 질의

질의문

신청번호 2101-069 신청일 2021-01-22
질의부분 공통 제8장 건설기계 8-1-3 운반 및 수송

6-9-7 하수관 준설(흡입식)에 적용되는 진공흡입준설차와 관련하여 진공흡입준설차 운전사의 구분에 대한 이견이 있어 질의합니다.
건설기계운전사 : 진공흡입준설차는 차량운전 뿐만 아니라 장비조작을 함께 하여야 함으로 적용
화물차운전사 : 흡입준설차는 건설기계관리법 시행령 제2조에 해당하지 않는 기계임으로 화물차 운전사로 적용
건설기계운전사, 화물차운전사 어느 것이 타당한지 답변바랍니다.

회신문

표준품셈 토목부문 "6-9-7 하수관 준설(흡입식)"에 사용되는 진공흡입준설차 운전사는 진공흡입준설차가 건설기계관리법 시행령 제2조에 포함되어 있지 않으므로 화물차운전사로 적용하시기 바랍니다.

제3장 건축

3-1 구조물철거공사

3-1-1 콘크리트구조물 헐기(소형장비)

有權解釋

제목 1 삭제된 품셈 해체철거공사의 기준 질의

질의문
신청번호 2011-056 신청일 2020-11-21
질의부분 건축 제12장 유지보수공사 12-3-1 콘크리트구조물 헐기(소형장비)

질의부문 삭제된 품셈으로는 작성이 되지 않아 건축으로 질의드립니다.
2020품셈 건축 12-3-1 콘크리트구조물 헐기에 해당하는 현재는 삭제된 2016 표준품셈의 18-1해체철거공사/ 3. 헐기 및 부수기/ 가. 인력에서 인력이란 함마드릴을 사용한 부수기인지, 해머를 들고 어떠한 기계적 동력도 동원하지 않고 순수한 사람의 힘만으로 부수기인지?

회신문
표준품셈 "18-1 해체철거공사/ 3. 헐기 및 부수기/ 가. 인력/ 콘크리트"는 과거 할석공에 의한 순수 인력 품(헐기, 부수기 관련 모든 공종 포함)으로 현재는 발생빈도가 극히 미미하여 2017년 표준품셈부터 삭제되었으며, 장비(소형, 대형)사용으로 변경되었음을 참고해 주시기 바랍니다.

제목 2 철근 절단 관련 적용기준

질의문
신청일 2017-04-27

철근 절단과 관련하여 현장에서 기존 L형 옹벽을 철거 중에 있습니다. 폐기물수량을 최소화하기 위해 옹벽의 벽체만 제거 후 기초 저판부는 존치하려고 합니다. 벽체만 제거 시 L=392.3m에 CTC150mm로 상하로 배근되어 있어 D19철근 약 5,230개가 노출되어 절단 작업이 필요한 실정입니다. 관련 품셈기준을 살펴보았으나 적용 가능한 기준은 없는 것 같고, 2011년 표준품셈 224p 제7장 돌쌓기 및 헐기 7-8 철근 콘크리트구조물헐기 시 철근절단공을 찾아서 적용코자 검토 중입니다.
[질의]
품셈적용 기준이 깨기 수량의 $10m^3$당으로 품이 산출되어 있는데… 철근규격 및 절단 개소로도 산정이 가능한 것인지? 이런 내용이 $10m^3$당 품셈 산출 시 고려되었는지?

회신문
건설공사 표준품셈 건축부문 [18-2 구조물헐기 및 부수기/ 콘크리트구조물]에서[1. 소형장비 사용]의 경우 [주2]에 따라 철근 절단 품을 별도 계상할 수 있으며, 동 품 [2. 대형장비사용]의 경우 장애물(철근, 파이프 등)제거를 위한 용접공의 품을 제시하고 있으며 [주6]에서 일반적인 경우의 재료량을 제시하고 있으니 참고하시기 바랍니다.

3-1-2 콘크리트구조물 헐기(대형장비)

有權解釋

제목 1 콘크리트 구조물헐기 (대형장비)

질의문

신청번호 2108-047 신청일 2021-08-17
질의부분 건축 제12장 유지보수공사 12-1-2 콘크리트구조물 헐기(대형장비)

12-1-2 콘크리트구조물 헐기(대형장비) 2021년 보완에서 굴삭기+브레이커+압쇄기(1.0m³)의 장애물(철근)구조물 헐기(깨기)적용 시 "m³/hr" 0.29적용에서 굴삭기(1.0m³)는 0.29를 적용하면 되나, 브레커와 압쇄기 각각에 대하여 0.29를 적용하면 되는 것인지?
— 브레이커 시간당 손료(경비)×0.29, 압쇄기 시간당 손료(경비)×0.29
  아니면 브레커와 압쇄기 사용율을 각각 산정(브레커+압쇄기=100%)하여 그 사용율에 대하여 0.29를 적용하는 것인지요?
  예를 들면 (브레이커 70%+압쇄기 30%)해서
— 브레이커 시간당 손료(경비)×0.7×0.29, 압쇄기 시간당 손료(경비)×0.3×0.29.

회신문

표준품셈 건축부문 "12-1-2 콘크리트구조물 헐기(대형장비)"에서 장애물제거 시 굴삭기, 브레이커, 압쇄기의 시간당 손료에 각각 0.29를 적용하시기 바랍니다.

제목 2 콘크리트구조물 헐기 문의

질의문

신청번호 2104-094 신청일 2021-04-22
질의부분 건축 제12장 유지보수공사 12-1-2 콘크리트구조물 헐기(대형장비)

표준품셈 12-1-2 콘크리트구조물 헐기(대형장비) 관련하여 굴삭기+압쇄기에서 장애물제거, 장애물 미제거 두개의 항목으로 나눠지던데 장애물 미제거는 무근콘크리트를 의미하는 건가요? 그리고 장애물 제거는 콘크리트안에 있는 철근을 말하는 건가요?

회신문

표준품셈 건축부문 "12-1-2 콘크리트구조물 헐기(대형장비)"는 대형장비(굴삭기+압쇄기)를 사용하여 철근콘크리트 구조물을 헐기 및 부수기 작업하는 품이며, 철근이나 파이프 등의 제거 여부에 따라 장애물 제거 또는 장애물 미제거로 구분되어 집니다. 철근이나 파이프등을 제거 할 경우 장애물 제거를 적용하시기 바라며, 철근이나 파이프 제거가 없는 경우 장애물 미제거를 적용하시기 바랍니다.

3-2 해체공사

3-2-10 기존방수층 및 보호층 철거

有權解釋

제목 옥상 방수보호층 철거(무근콘크리트)의 품셈적용 중 운반비 산정기준

질의문

신청번호 2008-031 신청일 2020-08-13
질의부분 건축 제12장 유지보수공사 12-2-2 기존방수층 및 보호층철거

본 현장의 리모델링공사 중 3층 옥상바닥의 방수층 무근콘크리트 8cm철거 후 소운반하여 폐기물차량에 이동하여야 합니다. 그런데 현장여건상 엘리베이터 및 가설용 호이스트가 없는 현장으로서 위의 소운반의 경우 수평거리 20m이내로 알고 있습니다. 이런 경우에는 하역 1안)으로 장비(크레인)이나 2안)으로 지게 인력 계단으로 소운반을 적용하여야 하나 문의드립니다.

회신문

소운반은 일반적으로 품에서 포함된 것으로 일반적으로 20m 이내의 거리이며, 20m를 초과하는 경우에는 초과분에 대하여 표준품셈 "1-5-1 소운반 및 인력운반" 등을 활용하여 별도 계상하도록 정하고 있습니다.

Ⅳ 조달청 「표준일위대가」 정보공개 안내

조달청에서는 공공공사 입찰의 효율성 및 공정성 확보를 위해, 국토교통부 등에서 발표된 표준품셈으로 구성된 일위대가 중 사용빈도가 높은 항목들을 '표준일위대가'로 제작하였습니다.
[붙임]으로 표준일위대가 세부정보를 공개하오니 조달청 계약요청 공사에 대해서는 붙임 자료를 사용해 내역서를 작성해 주시기 바랍니다.
(일정기간 시범운영 후 표준일위대가 임의 조정 등에 대해 내역오류로 처리 예정)

☞ **표준일위대가 관련 문의사항 연락처**
- 공통, 건축, 문화재 분야 : 건축설비과(042-724-7363)
- 토목 분야 : 토목환경과(042-724-6285)
- 기계설비 분야 : 건축설비과(042-724-7409)
- 전기, 통신 분야 : 건축설비과(042-724-7588)
  붙임 : 표준일위대가 정보공개(사이트 참조)
  ※ 조달청 > 정보제공 > 업무별자료 > 시설공사에서 "조달청 표준일위대가 정보공개" 다운받아 사용

표준일위대가 사용 관련 안내사항

1. '표준일위대가'란 국토교통부 등에서 발표된 표준품셈으로 구성된 일위대가 중 사용빈도가 높은 항목들을 조달청에서 선별한 것입니다.
2. 공개된 표준일위대가의 품명, 규격, 단위, 세부내역 등 발표내용의 변경 사용을 금지합니다.
3. 자재 등 자원의 단가는 물가상승에 따른 지속적 변경이 예상되어 기재하지 않습니다. 다만, 조달청 단가가 있는 자원(노무비, 공통자재 등)의 경우는 가급적 조달청 단가를 사용하시기 바랍니다.
4. 향후 표준품셈 개정 등의 변경이 발생할 경우 변경된 일위대가를 공개할 예정입니다.
5. 자주 쓰이지 않는 표준품셈의 일위대가는 표준일위대가에서 제외하였습니다. 향후 설계 시 추가 자료가 필요한 경우 공종별 담당자에게 요청하시기 바랍니다.
6. 본 일위대가는 표준품셈을 기준으로 만들어진 것으로 품셈에 대한 질의는 담당기관으로 하시기 바랍니다.
   [표준품셈 담당기관]
   - 공통, 건축, 토목, 기계설비 : 국토교통부, 한국건설기술연구원
   - 전기, 통신 : 한국정보통신산업연구원
   - 문화재 : 문화재청
7. '21년부터는 내역서 호환성 검증단계에서 표준일위대가 공량을 임의 변경할 경우 오류가 발생할 수 있습니다.
8. 표준품셈과 관련된 별도의 코드체계가 있는 경우 조달청 건축설비과(담당 : 강유진 주무관)로 그 내용을 등록하시면 호환성 검증과정에서 조달청 코드로 자동 변환되는 기능을 제공할 예정입니다. 다만, 요청 후 등록까지는 일정 시간이 소요됩니다.
9. 조달청 코드를 사용하지 않는 경우 검토기간이 지연되어 계약 행정소요일수가 증가할 수 있습니다. 따라서, 가급적 조달청 코드를 사용하시길 권장합니다.
10. 표준일위대가 이외에도 각종 일위대가의 검증이 완료된 데이터는 지속적으로 공개할 예정입니다.

Ⅴ 공사 원가계산 실무 요령

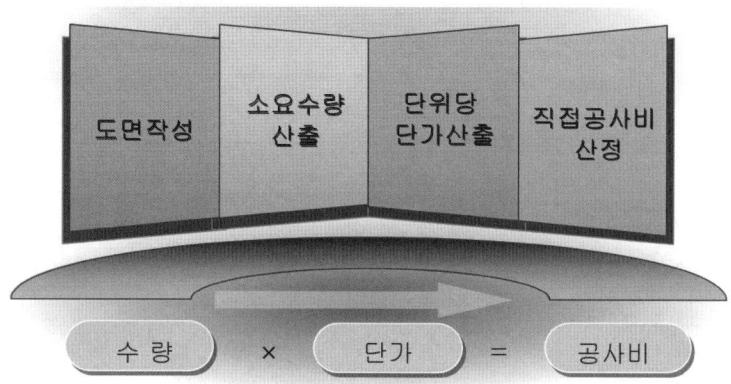

1 원가계산 실무

가. 아래와 같은 무근콘크리트를 땅속에 1,000개소를 설치하는 공사비 산정 "예"

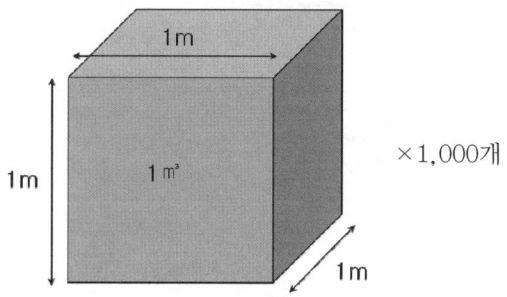

나. 순서

    1) 터파기 → 2) 되메우기 → 3) 합판가푸집설치 → 4) 레미콘타설 → 5) 잔토운반(덤프트럭)

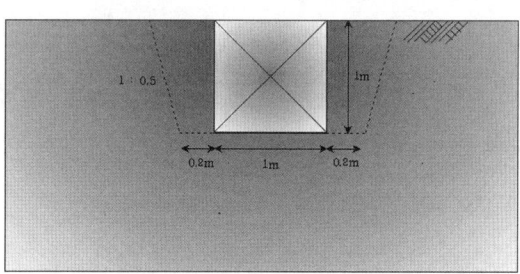

1) 터파기 수량산출

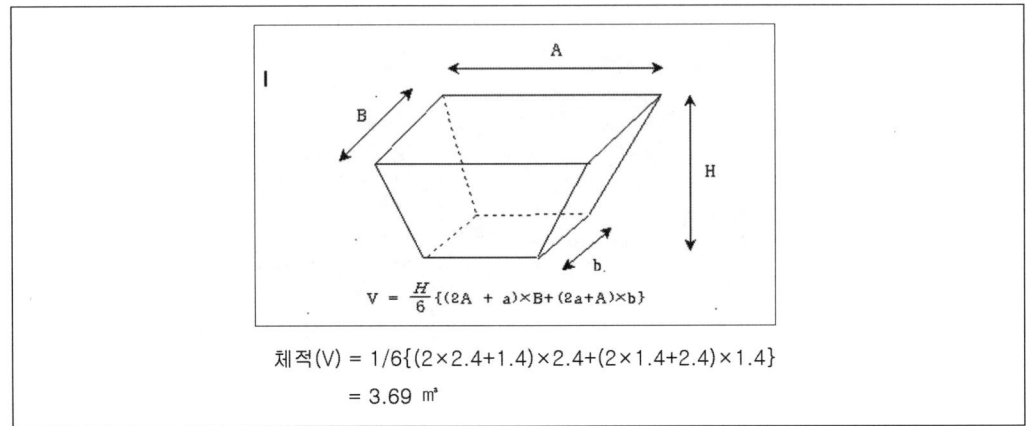

$$V = \frac{H}{6}\{(2A+a)\times B + (2a+A)\times b\}$$

체적(V) = 1/6{(2×2.4+1.4)×2.4+(2×1.4+2.4)×1.4}
      = 3.69 ㎥

2) 되메우기 수량산출

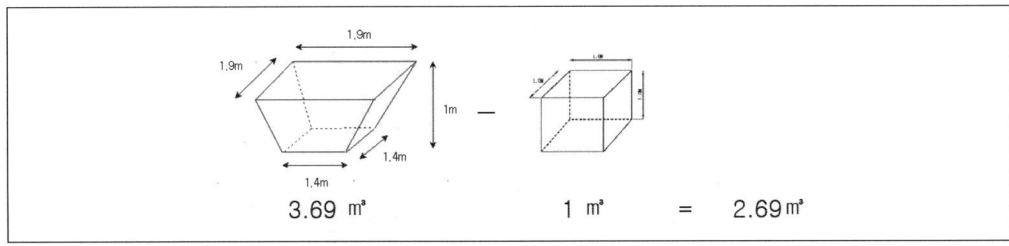

3.69㎥   −   1㎥   =   2.69㎥

3) 합판거푸집 수량산출

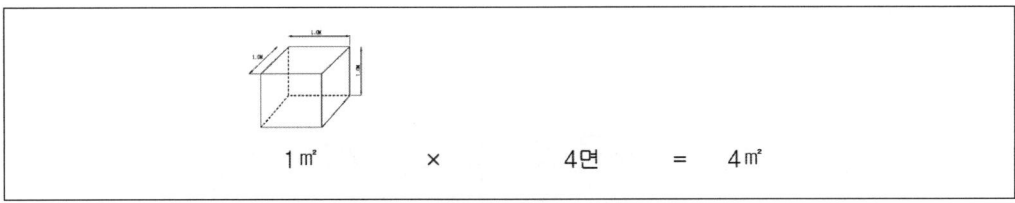

1㎡   ×   4면   =   4㎡

4) 레미콘타설 수량산출

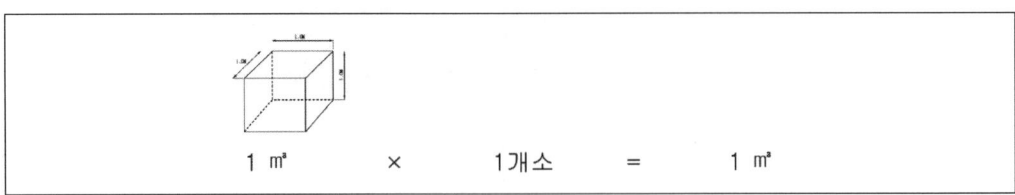

1㎥   ×   1개소   =   1㎥

5) 잔토운반 수량산출

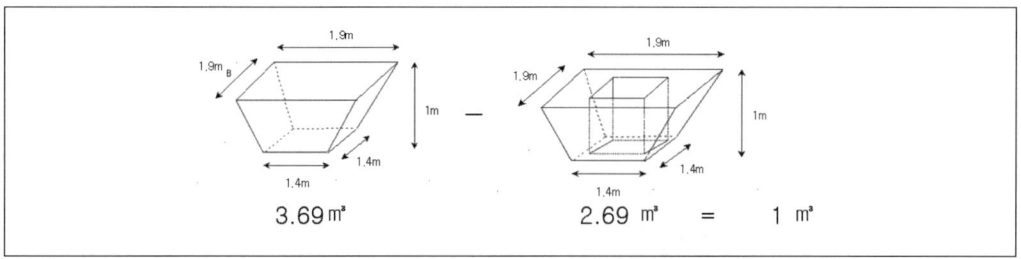

6) 수량산출서

공종	산출근거	수량
가) 터파기	굴착면 기울기 1:0.5일 경우 굴착 상단 폭 산정방법! 상단 폭(길이)=[(깊이 1.0×기울기 0.5)×2]+(여유 폭 0.2×2개소) +1.0(저면 폭)=1.0+(0.2×2)+1.0=2.4m】 $V=H/3(a^2+aa'+a'^2)$ $=1/3\{2.4^2\times(2.4\times1.4)+1.4^2\}$ $=3.69m^3\times1,000개=3,690m^3$	$3,690m^3$
나) 되메우기	$3.69m^3-1.0m^3$ $=2.69m^3\times1,000개$ $=2,690m^3$	$2,690m^3$
다) 잔토처리	$3.69m^3-2.69m^3$ $=1.0m^3\times1,000개$ $=1,000m^3$	$1,000m^3$
라) 거푸집	$1m^2\times4면=4m^2\times1,000개$ $=4,000m^2$	$4,000m^2$
마) 콘크리트	$1.0m\times1.0m\times1.0m$ $=1m^3\times1,000개$ $=1,000m^3$	$1,000m^3$

다. 단위당 단가산출을 위한 활용자료
   - 건설공사 표준품셈, 시중노임단가, 거래실례가격, 조달청 제비율표

1) 건설공사 표준품셈

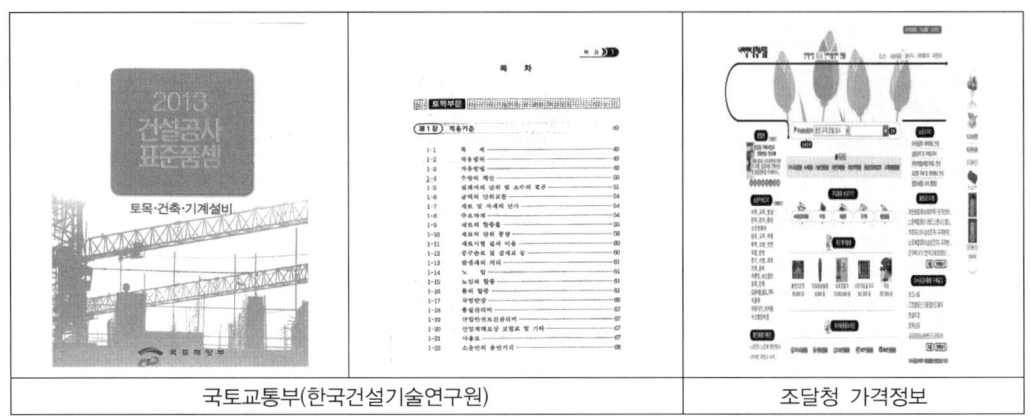

| 국토교통부(한국건설기술연구원) | 조달청 가격정보 |

2) 거래실례가격

| 물가자료 | 물가정보 | 거래가격 |

3) 시중노임단가

III. 개별직종 노임단가

(단위 : 원)

번호	직종명	2023.1.1	2022.9.1	2022.1.1	2021.9.1
1001	작 업 반 장	197,546	191,344	189,313	182,544
1002	보 통 인 부	157,068	153,671	148,510	144,481
1003	특 별 인 부	197,450	192,375	187,435	181,293
:	:				
1006	비 계 공	278,151	269,039	262,297	254,117
1007	형 틀 목 공	259,126	246,376	242,138	230,766
1008	철 근 공	252,113	240,080	236,805	229,629
1009	철 공	223,124	211,415	209,189	202,032
:	:				
1013	콘 크 리 트 공	245,223	235,988	227,269	220,755
1014	보 링 공	212,226	199,921	199,076	193,659
:	:				
1023	건 축 목 공	254,714	242,631	237,273	225,210
:	:				
1039	배 관 공	214,118	208,255	202,689	202,212
1040	배 관 공 (수 도)	226,771	220,741	216,011	208,005
:	:				
*1047	건 설 기 계 조 장	186,691	183,489	172,131	165,046
1048	건 설 기 계 운 전 사	243,295	230,245	229,676	215,834
1049	화 물 차 운 전 사	208,927	192,000	190,297	178,501
*1050	일 반 기 계 운 전 사	–	151,669	140,351	–
1051	기 계 설 비 공	213,337	210,486	199,489	194,812

승인(협의)번호
제 36504 호

2023년 상반기 적용
건설업 임금실태 조사 보고서
(시중노임단가)

본 조사 보고서는 2023. 1. 1부터 적용하시기 바랍니다.

CAK 대한건설협회

4) 자재가격 조사

【자재부문 거래실례가격 조사사례】

공통자재 관리대장(2021년 1월)   산출 조사내역〈환율, 유류대는 2022.1.2.기준〉
[부가가치세 미포함]   ※ 산출근거를 필히 작성요망

품명	규격	단위	적용단가	인도조건	적용기준	비고	조달청 단가	P	유통물가 단가	P	거래가격 단가	P	물가자료 단가	P	물가정보 단가	P	기타(견적) 단가	P
무연휘발유	1월1일 서울평균가	ℓ	1,923.5	서울지역 주유소판매가	한국석유공사													
자유황경유	1월1일 서울평균가	ℓ	1,813.5															
시멘트	40kg/대	대	5,636						6,700	62	5,636	104	6,181	105	6,100	58		
모래		m³	32,000			부순			34,000	61	32,000	103	36,000	102	34,000	54		
자갈	#57(25mm)	m³	29,000			쇄석			29,000	61	30,000	102	30,000	102	29,000	54		
레미콘	25-18-80	m³	75,860						77,560	66	75,860	110	75,860	111	77,340	56		
	25-18-120	m³	77,180						78,900	66	77,180	110	77,180	111	78,690	56		
합판	내수12mm	m³	11,894				12,682		12,172	407	13,404	671	11,894	705	16,429	598		
각재	외송	m³	571,556				571,556		616,467	73	595,808	150	718,562	139	715,568	85		

> **監査**
>
> **제목** 공원녹지공사 거래실례가격 잘못 적용으로 공사원가 과다계상
>
> **내용**
> 조경석 등의 가격을 결정할 때는 거래실례가격 등을 정확히 조사하여 산정하고, 규격서 및 설계서 등에 의거 계약목적물의 내용과 특성을 고려하여 그 완성에 적합하다고 인정되는 합리적인 방법으로 산정하여야 하나
> - ○○구에서는 조경석에 대한 가격을 조달청에서 조사하여 게시한 가격이 아닌 물가지에 게재된 고가의 가격으로 결정함으로써 8건의 공사에서 140,712천원의 예산을 낭비하였고, ○○구청에서는 15건의 공사에서 56,389천원의 예산을 낭비하였음
>
> **조치할 사항**
> 행정상 주의, 재정상 환수 및 감액(197,101천원), 신분상 문책
> - 조경석 등의 가격을 결정할 때는 거래실례가격 등을 철저히 조사하여 원가를 산정하여야 하며, 공사원가가 과잉 계산되지 않도록 주의

보통시멘트(40kg/대) : 시중물가지(거래가격 2022년 11월호)

104   시멘트(1)   [物價資料] 2022년11월호 11월1일~10일 조사

[가격해설]
- 수도장소 : ① 공장상차도(Bulk : 현장도착도)
  ②, ③점포상차도
- 거래규모 : ② 300포이상, ③ 30포이상
- 결재조건 : 현금
- 부 가 세 : 별도(시멘트 함)

[조사단계]

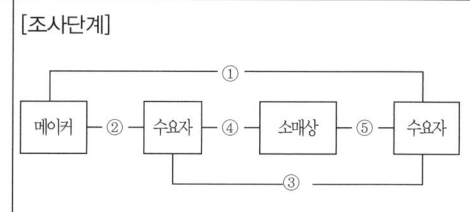

시멘트(Cement, KSL5201, KSL5204)

(가격단위 : 원)

품명	규격	단위	전국	서울		부산		대전		대구		광주	
			①	③	⑤	③	⑤	③	⑤	③	⑤	③	⑤
보통 시멘트	40kg입 (포장품)	포		6,200	7,300	6,300	7,600	6,700	7,700	6,200	7,300	6,600	7,500
"	Bulk (무포장)	M/T											
백 시멘트	40kg/Net	포		11,200		13,000		11,600		11,200		11,600	
슬래그 시멘트	40kg	"											

※ 보통시멘트 : 6,200원/포 ÷ 1.1(부가가치세제외) = 5,636원/포

모래(원/m³) : 시중물가지(거래가격 2022년 11월호)

103 골 재(3)　　　　　　　　　　　　　　　　　[거래가격] 2022년11월호 10월1일~10일 조사

[거래조건]
- ● 수도방법 : ① 공장상차도
　　　　　　② 시내도착도
- ● 거래규모 : 10m³이상
- ● 결재조건 : 현금
- ● 부 가 세 : 별도

[주기]
- 슬래그파쇄골재 : 포항지역조사가격임
- 시내도착도는 시내중심가 기준이고, 거리, 물량, 회수, 교통량 등에 따라 달라질 수 있으니 부의를 요함

[조사단계]

모래. 자갈(2) -시내도착도-

③(가격단위 : 원)

품명	규격	단위	서울	광역시					
				인천	부산	대구	광주	대전	울산
모 래	강모래	m³							
"	해 사	"	—	—	—	—	—	—	—
부순모래	쇄 사	"	32,000	29,000	—	—	—	29,000	—
자연자갈	#467 40㎜	"							
"	#57 25㎜	"							
"	잡 석	"							
쇄석자갈	#467 40㎜	"	30,000	29,000				27,000	28,000
"	#57 25㎜	"	30,000	29,000				26,000	27,000
"	#67 19㎜	"	36,000	—				—	28,000
"	#78 13㎜	"	36,000	—				30,000	29,000
"	석 분	"	21,000	21,000				23,000	20,000

레미콘(25-18-80) : 시중물가지(유통물가 2021년 1월호)

110   레미콘(2)   [거래가격] 2022년 11월호 10월1일~10일

[가격해설]
- 수도장소 : 현장도착도
- 거래규모 : 100㎥이상
- 결재조건 : 현금
- 부 가 세 : 별도

[주기]
$1Mpa=10.2kgf/cm^2$

[조사단계]
메이커 — ① — 수요자

레미콘(1)
(단위 : ㎥)

규격	가 ① 격						
	서울	인천	춘천	강릉	동해	청주	충주
18-8-25	75,860	75,860	82,380	77,680	79,340	73,200	77,680
10	77,180	77,180	83,810	79,030	80,730	74,470	79,030
15	77,960	77,960	84,660	79,830	81,540	75,230	79,830
18	79,150	79,150	85,950	81,040	82,790	76,370	81,040
21	80,330	80,330	87,230	82,250	84,020	77,510	82,250

합판(내수 12mm) : 조달청 가격정보

시설공통자재(건축분야)상세
[물품정보]

물품분류번호	11122001	품목식별번호	20142453
품명	합판	단위	매
규격	내수합판, 1급 12×910×1820,㎜		
가격	21,005원	관할지역	전지역(제주제외)
부가세여부	부가가치세별도	가격구분	기타가격
인도조건	납품장소도	게시일자	2022/11/08
기타사항			

시설공통자재(건축분야)상세
[물품정보]

물품분류번호	11122001	품목식별번호	20142452
품명	합판	단위	㎡
규격	내수합판, 1급 12×910×1820㎜		
가격	<u>12,682원</u>	관할지역	전지역(제주제외)
부가세여부	부가가치세별도	가격구분	기타가격
인도조건	납품장소도	게시일자	2022/11/08
기타사항			

합판(내수 12mm) : 시중물가지(물가자료 2022년 11월호)

705 　　　내장재(9) 　　　　　　　　　[물가자료] 2022년11월호 10월1일~10일 조사

[가격해설]
- 수도장소 : ① 현장설치도
　　　　　　③ 점포상차도
- 결재조건 : 현금
- 거래규모 : ① 1,000㎡이상 ② 500매이상
- 부 가 세 : 별도

[주기]
* MDF : 저비중기준, 300매이상

[조사단계]

합판(Ordinary Plywood)

③(가격단위 : 원)

품명	규격	단위	서울	인천	부산	울산	대구	광주	대전
방수(내수) 합판	내수합판 12.0T×910×1820mm(3″×6″)	매	19,700	19,700	20,000	20,000	19,900	20,800	19,700
〃	〃 15.0T×910×1820mm(3″×6″)	〃	26,700	26,700	27,100	27,400	27,000	28,300	26,600
〃	〃 18.0T×910×1820mm(3″×6″)	〃	30,900	30,900	31,400	31,700	31,200	32,000	30,800
〃	내수합판 12.0T×1220×2440mm(4″×8″)	〃	33,500	33,500	34,000	34,300	33,800	34,100	33,500
〃	〃 15.0T×1220×2440mm(4″×8″)	〃	43,200	43,200	43,800	44,200	43,600	44,200	43,100
〃	〃 18.0T×1220×2440mm(4″×8″)	〃	52,100	52,100	52,900	53,400	52,600	53,000	52,000

<u>합판가격 재산출!!</u>
1. 시중물가지에 매(910㎜×1,820㎜) 단위로 게재
2. 일위대가나 단가산출서 적용시 단위(㎡)에 맞추어 가격 재산출
3. 합판 1매는 1.6562㎡(=0.91m×1.820m)이고, 1매당 가격은 19,700원이므로,
　1㎡당 가격=19,700원/매÷1.6562㎡=<u>11,894원</u>

각재(외송) : 조달청 가격정보

시설공통자재(건축분야)상세
[물품정보]

물품분류번호	30103698	품목식별번호	20141037
품명	각재	단위	재
규격	각재, 외송		
가격	1,909원	관할지역	전지역(제주제외)
부가세여부	부가가치세별도	가격구분	기타가격
인도조건	납품장소도	게시일자	2022/11/08
기타사항			

시설공통자재(건축분야)상세
[물품정보]

물품분류번호	30103698	품목식별번호	20141038
품명	각재	단위	m^3
규격	각재, 외송		
가격	571,556원	관할지역	전지역(제주제외)
부가세여부	부가가치세별도	가격구분	기타가격
인도조건	납품장소도	게시일자	2022/11/08
기타사항			

5) 제경비율

2023년 토목·조경·산업환경설비공사 원가계산 제비율 적용기준

※ 적용시기 : 2023. 1. 1. 기초금액발표분부터

공사 규모	공사 기간	간접노무비 (직노) × 율			산재,고용 보험료	건강, 연금 보험료	건설기계대여대금 지급보증서 발급금액	산업안전보건관리비
		토목	조경	산업설비 (토목)	(노) × 율	(직노) × 율	(재+직노+직접경비) × 율	○ 도급자관급 미포함 : (재+직노) × 율 ○ 도급자관급 포함 : a,b중 작은 금액적용 a. (재+직노+도급자관급) × 율 b. (재+직노) × 율 × 1.2
50억미만	6개월이하 (183일)	13.7	13.8	13.7	[산재보험료] : 3.70 [고용보험료] ○ 1등급 : 1.57 ○ 2등급 : 1.30 ○ 3등급 : 1.13 ○ 4등급 : 1.06 ○ 5등급 : 1.03 ○ 6등급 : 1.02 ○ 7등급 이하 : 1.01 ※ 조달청 등급별유자격자명부 등록 및 운용기준 (2018.12.27.공고)	[건강보험료] : 3.545 [연금보험료] : 4.5 노인장기요양보험료 (건강보험료 × 율) 12.81 퇴직공제부금 비 (직노) × 율 2.3	[종합건설업] • 토목(토건) : 0.40 • 산업환경설비 : 0.16 • 조경공사 : 0.18 [전문건설업] 0.68 : 준설, 포장공사, 토공사, 비계·구조물해체 0.51 : 상하수도설비, 보링·그라우팅, 수중공사 0.32 : 석공사, 시설물유지관리, 철근·콘크리트 0.16 : 조경시설물설치, 조경식재공사, 철도궤도공사, 철강재설치공사 0.10 : 그 외	5억 미만 ○ 일반건설 - 갑 : 2.93 　　　　　　 을 : 3.09 ○ 특수 및 기타 : 1.85 ○ 철도 또는 궤도 : 2.45 ○ 중건설 : 3.43
	7~12개월 (365일)	13.8	13.9	13.8				
	13~36개월 (1095일)	13.8	13.9	13.8				
	37개월이상 (1096일)	13.6	13.7	13.6				
50억 - 300억미만	6개월이하 (183일)	12.9	13.0	12.9				5억 - 50억 미만 ○ 일반건설 - 갑 : 1.86+5,349천원 - 을 : 1.99+5,499천원 ○ 특수 및 기타 : 1.20+3,250천원 ○ 철도 또는 궤도 : 1.57+4,411천원 ○ 중건설 : 2.35+5,400천원
	7~12개월 (365일)	13.0	13.1	13.0				
	13~36개월 (1095일)	13.0	13.1	13.0				
	37개월이상 (1096일)	12.7	12.8	12.7				
300억 - 1000억미만	6개월이하 (183일)	13.1	13.2	13.1				50억 이상 ○ 일반건설 - 갑 : 1.97 　　　　　　 을 : 2.10 ○ 특수 및 기타 : 1.27 ○ 철도 또는 궤도 : 1.66 ○ 중건설 : 2.44
	7~12개월 (365일)	13.2	13.3	13.2				
	13~36개월 (1095일)	13.2	13.3	13.2				
	37개월이상 (1096일)	12.9	13.0	12.9				
1000억 이상	6개월이하 (183일)	13.1	13.2	13.1				추정금액 800억원 이상 (단, 주 공종이 토목공사업은 1,000억원 이상)
	7~12개월 (365일)	13.2	13.3	13.2				○ 일반건설 - 갑 : 2.15 　　　　　　 을 : 2.29 ○ 특수 및 기타 : 1.38 ○ 철도 또는 궤도 : 1.81 ○ 중건설 : 2.66
	13~36개월 (1095일)	13.2	13.3	13.2				
	37개월이상 (1096일)	12.9	13.0	12.9				

□ 공사이행보증수수료 250억원(직접공사비) 미만 : [4백만원+(직접공사비-140억원)×0.0193%]×공기(년)
　　　　　　　　　　　 250억원(직접공사비) 이상 ~ 500억원(직접공사비) 미만 : [6백만원+(직접공사비-250억원)×0.0159%]×공기(년)
　　　　　　　　　　　 500억원(직접공사비) 이상 : [10백만원+(직접공사비-500억원)×0.0126%]×공기(년)
□ 건설하도급대금지급보증서발급수수료 : (재+직노+산출경비)×율
　　50억(추정가격)미만 : 0.081%, 50억~100억(추정가격)미만 : 0.080%, 100억~300억(추정가격)미만 : 0.075%
　　300억(추정가격)이상 (종합심사낙찰제(종합평가낙찰) 포함) 토목 및 산업설비 : 0.071%, 건축 : 0.068%, 턴키·대안공사 : 0.084%
　　※ 하도급대금지급보증서발급금액적용기준고시(국토부고시 제2016-921호, 2016.12.19.)
□ 건설근로자퇴직공제부금비 : 국토부 고시 제2015-610호(2015.8.20.) 고시 요율 적용
□ 건설기계대여대금 지급보증서 발급금액 : 국토부 고시 제2019-286호(2019.6.19.) 적용
□ 산업안전보건관리비 적용 시 건설업의 분류 : 노동부 고시 제2018-94호(2018.12.31.) 참조
○ 일반건설(갑) : 건축건설, 도로신설, 기타건설, 철도·궤도의 보수복구공사, 기설로면에 레일만 부설하는 공사, 지하10m 이내 복개식으로 시공하는 지하도, 지하철도, 지하상가, 통신선로등 인입통신구 신설공사

공사 규모	공사 기간		환경보전비 (재+직노+산경) × 율	기타경비 (재+노) × 율			일반관리비 (재+노+경) × 율		이윤 (노+경+일) × 율
				토목	조경	산업설비 (토목)	토목, 조경 산업설비	전문공사	
50억 미만	6개월이하	(183일)	○ 0.9 : 도로 (교량, 터널, 활주로)	8.4	7.6	8.4	50억미만 : 6.0 50~300억 미만 : 5.5 300~1000억 미만 : 5.0 1000억이상 : 4.5	5억미만 : 6.0 5~30억 미만 : 5.5 30~100억미만 : 5.0 100억 이상 : 4.5	50억미만 : 15.0 50~300억 미만 : 12.0 300~1000억 미만 : 10.0 1000억이상 : 9.0
	7~12개월	(365일)	○ 0.4 : 플랜트(발전소,쓰레기소각로)	9.0	8.3	9.0			
	13~36개월	(1095일)	○ 0.5 : 지하철	9.0	8.3	9.0			
	37개월이상	(1096일)	○ 1.5 : 철도	9.6	8.9	9.6			
50억 ~ 300억미만	6개월이하	(183일)	○ 0.5 : 상하수도(폐수, 하수처리장, 정수장)	8.8	8.0	8.8			
	7~12개월	(365일)	○ 1.8 : 항만(간척, 준설)	9.4	8.6	9.4			
	13~36개월	(1095일)	- 오탁·준설토방지막 설치하는경우	9.4	8.6	9.4			
	37개월이상	(1096일)	○ 0.8 : 항만(간척, 준설) - 오탁·준설토방지막 설치하지 않은 경우	10.0	9.2	10.0			
300억 ~ 1000억미만	6개월이하	(183일)	○ 1.1 : 댐	9.0	8.2	9.0			
	7~12개월	(365일)	○ 0.6 : 택지개발	9.6	8.9	9.6			
	13~36개월	(1095일)	○ 0.7 : 주택(재개발, 재건축 경우)	9.6	8.9	9.6			
	37개월이상	(1096일)	○ 0.3 : 주택(신축 경우)	10.2	9.5	10.2			
1000억 이상	6개월이하	(183일)	○ 0.5 : 주택외 건축	8.1	7.4	8.1			
	7~12개월	(365일)	○ 0.3 : 조경	8.7	8.0	8.7			
	13~36개월	(1095일)	○ 0.8 : 기타토목(하천등)	8.7	8.0	8.7			
	37개월이상	(1096일)	※ 적용제외 : 전기,정보통신,소방시설 문화재 수리공사	9.3	8.6	9.3			

○ 일반건설(을) : 기계장치공사, 삭도건설공사
○ 철도 또는 궤도 신설 : 철도, 궤도신설(기설노반 또는 구조물에 한함) 및 그에 따른 역사·과선교, 송전선로
○ 중건설 : 높이 20m이상의 고제방(댐), 방파제, 안벽, 수력발전시설 신설공사
  터널, 지하10m이상 복개식 지하철도, 지하도, 인입통신구(지하상가 및 통신선로 등) 신설공사
○ 특수 및 기타건설 : 준설, 조경(전문포함), 택지조성(경지정리포함), 포장의 단독발주공사에 한함[타공사와 병행하는 경우 : 일반건설(갑) 적용]
□ 비목별 공사규모 및 적용대상
○ 간접노무비 및 기타경비 : 〈재료비+직접노무비+산출경비〉의 합계액
○ 산업안전보건관리비 : 〈재료비(관급포함)+직접노무비〉의 합계액, 800억이상은 추정금액, 공사금액(도급금액+관급금액) 4천만원이상 건설공사
○ 일반관리비, 이윤 : 추정가격 기준
  - 산재보험료 : 모든 건설공사에 적용(노동부 고시 제2018-90호(2018.12.31.) 산업재해보상보험법 시행령)
  - 고용보험료 : 모든 건설공사에 적용(국토부 고시 제2018-462호(2018.7.26.) 고용보험법 시행령)
    다만, 총금사금액[(도급금액+관급재료)에서 부가세 제외] 2천만원 미만의 건설공사를 건설업자가 아닌 자가 시공 시 적용 제외
  - 건강, 연금보험료 : 공사기간 1개월(30일) 이상 모든 공사에 반영(사회보험의 보험료적용기준 국토부 고시 제2018-462호) '18.08.01. 입찰공고부터 적용
  - 노인장기요양보험료 : 공사기간 1개월(30일) 이상 모든 공사에 반영(사회보험의 보험료적용기준 국토부 고시 제2018-462호) '09.02.12. 입찰공고부터 적용
  - 퇴직공제부금비 : 추정금액 3억원이상 건설공사(국토부 고시 제2015-610호)
  - 공사이행보증수수료 : 추정가격 300억원이상 공사(국가계약법시행령 제52조제1항), 시행령 제6장 및 제8장에 따른 공사계약인 경우
  - 환경보전비 : 환경관리비의 산출기준 및 관리에 관한 지침 국토부 고시 제2018-528호(2018.8.30.) '19.01.01. 발주공사부터 적용
    (직접공사비) 환경오염방지시설 설치·운영·철거에 직접 소요되는 비용을 계상하고 표준시장단가, 표준품셈 등에 의해 산출
    (간접공사비) 시험검사비, 점검비, 교육훈련비 등 설계 시 산출이 곤란한 금액을 반영하고, 직접공사비에 최저요율을 적용한 금액 이상을 계상
□ 토목공사 유자격자 등급별 금액(추정금액기준)
  1등급 : 1700억이상,   2등급 : 1700억~950억이상
  3등급 : 950억~550억이상, 4등급 : 550억~400억이상
  5등급 : 400억~220억이상, 6등급 : 220억~140억이상
  7등급 : 140억~78억이상(고시금액이상)
  ※ 추정금액=추정가격+관급액+부가세
□ 기타경비 항목 : 수도광열비, 복리후생비, 소모용품비 및 사무용품비, 여비·교통통신비, 세금과공과, 도서인쇄비
□ 산업설비(토목) 해당공종 : 수처리시설(오폐수,하수처리, 분뇨처리, 정수장) 등
□ 2000.7.31이후 수의계약시 1차 낙찰율 ( )7.31이전
  • 추정가격10억미만으로 87.75%(85%)미만인 경우 : 87.75%(85%)
  • 추정가격10억~50억미만으로 86.75%(83%)미만인 경우 : 86.75%(83%)
  • 추정가격50억~100억미만으로 85.5%(80%)미만인 경우 : 85.5%(80%)
□ 고용보험료 적용기준(국토부고시 제2016-781호)
  • 일반(등급)공사 : 해당등급 요율적용. PQ, 실적대상 : 공사금액에 따라 해당등급(토목,건축구분)
  • 수의계약대상 : 해당업체 시평액의 등급 요율적용
  • 기타공사 : 공사금액에 따라 해당등급요율적용
□ 전기·통신·소방·전문 및 기타공사의 경우 일반관리비요율을 제외한 각종 요율은 토목, 건축 등 관련 공사업종을 따라 적용
  (※ 단, 공사규모 및 기간은 해당 공종〈전기·통신·소방·전문 및 기타공사〉을 기준으로 함)

2 단위당 단가산출

가. 일위대가표 방식

표준품셈을 기준으로 재료의 규격, 단위, 수량과 설치에 소요되는 노무량 등을 산출하고 이에 대한 단가를 적용하여 금액을 산출한 표

1) 인력굴착

   ○ 보통토사, 1m³당

(단위 : 원)

공종	규격	단위	수량	재료비		노무비		경비		합계	
				단가	금액	단가	금액	단가	금액	단가	금액
보통인부	0~1m	인	0.20			157,068	31,413			157,068	31,413
소계							31,413				31,413

건설공사 표준품셈

3-1-2 인력굴착(토사)(08년, 20년 보완)

(1m³당)

구분	단위	수량			
		보통토사	경질토사	고사점토 및 자갈섞인토사	호박돌섞인토사
보통인부	인	0.20	0.26	0.32	0.57
비고		현장 내에서 소운반하여 깔고 고르는 잔토처리는 m³당 0.2인을 별도 계상한다.			

[주] ① 본 품은 자연상태 토사를 기준한 것이며, 깊이 1m이하의 인력에 의한 구조물터파기 또는 흙깎기 등에 적용한다.
② 본 품은 면고르기가 포함된 것이며, 호박돌 섞인 토사 품에는 발파품을 인력품으로 환산한 것도 포함되어 있다.
③ 흙막기 및 물푸기 품은 별도 계상한다.
④ 용수가 있는 곳은 본 품의 50%까지 가산할 수 있다.
⑤ 주위에 장애물(가시설물, 인접 건물 및 기타시설물)이 있을 때와 협소한 독립기초파기 때에는 품을 50%까지 가산할 수 있다.

☞ 2020년 표준품셈 개정시 인력터파기 삭제되면서 인력되메우기도 삭제됨

2) 합판거푸집(간단, 6회)

　　○ 합판거푸집 비용산출 1m²

(단위 : 원)

공종		규격	수량	단위	재료비		노무비		경비		합계		비고
					단가	금액	단가	금액	단가	금액	단가	금액	
합판		내수 12mm	1.030	m²	11,894	12,250	-	-			11,894	12,250	단위환산주의
각재		외송	0.038	m³	571,556	21,719	-	-			571,556	21,719	
형틀목공		간단	0.11	인			259,126	28,503		-	259,126	28,503	
보통인부		간단	0.02	인			157,068	3,141			157,068	3,141	
공구손료 등		인력 품의 1%	1	%	31,644	316					31,644	316	
소계						34,285		31,644				65,929	
1회	비율	(합판+각재)의	100	%	33,969	33,969		.		-			
	소모자재	주자재비의 4%	4	%	33,969	1,358							
	공구손료등(인력품의1%)		1	%	31,644	316							
	계					35,643		31,644				67,287	
6회	비율	(합판+각재)의	32.7	%	33,969	11,107				-			
	소모자재	주자재비의 11%	11	%	33,969	3,736		.					
	공구손료등(인력품의1%)		1	%	31,644	316							
	계					15,159		31,644				46,803	

건설공사 표준품셈

제6장 철근콘크리트공사

6-3-1 합판거푸집('01, '08, '09, '17, '18, '22년 보완)

1. 사용횟수
 - 사용횟수는 구조물 형상 또는 시공조건(타설횟수, 시공물량, 복잡도 등)에 따라 반복 재사용이 가능한 사용횟수를 산출하여 적용한다.
 - 현장 여건상 수거푸집(종이거푸집, 문양거푸집 등)을 사용할 경우 별도 계상한다

[참고자료] 사용 횟수 따른 우형별 적용시설은 다음을 참고한다.

횟수	유형	구조물
1~2회	제물치장	제물치장 콘크리트
2회	매우복잡/소규모	T형보, 난간, 복잡한 구조의 교각, 교대, 수문관의 본체 등 매우 복잡한 구조 소규모 : 조적턱, 창호턱 등 소규모로 산재되어 있는 구조물
3회	복잡	교대, 교각, 파라펫트, 날개벽 등 복잡한 벽체 구조, 건축라멘구조의 보, 기둥
4회	보통	측구, 수로, 우물통 등 비교적 간단한 벽체 구조, 교량 및 건축 슬래브
6회	간단	수문 또는 관의 기초, 호안 및 보호공의 기초 등 간단한 구조

[주] ① 사용 횟수는 구조물 형상 또는 현장조건에 제한을 받는 경우에는 이를 고려하여 결정한다.
　　② 제물치장의 경우 2회 사용 시 '나. 자재수량'을 참고한다.
　　③ 극히 간단한 구조에서는 6회 이상을 적용한다.
　　④ 현장 여건상 특수거푸집을 제작 사용할 경우 별도 계상한다.

2. 자재 수량

구분	단위	수량	1회 사용 자재비의 %				
		1회	2회	3회	4회	5회	6회
합판	m²	1.03	55.0	44.3	38.0	35.0	32.7
각재	m³	0.038					
소모자재(박리재 등)	주자재비의%	4.0	7.0	8.0	9.0	10.0	11.0
비고	– 사용고재 평가기준 : 23%						

[주] ① 자재 수량은 설계조건에 따라 별도 계상할 수 있다.
② 2회 이상에서는 1회 사용 수량에 대해 해당 요율을 적용하며, 사용 고재량은 재료비 비율에 포함되어 있다.
③ 제물치장에 소요되는 볼트, 나무덧쇠, 파이프 등은 별도 계상한다.
④ 폼타이(Form Tie) 사용시 소요수량은 콘크리트의 측압에 따라 다음에 의거 계상한다 〈이하 생략〉
〈이하 생략〉

3. 설치 및 해체

(단위 : m²당)

구 분	단위	유 형				
		제물치장	매우복잡/소규모	복 잡	보 통	간 단
형틀목공	인	0.23	0.20	0.18	0.12	0.11
보통인부	인	0.14	0.05	0.04	0.03	0.02
비 고	– 제물치장의 경우 자재 1회사용 기준이며, 2회 사용 시 본 품의 60%를 적용한다. – 본 품은 수직고 7m까지 적용하며, 이를 초과하는 경우 매 3m마다 인력 품을 10%까지 가산한다.(현장여건에 따라 장비가 필요한 경우 양중장비를 계상하고, 인력 품을 가산하지 않는다.) – 지붕 슬래브설치(경사도 20° 미만)에서는 인력 품을 20% 가산한다.					

[주] ① 본 품은 설치면적을 기준한 것이며, 합판거푸집(내수합판 12mm기준)의 가공, 제작, 조립, 해체를 포함한다.
② 본 품에는 청소, 박리제 바름 및 보수 품이 포함되어 있으며, 동바리 설치(재료 포함)는 제외되어 있다.
③ 곡면 및 특수형상 부분의 품은 별도 계상한다.
④ 공구손료 및 경장비 기계경비는 인력품의 1%로 계상한다.

3) 레미콘타설

　가) 레미콘타설 비용산출

　　○ 무근구조물 1m³당

(단위 : 원)

공종	규격	수량	단위	재료비 단가	재료비 금액	노무비 단가	노무비 금액	경비 단가	경비 금액	합계 단가	합계 금액	비고
레미콘	25-18-80	1.02	m³	75,860	77,377					75,860	77,377	
콘크리트공		0.12	인			245,223	29,426			245,223	29,426	
보통인부		0.15	인			157,068	23,560			157,068	23,560	
공구손료	인력품의 2%	2	%	52,986	1,059					49,548	1,059	
소 계					78,436		52,986				131,422	

건설공사 표준품셈

제6장 철근 콘크리트공사

6-1-1 콘크리트 타설

1. 레미믹스트콘크리트 타설

(1m³당)

유형	구분	규격	단위	수량 무근구조물	수량 철근구조물	수량 소형구조물
인력운반 타설	콘크리트공	-	인	0.12	0.14	0.24
	보통인부	-	인	0.15	0.16	0.30
:						
비고	본 품의 타설 유형은 다음의 경우에 적용한다					
	구분	내용				
	인력운반 타설	인력운반 장비(손수레 등)로 콘크리트를 운반하여 시공하는 기준이다.				
	장비사용 타설	- 믹서 트럭에서 콘크리트를 굴삭기로 공급받아 타설 - 근접된 타설 위치에 직접 시공하는 기준이다.				

[주] ① 본 품은 현장 내 콘크리트 운반, 타설, 다짐 및 양생준비를 포함한다.
② 소형구조물은 개소별 소량(6m³ 이하)의 타설 위치가 산재되어 있는 경우에 적용산재되어 있는 경우에 적용한다.
③ 미장공에 의한 표면 마무리가 필요한 경우 '[공통부문] 6-1-3 표면 마무리'를 따른다.
④ 콘크리트 용수를 현장에서 구득하기 어려운 경우에는 운반비를 별도 계상한다.
⑤ 양생은 양생방법 및 시간을 고려하여 별도 계상한다.
⑥ 비빔 및 타설에 필요한 장비(배합기, 진동기 등)의 기계경비는 별도 계상한다.

나) 콘크리트 현장비빔타설
　가) 현장 인력비빔타설 비용산출
　　○ 무근구조물(10MPa) 1m³당

공종	규격	단위	수량	재료비 단가	재료비 금액	노무비 단가	노무비 금액	경비 단가	경비 금액	합계 단가	합계 금액	비고
시멘트	보통	kg	211.6	141	29,835					141	29,835	
모 래		m³	0.507	32,000	16,224					32,000	16,224	
자 갈	#57	m³	0.737	29,000	21,373					29,000	21,373	
콘크리트공		인	0.85			245,223	208,439			245,223	208,439	
보통인부		인	0.82			157,068	128,795			157,068	128,795	
소 계					67,432		337,234				404,666	

건설공사 표준품셈

제6장 철근 콘크리트공사

6-1-2 현장비빔 타설

(1m³당)

유형	구분	단위	수량 무근구조물	수량 철근구조물	수량 소형구조물
인력비빔	콘크리트공	인	0.85	0.87	1.29
	보통인부	인	0.82	0.99	1.36

[주] ① 본 품은 현장 내 콘크리트 운반, 타설, 다짐 및 양생준비를 포함한다.
　② 소형구조물은 소량의 콘크리트 구조물(인력비빔 3m³내외, 기계비빔 10m³내외)이산재되어 있는 경우에 적용한다.
　③ 미장공에 의한 표면 마무리가 필요한 경우 '[공통부문] 6-1-3 표면 마무리'를 따른다.
　④ 콘크리트 용수를 현장에서 구득하기 어려운 경우에는 운반비를 별도 계상한다.
　⑤ 양생은 양생방법 및 시간을 고려하여 별도 계상한다.
　⑥ 비빔 및 타설에 필요한 장비(배합기, 진동기 등)의 기계경비는 별도 계상한다.

공사 원가계산서 작성요령(2008. 서울특별시)

콘크리트 인력비빔타설

(m³당)

명칭	단위	콘크리트 설계강도 18MPa	콘크리트 설계강도 14MPa	콘크리트 설계강도 10MPa	비고
시멘트	kg	261.6	245.4	211.6	
모래	m³	0.488	0.500	0.507	
자갈	m³	0.741	0.727	0.737	#467

[주] ① 본 품에서 콘크리트설계강도 18MPa 및 14MPa은 철근콘크리트구조물 기준이고, 설계강도 10MPa은 무근콘크리트구조물 기준임
　② 콘크리트의 설계강도 및 단위수량은 콘크리트시방배합표를 기준으로 작성한 것임

나. 단가산출서 방식

일위대가처럼 단순식으로 산출하기 힘들고, 복합식이 있을 때 산출하는 방식이며, 공종별로 분류한 개개의 내역항목 수량에 단가를 곱하여 산출할 수 없을 때 단가를 계산하는 것.
다수의 공종을 나열하여 하나의 대표 공종으로 작성하는 장점이 있음.

1) 기계(굴삭기 0.7m³)터파기
   ○ 산출 공식

   $$Q = \frac{3600 \times q \times k \times f \times E}{Cm}$$

   - Q값 산출 입력변수
     q[백호우 버킷 용량(m³)] = 0.7
     f = 0.8 {f = 1/L = 1/1.25[모래질흙 = (1.2+1.3)/2] = 0.8}

건설공사 표준품셈

제1장 적용기준

1-3 자재 1-3-7 체적환산계수('99년 보완)
3. 체적의 변화율

종별	L	C
:	:	:
모래(砂)	1.10 ~ 1.20	0.85 ~ 0.95
암괴(岩塊)나 호박돌이 섞인 모래	1.15 ~ 1.20	0.90 ~ 1.00
모래질흙	1.20 ~ 1.30	0.85 ~ 0.90
암괴(岩塊)나 호박돌이 섞인 모래질 흙	1.40 ~ 1.45	0.90 ~ 0.95
:	:	:

공사 원가계산서 작성요령(2008. 서울특별시)

※ 토량환산계수(f)적용표

구분	대상기준(내역수량)	절토	집토, 적사	운반	포설	다짐	비고
절토 토사	자연상태	1/L	1/L	1/L			
절토 리핑암	〃	1/L	1/L	1/L			
절토 발파암	〃		1/L	1/L			
흙쌓기	다짐상태				C/L	1	
되메우기및다짐	〃				C/L	1	
혼합층재포설다짐	다짐상태				C/L	1	
혼합층재구입운반	흐트러진상태			1			상차도
골재포설다짐	다짐상태				C/L	1	
골재구입운반	흐트러진상태			1			상차도

k(버킷계수)= 0.9

> 건설공사 표준품셈

제8장 건설기계

8-2 시공 능력   8-2-3 굴삭기('04, '07, '09년 보완)
1. 버킷 계수(K)

현장조건	K
용이하게 굴착할 수 있는 연한 토질로서 버킷에 산적으로 가득찰 때가 많은 조건이 좋은 모래, 보통토인 경우	1.10
위의 토질보다 약간 단단한 토질로서 버킷에 거의 가득 채울 수 있는 모래, 보통토 및 조건이 좋은 점토인 경우	0.90
버킷에 가득 채우기가 어렵거나 가벼운 발파를 필요로 하는 것으로서 단단한 점토질, 점토, 역토질인 경우	0.70
버킷에 넣기 어렵고 불규칙한 공극이 생기는 것으로서 발파 또는 리퍼작업등에 의하여 얻어진 암과 파쇄암, 호박돌, 역 등인 경우	0.55

[주] ① 굴삭기는 위치한 지면보다 낮은 데 있는 토량의 굴착에 사용되는 것이 일반이다.
  ② 버킷계수는 굴착하는 토질과 굴착 작업의 높이 또는 깊이에 따라 다르나 작업현장 조건을 고려하여 기종이 선택되므로 특수한 경우를 제외하고는 굴착작업의 깊이는 버킷계수에 영향을 주지 않는 것으로 한다.
  ③ 굴삭기는 굴착된 토량을 운반하는 기계와의 상태가 작업상 균형이 유지되고 굴삭기에 대한 운반기계의 적재높이가 적합토록 이루어져야 한다.

E(작업효율)=0.5 [0.55(불량)−0.05(터파기의 경우)=0.50]

> 건설공사 표준품셈

제8장 건설기계

8-2 시공 능력   8-2-3 굴삭기('04, '07, '09년 보완)
2. 작업효율(E)

토질명 \ 현장조건	자연상태			흐트러진 상태		
	양호	보통	불량	양호	보통	불량
모래, 사질토	0.85	0.70	0.55	0.90	0.75	0.60
자갈섞인 흙, 점성토	0.75	0.60	0.45	0.80	0.65	0.50
파쇄암					0.45	0.35

[주] ① 자연상태의 굴삭시 작업효율
  ㉮ 양호 : 자연지반이 무르고, 절토작업이 최적으로 연속작업이 가능하고, 작업방해가 없는 등의 조건인 경우
  ㉯ 보통 : 자연지반은 단단하지만 절토작업이 최적인 경우, 또는 자연지반은 무르지만 절토작업이 곤란한 경우 등 제조건이 중간으로 판단되는 경우
  ㉰ 불량 : 자연지반이 단단하고 또한 연속작업이 곤란하며 작업방해가 많은 등의 조건인 경우
  ② 흐트러진 상태의 적용은 상기 1항의 조건중 자연지반 상태의 조건을 제외한 기타의 조건을 감안하여 결정한다.
  ③ 작업장소가 수중 또는 용수작업인 경우는 불량을 적용한다.
  ④ 터파기에 대하여는 0.05를 뺀 값으로 한다.
  ⑤ 리핑한 것은 리핑된 상태를 고려하여 그 상태에 해당되는 토질에서의 값을 취한다.
  ⑥ 굴착작업시 지하매설물(각종 매설관 등)로 인하여 작업이 현저하게 저하하는 경우는 작업효율을 별도로 정할 수 있다.

㉯ 주택가지역에서 상하수도관로부설 등의 공사시 작업장소가 협소하고 지하매설물 등으로 인하여 작업이 현저하게 저하하는 경우에는 다음의 작업효율(E)을 적용할 수 있다.

토질명 \ 현장조건	자연상태 보통	자연상태 불량
모래, 사질토	0.30	0.19
자갈섞인 흙, 점성토	0.26	0.15

㉮ 보통 : 작업현장이 보통의 경우나, 지하장애물이 약간 있는 경우로서 연속적인 굴착이 불가능한 지역
㉯ 불량 : 작업현장이 협소한 경우나, 지하장애물이 많은 경우로서 연속적인 굴착이 불가능한 지역

Cm(1회 싸이클시간)=20 [20 : 백호우(0.7m3)가 135도 회전할 때 소요시간]

건설공사 표준품셈

제8장 건설기계
8-2 시공 능력 8-2-3 굴삭기('04, '07, '09년 보완)
3. 1회 싸이클시간(cm)

규격(m³) \ 각도(도)	싸이클시간(Sec) 45	90	135	180
0.12 ~ 0.4	13	15	18	20
0.6 ~ 0.8	16	18	20	22
1.0 ~ 1.2	17	19	21	23
2.0	22	25	27	30

Q 산출과정

$$Q = \frac{3600 \times q \times k \times f \times E}{cm} = \frac{3600 \times 0.7 \times 0.9 \times 0.8 \times 0.50}{20} = 45.36(m^3/hr)$$

단가산출

- 재 료 비 = 25,663 / Q = 25,663 / 45.36 = 565원/m³
- 노 무 비 = 48,811 / Q = 48811 / 45.36 = 1,076원/m³
- 경   비 = 22,522 / Q = 22,522 / 45.36 = 496원/m³
  계   = 2,137/m³

□ 중기명 : 굴삭기(무한궤도) 규격 : 0.7m³   분류코드 : 0201-0070

○ 재료비
주연료(경유) : 11.6ℓ × 1,813.49원【공통 자재관리대장에서 선택】 = 21,036원
잡 재 료 : 22% × 21,036원   = 4,628원
소계   = 25,663원1

건설공사 표준품셈

11-3 운전경비 산정(08년 보완, 09년 보완, 10년 보완)

분류번호	기계명	규격	주연료(ℓ/hr)	잡재료(주연료의 %)	조종원(인/월)
0201-0040	굴삭기(무한궤도)	0.7m³	11.6	22	1

○ 노무비
  조종원[건설기계운전기사] 1인×234,295원×(1/8)×(16/12)×(25/20) = <u>48,811원</u>

건설공사 표준품셈

구 분	해당 기계
<u>건설기계</u><u>운전사</u>	건설기계관리법 시행령 제2조에 규정한 기계로서 다음과 기종을 말한다. 불도저, <u>굴삭기</u>, 로더, 지게차, 스크레이퍼, 덤프트럭(12ton이상), 기중기(차륜 및 무한궤도), 모터 그레이더, 롤러, 노상안정기, 콘크리트배치플랜트, 콘크리트 피니셔, 콘크리트스프레더, 콘크리트믹서(0.55㎥이상), 콘크리트 펌프(5㎥이상), 아스팔트 믹싱플랜트, 아스팔트피니셔, 아스팔트살포기, 슬러리실기계, 골재살포기, 쇄석기, 천공기, 항타 및 항발기(0.5ton이상), 사리채취기, 노면파쇄기, 공기압축기(2.83㎥/min이상), 기타 이와 유사한 기계
화 물 차 운 전 사	자동차관리법 시행규칙 제2조에 규정한 차량류로서 12ton미만의 덤프트럭, 화물트럭, 살수차, 트랙터, 제설차, 노면청소차, 트럭탑재형크레인, 기타 공업용 소형트럭 등을 말한다.
일반기계 운 전 사	건설기계관리법 및 자동차관리법에 규정되어 있지 아니한 기계로서 소형의 공기압축기, 양수기, 소형믹서, 윈치, 소형항타기, 소형그라우트펌프, 벨트컨베이어, 발전기, 래머, 콤팩터, 콘크리트파쇄기, 기타 소형기계 등을 말한다.

※ 운전사 등 상시고용 시 노임계산 적용기준
 - 휴지계수 : 상시고용시 월액계산 방식
 - 노임×25일(예, 25/20=1.25, 25/25=1.0)
   ▶ 상시고용시 월 30(31)일 중 공휴일 5(6)일을 제외한 25일이 작업가능일
     ☞ <u>분모가 20인 경우 현장여건 우천시 등을 고려한 실작업 가능일</u>
     ☞ <u>분모가 25인 경우 현장여건상 공휴일을 제외하고 상시가동 가능일</u>
 - 유해위험작업
   ▶ 건설기계운전사의 1일 작업시간 : 8시간(유해위험 작업이 아님)
 - 상여금 및 퇴직급여충당금
   ▶ 상여금 : 300%
   ▶ 퇴직급여충당금 : 100%, 합계400%
 - 상시고용시 노임계산 적용방식
   ▶ 운전사 노임 : 노임×1/8×16/12×25/20(또는 25/25)

○ 경비(손료) = 시간당손료×(10^{-7})×건설기계 가격
              = $2,085 \times 10^{-7} \times 108,021,000$ = <u>22,522원</u>

건설공사 표준품셈

11-2 손료 산정(08년 보완, 09년 보완)
 (0201) 굴삭기(무한궤도)

분류번호	규격 (㎥)	내용 시간	연간표준 가동시간	상각 비율	정비 비율	연간관리 비율	시간당(10-7)			
							상각비계수	정비비계수	관리비계수	계
<u>0201-0070</u>	<u>0.7</u>	10,000	1,250	0.9	0.7	0.1	900	700	485	<u>2,085</u>

11-4 건설기계 가격표(08년 보완, 09년 보완, 10년 보완)

기종	분류번호	가격	
		₩(천원)	$
굴삭기(무한궤도)	<u>0201-0070</u>	<u>108,021</u>	

2) 기계(백호우 0.7m³) 되메우기
   ○ 산출 공식
   $$Q = \frac{3600 \times q \times k \times f \times E}{cm}$$

   - Q값 산출 입력 변수
     q[백호우 버킷 용량(m³)] = 0.7
     f = 0.7[f = C/L = 0.875/1.25(모래질흙) = 0.7]
     k(버킷계수) = 0.9(약간 단단한 토질로서 버킷에 거의 가득 채울 수 있는 모래, 보통토 및 조건이 좋은 점토인 경우)
     E(작업효율) = 0.60〈위 작업효율 표 참조〉
     Cm(1회 싸이클시간)=20[백호우(0.7m³)가 135도 회전할 때 소요시간]

Q 산출과정
$$Q = \frac{3,600 \times q \times k \times f \times E}{cm} = \frac{3,600 \times 0.7 \times 0.9 \times 0.7 \times 0.6}{20} = 47.62(m^3/hr)$$

단가산출
- 재 료 비 = 25,664 / Q = 25,664 / 47.62 =   538원/㎥
- 노 무 비 = 48,811 / Q = 48,811 / 47.62 = 1,025원/㎥
- 경   비 = 22,522 / Q = 22,522 / 47.62 =   472원/㎥
     계   = 2,035원/㎥

3) 잔토운반
　가) 덤프트럭 운반
　　○ 조건 : 중간집하장 → 사토장(덤프트럭 24톤 운반, 백호우 $0.7m^3$ 상차)
　　○ 운반 거리 및 속도 〈공사설계설명서에 표기 필요〉

| 잔토 운반 | 시청 | L1=10km
v1=30km/hr
v2=35km/hr | 성산대교 북단 | L2=11km
v1=45km/hr
v2=50km/hr | 행주대교 | L3=21km
v1=45km/hr
v2=50km/hr | 수도권 매립지 |

　　○ 운반비 산출
　　　－ 근거 : 표준품셈 제10장 기계화시공 10-5 굴삭기

$$Q = \frac{60 \times q \times k \times f \times E}{cm}$$

※ 단위중량 : $1.6톤/m^3$　　☞ 건설공사 표준품셈 제1장 적용기준
　　　　　　　　　　　　　　　1-10 재료의 단위중량 참조

Q = 시간당 작업량(m^3/hr)
f = 토량환산계수
E = 작업효율
cm = 1회 싸이클 시간(분)

(1) 적재시간(t_1) : 적재방법에 따라 산출한다(백호우로 적재 경우)

$$t_1 = \frac{Cms \times n}{60 \times Es} = \frac{20 \times 29.76}{60 \times 0.7} = \frac{595.2}{42} = \underline{14.17분}$$

건설공사 표준품셈

제8장 건설기계
8-1 적용기준 8-1-3 운반 및 수송('10, '17년 보완)
7. 운반기계의 유류 산정
트럭 또는 기타 운반기계로 기자재를 운반할 경우 <u>적재 또는 적하에 소요되는 시간이 10분을 초과할 때는 적재 또는 적하를 제외한 시간의 유류만을 계상한다.</u>

Cms[적재기계(굴삭기)의 1회 싸이클타임] = <u>20sec</u>

건설공사 표준품셈

규격(m^3)	각도(도)	사이클시간(sec)			
		45	90	135	180
0.12 ~ 0.40		13	15	18	20
<u>0.60 ~ 0.80</u>		16	18	<u>20</u>	22

$$n = \frac{q}{q_1 \times K} = \frac{18.75m^3}{0.7 \times 0.9} = \underline{29.76회}$$

n : 덤프트럭 1대의 토량을 적재하는데 적재기계의 싸이클 횟수
q : 덤프트럭 1대의 적재토량
q_1 : 적재기계의 덤프 또는 버킷용량 = $0.7m^3$(굴삭기)
K : 굴삭기 버킷계수 = 0.9(버킷에 가득 채울 수 있는 모래, 보통토)

$$q = \frac{T}{rt} \times L$$

q = 흐트러진 상태의 덤프트럭 1회 적재량(m^3)
T = 덤프트럭 적재용량
rt = 자연상태 토석의 단위중량

건설공사 표준품셈

제1장 적용기준
1-3 자재 1-3-3 재료의 단위 중량
재료의 단위중량은 입경, 습윤도 등에 따라 달라지므로 시험에 의하여 결정하여야 하며, 일반적인 추정 단위중량은 다음과 같다.

종별	형상	단위	중량	비고
자갈	건조	m^3	1,600~1,800	자연상태
	습기	〃	1,700~1,800	〃
	포화	〃	1,800~1,900	〃
모래	건조	〃	1,500~1,700	〃
	습기	〃	1,700~1,800	〃
	포화	〃	1,800~2,000	〃
점토	건조	〃	1,200~1,700	〃
	습기	〃	1,700~1,800	〃
	포화	〃	1,800~1,900	〃
점질토	보통의 것	〃	1,500~1,700	〃
	력이 섞인 것	〃	1,600~1,800	〃
	력이 섞이고 습한 것	〃	1,900~2,100	〃
모래질 흙		〃	1,700~1,900	〃
:	:	:	:	:

L = 체적변화율(흐트러진 상태)

$$\therefore q = \frac{T}{rt} \times L = \frac{덤프\ 24톤}{흙중량\ 1.6톤/m^3} \times 1.25 = 18.75m^3$$

E : 작업효율

건설공사 표준품셈

적재기계(굴삭기 : $0.7m^3$) 작업효율(E)

토질명 \ 현장조건	자연상태			흐트러진상태		
	양호	보통	불량	양호	보통	불량
모래, 사질토	0.85	0.70	0.55	0.90	0.75	0.6
자갈섞인 흙, 점성토	0.75	0.60	0.45	0.80	0.65	0.5

(2) 왕복시간 $t_2 = (\dfrac{주행\ 거리}{적재\ 시\ 속도} + \dfrac{주행\ 거리}{공차\ 시\ 속도}) \times 60분$

왕복시간 $t_2 = [(\dfrac{10}{30} + \dfrac{10}{35}) + (\dfrac{11}{45} + \dfrac{11}{50}) + (\dfrac{21}{45} + \dfrac{21}{50})] \times 60분$

$= 118.17분(왕복시간)$

(3) 적하시간 $t_3 =$ 적하시간 0.80분(모래, 력, 호박돌토질의 작업조건 보통)

건설공사 표준품셈

제8장 건설기계

8-2 시공능력 8-2-8 덤프트럭('17년 보완)

4. 적하시간(t_3)

적재한 토량을 내리는데 소요되는 시간으로 차례를 기다리는 시간이 포함된다.

토질	작업조건(분)		
	양호	보통	불량
모래, 역, 호박돌	0.5	0.8	1.1
점질토, 점토	0.6	1.05	1.5

[주] ① 양호 : 사토장이 넓고 정지된 상태에서 일시에 적하하는 경우
② 보통 : 사토장이 넓으나 움직이는 상태에서 적하하는 경우
③ 불량 : 사토장이 넓지 않고 천천히 움직이는 상태에서 적하하는 경우

---

(4) 적재 장소에 도착한 때로부터 적재작업이 시작될 때까지의 시간(t_4)

$t_4 =$ 대기시간 0.42분(보통 : 적재 장소가 넓지는 않으나 목적 장소에 불편 없이 진입할 수 있을 때)

건설공사 표준품셈

제8장 건설기계

8-2 시공능력 8-2-8 덤프트럭('17년 보완)

5. 적재장소에 도착한 때로부터 적재작업이 시작될 때까지의 시간(t_4)
   가. 적재장소가 넓어서 트럭이 자유로이 목적장소에 진입할 수 있을 때 … 0.15분
   나. 적재장소가 넓지는 않으나 목적장소에 불편없이 진입할 수 있을 때 … 0.42분
   다. 적재장소가 좁아서 목적장소에 진입하는데 불편을 느낄 때 …………… 0.70분

---

(5) 적재함 덮개 설치 및 해체시간(t_5)

$t_5 =$ 덮개시간 0.50분(자동 덮개시설 경우)

건설공사 표준품셈

제8장 건설기계

8-2 시공능력 8-2-8 덤프트럭('17년 보완)

6. 적재함 덮개 설치 및 해체시간(t_5)

구분	인력에 의한 경우	자동 덮개시설의 경우
시간(분)	3.77	0.5

$$Cm = t_1+t_2+t_3+t_4+t_5 = 14.17+118.17+0.8+0.42+0.5 = 134.06분$$

〈시간당 작업량〉

$$Q = \frac{60 \times q \times f \times E}{cm}$$

| f(토량환산계수) = 1/L = 1/1.25 = 0.8 |
| E(덤프트럭 작업효율 : 상수) = 0.9 |

$$Q = \frac{60 \times 18.75 \times 0.8 \times 0.9}{134.06} = \frac{810}{134.06} = 6.04 m^3$$

재료비 : $\underline{57,559원}$ / 6.04 × $\underline{(119.89/134.06)}$ = 9,529원/m^3

※ 적재시간(14.17분)이 10분을 초과하여 적재시간 공제

☞ $\underline{119.89}$ = $t_2+t_3+t_4+t_5$ = 118.17+0.8+0.42+0.5

제8장 건설기계 8-1 적용기준 8-1-3 운반 및 수송('10, '17년 보완)

7. 운반기계의 유류산정

트럭 또는 기타 운반기계로 기자재를 운반할 경우 적재 또는 적하에 소요되는 시간이 10분을 초과할 때는 적재 소요되는 시간이 10분을 초과할 때에는 적재또는 적하를 제외한 시간의 유류만을 계상한다.

노 무 비 : $\underline{48,811원}$ / 6.04   = 8,081원/㎥
경   비 : $\underline{30,953원}$ / 6.04   = 5,124원/㎥
    계   :   = 22,734원/㎥

□ 중기명 : 덤프트럭 24톤　　　　분류코드 : 0602-0240
○ 재료비
　주 연 료 : $\underline{23.0 \ell}$ × $\underline{1,813.49원(경유)}$　　= 41,710원
　잡 재 료 : $\underline{38.0\%}$ × 41,710원　　　　　= 15,849원
　소　계　　　　　　　　　　　　　= 57,559원

건설공사 표준품셈

제11장 기계 경비 산정

11-3 운전경비 산정(08년 보완, 09년 보완, 10년 보완)

분류번호	기계명	규격	주연료(ℓ/hr)	잡재료(주연료의 %)	조종원(인/월)
0602-0240	덤프트럭	24	23.0	38	1

○ 노무비
　조종원(건설기계운전기사) 1인×243,295원×(1/8)×(16/12)×(25/20) = $\underline{48,811원}$

※ 운전사등 상시고용시 노임계산 적용기준 : 백호우 노무비 적용기준 참조

○ 경　　비(손료) = 시간당손료×(10^{-7}) 건설기계 가격
　덤프트럭(손료)= $\underline{2,229 \times 10^{-7} \times 136,759,000}$　　= 30,483원
　덤프덮개(손료)= $\underline{2,684 \times 10^{-7} \times 1,754,000}$　　= 470원
　계　　　　　　　　　　　　　　= 30,953원

> **건설공사 표준품셈**

제8장 건설기계
8-1 적용기준 8-1-5 기계 경비 용어와 정의
4. 건설기계 가격
    가. 건설기계 가격은 국산기계는 공장도 가격(원)으로 도입기계는 달러화($)로 표시하고 연도초 최초로 외국환 은행이 고시하는 환율(외국환거래법에 의한 기준환율 또는 재정환율)을 적용 시행한다. 단, 3% 이상의 증감이 있을 때에는 건설기계 가격을 조정할 수 있다.
    나. 건설기계 가격을 원화로 환산할 경우에는 1,000원 미만은 절사한다.

제11장 기계경비 산정
11-2 손료 산정
(0602) 덤프트럭

분류 번호	규격 (m³)	내용 시간	연간표준 가동시간	상각 비율	정비 비율	연간 관리 비율	시간당(10-7)			
							상각비 계수	정비비 계수	관리비 계수	계
0602-0240	24	10,000	1,250	0.9	0.65	0.14	900	650	679	2,229

(0610) 덤프덮개

분류 번호	규격 (m³)	내용 시간	연간표준 가동시간	상각 비율	정비 비율	연간 관리 비율	시간당(10-7)			
							상각비 계수	정비비 계수	관리비 계수	계
0610-0240	24	8,000	1,250	0.9	0.85	0.10	1,125	1,063	496	2,684

11-4 건설기계 가격표

기종	분류번호	가격	
		(천원)	$
덤프트럭	0620-0240	135,919	
덤프트럭자동덮개시설	0610-0240	1,734	

3 원가계산서(설계내역서)

(단위 : 원)

공종	규격	단위	수량	재료비		노무비		경비		합계		비고
				단가	금액	단가	금액	단가	금액	단가	금액	
1) 터 파 기	BH0.7	m³	3,690	565	2,084,850	1,076	3,970,440	496	1,830,240	2,137	7,885,530	
2) 되메우기	BH0.7	m³	2,690	538	1,447,220	1,025	2,757,250	472	1,269,680	2,035	5,474,150	
3) 잔토운반	DT24톤	m³	1,000	0	0	0	0	22,734	22,734,000	22,734	22,734,000	
4) 합판거푸집	6회	m²	4,000	15,159	60,636,000	31,644	126,576,000			46,803	187,212,000	
5) 레미콘타설		m³	1,000	78,436	78,436,000	52,986	52,986,000			131,422	131,422,000	
소 계					142,604,070		186,289,690		25,833,920		354,727,680	

> **有權解釋**
>
> **제목 1** 예정가격 작성요령중 공사원가계산 시 기계경비를 비목별 구분 적용 여부
>
> **회신내용(2014.05.26.)**
> 안전행정부 예규 지방자치단체 입찰 및 계약집행기준 제2장 제5절 제3관 "6-다-3"에서 기계경비는 관계 중앙행정기관의 장이나 그가 지정하는 단체에서 제정한 품셈의 건설기계의 경비 산정기준에 따른 비용을 말한다고 규정하고 있음으로, 건설기계의 관련 사항의 합계액으로 계상하는 것이 타당할 것으로 사료됩니다.
>
> **제목 2** 기계경비 원가계상 방법(비목별 구분적용 여부) 질의
>
> **회신내용**
> 안전행정부 예규 지방자치단체 입찰 및 계약집행기준 제2장 제5절 제3관 "6-다-3"에서 기계 경비는 관계 중앙행정기관의 장이나 그가 지정하는 단체에서 제정한 품셈의 건설기계의 경비 산정기준에 따른 비용을 말한다고 규정하고 있음으로, 건설기계의 관련 사항의 합계액으로 계상하는 것이 타당할 것으로 사료됩니다.
>
> **제목 3** 원가계산시 기계 경비 계상
>
> **회신내용(조달청 2014.03.23)**
> 국가기관이 공사계약을 체결하기 위하여 원가계산에 의한 예정가격을 작성할 때에는 계약예규 예정가격 작성기준 제3절의 규정을 따르는 것으로, 기계 경비는 그 규정 제19조 제3항 제3호에서 정한 것과 같이 "각 중앙관서의 장 또는 그가 지정하는 단체에서 제정한 표준품셈상의 건설기계의 경비 산정기준에 의한 비용을 말하는 것이므로,
> 만일 표준품셈에서 기계손료(상각비, 정비비, 관리비), 운전경비(연료비, 운전사 급여) 및 수송비의 합계액으로 한다."라고 되어있다면 예정가격을 작성할 때 기계 경비는 기계손료(상각비, 정비비, 관리비), 운전경비(연료비, 운전사 급여) 및 수송비의 합계액으로 계상하여야 할 것으로 보입니다.

4 직접공사비

공사명 : 무근콘크리트기초 설치공사

(단위 : 원)

공 종	규격	단위	수량	재료비		노무비		경 비		합 계		비고
				단가	금액	단가	금액	단가	금액	단가	금액	
무근콘크리트 기초설치	1m×1m ×1m	식	1		142,604,070		186,289,690		25,833,920		354,727,680	
소 계												

5 최종공사비 산정(공사원가계산서)

- 공사명 : 무근콘크리트기초 설치공사

〈토목공사, 공사기간 : 6개월, 일반건설(갑), 전문건설업〉

공 종	규격	수량	단위	재 료 비 단가	재 료 비 금액	노 무 비 단가	노 무 비 금액	경 비 단가	경 비 금액	합 계 단가	합 계 금액	비고
1.토 공		1	식									
콘크리트설치		1	식		142,604,070		186,289,690		25,833,920		354,727,680	
순공사비계					142,604,070		186,289,690		25,833,920		354,727,680	
2.간접노무비		13.7	%	직접노무비 × 13.7%							25,521,687	
3.전력비,수도광열비												당해공사미해당
4.운반비												당해공사미해당
5.기계경비												당해공사미해당
6.특허권사용료												당해공사미해당
7.기술료												당해공사미해당
8.연구개발비												당해공사미해당
9.품질관리비												당해공사미해당
10.가설비												당해공사미해당
11.지급임차료												당해공사미해당
12.산재보험료		3.70	%	(직접노무비+간접노무비)×3.70%							7,837,020	
13.고용보험료		1.01	%	(직접노무비+간접노무비)×1.01%							2,139,294	
14.건강보험료		3.545	%	직접노무비 × 3.43%							6,603,969	
15.노인장기요양보험료		12.81	%	건강보험료 × 11.52%							845,968	
16.연금보험료		4.50	%	직접노무비 × 4.50%							8,383,036	
17.복리후생비												당해공사미해당
18.보관비												당해공사미해당
19.외주가공비												당해공사미해당
20.산업안전보건관리비		2.93	%	○ 도급자 관급 미포함 : (재료비+직접노무비)×요율 =(재료비+직접노무비)×2.93% =(142,604,070+186,289,690)×2.93%=9,636,587 ○ 도급자 관급포함 : a, b중 작은 금액 적용 a. (재료비+직접노무비+도급자 관급비)×요율 b. (재료비+직접노무비)×요율×1.2							7,741,152	2천만원이상대상
21.소모품비												당해공사미해당
22.여비교통통신비												당해공사미해당
23.세금과 공과												당해공사미해당
24.폐기물처리비												당해공사미해당
25.도서인쇄비												당해공사미해당
26.지급수수료												당해공사미해당
27.환경보전비		0.8	%	(재료비+직접노무비+산출경비)×0.80%							2,837,821	
28.보상비												당해공사미해당
29.안전관리비												당해공사미해당
30.건설근로자퇴직공제 부금비		2.30	%	직접노무비 × 2.30%							4,284,662	추정금액3억이상
31.관급자재관리비												당해공사미해당
32.하도급대금지급보증서발급수수료												전문건설발주시 제외
33.공사이행보증수수료												추정가격300억이상
34.건설기계대여금지급보증서발급금액		0.1	%	(재료비+직접노무비+산출경비)×0.1%							354,727	
35.그 밖의 법정경비		8.4	%	(재료비+직접노무비+간접노무비)×8.4%							29,797,125	
소 계(1~35)											451,074,141	
36.일반관리비		6.0	%	(순공사비계+1~35)×6.0%							27,064,448	
소계												478,138,589	
37.이윤		15	%	(소계-재료비)×15.00%							50,321,411	
38.공급가액												528,460,000	
39.부가가치세		10	%	공급가액의 10%							52,846,000	
40.도급금액												581,306,000	
41.관급자재비		1	식								0	
42.이설비												0	
43.총공사비												581,306,000	

관급자재 내역서

공 종	규 격	수량	단위	재료비 단가	재료비 금액	노무비 단가	노무비 금액	경비 단가	경비 금액	합계 단가	합계 금액	비고
1. 관급자재대												
레미콘	25-18-80	1,020	m³									조달청 미계약으로 사급 조치
이하생략												
계												
2. 조달수수료												
조달수수료	0.54%	1	식									
총 계												

6 공종별목적물물량내역서(굵은 선만 해당)

– 공사명 : 무근콘크리트기초 설치공사

(단위 : 원)

공 종	규 격	단위	수량	재료비 단가	재료비 금액	노무비 단가	노무비 금액	경비 단가	경비 금액	합계 단가	합계 금액	비고
무근콘크리트기초설치	1m×1m×1m	개	1,000									
소 계												

7 설계예산서

과장	팀장	심사자	설계자	설계	년	월 일	결재
				심사	년	월 일	월일

설 계 예 산 서

공 사 명 : 무근콘크리트기초 설치공사

구분		금액	비고
총 공사비		일금오억팔천일백삼십만육천원정(₩581,306,000)	
도급비	공 급 가 액	일금오억이천팔백사십육만원정(₩528,460,000)	도급비 금액은 천원단위 이하 생략 (건설공사 표준품셈 제1장 적용기준 참조)
	부가가치세	일금오천이백팔십사육천원정(₩52,846,000)	
	계	일금오억팔천일백삼십만육천원정(₩581,306,000)	
관급자재비		–	
이 전 비		–	

○ 공사개요
 1. 콘크리트(1.0m×1.0m×1.0m) 1,000개소